ফেলুদা২সমগ্র

সত্যজিৎ রায়

ফেলুদা ২ সমগ্র

আনন্দ

প্রথম সংস্করণ জানুয়ারি ২০০৫
উনবিংশ মুদ্রণ ফেব্রুয়ারি ২০২৬

অলংকরণ সত্যজিৎ রায়, সমীর সরকার, সুব্রত গঙ্গোপাধ্যায়,
অভিজিৎ চট্টোপাধ্যায়

ISBN 9789388014014 (print)
দুই খণ্ডের সংগ্রহ ISBN 9788177564808 (set)

প্রকাশক: আনন্দ পাবলিশার্স প্রাইভেট লিমিটেড
হেড অফিস: ৯, প্রফুল্ল সরকার স্ট্রিট, কলকাতা ৭০০০০১
রেজিস্টার্ড অফিস: ৪৫, বেনিয়াটোলা লেন, কলকাতা ৭০০ ০০৯

CIN: U22121WB1957PTC023534

মুদ্রক: বসু মুদ্রণ, ১৯এ সিকদার বাগান স্ট্রিট
কলকাতা ৭০০ ০০৪

FELUDA SAMAGRA: Vol. II
[Detective]
by
Satyajit Ray
Published by Ananda Publishers Private Limited
45, Beniatola Lane, Calcutta 700009

ফেলুচাঁদ

লীলা মজুমদার

ফেলুদার গল্প যারা পড়েনি, তারা ঠকেছে! ভাল জিনিস উপভোগ না-করতে পারার দুঃখ আর কিছুতে নেই। মূল বাংলা ভাষায় যারা পড়তে পাবে না, তাদের জন্য অন্তত পাঁচটা ভারতীয় ভাষা এবং চারটে বিদেশি ভাষায় ফেলুদা-কাহিনী অনুবাদ হয়েছে বলে জানি, এ বড় সুখের কথা! অবিশ্যি নিরক্ষর লোকেরাও দুনিয়া জুড়ে গোয়েন্দা ফেলু মিত্তিরকে চেনে, ড্যাবড্যাব করে সিনেমায় দেখতে পায় বলে। লেখক নিজেই ফেলুদার দুটো খাসা গল্প নিয়ে জমজমাট চলচ্চিত্র বানিয়েছেন। জানিস, ফেলুদার মগজের ক্যারামতিতে মুগ্ধ হয়ে, আড়ালে ওঁকে আমি ফেলুচাঁদ বলে ডাকি!

ফেলুদার গল্প-উপন্যাসগুলো লেখা হয়েছে তোপ্‌সের জবানিতে, যার বয়েস ১৯৬৫ সালে ছিল সাড়ে তেরো, তারপর ২৬ বছরে (ফেলুচাঁদের শেষ উপাখ্যান 'রবার্টসনের রুবি' লেখা হয়েছে ১৯৯১ সালে) পাঁচ বছরও বাড়েনি! ফেলুদার বয়েস বেড়েছে টেনেটুনে আট বছর! ২৭ থেকে ৩৫, এই অবধি হিসেব পাচ্ছি। মোট কথা, তোপ্‌সে তার জ্যাঠতুতো দাদা গোয়েন্দা ফেলু মিত্তিরের চিরকেলে সহকারী, বেশিরভাগ রহস্য অভিযানের সঙ্গী। আজকাল (মানে গত ৩০ বছরে) ওই বয়েসের চৌকোস বাঙালি ছেলেরা যে আটপৌরে ভাষায় কথা বলে, সেই চাঁচাছোলা বাংলাতেই তোপ্‌সে লিখেছে দুর্দান্ত সব ফেলুদা-কাহিনী। কোথাও কোনও আড়ষ্টতা নেই। ন্যাকামি নেই, বোকামো নেই। গল্প-জুড়ে ছবির পর ছবি ফুটে ওঠে, সিনেমায় যেমন হয়! ওঁর বাপ্‌-পিতেমোর মতো, সত্যজিৎ রায়ের সোনার কলমেও যে বে-পরোয়া জাদু থাকবে, তাতে আর আশ্চর্য কী!

গোয়েন্দা ফেলুদার অ্যাডভেঞ্চারে তৃতীয় যে মানুষটা অপরিহার্য, তাঁর নাম লালমোহন গাঙ্গুলী— 'জটায়ু' ছদ্মনামে তিনি লোম-খাড়া-রহস্য-উপন্যাস লেখেন। তাঁর মজাদার হাবভাব আর বোকামি-ভরা সরস কথাবার্তার মধ্যেও, সোনার মতো ঝকঝকে একটা সরল মন দিব্যি প্রকাশ হয়ে পড়ে। আহা, মাটির পৃথিবীতে এমন খাঁটি বন্ধু ক'জনের জোটে?

গল্পের রাজ্যে সত্যি-মিথ্যে বলে কিছু নেই। যদিও মন-গড়া জিনিস যতটা নিখুঁত হয়, বাস্তবে সেটা মুশকিল! তবু ফেলুচাঁদের সব বানানো গল্পই সত্যি। পুরোপুরি কাল্পনিক, এমনকী বাস্তবে মোটেও ঘটে না —এমন সব বিষয়বস্তুকেও সত্যজিৎ তাঁর উপস্থাপনার গুণে, কেমন একটা বিশ্বাসযোগ্য আর বাস্তবানুগ রূপ দিয়েছেন। অবিশ্যি দুনিয়ার সব বানানো গল্পই সত্যি। আমার গল্পেও যা-কিছু পড়েছিস, তার মধ্যে কিছু ঘটেছে, কিছু হয়তো ঘটেনি। কিন্তু ঘটতেই পারে। না ঘটলেও, কিচ্ছু এসে যায় না!

ফেলুদার গল্প-উপন্যাসে যে-সব অকুস্থলে রহস্য পেকে উঠেছে, সে-সমস্ত জায়গার বর্ণনা নিখুঁত। কোথাও কোনও ইতিহাস-ভূগোল-বিজ্ঞানের এতটুকু ভুল-চুক চোখে পড়ে না। সব বয়েসের পাঠকরাই ফেলুচাঁদের পাঠশালায় শেখা যাবতীয় বিদ্যেবুদ্ধি সটাং বই থেকে তুলে,

নিজের জীবনে যেমন খুশি কাজে লাগাতে পারে। বরং না-লাগালেই ঠকতে হবে। ওরে, ফেলুদার গল্পে কোথাও কোনও আলগা ভাব নেই, বাহুল্য নেই। সব ক'টা চরিত্র ন্যায্য কারণে এসেছে। ছেঁটে ফেললে কিছু যায়-আসে না— এমন একটাও দৃশ্য নেই কোথাও। বাড়তি একটা শব্দ খুঁজতে হলেও, সেই গোলমেলে কেসটা ফেলুদাকেই দিতে হবে।

ফেলুদার গল্পগুলো কাল্পনিক এবং মৌলিক। কোথাও একটুও বাড়াবাড়ি নেই। বিদেশি হেঁসেল থেকে কিছু হাতানো হয়নি। জোর করে পাঠকদের ওপর কিছু চাপিয়ে দেবার চেষ্টা নেই। মেকি জিনিস বা গোঁজামিল নেই। চালাকি নেই। পাঠকদের চমকে দেবার কোনও উদ্দেশ্য চোখে পড়ে না। এমনকী সব ঘটনাই মনে হয় স্বাভাবিক। হয়তো মাঝে-মধ্যে কিছু দৈব ঘটনা আছে, কিন্তু সে-সব তো যে-কোনও লোকের জীবনে ঘটতেই পারে!

অবিশ্যি গোয়েন্দা ফেলু মিত্তির ও তাঁর সহকারীকে মাঝে মাঝে যেন একটু অন্য জগতের লোক বলে মালুম হয়। পৌরাণিক কাহিনীর নায়কদের মতোই ফেলুচাঁদ সর্বদা স্ব-মহিমায় হাজির! তাঁর সেই দৈব প্রশান্তি কখনওই টসকায় না, কিছুতেই হারিয়ে যেতে দেখি না। গল্পের গোড়ায় মাঝে মাঝে তিনি নিজেকেই একটা জমজমাট রহস্যের আড়ালে লুকিয়ে রাখলেও, শেষকালে অবশ্যই সাফল্যের ঝলমলে মুকুট পরে 'জয় বাবা ফেলুনাথ' হয়ে ওঠেন। আবার কখনও ফেলুচাঁদের রকমসকমের রহস্যময়তা যেন খোদ অপরাধীর চালচলনকে ছাপিয়ে যায়। সাংঘাতিক সেই প্যাঁচে পড়ে, দুষ্কৃতকারীর খোঁজ পাবার জন্য হা-পিত্যেশ উত্তেজনায় ছটফট করে সব-বয়েসি পাঠক! চুল টুল খাড়া, গায়ের রক্ত হিম, দম আটকে আসে! ব্যস, চান-খাওয়া মাথায় উঠল!

এমনকী স্রেফ মৌনতা দিয়ে নিজের সন্দেহজনক আচরণের দিকে আমাদের নজর ঘুরিয়ে রেখে, অবশেষে ফেলুদা যথেষ্ট বিশ্বাসজনকভাবে ফাস করে দেন যাবতীয় রহস্য-জাল। তাঁর সব তদন্তের গলিঘুঁচি, চড়াই-উৎরাই বা গোলকধাঁধা পেরিয়ে, ফেলুদা সবসময়েই (একমাত্র চন্দননগরের সেই জোড়া-খুনের কেসটা বাদে) পৌঁছে গেছেন সফলতার গন্তব্যে। কোনও কিছুতেই ফেলুদাকে ক্লান্ত হতে দেখি না। কোনও বাধাই ফেলুদার কাছে বড় হয়ে দেখা দেয় না। দিলেই-বা, খচমচ করে সেটা টপকাতে কতক্ষণ! মূল বাংলা ও ইংরিজিতে লেখা, কিংবা এই দুই ভাষার জানলা দিয়ে এখনকার পৃথিবীর আরও যে-সব ভাষার গোয়েন্দাদের দেখা পেয়েছি, নিশ্চিন্তে বলতে পারি— ফেলুচাঁদকে তুড়ি মেরে উড়িয়ে দেবার সাধ্যি কারও নেই!

ফেলুদার একমাত্র খুঁত হচ্ছে থেকে থেকেই সিগারেট ধরানো! সারাক্ষণ অমন চারমিনার ফুঁকতে দেখলে, মাঝে মাঝে আমি ভারী চটে যাই। অবিশ্যি আরও বিটকেল নেশা ছিল বিলেতের সেই মস্ত গোয়েন্দা শার্লক হোমস-এর— ছ্যা-ছ্যা, ইঞ্জেকশনের সূঁচ! ফেলুদার সঙ্গে হোমস-এর আবছা একটা মিলও দেখতে পাই। দু'জনেরই চরিত্রের মধ্যে কোনও দুর্বলতা বা অহমিকা নেই। কখনও নিজেদের জাহির করার চেষ্টা করেনি। দু'জনেরই এতটুকু দোষ চোখে পড়ে না, যা কিংবদন্তির নায়কদেরও বেমালুম পতন ডেকে আনে। লালমোহনবাবু পরম বন্ধু বলেই, নানা ব্যাপারে তাঁকে টিটকিরি দেন ফেলুদা, বারে বারে তাঁর ভুল শুধরে দেন— ওটা কিছু দোষের জিনিস নয়, খুব স্বাভাবিক। ওটা খাঁটি বন্ধুত্বের টান! লালমোহনবাবুকে আড়ালে টিটকিরি দিলে বুঝতাম, ফেলুদা লোকটা কিঞ্চিৎ ইয়ে!

তবে ফেলুদার উপাখ্যানে এন্তার গুণ থাকা সত্ত্বেও, এমন কিছু অবাস্তবতা আছে— যেমন দেখা যায় গড়ে-তোলা কোনও শিল্প-কর্মে। বাস্তব জগৎ আর রোজকার জীবনের ঢিলে-ঢালা ভাব এবং ভুল-চুককে বেমালুম এড়ানো হয়েছে বলে, ফেলুদার গল্পে কোথাও কোথাও অবাস্তব না-লেগে উপায় কী! ফেলুচাঁদ সারাক্ষণ বড় বেশি ফিটফাট, বড্ড (একেবারে শতকরা ১০০ ভাগ) সচেতন লোক! ৩৫টা গল্প-উপন্যাসে ফেলুদার গোটা গোয়েন্দা-জীবন জুড়ে, কোথাও

লোকটার এক ঝিলিক বোকামিরও আঁচ খুঁজে পাই না। এক অতিমানবের মতোই তিনি চির-অপরাজেয়! এমনকী তোপ্‌সেও আমার চেনা-জানা আর-পাঁচজন ওই বয়েসের চৌকোস ছেলের চাইতে একদম আলাদা। একটু বেশি বিজ্ঞ, একটু বেশি সংযত। অমন কাঁচা বয়েসে যে চাপল্য বা উচ্ছ্বাস থাকার কথা, সেটা একটুও দেখতে পাই না কেন? এক যদি না জিবে-জল-আনা খাবারের থালা সামনে এসে পড়ে!

ফেলুচাঁদের গল্প-উপন্যাসে আর-একটা ব্যাপারও কেমন যেন ঠেকে! হ্যাঁ-গা, গোয়েন্দা ও তাঁর সহকারীর আত্মীয়-পরিজনদের দেখি না কেন? এমনকী খলনায়কদের বাড়িতেও চাকর-বাকর ছাড়া কেউ নেই! ফেলুদা ও তোপ্‌সের আত্মীয়-বন্ধুরা ওঁদের চারপাশে ঘিরে থাকলে, পাঠকদের বেজায় আহ্লাদ হত এমনকী তাতে গোয়েন্দাগিরিরও সুখ-সুবিধে ঢের বেড়ে যেত। অথচ আসল মজা বা টইটম্বুর রসটা, মোটেই টসকে যাবার সুযোগ নেই! ফেলুদা না-হয় ছোটবেলায় বাপ-মা হারিয়েছে, তোপ্‌সের মা-বাবারা গেল কোথায়? দু'জনেরই ঠামু-দিদু, মামা-কাকা, মাসি-পিসি কেউ নেই?

আমাদের রোজকার জীবনের চেনা-জানা মানুষদের মতো দুর্বলতা, অহংভাব আর দোষে-গুণে মেশানো একজন দারুণ মানুষকে ফেলুদা-কাহিনীতে পেলে, আমরা অবিশ্যি গলে যাই! তিনি হলেন রহস্য-রোমাঞ্চ গল্প-লেখক, ফেলুদার একমাত্র বন্ধু, ওঁদের প্রায় সব তদন্তের কাজে নিত্যসঙ্গী লালমোহন গাঙ্গুলী বা জটায়ু। রহস্যের ঘটনাটা ও মগজের ব্যায়ামের ফাঁকে ফাঁকে, অনাবিল হাসি ও সরসতার আশ্চর্য সিং-দরজাটা খুলে দেয় লালমোহনবাবুর অতি সাবলীল উপস্থিতি! জটায়ু যতই বাস্তব-চরিত্র হোক-না-কেন, আমাদের চারপাশের ঝলমলে জীবনে ফেলুদা বা তোপ্‌সের চাইতেও বিরল মানুষ তিনি। লালমোহনবাবুর মতো মানুষ যত বাড়বে, পৃথিবীটা তত বেশি বাসযোগ্য হয়ে উঠবে। অমন অননুকরণীয় বাচনভঙ্গি, চাঁচাছোলা মেলামেশার প্যাটার্ন, ও রকম খাঁটি বন্ধুত্ব— আমাদের পানসে জীবনে নুন মিশিয়ে দেয়। মনে রাখিস, খাবার-দাবারে যেমন, তেমনি পার্থিব জীবনে বেঁচে-থাকাটাও স্রেফ আলুনি হয়ে গেলে মহা মুশকিল! ব্যাপারটা মোটেই সুখের নয়। নুনের চেষ্টা করো।

আর-একটা কথা। সরসতা মানে খেলো ঠাট্টা বা ছেঁদো রসিকতা নয়। সরসতা গভীর জিনিস। তারি মধ্যে গোটা জীবন-দর্শন ধরা থাকে। হাসি হচ্ছে দুনিয়া দেখার একটা ঢং। রঙ্গরস করতে গেলে, বিশ্বব্রহ্মাণ্ডের কাছে নিজেকে বিলিয়ে দিতে হয়। রোজকার জীবনের তলায় তলায় সরসতা বা হাসির যে স্রোত বইছে, পাথরটা সরিয়ে, তার মুখটা খুলে দিতে হয়। ভুলে যাস না, বাস্তব জগতে হাসির জিনিস বলে কিছু নেই। হাসি থাকে মানুষের চোখে, মনে, বুকের ভেতরে। আর কোথাও না। কী জন্যে কোন মানুষ হাসে, তাই দেখে ওই লোকটার মনের যতটা নাগাল পাওয়া যায়, আর-কোনও তদন্তে সেটা সম্ভব না। মোট কথা, তেড়ে-ফুড়ে লাগলে আকাট মুখ্যু ছেলেও মহা পণ্ডিত হতে পারে। কিন্তু সরসতা কাউকে শেখানো যায় না। সত্যজিতের মতো খাঁটি রসের ভাণ্ডটা নিয়ে জন্মাতে হয়।

ও-হ্যাঁ, বলতে ভুলে যাচ্ছিলাম, স্রেফ বেয়ারা ও মোটর-গাড়ির ড্রাইভার ছাড়া, লালমোহনবাবুর জীবনেও আর-কেউ নেই কেন? ভাগ্যিস ফেলুদা ও তোপ্‌সের সঙ্গে রক্তের সম্পর্ক গজাল, না-হলে লালমোহনবাবুর মতো ফুর্তিবাজ মানুষের বেঁচে-থাকাটা আলুনি হয়ে যেত!

সন্দেশ 'ফেলুদা ৩০' বিশেষ সংখ্যা (অগ্রহায়ণ ১৪০২)

সূচিপত্র

•

হত্যাপুরী

ডুংরুর কথা

ডুংরু পাশেই শিশির ভেজা ঘাসের উপর বাজনাটা রেখে শুধু-গলায় গান ধরল। ওর কান ভাল, তাই দুদিন শুনেই তুলে নিয়েছে গানটা। হনুমান ফটকের বাইরে বসে যে ভিখিরি গানটা গায়, সে অবিশ্যি সঙ্গে সঙ্গে বাজনাও বাজায়। তাই ডুংরুর শখ হয়েছিল সেও বাজাবে। এই বাজনাটা সবজিওয়ালা শ্যাম গুরুঙের। ডুংরু একবেলার জন্য চেয়ে এনে রেখে দিয়েছে তিনদিন। ছড় টেনে সুর বার করা যে এত শক্ত তা কি ও জানত ?

ডুংরু গলা ছাড়ল। সামনে ভুট্টা খেতের ওপরে দুটো মোষ আর কয়েকটা ছাগল ছাড়া কাছে-পিঠে কেউ নেই। ডুংরুর ঠিক পিছনেই খাড়া পাহাড়, তার নীচে একটা বাদাম গাছ, তারই ঠিক সামনে ডুংরুর বসার ঢিবি। ওই যে দূরে ইটের তৈরি টালির ছাতওয়ালা দোতলা বাড়ি, ওটা ডুংরুদের বাড়ি। ভুট্টার খেতটাও ওদের। উত্তরে কুয়াশায় আবছা পাহাড়ের পিছনে তিনটে বরফে ঢাকা পাহাড়ের মধ্যে যেটার চুড়ো মাছের লেজের মতো দু ভাগ হয়ে গেছে, যেটার নাম মাচ্ছাপুছরে, সেটার ডগা এখন গোলাপি।

প্রথম দুটো লাইন গাইবার পর তিনের মাথায় যেখানে সুরটা চড়ে, সেখানে আসতেই আকাশ ভাঙল। গুড় গুড় শব্দটা শুনেই ডুংরু এক লাফে পাঁচ হাত পাশে সরে গিয়েছিল, নইলে ওই হাতির মাথার মতো পাথরটা বাজনাটার সঙ্গে সঙ্গে ওকেও থেঁতলে দিত।

ওরে বাবা ! ওটা কী—বাদামগাছটার মাথা ফুঁড়ে সেটাকে তছনছ করে একরাশ ডালপালা খুবলে নিয়ে মাটিতে এসে মুখ থুবড়ে পড়ল ওটা কী ?

একটা মানুষ।

না, একটা বাবু।

মাথায় রক্ত, থুতনিতে রক্ত, একটা পা হাঁটুর কাছ থেকে দুমড়ে আছে যেন খড়ের পুতুল। লোকটা মরে গেছে কি ?

না, ওই যে মাথাটা নড়ল।

ডুংরুর ধাঁ করে মনে পড়ে গেল ওদের কথা। ওই পুবের গমের খেতটা পেরিয়ে রাস্তার ওপারে পাহাড়ের গায়ে ঝরনার ধারে তাঁবু ফেলে যে চারজন আছে—যাদের দাড়ির দিকে অবাক হয়ে চেয়ে থাকে ডুংরু, কারণ ওর নিজের বাপ খুড়ো দাদু মামা মেসো কারু দাড়ি নেই—যদি কেউ কিছু করতে পারে তো ওরাই পারবে। ওরা চেনে ডুংরুকে। ডুংরু ওদের গান শুনিয়েছে, খেত থেকে ভুট্টা নিয়ে গিয়ে দিয়েছে, ওরা ডুংরুকে পয়সা দিয়েছে—এক টাকা, দু টাকা, একদিন পাঁচ টাকা।

ডুংরু দিল ছুট।

'হাই, হাই—কাম, জো, কাম !'

'হোয়াটস আপ ?'

ডুংরু জিভ বার করে মাথা চিতিয়ে চোখ উলটিয়ে দেখিয়ে দিল। এরা বুঝল। এ ভাষা সকলেই বোঝে।

'গো !—জিপ, জিপ !—গো !'

এদের জিপের গায়ে রামধনুর রং। এমন গাড়ি ডুংরু দেখেনি কখনও। অনেক গাড়ি সে দেখেছে বড় রাস্তা দিয়ে পোখরার দিকে যেতে।

জো, মার্ক, ডেনিস আর ব্রুস উঠে পড়ল জিপে। ডুংরুকে তুলে নিল সঙ্গে। একটা কিছু হয়েছে ; দেখা দরকার।

হ্যাঁ, হয়েছেই বটে।

জাম্পিং জেহোশাফ্যাট ! সর্বনাশের মাথায় বাড়ি !

চারজনে ঝুঁকে পড়ল লোকটার উপর। মার্ক মিনেসোটায় ডাক্তারি পড়া ছেড়ে দিয়ে চলে এসেছে নেপালে।

বেহুঁশ রক্তাক্ত লোকটাকে ধরাধরি করে তুলল ওরা জিপে।

হাসপাতাল কাঠমাণ্ডুতে। এখান থেকে তেত্রিশ কিলোমিটার।

১

মানুষের হাতে যে রেখাটাকে বিলিতি মতে হেডলাইন বা বুদ্ধির রেখা বলে, ফেলুদার যে সেটা আশ্চর্যরকম লম্বা আর স্পষ্ট, সেটা আমি জানি। ফেলুদাকে জিজ্ঞেস করলে বলে ও পামিস্ট্রিতে বিশ্বাস করে না, অথচ পামিস্ট্রির বই ওর আছে, আর সে বই ওকে পড়তেও দেখেছি। একবার এটাও দেখেছি—ফেলুদা ওর মার্কামারা একপেশে হাসিটা হেসে লালমোহনবাবুকে ওর বুদ্ধির রেখাটা দেখাচ্ছে। লালমোহনবাবু অবিশ্যি এ সব ষোলো আনা বিশ্বাস করেন। তাই ফেলুদার হেডলাইনের বহর দেখে দুবার চাপা গলায় 'অ্যামেজিং' কথাটা বলেছিলেন, আর মিনিটখানেক পরে কথার ফাঁকে নিজের ডান হাতের মুঠো খুলে চোখ নামিয়ে রেখাগুলোর দিকে দেখে একটা দীর্ঘশ্বাস ফেলেছিলেন।

হাত দেখে মোটামুটি অতীত-ভবিষ্যৎ বলতে আমার ছোট কাকাই পারেন। এমনকী মুখ দেখে ভাগ্য বলে দেবার ক্ষমতাও কারুর কারুর আছে বলে শুনেছি। কিন্তু কোনও লোকের কপালের ঠিক মধ্যিখানে কড়ে আঙুলের ডগা ঠেকিয়ে রেখে চোখ বুজে সেই লোকের ভাগ্য গণনার ক্ষমতা যে কারুর থাকতে পারে, সেটা এই পুরী এসে প্রথম শুনলাম।

কলকাতায় লোডশেডিং-এ নাজেহাল অবস্থা, তার উপর একটানা গরম চলেছে একশো দশ ডিগ্রি। ছাপাখানায় লোডশেডিং-এর জন্য রহস্য-রোমাঞ্চ ঔপন্যাসিক লালমোহন গাঙ্গুলী ওরফে জটায়ুর নতুন উপন্যাস বৈশাখে বেরোতে পারেনি। ভদ্রলোকের আরও আপশোস এই জন্য যে, এটা ওঁর প্রথম ভৌতিক উপন্যাস। ফেলুদাই ওঁকে বলেছিল যে মোমবাতির আলোয় রহস্য-কাহিনীর চেয়ে ভূতের গল্প জমবে বেশি। সত্যি বলতে কী, 'পিঠাপুরমের পিশাচ' গল্পের আইডিয়াটা ফেলুদাই জটায়ুকে দিয়েছিল। কিন্তু সে বই সময় মতো বেরোল না দেখে লালমোহনবাবু রীতিমতো খাপ্পা হয়ে এক রোববারের সকালে আমাদের বাড়িতে এসে বললেন, 'নাঃ, এ শহরে আর থাকা চলবে না। আর শুনেচেন তো স্কাইল্যাবের ব্যাপার ?'

স্কাইল্যাব কলকাতায় পড়বে এ খবর কোথাও বেরোয়নি, কিন্তু লালমোহনবাবুর দৃঢ় বিশ্বাস কলকাতার উপর শনির দৃষ্টি পড়েছে, তাই স্কাইল্যাবের একটা বড় অংশ এখানে না পড়ে যায় না।

ফেলুদাকে দেখেছি ও প্রায় যে কোনও অবস্থার সঙ্গে নিজেকে মানিয়ে চলতে পারে। ওয়েটিং রুমে জায়গা না পেলে প্ল্যাটফর্মে চাদর বিছিয়ে শুয়ে দিব্যি ঘুমিয়ে রাত কাটাতে দেখেছি

কতবার। বালিশও লাগে না—হাত ভাঁজ করে তার উপর মাথা। কিন্তু বাড়িতে বিছানায় শুয়ে ঘণ্টাখানেক না পড়লে যার ঘুম আসে না, তার পক্ষে সেই অভ্যাসটা বন্ধ হয়ে গেলে আর কতদিন মাথা ঠিক রাখা যায়? বই পড়া ছেড়ে কিছুদিন তাস নিয়ে হাত সাফাই অভ্যেস করল। তারপর কিছুদিন মুখে মুখে লিমেরিক বানাল, তার একটা লালমোহনবাবুকে নিয়ে—

বুঝে দেখ জটায়ুর কলমের জোর
ঘুরে গেছে রহস্য কাহিনীর মোড়
থোড় বড়ি খাড়া
লিখে তাড়াতাড়া
এইবারে লিখেছেন খাড়া বড়ি থোড়।

এটা অবিশ্যি জটায়ুকে বলা হয়নি, আর এই লিমেরিক লেখাও বেশিদিন চলেনি। ভাবলে মনে হয়, শহরে রাত্তিরে বাতি না থাকলে হয়তো খুন-রাহাজানি অনেক বাড়বে; কিন্তু দুঃখের বিষয় গত তিন মাসে ফেলুদার কোনও কেস জোটেনি, আর ক্রাইমও যা হয়েছে, সেগুলোর কিনারা পুলিশেই করেছে।

তাই বোধহয় ফেলুদা লালমোহনবাবুর কথায় সায় দিয়ে বলল, 'সত্যি, কল্লোলিনী তিলোত্তমা বড় জ্বালাচ্ছে। শারীরিক অস্বাচ্ছন্দ্যটা মেনে নেওয়া যায়, কিন্তু ক্রমাগত কাজের ব্যাঘাত, পড়াশুনার ব্যাঘাত, মশার কামড়ে চিন্তার ব্যাঘাত—এগুলো বরদাস্ত করা কঠিন।'

'উড়িষ্যাতে তো একসেস্ তাই না?'

লালমোহনবাবুর এই প্রশ্ন থেকে এল পুরীর কথা, আর পুরী থেকে এল সি-বিচের কাছে নতুন তৈরি নীলাচল হোটেলের কথা, যার মালিক শ্যামলাল বারিক লালমোহনবাবুর বাড়িওয়ালা সুধাকান্তবাবুর ক্লাস-ফ্রেন্ড।

কিন্তু তা হলে কী হবে? সুধাকান্তবাবু খোঁজ নিয়ে জানলেন জুনের মাঝামাঝির আগে ঘর পাওয়া যাবে না।

তাতেও অবিশ্যি আমরা পেছপা হইনি। জুনের মধ্যে কলকাতার অবস্থার উন্নতির কোনও আশা নেই। একুশে জুন আমরা পুরী এক্সপ্রেসে দিয়ে দিলাম রওনা। একবার কথা হয়েছিল যে লালমোহনবাবুর অ্যাম্বাসাডরে যাওয়া হবে, শেষে ভদ্রলোক নিজেই 'এই সময়টায় লং জার্নিতে মাঝপথে ঝড়বাদল হলে ফ্যাসাদ হতে পারে মশাই' বলে পিছিয়ে গেলেন। গাড়ি যাবে, তবে সেটা ড্রাইভার হরিপদবাবু নিয়ে যাবেন; আমাদের একদিন পরে পৌঁছবে। পুরী ছাড়াও আরও দু-একটা জায়গা ঘুরে দেখার ইচ্ছে আছে, সেটা নিজেদের গাড়ি থাকলে সুবিধে হবে।

ট্রেনের ঘটনার মধ্যে একটাই লেখার মতো। আমাদের ফোর-বার্থ কামরার একটা আপার বার্থে একজন ভদ্রলোক ছিলেন যিনি সিগারেট খাচ্ছিলেন একটা হোল্ডারে যেটা ফেলুদা বলল সোনার। যে লাইটারে সিগারেট ধরাচ্ছিলেন সেটা নাকি গোল্ড-প্লেটেড, আর তার দাম নাকি তিন হাজার টাকা। যে কেস থেকে সিগারেট বার করলেন সেটা সোনার, চশমা সোনার, শার্টের কাফ-লিংকস সোনার। দুহাত মিলিয়ে তিনটে আংটি সোনার, আর ওপর থেকে পা ঝুলিয়ে নীচে নামতে গিয়ে লালমোহনবাবুর কাঁধে বুড়ো আঙুল লাগাতে যখন হেসে 'সরি' বললেন, তখন দেখলাম একটা দাঁত সোনার। পুরী স্টেশনে নেমে কুলির মাথায় জিনিস তুলে ভদ্রলোকটি যখন ভিড়ের মধ্যে মিলিয়ে গেলেন, তখন লালমোহনবাবু বললেন, 'ইস, এমন সোনায় মোড়া ভদ্রলোকটির নামটা জিজ্ঞেস করা হল না।' ফেলুদা বলল, 'সেটা জানার একটা সহজ উপায় ছিল। কামরার বাইরে রিজারভেশন চার্ট টাঙানো ছিল হাওড়া থেকেই। ভদ্রলোকের নাম এম. এল. হিঙ্গোরানি।'

২

নীলাচল হোটেলে একবেলা থেকেই সেটাকে সিক্স-স্টার হোটেল বলে ঘোষণা করলেন লালমোহনবাবু। ফেলুদা বলল, 'হোটেলে সুইমিং পুল না থাকলে সেটা পাঁচ তারার পর্যায়ে ওঠে না; আর পাঁচের উপর রেটিং নেই। আপনি কি দুশো গজ দূরে ওই সমুদ্রটাকে নীলাচলের নিজস্ব সাঁতারের চৌবাচ্চা বলে ধরছেন? তা হলে অবিশ্যি আপনার রেটিং-এ ভুল নেই।'

আসলে দুপুরে খাওয়াটা বেশ ভাল হয়েছিল। লালমোহনবাবুকে লোভী বলা চলে না, তবে তিনি রসিক খাইয়ে তাতে সন্দেহ নেই। বললেন, 'কাঁচকলার কোফতা এত উপাদেয় হয় জানা ছিল না মশাই। এদের কুকিং-এর জবাব নেই। তা ছাড়া তকতকে বেডরুম-বাথরুম, সদালাপী ম্যানেজার, ইনস্ট্যান্ট পাখা-বাতি, সমুদ্রের নৈকট্য—সিক্স-স্টার বলব না কেন মশাই?'

পুরনো হলে কী হবে জানি না, নতুন অবস্থায় হোটেলটা সত্যিই বেশ ভাল। ফেলুদা আর আমি দোতলায় একটা ডাবলরুমে আছি, পাশের ডাবল রুমটা লালমোহনবাবু গড়িয়াহাটার এক কাপড়ের দোকানের মালিকের সঙ্গে শেয়ার করে আছেন। ম্যানেজার শ্যামলাল বারিকের সঙ্গে আলাপ হয়েছে, বলেছেন সন্ধ্যাবেলা একটু ফাঁক পেলেই আমাদের ঘরে আসবেন।

হোটেলের গেট থেকে বেরিয়ে ডান দিকে মিনিটখানেক গেলেই পায়ের তলায় বালি শুরু হয়ে যায়। আমি শেষ পুরী এসেছি যখন আমার বয়স পাঁচ বছর। ফেলুদা বছর দুয়েক আগে রাউরকেল্লা এসেছিল একটা কেসে, তখন উড়িষ্যার অনেক জায়গাই দেখে গেছে, পুরী তো বটেই। কেবল লালমোহনবাবু বললে বিশ্বাস করা কঠিন—এই প্রথম নাকি পুরী এলেন। আমরা অবাক ভাব দেখানোয় উনি বললেন, 'আরে মশাই, কলকাতার ভেতরেই কত কী আছে এখনও দেখলুম না, আর পুরী! ভাবতে পারেন, আমার বাড়ির তিন মাইলের মধ্যে জৈন টেম্পল; জন্মে অবধি নাম শুনে আসছি, এখনও চোখে দেখিনি।'

সমুদ্র দেখে লালমোহনবাবু যে কবিতাটা আবৃত্তি করলেন সেটা আমি কক্ষনও শুনিনি। জিজ্ঞাসা করতে বললেন সেটা বৈকুণ্ঠনাথ মল্লিকের লেখা। তিনি নাকি এথেনিয়াম ইনস্টিটিউশনের বাংলার মাস্টার ছিলেন। লালমোহনবাবু যখন ক্লাস সেভেনে পড়েন, তখন নাকি এই কবিতাটা আবৃত্তি করে প্রাইজ পেয়েছিলেন। বললেন শেষের দুটো লাইন নাকি পার্টিকুলারলি ভাল—'আরেকবার মন দিয়ে শোনো তপেশ, তা হলেই বিউটিটা ধরতে পারবে—

'অসীমের ডাক শুনি কল্লোল মর্মরে
এক পায়ে খাড়া থাকি একা বালুচরে।'

ফেলুদা মন্তব্য করল, 'কবি নিশ্চয়ই এখানে নিজেকে সারসের সঙ্গে আইডেন্টিফাই করছেন, কারণ এই ঝোড়ো বাতাসে বালির উপর মানুষের পক্ষে এক পায়ে খাড়া থাকা চাট্টিখানি কথা নয়। যাই হোক, এবার বলুন তো বালির উপর ওই ছাপগুলোর কোনও বিশেষ তাৎপর্য আছে কি না।'

বালির উপর দিয়ে কেউ হেঁটে গেছে পুব থেকে পশ্চিমে। জুতোর ছাপের সঙ্গে সঙ্গে আরেকটা ছাপ চলেছে, সেটা নিশ্চয়ই লাঠি। লালমোহনবাবু বেশ কিছুক্ষণ ছাপগুলোর দিকে চেয়ে থেকে বললেন, 'জুতো অ্যান্ড লাঠি সেটা তো বোঝাই যাচ্ছে, তবে বিশেষ তাৎপর্য...'

'তোপ্‌সে, তোর কী মনে হয়?'

আমি বললাম, 'লোকে তো সাধারণত ডান হাতে লাঠি ধরে। এখানে দেখছি ছাপটা বাঁ দিকে।'

ফেলুদা আমার পিঠে একটা চাপড় মেরে দিল, যার মানে সাবাস। তারপর বলল, 'ভদ্রলোক ন্যাটা হলে আশ্চর্য হব না।'

আমরা যেখানটায় এসে দাঁড়িয়েছি সেখানে লোক বলতে তিনটে নুলিয়ার বাচ্চা, তার মধ্যে একটা কাঁকড়া ধরছে, আর দুটো ঝিনুক কুড়োচ্ছে। ভিড়টা আরম্ভ হয় আরও এগিয়ে গিয়ে, যেখানে কাছাকাছির মধ্যে বেশ কয়েকটা বাঙালি হোটেল রয়েছে। আমরা আরও এগিয়ে যাব যাব করছি, এমন সময় পিছন থেকে ডাক এল।

'মিস্টার গাঙ্গুলী!'

ঘুরে দেখি জটায়ুর রুমমেট, সেই দোকানের মালিক। গোলগাল হাসিখুশি মিশুকে লোক, আলাপ হতে জানলাম নাম শ্রীনিবাস সোম, দোকানের নাম হেমাঙ্গিনী স্টোর্স, হেমাঙ্গিনী ভদ্রলোকের মায়ের নাম।

'যাইবেন না?' ভদ্রলোক লালমোহনবাবুকে জিজ্ঞেস করলেন। 'ছয়টায় টাইম দিসে কিন্তু।'

লালমোহনবাবু কিছুক্ষণ থেকেই মাঝে মাঝে পিছন ফিরে দেখছিলেন ; এবার কারণটা বুঝলাম। কিন্তু-কিন্তু ভাব করে ফেলুদার দিকে চেয়ে বললেন, 'আপনি তো বোধহয় নট ইন্টারেস্টেড তাই আপনাকে জোর করব না।'

'ব্যাপারটা কী ?'

'ইয়ে, ইনি এক আশ্চর্য গণকের কথা বলছিলেন। কপালে আঙুল রেখে ভাগ্য বলে দেন।'

'কার কপালে ?'

'যার ভাগ্য বলছেন তার, ন্যাচারেলি।'

'কপালের লিখন পড়তে পারেন বলছেন ?'

'শুনে তো তাই মনে হচ্ছে।'

ফেলুদা অবিশ্যি কপালের লেখা পড়াতে রাজি হল না। তাও আমরা দুজনে গণৎকারের বাড়ি অবধি গেলাম ওঁদের সঙ্গে। গণৎকারের বাড়ি বলাটা অবিশ্যি ঠিক হল না ; একটা তিনতলা বাড়ির একতলার দুটো ঘর নিয়ে থাকেন ভদ্রলোক। সমুদ্রের ধার দিয়ে সোজা পুবদিকে নুলিয়া বস্তি লক্ষ্য রেখে গিয়ে যেখানে চেঞ্জারদের ভিড় পাতলা হয়ে এসেছে, সেখানে বাঁয়ে বালির চড়াই উঠে ত্রিশ চল্লিশ গজ গেলে বালিতে বসা একটা পোড়ো বাড়ির কিছুটা দূরেই এই তিনতলা বাড়িটা। গেটের একদিকে শ্বেত পাথরের ফলকে লেখা 'সাগরিকা,' অন্যদিকে 'ডি. জি. সেন'। পুরনো ধাঁচের হলেও, বেশ বাহারের বাড়ি। গেট দিয়ে ঢুকে একটা মাঝারি বাগানও আছে।

'মালিক থাকেন ওই তিনতলার ঘরে,' বললেন শ্রীনিবাস সোম, 'আর একতলার বারান্দার পিছনে ওই যে দরজা, ওইটা হইল লক্ষ্মণ ভট্টাচার্যের ঘর।'

গণৎকারের নামটা এই প্রথম শুনলাম। বারান্দায় যে আট-দশজন লোক দাঁড়িয়ে আছে, তারাও যে গণৎকারের কাছেই এসেছে তাতে কোনও সন্দেহ নেই।

লালমোহনবাবু 'জয় গুরু' বলে সোম মশাইয়ের সঙ্গে গেট দিয়ে ঢুকে গেলেন।

* * *

'কপাল কী বলছে ?' ফেলুদা জিজ্ঞেস করল। লালমোহনবাবু ভীষণ উত্তেজিতভাবে এইমাত্র ঢুকেছেন আমাদের ঘরে।—'অবিশ্বাস্য, অলৌকিক, অসামান্য!' বললেন ভদ্রলোক,—'সাড়ে সাতে হুপিং কফ, আঠারোয় আছাড়ে পড়ে মালাই চাকি ডিসলোকেশন, প্রথম উপন্যাস, স্পেকট্যাকুলার পপুলারিটি, সামনের বই কটা এডিশন হবে—সব গড় গড় করে বলে দিলেন।'

'স্কাইল্যাব মাথায় পড়বে কি না বলেছে ?'

'ঠাট্টাই করুন আর যাই করুন মশাই, আপনাকে একবারটি ধরে নিয়ে যাবই। আর, ইয়ে, বলেছেন আমার বন্ধুভাগ্য ভাল। শুধু তাই নয়, বন্ধুর চেহারার ডেসক্রিপশনও দিলেন।'

'আর বন্ধুর পেশা ?'

'বলেছেন বন্ধু মেধাবী, কর্মঠ, অনুসন্ধিৎসু, গভীর পর্যবেক্ষণ-শক্তিসম্পন্ন ব্যক্তি। মিলছে ? আর কী চাই ?'

'মে আই কাম ইন ?'

হোটেলের ম্যানেজার শ্যামলাল বারিক ঘরে ঢুকতেই সুগন্ধি জর্দার গন্ধে ঘর ভরে

গেল। —'আসুন।' পানের ডিবে খুলে এগিয়ে দিলেন আমাদের দিকে। আমরা ইতস্তত করছি দেখে আশ্বাস দিলেন যে এ পানে জর্দা নেই।

ফেলুদা একটা পান মুখে পুরে চারমিনারের প্যাকেটটা পকেট থেকে বার করে বলল, 'আচ্ছা, এই ডি. জি. সেন ভদ্রলোকটির পুরো নামটা কী ?'

'দেখেছেন !' বলে উঠলেন লালমোহনবাবু, 'ওঁর বাড়ি থেকেই ঘুরে এলুম, অথচ ওঁর পুরো নামটা জেনে এলুম না। দোলগোবিন্দ নয় তো ?'

আমি জানি, ভদ্রলোকের 'পিঠাপুরমের পিশাচ' বইতে একটা আধপাগলা চরিত্র আছে যার নাম দোলগোবিন্দ দত্ত রায়।

শ্যামলালবাবু হেসে বললেন, 'মাপ করবেন মশাই, ওঁর পুরো নাম আমারও জানা নেই। কেউই জানেন কি না সন্দেহ। সবাই ডি. জি. সেন বলেই বলেন। এমনকী 'ডিজিবাবু'ও বলতে শুনেছি কাউকে কাউকে।'

'বেশি মেশেন-টেশেন না বুঝি ?'

'গোড়ায় তবু এখানে সেখানে দেখা যেত। গত বছর সিকিম না ভুটান কোথায় যেন গিয়েছিলেন ; মাস ছয়েক হল ফিরে একেবারে গুটিয়ে নিয়েছেন নিজেকে।'

'কেন, সেটা জানেন ?'

শ্যামলালবাবু মাথা নাড়লেন।

'বাড়িটা কি ওঁরই তৈরি ?' ফেলুদা জিজ্ঞেস করল।

'না। ওঁর বাপের। বাপের পরিচয় দিলে হয়তো চিনতে পারেন। সেন পারফিউমারস-এর নাম শুনেছেন তো ?'

'হ্যাঁ, হ্যাঁ—কিন্তু সে ব্যবসা তো উঠে গেছে অনেককাল। 'এস. এন. সেন'স সেনসেশন্যাল এসেনসেজ—সেই সেন তো ?'

'ঠিক বলেছেন। ইনি ওই এস. এন. সেনের ছেলে। জোর ব্যবসা ছিল। কলকাতায় তিনটে বাড়ি, মধুপুরে একটা, পুরীতে একটা। ভদ্রলোক মারা যাবার পর ব্যবসা আর বেশিদিন টেকেনি। দুই ছেলের মধ্যে সম্পত্তি ভাগ করে দেন উইল করে। ডি. জি. সেন বোধহয় ছোট ছেলে ; তিনি এই বাড়িটা পান। দুই ছেলের কেউই ব্যবসায় যায়নি। ইনি এককালে চাকরি-টাকরি করে থাকতে পারেন, এখন আর্ট নিয়ে আছেন।'

'আর্ট ?' ফেলুদার হঠাৎ কী যেন মনে পড়েছে। 'এনারই কি পুঁথির কালেকশন ?'

আমাদের সিধু জ্যাঠার কাছে পুঁথি দেখেছি আমি। তিনশো বছরের পুরনো তিনটে পুঁথি আছে ওঁর কাছে। ছাপাখানার আগের যুগে বই লেখা হত হাতে ; তাকেই বলে পুঁথি। সবচেয়ে পুরনো কালে একরকম গাছের ছাল সরু লম্বা করে কেটে তাতে লেখা হত, তাকে বলত ভুর্জিপত্র, তারপরে তালপাতা আর কাগজে লেখা হত। সিধু জ্যাঠা বলে পুঁথি জিনিসটা যে আমাদের আর্টের একটা বড় অঙ্গ, সেটা অনেকেই মনে রাখে না।

শ্যামলালবাবু বললেন, 'পুঁথি নিয়েই তো আছেন। দেশ-বিদেশ থেকে লোক এসে ওঁর পুঁথি দেখে যায়।'

'ভদ্রলোকের ছেলেপিলে নেই ?'

'একটি ছেলে তো মাঝে মাঝে আসত, বউকে নিয়ে। অনেককাল দেখিনি। ভদ্রলোক নিজেই এসেছেন বছর তিনেক হল। নিজে থাকেন তিনতলায় ; একাই থাকেন। বিপত্নীক। এক তলায় কিছুকাল থেকে এক পার্মানেন্ট বাসিন্দা এসে রয়েছেন, এক গণৎকার ; দোতলাটা সিজনে ভাড়া দেন। এখন রয়েছে সস্ত্রীক এক রিটায়ার্ড জজ সাহেব।'

'হুঁ...'

ফেলুদা ফুরিয়ে যাওয়া চারমিনারটা অ্যাশট্রেতে ফেলে দিল।

'আপনার কি আলাপ করার ইচ্ছে?' শ্যামলালবাবু জিজ্ঞেস করলেন।—'ভারী পিকিউলিয়ার লোক কিন্তু; ফস করে কারুর সঙ্গে দেখা করতে চান না। অবিশ্যি আপনার যদি পুঁথিতে ইন্টারেস্ট থাকে, তা হলে—'

'ইন্টারেস্ট কেন থাকবে না; সেই সঙ্গে কিছুটা জ্ঞানও তো থাকা চাই। একটু হোমওয়ার্ক না করে এসব লোকের সঙ্গে দেখা করার কোনও মানে হয় না।'

'কোনও চিন্তা নেই,' বললেন শ্যামলালবাবু, 'যতীশ কানুনগোর বাড়ি আমার এই হোটেল থেকে পাঁচ মিনিটের হাঁটা পথ। র‍্যাভেনশ কলেজের প্রোফেসর ছিলেন, এখন রিটায়ার করেছেন। জানেন না এমন বিষয় নেই। ওঁর সঙ্গে দেখা করুন, আপনার হোমওয়ার্ক হয়ে যাবে।'

৩

ফেলুদা যে সত্যিই পরদিন ভোরে উঠে টেলিফোনে অ্যাপয়েন্টমেন্ট করে তক্ষুনি প্রোফেসর কানুনগোর সঙ্গে দেখা করতে চলে যাবে, সেটা আমি ভাবিনি। আমার ইচ্ছা ছিল আজ সমুদ্রে স্নান করব; ও থাকলে একজন সঙ্গী জুটত, কারণ লালমোহনবাবুকে বলাতে উনি আমার কাঁধে হাত রেখে বললেন, 'দেখো তপেশ, তোমাদের বয়সে রেগুলার সাঁতার কেটেছি। আমার বাটারফ্লাই স্ট্রোক দেখে লোকে ক্ল্যাপ পর্যন্ত দিয়েছে। কিন্তু হেদো আর বে অফ বেঙ্গল এক জিনিস নয় ভাই। আর পুরীর ঢেউ বড় ট্রেচারস। বোম্বাই-এর সমুদ্র হলে দ্বিধা করতুম না।'

সত্যি বলতে কী, আজকের দিনটা স্নানের পক্ষে খুব সুবিধের নয়। সারা রাত টিপটিপ করে বৃষ্টি পড়েছে, এখনও মেঘলা আর গুমোট হয়ে রয়েছে। তাই শেষ পর্যন্ত ঠিক হল স্নানটা না হয় ফেলুদার সঙ্গেই করা যাবে, আজ শুধু একটু বিচে হেঁটে আসব। সাতটার মধ্যেই চা-ডিম-রুটি খেয়ে আমরা দুজন বেরিয়ে পড়লাম। লালমোহনবাবুর কাল রাত থেকেই বেশ খুশি-খুশি ভাব; মনে হয় লক্ষ্মণ গণৎকারই তার জন্য দায়ী।

বিচে এসে দেখি খাঁ খাঁ। এই দিনে এত সকালে কে আর আসবে? দূরে জলে দু-তিনটে নুলিয়াদের নৌকো দেখা যাচ্ছে। তবে কালকের সেই নুলিয়া বাচ্চাগুলো নেই। তার বদলে কয়েকটা কাক রয়েছে, ঢেউ-এর জল সরে গেলেই তিড়িং তিড়িং করে এগিয়ে গিয়ে ফেনায় ঠোকর দিয়ে কী যেন খাচ্ছে, আবার ঢেউ এলেই তিড়িং তিড়িং করে পিছিয়ে আসছে।

দুজনে ভিজে বালির উপর দিয়ে হাঁটছি, এমন সময় লালমোহনবাবু বললেন, 'সি-বিচে শুয়ে রোদ পোয়ানোর বাতিক আছে সাহেব-মেমদের এটা শুনিচি, কিন্তু মেঘ-পোয়ানোর কথা তো শুনিনি!'

আমি জানি কথাটা কেন বললেন ভদ্রলোক। একজন লোক চিত হয়ে শুয়ে আছে বালির উপর, হাত পঞ্চাশেক দূরে। বাঁয়ে যেখানে বিচ শেষ হয়ে পাড় উঠে গেছে, সেই দিকটায়। আরেকটু বাঁয়ে শুলেই লোকটা একটা ঝোপড়ার আড়ালে পড়ে যেত।

'কেমন ইয়ে মনে হচ্ছে না?'

আমি জবাব না দিয়ে পা চালিয়ে এগিয়ে গেলাম। খটকা লেগেছে আমারও।

দশ হাত দূর থেকেও মনে হয় লোকটা ঘুমোচ্ছে, কিন্তু আরেকটু এগোতেই বুঝলাম তার চোখ দুটো খোলা আর মাথার কোঁকড়ানো ঘন চুলের পাশে বালির উপর চাপ-বাঁধা রক্ত।

সত্যজিৎ রায়

পুরু গোঁফ, ঘন ভুরু, রং বেশ ফরসা, গায়ে ছাইরঙের সুতির কোট, সাদা প্যান্ট আর নীল স্ট্রাইপ্‌ড শার্ট। জুতো আছে, মোজা নেই। ডান হাতের কড়ে আঙুলে একটা নীল পাথর-বসানো আংটি, হাতের নখ কাটা হয়নি অন্তত এক মাস। কোটের বুক পকেট ফুলে উঁচু হয়ে আছে ; মনে হয় কাগজপত্তর আছে। ভীষণ ইচ্ছে হচ্ছিল কাগজগুলো বার করে দেখতে, কারণ পুলিশ তাই করবে, আর তা হলে হয়তো লোকটা কে তা জানা যাবে।

'ডোন্ট টাচ,' বললেন লালমোহনবাবু, যদিও সেটা বলার কোনও প্রয়োজন ছিল না। ফেলুদার সঙ্গে থেকে এসব আমার জানা আছে।

'আমরাই তো ফার্স্ট ?' বললেন লালমোহনবাবু। ভদ্রলোক পকেটে হাত ঢুকিয়ে রেখেছেন, যেন কিছুই হয়নি এমন ভাব, কিন্তু গলার স্বরে বোঝা যায় ওঁর তালু শুকিয়ে গেছে।

আমি বললাম, 'তাই তো মনে হচ্ছে।'

ভদ্রলোক আবার বিড়বিড় করে বললেন, 'যাক, তা হলে আমরাই ডিসকাভার করলুম।'

আমি থ ভাবটা কাটিয়ে নিয়ে বললাম, 'চলুন, রিপোর্ট করতে হবে।'

'ইয়েস ইয়েস—রিপোর্ট।'

পাঁচ মিনিটের মধ্যে হোটেলে ফিরে এলাম। ইতিমধ্যে ফেলুদা হাজির।—'পাপোশে যখন পা না মুছেই ঢুকলেন, এবং ঘরের মেঝেতে ছটাক খানেক বালি ছড়ালেন, তখন বেশ বুঝতে পারছি আপনি সবিশেষ উত্তেজিত,' কফি হাতে খাটে বসে ফেলুদা লালমোহনবাবুকে উদ্দেশ করে বলল।

লালমোহনবাবু ঘটনায় রং চড়াতে গিয়ে দেরি করে ফেলবেন বলে আমি দু-কথায় ব্যাপারটা বলে দিলাম। এক মিনিটের মধ্যে ফেলুদা নিজেই ফোন করে থানায় খবরটা দিয়ে দিল। ওই ভাবে সংক্ষেপে গুছিয়ে আমি বলতে পারতাম না, লালমোহনবাবু তো নয়ই।

খুন সম্পর্কে ফেলুদা শুধু একটাই প্রশ্ন করল—

'লোকটার পাশে কোনও অস্ত্র পড়ে থাকতে দেখেছিলি, পিস্তল-টিস্তল ?'

'না, ফেলুদা।'

'তবে বাঙালি নয়, এ বিষয়ে আমি ডেফিনিট,' বললেন লালমোহনবাবু।

'কেন বলছেন ?' ফেলুদা জিজ্ঞেস করল।

'জোড়া ভুরু,' ভয়ংকর কনফিডেন্‌সের সঙ্গে বললেন জটায়ু—'বাঙালিদের হয় না। আর ওরকম চোয়ালও হয় না। বাজরার রুটি আর গোস্ত্‌ খাওয়া চোয়াল। যদ্দূর মনে হয় বুন্দেলখন্দের লোক।'

ফেলুদা যে ইতিমধ্যে ডি. জি. সেনের সঙ্গে অ্যাপয়েন্টমেন্ট করে ফেলেছে সে কথা এতক্ষণ বলেনি। সাড়ে আটটায় টাইম দিয়েছেন তাঁর সেক্রেটারি, আর বলেছেন পনেরো মিনিটের বেশি থাকা চলবে না। আমরা পনেরো মিনিট হাতে নিয়ে বেরিয়ে পড়লাম।

এবারে বিচে পৌঁছে দূর থেকেই বুঝলাম যে লাশের পাশে বেশ ভিড়। খবর এতক্ষণে ছড়িয়ে পড়েছে, পুরীর সমুদ্রতটে এভাবে এর আগে খুন হয়েছে কি না সন্দেহ।

আমি জানতাম যে এখানকার থানার কিছু অফিসারের সঙ্গে রাউরকেল্লার কেসটার সময় ফেলুদার আলাপ হয়েছিল। যিনি ফেলুদাকে দেখে হেসে হাত বাড়িয়ে এগিয়ে এলেন তিনি শুনলাম সাব-ইনস্পেক্টর মৃত্যুঞ্জয় মহাপাত্র।

'এবার কী, ছুটি ভোগ ?' মহাপাত্র জিজ্ঞেস করলেন।

'সেই রকমই তো বাসনা,' বলল ফেলুদা। 'কে খুন হল ?'

'স্থানীয় লোক নয় বলেই তো মনে হচ্ছে। নাম দেখছি রূপচাঁদ সিং।'

'কীসে পেলেন ?'

'ড্রাইভিং লাইসেন্স।'

'কোথাকার ?'

'নেপাল।'

পুরু চশমা পরা একজন বাঙালি ভদ্রলোক পুলিশের ফোটোগ্রাফারকে ঠেলে সরিয়ে এগিয়ে এসে বললেন, 'আমি লোকটাকে দেখেছি। কাল বিকেলে স্বর্গদ্বার রোডে একটা চায়ের দোকানের বাইরে বসে চা খাচ্ছিল। আমি পান কিনছিলাম পাশের দোকান থেকে ; লোকটা আমার কাছ থেকে দেশলাই চেয়ে নিয়ে সিগারেট ধরায়।'

'মরল কীভাবে ?' ফেলুদা মহাপাত্রকে জিজ্ঞেস করল।

'রিভলভার বলেই তো মনে হচ্ছে। তবে ওয়েপন পাওয়া যায়নি। এইটে দেখতে পারেন, লাইসেনসের ভিতর গোঁজা ছিল।'

ভদ্রলোক একটা মাঝারি সাইজের ভিজিটিং কার্ড ফেলুদার দিকে এগিয়ে দিলেন। একদিকে কাঠমাণ্ডুর একটা দরজির দোকানের নাম-ঠিকানা, অন্যদিকে বেশ কাঁচা হাতে ইংরিজিতে লেখা—'এ. কে. সরকার, ১৪ মেহের আলি রোড, ক্যালকাটা।' বানান ভুলগুলোর কথা আর বললাম না।

ফেলুদা কার্ডটা ফেরত দিয়ে বলল, 'ইন্টারেস্টিং ফ্যাকরা যদি বেরোয় তো জানাবেন। আমরা নীলাচল হোটেলে আছি।'

আমরা লাশ পিছনে ফেলে এগিয়ে গেলাম।

কাল যে বাড়িটাকে দেখে আমরা তারিফ না করে পারিনি, আজ মেঘলা দিনে সেটা যেন মেদা মেরে গেছে, ভেতরে যাবার জন্য আর হাতছানি দিয়ে ডাকছে না।

গেটের বাইরে একজন লোক দাঁড়িয়ে, বয়স পঁচিশের বেশি না, দেখলে মনে হয় চাকর, সে আমাদের দিকে এগিয়ে এসে বলল, 'মিত্রবাবু ?'

ফেলুদা এগিয়ে গেল।—'আমিই মিত্রবাবু ?'

'আসুন ভিতরে।'

বাগানটাকে দুভাগে চিরে একটা নুড়ি-ফেলা পথ বারান্দার দিকে চলে গেছে। দেখলাম সেটা আমাদের পথ নয়। তিনতলায় যেতে হলে বাড়ির বাঁ পাশ দিয়ে গলির মধ্য দিয়ে যেতে হয়, কারণ তিন তলার দরজা আর সিঁড়ি বাড়ির পিছন দিকে। গলির মাঝামাঝি এসে লালমোহনবাবু হঠাৎ 'হিঁক' শব্দ করে তিন হাত পিছিয়ে গিয়েছিলেন, তার কারণ মাটিতে পড়ে থাকা একটা সরু লম্বা সাদা কাগজের ফালি। লালমোহনবাবু সেটাকে সাপ মনে করেছিলেন।

সিঁড়ির সামনে গিয়ে চাকর আমাদের ছেড়ে দিল, কারণ ওপর থেকে একটি ভদ্রলোক নেমে এসেছেন।

'মিস্টার মিত্র ? আসুন আমার সঙ্গে।'

ফেলুদাকে চিনেছেন নাকি ? মুখের হাসি তো তাই বলছে। ভদ্রলোকের চোখে মাইনাস পাওয়ারের চশমা, গায়ের চামড়া বলছে বয়স পঁয়ত্রিশের বেশি নয়, কিন্তু মাথার চুল এর মধ্যেই বেশ পাতলা হয়ে গেছে।

'আপনার পরিচয়টা ?' সিঁড়ি উঠতে উঠতে জিজ্ঞেস করল ফেলুদা।

'আমার নাম নিশীথ বোস। আমি দুর্গাবাবুর সেক্রেটারি।'

'দুর্গাবাবু ? ওঁর নাম তা হলে—'

'দুর্গাগতি সেন। এখানে সবাই ডি. জি. সেনই বলে।'

সিঁড়ি দিয়ে উঠে ডাইনে একটা ঘর, বোধহয় সেটাতেই সেক্রেটারি থাকেন, কারণ একটা তক্তপোশের পাশে একটা ছোট্ট টেবিলের উপর একটা টাইপরাইটার চোখে পড়ল। বাঁয়ে একটা প্যাসেজের দুদিকে দুটো ঘর, শেষ মাথায় ছাত। সেই ছাতেই যেতে হল আমাদের।

মাঝারি ছাত, একপাশে একটা কাচের ঘরের মধ্যে কিছু অর্কিড। ছাতের মাঝখানে একটা বেতের চেয়ারে বসে আছেন একটি বছর যাটেকের ভদ্রলোক। লালমোহনবাবু পরে যে বলেছিলেন 'ব্যক্তিত্ব উইথ এ ক্যাপিটাল বি', সেটা খুব ভুল বলেননি। টকটকে রং, ভাসা ভাসা চোখ, কাঁচা-পাকা মেলানো ফ্রেঞ্চকাট দাড়ি আর মুগুরভাঁজা চওড়া কাঁধ। চেয়ারে বসেই নমস্কার করছেন দেখে প্রথমে একটু কেমন-কেমন লাগছিল, তারপর কারণটা বুঝলাম। নীল প্যান্টের তলা দিয়ে ভদ্রলোকের বাঁ পায়ের যেটুকু দেখা যাচ্ছে, সবটুকুই ব্যান্ডেজে ঢাকা।

আমাদের জন্য আরও তিনটে চেয়ার বার করে রাখা হয়েছে ; আমরা বসলে পর ফেলুদা বলল, 'আপনি যে আমাদের সময় দিয়েছেন তার জন্য আমরা সত্যিই কৃতজ্ঞ। আপনি পুরনো পুঁথি সংগ্রহ করেন শুনে আসার লোভ সামলাতে পারলাম না।'

'ওটা আমার অনেকদিনের শখ।'—আমাদের দিক থেকে দৃষ্টি সরিয়ে আকাশের দিকে চেয়ে কথাটা বললেন ভদ্রলোক। চেহারার সঙ্গে মানানসই গলার স্বর।

ফেলুদা বলল, 'আমার এক জ্যাঠামশাই আছেন, নাম সিদ্ধেশ্বর বোস, তাঁর তিনটে পুঁথি আছে। আপনি বোধহয় একবার সেগুলো দেখতে গিয়েছিলেন।'

'কী পুঁথি ?'

'তিনটেই বাংলা। দুটো অন্নদামঙ্গল, আর একটা গোরক্ষবিজয়।'

'তা গিয়ে থাকতে পারি। পুঁথির পেছনে ঘুরেছি অনেক।'

'আপনার কি সব বাংলা পুঁথি ?'

'অন্য ভাষাও আছে। যেটা বেস্ট সেটা সংস্কৃত।'

'কবেকার পুঁথি ?'

'টুয়েল্‌ফ্‌থ সেঞ্চুরি।'

আমি মনে মনে বললাম, জিনিসটা যদি আমাদের দেখার ইচ্ছেও থাকে, বলে কোনও লাভ হবে না। ভদ্রলোকের মর্জি হলে দেখাবেন, না তো নয়।

'লোকনাথ !'

বুঝলাম চাকরের নাম লোকনাথ। কিন্তু তাকে হঠাৎ ডাকা কেন ?

চাকরের বদলে মুহূর্তের মধ্যে চলে এলেন নিশীথবাবু। পর্দার বাইরেই দাঁড়িয়েছিলেন কি ?

'লোকনাথ নেই, স্যার। বেরিয়েছে। কিছু বলবেন কি ?'

মিঃ সেন ডান হাতটা বাড়িয়ে দিলেন। নিশীথবাবু সেটা ধরে ভদ্রলোককে চেয়ার থেকে উঠতে সাহায্য করলেন।

'আসুন।'

ভদ্রলোকের পিছন পিছন আমরা ছাত থেকে প্যাসেজ ও প্যাসেজ থেকে শোবার ঘরে গিয়ে ঢুকলাম।

বেশ বড় ঘর, বাঁয়ে একটা প্রকাণ্ড খাট, যাকে ইংরিজিতে বলে ফোর-পোস্টার। খাটের পাশে একটা কাশ্মীরি টেবিলে একটা ল্যাম্প, দুটো ওষুধের শিশি আর একটা কাচের গেলাস। ডাইনে একটা মাঝারি সাইজের রোলটপ ডেস্ক, একটা চেয়ার, আর দেয়ালে লাগানো পাশাপাশি দুটো গোদরেজের আলমারি।

‘খোলো।’

হুকুমটা হল সেক্রেটারিকে। নিশীথবাবু খাটের উপর রাখা বালিশের তলা হাতড়িয়ে একটা চাবির গোছা বার করে ডেস্কের ঠিক পাশের আলমারিটা খুললেন।

ভিতরে চারটে শেল্‌ফ। তার প্রত্যেকটাতে পাশাপাশি থরে থরে সাজানো শালুতে মোড়া লম্বা লম্বা প্যাকেট। সব মিলিয়ে আন্দাজ চল্লিশ-পঁয়তাল্লিশটা।

‘এতেও আছে কিছু’, অন্য আলমারিটা দেখিয়ে বললেন দুর্গাগতি সেন।—‘তবে আসলটা—’

আসলটা বেরোল শেল্‌ফ থেকে নয়, নীচের দিকের একটা দেরাজ থেকে। লক্ষ করলাম তার নীচে আরেকটা পুঁথি রয়েছে।

নিশীথবাবু হুকুম পেয়ে শালুর উপর ফিতের বাঁধনটা খুলে ফেললেন। ভিতর থেকে বেরিয়ে এল দুদিকে কাঠের পাটার মধ্যিখানে স্যান্ডউইচ করা দ্বাদশ শতাব্দীর সংস্কৃত পুঁথি।

‘অষ্টাদশসাহস্রিকা প্রজ্ঞাপারমিতা’, বললেন দুর্গাগতি সেন,—‘অন্যটা কল্পসূত্র।’

কাঠের পাটার উপরে আশ্চর্য সুন্দর রঙিন ছবি, এতদিনের পুরনো হওয়া সত্ত্বেও রঙের জৌলুস কমেনি। পুঁথিটা কাগজের নয়, তালপাতার। হাতের লেখা যে এত পরিপাটি আর এত সুন্দর হতে পারে তা আমার ধারণাই ছিল না। লালমোহনবাবু চাপা গলায় মন্তব্য করলেন, ‘ধন্যি ছেলের অধ্যবসায়।’

ফেলুদা বলল, ‘এটা কোথায় পেলেন জানতে পারি কি?’

'ধরমশালা', বললেন ভদ্রলোক।
'তার মানে কি এ জিনিস তিব্বত থেকে দালাই লামার সঙ্গে এসেছিল ?'
'হ্যাঁ।'
ভদ্রলোক পুঁথিটা ফেলুদার হাত থেকে নিয়ে নিশীথবাবুকে দিয়ে দিলেন। সেটা আবার ফিতে বাঁধা অবস্থায় যেখানে ছিল সেখানে চলে গেল।
'আপনি কি আপনার জ্যাঠার হয়ে সুপারিশ করতে এসেছেন ?'
প্রশ্নটা শুনে বেশ হকচকিয়ে গিয়েছিলাম। ফেলুদা কিন্তু নানান বেয়াড়া প্রশ্নের সামনে পড়েও নিজেকে দিব্যি ঠাণ্ডা রাখতে পারে। বলল, 'আজ্ঞে না।'
'আমি এসব জিনিস নিয়ে ব্যবসা করি না,' বললেন মিঃ সেন, 'কেউ যদি দেখতে চায় তো দেখাতে পারি—এই পর্যন্ত।'
'আমার জ্যাঠার সামর্থ্য নেই এ জিনিস কেনার,' হেসে বলল ফেলুদা। 'অবিশ্যি আমার কোনও ধারণা নেই এর কত দাম হতে পারে।'
'অমূল্য।'
'কিন্তু এসবও তো দেশের বাইরে চলে যাচ্ছে ?'
'চামার। যারা বিক্রি করে তারা চামার।'
'আপনার ছেলের এ সবে ইন্টারেস্ট নেই ?'
দুর্গাগতিবাবু কেমন যেন অন্যমনস্ক হয়ে পড়লেন প্রশ্নটা শুনে। খাটের পাশের টেবিলটার দিকে চেয়ে কয়েক মুহূর্ত চুপ থেকে বললেন, 'ছেলেকে আমি চিনি না।'
'স্যার, ইনি একজন বিখ্যাত গোয়েন্দা, স্যার।'
নিশীথবাবু হঠাৎ এই সময় এই কথাটা কেন বললেন বুঝলাম না। দুর্গাগতিবাবু একবার ফেলুদার মুখের দিকে চেয়ে দৃষ্টি ঘুরিয়ে নিয়ে বললেন, 'তাতে ভয়ের কী ? আমি কি খুন করেছি ?'
শ্যামলালবাবু ঠিকই বলেছিলেন। ভদ্রলোকের হাবভাব কথাবার্তা সত্যিই পিকিউলিয়ার। অবিশ্যি এর পরের কথাটা আরও তাজ্জব, প্রায় একেবারে হেঁয়ালির মতো।—
'যা হারিয়েছে, তা ফিরিয়ে আনা গোয়েন্দার কম্মো নয়। যে পারে সেই করছে চেষ্টা, বন্ধ দরজা খুলছে একে একে। গোয়েন্দার কিছু করার নেই।'
পনেরো মিনিট হয়ে গেছে, তাই ফেলুদা দরজার দিকে ফিরল। নিশীথবাবু যেন একটু ব্যস্ত হয়ে বললেন, 'আসুন।' আমরা পুঁথির মালিককে ধন্যবাদ জানিয়ে নীচে রওনা দিলাম।
'ভদ্রলোকের পায়ে কী ব্যাপার ?' ফেলুদা নীচে নামতে নামতে প্রশ্ন করল।
'ওঁকে গাউটে ধরেছে। গেঁটে বাত,' বললেন নিশীথবাবু, 'খুব শক্ত-সমর্থ লোক ছিলেন আগে। এই মাস তিনেক হল কাহিল হয়ে পড়েছেন।'
'যে ওষুধগুলো দেখলাম সে কি গাউটের ?'
'আজ্ঞে হ্যাঁ। কেবল একটা ঘুমের ওষুধ। লক্ষ্মণবাবুর দেওয়া।'
'গণৎকার লক্ষ্মণ ভট্টাচার্যি ?' প্রশ্ন করলেন লালমোহনবাবু।
'আজ্ঞে হ্যাঁ। উনি অ্যালোপ্যাথি আয়ুর্বেদ দুটোই বেশ ভাল জানেন। বেশ কোয়ালিফায়েড লোক। অনেক কিছু জানেন।'
'বটে ?'
'কর্তার সঙ্গে মাঝে মাঝে পুঁথি নিয়েও কথাবার্তা বলতে শুনিচি।'
'আশ্চর্য লোক!' বললেন জটায়ু।
ফেলুদার ভুরুটা যে কেন কুঁচকে রয়েছে সেটা বুঝতে পারলাম না।

লালমোহনবাবুর ইচ্ছে ছিল লক্ষ্মণ ভট্টাচার্যের সঙ্গে ফেলুদার আলাপ করিয়ে দেবেন, কিন্তু সেটা আর হল না, কারণ গণৎকারের দরজায় তালা। আমরা সাগরিকা থেকে বেরিয়ে হোটেলমুখো হলাম। সমুদ্রের ধারে ভিড় হয়ে গেছে এই পনেরো মিনিটের মধ্যেই, কারণ মেঘ পাতলা হয়ে গিয়ে সূর্যটা উঁকি মারব মারব করছে। ডাইনে রেলওয়ে হোটেলটা দেখা যাচ্ছে, ফেলুদা বলল এই ভিড়ের বেশির ভাগ লোকই নাকি ওই হোটেলের। আমরা ভিড় ছাড়িয়ে কয়েক পা যেতেই পিছন থেকে অচেনা গলায় ডাক এল।

'মিস্টার মিত্তির!'

অন্যদের থেকে একটু আলগা হয়ে একপাশে দাঁড়িয়ে একজন লম্বা ভদ্রলোক ফেলুদার দিকে চেয়ে হাসছেন। বোঝা যাচ্ছে ইনি বেশ কয়েকদিন সমুদ্রতটে ঘোরাফেরা করেছেন, কারণ সানগ্লাসটা খুলতেই চোখ থেকে কান অবধি একটা ফিকে লাইন দেখা গেল যেখানে চশমার ডাঁটিটা চামড়ায় রোদ লাগতে দেয়নি।

ভদ্রলোক আমাদের দিকে এগিয়ে এলেন। প্রায় ফেলুদার মতোই লম্বা, সুপুরুষ বলা চলে, কালো চাপ দাড়ি আর গোঁফটা বেশ হিসেব করে ছাঁটা, কালো ট্রাউজারের ওপর চিজক্লথের শার্টটা হাওয়ায় সেঁটে আছে শরীরের সঙ্গে।

'আপনার নাম শুনেছি,' বললেন ভদ্রলোক। 'এসেই ব্যস্ত হয়ে পড়েছেন নাকি?'

'কেন বলুন তো?'

'একটা খুন হয়েছে শুনলাম যে। তাই ভাবলাম আপনি আবার জড়িয়ে পড়লেন কি না।'

ফেলুদা হেসে বলল, 'খুন হলেই জড়িয়ে পড়তে ইচ্ছে হয় ঠিকই, কিন্তু কেউ না ডাকলে আর কী করে যাই বলুন।'

'আপনি তো নীলাচলে উঠেছেন?'

'আজ্ঞে হ্যাঁ।'

'হোটেলে ফিরছেন?'

'হ্যাঁ।'

'ইয়ে—'

ভদ্রলোক কী যেন বলতে গিয়ে ইতস্তত করছেন। ফেলুদা বলল, 'আপনাকে বুঝি আংটি সামলাতে হচ্ছে?'

এটা আমি আগেই লক্ষ করেছি। ভদ্রলোক ডান হাতের তেলোয় তিনটে সোনার আংটি নিয়ে রয়েছেন, ফলে বেশ বোকা বোকা দেখাচ্ছে।

'আর বলবেন না,' বললেন ভদ্রলোক, 'আমাদের হোটেলের এক বাসিন্দা, কালই আলাপ হয়েছে, জলে নামবেন, তা বললেন এগুলো নাকি আঙুল থেকে খুলে আসে। বলুন তো কী ঝক্কি।'

আংটির মালিক যে কে সে আর বলতে হবে না। ওই যে, নুলিয়ার হাত ধরে ছপ্‌ ছপ্‌ করে এগিয়ে আসছেন তিনি। সোনায় মোড়া মিঃ হিঙ্গোরানি। ফেলুদাকে দেখে ভদ্রলোক 'গুড মর্নিং' বলে একটা হাঁক দিলেন, তারপর আরও এগিয়ে এসে 'থ্যাঙ্ক ইউ' বলে আংটিগুলো ফেরত নিয়ে আঙুলে পরে জানিয়ে দিলেন যে গোয়া, ওয়াইকিকি, মায়ামি,

আকাপুলকো, নিস্ ইত্যাদি অনেক জায়গার সমুদ্রতটের অভিজ্ঞতা আছে তাঁর, কিন্তু পুরীর মতো বিচ নাকি কোথাও নেই।

নতুন ভদ্রলোকটি এবার হিঙ্গোরানির কাছে বিদায় নিয়ে আমাদের সঙ্গ নিলেন। ফেলুদা বলল, 'আপনার নামটা কিন্তু এখনও জানা হয়নি।'

ভদ্রলোক মৃদু হেসে বললেন, 'আমার নাম বললে হয়তো চিনবেন না, একটা বিশেষ লাইনে আমার কিছুটা কনট্রিবিউশন আছে, তবে সেটা সকলের জানার কথা নয়। আমার নাম বিলাস মজুমদার।'

ফেলুদা ভুরু কুঁচকে ভদ্রলোকের দিকে চাইল।—'আপনার কি পাহাড়-টাহাড়ের সঙ্গে কোনও সম্পর্ক আছে?'

ভদ্রলোক অবাক।—'বাবা, আপনার জ্ঞানের পরিধি দেখছি—'

'না, না,' ফেলুদা বিলাসবাবুর কথা শেষ করতে দিল না—'তেমন কিছু নয়। গত মাসখানেকের মধ্যে কোথায় যেন বিলাস মজুমদার নামটা দেখেছি—বোধহয় কোনও পত্রিকায় বা খবরের কাগজে। মনে হচ্ছে তাতে মাউনটেনিয়ারিং বা ওই জাতীয় কিছুর উল্লেখ ছিল।'

'ঠিকই দেখেছেন। আমি মাউনটেনিয়ারিং শিখেছিলাম দার্জিলিং-এর ইনস্টিটিউটে। আমার আসল কাজ হচ্ছে ওয়াইল্ড-লাইফ ফোটোগ্রাফি। একটা জাপানি দলের সঙ্গে স্নো-লেপার্ডের ছবি তুলতে যাবার কথা ছিল। জানেন বোধহয়—হিমালয়ের হাই অলটিচিউডে স্নো-লেপার্ডের আস্তানা। দেখেছে অনেকেই, কিন্তু আজ পর্যন্ত কোনও ছবি তোলা সম্ভব হয়নি জানোয়ারটার।'

পথে আর কোনও কথা হল না। লালমোহনবাবু বার বার সপ্রশংস দৃষ্টিতে ভদ্রলোকের দিকে দেখছেন সেটা লক্ষ করেছি।

হোটেলে ফিরে এসেই ফেলুদা চায়ের অর্ডার দিল। ভদ্রলোক চেয়ারে বসে প্রথমেই পকেট থেকে একটা ছবি বার করে আমাদের দিকে এগিয়ে দিলেন।

'দেখুন তো এঁকে চেনেন কি না।'

পোস্টকার্ড সাইজের ছবি। মাটিতে উবু হয়ে বসা চ্যাপটা টুপি পরা একটা লোক একটা অদ্ভুত জানোয়ারকে জাপটে ধরে আছে, আর আট-দশজন লোক সেই জানোয়ারটাকে দেখছে। মিঃ মজুমদার যে লোকটির দিকে আঙুল দেখাচ্ছেন তাঁকে আমরা চিনি।

'এঁর কাছ থেকেই তো আসছি আমরা,' বলল ফেলুদা, 'যদিও চিনতে একটু সময় লাগে, কারণ ভদ্রলোক দাড়ি রেখেছেন।'

মিঃ মজুমদার ছবিটা ফেরত নিয়ে বললেন, 'এইটেই জানার দরকার ছিল। বাড়ির গেটে 'ডি. জি. সেন" নাম দেখলাম, কিন্তু তিনি এই ছবির ডি. জি. সেন কি না সে বিষয়ে শিওর হতে পারছিলাম না।'

'জানোয়ারটি প্যাঙ্গোলিন বলে মনে হচ্ছে!' বলল ফেলুদা।

ঠিক তো!—ওই প্যাঙ্গোলিন নামটা কিছুতেই মনে পড়ছিল না। একরকম পিপীলিকাভুক্। দেখে মনে হয় গায়ে বর্ম পরে রয়েছে।

বিলাসবাবু বললেন, 'প্যাঙ্গোলিনই বটে। নেপালে পাওয়া যায়। কাঠমাণ্ডুর এক হোটেলের বাইরে তোলা। ডি. জি.সেন ছিলেন তখন ওই হোটেলে। আমিও ছিলাম।'

'এটা কবেকার ঘটনা?'

'গত অক্টোবরে। আমি গেছি সেই জাপানি টিম আসবে বলে। জাপানের কাগজেও আমার তোলা ছবি-টবি বেরিয়েছে। জাপানি দলটা আমার সঙ্গে যোগাযোগ করে।

স্বভাবতই আমি খুব উৎসাহিত হয়ে পড়ি। কিন্তু শেষ অবধি আর যাওয়া হয়নি।'

'কেন, কেন ?' ব্যস্ত হয়ে প্রশ্ন করলেন জটায়ু। বুঝলাম লেপার্ড-টেপার্ড শুনে ভদ্রলোক একটা রোমাঞ্চের গন্ধ পেয়েছেন।

'কপাল !' বললেন মিঃ মজুমদার। 'একটা অ্যাক্সিডেন্টে জখম হয়ে হাসপাতালে পড়ে ছিলাম তিন মাস।'

'আপনার বাঁ পা কি জখম পা ?' হঠাৎ প্রশ্ন করল ফেলুদা।

'কেন বলুন তো ? বাঁ পায়ের শিন্ বোনটা ভেঙেছিল বটে ; কিন্তু আমার হাঁটা দেখলে কি বোঝা যায় ?'

'তা যায় না,' বলল ফেলুদা, 'কাল একটা পায়ের ছাপ দেখেছিলাম বালিতে—জুতো-পরা পা, সঙ্গে-সঙ্গে বাঁ পাশে লাঠির ছাপ। ভাবলাম, হয় ন্যাটা, না হয় বাঁ পায়ে জখম। তা আপনি লাঠি ব্যবহার করেন না দেখছি।'

'মাঝে মাঝে করি,' বললেন বিলাস মজুমদার, 'কারণ বালিতে হাঁটতে কষ্ট হয়। কিন্তু উনচল্লিশ বছর বয়সে হাতে লাঠি ধরতে ইচ্ছে করে না।'

'তা হলে অন্য কেউ হবে।'

'অবিশ্যি শিন্ বোন ভাঙাই একমাত্র ইনজুরি নয়। পাহাড়ের গা দিয়ে পাঁচশো ফুট গড়িয়ে পড়েছিলাম। একটা গাছের উপর পড়ি তাই জখমটা তবু কম হয়। এক চাষার ছেলে কয়েকজন হিপিকে খবর দেয়, তারাই আমাকে হাসপাতালে নিয়ে যায়। শিন্ বোন ছাড়া

সাতটা পাঁজরার হাড় আর কলার বোন ভেঙেছিল। থুতনি থেঁতলে গিয়েছিল ; দাড়ি রেখেছি ক্ষতচিহ্ন ঢাকবার জন্য। দুদিন পরে জ্ঞান হয়। স্মৃতিশক্তি তছনছ হয়ে গিয়েছিল। ডায়রি থেকে নাম ঠিকানা বার করে কলকাতার বাড়িতে খবর দেয়। এক ভাইপো চলে আসে। তাকে চিনতে পারিনি। হাসপাতালে থাকতেই কিছুটা স্মৃতি ফিরে আসে। চিকিৎসার ফলে আরও খানিকটা ইম্‌প্রুভ করেছে, কিন্তু অ্যাক্সিডেন্টের ঠিক আগের ঘটনা এখনও ঠিক মনে পড়েনি। যেমন, ডি. জি. সেন বলে এক ভদ্রলোকের সঙ্গে আলাপ হয়েছিল, সেটা আমার ডায়রিতে পাচ্ছি কিন্তু তার চেহারাটা মনে পড়েছে মাত্র দুদিন আগে।'

'ডি. জি.সেন কেন গিয়েছিল কাঠমাণ্ডু, সেটা মনে পড়ছে?' ফেলুদা জিজ্ঞেস করল—'পুঁথি সংক্রান্ত কোনও ব্যাপার কি?'

'পুঁতি?' একটু অবাক হয়ে জিজ্ঞেস করলেন ভদ্রলোক।—'যা দিয়ে মালা গাঁথে?'

'না,' ফেলুদা হেসে বলল।—'পুথি বা পুঁথি। পুস্তিকা। হাতে লেখা প্রাচীন বই। ভদ্রলোকের খুব ভাল কালেকশন আছে পুঁথির।'

'ও, তাই বলুন।'

ভদ্রলোক চুপ করে কী যেন ভাবলেন। তারপর বললেন, 'কী রকম দেখতে হয় বলুন তো এই পুঁথি?'

'সরু, লম্বা, চ্যাপটা,' বলল ফেলুদা।—'ধরুন স্টেট এক্সপ্রেসের একটা কার্টনের সাইজ। তার চেয়ে একটু ছোট বা বড়ও হতে পারে। সাধারণত শালুতে মোড়া থাকে।'

ভদ্রলোক আবার কিছুক্ষণ চুপ। একদৃষ্টে চেয়ে আছেন টেবিল ল্যাম্পটার দিকে, আর আমরা চেয়ে আছি ভদ্রলোকের দিকে।

বেশ মিনিটখানেক পরে বিলাস মজুমদার বললেন, 'তা হলে বলি শুনুন। কাঠমাণ্ডুতে যে হোটেলে ছিলাম, বিক্রম হোটেল, সেখানে ভারী এক অদ্ভুত ব্যাপার ছিল। দু-একটা ঘর ছিল যার চাবি অন্য ঘরে লেগে যেত—যেটা হোটেলে কখনওই হবার কথা না। একদিন আমি আমার ঘরের চাবি নিয়ে ভুল করে আমার পাশের ঘরের দরজায় লাগিয়ে ঘোরাতেই দরজা খুলে গেল। সেটা ছিল ডি. জি. সেন-এর ঘর। প্রথমে ঠিক ধরতে পারিনি। ভাবছি আমার ঘরে এরা কারা, ঢুকল কী করে। আসল ব্যাপারটা বুঝতেই স্যরি বলে বেরিয়ে আসি, কিন্তু ততক্ষণে একটা ঘটনা আমি দেখে ফেলেছি। খাটে বসে আছেন মিঃ সেন, আর চেয়ারে দুটি অচেনা লোক, তাদের একজন একটা কার্ডবোর্ডের বাক্স থেকে একটি প্যাকেট বার করছে। যতদূর মনে পড়ে প্যাকেটটা ছিল লাল, তবে সেটা কাগজ কি কাপড় তা মনে নেই।'

'তারপর?' ফেলুদা প্রশ্ন করল।

'তারপর ব্ল্যাঙ্ক। অনেক চেষ্টা করেও মনে করতে পারিনি। এর পরের মেমরি হচ্ছে হাসপাতালে জ্ঞান হওয়া।'

লালমোহনবাবু হঠাৎ ভীষণ ব্যস্ত হয়ে উঠলেন—'আরে মশাই, এমন ভাল গণৎকার রয়েছেন এই পুরীতে, আপনি তাঁর কাছে যান না একবারটি। যা ভুলে গেছেন, সব ডিটেলে বলে দেবেন।'

'কার কথা বলছেন?'

'লক্ষ্মণ ভট্টাচার্য দি গ্রেট। ওই ডি. জি. সেনেরই বাড়ির এক তলার ভাড়াটে। যদি দ্বিধা হয় তো বলুন, আমি অ্যাপয়েন্টমেন্ট করে আমিই আপনাকে নিয়ে যাব। আপনি একটিবার ট্রায়াল দিয়ে দেখুন।'

'বলছেন?'

ভদ্রলোকের যেন আইডিয়াটা ভালই লেগেছে।

'একশোবার !' বললেন লালমোহনবাবু—'আপনার কপালে ওই আঁচিলটার উপর আঙুল রেখে সব গড়গড় করে বলে দেবেন।'

এটা এতক্ষণ বলা হয়নি—বিলাসবাবুর কপালের ঠিক মাঝখানে একটা আঁচিল, হঠাৎ দেখলে মনে হবে ভদ্রলোক বুঝি টিপ পরেছেন।

'ভদ্রলোক কি ভিজিটর অ্যালাউ করেন ?' ফেলুদা প্রশ্ন করল।

'হোয়াই নট ?' বললেন লালমোহনবাবু। 'আপনি আর তপেশ যাবেন তো ? সে আমি ওঁকে বলে রাখব, কোনও চিন্তা নেই।'

ঠিক হল, আজই সন্ধ্যা ছটায় অ্যাপয়েন্টমেন্ট করা হবে। ভদ্রলোকের ফি পাঁচ টাকা পঁচাত্তর শুনে বিলাসবাবু হেসেই ফেলেছিলেন কিন্তু ফেলুদা হিসেব করে দেখিয়ে দিল দশজন খদ্দের হলেও ভদ্রলোকের মাসিক আয় হয়ে যায় প্রায় দু হাজার টাকা।

আমি বেশ বুঝতে পারছিলাম যে নিজের ভাগ্য গণনা করাবার ইচ্ছে না থাকলেও, বিলাস মজুমদারের স্মৃতি উদ্ধার হয় কি না দেখার জন্য ফেলুদার যথেষ্ট কৌতূহল রয়েছে।

৫

আজ ঠিকই করে রেখেছিলাম যে বিকেলে একটু মন্দিরের দিকটায় যাব। মন্দিরের চেয়েও রথটা দেখার ইচ্ছে বেশি। ফেলুদার কাছেই শুনলাম যে এই বিশাল রথ নাকি প্রতিবারই রথযাত্রার পর ভেঙে ফেলা হয় আর তার কাঠ দিয়ে খেলনা তৈরি করে বাজারে বিক্রি করা হয়। পরের বছর আবার ঠিক একই রকম নতুন রথ তৈরি হয়।

যাবার পথে ফেলুদাকে কেন যেন অন্যমনস্ক মনে হচ্ছিল। হয়তো এই দুদিনে নতুন আলাপীদের সঙ্গে যে সব কথাবার্তা হয়েছে, সেগুলো ওর মাথায় ঘুরছিল। একটা কথা ওকে না বলে পারলাম না—

'আচ্ছা ফেলুদা, নেপালটা কীরকম বারবার এসে পড়ছে, তাই না ? যে লোকটা খুন হল সে নেপালের লোক, বিলাসবাবু কাঠমাণ্ডু গিয়েছিলেন, দুর্গাগতিবাবু ঠিক সেই সময় কাঠমাণ্ডুতে ছিলেন...'

'তুই কি এতে কোনও তাৎপর্য খুঁজে পেলি ?'

'না। তবে—'

'সমপাত মানে জানিস ?'

'না তো।'

'সমপাত হল ইংরিজিতে যাকে বলে কোইনসিডেন্স। যতক্ষণ না আরও এভিডেন্স পাওয়া যাচ্ছে, ততক্ষণ কাঠমাণ্ডুর ব্যাপারটা একটা কোইনসিডেন্স বলে ধরতে হবে—বুঝলি ?'

'বুঝেছি।'

পুরীর বিখ্যাত রথ দেখে মন্দিরের সামনে বিশাল চওড়া রাস্তার একপাশে দোকানগুলোয় ঘুরে ঘুরে পাথরের তৈরি খুদে খুদে মূর্তি, কোনারকের চাকা, এইসব দেখছি, এমন সময় সাব-ইনস্পেক্টর মৃত্যুঞ্জয় মহাপাত্রের আবির্ভাব। হঠাৎ চিনতে পারিনি, কারণ এই ফাঁকে কখন জানি চুল ছেঁটে এসেছেন। আমাদের এক দূর সম্পর্কের কাকা আছেন, যিনি হেয়ার কাটিং সেলুনে চেয়ারে বসলেই ঘুমিয়ে পড়েন ; ফলে নাপিত বেহিসাবি কিছু করলেও টের পান না। ঘুম ভাঙার পর অবিশ্যি প্রতিবারই কুরুক্ষেত্র বেধে যায়। মহাপাত্রকে দেখে মনে হল এনারও সে বাতিক আছে।

ফেলুদা ভদ্রলোককে দেখে জিজ্ঞেস করল, 'তদন্ত এগোল ? মেহেরালি রোডের মিস্টার

সরকার কী বলেন ?'

'ইনফরমেশন এসেছে আজ আড়াইটেয়,' বললেন মহাপাত্র। 'চোদ্দো নম্বর মেহেরালি রোড হল একটা ফ্ল্যাট বাড়ি ! সবসুদ্ধ আটটা ফ্ল্যাট, সরকার থাকেন তিন নম্বরে। দিন সাতেক হল ওঁর ঘর তালাবন্ধ। প্রায়ই নাকি বাইরে যান।'

'এবার কোথায় গেছেন জানতে পারলেন ?'

'পুরী।'

'বটে ? কে বলল ?'

'চার নম্বরের বাসিন্দা। তাকে নাকি বলেছে চেঞ্জে যাচ্ছে।'

'চেহারা কেমন জানতে পারলেন ?'

'লম্বা, মাঝারি রং, দাড়ি-গোঁফ নেই, বয়স পঁয়ত্রিশ থেকে চল্লিশ। এ ধরনের বর্ণনার অবিশ্যি কোনও মূল্য নেই।'

'পেশা ?'

'বলে ট্র্যাভেলিং সেলসম্যান। কী সেল করে তা কেউ জানে না। বছর খানেক হল ওই ফ্ল্যাটে এসেছে।'

'আর রূপচাঁদ সিং ?'

'সে এখানে এসেছে গতকাল সকালে। বাসস্ট্যান্ডের কাছে একটা হোটেলে ছিল। ভাড়া চুকোয়নি। কাল রাত্রে নাকি একটা ফোন করতে চেয়েছিল হোটেল থেকে, ফোন খারাপ ছিল। শেষে একটা ডাক্তারি দোকান থেকে কাজ সারে। কম্পাউন্ডার পাশেই দাঁড়িয়েছিল, কিন্তু খদ্দের ছিল বলে কী কথা হয়েছে তা শোনেনি ! এগারোটা নাগাদ হোটেল থেকে বেরোয়। আর ফেরেনি। ঘরে একটা সুটকেস পাওয়া গেছে, তাতে জামা-কাপড় রয়েছে কিছু। দুটো টেরিলিনের শার্ট দেখে মনে হয় লোকটা বেশ শৌখিন ছিল।'

'সেটা কিছুই আশ্চর্য না,' বলল ফেলুদা, 'আজকাল ড্রাইভারের মাইনে আপিসের কেরানির চেয়ে অনেক বেশি।'

কথাই ছিল রেলওয়ে হোটেল থেকে বিলাসবাবুকে আমরা তুলে নেব ; ছটা বাজতে পনেরো মিনিটে আমরা হোটেলে গিয়ে হাজির হলাম। ব্রিটিশ আমলের হোটেল, এখন রং ফেরানো হলেও চেহারায় পুরনো যুগের ছাপটা রয়ে গেছে। সামনে বাগান, সেখানে রঙিন ছাতার তলায় বেতের চেয়ারে বসে হোটেলের বাসিন্দারা চা খাচ্ছে। তারই একটা থেকে উঠে পাশের চেয়ারে বসা দুজন সাহেবকে 'এক্সকিউজ মি' বলে বিলাসবাবু আমাদের দিকে এগিয়ে এলেন।

'চলুন, কপালে কী আছে দেখা যাক !'

আজ লালমোহনবাবু আমাদের গাইড, তাই তাঁর হাবভাব একেবারে পালটে গেছে। দিব্যি গটগটিয়ে সাগরিকার গেট দিয়ে ঢুকে বাগানের মধ্যিখানের নুড়ি ফেলা পথ দিয়ে সটান গিয়ে বারান্দায় উঠে কাউকে না দেখে একটু থতমত খেয়ে তৎক্ষণাৎ আবার নিজেকে সামলে নিয়ে সাহেবি মেজাজে 'কোই হ্যায়' বলতেই বাঁ দিকে একটা দরজা খুলে গেল।

'স্বাগতম !'

বুঝলাম ইনিই লক্ষ্মণ ভট্টাচার্য। পরনে সিল্কের লুঙ্গি আর চিকনের কাজ করা সাদা আদ্দির পাঞ্জাবি। মাঝারি হাইটের চেহারার বিশেষত্ব হল সরু গোঁফটা, যেটা ঠোঁটের দুপাশ দিয়ে প্রায় আধ ইঞ্চি নেমে এসেছে নীচের দিকে।

লালমোহনবাবু আলাপ করাতে যাচ্ছিলেন, ভদ্রলোক বাধা দিয়ে বললেন, 'ওটা ভিতরে গিয়ে হবে। আসুন।'

লক্ষ্মণ ভট্টাচার্যের বৈঠকখানার বেশির ভাগটা দখল করে আছে একটা তক্তপোশ ; বুঝলাম ওটার উপরে বসেই ভাগ্যগণনা হয়। এ ছাড়া আছে দুটো কাঠের চেয়ার, একটা মোড়া, একটা নিচু টেবিলের উপর ওড়িশা হ্যান্ডিক্রাফ্‌টসের একটা অ্যাশট্রে, আর পিছনে একটা দেয়ালের আলমারিতে দুটো কাঠের বাক্স, কিছু বই, কিছু শিশি-বোতল-বয়াম ইত্যাদি ওষুধ রাখার পাত্র, আর একটা ওয়েস্ট এন্ড অ্যালার্ম ঘড়ি।

'আপনি বসুন এইখেনটায়'—তক্তপোশের একটা অংশ দেখিয়ে বিলাসবাবুকে বললেন গণৎকার। —'আর আপনারা এইখেনে।'

চেয়ার আর মোড়া দখল হয়ে গেল।

লালমোহনবাবু এইবারে আমাদের সঙ্গে আলাপটা করিয়ে দিলেন। ফেলুদার বিষয় বললেন, 'ইনিই আমার সেই বন্ধু,' আর বিলাস মজুমদারের নামটা বলে 'ইনি হচ্ছেন বিখ্যাত ওয়াই'—বলেই জিভ কেটে চুপ করে গেলেন। আমি জানি উনি বলতে গিয়েছিলেন ওয়াইল্ড লাইফ ফোটোগ্রাফার ; নিজের বুদ্ধিতেই যে নিজেকে সামলে নিয়েছেন সেটা আশ্চর্য বলতে হবে।

ফেলুদা বোধহয় কেলেঙ্কারিটা চাপা দেবার জন্যই বলল, 'আমরা দুজন অতিরিক্ত লোক এসে পড়েছি বলে আশা করি আপনি বিরক্ত হননি।'

'মোটেই না,' বললেন লক্ষ্মণ ভট্টাচার্য। —'আমার আপত্তি যেটাতে সেটা হচ্ছে স্টেজে উঠে ডিমনস্ট্রেশন দেওয়ায়। সে অনুরোধ অনেকেই করেছে। আমি যে যাদুকর নই সেটা অনেকেই বিশ্বাস করতে চায় না। এই যেমন—'

ভদ্রলোকের কথা থেমে গেল। তাঁর দৃষ্টি চলে গেছে বিলাস মজুমদারের দিকে। —'কী আশ্চর্য !' বললেন লক্ষ্মণ ভট্টাচার্য—'আপনার কপালে ঠিক থার্ড আই-এর জায়গায় দেখছি একটি উপমাংস !'

উপমাংস মানে যে আঁচিল সেটা জানতাম না।

'ঠিক ওইখানে খুলির আবরণের তলায় কী থাকে জানেন তো ?' ভদ্রলোক ফেলুদার দিকে চেয়ে প্রশ্নটা করলেন।

'পিনিয়াল গ্ল্যান্ডের কথা বলছেন ?' ফেলুদা বলল।

'হ্যাঁ—পিনিয়াল গ্ল্যান্ড। মানুষের মগজের সবচেয়ে রহস্যময় অংশ। অন্তত পশ্চিমের বৈজ্ঞানিকরা তাই বলেন। আমরা যদিও জানি যে ওটা আসলে প্রমাণ করে যে আদিম যুগে প্রাণীদের তিনটি করে চোখ ছিল, দুটি নয়। ওই থার্ড আইটাই এখন হয়ে গেছে পিনিয়াল গ্ল্যান্ড। নিউগিনিতে একরকম সরীসৃপ আছে, নাম টারাটুয়া, যার মধ্যে এখনও এই থার্ড আই দেখতে পাওয়া যায়।'

ফেলুদা বলল, 'আপনার কপালে আঙুল রাখার উদ্দেশ্য কি এই পিনিয়াল গ্ল্যান্ডের সঙ্গে যোগস্থাপন করা ?'

'তা একরকম তাই বলতে পারেন,' বললেন লক্ষ্মণ ভট্টাচার্য। —'অবিশ্যি যখন প্রথম শুরু করি তখন পিনিয়াল গ্ল্যান্ডের নামও শুনিনি। জগবন্ধু ইনস্টিটিউশনে ক্লাস সেভেনে পড়ি তখন। এক রবিবার আমার জ্যাঠামশাইয়ের মাথা ধরল। বললেন, 'লখ্‌না, আমার মাথাটা একটু টিপে দিবি ? আমি তোকে আইসক্রিমের পয়সা দেব।' কপাল টনটন করছে, কপালের মধ্যিখানে বুড়ো আঙুল আর তর্জনী দিয়ে টিপছি, এমন সময় অদ্ভুত একটা ব্যাপার হল। চোখের সামনে বায়স্কোপের ছবির মতো পরপর দেখতে লাগলাম—জ্যাঠার পৈতে হচ্ছে, জ্যাঠা পুলিশের ভ্যানে উঠছেন—মুখে বন্দেমাতরম্‌ স্লোগান, জ্যাঠার বিয়ে, জেঠিমার মৃত্যু, এমনকী জ্যাঠার নিজের মৃত্যু পর্যন্ত, কীসে মরছেন, কোন খাটে শুয়ে মরছেন, খাটের পাশে

কে কে রয়েছেন, সব।...তখন কিচ্ছু বলিনি, কিন্তু এই মৃত্যুর ব্যাপারটা যখন অক্ষরে অক্ষরে ফলে গেল, তখন...বুঝতেই পারছেন—'

লালমোহনবাবুকে দেখে বেশ বুঝছিলাম যে ওঁর গায়ের লোম খাড়া হয়ে উঠেছে। বিলাসবাবু দেখলাম একদৃষ্টে চেয়ে রয়েছেন গণৎকারের দিকে।

ফেলুদা বলল, 'আপনি তো শুনেছি ডাক্তারিও করেন, আর তার চিহ্নও দেখছি ঘরে। নিজেকে কী বলেন—ডাক্তার, না গণৎকার ?'

'দেখুন, গণনার ব্যাপারটা আমি শিখিনি। আয়ুর্বেদটা শিখেছি। অ্যালোপ্যাথিও যে একেবারে জানি না তা নয়। পেশা কী জিজ্ঞেস করলে ডাক্তারিই বলব। আসুন, এগিয়ে আসুন, কাছে এসে বসুন।'

শেষের কথাগুলো অবিশ্যি বিলাসবাবুকে বলা হল। ভদ্রলোক এগিয়ে এসে তক্তপোশে পা তুলে বাবু হয়ে বসে বললেন, 'দেখুন, কপালের ব্ল্যাক স্পটটি যদি ইনফরমেশনের সহায়ক হয় !'

লক্ষ্মণবাবুর পাশেই যে একটা ছোট্ট অ্যালুমিনিয়ামের বাটি রাখা ছিল সেটা এতক্ষণ লক্ষ করিনি। তার মধ্যে তরল পদার্থটা যে কী তা জানি না, কিন্তু দেখলাম লক্ষ্মণবাবু তাতে ডান হাতের কড়ে আঙুলের ডগাটা তিনবার চুবিয়ে নিলেন। তারপর একটা ধবধবে পরিষ্কার রুমালে আঙুলটা মুছে নিয়ে চোখ বুঁজে মাথা হেঁট করে আঙুলের ডগাটা মোক্ষম আন্দাজে ঠিক বিলাসবাবুর কপালের আঁচিলের উপর বসিয়ে দিলেন !

তারপর মিনিটখানেক সব চুপ। সবাই চুপ। কেবল ঘড়ির টিকটিক আর—এই প্রথম খেয়াল হল—বাইরে থেকে আসা একটানা ঢেউ ভাঙার শব্দ।

'তেত্রিশ—তেত্রিশ—উনিশ শো তেত্রিশ—তুলা লগ্ন, সিংহ রাশি—পিতামাতার প্রথম সন্তান...'

লক্ষ্মণ ভট্টাচার্য চোখ বন্ধ করেই বলতে শুরু করেছেন।

'সাড়ে আটে টনসিল অ্যাডিনয়েডস— পরীক্ষায় বৃত্তি— স্বর্ণপদক...বিজ্ঞান— পদার্থ বিজ্ঞান— উনিশে গ্র্যাজুয়েট— তেইশে উপার্জন শুরু— চাক...না, চাকরি না— ফ্রিলান্স— ফটোগ্রাফার— স্ট্রাগল...স্ট্রাগল দেখছি, স্ট্রাগল— উদ্যম, একাগ্রতা, অধ্যবসায়— পর্বতারোহণে পটুতা— বন্যপশুপক্ষী-প্রীতি— বেপরোয়া জীবন— ভ্রাম্যমাণ— অকৃতদার...'

ভদ্রলোক একটু থামলেন। ফেলুদা গভীর মনোযোগের সঙ্গে ওড়িশা হ্যান্ডিক্রাফ্টসের অ্যাশট্রেটা দেখছে। লালমোহনবাবু হাতদুটো মুঠো করে টান হয়ে বসেছেন। আমার বুক ঢিপ ঢিপ করছে। বিলাসবাবুর মুখ দেখলে কিছু বোঝার উপায় নেই, তবে ওঁর চোখ যে গণৎকারের দিক থেকে একবারও সরেনি, সেটা আমি লক্ষ করেছি।

'সেভেনটি এইট—সেভেনটি এইট...'

আবার কথা শুরু হয়েছে। কপালে বিন্দু বিন্দু ঘাম। বেশ স্ট্রেন হচ্ছে ভদ্রলোকের সেটা বোঝা যায়।

'বন দেখছি, বন—হিমালয়—অপঘাত—অপ—না—'

পাঁচ সেকেন্ড চুপ থেকে ভদ্রলোক হঠাৎ বিলাসবাবুর কপাল থেকে আঙুল নামিয়ে নিয়ে চোখ খুললেন। তারপর সটান বিলাসবাবুর দিকে চেয়ে বললেন, 'আপনার বেঁচে থাকার কথা নয়, কিন্তু রাখে হরি মারে কে ?'

'অ্যাক্সিডেন্ট নয় ?' বিলাসবাবু ধরা গলায় প্রশ্ন করলেন।

লক্ষ্মণ ভট্টাচার্য মাথা নেড়ে পকেট থেকে পানের ডিবে বার করে একটা পান মুখে পুরে বললেন, 'যতদূর দেখছি, নট অ্যাক্সিডেন্ট। আপনাকে ধাক্কা দিয়ে ফেলে দেওয়া হয়েছিল পাহাড়ের প্রান্ত থেকে। অর্থাৎ, ডেলিবারেট অ্যাটেম্পট মার্ডার। মরেননি সেটা আপনার পরম ভাগ্যি।'

'কিন্তু কে ঠেলল সেটা— ?'

প্রশ্নটা করেছেন লালমোহনবাবু। লক্ষ্মণ ভট্টাচার্য মাথা নাড়লেন।—'স্যরি। যা দেখেছি তার বাইরে বলতে পারব না। বললে মিথ্যে বলা হবে। দেবতা রুষ্ট হবেন।'

'দিন আপনার হাতটা।'

বিলাসবাবু করমর্দনের জন্য তাঁর ডান হাতটা বাড়িয়ে দিয়েছেন লক্ষ্মণ ভট্টাচার্যের দিকে।

৬

'এটাকে কী বলবেন ? ফাইভ স্টার না সিক্স স্টার ?' লালমোহনবাবুকে প্রশ্নটা করল ফেলুদা।

আমরা রেলওয়ে হোটেলে এসেছি ডিনার খেতে। বিলাসবাবু সাগরিকা থেকে বেরিয়েই আমাদের নেমন্তন্ন করলেন। বললেন, 'আপনারা আমার অশেষ উপকার করেছেন ; আমার এই অনুরোধটা রাখতেই হবে।'

রেলওয়ে হোটেলের খাওয়া যে অপূর্ব তাতে কোনও সন্দেহ নেই আর সেটা লালমোহনবাবুও না স্বীকার করে পারলেন না। বললেন, 'রেলের খাওয়ার যা ছিরি হয়েছে আজকাল মশাই, আমি ভাবলুম রেলওয়ে হোটেলের খাওয়াও বুঝি সেই স্ট্যান্ডার্ডের হবে। সে ভুল ভেঙে গেছে—থ্যাঙ্কস টু ইউ।'

বিলাসবাবু হেসে বললেন, 'এবার সুফ্‌লেটা খেয়ে দেখুন।'

'কী খাব সুপ প্লেটে ? সুপ তো গোড়াতেই খেলুম।'

'সুপ প্লেট নয়। সুফ্‌লে—মিষ্টি !'

এই সুফ্‌লে খেতেই বিলাসবাবু লক্ষ্মণ ভট্টাচার্যের দৌলতে মনে পড়ে যাওয়া ঘটনাটা

বললেন। —

'মিস্টার সেনের ঘরে দেখা সেই ঘটনাটা আমার মনে কোনওরকম খটকার সৃষ্টি করেনি। পরদিন ভদ্রলোক পোখরা যাচ্ছিলেন ; আমাকে সঙ্গে যাবার জন্য ইনভাইট করলেন। জাপানি দল আসতে আরও তিনদিন দেরি, তাই রাজি হয়ে গেলুম। পোখরা কাঠমাণ্ডু থেকে প্রায় দুশো কিলোমিটার। পথে একটা জঙ্গল পড়ল, ভদ্রলোক সেখানে গাড়ি থামাতে বললেন। বললেন নাকি ভাল অর্কিড পাওয়া যায় ওই জঙ্গলে। আমিও ক্যামেরা নিয়ে নামলুম। আর কিছু না হোক, এক-আধটা ভাল পাখিও যদি পাই, তা হলেই বা মন্দ কী ?—আমি পাখি খুঁজছি, উনি অর্কিড। দুজনে ভাগ হয়ে গেছি, কথা আছে আধ ঘণ্টা বাদে দুজনেই গাড়িতে ফিরব। ওপরে গাছের দিকে চোখ রেখে এগোচ্ছি, এমন সময় পিছন থেকে মাথায় একটা বাড়ি, আর তারপরেই অন্ধকার।'

ভদ্রলোক থামলেন। আর কিছু বলার নেই, কারণ বাকি ঘটনা উনি আগেই বলেছেন। ফেলুদা বলল, 'আঘাতটা কে মেরেছিল সেটা সম্বন্ধে আপনি নিশ্চিত নন ?'

বিলাসবাবু মাথা নাড়লেন। —'একেবারেই না, তবে এটা বলতে পারি যে সেই জঙ্গলে ত্রিসীমানার মধ্যে আর কোনও মানুষ চোখে পড়েনি। গাড়িটা ছিল মেন রোডে, প্রায় কিলোমিটার খানেক দূরে।'

'তা হলে অ্যাটেম্পটেড মার্ডারটা যে মিঃ সেনের কীর্তি, আদালতে সেটা প্রমাণ করার কোনও উপায় নেই ?'

'আজ্ঞে না, তা নেই।'

লালমোহনবাবু কিছুক্ষণ থেকেই উসখুস করছিলেন, এবার বুঝলাম কেন। ভদ্রলোক বললেন, 'আপনি একবারটি সেনমশাইয়ের সামনে গিয়ে হাজির হন না। উনিই যদি কালপ্রিট হন, তা হলে আপনাকে দেখে বেশ একটা ভূত দেখার মতো ব্যাপার হতে পারে। সেটা মন্দ হবে কি ?'

'সে কথা আমি ভেবেছি, কিন্তু সেখানে একটা মুশকিল আছে। উনি আমাকে নাও চিনতে পারেন। কারণ আমার তখন দাড়ি ছিল না। এটা রেখেছি থুতনির ক্ষতচিহ্নটা ঢাকবার জন্য।'

আরও মিনিট পাঁচেক থেকে বিলাসবাবুকে ধন্যবাদ দিয়ে আমরা উঠে পড়লাম। ভদ্রলোক আমাদের গেট অবধি পৌঁছে দিলেন। মেঘ কেটে গেছে, গুমোট ভাবটাও আর নেই। ফেলুদার পকেটে একটা ছোট্ট জোরালো টর্চ আছে জানি, কিন্তু ফিকে চাঁদের আলো থাকার দরুন সেটা আর জ্বালাবার দরকার হবে না।

রাস্তা পেরিয়ে সমুদ্রের ধার অবধি বাঁধানো পথটা দিয়ে চলতে চলতে লালমোহনবাবু বললেন, 'এবার ফ্র্যাঙ্কলি বলুন তো মশাই, কী রকম দেখলেন লক্ষ্মণ ভট্টাচার্যিকে। তাজ্জব ব্যাপার নয় কি ?'

'হতে পারে তাজ্জব,' বলল ফেলুদা, 'কিন্তু অত জেনেও গোয়েন্দার ভাত মারতে পারবে না। বিলাস মজুমদারকে দুর্গাগতি সেনই হত্যা করার চেষ্টা করেছিল কি না সেটা জানতে হলে ফেলু মিত্তির ছাড়া গতি নেই।'

'আপনি তদন্ত করছেন তা হলে ?'

চাঁদের আলোতেই বুঝলাম লালমোহনবাবুর চোখ ঝিলিক দিয়ে উঠেছে।

ফেলুদা কী উত্তর দিত জানি না, কারণ ঠিক তখনই সামনে একজন চেনা লোককে দেখে আমাদের কথা থেমে গেল। মাটির দিকে চেয়ে আপন মনে বিড়বিড় করতে করতে ব্যস্তভাবে এগিয়ে আসছেন আমাদেরই পথ ধরে মিঃ হিঙ্গোরানি।

ভদ্রলোক আমাদের দেখে থমকে দাঁড়ালেন ; তারপর ফেলুদার দিকে আঙুল নেড়ে বেশ ঝাঁজের সঙ্গে বললেন, 'ইউ বেঙ্গলিজ আর ভেরি স্টাবর্ন, ভেরি স্টাবর্ন !'

'হঠাৎ এই আক্রোশ কেন ?' ফেলুদা হালকা হেসে ইংরিজিতে প্রশ্ন করল। ভদ্রলোক বললেন, 'আই অফারড হিম টোয়েন্টি ফাইভ থাউজ্যাণ্ড, অ্যান্ড হি স্টিল সেড নো !'

'পঁচিশ হাজারের লোভ সামলাতে পারে এমন লোক তা হলে আছে বিশ্বসংসারে ?'

'আরে মশাই, ভদ্রলোক যে পুঁথি সংগ্রহ করেন সেটা আগে জানতাম। তাই অ্যাপয়েন্টমেন্ট করে দেখা করতে গেলাম। বললাম তোমার সবচেয়ে ভ্যালুয়েবল পিস কী আছে সেটা দেখাও। তৎক্ষণাৎ আলমারি খুলে দেখালেন—দ্বাদশ শতাব্দীর সংস্কৃত পুঁথি। অসাধারণ জিনিস। চোরাই মাল কি না জানি না। আমার তো মনে হয় গত বছর

ভাতগাঁওয়ের প্যালেস মিউজিয়ম থেকে তিনটে পুঁথি চুরি গিয়েছিল, এটা তারই একটা। দুটো উদ্ধার হয়েছিল, একটা হয়নি। আর সেটাও ছিল প্রজ্ঞাপারমিতার পুঁথি।'

'হোয়ার ইজ ভাতগাঁও ?' জিজ্ঞেস করলেন লালমোহনবাবু। জায়গাটার নাম আমিও শুনিনি।

'কাঠমাণ্ডু থেকে দশ কিলোমিটার। প্রাচীন শহর, আগে নাম ছিল ভক্তপুর।'

'কিন্তু চোরাই মাল কি কেউ চট করে দেখায় ?' ফেলুদা জিজ্ঞেস করল—'আর আমি যতদূর জানি প্রজ্ঞাপারমিতার পুঁথি একটা নয়, বিস্তর আছে।'

'আই নো, আই নো,' অসহিষ্ণুভাবে বললেন মিঃ হিঙ্গোরানি। 'উনি বললেন এটা দালাই লামার সঙ্গে এসেছিল, উনি নাকি ধরমশালা গিয়ে কিনে এনেছিলেন। কত দিয়ে কিনেছিলেন জানেন ? পাঁচশো টাকা। আর আমি দিচ্ছি পঁচিশ হাজার—ভেবে দেখুন !'

'তার মানে কি বলছেন পুরী আসাটা আপনার পক্ষে ব্যর্থ হল !'

'ওয়েল, আই ডোন্ট গিভ আপ সো ইজিলি। মহেশ হিঙ্গোরানিকে তো চেনেন না মিস্টার সেন ! ওঁর আরেকটা ভাল পুঁথি আছে, ফিফটিন্‌থ সেনচুরি। আমাকে দেখালেন। আরও দুটো দিন সময় আছে হাতে। দেখা যাক কদ্দিন ওর গোঁ টেকে।'

ভদ্রলোক সংক্ষেপে গুডনাইট জানিয়ে গজগজ করতে করতে চলে গেলেন হোটেলের দিকে।

'একটু সাসপিশাস লাগছে না ?' লালমোহনবাবু প্রশ্ন করলেন। ফেলুদা বলল, 'কার বা কীসের কথা বলছেন সেটা না জানলে বলা সম্ভব নয়।'

'পাঁচশো টাকা দিয়ে কেনা জিনিস পঁচিশ হাজারে ছাড়ছে না ?'

'কেন, মানুষ নির্লোভ হতে পারে এটা আপনার বিশ্বাস হচ্ছে না ? সিধুজ্যাঠা দুর্গাগতিবাবুকে পুঁথি বিক্রি করতে রিফিউজ করেছেন সেটা আপনি জানেন ?'

'কই, সেটা তো মিঃ সেন বললেন না।'

'সেটা তো আমার কাছে আরও সাসপিশাস। ঘটনাটা ঘটেছে মাত্র এক বছর আগে।'

আমার মনে হল দুর্গাগতিবাবু শুধু পিকিউলিয়ার নন, বেশ রহস্যজনক চরিত্র। আর বিলাসবাবু যা বলছেন তা যদি সত্যি হয়...

'সাসপিশন কিন্তু একজনের উপর পড়ে নেই,' বলল ফেলুদা, 'নিউক্লিয়ার ফল-আউটের মতো চতুর্দিকে ছড়িয়ে পড়ছে। কাকে বাদ দেবেন বলুন। আপনার গণৎকার যে তৃতীয়-চক্ষু-সম্পন্ন সরীসৃপের কথা বললেন, সেটার নাম টারাটুয়া নয়, টুয়াটারা। আর তার বাসস্থান নিউ গিনি নয়, নিউজিল্যান্ড। এ ধরনের ভুল জটায়ুর পক্ষে অস্বাভাবিক নয়, কিন্তু লক্ষ্মণ ভট্টাচার্য যদি তাঁর জ্ঞানের পরিচয় দিয়ে লোককে ইমপ্রেস করতে চান, তা হলে তাঁকে আরও অ্যাকুরেট হতে হবে। তারপর ধরুন নিশীথবাবু। আড়িপাতার অভ্যাস আছে ভদ্রলোকের ; সেটা মোটেই ভাল নয়। তারপর দুর্গাগতিবাবু বললেন ওঁর গাউট হয়েছে কিন্তু ওঁর টেবিলের ওষুধগুলো গাউটের নয়।'

'তবে কীসের ?'

'একটা ওষুধ তো সবে গত বছর বেরিয়েছে, টাইম ম্যাগাজিনে পড়ছিলাম ওটার কথা। কীসের ওষুধ ঠিক মনে পড়ছে না, কিন্তু গাউটের নয়।'

আমি জিজ্ঞেস করলাম, 'আচ্ছা, ভদ্রলোককে এত অন্যমনস্ক কেন মনে হয় বলো তো ? আর তা ছাড়া বললেন, ওঁর ছেলেকে চেনেন না...'

'সেটারও তো কারণ ঠিক বুঝতে পারছি না।'

লালমোহনবাবু বললেন, 'ধরুন যদি উনি সত্যিই বিলাস মজুমদারকে খুন করার চেষ্টা করে

থাকেন, তা হলে সেটাই একটা অন্যমনস্কতার কারণ হতে পারে। এখানে অবিশ্যি অন্যমনস্কতা ইজ ইকুয়াল টু নার্ভাসনেস।'

এখানে আমাদের কথা থেমে গেল। শুধু কথা না, হাঁটাও।

বালির উপরে জুতোর ছাপ, আর তার সঙ্গে সঙ্গে বাঁ পাশে লাঠির ছাপ।

ছাপটা হয়েছে গত কয়েক ঘণ্টার মধ্যে।

কিন্তু কথা হচ্ছে এই যে বিলাসবাবু লক্ষ্মণ ভট্টাচার্যের বাড়ি থেকে সোজা হোটেলে ফিরে গিয়ে স্নান-টান সেরে আমাদের জন্য অপেক্ষা করছিলেন। তিনি এর মধ্যে আর নীচে আসেননি।

তা হলে এ ছাপ কার ?

আর কে বাঁ হাতে লাঠি নিয়ে হেঁটে বেড়ায় পুরীর বিচে ?

৭

পরদিন সকালে আমরা চা খেয়ে বেরোব বেরোব ভাবছি, এমন সময় লালমোহনবাবুর গাড়ি চলে এল। ড্রাইভার হরিপদবাবু বললেন যে যদিও সকাল সকাল রওনা হয়েছিলেন, বালাসোরের ৩০ কিলোমিটার আগে নাকি প্রচণ্ড বৃষ্টি নামে, ফলে ওঁকে ঘণ্টা চারেক বালাসোরেই থাকতে হয়েছিল। গাড়ি নাকি দিব্যি এসেছে, কোনও ট্রাবল দেয়নি।

হরিপদবাবুর জন্য আমাদের হোটেলের কাছেই নিউ হোটেলে একটা ঘর বুক করে রাখা হয়েছিল, কারণ নীলাচলে জায়গা ছিল না। গাড়িটা নীলাচলে রেখে ভদ্রলোক চলে গেলেন নিজের হোটেলে। আমরা বলে দিলাম দিন ভাল থাকলে দুপুরের দিকে ভুবনেশ্বরটা সেরে আসতে পারি। একটার মধ্যে মন্দির-টন্দির সব দেখে ঘুরে আসা যায়।

ফেলুদা বলেই রেখেছিল সকালে একবার স্টেশনে যাবে। ওর আবার স্টেটসম্যান না পড়লে চলে না, হোটেলে দেয় শুধু বাংলা কাগজ।

হাঁটা পথে হোটেল থেকে স্টেশনে যেতে লাগে আধ ঘণ্টা। আমরা যখন পৌঁছলাম তখন পৌনে নটা। কলকাতা থেকে জগন্নাথ এক্সপ্রেস এসে গেছে সাতটায় ; পুরী এক্সপ্রেস এক ঘণ্টা লেট, এই এল বলে। কোথাও যাবার না থাকলেও স্টেশনে আসতে দারুণ লাগে। বিশেষ করে কোনও বড় ট্রেন আসামাত্র ঠাণ্ডা স্টেশন কী রকম টগবগিয়ে ফুটে ওঠে, সে জিনিস দেখে দেখেও পুরনো হয় না।

বুক-স্টলে গিয়ে লালমোহনবাবু প্রথমেই জিজ্ঞেস করলেন বিখ্যাত রহস্যরোমাঞ্চ ঔপন্যাসিক জটায়ুর কোনও বই আছে কি না। এটা করার কোনও মানে হয় না, কারণ ওই সিরিজের গোটা দশেক বই সামনেই রাখা রয়েছে, আর তার মধ্যে তিনটে যে জটায়ুর সেটা পরিষ্কার দেখা যাচ্ছে।

ফেলুদা খবরের কাগজ কিনে অন্য বই ঘাঁটছে, এমন সময় একটা গলা পেলাম।

'জ্যৈষ্ঠের রহস্য মাসিকটা এসেছে ?'

পাশ ফিরে দেখি নিশীথবাবু। ভদ্রলোক প্রথমে আমাদের দেখেননি ; চোখ পড়তেই কান অবধি হেসে ফেললেন।

'দেখুন। পাশে গোয়েন্দা দাঁড়িয়ে, আর আমি কিনছি রহস্য মাসিক !'

'আপনার বস্-এর কী খবর ?' ফেলুদা জিজ্ঞেস করল।

'আর বলবেন না', বললেন নিশীথবাবু, 'অ্যাপয়েন্টমেন্ট না করে লোক চলে আসে, আর দেখা করার জন্য ঝুলোঝুলি করে। পুঁথির এত সমঝদার আছে জানতুম না মশাই।'

'আবার কে এল ?'

'লম্বা, চাপ দাড়ি, চোখে কালো চশমা। নাম জানতে চাইলে বললেন নাম বললে চিনবেন না তোমার মনিব। বলো ভাল পুঁথির খবর আছে। বললুম কর্তাকে, বললেন নিয়ে এসো। ছাতে নিয়ে গিয়ে বসালুম। আরও কিছু চিঠি টাইপ করার ছিল, ঘরে চলে গেছি, ও মা, তিন মিনিটের মধ্যেই হাঁকডাক। গিয়ে দেখি কর্তার মুখ ফ্যাকাসে, এই বুঝি হার্ট ফেল করবেন। বললেন এঁকে নিয়ে যাও। ভদ্রলোককে তৎক্ষণাৎ নিয়ে চলে এলুম। সে আবার যাবার সময় বলে কী, তোমার মনিবের হার্টের ব্যামো আছে নিশ্চয়ই, ডাক্তার দেখাও!'

'এখন কেমন আছেন উনি ?'

'এখন অনেকটা ভাল।' ভদ্রলোক প্ল্যাটফর্মের ঘড়িটার দিকে দৃষ্টি দিয়েই আঁতকে উঠেছেন—'এত যে লেট হয়ে গেছে সেটা খেয়ালই করিনি। শুনুন মশাই আছেন তো কদিন ? একদিন সব বলব। সে অনেক ব্যাপার। আ—চ্ছা!'

ইতিমধ্যে পুরী এক্সপ্রেস এসে পড়েছিল, গার্ডের হুইসেলের সঙ্গে সঙ্গে ট্রেন ছেড়ে দিল, আর নিশীথবাবুও ভিড়ের মধ্যে মিলিয়ে গেলেন।

ফেলুদা একটা চটি বই দেখে রেখেছিল, সেটা কিনে নিল। দাম সতেরো পঞ্চাশ। নাম—এ গাইড টু নেপাল।

ফেরার পথে ফেলুদা বলল, 'আপনারা বরং আজই ভুবনেশ্বরটা দেখে আসুন। একটা ফিলিং হচ্ছে, আমার এখানে থাকা দরকার। এখুনি কিছু হবে বলে মনে হয় না, তবে আবহাওয়া সুবিধের নয়। তা ছাড়া আমার কিছু কাজও আছে। কাঠমাণ্ডুতে একটা ফোন করা দরকার। তথ্যগুলো জট পাকিয়ে যাবার আগে একটু গুছিয়ে ফেলা দরকার।'

আমি ফেলুদার এই মুডটা ভাল করে জানি। ও এখন গুটিয়ে নেবে নিজেকে, মৌনী হয়ে যাবে। খাটে চিত হয়ে শুয়ে শূন্যে চেয়ে থাকবে। আমি লক্ষ করেছি এই অবস্থায় ওর প্রায় তিন-চার মিনিট ধরে চোখের পাতা পড়ে না। আমরা যদি এ সময়ে ঘরে থাকি তো ফিস্‌ফিস্ করে কথা বলি। সবচেয়ে ভাল হয় ঘরে না থাকলে। আর ফেলুদার সঙ্গই যদি না পাই তো ভুবনেশ্বরে যেতে ক্ষতি কী ?

আমি লালমোহনবাবুকে ইশারায় বুঝিয়ে দিলাম যে আমাদের যাওয়াই উচিত।

হোটেলের কাছাকাছি যখন পৌঁছেছি তখন দেখি একজন চেনা লোক গেট দিয়ে বেরোচ্ছেন।

'দেখেছেন, আর এক মিনিট এদিক-ওদিক হলেই আর দেখা হত না,' বললেন বিলাস মজুমদার।

'চলুন ওপরে!'

বিলাসবাবু আমাদের ঘরে এসে চেয়ারে বসে কপালের ঘাম মুছলেন।

'আপনি তো আমার অ্যাডভাইস নিয়েছেন শুনলাম,' একগাল হেসে বললেন লালমোহনবাবু।

'শুধু তাই না,' বললেন ভদ্রলোক, 'আপনি ঠিক যেমনটি বলেছিলেন একেবারে হুবহু তাই। যাকে বলে ভূত দেখা। আমি তো অপ্রস্তুতেই পড়ে গেস্‌লাম মশাই। দাড়ি সত্ত্বেও লোকটা চিনে ফেলল!'

ফেলুদা বলল, 'আপনি বোধহয় খেয়াল করেননি যে আপনার চেহারায় একটি বিশেষত্ব আছে যেটা চট করে ভোলবার নয়।'

বিলাসবাবু একটু অবাক হয়ে বললেন, 'কী বলুন তো ?'

'আপনার কপালে থার্ড আই,' বলল ফেলুদা।

'ঠিক বলেছেন। ওটা আমার খেয়ালই হয়নি। যাকগে, একটা আশ্চর্য ব্যাপার হল, জানেন। লোকটার দশা দেখে ওর ওপর মায়া হল। আর, ওই ঘটনাটার ফলেই বোধহয়, ওঁকে কাঠমাণ্ডুতে যেমন দেখেছিলাম তেমন আর উনি নেই। এই ছয়-সাত মাসে বয়স যেন বেড়ে গেছে দশ বছর। আজ দেখা করে খুব ভাল হল। এবার ঘটনাটা মন থেকে মুছে ফেলতে কোনও অসুবিধা হবে না।'

'এটা সুখবর,' বলল ফেলুদা—'শুধু অনুমানের ওপর ভিত্তি করে আপনি বেশি দূর এগোতেও পারতেন না।'

ভদ্রলোক উঠে পড়লেন।

'আপনাদের প্ল্যান কী ?'

ফেলুদা বলল, 'এঁরা দুজন যাচ্ছেন ভুবনেশ্বর, সন্ধ্যায় ফিরবেন। আমি এখানেই আছি।'

'আমি ভাবছি কালই বেরিয়ে পড়ব। উড়িষ্যার ফরেস্টগুলো দেখা হয়নি।...'যদি পারি যাবার আগে গুডবাই করে যাব।'

আমাদের বেরোতে বেরোতে সাড়ে বারোটা হলেও, দিনটা ভাল থাকায়, আর চমৎকার রাস্তায় হরিপদবাবু স্পিডোমিটারের কাঁটা ৮০ কিলোমিটারের নীচে নামতে না দেওয়ার দরুন আমরা ঠিক বেয়াল্লিশ মিনিটে ভুবনেশ্বর পৌঁছে গেলাম।

আমরা প্রথমে চলে গেলাম রাজারানি মন্দির দেখতে, কারণ এরই গায়ের একটা যক্ষীর মাথা চুরি হয়ে গিয়েছিল, আর ফেলুদা তার আশ্চর্য গোয়েন্দাগিরির ফলে সেটা উদ্ধার করে দিয়েছিল। সেটাকে মন্দিরের গায়ে চিনতে পেরে শিরদাঁড়ায় এমন একটা শিহরন খেলে গেল যে বলতে পারি না।

অবিশ্যি মন্দির তো শুধু ওই একটাই নয়—লিঙ্গরাজ, কেদারগৌরী, মুক্তেশ্বর, ব্রহ্মেশ্বর, ভাস্করেশ্বর আর আরও কত যে ঈশ্বর তা মনেও নেই। লালমোহনবাবুর আবার সবগুলো দেখা চাই, কারণ এথিনিয়াম ইনস্টিটিউশনের সেই কবি-শিক্ষক বৈকুণ্ঠনাথ মল্লিকের নাকি চার লাইনের একটা গ্রেট পোয়েম আছে ভুবনেশ্বর নিয়ে, যেটা ওঁকে হন্ট করে। মুক্তেশ্বরের চাতালে দাঁড়িয়ে প্রায় চল্লিশ জন দেশি-বিদেশি টুরিস্টের সামনে উনি সেটা গলা ছেড়ে আবৃত্তি করলেন—

'কত শত অজ্ঞাত মাইকেল এঞ্জেলো
একদা এই ভারতবর্ষে ছেলো—
নীরবে ঘোষিছে তাহা ভাস্কর্যে ভাস্বর
ভুবনেশ্বর !'

ভদ্রলোক যাতে কষ্ট না পান তাই আমি মুখে 'বাঃ' বললাম, যদিও এঞ্জেলোর সঙ্গে মিল দেবার জন্য 'ছিল'কে 'ছেলো' করাটা আমার মোটেই গ্রেট পোয়েটের লক্ষণ বলে মনে হল না। কথাটা নরম করে ওঁকে বলাতে ভদ্রলোক রেগেই গেলেন।

'পোয়েটের ব্যাকগ্রাউন্ড না জেনে ভার্স ক্রিটিসাইজ করার বদ অভ্যাসটা কোথায় পেলে, তপেশ ? বৈকুণ্ঠ মল্লিক চুঁচড়োর লোক ছিলেন। ওখানে ছিলকে ছেলই বলে। ওতে ভুল নেই।'

ভুবনেশ্বর ছিমছাম শহর তাতে সন্দেহ নেই, কিন্তু আমার মতে, সমুদ্র না থাকায় পুরীর পাশে দাঁড়াতে পারে না। কাজেই সাতটা নাগাদ আবার নীলাচল হোটেলে ফিরে আসতে দিব্যি ভাল লাগল।

তিন ধাপ সিঁড়ি দিয়ে হোটেলের বারান্দায় উঠতেই ম্যানেজার শ্যামলাল বারিক তাঁর ঘর

থেকে হাঁক দিলেন ।

'ও মশাই, মেসেজ আছে।'

আমরা হন্তদন্ত হয়ে ঢুকলাম তাঁর ঘরে ।

'মিত্তির মশাই এই দশ মিনিট হল বেরোলেন । বললেন আপনারা যেন ঘরেই থাকেন ।'

'কী ব্যাপার ? কোথায় গেলেন ?'

'থানা থেকে ফোন করেছিল ওঁকে। ডি. জি. সেনের বাড়িতে চুরি হয়েছে। একটি মহামূল্য পুঁথি ।'

আশ্চর্য ! ফেলুদার মন বলছিল কিছু একটা হবে, আর সত্যিই হয়ে গেল ।

৮

স্নান করে চা খেয়ে শরীরের ক্লান্তি দূর হল ঠিকই । কিন্তু মন ছটফট, বুকের ভিতর ঢিপ ঢিপ । ফেলুদা তদন্তে লেগে গেছে। পুরী আমাদের হতাশ করেনি ।

কিন্তু সেই সঙ্গে এও মনে হচ্ছে, এতে ফেলুদার ট্যাঁকে কিছু আসবে কি ? অবিশ্যি কেস তেমন জমাটি হলে রোজগার হল কি না হল সেটা ফেলুদা ভুলে যায়। অনেক সময় রোজগার যেগুলোতে হয়—মানে, যেখানে মক্কেল ঘরে এসে ফেলুদাকে তদন্তের ভার দেয়, সেখানে পকেট ভরলেও মন ভরে না, কারণ রহস্যটা হয় মামুলি । আবার এমন অনেকবার হয়েছে যে ফেলুদা শখ করে তদন্ত করেছে, পয়সা হয়তো কিছুই আসেনি, অথচ রহস্য জটিল হওয়াতে সমাধান করে মন মেজাজ মগজ সব একসঙ্গে চাঙিয়ে উঠেছে।

'কাকে সাসপেক্ট করছ, তপেশ ?' আটটা নাগাত প্রশ্ন করলেন লালমোহনবাবু। উনি এতক্ষণ হাত দুটোকে পিছনে জড়ো করে আমাদের ঘরে পায়চারি করেছেন ।

আমি বললাম, 'চুরি করার সুযোগ সবচেয়ে বেশি নিশীথবাবুর, কিন্তু সেইজন্যেই উনি করবেন বলে মনে হয় না। এ ছাড়া হিঙ্গোরানির তো লোভ ছিলই ওই পুঁথির ওপর। বিলাস মজুমদারও টাকা আর প্রতিশোধের জন্য করতে পারেন। তারপর লক্ষ্মণ ভট—'

'না না না,' ভীষণভাবে প্রতিবাদ করে উঠলেন লালমোহনবাবু। 'এমন একজন লোককে এর মধ্যে টেনো না—প্লিজ। কী অলৌকিক ক্ষমতা ভেবে দেখো তো ভদ্রলোকের।'

'আপনার কী মনে হয়?' আমি পালটা প্রশ্ন করলাম।

'আমার মনে হয় তুমি আসল লোকটাকেই বাদ দিয়ে গেলে।'

'কে?'

'সেন মশাই হিমসেলফ্।'

'সে কী? উনি নিজের জিনিস চুরি করতে যাবেন কেন?'

'চুরি নয়, চুরি নয়, পাচার। চোরাই মাল পাচার করলেন অ্যাদ্দিনে। হিঙ্গোরানি হাইয়ার প্রাইস অফার করেছেন, আর উনি বেচে দিয়েছেন। লোককে বলছেন চুরি।'

আমি ভেবে দেখছিলাম লালমোহনবাবুর কথা ঠিক হতে পারে কি না, এমন সময় রুম বয় এসে খবর দিল যে, আমার টেলিফোন আছে। ফেলুদা।

রুদ্ধশ্বাসে নীচে গিয়ে ফোন ধরলাম।

'কী ব্যাপার?'

'শ্যামলালবাবু বলেছেন?'

'হ্যাঁ। কিন্তু কিছু বুঝতে পারলে?'

'নিশীথবাবু হাওয়া।'

'তাই বুঝি? পুলিশে খবর দিল কে?'

'সে সব গিয়ে বলব। আমি আধ ঘণ্টার মধ্যেই ফিরছি। ভুবনেশ্বর কেমন লাগল?'

'ভাল। ইয়ে—'

ফেলুদা ফোন রেখে দিয়েছে।

লালমোহনবাবুকে বললাম। ভদ্রলোক মাথা চুলকে বললেন, 'সিন অফ ক্রাইমে একবার গিয়ে পড়তে পারলে ভালই হত, তবে তোমার দাদা বোধহয় চাইছেন না।'

আরও এক ঘণ্টা অপেক্ষা করেও যখন ফেলুদা এল না, তখন সত্যিই চিন্তা হতে শুরু করল। রুম-বয়কে বলে আরেক দফা চা আনিয়ে নিলাম। দুজনে পালা করে পায়চারি করছি। ইতিমধ্যে একটা অন্যায় কাজ করে ফেলেছি, কিন্তু না করে পারলাম না। ফেলুদার খাতাটা খাটের উপরই ছিল, তাতে আজ দুপুরে ও কী লিখেছে সেটা দেখে ফেলেছি, যদিও মাথামুণ্ডু কিছুই বুঝিনি। ওর ধনী ব্যবসায়ী মক্কেল হরিহর জরিওয়ালার দেওয়া 'ক্রস' মার্কা ডট পেনে একটা পাতায় ছড়িয়ে লেখা রয়েছে—

ডায়াবিড?—গাউট—সাপ?—কী ফিরে আসবে? ছেলেকে চেনে না কেন?—কালোডাক? কাকে? কেন?—লাঠি হাতে কে হাঁটে?...

ন'টা নাগাত ধৈর্য ফুরিয়ে গেল। যা থাকে কপালে বলে দুজন বেরিয়ে পড়লাম। সাগরিকা থেকে ফিরতে হলে ফেলুদা সমুদ্রের ধার দিয়ে শর্টকাটই নেবে। আমরা তাই হোটেল থেকে বেরিয়ে ডাইনেই ঘুরলাম।

কালও রাত্রে রেলওয়ে হোটেল থেকে সমুদ্রের ধার ধরে ফিরবার সময় মনে হয়েছে, দিনে আর রাতে কত তফাত। ঢেউয়ের গর্জন যেমন দিনে তেমনি রাত্তিরেও চলে, কিন্তু রাত্রে সমস্ত ব্যাপারটা আবছা অন্ধকারে ঘটে বলে গা ছমছম করে অনেক বেশি। প্রকৃতির কী অদ্ভুত খেয়াল। জলের ফসফরাস না থাকলে এমন মেঘলা রাত্তিরে কি ঢেউগুলো দেখা

যেত ?

দূরে বাঁয়ে আকাশটা যে ফিকে হয়ে আছে, সেটা শহরের আলোর জন্য। সামনে দূরের টিমটিমে আলোর বিন্দুগুলো নিশ্চয় নুলিয়া বস্তির।

আমরা দুজনে যতটা পারা যায় জল দূরে রেখে বাঁদিক ধরে চলতে লাগলাম। ঢেউয়ের ফেনা আমাদের বিশ-পঁচিশ হাত দূর অবধি গড়িয়ে এসে থেমে যাচ্ছে। লালমোহনবাবুর সঙ্গে টর্চ আছে, কিন্তু অপ্রয়োজনে সেটা ব্যবহার করার কোনও মানে হয় না।

আজ সারাদিন বৃষ্টি না হওয়ায় বালি শুকনো কিন্তু তাও পা বসে যায়। এ বালি দিঘার মতো জমাট নয় যে প্লেন ল্যান্ড করবে। লালমোহনবাবু কেড্‌স পরেছেন, আর আমি চপ্পল। এই চপ্পলেই হঠাৎ জানি কীসের সঙ্গে ঠোক্কর খেলাম, আর খাওয়ার সঙ্গে সঙ্গে মুখ থুবড়ে বালিতে। লালমোহনবাবুও 'কী হল, কী হল' করে এগিয়ে এসে কীসে জানি বাধা পেয়ে হুড়মুড়িয়ে পড়ে দুবার 'হেলপ্‌ হেলপ্‌' বলে বিকট চিৎকার করে উঠলেন। আমি ধরা গলায় বললাম, 'আমার পেটের নীচে দুটো ঠ্যাং।'

'বলো কী !'

আমরা দুজনেই কোনওরকমে উঠে পড়েছি, লালমোহনবাবু টর্চটা জ্বালাতে চেষ্টা করে পারছেন না বলে সেটার পিছনে থাবড়া মারছেন।

একটা গোঙানির শব্দ, আর তারপর একটা মানুষের শরীর বালি থেকে উঠে বসল। চোখে যত না দেখছি, তার চেয়ে বেশি আন্দাজে বুঝছি।

'হাতটা দে—'

ফেলুদা !

আমি ডান হাতটা বাড়ালাম। ফেলুদা সেটা ধরে এক ঝটকায় উঠে দাঁড়িয়ে কিছুক্ষণ আমার পিঠে হাত রেখে টলল।

টর্চ জ্বলেছে। লালমোহনবাবু কাঁপা হাতে আলোটা ফেলুদার মুখে ফেললেন। ফেলুদা নিজের ডান হাতটা সাবধানে মাথার উপর রেখে যন্ত্রণায় মুখটা বিকৃত করে হাতটা নামিয়ে নিল।

টর্চের আলোতে দেখলাম হাতের তেলোয় রক্ত।

'কে ফ্‌-ফেটে গেছে ?' ফাটা গলায় প্রশ্ন করলেন জটায়ু।

কিন্তু ফেলুদার চোখে ভ্রূকুটি। —'কী রকম হল ?'

ফেলুদাকে এত হতভম্ব হতে দেখিনি কখনও। ও নিজের পকেট থেকে ছোট্ট টর্চটা বার করে এদিক ওদিক ফেলল। এক জোড়া জুতো পরা পায়ের ছাপ ফেলুদা যেখানে পড়েছিল তার পাশ থেকে চলে গেছে উঁচু পাড়টার দিকে, যেখানে বালি শেষ হয়ে গেছে।

আমরা এগিয়ে গেলাম পায়ের ছাপ ধরে। পাড় এখানে বুক অবধি উঁচু। উপরে ঘাস আর ঝোপড়া। কাছাকাছির মধ্যে বাড়ি-টাড়ি নেই। যেখানে লোকটা ওপরে উঠে গেছে, সেখানে বালিতে কিছু ঘাসের চাবড়া পড়ে থাকতে দেখে বুঝলাম, লোকটাকে বেশ কসরত করে উঠতে হয়েছে।

ফেলুদা হোটেলমুখো ঘুরল, আমরা তার পিছনে।

'আপনি কতক্ষণ এই ভাবে পড়ে ছিলেন বলুন তো ?' লালমোহনবাবুর গলার স্বর এখনও স্বাভাবিক হয়নি। ফেলুদা রিস্টওয়াচের ওপর টর্চ ফেলে বলল, 'প্রায় আধ ঘণ্টা।'

'মাথায় তো স্টিচ দিতে হবে মনে হচ্ছে।'

'না,' বলল ফেলুদা। —'আমার মাথায় শুধু বাড়ি লেগেছে, জখম হয়নি।'

'তা হলে রক্ত— ?'

ফেলুদা কোনও জবাব দিল না।

৯

হোটেলে এসে মাথায় বরফ দিয়ে ফেলুদার ব্যথাটা কমল। এই কীর্তির জন্য কে দায়ী সে সম্বন্ধে ফেলুদার কোনও ধারণা নেই। সাগরিকা থেকে ফেরার পথে জনমানবশূন্য বিচে হঠাৎ চোখের উপর আচমকা টর্চের আলো, আর তারপরেই মাথায় বাড়ি। ফেলুদা ফোন করে মহাপাত্রকে ঘটনাটা বলায় ভদ্রলোক বললেন, 'আপনি একটু বুঝে-সুঝে চলুন মশাই। কিছু অত্যন্ত বেপরোয়া লোক যে আশেপাশে ঘোরাফেরা করছে তাতে কোনও সন্দেহ নেই। আপনি চুপচাপ থেকে পুরো ব্যাপারটা আমাদের হ্যান্ডল করতে দিলে সবচেয়ে ভাল হয়। ফেলুদা উত্তরে বলে যে এই ঘটনাটা ঘটবার আগে সেটা বললে ও হয়তো ভেবে দেখতে পারত, এখন টু লেট।

রাত্রে খাওয়া সেরে ঘরে এসেছি, ঘড়িতে বলছে পৌনে এগারোটা, এমন সময় শ্যামলাল বারিক একটি ভদ্রলোককে নিয়ে আমাদের ঘরে ঢুকলেন। বছর চল্লিশেক বয়স, ফরসা ফিটফাট চেহারা, চোখে পুরু কালো ফ্রেমের চশমা। শ্যামলালবাবু বললেন, 'ইনি আধ ঘণ্টা হল অপেক্ষা করছেন। আপনারা খাচ্ছিলেন, তাই আর ডিসটার্ব করিনি।'

ভদ্রলোককে বসিয়ে শ্যামলালবাবু বিদায় নিলেন।

আগন্তুক ফেলুদার দিকে চেয়ে হেসে বললেন, 'আমি আপনার নাম শুনেছি। ইন ফ্যাক্ট, আপনার কীর্তিকলাপ পড়ার দরুন এঁদের দুজনকেও চিনতে পারছি। আমার নাম মহিম সেন।'

ফেলুদার ভুরু কুঁচকে গেল। 'তার মানে— ?'

'দুর্গাগতি সেন আমার বাবা।'

আমরা তিনজনেই চুপ। ভদ্রলোকই কথা বলে চললেন।

'আমি এসেছি আজই দুপুরে। মোটরে। আমাদের কোম্পানির একটা গেস্ট হাউস আছে, সেখানে উঠেছি।'

'আপনার বাবার সঙ্গে দেখা করেননি ?' ফেলুদা জিজ্ঞেস করল।

'ফোন করেছিলাম এসেই। ওঁর সেক্রেটারি ধরেছিলেন। আমি আমার পরিচয় দিলাম। উনি বাবার সঙ্গে কথা বলে জানালেন বাবা ফোনে আসতে চাইছেন না।'

'কারণ ?'

'জানি না।'

ফেলুদা বলল, 'আপনার বাবার সঙ্গে কথা বলে আমার ধারণা হয়েছে, তিনি আপনার প্রতি খুব প্রসন্ন নন। কেন, সেটা আপনি অনুমান করতে পারছেন না ?'

ভদ্রলোক ফেলুদার অফার করা চারমিনার প্রত্যাখ্যান করে নিজের একটা রথম্যান ধরিয়ে বললেন, 'দেখুন, বাবার সঙ্গে আমার খুব একটা মেলামেশা কোনওদিনও ছিল না ; তাই বলে অসদ্ভাবও ছিল না। আমি ওঁর হবি সম্বন্ধে কোনওদিন বিশেষ ইনটারেস্ট দেখাইনি ; আর্টের চোখ আমার নেই। আমি থাকি কলকাতায় ; কোম্পানির কাজে বছরে বার-দুয়েক বিদেশে যেতে হয়। চিঠি লিখে সব সময়ই উত্তর পেয়েছি, তা পোস্টকার্ডে দুটো লাইনই হোক।

বাবা এখানে আসবার পর দুবার আমি আর আমার স্ত্রী ওঁরই বাড়ির দোতলায় হপ্তা-দুয়েক করে থেকে গেছি। আমার একটি বছর আটেকের ছেলে আছে, তাকে উনি অত্যন্ত স্নেহ করেন। কিন্তু এবার যেটা করলেন সেটা আমার কাছে একেবারে রহস্য। বাবার মতো শক্ত লোকের বাষট্টি বছরে ভীমরতি ধরবে এটা বিশ্বাস করা কঠিন। কোনও তৃতীয় ব্যক্তি এর জন্য দায়ী কি না তাও জানি না। তাই যখন শুনলাম আপনি এসে রয়েছেন পুরীতে, ভাবলাম একবার দেখা করে যাই।'

'আপনার বাবার সেক্রেটারিটি কদ্দিন রয়েছেন ?'

'তা বছর চারেক হবে। আমি সেভেনটি সিক্সে এসে ওঁকে দেখেছি।'

'কী রকম লোক বলে মনে হয়েছে আপনার ?'

'আমার পক্ষে বলা শক্ত। এটুকু বলতে পারি যে চিঠি টাইপ করা ইত্যাদি মোটামুটি জানলেও, বাবা ওঁর সঙ্গে কথা বলে নিশ্চয়ই আনন্দ পেতেন না।'

'তা হলে আপনাকে খবর দিই—আপনার বাবার সংগ্রহের সবচেয়ে মূল্যবান পুঁথিটি আজ চুরি হয়েছে। এবং সেই সঙ্গে সেক্রেটারিও উধাও।'

মহিমবাবুর মুখ হাঁ হয়ে গেল।

'বলেন কী ! আপনি গিয়েছিলেন ওখানে ?'

'আজ্ঞে হ্যাঁ।'

'কী রকম দেখলেন বাবাকে ?'

'স্বভাবতই মুহ্যমান। ওঁর দুপুরে ওষুধ খেয়ে ঘুমোনোর অভ্যাস হয়েছে আজকাল ; আগে ছিল কি না জানি না। আজ বিকেলে সাড়ে ছটায় নাকি একজন আমেরিকান ভদ্রলোকের আসবার কথা ছিল। নিশীথবাবুই অ্যাপয়েন্টমেন্টের ব্যাপারটা দেখেন, কেউ এলে উনিই সঙ্গে করে নিয়ে যান। আজ উনি ছিলেন না। চাকর ছিল, সে-ই সাহেবকে নিয়ে যায় ওপরে। আপনার বাবা সাধারণত সাড়ে চারটের মধ্যে উঠে পড়েন, কিন্তু আজ উঠতে হয়ে গেছিল প্রায় ছটা। যাই হোক, সাহেব পুঁথি দেখতে চায়। মিঃ সেন আলমারির দেরাজ খুলে দেখেন শালুর মোড়ক ঠিকই আছে, কিন্তু তার ভিতরে রয়েছে দুটো কাঠের মাঝখানে ফালি করে কাটা এক গোছা সাদা কাগজ। আপনার বাবা খুবই বিচলিত হয়ে পড়েন, শেষটায় ওই আমেরিকানই পুলিশে ফোন করেন।'

'কিন্তু তার মানে নিশীথবাবুই কি— ?'

'তাই তো মনে হচ্ছে। ভদ্রলোকের সঙ্গে সকালে স্টেশনে দেখা হয়েছিল। এখন মনে হচ্ছে টিকিট কিনতে গিয়েছিলেন ; কারণ ওঁর ঘরে সুটকেস-বেডিং নেই। স্টেশনে গিয়েছিল পুলিশ, কিন্তু ততক্ষণে পুরী এক্সপ্রেস, হাওড়া প্যাসেঞ্জার দুটোই চলে গেছে। অবিশ্যি ওরা পরের স্টেশনগুলোতে খবর পাঠিয়ে দিয়েছে।'

আমরা তিনজনেই চুপ। এর মধ্যে এত ঘটনা ঘটে গেছে শুনে মাথা ভোঁ ভোঁ করছে।

'আপনার বাবা গত বছর নেপালে গিয়েছিলেন সে খবর জানেন ?'

মহিমবাবু বললেন, 'অগাস্টের পর গিয়ে থাকলে জানার কথা নয়, কারণ আমি তখন থেকে সাত মাস দেশের বাইরে। বাবা পুঁথির খোঁজে অনেক জায়গায় যেতেন। কেন, নেপালে কী হয়েছিল ?'

ফেলুদা এ প্রশ্নের কোনও জবাব না দিয়ে বলল, 'আপনার বাবার গাউট হয়েছে এটাও কি আপনার কাছে নতুন খবর ?'

মহিমবাবু যেন আকাশ থেকে পড়লেন।

'গাউট ? বাবার গাউট ?'

'বিশ্বাস করা কঠিন ?'

'খুবই। গত বছর মে মাসেও দেখেছি বাবা ভোরে আর সন্ধ্যায় সমুদ্রের ধারে বালির উপর দিয়ে হনহনিয়ে হেঁটে চলেছেন। ওনার খাওয়া-দাওয়া ছিল পরিমিত, ড্রিংক করতেন না, কোনওরকম অনিয়ম করতেন না। স্বাস্থ্য নিয়ে ওঁর একটা অহংকার ছিল। বাবার গাউট হলে খুবই আশ্চর্য হব, এবং খুবই ট্র্যাজিক ব্যাপার হবে।'

'এটাই কি ওঁর বর্তমান মানসিক অবস্থার কারণ হতে পারে ?'

'তা তো পারেই,' বেশ জোরের সঙ্গে বললেন মহিমবাবু। 'নিজেকে পঙ্গু বলে মেনে নেওয়াটা বাবার পক্ষে খুবই কঠিন হবে।'

ফেলুদা বলল, 'আমি রয়েছি আরও কয়েকদিন। দেখি যদি কিছু করতে পারি। আমার কাছে অনেক কিছুই এখনও পর্যন্ত ধোঁয়াটে।'

মহিমবাবু উঠে পড়ে বললেন, 'আমি এসেছি বাবার সঙ্গে আমাদের পুরনো ব্যবসা সংক্রান্ত কিছু জরুরি ব্যাপার নিয়ে আলোচনা করতে। সেটা যদ্দিন না সম্ভব হচ্ছে, তদ্দিন আমাকেও থাকতে হবে।'

ভদ্রলোক চলে যাবার পর শুতে শুতে প্রায় বারোটা হল।

পাশের ঘর থেকে লালমোহনবাবু গুডনাইট করতে এলেন, যেমন রোজই আসেন। ওঁর রুমমেট আজ সকালে চলে গেছেন, উনি এখন একা। বললেন,'ভাল কথা, আপনি তো আজ কাঠমাণ্ডুতে ফোন করেছিলেন।'

'তা করেছিলাম।'

'কী ব্যাপার মশাই ?'

'বীর হাসপাতালের ডাঃ ভার্গবকে জিজ্ঞেস করলাম, গত অক্টোবরে বিলাস মজুমদার নামে কোনও ব্যক্তি হেভি ইনজুরি নিয়ে হাসপাতালে ভর্তি হয়েছিল কি না।'

'কী বললেন ?'

'বললেন, হ্যাঁ। শিন্‌বোন, কলারবোন, পাঁজরার হাড়, থুতনি—সব বললেন।'

'আপনার বুঝি মজুমদারের কথা বিশ্বাস হয়নি ?'

'সন্দেহ জিনিসটা গোয়েন্দাগিরির একটা অপরিহার্য অঙ্গ লালমোহনবাবু। কেন, আপনার গল্পের গোয়েন্দা প্রখর রুদ্র কি ওই বাতিক থেকে মুক্ত ?'

'না না, তা তো নয়—মোটেই নয়...' বিড়বিড় করতে করতে ভদ্রলোক ফিরে গেলেন ওঁর ঘরে।

বেশি রাত হলেই সমুদ্রের গর্জন শোনা যায় আমাদের ঘর থেকে। আমি জানি ফেলুদার মনের মধ্যেও ঢেউয়ের ওঠা-নামা চলেছে, যদিও বাইরে দেখছি শান্ত গাম্ভীর্য। এটাও অবিশ্যি সমুদ্রেরই একটা রূপ। এই রূপটা নুলিয়ারা দেখতে পায় মাছের নৌকো করে ব্রেকারস পেরিয়ে গেলে পর।

'ওটা কী ফেলুদা ?'

বেডসাইড ল্যাম্পটা নেভাতে গিয়ে দেখি ফেলুদা পকেট থেকে একটা চ্যাপটা চৌকো ব্রাউন রঙের জিনিস বার করে দেখছে।

ভাল করে দেখে বুঝলাম সেটা একটা মানিব্যাগ।

ব্যাগটার ভিতর থেকে কয়েকটা দশ টাকার নোট বার করে অন্যমনস্ক ভাবে দেখে সেগুলো আবার ভিতরে পুরে দিয়ে ফেলুদা বলল, 'এটা নিশীথবাবুর দেরাজে কিছু কাগজপত্তরের তলায় ছিল। আশ্চর্য! লোকটা বাক্স বিছানা নিয়েছে, অথচ পার্সটাই ভুলে গেছে।'

১০

চোখ খুলতেই যখন দেখলাম ফেলুদা যোগ ব্যায়াম করছে, তখন বুঝলাম সূর্য উঠতে এখনও অনেক দেরি। অথচ এটা জানি যে ও অনেক রাত পর্যন্ত ল্যাম্প জ্বালিয়ে কাজ করেছে।

একটা শব্দ শুনে বারান্দার দিকের জানালাটার দিকে চাইতে দেখি, লালমোহনবাবুও এরই মধ্যে উঠে পড়ে টুথব্রাশে ওঁর প্রিয় লাল সাদা ডোরাকাটা সিগন্যাল টুথপেস্ট লাগাচ্ছেন। বুঝলাম, আমাদের দুজনের মনের একই অবস্থা।

ফেলুদা ব্যায়াম শেষ করে বলল, 'চা খেয়েই বেরিয়ে পড়ব।'

'কোথাও যাবার আছে বুঝি?'

'মাথাটা পরিষ্কার করা দরকার। বিশালত্বের সামনে পড়লে সেটা সময় সময় হয়। ভোরের সমুদ্রের দিকে চাইলেই একটা টনিকের কাজ দেয়।'

বেরোবার আগে শ্যামলাল বারিকের ঘরে গিয়ে ফেলুদা বলল, 'শুনুন, কয়েকটা ব্যাপার আছে। নেপালে একটা কল বুক করতে হবে, এই নিন নম্বর। আর মহাপাত্রের কাছ থেকে কোনও মেসেজ এলে রেখে দেবেন। আর, হ্যাঁ—এখানে খুব ভাল অ্যালোপ্যাথিক ডাক্তার কে আছে?'

'কটা চাই? আপনি কি ভাবছেন অজ পাড়াগাঁয়ে এসে পড়েছেন?'

'বুড়ো হাবড়া হলে চলবে না। ইয়াং চৌকস ডাক্তার চাই।'

'বেশ তো, ডাঃ সেনাপতি আছেন। গ্র্যান্ড রোডে উৎকল কেমিস্টে চেম্বার আছে। সকালে দশটার পর গেলেই দেখা পাবেন।'

আমরা বেরিয়ে পড়লাম।

সমুদ্রের ধারে স্নানের লোক এখনও কেউ আসেনি, শুধু নুলিয়া ছাড়া আর কোনও মানুষ দেখা যাচ্ছে না। পুবের আকাশ ফিকে লাল, ছাই রঙের মেঘের টুকরোগুলোর নীচের দিকটা গোলাপি হয়ে আসছে। সমুদ্র কালচে নীল, শুধু তীরে এসে ভাঙা ঢেউয়ের মাথাগুলো সাদা।

প্রথমদিন এসে যে তিনটে নুলিয়া ছেলেকে তীরে বসে খেলতে দেখেছিলাম, কাঁকড়া সম্বন্ধে তাদের ভীষণ কৌতূহল। ওই কাঁকড়াই হল লালমোহনবাবুর মতে পুরীর সমুদ্রতটের একমাত্র মাইনাস পয়েন্ট।

'কী নাম রে তোর?'

তিনটে নুলিয়া ছেলের একটার মাথায় পাগড়ির মতো করে বাঁধা লাল কাপড়; সে ফেলুদার প্রশ্নে দাঁত বার করে হেসে বলল, 'রামাই, বাবু।'

আমরা এগিয়ে চললাম। লালমোহনবাবুর কবিত্বভাব জেগে উঠেছে, বললেন, 'এই উন্মুক্ত উদার পরিবেশে রক্তপাত! ভাবা যায় না মশাই।'

'হুঁ—ব্লান্ট ইন্‌সট্রুমেন্ট...' অন্যমনস্কভাবে বলল ফেলুদা। আমি জানি অস্ত্র দিয়ে খুনটা সাধারণত তিন রকমের হয়। এক হল আগ্নেয়াস্ত্র দিয়ে—যেমন রিভলভার পিস্তল; দুই: শার্প ইন্‌সট্রুমেন্ট, যেমন ছোরা-ছুরি-চাকু ইত্যাদি; তিন হল ব্লান্ট ইনসট্রুমেন্ট বা ভোঁতা হাতিয়ার, যেমন ডাণ্ডা জাতীয় কিছু। বেশ বুঝতে পারলাম ফেলুদা কাল রাত্রে ওর মাথায় বাড়ি লাগার কথাটা ভাবছে। সত্যি, ভাবলে রক্ত জল হয়ে যায়। ভাগ্যে আঘাতটা মোক্ষম হয়নি।

'ফুটপ্রিন্টস...' ফেলুদা বলে উঠল।

একটু এগিয়ে গিয়েই দেখতে পেলাম টাটকা পায়ের ছাপ। জুতো, আর সেই সঙ্গে বাঁ

হাতে ধরা লাঠি।

'বিলাসবাবু খুব আর্লি রাইজার বলে মনে হচ্ছে', মন্তব্য করলেন লালমোহনবাবু।

'বিলাসবাবু ? বিলাসবাবু বলে মনে হচ্ছে কি ? দেখুন তো ভাল করে'—দূরে সামনের দিকে দেখিয়ে বলল ফেলুদা।

এত দূর থেকেও বুঝতে পারলাম, যিনি বালিতে দাগ ফেলতে ফেলতে এগিয়ে চলেছেন তিনি মোটেই বিলাসবাবু নন।

'তাই তো!' বললেন লালমোহনবাবু, 'ইনি তো দেখছি আমাদের সেনসেশন্যাল সেন সাহেব!'

'ঠিক ধরেছেন। দুর্গাগতি সেন।'

'কিন্তু তা হলে গেঁটে বাত ?'

'সেইখানেই তো ভেল্‌কি! লক্ষ্মণ ভট্টাচার্যের ওষুধের গুণ বোধহয়!'

মনে ধাঁধাটে ভাব নিয়ে আবার হাঁটা শুরু করলাম। রহস্যের পর রহস্য যেন ঢেউয়ের পর ঢেউ।

বাঁয়ে রেলওয়ে হোটেল দেখা যাচ্ছে। ডাইনে গোটা পাঁচেক নুলিয়া আর সুইমিং ট্রাঙ্কস পরা তিনজন সাহেব। তার মধ্যে একজন ফেলুদার দিকে হাত তুললেন।

'গুড মর্নিং!'

আন্দাজে বুঝলাম ইনিই কালকের সেই পুলিশকে ফোন করা আমেরিকান।

আমরা এগিয়ে গেলাম। ওই যে হিঙ্গোরানি আসছেন, কাঁধে তোয়ালে। ভারী অপ্রসন্ন মনে হচ্ছে ভদ্রলোককে। আমাদের দিকে দেখলেনই না।

আমার মন কেন জানি বলছে ফেলুদা সাগরিকায় যাচ্ছে, কারণ ও সমুদ্রের ধারের বালি ছেড়ে বাঁয়ে চড়াইয়ে উঠতে শুরু করেছে। সূর্যের আধখানা কিন্তু এর মধ্যেই উঠে বসে আছে। ফেলুদার মাথা বিশালত্বের সামনে পড়ে পরিষ্কার হয়েছে কি ?

'প্রাতঃপ্রণাম!'

গণৎকার মশাই এগিয়ে এসেছেন বালির উপর দিয়ে, লুঙ্গিটা খাটো করে পরা, কাঁধে তোয়ালে, হাতে নিমের দাঁতন।

'কাল কোথায় ছিলেন ?' ফেলুদা জিজ্ঞেস করল।

'কখন ?'

'সন্ধেবেলা ; আপনার খোঁজ করেছিলাম।'

'ওহো। কাল গেসলাম কের্তন শুনতে। মঙ্গলাঘাট রোডে একটা কের্তনের দল আছে ; মাঝে-মধ্যে যাই।'

'কখন গিয়েছিলেন ?'

'আমার তো ছটার আগে ছুটি নেই। তারপরেই গেসলাম।'

'আপনি তো ও বাড়ির বাসিন্দা, তাই ভাবছিলাম চুরির ব্যাপারে যদি কোনও আলোকপাত করতে পারেন। আপনার ঘর থেকে পশ্চিমের গলিটা তো দেখা যায়।'

'তা তো যায়ই, তবে পশ্চিমের গলিতে যা দেখেছি তাতে খুব অবাক হইনি,' বললেন লক্ষ্মণ ভট্টাচার্য। 'নিশীথবাবুকে দেখলাম তল্পিতল্পা নিয়ে বেরুতে। তা উনি যে কলকাতায় যাবেন সেটা তো কদিন থেকেই ঠিক ছিল।'

'তাই বুঝি ?'

'ওঁর মা-র যে এখন-তখন অবস্থা। টেলিগ্রাম এসেছিল কদিন আগে।'

'বটে ? আপনি দেখেছিলেন সে টেলিগ্রাম ?'

'শুধু আমি কেন ? সেন মশাইও দেখেছিলেন।'

ফেলুদা অবাক।

'আশ্চর্য ! সেন মশাই তো সে কথা বললেন না।'

'সে আর কী বলব বলুন ! উনি মানুষটা কী রকম সেটা তো আপনারাও দেখলেন। দুর্ভোগ আছে আর কী। কপালের লিখন খণ্ডায় কার সাধ্যি বলুন !'

'আপনি মিঃ সেনেরও ভাগ্য গণনা করেছেন নাকি ?' ভারী ব্যস্ত হয়ে জিজ্ঞেস করলেন লালমোহনবাবু।

'এ তল্লাটে কার করিনি ? কিন্তু করলে কী হবে ? সবাইকে তো আর সব কথা বলা যায় না। অবিশ্যি ব্যারাম-ট্যারামের লক্ষণ দেখলে বলি ; তাই বলে, আপনি খুন করবেন, আপনার জেল হবে, ফাঁসি হবে, অপঘাতে মৃত্যু আছে আপনার—এ সব কি বলা যায় ? তা হলে আর কেউ আসবে না মশাই। আসলে লোকে ভালটাই শুনতে চায়। তাই অনেক হিসেব করে ঢেকে-ঢুকে বলতে হয়।'

লক্ষ্মণ ভট্টাচার্য বিদায় জানিয়ে সমুদ্রের দিকে চলে গেলেন। আমরা এগিয়ে চললাম সাগরিকার দিকে। সকালের রোদ পড়ে বাড়িটাকে সত্যিই সুন্দর দেখাচ্ছে।

'হত্যাপুরী', বললেন লালমোহনবাবু।

'সে কী মশাই,' প্রতিবাদের সুরে বলল ফেলুদা, 'হত্যা কোথায় হল যে হত্যাপুরী বলছেন ? বরং চুরিপুরী বলতে পারেন।'

'নট সাগরিকা,' বললেন লালমোহনবাবু। —'আমি এ দিকের বাড়িটার কথা বলছি।'

সাগরিকা থেকে আন্দাজ ত্রিশ গজ এই দিকে বালিতে বসে যাওয়া এই বাড়িটার কথা আগেই বলেছি। লালমোহনবাবু খুব ভুল বলেননি। এমনিতেই পোড়া নোনাধরা বাড়ি দেখলে কেমন গা ছমছম করে, এটার আবার তলার দিকের হাত-পাঁচেক বালিতে বসে যাওয়াতে, আর কাছাকাছি অন্য কোনও বাড়ি না থাকাতে সত্যিই বেশ ভূতুড়ে মনে হচ্ছিল। দিনের বেলাতেই এই, রাত্রে না জানি কী রকম হবে।

অন্যান্য দিন বাড়িটাকে পাশ কাটিয়ে যাই, আজ একটু কাছ থেকে দেখার লোভ সামলাতে পারল না বোধহয় ফেলুদা। ফটকের থামগুলো এখনও রয়েছে, তার একটার গায়ে কালসিটে মেরে যাওয়া শ্বেতপাথরের ফলকে লেখা 'ভুজঙ্গ নিবাস'। বালি আর এক হাত উঠলেই ফলকটা ঢাকা পড়ে যাবে। ফটক পেরিয়ে বোধহয় এককালে একটা ছোট্ট বাগান ছিল, তারপরেই সিঁড়ি উঠে গিয়ে বারান্দা। সিঁড়ির শুধু ওপরের দুটো ধাপ বেরিয়ে আছে, বাকিগুলো বালির নীচে। বারান্দার রেলিং ক্ষয়ে গেছে, ছাত যে কেন ধসে পড়েনি জানি না। বারান্দার পরে যে ঘর, সেটা নিশ্চয়ই বৈঠকখানা ছিল।

'একেবারে পরিত্যক্ত বলে তো মনে হচ্ছে না,' ফেলুদা মন্তব্য করল। করার কারণটা স্পষ্ট। লোকের যাতায়াত আছে, সেটা বারান্দার বালির উপর পায়ের ছাপ থেকে বোঝা যায়।

'আর দেশলাইয়ের কাঠি, ফেলুদা।'

একটা নয়, তিন-চারটে। সিঁড়ি উঠেই বারান্দার বাঁ দিকের থামটার পাশে।

'সমুদ্রের হাওয়ায় সিগারেট ধরাতে গেলে কাঠি খরচা একটু বেশি হবেই।'

আমরা ফটকের মধ্যে ঢুকলাম। সাংঘাতিক কৌতূহল হচ্ছে বাড়িটার ভিতরে ঢোকার। দরজা নিশ্চয়ই খোলা যায়, কারণ দমকা বাতাসে সেটা খটখট করে নড়ছে; একেবারে যে খুলছে না, সেটা ঘরের মেঝেতে জমে থাকা বালিতে বাধা পাওয়ার জন্য।

পায়ের ছাপগুলো ফেলুদা খুব মন দিয়ে দেখল। প্রায় দেখা যায় না বললেই চলে, কারণ

ক্রমাগতই হাওয়ার সঙ্গে বালি এসে তার উপর জমা হচ্ছে।

কিন্তু জুতোর ছাপ তাতে সন্দেহ নেই।

এ ছাড়াও আর একটা জিনিস আছে সেটা পা দিয়ে খানিকটা বালি সরাতেই বেরিয়ে পড়ল।

আমার মনে হল পানের পিক, যদিও লালমোহনবাবুর মতে নিঃসন্দেহে ব্লাড।

লালমোহনবাবু একবার মৃদুস্বরে 'ব্রেকফাস্ট' কথাটা বলাতে বুঝলাম ওঁর আর এগোতে সাহস হচ্ছে না। আমারও বুক টিপটিপ করছে, কিন্তু ফেলুদা নির্বিকার।

'তা হলে হত্যাপুরীতে একবার প্রবেশ করতে হয়।'

এটা জানাই ছিল। এতদূর এসে পায়ের ছাপটাপ দেখে ফেলুদা চট করে পিছিয়ে যাবে না।

ক্যাঁ—চ শব্দে দরজার দুটো পাল্লাই খুলে গেল ফেলুদার দু হাতের চাপে।

বাদুড়ে গন্ধ। বাইরে থেকে ভিতরের কিছুই দেখা যায় না, কারণ ভিতরে জানালা থেকে থাকলেও তা নিশ্চয়ই বন্ধ। আর দরজা দিয়ে যে আলো ঢুকবে তার পথ আপাতত আমরাই বন্ধ করে রেখেছি।

ফেলুদা চৌকাঠ পেরোল। আমি জানি ঘুটঘুটে রাত্তির হলেও ও দ্বিধা করত না, তফাত হত এই যে ওর সঙ্গে তখন হয়তো ওর কোল্ট রিভলভারটা থাকত।

'আসুন ভিতরে।'

আমি ঢুকে গেছি, কিন্তু লালমোহনবাবু এখনও চৌকাঠের বাইরে। —'অল ক্লিয়ার কি?' অস্বাভাবিক রকম চড়া গলায় জিজ্ঞেস করলেন ভদ্রলোক।

'ক্লিয়ার তো বটেই। আরও ক্লিয়ার হবে ক্রমে ক্রমে। এসে দেখুন না কী আছে ঘরের মধ্যে।'

আমি অবিশ্যি এর মধ্যেই দেখে নিয়েছি।

প্রথমেই চোখে পড়েছে একটা টিনের ট্রাঙ্ক আর শতরঞ্চিতে মোড়া একটা বেডিং। ঘরের এক পাশে দেয়ালের সামনে যেমন-তেমন করে ফেলে রাখা হয়েছে সে দুটো।

'পুলিশের পণ্ডশ্রম,' বলল ফেলুদা, 'নিশীথবাবু যাননি।'

'তবে কোথায় গেলেন ভদ্রলোক?' লালমোহনবাবু অবাক হয়ে জিজ্ঞেস করলেন। ফেলুদা কথাটা গ্রাহ্য করল না।

'হুঁ—ভেরি ইন্টারেস্টিং।'

ঘরের এক কোণে স্তূপ করে রাখা রয়েছে সরু আর লম্বা-করে কাটা কাঠ, আর পাশেই ফিতেয় মোড়া দিস্তা দিস্তা ফিকে হলদে রঙের সস্তা কাগজ।

'বলুন তো এ থেকে কী বোঝা যায়,' ফেলুদা জিজ্ঞেস করল।

'ও তো পুঁথির কাঠ বলে মনে হচ্ছে। আর ওই, ইয়ে—'

লালমোহনবাবু এত সময় নিচ্ছেন কেন জানি না। আমি বললাম, 'মনে হচ্ছে নিশীথবাবু একেবারে ব্যবসা খুলে বসেছিলেন—ডামি পুঁথি তৈরি করার। সাইজমাফিক কাগজ কেটে দুদিকে কাঠ চাপা দিয়ে শালুতে মুড়ে দিলে বাইরে থেকে ঠিক পুঁথি।'

'এগজ্যাক্টলি,' বলল ফেলুদা—'আমার বিশ্বাস, সেন মশাইয়ের সব পুঁথিগুলো বার করে খুললে দেখা যাবে তার অনেকগুলোই কেবল সাদা কাগজ। আসলগুলো পাচার হয়ে গেছে হিঙ্গোরানি সম্প্রদায়ের লোকদের কাছে।'

'ও হো হো!'—লালমোহনবাবু চেঁচিয়ে উঠলেন—'সাপ, সাপ! সেদিন একটা কাগজের ফালি দেখেছিলাম সাগরিকার গলিতে—সে তা হলে এই কাগজ!'

‘নিঃসন্দেহে,’ বলল ফেলুদা।

এর পরে যে ঘটনাটা ঘটল সেটা লিখতে আমার হাত না কাঁপলেও, বুক কাঁপছে।

বৈঠকখানায় ঢুকেই ডাইনে-বাঁয়ে মুখোমুখি দুটো দরজা রয়েছে পাশের দুটো ঘরে যাবার জন্য। লালমোহনবাবু ডান দিকের দরজাটার সামনে দাঁড়িয়ে ছিলেন। আমরা সামনের দরজা খুলে ঢোকাতে সেটা দিয়ে শোঁ শোঁ শব্দে সমুদ্রের বাতাস ঢুকছিল। একটা দমকা হাওয়ার ফলে হঠাৎ ডাইনের দরজাটা প্রচণ্ড শব্দে খুলে গেল, লালমোহনবাবু চমকে উঠে খোলা দরজাটার দিকে চাইলেন, আর চাইতেই তাঁর চোখ কপালে উঠে গেল। ভদ্রলোক পড়েই যেতেন যদি না ফেলুদা এক লাফে গিয়ে ওঁকে জাপটে ধরে ফেলত।

এগিয়ে গিয়ে দেখি একটা লোক চোখ উলটে মরে পড়ে আছে পাশের ঘরের মেঝেতে।

তার মাথা থেকে বেরোনো রক্ত চাপ বেঁধে আছে মেঝের উপর।

লোকটাকে চিনতে কোনওই অসুবিধা হল না।

ইনি দুর্গাগতি সেনের সেক্রেটারি নিশীথ বোস।

১১

ফেলুদার আর ব্রেকফাস্ট খাওয়া হল না।

রেলওয়ে হোটেল থেকে টেলিফোনে পুলিশ খবর দিয়ে আমরা আমাদের হোটেলে চলে এলাম। ফেলুদা বলল যে ওর দু-একটা কাজ আছে, বিশেষ করে নুলিয়া বস্তিতে একবার যাওয়া দরকার, কাজেই ও একটু পরে ফিরবে। লাশ ছোঁয়াছুঁয়ি না করেই ও বলল যে, বোঝাই যাচ্ছে লোকটাকে মারা হয়েছে একটা ব্লান্ট ইনস্ট্রুমেন্ট দিয়ে—যদিও সে ধরনের কোনও হাতিয়ার কাছাকাছির মধ্যে পেলাম না।

লালমোহনবাবু না জেনে মোক্ষম নাম দিয়েছিলেন বাড়িটার এটা স্বীকার করতেই হবে, যদিও পরে বলেছিলেন যে পুরী কথাটা বাড়ি অর্থে ব্যবহার করেননি। উনি মিন করেছিলেন পুরী শহর। 'তিন দিনের মধ্যে দু-দুটো খুন, হত্যাপুরী ছাড়া আর কী ?'

একটা সুখবর দিয়ে রাখি। দুর্গাগতিবাবুর সঙ্গে তাঁর ছেলের মিটমাট হয়ে গেছে। অন্তত দেখে তাই মনে হল। আমরা যখন ভুজঙ্গ নিবাস থেকে বেরোচ্ছি, তখন সাগরিকার দিকে চোখ পড়তে দেখি ছাতে দুজন লোক। বাপ আর ছেলে। শুধু তাই নয়, ছেলে আমাদের দিকে হাত নাড়লেন, কাজেই বুঝলাম খোশ মেজাজে আছেন। এটাও আমার কাছে কম রহস্য নয়।

ফেলুদা যখন ঘরে এসে ঢুকল তখন পৌনে এগারোটা। আমার মনে পড়ে গেল নেপালে টেলিফোনের কথাটা। বললাম, 'কলটা পেয়েছিলে ?'

'এই তো কথা বলে আসছি।'

'কলটা কি কাঠমাণ্ডুতে করেছিলে ?'

'উঁহু, পাটন। কাঠমাণ্ডুর কাছেই বাঘমতী নদী পেরিয়ে একটা পুরনো শহর।'

লালমোহনবাবু বললেন, 'যাই বলুন, লাশের কাছে ভূত কিছুই না। এখনও ভাবলে শিভারিং হচ্ছে।'

'সব শিভারিং খরচা করে ফেলবেন না, রাত্তিরের জন্য কিছু হাতে রাখবেন।'

'রাত্তিরে ?'

আমরা দুজনেই ফেলুদার দিকে চাইলাম। ও একটা ওমলেটের আধখানা মুখে পুরে দিয়ে বলল, 'এক পায়ে না হলেও, খাড়া থাকতে হবে আজ রাত্তিরে।'

'কোথায় ?' লালমোহনবাবু জিজ্ঞেস করলেন।

'দেখতেই পাবেন।'

'কারণটা কী ?'

'জানতেই পাবেন।'

লালমোহনবাবু চুপ্‌সে গেলেন। অবিশ্যি এটা ওঁর কাছে নতুন কিছু না।

'সেনাপতি দিব্যি স্মার্ট ডাক্তার,' বলল ফেলুদা।

'তুমি এর মধ্যে ডিস্‌পেনসারি ঘুরে এলে ?'

'ভদ্রলোক দুর্গা সেনের ট্রিটমেন্ট করেছেন সেটা জানলাম। এপ্রিলে আমেরিকা ঘুরে এসেছেন। ওষুধটা ওঁরই আনা।'

'ডায়াপিড ?'—নামটা মনে ছিল তাই জিজ্ঞেস করলাম।

‘তোর প্রশ্ন শুনে বুঝতে পারছি ওষুধটা তোর কোনও কাজে লাগবে না।’

থানা থেকে ফোন এল পৌনে বারোটায়। ডাক্তারের রিপোর্ট বলছে, নিশীথবাবু খুন হয়েছেন গতকাল সন্ধ্যা ছটা থেকে রাত আটটার মধ্যে, আর তাঁকে মারা হয়েছে কোনও ব্লান্ট ইনস্ট্রুমেন্ট দিয়ে। হাতিয়ার খুঁজে পাওয়া যায়নি। ভুজঙ্গ নিবাসের বাইরে গেটের ধারেই মনে হয় খুনটা হয়েছে, তারপর মৃতদেহ টেনে নিয়ে ওই ঘরে ফেলে দেওয়া হয়, কারণ বারান্দার বালির নীচে রক্তের দাগ পাওয়া গেছে।

আমি একটা জিনিস আন্দাজ করছি, যদিও ফেলুদাকে এ বিষয়ে কিছু বলিনি এখনও। যে লোক নিশীথবাবুকে খুন করেছিল, সে লোকই ফেলুদার মাথায় বাড়ি মেরেছে, আর একই অস্ত্র দিয়ে। তাই ফেলুদার মাথায় রক্ত লেগে ছিল।

সাড়ে বারোটা নাগাত ভাবছি লাঞ্চটা সেরে নেওয়া যায় কি না, কারণ লালমোহনবাবু কিছুক্ষণ থেকেই বলছেন রান্নাঘর থেকে টেরিফিক পেঁয়াজ-রসুনের গন্ধ পাচ্ছেন, এমন সময় বিলাস মজুমদার এসে হাজির।

‘কী মশাই, যাবেন নাকি?’ ঘরে ঢুকেই ভদ্রলোকের প্রশ্ন।

‘কোথায়?’—ফেলুদা বিছানায় কাত হয়ে শুয়ে কনুইয়ের উপর ভর দিয়ে ওর খাতায় কী যেন লিখছিল।

‘টুরিস্ট ডিপার্টমেন্টের এয়ার-কন্ডিশন্ড লিমুজিন। ছ জনের জায়গা, মাত্র দুজন যাচ্ছি। আমি, আর একটি অ্যামেরিকান—নাম স্টেডম্যান। ভাবতে পারেন—এও ওয়াইল্ড লাইফ! কেওনঝরগড় যাচ্ছে। খুব মিশুকে। ভাল লাগত আপনার।’

‘কখন বেরোচ্ছেন?’

‘লাঞ্চ খেয়েই।’

‘না, থ্যাঙ্ক ইউ,’ বলল ফেলুদা, ‘আমার একটু কাজ আছে। বরং আপনি যদি থেকে যেতেন তো পুরীর ওয়াইল্ড লাইফের কিছুটা নমুনা দেখে যেতে পারতেন।’

‘নো, থ্যাঙ্ক ইউ,’ হেসে বললেন বিলাস মজুমদার।

ভদ্রলোক ঘর থেকে বেরোনোর মিনিট খানেকের মধ্যেই একটা ভারী অ্যামেরিকান গাড়ির শব্দ পেলাম। বুঝলাম গাড়িটা মুখ ঘুরিয়ে উত্তর দিকে চলে গেল।

* * *

শেষ কবে যে চাপা উত্তেজনার মধ্যে এতটা সময় কাটাতে হয়েছে তা ভেবে মনে করতে পারলাম না।

রাত্তিরের খাওয়া সারার প্রায় ঘণ্টা খানেক পর দশটা নাগাত ফেলুদা বলল যে যাবার সময় হয়েছে। সঙ্গে সঙ্গে এটাও বলে দিল যে যদিও ওর মন বলছে যে একটা কিছু ঘটতে পারে, পণ্ডশ্রম যে হবে না এমন কোনও গ্যারান্টি নেই।—‘ফিটফাট স্মার্ট হয়ে নে। ওসব কুর্তা পায়জামা চলবে না। সাদা জামা চলবে না। অন্ধকারে গা-ঢাকা দেবার জন্য কী পরতে হয় সেটা আশা করি আর বলে দিতে হবে না।’

না। তার দরকার নেই। পার্ক স্ট্রিটের গোরস্থানেও আমাদের ঠিক এই কাজই করতে হয়েছিল।

হোটেল থেকে বেরিয়ে আকাশের দিকে চেয়ে দেখলাম তারা দেখা যাচ্ছে না। লালমোহনবাবু এমনিতেই ঘন ঘন আকাশের দিকে দেখেন, তবে সেটা তারা দেখার জন্য নয়, স্কাইল্যাবের চিহ্ন দেখার জন্য। আজ সমুদ্রের দিক থেকে প্রচণ্ড হাওয়া বইছে দেখে বললেন,

'হাওয়া উলটোমুখো হলে টুকরোগুলো তাও সমুদ্রে পড়ার চান্স ছিল। এখন কিস্যু বলা যায় না।'

ভুজঙ্গ নিবাসের চারিদিকে যদিও বালি, বিচটা কিন্তু বাড়ি থেকে প্রায় পঞ্চাশ-ষাট গজ পুবে। যেখানে বিচ শুরু হয়েছে সেখানে রেলওয়ে হোটেল থেকে যারা স্নান করতে আসে তাদের জন্য বাঁশের খুঁটির ওপর হোগলা দেওয়া কয়েকটি ছাউনি রয়েছে। তারই একটার পাশে এসে ফেলুদা থামল।

পশ্চিম দিকের আকাশটা শহরের আলোর জন্য খানিকটা ফিকে, আমাদের পিছনে সমুদ্রের দিকে গাঢ় অন্ধকার। সামনের দিকে লোক হেঁটে গেলে তাকে ছায়ামূর্তির মতো দেখা যাবে, কিন্তু চেনা যাবে না। সে লোক কিন্তু আমাদের দেখতেই পাবে না।

মনে মনে বললাম, মোক্ষম জায়গা বেছেছে ফেলুদা, যদিও কেন বেছেছে জানি না, জিজ্ঞেস করলেও কোনও উত্তর পাব না। ওর এই অভ্যেসটার জন্য লালমোহনবাবু একবার বলেছিলেন, 'আপনি মশাই সাসপেন্স ফিলিম তৈরি করুন। লোকে দেখে দম ফেলতে পারবে না। কোথায় লাগে হচকিক্।'

সাগরিকার তিনতলায় দুর্গাগতিবাবুর ঘরে এখনও আলো জ্বলছে; দোতলার আলো এইমাত্র নিভল। পাঁচিলের উপর দিয়ে লক্ষ্মণ ভট্টাচার্যের একতলার ঘরের জানালার একটি ফালি দেখা যাচ্ছে; বুঝতে পারছি সে ঘরে এখনও আলো জ্বলছে।

আমরা তিনজনেই ছাউনির তলায় বালির উপর বসেছি। কথা বলার কোনও প্রশ্নই ওঠে না, আর বলতে হলেও গলা না তুললে হাওয়ায় আর সমুদ্রের গর্জনে কথা হারিয়ে যাবে। চোখ খানিকটা সয়ে এসেছে অন্ধকারে; ডাইনে চাইলে বেশ বুঝতে পারছি জটায়ুর কানের পাশের চুলগুলো বাতাসে মোরগের ঝুঁটির মতো খাড়া হয়ে উঠেছে। বাঁয়ে ফেলুদা; ও এইমাত্র বাঁ কব্‌জিটা চোখের কাছে এনে ওর রেডিয়াম-ডায়াল ঘড়িটাতে সময় দেখল। তারপর বুঝলাম ঝোলাতে হাত ঢুকিয়ে একটা জিনিস বার করে ওর চোখের সামনে ধরল।

ওর জাপানি বাইনোকুলার।

ফেলুদা কী দেখছে জানি।

দুর্গাগতি সেনকে দেখা যাচ্ছে ওঁর শোবার ঘরের জানালায়, কিছুক্ষণ চুপ করে থেকে দু পা বাঁয়ে সরে ডান হাত বাড়িয়ে কী জানি একটা তুললেন।

গেলাস।

কী খেলেন ভদ্রলোক গেলাস থেকে?

একতলার ঘরে বাতি এইমাত্র নিভে গেছে, এবার তিনতলার বাতি নিভল, আর নিভতেই আমাদের আশেপাশের অন্ধকার যেন হঠাৎ আরও গাঢ় হয়ে গেল।

কিন্তু এখনও আমাদের মধ্যে কেউ নড়াচড়া করলে বেশ বুঝতে পারছি।

যেমন লালমোহনবাবু তাঁর পকেট থেকে টর্চটা বার করলেন।

কিন্তু কেন? কী মতলব ভদ্রলোকের?

আমি ঝুঁকে পড়ে ওঁর কানের সঙ্গে মুখ লাগিয়ে বললাম, 'জ্বালাবেন না, খবরদার!' ভদ্রলোক উত্তরে আমার কানে মুখ এনে বললেন, 'ব্লান্ট ইনস্ট্রুমেন্ট, হাতে থাক।'

উনি মুখ সরিয়ে নেওয়ার প্রায় সঙ্গে সঙ্গে একটা জিনিস দেখে আমার হৃৎপিণ্ডটা এক লাফে গলার কাছে চলে এল।

ডাইনে হাত দশেক দূরে আরেকটা হোগলার ছাউনি।

তার পাশে একটা লোক দাঁড়িয়ে আছে।

কখন এসেছে জানি না।

লালমোহনবাবুও দেখেছেন, কারণ ওঁর কাঁপা হাত থেকে টর্চটা ঝুপ শব্দ করে বালির উপর পড়ে গেল।

আর ফেলুদা ?

ও দেখেনি।

ওর দৃষ্টি সোজা সাগরিকার দিকে।

আমিও জোর করে চোখ সেই দিকেই ঘোরালাম।

আর তাই বোধহয় ফেলুদার সঙ্গে সঙ্গেই লোকটাকে দেখতে পেলাম।

সাগরিকার দিক থেকে লোকটা আসছে আমাদের দিকে।

না, এই দিকে না। ভুজঙ্গ নিবাসের দিকে।

লোকটাকে চেনার কোনও উপায় নেই।

এগিয়ে এল। ওই তো ভুজঙ্গ নিবাসের গেটের থাম।

গেটের কাছাকাছি পৌঁছে লোকটা হাঁটার গতি কমাল, তারপর হাঁটা থামল।

এবারে আরেকটা লোক। এতক্ষণ দেখিনি। বোধহয় বাড়িটার আড়ালে দাঁড়িয়ে ছিল।

দ্বিতীয় লোকটা প্রথম লোকটার দিকে এগিয়ে গেল।

গেটের সামনে এখন দুজন লোক।

এবার দুজনে ভাগ হল। যে সাগরিকার দিক থেকে এসেছিল সে আবার ফিরে—

সর্বনাশ ! লালমোহনবাবুর অসাবধান আঙুলের চাপে ওঁর পাগলা টর্চ জ্বলে উঠেছে !

ফেলুদা এক থাপ্পড়ে টর্চটা বালিতে ফেলে দিল, আর সেই মুহূর্তে লালমোহনবাবুর চার ইঞ্চি ডাইনের বাঁশের খুঁটিটাতে কান-ফাটানো শব্দের সঙ্গে একটা গুলি এসে লাগল।

'তুই ওটাকে ধর !'

ফেলুদা হাউইয়ের মতো লাফিয়ে উঠে ছুটে গেছে দ্বিতীয় লোকটাকে লক্ষ্য করে।

আশ্চর্য এই যে ওই একটা কথাতেই দেখলাম যে বিপদের তোয়াক্কা না করে আমিও নিঃশব্দে তীরবেগে ছুটতে শুরু করেছি বালির উপর দিয়ে প্রথম লোকটাকে লক্ষ্য করে।

ফেলুদার আর আমার পথ ভাগ হয়ে গেল।

রাগবি খেলায় যেমন ফ্লাইং ট্যাকল করে একজন খেলোয়াড় আরেকজনের উপর ঝাঁপিয়ে পড়ে তাকে জাপটে ধরে, আমিও ঠিক সেই ভাবে অব্যর্থ লক্ষ্যে লোকটার পা দুটোকে জাপটে ধরলাম।

লোকটা হুমড়ি খেয়ে পড়ল বালির ওপর। আমি লোকটার পিঠে, আমার দৃষ্টি ঘুরে গেছে ফেলুদার দিকে।

একটা হাড়ে-হাড়ে সংঘর্ষের শব্দের সঙ্গে ফিকে আকাশের সামনে দেখলাম একটা ছায়ামূর্তি আরেকটা ছায়ামূর্তিকে ঘুঁসি মেরে ধরাশায়ী করল।

ইতিমধ্যে লালমোহনবাবু এসে পড়েছেন, এবং এসেই মহা বিক্রমে আমার হাতে বন্দি লোকটার মাথা লক্ষ্য করে তাঁর হাতের ব্লান্ট ইনস্ট্রুমেন্টটা নিক্ষেপ করেছেন। একটা ভোঁতা শব্দে বোঝা গেল হাতিয়ার লক্ষ্যভ্রষ্ট হয়ে এখন বালিতে লুটোপুটি খাচ্ছে।

'ওকে নিয়ে আয় এদিকে !'

আমরা দুজনে লোকটার দুই পা ধরে বালির উপর দিয়ে হেঁচড়ে টেনে নিয়ে গেলাম যেখানে রয়েছে ওরা দুজন। ফেলুদা দাঁড়ানো, অন্য লোকটি চিত, ফেলুদার একটা পা তার পেটের উপর, আর অন্যটা ডান হাতের তেলোর উপর—যে হাত থেকে রিভলভারটা আলগা হয়ে পড়ে আছে বালিতে।

'আপনার থুতনিতে ক্ষতচিহ্ন ছিল না, কিন্তু আজ থেকে থাকবে।'

আমার ওয়াইল্ড লাইফ কথাটা মনে পড়ল। অদ্ভুত হিংস্র চেহারা নিয়ে টর্চের তীব্র আলোতে কপাল কুঁচকে ফেলুদার দিকে চেয়ে আছেন বিলাস মজুমদার, তাঁর বাঁ হাতে আঁকড়ানো রয়েছে লাল শালু দিয়ে মোড়া একটা পুঁথি।

ফেলুদা ঝুঁকে পড়ে এক ঝটকায় পুঁথিটা ছিনিয়ে নিয়ে নিজের ঝোলার মধ্যে রেখে দিল। তারপর ওর টর্চ ঘুরে গেল আমাদের বন্দির দিকে।

'আপনার থার্ড আই কী বলছে লক্ষ্মণবাবু ? শেষটায় এই ছিল আপনার কপালে ?'

অন্ধকার থেকে আরও লোক বেরিয়ে এসেছে।

'আসুন মিঃ মহাপাত্র,' ফেলুদা হাঁক দিল। —'এঁদের দুজনকে তুলে দিচ্ছি আপনাদের হাতে, তবে কাজ ফুরোয়নি। আমরা হত্যাপুরীর বৈঠকখানায় একটু বসব। এঁরা দুজনও থাকবেন।'

চারজন কনস্টেবল এগিয়ে এসে বিলাসবাবু আর লক্ষ্মণবাবুকে তুলে নিল।

'মহিমবাবু আছেন তো !' ফেলুদা পিছনের অন্ধকারের দিকে ফিরে প্রশ্ন করল।

'আছি বইকী।'

অন্ধকার থেকে সেই রহস্যজনক চতুর্থ ব্যক্তি বেরিয়ে এলেন। —'বাবাও এসে পড়লেন বলে। ওই যে টর্চের আলো।'

'কোনও চিন্তা নেই,' বললেন, মিঃ মহাপাত্র, 'মোড়া এনে রাখা হয়েছে ঘরে—সবাই বসতে পারবেন।'

লালমোহনবাবুর 'বাইরেই তো বেশ—' কথাটা কারুর কানে গেল কি না জানি না, কারণ সবাই রওনা দিয়েছে ভুজঙ্গ নিবাসের দিকে।

১২

'আসুন, মিঃ সেন, আপনার জন্যই ওয়েট করছি।'

ফেলুদা এগিয়ে গেছে দরজার দিকে।

মহিমবাবু তাঁর বাবাকে নিয়ে ঢুকলেন। তিনটে লণ্ঠন জ্বলছে ঘরের ভিতর। পুলিশের লোক ঝাড়পোঁছ করে ঘরের চেহারা ফিরিয়ে দিয়েছে।

দুর্গাগতিবাবু আর মহিমবাবু দুটো পাশাপাশি মোড়ায় বসলেন।

'এই নিন আপনার কল্পসূত্র।'

ফেলুদা সদ্য-পাওয়া পুঁথিটা দুর্গাগতিবাবুর হাতে দিলেন। ভদ্রলোক একটা স্বস্তির নিশ্বাস ফেলে তক্ষুনি আবার গম্ভীর হয়ে গিয়ে উৎকণ্ঠার সুরে বললেন, 'আর অন্যটা ?'

'সেটার কথায় আসছি,' বলল ফেলুদা।—'আপনি একটু ধৈর্য ধরুন। আপনি আজ আবার ঘুমের ওষুধ খাননি তো ?'

'পাগল ! ঘুমের ওষুধই তো আমার সর্বনাশ করল। কাল কী মিশিয়ে দিয়েছিল জলের সঙ্গে কে জানে ?'

দুর্গাগতিবাবু গভীর বিরক্তির ভাব করে পুলিশের হাতে বন্দি লক্ষ্মণ ভট্টাচার্যের দিকে চাইলেন।

ফেলুদা বলল, 'এত ভাল একজন অ্যালোপ্যাথ থাকতে আপনি এই হাতুড়ে হামবাগটিকে প্রশ্রয় দিচ্ছিলেন কেন বলুন তো ?'

'কী করব বলুন ! লোক যাচাই করার ক্ষমতা কি আর ছিল ? সবাই এত সুখ্যাত করলে, যেচে এল আমার কাছে, বললে নিজের গরজে আমাকে সারিয়ে দেবে। আরও বললে, ওর সন্ধানে ভাল পুঁথি আছে—জ্যোতিষশাস্ত্রের পুঁথি...'

'ওই তো মুশকিল। পুঁথির কথা বললেই আপনার মন গলে যায়। যাই হোক ডায়াপিডে কাজ দিয়েছে তো ? লুপ্ত স্মৃতি ফিরিয়ে আনার পক্ষে ওটাই তো সবচেয়ে নতুন আর সবচেয়ে ভাল ওষুধ বলে।'

'আশ্চর্য ওষুধ,' বললেন মিঃ সেন, 'মুহূর্তে মুহূর্তে যেন স্মৃতির এক-একটা দরজা খুলে যাচ্ছে। সেনাপতি নিজে এসে ওষুধটা দিল বলেই তো হল। সেই যে আমার ডাক্তার সে কথাও তো ভুলে গিয়েছিলাম !'

'তা হলে বলুন তো, এই ভদ্রলোককে চেনেন কি না।'

ফেলুদা তার টর্চ ফেলল বিলাস মজুমদারের মুখে। দুর্গাগতিবাবু তাঁর দিকে কিছুক্ষণ চেয়ে থেকে বললেন, 'কালকেই চিনেছিলাম গলার স্বর আর চাহনি থেকে। কেন যে তবু খটকা লাগছিল জানি না।'

'এঁর নামটা মনে পড়ছে ?'

'পরিষ্কার—যদি না উনি নাম ভাঁড়িয়ে থাকেন।'

'সরকার কি ?' ফেলুদা প্রশ্ন করল।

'সরকার,' সায় দিয়ে বললেন দুর্গাগতিবাবু। 'পুরো নামটা কোনওদিন জানিনি।'

'লায়ার !' চোখমুখ লাল করে চিৎকার করে উঠলেন অভিযুক্ত ভদ্রলোক। 'পাসপোর্ট দেখতে চান আমার ?'

'না, চাই না'—বরফের মতো ঠাণ্ডা গলায় বলল ফেলুদা। —'আপনার মতো ধূর্ত লোকের পাসপোর্টের কী মূল্য ? কী আছে পাসপোর্টে ? বিলাস মজুমদার নাম আছে তো ? আর চেহারার বিশেষত্বর মধ্যে কপালের আঁচিলের কথা বলেছে ?—'ডিসটিংগুইশিং মার্ক—মোল অন ফোরহেড'—এই তো ? তবে দেখুন—'

কথাটা বলেই ফেলুদা ভদ্রলোকের দিকে হনহনিয়ে এগিয়ে গিয়ে পকেট থেকে এক ঝটকায় একটা রুমাল বার করে সেটা দিয়ে একটা চাপড় মারল ভদ্রলোকের কপালে, আর তার ফলে কৃত্রিম আঁচিল কপাল থেকে খুলে ছিট্‌কে গিয়ে পড়ল অন্ধকারে মেঝেতে।

'আপনি বিলাস মজুমদার সম্বন্ধে অনেক খবর নিয়েছিলেন,' ফেলুদা বলল দৃপ্তকণ্ঠে, 'স্নো লেপার্ডের ছবি তুলতে গিয়ে পাহাড় থেকে গড়িয়ে পড়া, কোন হাসপাতালে গিয়েছিল, কী কী হাড় ভেঙেছিল, গত মাস অবধি সে হাসপাতালে ছিল—এ সবই আপনি জানতেন। কিন্তু একটি সংবাদ আপনার কানে পৌঁছয়নি। খবরের কাগজে সেই সংবাদটাই আমি পড়েছিলাম, কিন্তু তেমন মন নিয়ে পড়িনি। খবরটা কালকে আমি পেয়েছি কাঠমাণ্ডুর বীর হাসপাতালের ডাঃ ভার্গবের কাছ থেকে। সেটা হল এই—বিলাস মজুমদারের সবচেয়ে মারাত্মক ইনজুরি হয়েছিল ব্রেনে। তিন সপ্তাহ আগে তাঁর মৃত্যু হয়েছে।'

লণ্ঠনের আলোতেও বুঝতে পারছি লোকটার মুখ কাগজের মতো সাদা হয়ে গেছে।

'শুনুন মিঃ সরকার,' ফেলুদা বলে চলল, 'আপনার পেশা পাসপোর্টে লেখা যায় না। আপনার পেশা স্মাগলিং। নিজে সব সময় চুরি না করলেও, চোরাই মাল পাচার করেন আপনি। ভাতগাঁওয়ের প্যালেস মিউজিয়াম থেকে চুরি করা পুঁথি আপনার হাতে আসে কাঠমাণ্ডুতে। তার পরের ঘটনা যে কী, সেটা শুনুন মিস্টার সেনের মুখে।'

দুর্গাগতি সেনের চাহনিতে এমন কঠিন গাম্ভীর্যের ভাব এর আগে দেখিনি। ভদ্রলোক বললেন :

'কাঠমাণ্ডুতে একই হোটেলে ছিলাম এই ভদ্রলোক আর আমি। পাশাপাশি ঘর—একদিন ভুল করে আমার চাবি ওঁর ঘরে লাগিয়ে দেখি দরজা খুলে গেছে। ভেতরে উনি ছাড়া দুজন লোক, তাদের একজন বাক্স থেকে একটা লাল মোড়ক বার করে ওঁকে দিচ্ছে। দেখেই বুঝলাম পুঁথি। খটকা লাগল। মাপ চেয়ে বেরিয়ে এলাম ঘর থেকে। সেই রাত্রে ঘুমের মধ্যে কী হল জানি না, জ্ঞান হল হাসপাতালে। মাথা ব্ল্যাঙ্ক। এই ঘটনার আগের সব স্মৃতি মন থেকে মুছে গেছে! হোটেলে খোঁজ করে আমার নাম-ঠিকানা পায়, এখানে খবর দেয়, নিশীথ গিয়ে আমাকে নিয়ে আসে। সাড়ে তিন মাস ছিলাম হাসপাতালে।'

'আপনার না-জানা অংশ আমি বলছি,' বলল ফেলুদা, 'ভুল হলে মিঃ সরকার যেন শুধরে দেন।—আপনাকে সেই রাত্রে অজ্ঞান করে গাড়িতে নিয়ে তুলে শহরের বাইরে গিয়ে পাহাড়ের গা দিয়ে পাঁচশো ফুট নীচে ফেলে দেওয়া হয়। মিঃ সরকারের ধারণা ছিল আপনার মৃত্যু হয়েছে। ন মাস পরে হয়তো চোরাই মাল পাচার করতেই পুরীতে এসে ডি. জি. সেন নাম দেখে খটকা লাগে। আমার ধারণা আপনার বাড়ির একতলার বাসিন্দা গণৎকার লক্ষ্মণ ভট্টাচার্যের কাছ থেকে আপনার বর্তমান অবস্থা সম্পর্কে যাবতীয় ইনফরমেশন পান মিঃ সরকার। তাই নয় কি ?'

ঝিমিয়ে পড়া লক্ষ্মণ ভট্টাচার্য হঠাৎ যেন চাঙ্গা হয়ে উঠলেন—'এ সব কী বলছেন মশাই—উনি তো আপনাদের সঙ্গে প্রথম এলেন আমার বাড়িতে!'

'বটে ?'—ফেলুদা এগিয়ে গেছে লক্ষ্মণ ভট্টাচার্যের দিকে। 'তা হলে বলুন তো গণৎকার মশাই, পরিচয় হবার আগেই আপনি কেন ভদ্রলোককে তক্তপোশে বসতে বললেন আর আমাদের চেয়ার দেখিয়ে দিলেন ? উনিই যে বিলাস মজুমদার, আমি নই, সেটা আপনি কী

করে জানলেন ?'

এই এক প্রশ্নে লক্ষ্মণ ভট্টাচার্য আশ্চর্যভাবে কুঁকড়ে গেলেন।

ফেলুদা বলে চলল, 'আমার বিশ্বাস দুর্গাগতিবাবুর স্মৃতি লোপ পাবার কথাটা জেনে, এবং লক্ষ্মণ ভট্টাচার্যের সাহচর্যের প্রতিশ্রুতি পেয়ে, সরকার মশাইয়ের মনে পুঁথি চুরির আইডিয়াটা আসে। ভাল খদ্দেরও রয়েছে একই হোটেলে—মিঃ হিঙ্গোরানি। কিন্তু এই ব্যাপারে তিনটে মুশকিল দেখা দেয়। প্রথমটা হল—একজন অবাঞ্ছিত লোক মিঃ সরকারকে ধাওয়া করে এখানে এসে হাজির হয়। সে হল রূপচাঁদ সিং। ভারী মুশকিল, না, মিঃ সরকার ? যে গাড়িতে করে আপনি বেহুঁশ মিস্টার সেনকে নিয়ে গেছিলেন পাহাড় থেকে ফেলে হত্যা করতে, তার ড্রাইভার—যাকে হয়তো আপনি ভালরকম ঘুষ দিয়েছিলেন—সে যদি হঠাৎ আরও লোভী হয়ে পড়ে, এবং আপনাকে ব্ল্যাকমেল করে হুমকি দিয়ে আরও টাকা আদায় করতে চায় ? ভারী মুশকিল ! তখন তাকে খতম করা ছাড়া আর রাস্তা থাকে কি ?'

'মিথ্যে, মিথ্যে, মিথ্যে !'—মরিয়া হয়ে চিৎকার করে উঠলেন মিঃ সরকার।

'কিন্তু যদি প্রমাণ হয় যে তার মাথায় যে গুলিটা লেগেছিল সেটা আপনার এই রিভলভারটা থেকেই বেরিয়েছে, তা হলে ?'

মিঃ সরকার আবার নেতিয়ে পড়লেন। বেশ দেখতে পাচ্ছি যে ভদ্রলোকের সমস্ত শরীর ঘামে ভিজে গেছে। আমিও ঘামছি, তবে সেটা শ্বাসরোধ করা উত্তেজনায়। ফেলুদার খাতায় লেখা ছিল 'কালোডাক'। এখন বুঝতে পারছি সেটা হল ব্ল্যাকমেল। আমার পাশে লালমোহনবাবু যেন ফেনসিং ম্যাচ দেখছেন। কথার তলোয়ার খেলায় ফেলুদার জুড়ি নেই সেটা স্বীকার করতেই হবে। আর সে খেলা এখনও শেষ হয়নি।

'অতএব রূপচাঁদ সিং হল মার্ডার নাম্বার ওয়ান,' ফেলুদা বলে চলল।—'এখন দ্বিতীয় মুশকিলে আসা যাক। সেটা হল শ্রীক্ষেত্রে গোয়েন্দার আগমন। ফেলু মিত্তিরকে ধোঁকা না দিয়ে সরকার মশাইয়ের কার্যসিদ্ধি ছিল অসম্ভব। সেখানে বলব যে, বিলাস মজুমদারের ভূমিকায় নিজেকে এস্টাব্‌লিশ করতে, এবং নিজের অপরাধ একজন স্মৃতিভ্রষ্ট অসহায় প্রৌঢ়ের স্কন্ধে চাপাতে, তিনি বেশ কিছুটা সফল হয়েছিলেন। এই সাফল্যই তাঁর মনে একটা বেপরোয়া ভাব এনে দেয়। পরিকল্পনা খুবই সহজ। পুঁথি এনে দিতে পারলে হিঙ্গোরানি কিনবেন ; সরাসরি মালিকের কাছ থেকে কেনার উপায় নেই, কারণ দুর্গাগতিবাবুর টাকার লোভ নেই এবং পুঁথিগুলি তাঁর প্রাণস্বরূপ। সুতরাং আলমারি থেকে পুঁথি বার করতে হবে। উপায় কী ? অতি সহজ। কাজটা করবেন লক্ষ্মণ ভট্টাচার্য, কারণ এ কাজ তিনি বেশ কিছুদিন থেকেই করে আসছেন। আগে পুরো টাকাটাই তিনি নিজে পকেটস্থ করেছেন ; এখানে টাকার অঙ্কটা অনেক বেশি, কাজেই সেটা অন্যের সঙ্গে শেয়ার করতে আপত্তি নেই। কিন্তু এখানে একজনের কথা একটু ভাবতে হবে। সেক্রেটারি নিশীথ বোস।'

ফেলুদা থামল। তারপর লক্ষ্মণ ভট্টাচার্যের দিকে এগিয়ে গিয়ে বলল, 'মঙ্গলা রোডে কীর্তনের কথা বলেছিলেন না আপনি ?'

লক্ষ্মণ ভট্টাচার্য একটা বেপরোয়া ভাব আনবার চেষ্টা করে বললেন, 'মিথ্যে বলেছি ?'

'না, মিথ্যে বলেননি,' বলল ফেলুদা, 'প্রতি সোমবার সেখানে কীর্তন হয় সেটা ঠিকই ! কিন্তু আপনি যে বলেছিলেন আপনি সেখানে যান, সেটা ঠিক না। আপনি কোনওদিন যাননি। আমি খোঁজ নিয়েছি। তবে এ বাড়ি থেকে একজন যেতেন। নিশীথ বোস। সোমবার বিকেলে পাঁচটা থেকে সাড়ে ছটা নিশীথবাবু বাড়ি থাকতেন না। চাকর থাকত। এই সোমবার অর্থাৎ গত কালও নিশীথবাবু ছিলেন না। চাকরটা অপদার্থ। তাকে ঘুষ দিয়ে হাত করা কিছুই না। আপনি দুপুরে মিঃ সেনের ঘুমের ওষুধের মাত্রা বাড়িয়ে দিয়ে সাড়ে

পাঁচটায় তাঁর ঘরে ঢুকে, বালিশের নীচ থেকে চাবি বার করে নিয়ে আলমারি থেকে পুঁথি বার করে নিয়ে যান। সেটা মিঃ সরকারের হাতে তুলে দিতে হবে। তার জন্য অ্যাপয়েন্টমেন্ট হয় ভুজঙ্গ নিবাসের বারান্দায়। আপনি অপেক্ষা করছিলেন সেখানে। আপনার জুতোর ছাপ, আপনার দেশলাইয়ের কাঠি ও আপনার পানের পিক তার সাক্ষ্য দিচ্ছে। কিন্তু এই সময় একটা অপ্রত্যাশিত ঘটনা ঘটে যায়।'

আমরা সবাই কাঠ। লক্ষ্মণ ভট্টাচার্য থর থর করে কাঁপছেন, কারণ মিঃ সরকার ছাড়া ঘরের সবাইয়ের দৃষ্টি এখন তাঁর দিকে।

ফেলুদা আবার শুরু করল— 'একজন আমেরিকান ভদ্রলোক সাড়ে ছটায় আসবেন মিঃ সেনের পুঁথি দেখতে। তাই ছটার মধ্যে নিশীথবাবু ফিরে আসেন। হয়তো কর্তাকে তখনও ঘুমোতে দেখে তাঁর সন্দেহ হয়। আলমারি খুলে দেখেন পুঁথির বদলে সাদা কাগজ। আপনি বাড়ি নেই। সন্দেহটা নিশ্চয়ই বাড়ে। বাইরে এসে দেখেন বালিতে পায়ের ছাপ। চলে আসেন ভুজঙ্গ নিবাসে। বলুন তো লক্ষ্মণবাবু, এই অবস্থায় তাকে কি বাঁচতে দেওয়া চলে? একটি ভোঁতা হাতিয়ার তো ছিল আপনার সঙ্গে, তাই না? তাই দিয়ে তাকে মেরে, লাশ সরিয়ে, সাগরিকায় ফিরে গিয়ে নিশীথবাবুর বাক্স বিছানা ভুজঙ্গ নিবাসে রেখে হঠাৎ খেয়াল হয় হাতিয়ারে রক্ত লেগে আছে। তখন সেটা সমুদ্রের জলে ফেলতে গিয়ে পথে আমায় দেখে সেটা দিয়ে আমার মাথায় বাড়ি মেরে, তারপর সেটাকে জলে ফেলে দেন—তাই তো?'

ফেলুদা জানে যে এ-প্রশ্নের কোনও উত্তর নেই, কিন্তু তাও সে থামল, কারণ পরের প্রশ্নটায় জোর দেবার জন্য। আদ্যিকালের পোড়ো বৈঠকখানার চার দেয়াল কাঁপিয়ে প্রশ্নটা করল সে—

'কিন্তু তাতেও কি আপনার কার্যসিদ্ধি হয়েছিল?'

উত্তরটাও ফেলুদাই দিল, কারণ লক্ষ্মণ ভট্টাচার্যকে দেখে মনে হয়, তিনি বাক্যবাণে আধমরা।

'না, তাতেও হয়নি। সে পুঁথি হিঙ্গোরানি পায়নি। মিঃ সরকারও পাননি। তাই অন্য পুঁথিটিকে সরাবার দরকার হয়েছিল আজকে। তার আগে, হয়তো কাল রাত্রেই, আপনি নিশীথবাবুর মায়ের অসুখের গল্পটি ফেঁদেছেন। কিন্তু প্রথম দিন এত করেও আপনার পরিশ্রম ব্যর্থ হল কেন সেটা এঁদের একটু বুঝিয়ে বলবেন? বলবেন না? তা হলে আমিই বলি—কারণ এত আশ্চর্য একটি ঘটনা বর্তমান অবস্থায় আপনার পক্ষে গুছিয়ে বলা সম্ভব না। আমি অনেক রহস্যের সমাধান করেছি কিন্তু বর্তমান রহস্যটি এতই অদ্ভুত ও অসামান্য যে, আমাকে বোকা বানিয়ে দিয়েছিল। ভোঁতা হাতিয়ারের কথা বলছিলাম, কিন্তু সেই ভোঁতা হাতিয়ার যে প্রজ্ঞাপারমিতার পুঁথি, তা আমি কী করে বুঝব? আপনার হাতে যে আর কিছুই ছিল না, তা আমি কী করে বুঝব! নিজের মাথায় কাঠের পাটার বাড়ি সত্ত্বেও আমি বুঝিনি। সেই রক্ত লাগা পুঁথি কেমন করে আপনি সরকারের হাতে তুলে দেবেন, আর সরকারই বা হিঙ্গোরানিকে দেবেন কেমন করে?'

'হায়, হায়, হায়!'—দুর্গাগতি সেন দু হাত মাথায় দিয়ে উপুড় হয়ে পড়েছেন।—'আমার এত সাধের পুঁথি শেষটায়—'

'আপনাকে একটা কথা বলি মিস্টার সেন'—ফেলুদা দুর্গাগতিবাবুর দিকে এগিয়ে এসেছে—'আপনি কি জানেন যে সমুদ্র মাঝে মাঝে দান গ্রহণ করে না, ফিরিয়ে দেয়? এমনকী তৎক্ষণাৎ ফিরিয়ে দেয়?'

এবার ফেলুদা তার ঝোলার ভিতর হাত ঢুকিয়ে টেনে বার করল আরেকটা শালুতে মোড়া

পুঁথি।

'এই নিন আপনার অষ্টসাহস্রিকা প্রজ্ঞাপারমিতা। এটাকে "নাই মামা" বলতে পারেন। শালু যেমন ছিল তেমনই আছে। পাটার রং ফিকে হয়ে গেছে, তবে লেখা যে খুব বেশি নষ্ট হয়েছে তা বলব না। কাপড় আর কাঠ ভেদ করে জল বেশি ঢুকতে পারেনি।'

'কিন্তু, কিন্তু—এ আপনি কেমন করে পেলেন মশাই!' লালমোহনবাবু জিজ্ঞেস না করে পারলেন না।

ফেলুদা বলল, 'এই শালুটা আপনিও দেখেছিলেন আজ সকালে। রামাই নামে নুলিয়া বাচ্চাটি মাথায় জড়িয়ে বসে ছিল। দেখেই সন্দেহ হয়। নুলিয়া বস্তিতে গিয়ে খোঁজ করে আমি আজই সকালে এটা উদ্ধার করি। পুঁথিটা পেয়ে ছেলেটি তার মার কাছে দিয়ে আসে। শালুটা সে নিয়ে নেয়, পাটা আর পুঁথি ওদের ঘরেই সযত্নে রাখা ছিল। দশ টাকা দিয়ে কিনতে হয়েছে আমায়। মিঃ মহাপাত্র, মিঃ সরকারের পকেট থেকে পার্সটা নিয়ে তার থেকে দশটা টাকা বের করে দিন তো আমায়।'

* * *

দুর্গাগতিবাবুর বাড়ির ছাত থেকে সমুদ্রটা যে আরও কত বিশাল দেখায় সেটা আজ ছাতের পাঁচিলের ধারে দাঁড়িয়ে বুঝতে পারলাম।

কাল রাত্রে সব চুকে যাবার পর মিঃ সেন বার বার অনুরোধ করলেন, আমরা যেন সকালে তাঁর বাড়িতে এসে কফি খাই। মহিমবাবু রাত্রে বাপের সঙ্গেই থাকলেন, কারণ নিশীথবাবু নেই, চাকরটাও ঘুষ খেয়ে পালিয়েছে। ফেলুদা কথা দিয়েছে, শ্যামলাল বারিককে বলে একজন চাকরের বন্দোবস্ত করে দেবে। রান্নার একটা লোক অবিশ্যি আছে; সে-ই কফি করে এনেছে আমাদের জন্য, আর সে-ই ছাতে চেয়ার পেতে আমাদের বসবার জায়গা করে দিয়েছে।

এখানে বলে রাখি, পুঁথি উদ্ধার করার জন্য ফেলুদা যা পারিশ্রমিক পেয়েছে, তাতে ওর গত তিন মাসের বসে থাকা পুষিয়ে গেছে। ও অবিশ্যি ওর স্বভাব অনুযায়ী প্রথমে টাকা নিতে আপত্তি করেছিল, কিন্তু শেষে বাপ-ছেলের পীড়াপীড়িতে চেক নিতেই হল। লালমোহনবাবু পরে বলেছিলেন, 'আপনি না নিলে আপনার মাথায় আবার ব্লান্ট ইনস্ট্রুমেন্টের বাড়ি পড়ত, এবং সেটা মারতুম আমি। এ সব ব্যাপারে আপনার হ্যাঁ-না, না-হ্যাঁ ভাবটা ডিজগাসটিং।'

কফি খেতে খেতেই ফেলুদা বলল, 'আপনি কি জানেন মিঃ সেন, আমার কাছে সবচেয়ে বড় রহস্য ছিল আপনার গাউট?'

দুর্গাগতিবাবু কপালে ভুরু তুলে বললেন, 'কেন, এতে রহস্যের কী আছে? বুড়ো মানুষের গাউট হতে পারে না?'

'কিন্তু গাউট নিয়েই তো আপনি সকাল-সন্ধে সমুদ্রের ধারে দিব্যি হেঁটে বেড়ান। গোড়ায় এসে পায়ের ছাপ দেখেছি এবং মূর্খের মতো ভেবেছি সেটা বিলাস মজুমদারের ফুটপ্রিন্ট। কিন্তু কাল যে আপনাকে স্বচক্ষে দেখলাম।'

'তাতে কী প্রমাণ হল মিঃ মিত্তির? গাউটের যন্ত্রণা যে সর্বক্ষণ স্থায়ী, এমন তো নয়।'

'কিন্তু আপনার পায়ের ছাপ যে অন্য কথা বলছে, মিঃ সেন। সে কথাটা কাল রাত্রে বলিনি, কারণ আমার বিশ্বাস কথাটা আপনি গোপন রাখতে চান। কিন্তু মুশকিল হচ্ছে কী, গোয়েন্দার কাছ থেকে যে সব কিছু গোপন রাখা যায় না। আপনার বাঁ হাতের লাঠিটাই যে

শুধু তাৎপর্যপূর্ণ তা তো নয়, আপনার দুটো জুতোর ছাপে যে বেমিল রয়েছে।'

দুর্গাগতিবাবু চুপ করে চেয়ে আছেন ফেলুদার দিকে। ফেলুদা বলে চলল, 'সেদিন কাঠমাণ্ডুর বীর হাসপাতালে ফোন করে বিলাস মজুমদারের ইনজুরির ব্যাপারটা কনফার্মড হয়। সেখানে ওই সময়ে পাহাড় থেকে পড়ে জখম হওয়া আর কোনও পেশেন্ট আসেনি। শেষে গাইড বুকে দেখলাম কাঠমাণ্ডুর কাছেই পাটানে আরেকটা হাসপাতাল আছে—শান্তা ভবন। সেখানে ফোন করে জানি যে দুর্গাগতি সেন অক্টোবর থেকে জানুয়ারির গোড়া পর্যন্ত সেখানে ছিলেন। আপনার ইনজুরির বর্ণনাও তারা দিল।'

দুর্গাগতিবাবুর মুখের চেহারা পালটে গেছে। একটুক্ষণ চুপ থেকে দীর্ঘশ্বাস ফেলে বললেন, 'নিশীথ জানত যে আমি ব্যাপারটা কাউকে জানতে দিতে চাই না। সকালে কেউ আসার থাকলে ও-ই ব্যান্ডেজ বেঁধে দিত, আর জিজ্ঞেস করলে বলত গাউট। আজ মহিম বেঁধে দিয়েছে ব্যান্ডেজ। এ জিনিস আমি প্রচার করতে চাইনি, মিঃ মিত্তির। একটা মহামূল্য পুঁথি হারানোর চেয়ে এটা কিছু কম ট্র্যাজিক নয়। কিন্তু আপনি যখন বুঝেই ফেলেছেন—'

দুর্গাগতিবাবু তাঁর বাঁ পায়ের ট্রাউজারটা বেশ খানিকটা তুলে ফেললেন।

অবাক হয়ে দেখলাম ব্যান্ডেজটা শুধু গোড়ালির ইঞ্চি তিনেক উপর অবধি। তার উপরে আসল পায়ের বদলে রয়েছে কাঠ আর প্লাস্টিকে তৈরি যান্ত্রিক পা!

গোলকধাম রহস্য

'জয়দ্রথ কে ছিল?'

'দুর্যোধনের বোন দুঃশলার স্বামী।'

'আর জরাসন্ধ?'

'মগধের রাজা।'

'ধৃষ্টদ্যুম্ন?'

'দ্রৌপদীর দাদা।'

'অর্জুন আর যুধিষ্ঠিরের শাঁখের নাম কী?'

'অর্জুনের দেবদত্ত, যুধিষ্ঠিরের অনন্তবিজয়।'

'কোন অস্ত্র ছুঁড়লে শত্রুরা মাথা গুলিয়ে সেমসাইড করে বসে?'

'ত্বাষ্ট্র।'

'ভেরি গুড।'

যাক বাবা, পাশ করে গেছি! ইদানীং রামায়ণ-মহাভারত হল ফেলুদার যাকে বলে স্টেপল রিডিং। সেই সঙ্গে অবিশ্যি আমিও পড়ছি। আর তাতে কোনও আপশোস নেই। এ তো আর ওষুধ গেলা না, এ হল একধার থেকে ননস্টপ ভূরিভোজ। গল্পের পর গল্পের পর গল্প। ফেলুদা বলে ইংরিজিতে বইয়ের বাজারে আজকাল একটা বিশেষণ চালু হয়েছে—আনপুটডাউনেব্‌ল। যে বই একবার পড়ব বলে পিকআপ করলে আর পুট ডাউন করবার জো নেই। রামায়ণ-মহাভারত হল সেইরকম আনপুটডাউনেব্‌ল। ফেলুদার হাতে এখন কালীপ্রসন্ন সিংহের মহাভারতের দ্বিতীয় খণ্ড। আমারটা অবিশ্যি কিশোর সংস্করণ। লালমোহনবাবু বলেন ওঁর নাকি

কৃত্তিবাসী রামায়ণের অনেকখানি মুখস্থ; ওঁর ঠাকুমা পড়তেন, সেই শুনে শুনে মুখস্থ হয়ে গেছে। আমাদের বাড়িতে কৃত্তিবাসের রামায়ণ নেই; ভাবছি একটা জোগাড় করে জটায়ুর স্মরণশক্তিটা পরীক্ষা করে দেখব। ভদ্রলোক আপাতত ঘরবন্দি অবস্থায় পুজোর উপন্যাস লিখছেন, তাই দেখা-সাক্ষাৎটা একটু কম।

বই থেকে মুখ তুলে রাস্তার দরজাটার দিকে চাইতে হল ফেলুদাকে। কলিং বেল বেজে উঠেছে। হিজলীতে একটা খুনের রহস্য সমাধান করে গত শুক্রবার ফিরেছে ফেলুদা। এখন আয়েশের মেজাজ, তাই বোধহয় বেলের শব্দে তেমন আগ্রহ দেখাল না। ও যা পারিশ্রমিক নেয় তাতে মাসে একটা করে কেস পেলেই ওর দিব্যি চলে যায়। জটায়ুর ভাষায় ফেলুদার জীবনযাত্রা 'সেন্ট পার্সেন্ট অনাড়ম্বর'। এখানে বলে রাখি, জটায়ুর জিভের সামান্য জড়তার জন্য 'অনাড়ম্বর'টা মাঝে মাঝে 'অনারম্বড়' হয়ে যায়। সেটা শোধরাবার জন্য ফেলুদা ওঁকে একটা সেনটেন্স গড়গড় করে বলা অভ্যেস করতে বলেছিল; সেটা হল—'বারো হাঁড়ি রাবড়ি বড় বাড়াবাড়ি।' ভদ্রলোক একবার বলতে গিয়েই চারবার হোঁচট খেয়ে গেলেন।

ফেলুদা বলে, 'নতুন চরিত্র যখন আসবে, তখন গোড়াতেই তার একটা মোটামুটি বর্ণনা দিয়ে দিবি। তুই না দিলে পাঠক নিজেই একটা চেহারা কল্পনা করে নেবে; তারপর হয়তো দেখবে যে তোর বর্ণনার সঙ্গে তার কল্পনার অনেক তফাত।' তাই বলছি, ঘরে যিনি ঢুকলেন তাঁর রং ফরসা, হাইট আন্দাজ পাঁচ ফুট ন' ইঞ্চি, বয়স পঞ্চাশ-টঞ্চাশ, কানের দুপাশের চুল পাকা, থুতনির মাঝখানে একটা আঁচিল, পরনে ছাই রঙের সাফারি সুট। ঘরে ঢুকে যেভাবে গলা খাঁকরালেন তাতে একটা ইতস্তত ভাব ফুটে ওঠে, আর খাঁকরানির সময় ডান হাতটা মুখের কাছে উঠে আসাতে মনে হল ভদ্রলোক একটু সাহেবিভাবাপন্ন।

'সরি, অ্যাপয়েন্টমেন্ট করে আসতে পারিনি,' সোফার এক পাশে বসে বললেন আগন্তুক— 'আমাদের ওদিকে রাস্তা খোঁড়াখুঁড়িতে লাইনগুলো সব ডেড।'

ফেলুদা মাথা নাড়ল। খোঁড়াখুঁড়িতে শহরের কী অবস্থা সেটা আমাদের সকলেরই জানা আছে।

'আমার নাম সুবীর দত্ত।'—গলার স্বরে মনে হয় দিব্যি টেলিভিশনে খবর পড়তে পারেন। 'ইয়ে, আপনিই তো প্রাইভেট ইনভেস্—'

'আজ্ঞে হ্যাঁ।'

'আমি এসেছি আমার দাদার ব্যাপারে।'

ফেলুদা চুপ। মহাভারত বন্ধ অবস্থায় তার কোলের উপরে, তবে একটা বিশেষ জায়গায় আঙুল গোঁজা রয়েছে।

'অবিশ্যি তার আগে আমার পরিচয়টা একটু দেওয়া দরকার। আমি করবেট অ্যান্ড নরিস কোম্পানিতে সেলস এগজিকিউটিভ। ক্যামাক স্ট্রিটের দীনেশ চৌধুরীকে বোধহয় আপনি চেনেন; উনি আমার কলেজের সহপাঠী ছিলেন।'

দীনেশ চৌধুরী ফেলুদার একজন মক্কেল সেটা জানতাম।

'আই সি' ভীষণ সাহেবি কায়দায় গম্ভীর গলায় বলল ফেলুদা। ভদ্রলোক এবার তাঁর দাদার কথায় চলে গেলেন—

'দাদা এককালে বায়োকেমিস্ট্রিতে খুব নাম করেছিলেন। নীহার দত্ত। ভাইরাস নিয়ে রিসার্চ করছিলেন। এখানে নয়, আমেরিকায়। মিশিগ্যান ইউনিভার্সিটিতে। ল্যাবরেটরিতে কাজ করতে করতে একটা এক্সপ্লোশন হয়। দাদার প্রাণ নিয়ে টানাটানি হয়; কিন্তু শেষে ওখানকারই হাসপাতালের এক ডাক্তার ওঁকে বাঁচিয়ে তোলে। তবে চোখ দুটোকে বাঁচানো যায়নি।'

'অন্ধ হয়ে যান?'

'অন্ধ। সেই অবস্থায় দাদা দেশে ফিরে আসেন। ওখানে থাকতেই একজন আমেরিকান মেয়েকে বিয়ে করেন; অ্যাক্সিডেন্টের পর মহিলা দাদাকে ছেড়ে চলে যান। তারপর আর দাদা বিয়ে করেননি।'

'তাঁর গবেষণাও তো তা হলে শেষ হয়নি?'

'না। সেই দুঃখেই হয়তো দাদা প্রায় মাস ছয়েক কারওর সঙ্গে কথা বলেননি। আমরা ভেবেছিলাম হয়তো মাথা খারাপ হয়ে গেছে। শেষে ক্রমে মোটামুটি স্বাভাবিক অবস্থায় ফিরে আসেন।'

'এখন কী অবস্থা?'

'বিজ্ঞানে এখনও উৎসাহ আছে সেটা বোঝা যায়। একটি ছেলেকে রেখেছেন—ওঁর হেলপার বা সেক্রেটারি বলতে পারেন—সেও বায়োকেমিস্ট্রির ছাত্র ছিল—তার একটা কাজ হচ্ছে সায়েন্স ম্যাগাজিন থেকে প্রবন্ধ পড়ে শোনানো। এমনিতে যে দাদা একেবারে হেলপলেস তা নন; বিকেলে আমাদের বাড়ির ছাতে একাই লাঠি হাতে পায়চারি করেন। এমনকী বাড়ির বাইরেও রাস্তার মোড় পর্যন্ত একাই মাঝে মাঝে হেঁটে আসেন। বাড়িতে এঘর ওঘর করার সময় ওঁর কোনও সাহায্যের দরকার হয় না।'

'ইনকাম আছে কিছু?'

'বায়োকেমিস্ট্রির উপর দাদার একটা বই বেরিয়েছিল আমেরিকা থেকে, তার থেকে একটা রোজগার আছে।'

'ঘটনাটা কী?'

'আজ্ঞে?'

'মানে, আপনার এখানে আসার কারণটা...'

'বলছি।'

পকেট থেকে একটা চুরুট বের করে ধরিয়ে নিয়ে ধোঁয়া ছেড়ে বললেন সুবীর দত্ত—

'দাদার ঘরে কাল রাত্তিরে চোর এসেছিল।'

'সেটা কী করে বুঝলেন?'

ফেলুদা এতক্ষণে হাত থেকে মহাভারত নামিয়ে সামনের টেবিলের উপর রেখে প্রশ্নটা করল।

'দাদা নিজে বোঝেননি। ওঁর চাকরটাও যে খুব বুদ্ধিমান তা নয়। ন'টার সময় ওঁর সেক্রেটারি এসে ঘরের চেহারা দেখে ব্যাপারটা বুঝতে পারে। ডেস্কের দুটো দেরাজই আধখোলা, কাগজপত্র কিছু মেঝেতে ছড়ানো, ডেস্কের উপরের জিনিসপত্র ওলটপালট, এমনকী গোদরেজের আলমারির চাবির চারপাশে ঘষটানোর দাগ; বোঝাই যায় কেউ আলমারিটা খোলার চেষ্টা করেছে।'

'আপনাদের পাড়ায় চুরি হয়েছে ইদানীং?'

'হয়েছে। আমাদের বাড়ির দুটো বাড়ি পরে। পাড়ায় এখন দুটো পুলিশের লোক টহল দেয়। পাড়া বলতে বালিগঞ্জ পার্ক। আমাদের বাড়িটা প্রায় আশি বছরের পুরনো। ঠাকুরদার তৈরি। খুলনায় জমিদারি ছিল আমাদের। ঠাকুরদা চলে আসেন কলকাতায় এইটিন নাইনটিতে। রাসায়নিক যন্ত্রপাতি ম্যানুফ্যাকচারিং-এর ব্যবসা শুরু করেন। কলেজ স্ট্রিটে বড় দোকান ছিল আমাদের। বাবাও চালিয়েছিলেন কিছুদিন ব্যবসা। বছর ত্রিশেক আগে উঠে যায়।'

'আপনার বাড়িতে এখন লোক ক'জন?'

'আগের তুলনায় অনেক কম। বাবা-মা দুজনেই মারা গেছেন। আমার স্ত্রীও, সেভেনটি ফাইভে। আমার দুটি মেয়ের বিয়ে হয়ে গেছে, বড় ছেলে জার্মানিতে। এখন মেম্বার বলতে

আমি, দাদা, আর আমার ছোট ছেলে। দুটি চাকর আর একটি রান্নার লোক আছে। আমরা দোতলায় থাকি। একতলাটা দুভাগ করে ভাড়া দিয়েছি।'

'কারা থাকে সেখানে?'

'সামনের ফ্ল্যাটটাতে থাকেন মিঃ দস্তুর। ইলেকট্রিক্যাল গুডসের ব্যবসা। পিছনে থাকেন মিঃ সুখওয়ানি, অ্যান্টিকের দোকান আছে লিন্ডসে স্ট্রিটে।'

'এদের ঘরে চোর ঢোকেনি? শুনে তো বেশ অবস্থাপন্ন বলে মনে হয়।'

'পয়সা তো আছেই। ফ্ল্যাটগুলোর ভাড়া আড়াই হাজার করে। সুখওয়ানির ঘরে দামি জিনিস আছে বলে ও দরজা বন্ধ করে শোয়। দস্তুর বলে বন্ধ ঘরে ওর সাফোকেশন হয়।'

'চোর আপনার দাদার ঘরে ঢুকেছিল কী নিতে অনুমান করতে পারেন?'

'দেখুন, দাদার অসমাপ্ত গবেষণার কাগজপত্র দাদার আলমারিতেই থাকে, আর সেগুলো যে অত্যন্ত মূল্যবান তাতে কোনও সন্দেহ নেই। অবিশ্যি সাধারণ চোর আর তার মূল্য কী বুঝবে। আমার ধারণা চোর টাকা নিতেই ঢুকেছিল। অন্ধ লোকের ঘরে চুরির একটা সুবিধে আছে সেটা তো বুঝতেই পারেন?'

'বুঝেছি' বলল ফেলুদা 'অন্ধ মানে বোধহয় ব্যাঙ্ক অ্যাকাউন্ট নেই, কারণ চেক সই করা তো...'

'ঠিক বলেছেন। বই বাবদ দাদা যা টাকা পান সব আমার নামে আসে। আমার অ্যাকাউন্টে জমা পড়ে। তারপর আমি চেক কেটে টাকা তুলে দাদাকে দিয়ে দিই। সেই ব্যাঙ্কের টাকা সব ওই গোদরেজের আলমারিতেই থাকে। আমার আন্দাজ হাজার ত্রিশেক টাকা ওই আলমারিতে রয়েছে।'

'চাবি কোথায় থাকে?'

'যতদূর জানি, দাদার বালিশের নীচে। বুঝতেই পারছেন, দাদা অন্ধ বলেই দুশ্চিন্তা। রাত্তিরে দরজা খুলে শোন, চৌকাঠের বাইরে শোয় চাকর কৌমুদী—যাতে মাঝরাত্তিরে প্রয়োজনে ডাক দিলে আসতে পারে। ধরুন যদি তেমন বেপরোয়া চোর হয়, আর চাকরের ঘুম না ভাঙে, তা হলে তো দাদার আত্মরক্ষার কোনও উপায় থাকে না। অথচ পুলিশে উনি খবর দেবেন না। বলেন ওরা কেবল জানে জেরা করতে, কাজের বেলায় ঢুঢু, সব ব্যাটা ঘুষখোর ইত্যাদি। তাই আপনার কথা বলতে উনি রাজি হলেন। আপনি যদি একবারটি আমাদের বাড়িতে আসেন, তা হলে অন্তত প্রিভেনশনের ব্যাপারে কী করা যায় সেটা একটু ভেবে দেখতে পারেন। এমনকী বাইরের চোর না ভেতরের চোর সেটাও একবার—'

'ভেতরের চোর?'

আমি আর ফেলুদা দুজনেই উৎকর্ণ মানে কান খাড়া।

ভদ্রলোক চুরুটের ছাই অ্যাশট্রেতে ফেলে গলাটা যতটা পারা যায় খাদে নামিয়ে এনে বললেন, 'দেখুন মশাই, আমি স্পষ্টবক্তা। আপনার কাছে যখন এসেছি, তখন জানি ঢেকেঢুকে কথা বললে আপনার কোনও সুবিধে হবে না। প্রথমত আমাদের দু'জন ভাড়াটের একটিকেও আমার খুব পছন্দ না। সুখওয়ানি এসেছে বছর তিনেক হল। আমি নিজে জানি না, কিন্তু যারা পুরনো আর্টের জিনিস-টিনিস কেনে তেমন লোকের কাছে শুনেছি সুখওয়ানি লোকটা সিধে নয়। পুলিশের নজর আছে ওর ওপর।'

'আর অন্য ভাড়াটে?'

'দস্তুর এসেছে মাস চারেক হল। ও ঘরটায় আমার বড় ছেলে থাকত সে পার্মানেন্টলি দেশের বাইরে। ডুসেলডর্ফে একটা ইঞ্জিনিয়ারিং ফার্মে চাকরি করে জার্মান মেয়ে বিয়ে করেছে। দস্তুর লোকটা সম্বন্ধে বদনাম শুনিনি তবে সে এত অতিরিক্ত রকম চাপা যে সেটাই সন্দেহের কারণ হয়ে দাঁড়ায়। আর, ইয়ে—'

ভদ্রলোক থামলেন। তারপর বাকি কথাটা বললেন মুখ নামিয়ে, দৃষ্টি ছাইদানিটার দিকে রেখে।

'শঙ্কর, আমার ছোট ছেলে, একেবারে সংস্কারের বাইরে চলে গেছে।'

ভদ্রলোক আবার চুপ। ফেলুদা বলল, 'কত বড় ছেলে?'

'তেইশ বছর বয়স। গত মাসে জন্মতিথি গেল, যদিও তার মুখ দেখিনি সেদিন।'

'কী করে?'

'নেশা, জুয়া, ছিনতাই, গুণ্ডাগিরি কোনওটাই বাদ নেই। পুলিশের খপ্পরে পড়েছে তিনবার। আমাকেই গিয়ে ছাড়িয়ে আনতে হয়েছে। আমাদের পরিবারের একটা খ্যাতি আছে সেটা তো বুঝতেই পারছেন, তাই নাম করলে এখনও কিছুটা ফল পাওয়া যায়। কিন্তু সে নাম আর কদ্দিন টিকবে জানি না।'

'চোর যেদিন আসে সেদিন ও বাড়িতে ছিল?'

'রাত্তিরে খেতে এসেছিল—সেটাও রোজ আসে না—তারপর আর দেখিনি।'

ঠিক হল আজই বিকেলে আমরা একবার যাব বালিগঞ্জ পার্কে। কেসটাকে এখনও ঠিক কেস বলা যায় না, কিন্তু আমি জানি বিস্ফোরণে অন্ধ হয়ে যাওয়া বৈজ্ঞানিকের ব্যাপারটা ফেলুদার মন টেনেছে। তার মাথায় নিশ্চয়ই ঘুরছে ধৃতরাষ্ট্র।

খবরের কাগজের কাটিং-এর বাইশ নম্বর খাতা থেকে মিশিগ্যান বিশ্ববিদ্যালয়ের ল্যাবরেটরিতে বিস্ফোরণে উদীয়মান বাঙালি জীবরাসায়নিক নীহাররঞ্জন দত্ত-র চোখ নষ্ট হয়ে যাওয়ার খবরটা খুঁজে বার করে দিতে সিধু জ্যাঠার লাগল সাড়ে তিন মিনিট। তার মধ্যে অবিশ্যি দুমিনিট গেল ফেলুদা অ্যাদ্দিন ডুব মেরে থাকার জন্য তাকে ধমকানিতে। সিধু জ্যাঠা আমাদের সত্যি জ্যাঠা না হলেও আত্মীয়ের বাড়া। কোনও অতীতের ঘটনার বিষয় জানতে হলে ফেলুদা ন্যাশনাল লাইব্রেরিতে না গিয়ে সিধু জ্যাঠার কাছে যায়। তাতে কাজ হয় অনেক বেশি তাড়াতাড়ি আর অনেক বেশি ফুর্তিতে।

ফেলুদা প্রসঙ্গটা তুলতেই সিধু জ্যাঠা ভুরু কুঁচকে বললেন, 'নীহার দত্ত? যে ভাইরাস নিয়ে রিসার্চ করছিল? এক্সপ্লোশনে চোখ হারায়?'

বাপ্‌রে বাপ্!— কী স্মৃতিশক্তি! বাবা বলেন শ্রুতিধর। ফেলুদা বলে ফোটোগ্রাফিক মেমরি; একবার কোনও ইন্টারেস্টিং খবর পড়লে বা শুনলে তৎক্ষণাৎ মগজে চিরকালের মতো ছাপা হয়ে যায়। '—কিন্তু সে তো একা ছিল না?'

এ খবরটা নতুন।

'একা ছিল না মানে?' ফেলুদা প্রশ্ন করল।

'তার মানে, যদ্দূর মনে পড়েছে—' সিধু জ্যাঠা ইতিমধ্যে তাঁর বুকশেলফের সামনে গিয়ে খবরের কাটিং-এর খাতা টেনে বার করেছেন— 'এই গবেষণায় তাঁর একজন পার্টনার ছিল—হ্যাঁ এই যে।'

বাইশ নম্বর খাতার একটা পাতা খুলে সিধু জ্যাঠা খবরটা পড়লেন। ১৯৬২-র খবর। তাতে জানা গেল যে নীহার দত্তের গবেষণার ব্যাপারে তাঁর সঙ্গে কাজ করছিলেন আরেকটি বাঙালি বায়োকেমিস্ট, নাম সুপ্রকাশ চৌধুরী। অ্যাক্সিডেন্টে চৌধুরীর কোনও ক্ষতি হয়নি, কারণ সে ছিল ঘরের অন্য দিকে। এই চৌধুরীর জন্যই নাকি নীহার দত্ত নিশ্চিত মৃত্যুর হাত থেকে রেহাই পেয়েছিলেন, কারণ আগুন নেবানো ও তৎক্ষণাৎ নীহার দত্তকে হাসপাতালে পাঠানোর ব্যবস্থাটা চৌধুরীই করেন।

'এই চৌধুরী এখন—?'

'তা জানি না,' বললেন সিধু জ্যাঠা। 'সে খবর আমার কাছে পাবে না। এদের জীবনে

উল্লেখযোগ্য কিছু ঘটলে যদি সেটা খবরের কাগজে স্থান পায় তবেই সেটা আমার নজরে আসে। আমি যেচে কারুর খবর নিই না। কী দরকার? আমার খবর কজন নেয় যে ওদের খবর আমি নেব? তবে এটা ঠিক যে, এই চৌধুরী যদি বিজ্ঞানের জগতে সাড়া জাগানো একটা কিছু করত, তা হলে সে খবর আমি নিশ্চয়ই পেতাম।'

২

সাতের এক বালিগঞ্জ পার্কের বাড়িতে যে বয়সের ছাপ পড়েছে সেটা আর বলে দিতে হয় না। এটাও ঠিক যে বাড়ির মালিকের যদি সে ছাপ ঢাকবার ক্ষমতা থাকত, তা হলে ঢাকা পড়ত নিশ্চয়ই। তার মানে বোঝা যাচ্ছে যে দত্ত পরিবারের অবস্থা এখন খুব একটা ভাল নয়। বাগানটা বোধহয় বাড়ির পিছন দিকে। সামনে একটা গোল ঘাসের চাকতির উপর একটা অকেজো ফোয়ারা, সেই গোলের দুপাশ দিয়ে নুড়িবেছানো রাস্তা চলে গেছে গাড়িবারান্দার দিকে। গেটের গায়ে শ্বেতপাথরের ফলকে 'গোলোকধাম' দেখে ফেলুদা কৌতূহল প্রকাশ করাতে সুবীরবাবু বললেন যে ওঁর ঠাকুরদাদার নাম ছিল গোলোকবিহারী দত্ত। বাড়িটা তিনিই তৈরি করেছিলেন।

গোলোকধাম যে এককালে দারুণ বাড়ি ছিল সেটা এখনও দেখলে বোঝা যায়। গাড়িবারান্দা থেকে তিন ধাপ সিঁড়ি উঠে শ্বেতপাথরের বাঁধানো ল্যান্ডিং-এর বাঁ দিক দিয়ে শ্বেতপাথরের সিঁড়ি দোতলায় উঠে গেছে। সামনে একটা দরজা দিয়ে ভিতরে করিডর দেখা যাচ্ছে, তার ডান দিকে নাকি পর পর দুটো ফ্ল্যাট। বাঁ দিকে একটা প্রকাণ্ড হলঘর, যেটা দত্তরা ভাড়া দেননি। এই ঘরে নাকি এককালে অনেক খানাপিনা গানবাজনা হয়েছে।

হলঘরের ঠিক ওপরেই হল দোতলার বৈঠকখানা। আমরা সেখানেই গিয়ে বসলাম। মাথার ওপর কাপড়ে মোড়া চিরকালের মতো অকেজো ঝাড়লণ্ঠন, তার যে কত ডালপালা তার ঠিক নেই। একদিকে দেয়াল গিল্ট-করা ফ্রেমে বিশাল আয়না, সুবীরবাবু বললেন সেটা বেলজিয়াম থেকে আনানো। মেঝেতে পুরু গালিচার এখানে ওখানে খুবলে গিয়ে দাবার ছকের মতো সাদা-কালো শ্বেতপাথরের মেঝেটা বেরিয়ে পড়েছে।

সুবীরবাবু সুইচ টিপে একটা স্ট্যান্ডার্ড ল্যাম্প জ্বালিয়ে দিতে ঘরের অন্ধকার খানিকটা দূর হল। আমরা সোফায় বসতে যাব, এমন সময় বাইরের করিডর থেকে একটা শব্দ পাওয়া গেল—খট্ খট্ খট্ খট্।

লাঠি আর চটি মেশানো শব্দ।

শব্দটা চৌকাঠের বাইরে এসে মুহূর্তের জন্য থামল, আর তার পরেই লাঠির মালিকের প্রবেশ। সেই সঙ্গে আমরা তিনজনেই দণ্ডায়মান।

'অচেনা গলার আওয়াজ পেলাম—এঁরা এলেন বুঝি?'

গম্ভীর গলা, ছফুট লম্বা চেহারার সঙ্গে সম্পূর্ণ মানানসই। এনার চুল সব পাকা, কিছুটা এলোমেলো, চোখে কালো চশমা, পরনে আদ্দির পাঞ্জাবি আর সিল্কের পায়জামা। বিস্ফোরণ যে শুধু চোখই নষ্ট করেনি, মুখের অন্যান্য অংশেও যে তার ছাপ রেখে গেছে, সেটা ল্যাম্পের চাপা আলোতেও বোঝা যাচ্ছে।

সুবীরবাবু দাদাকে সাহায্য করতে এগিয়ে এলেন।—'বোসো, দাদা।'

'বসছি। আগে এঁদের বসাও।

'নমস্কার,' ফেলুদা বলল, 'আমার নাম প্রদোষ মিত্র। আমার বাঁ পাশে আমার কাজিন তপেশ।'

আমিও খাটো গলায় একটা নমস্কার বলে দিলাম। শুধু হাত জোড় করাটা তো অন্ধ লোকের কাছে মাঠে মারা যাবে।

'আমারই মতো হাইট বলে মনে হচ্ছে মিত্তির মশাইয়ের, আর কাজিন বোধ করি পাঁচ সাত কি সাড়ে সাত।'

'আমি পাঁচ সাত', বলে ফেললেন তপেশরঞ্জন মিত্র।

মনে মনে ভদ্রলোকের আন্দাজের তারিফ না করে পারলাম না।

'বসুন এবং বোসো' বলে ভাইয়ের সাহায্য না নিয়েই আমাদের সামনের সোফায় বসে পড়লেন নীহার দত্ত।—'চায়ের কথা বলেছ?'

'বলেছি', বললেন সুবীর দত্ত।

ফেলুদা অভ্যাসমতো ভনিতা না করে সোজা কাজের কথায় চলে গেল।

'আপনি যে রিসার্চ করছিলেন, সে ব্যাপারে বোধ হয় আপনার একজন পার্টনার ছিল, তাই না?'

সুবীরবাবুর উসখুসে ভাব দেখে বুঝলাম যে এ ব্যাপারটা তিনিও জানতেন, এবং আমাদের না বলার জন্য অপ্রস্তুত বোধ করেছেন।

'পার্টনার নয়,' বললেন নীহার দত্ত—'অ্যাসিস্ট্যান্ট সুপ্রকাশ চৌধুরী। সে আমেরিকাতেই পড়াশুনা করেছিল। পার্টনার বললে বেশি বলা হবে। আমাকে ছাড়া তার এগোনোর পথ ছিল না।'

'তিনি এখন কোথায় বা কী করছেন সে খবর জানেন?'

'না।'

'অ্যাক্সিডেন্টের পর তিনি আপনার সঙ্গে যোগাযোগ রাখেননি?'

'না। এটুকু বলতে পারি যে তার একাগ্রতার অভাব ছিল। বায়োকেমিস্ট্রি ছাড়াও অন্য পাঁচ রকম ব্যাপারে তার ইন্টারেস্ট ছিল।'

'বিস্ফোরণটা কি অসাবধানতার জন্য হয়?'

'আমি নিজে সজ্ঞানে কখনও অসাবধান হইনি।'

চা এল। ঘরটা কেমন যেন থমথম করছে। সুবীরবাবুর দিকে আড়চোখে দেখলাম। তাঁরও যেন তটস্থ ভাব। ফেলুদা একদৃষ্টে চেয়ে আছে কালো চশমার দিকে।

চায়ের সঙ্গে শিঙাড়া আর রাজভোগ। আমি প্লেটটা হাতে তুলে নিলাম। ফেলুদার যেন খাওয়ার ব্যাপারে কোনও আগ্রহ নেই। ও একটা চারমিনার ধরিয়ে নিয়ে বলল—

'আপনি যে ব্যাপারটা নিয়ে গবেষণা করছিলেন, সেটা তা হলে অসমাপ্তই রয়ে গেছে!'

'সে দিকে কেউ অগ্রসর হলে খবর পেতাম নিশ্চয়ই।'

'সুপ্রকাশবাবু সে নিয়ে আর কোনও কাজ করেননি সেটা আপনি জানেন?'

'এটুকু জানি যে আমার নোট্‌স ছাড়া তার কিছু করার ক্ষমতা ছিল না। গবেষণার শেষপর্বের নোট্‌স আমার কাছে ছিল আমার ব্যক্তিগত লকারে। তার নাগাল পাওয়া বাইরের কারোর সাধ্যি ছিল না। সে সব কাগজপত্র আমার সঙ্গেই দেশে ফিরে আসে, আমার কাছেই আছে। এটা জানি যে গবেষণা সফল হলে নোবেল প্রাইজ এসে যেত আমার হাতের মুঠোয়। ক্যানসারের চিকিৎসার একটা রাস্তা খুলে যেত।'

ফেলুদা চায়ের পেয়ালাটা তুলে নিয়েছে। আমিও ইতিমধ্যে চুমুক দিয়ে বুঝেছি এ চা ফেলুদার মতো খুঁতখুঁতে লোককেও খুশি করবে। কিন্তু চুমুক দিয়ে তার মুখের অবস্থা কী হয় সেটা আর দেখা হল না।

ঘরের বাতি নিভে গেছে। লোডশেডিং।

'ক'দিন থেকে ঠিক এই সময়টাতেই যাচ্ছে,' সোফা ছেড়ে উঠে পড়ে বললেন সুবীরবাবু।—'কৌমুদী!'

বাইরে এখনও অল্প আলো রয়েছে; সেই আলোতেই সুবীরবাবু চাকরের খোঁজে ঘর থেকে বেরিয়ে গেলেন।

'বাতি গেল বুঝি?' প্রশ্ন করলেন নীহার দত্ত। তারপর একটা দীর্ঘশ্বাস ফেলে বললেন, 'এতে আমার কিছু এসে যায় না।'

গ্র্যান্ডফাদার ক্লকটা ঠিক এই সময় আমাদের চমকে দিয়ে বেজে উঠল—ঢং ঢং ঢং ঢং ঢং ঢং। ছ'টা।

সুবীরবাবু ফিরলেন, পিছনে মোমবাতি হাতে চাকর কৌমুদী।

মাঝের টেবিলে মোমবাতি রাখায় সকলের মুখ আবার দেখা যাচ্ছে। নীহারবাবুর কালো চশমার দুই কাচে দুটি কম্পমান হলদে বিন্দু। মোমবাতির শিখার ছায়া।

ফেলুদা চায়ে আরেকটা চুমুক দিয়ে আবার চশমার দিকে চেয়ে বলল, 'আপনার গবেষণার নোটস যদি অন্য কোনও বায়োকেমিস্টের হাতে পড়ে তা হলে তাঁর পক্ষে সেটা লাভজনক হবে কি?'

'নোবেল প্রাইজটা যদি লাভ বলে মনে করেন তা হলে হতে পারে বইকী।'

'আপনার কি মনে হয় এই কাগজপত্র চুরি করার জন্য চোর আপনার ঘরে ঢুকেছিল?'

'সেরকম মনে করার কোনও কারণ নেই।'

'আরেকটা প্রশ্ন। আপনার এই নোটসের কথা আর কে জানে?'

'বৈজ্ঞানিক মহলে অনেকেই এটার অস্তিত্ব অনুমান করতে পারে। আর জানে আমার বাড়ির লোকেরা আর আমার সেক্রেটারি রণজিৎ।'

'বাড়ির লোক বলতে কি একতলার দুই ফ্ল্যাটের বাসিন্দাদের কথাও বলছেন?'

'তারা কী জানে না-জানে তা আমি জানি না। এরা ব্যবসাদার লোক। জানলেও কোনও ইন্টারেস্ট হবার কথা না। অবিশ্যি আজকাল তো সব জিনিস নিয়েই ব্যবসা চলে; এ ধরনের কাগজপত্র নিয়েই বা চলবে না কেন। বিজ্ঞানী হলেই তো আর ধর্মপুত্র যুধিষ্ঠির হয় না।'

নীহারবাবু উঠে পড়লেন; সেই সঙ্গে আমরাও।

'আপনার ঘরটা একবার দেখতে পারি কি?' ফেলুদা প্রশ্ন করল। ভদ্রলোক চৌকাঠের মুখে থেমে গিয়ে বললেন, 'দেখবেন বইকী। সুবীর দেখিয়ে দেবে। আমি ছাতে সান্ধ্যভ্রমণটা সেরে আসি।'

করিডরে বেরিয়ে এলাম চারজনে। অন্ধকার আরও ঘনিয়ে এসেছে। করিডরের ডাইনে বাঁয়ে ঘরগুলোর ভিতর থেকে মোমবাতির ক্ষীণ আলো বাইরে এসে পড়েছে। নীহারবাবু লাঠি ঠক ঠক করে ছাতের সিঁড়ির দিকে এগিয়ে গেলেন। শুনলাম তিনি বলছেন, 'স্টেপ গোনা আছে। সতেরো স্টেপ গিয়ে বাঁয়ে ঘুরে সিঁড়ি। সেভেন প্লাস এইট—পনেরো ধাপ উঠে ছাত। প্রয়োজন হলে খবর দেবেন...'

৩

নীহারবাবুর বেশ বড় ঘরের একপাশে অনেকখানি জুড়ে পুরনো আমলের খাট। খাটের পাশে একটা ছোট গোল টেবিল। তাতে ঢাকনি-চাপা গেলাসে জল, আর তার পাশে রাংতায় মোড়া গোটা দশেক বড়ি। বোধহয় ঘুমের ওষুধ।

এই টেবিলের পাশে জানালার সামনে একটা আরাম কেদারা। তার পিঠে অনেক দিনের ব্যবহারের ফলে বেতের বুনুনিতে কালশিটে পড়ে গেছে। মনে হল এই আরাম কেদারাতেই বেশির ভাগ সময় কাটান নীহারবাবু।

এ ছাড়া আছে একটা কাজের টেবিল—যার উপর এখন একটা মোমবাতি টিমটিম করছে—একটা স্টিলের চেয়ার, টেবিলের উপর লেখার সরঞ্জাম, চিঠির র‍্যাক, একটা পুরনো টাইপরাইটার আর এক তাড়া বৈজ্ঞানিক পত্রিকা।

এই টেবিলের পাশেই, দরজার ঠিক বাঁয়ে, রয়েছে গোদরেজের আলমারিটা।

ঘরে ঢুকেই একবার চারিদিকে চোখ বুলিয়ে নিয়ে ফেলুদা তার মিনি টর্চ দিয়ে আলমারির চাবির গর্তটা ভাল করে দেখে বলল, 'খোলার চেষ্টার অভাব হয়নি। গর্তের চারপাশে দাগ।' তারপর এগিয়ে গিয়ে বেডসাইড টেবিল থেকে বড়ির পাতাটা তুলে নিয়ে বলল, 'সোনেরিল।...বুঝেছিলাম নীহারবাবু বেশ কড়া ওষুধ খান। না হলে ঘুম ভেঙে যাবার কথা।'

তারপর চৌকাঠের বাইরে দাঁড়ানো চাকর কৌমুদীর দিকে ফিরে বলল, 'তোমার ঘুম ভাঙল না? তুমি কীরকম পাহারা দাও বাবুকে?'

কৌমুদীর মাথা হেঁট হয়ে গেল। সুবীরবাবু বললেন, 'ও বেজায় ঘুমকাতুরে। এমনিতেই তিনবার না ডাকলে ওঠে না।'

বাইরে থেকে পায়ের আওয়াজ পেয়েছিলাম আগেই; এবার একটি বছর ত্রিশেকের ভদ্রলোক এসে ঘরে ঢুকলেন। রোগা, চোখে চশমা, চুল কোঁকড়া। সুবীরবাবু আলাপ করিয়ে দিতে বুঝলাম ইনিই নীহারবাবুর সেক্রেটারি, নাম রণজিৎ বন্দ্যোপাধ্যায়।

'কে জিতল?'

ফেলুদার অপ্রত্যাশিত প্রশ্ন, করা হয়েছে সেক্রেটারি মশাইকে। রণজিৎবাবুর ফ্যালফেলে ভাব দেখে ফেলুদা হেসে বলল, 'আপনার পাতলা টেরিলিনের শার্টের পকেটে স্পষ্ট দেখছি খেলার টিকিটের কাউন্টারফয়েল। তার উপর রোদে মুখ ঝলসানো—লিগের বড় খেলা দেখে এলেন সেটা অনুমান করাটা কি খুব কঠিন?'

'ইস্টবেঙ্গল,' হেসে বললেন রণজিৎবাবু। সুবীরবাবুর মুখেও তারিফ আর বিস্ময় মেশানো হাসে।

'আপনি এখানে কদ্দিন কাজ করছেন?'

'চার বছর।'

'নীহারবাবু তাঁর বিস্ফোরণের ঘটনার বিষয় কখনও কিছু বলেছেন?'

'আমি জিজ্ঞেস করেছিলাম,' বললেন রণজিৎবাবু, 'কিন্তু উনি খুলে কিছু বলতে চাননি। তবে চোখ গিয়ে যে সাংঘাতিক ক্ষতি হয়েছে সেটা উনি মাঝে মাঝে নিজের অজান্তেই বলে ফেলেন।'

'আর কিছু বলেন?'

রণজিৎবাবু একটু ভেবে বললেন, 'একটা কথা বলতে শুনেছি যে, উনি যে এখনও বেঁচে আছেন তার কারণ হল যে ওঁর একটা কাজ এখনও অসমাপ্ত রয়ে গেছে। সেটা কী কাজ আমি জিজ্ঞেস করতে সাহস পাইনি। মনে হয় উনি এখনও আশা রাখেন যে ওঁর গবেষণাটা শেষ করবেন।'

'নিজে তো আর পারবেন না। অন্য কাউকে দিয়ে করাবেন এটাই হয়তো ভেবেছেন। তাই নয় কি?'

'তাই বোধহয়।'

'আপনার এখানে ডিউটি কতক্ষণ?'

'নটায় আসি, ছটায় যাই। আজ খেলা দেখার জন্য তাড়াতাড়ি ছুটি চেয়েছিলাম, উনি আপত্তি করেননি। তবে বাইরে গেলেও সন্ধেবেলা একবার এখানে হয়ে যাই। যদি ওঁর কোনও...'

'গোদরেজের চাবি কোথায় থাকে?' ফেলুদা হঠাৎ প্রশ্ন করল।—'টাকা আর গবেষণার

নোটস কী অবস্থায় থাকে সেটা একবার দেখে নিতে চাই।'

'ওই বালিশের নীচে।'

ফেলুদা এগিয়ে গিয়ে বালিশের তলায় হাত ঢুকিয়ে পাঁচটা চাবি সমেত একটা রিং বার করে আনল। তারপর তা থেকে প্রয়োজনীয় চাবিটা বেছে নিয়ে আলমারি খুলল।

'টাকা কোথায় থাকে?'

'ওই দেরাজে।'—রণজিৎবাবু আঙুল দেখালেন।

ফেলুদা দেরাজটা টেনে খুলল।

'সে কী!'

রণজিৎবাবুর চোখ কপালে। মোমবাতির আলোতেই বুঝলাম তাঁর মুখ ফ্যাকাসে হয়ে গেছে।

দেরাজের মধ্যে একটা পাকানো কাগজ—খুলে দেখা গেল সেটা কুষ্ঠী—আর একটা কাশ্মীরি কাঠের বাক্সে কিছু পুরনো চিঠিপত্র। আর কিছু নেই।

'এ কী করে হয়?'—রণজিৎবাবুর গলা দিয়ে যেন আওয়াজ বেরোতে চাইছে না।—'তিনটে বান্ডিল করা একশো টাকার নোট...সব মিলিয়ে প্রায় তেত্রিশ হাজার...'

'গবেষণার কাগজপত্র কি এই অন্য দেরাজটায়?'

রণজিৎবাবু মাথা নাড়লেন। ফেলুদা দ্বিতীয় দেরাজটা খুলল।

এটা একেবারেই খালি।

বাইরে পায়ের শব্দ—খট খট খট খট। নীহারবাবু ছাত থেকে নামছেন।

'মিশিগ্যান ইউনিভার্সিটির একটা লম্বা সীলমোহর লাগানো খামে ছিল গবেষণার নোটস...' রণজিৎবাবুর গলা খটখটে শুকনো।

'আজ সকালে ছিল টাকা আর কাগজপত্র?'

'আমি নিজে দেখেছি,' বললেন সুবীরবাবু।—'একশো টাকার নোটের নম্বরগুলো সব নোট করা আছে। দাদাই এ ব্যাপারে ইনসিস্ট করতেন।'

ফেলুদা থমথমে ভাব করে বলল, 'তার মানে গত মিনিট পনেরোর মধ্যে—অর্থাৎ লোড শেডিং হবার পরেই—ব্যাপারটা ঘটেছে। আমরা যখন বৈঠকখানায় ছিলাম তখন।'

নীহারবাবু ঢুকলেন ঘরে। তাঁর মুখ দেখে বুঝলাম তিনি বাইরে থেকে সব শুনেছেন।

আমরা পথ করে দিতে ভদ্রলোক এগিয়ে গিয়ে তাঁর আরাম কেদারায় বসলেন। তারপর দীর্ঘশ্বাস ফেলে বললেন, 'বোঝো!—গোয়েন্দার নাকের সামনে দিয়ে নিয়ে গেল।'

'সামনের সিঁড়ি ছাড়া দোতলায় ওঠার অন্য সিঁড়ি আছে?' নীহারবাবুর ঘর থেকে করিডরে বেরিয়ে এসে সুবীরবাবুকে জিজ্ঞেস করল ফেলুদা।

সুবীরবাবু বললেন, 'জমাদারের সিঁড়ি আছে পিছন দিকে।'

'লোড শেডিং কি রোজই এই সময় হয়?'

'তা দিন দশেক হল হচ্ছে। অনেকে তো ঘড়ি মেলাতে শুরু করেছে। ছটায় যায়, আসে দশটায়।'

ভাবতে চেষ্টা করলাম ফেলুদার গোয়েন্দা জীবনে এরকম অদ্ভুত ঘটনা আর ঘটেছে কি না। একটাও মনে পড়ল না।

'নীচের বাসিন্দারা কেউ ফিরেছেন কি?' সিঁড়ির মুখটায় এসে ফেলুদা প্রশ্ন করল।

'সেটা একবার খোঁজ করা যেতে পারে', বললেন সুবীরবাবু, 'মোটামুটি এই সময়টাতেই আসে।'

নীচের ল্যান্ডিং-এ সিঁড়ির উলটোদিকে মিঃ দস্তুরের ঘরের দরজা। সেটা এখন বন্ধ, আর ঘর যে অন্ধকার সেটা বাইরে থেকেই বোঝা যায়।

'সুখওয়ানির ঘরে যেতে হলে পিছন দিক দিয়ে যেতে হবে,' বললেন সুবীরবাবু।

বাড়ির পুব দিক দিয়ে গিয়ে বাগানের পাশের পথ দিয়ে সুখওয়ানির ঘরের দিকে এগোলাম আমরা। ঘরে ফ্লুরোসেন্ট আলো জ্বলছে, ব্যাটারি লাইট, যেমন আজকাল চালু হয়েছে।

পায়ের আওয়াজ শুনে ভদ্রলোক বারান্দায় বেরিয়ে এলেন। ফেলুদার টর্চের আলো দেখতে পাচ্ছেন, অথচ মানুষগুলো কে বোঝার উপায় নেই। সুবীরবাবু ইংরেজিতে প্রশ্ন করলেন—

'একটু আসতে পারি কি?'

গলা চিনতে পেরে ভদ্রলোকের চাহনি পালটে গেল।

'সার্টনলি, সার্টনলি!'

ফেলুদার পরিচয় পেয়ে ভদ্রলোক ব্যস্ত হয়ে উঠলেন।

'ইউ সি, মিস্টার মিটার—আমার ঘরভর্তি ভ্যালুয়েবল জিনিস। চুরির কথা শুনলে আমার হৃৎকম্প হয়। আজ সকালে যখন শুনলাম যে রাত্রে চোর এসেছিল, বুঝতেই পারেন তখন আমার কী মনের অবস্থা!'

সত্যি, এত দামি জিনিস যে একটা ঘরে থাকতে পারে সে আমার ধারণাই ছিল না। তাণ্ডবমূর্তি, ভৈরবমূর্তি, বুদ্ধমূর্তি ইত্যাদি পাথর, পেতল আর ব্রঞ্জের স্ট্যাচুয়েটের সংখ্যাই অন্তত গোটা তিরিশ। তা ছাড়া ছবি, বই, পুরনো ম্যাপ, নানারকম পাত্র, ঢাল-তলোয়ার, পিকদান, গড়গড়া, আতরদান এসব তো আছেই। ফেলুদা পরে বলেছিল, 'টাকা থাকলে অন্তত বই আর প্রিন্টগুলো সব কিনে ফেলতাম রে তোপ্‌সে!'

ভদ্রলোককে জিজ্ঞেস করতে বললেন তিনি নাকি লোডশেডিং-এর দশ মিনিট আগে ফিরেছেন।

'এই দশ মিনিটের মধ্যে কেউ এদিকটা এসেছিল কি? দোতলায় যাবার একটা সিঁড়ি রয়েছে আপনার ঘরের পিছনেই; ওদিক থেকে কোনও আওয়াজ পেয়েছিলেন?'

ভদ্রলোক বললেন উনি এসেই স্নানের ঘরে ঢুকেছিলেন।—'আর তা ছাড়া এই অন্ধকারে দেখার প্রশ্ন আর উঠছে কী করে? আর ইয়ে, ভাল কথা, আপনারা কি বাইরের লোককে সন্দেহ করছেন?'

'কেন বলুন তো?'

'আপনারা মিঃ দস্তুরের সঙ্গে কথা বলেছেন?'

ভাবটা যেন, আমরা দস্তুরের সঙ্গে কথা বললেই বুঝে যাব যে তাকে ছাড়া আর কাউকে সন্দেহ করা চলতে পারে না।

ফেলুদা কিছু বলার আগেই ভদ্রলোক বললেন, 'হি ইজ এ মোস্ট পিকিউলিয়ার ক্যারেকটার। আমি জানি আমার প্রতিবেশী সম্বন্ধে এরকম করে বলা উচিত নয়, কিন্তু আমি ওকে কিছুদিন থেকেই ওয়াচ করছি। গোড়ায় আলাপ হবার আগে শুধু ওর নাকডাকার শব্দ পেতাম ওর জানালা দিয়ে। আমার বিশ্বাস সে শব্দ দোতলা অবধি পৌঁছে যায়।'

সুবীরবাবুর ঠোঁটের কোণে হাসি দেখে মনে হল সুখওয়ানি খুব বাড়িয়ে বলেনি।

'তারপর আলাপ হয়, যখন একদিন সকালে ও আমার টাইপরাইটার ধার নিতে আসে। আমার ঘরের জিনিসপত্রের দিকে যেরকম লোলুপ দৃষ্টি দিচ্ছিল সেটা আমার মোটেই ভাল লাগেনি। সাধারণ কৌতূহলবশে জিজ্ঞেস করলাম, ও কী করে। বলল ইলেকট্রিক্যাল গুডসের ব্যবসা। আরে বাপু, তাই যদি হবে তা হলে এই লোড শেডিং-এর বাজারে ঘরে একটা ব্যাটারি লাইট আর পাখার ব্যবস্থা করনি কেন? সমস্ত ব্যাপারটাই সন্দেহজনক।'

ভদ্রলোক থামলেন, আর আমরা সেই ফাঁকে উঠে পড়লাম। ফেলুদা বেরোবার আগে বলল, 'অস্বাভাবিক কিছু দেখলে মিঃ দত্তকে জানালে আমাদের কাজের খুব সুবিধা হবে।'

পুবের গলিটা দিয়ে বাড়ির সামনের দিকে এগোনোর সময়ই একটা ট্যাক্সির হর্ন পেয়েছিলাম এবার দেখলাম একটি ভদ্রলোক নুড়ি ফেলা পথের উপর দিয়ে গাড়িবারান্দার দিকে এগিয়ে আসছেন। আবছা আলোতেও দেখতে পাচ্ছি ভদ্রলোক মাঝারি হাইটের এবং মোটা, পরনে খয়েরি টেরিলিনের সুট, পরিচ্ছন্ন করে ছাঁটা কাঁচা-পাকা মেশানো ফ্রেঞ্চকাট দাড়ি। রংটা বোধহয় বেশ ফরসাই। হাতের ব্রিফকেসটা দেখে নতুন বলে মনে হয়।

ভদ্রলোক আমাদের দিকে ফিরতেই সুবীরবাবু তাঁকে গুড ইভনিং জানালেন। তাতে উনি কেমন যেন থতমত খেয়ে গেলেন। বুঝলাম এ বাড়িতে কারুর মুখ থেকে গুড মর্নিং, গুড ইভনিং শুনতে অভ্যস্ত নন।

'গুড ইভনিং, মিঃ ডাট।'

অদ্ভুত খ্যানখ্যানে গলার স্বর। কথাটা বলেই চলে যাচ্ছিলেন ভদ্রলোক, ফেলুদা চাপা ফিসফিসে গলায় সুবীরবাবুকে বললেন, 'ওকে থামান।'

সুবীরবাবু তৎক্ষণাৎ আদেশ পালন করলেন।

'ইয়ে, মিঃ দস্তুর!'

দস্তুর থামলেন। সুবীরবাবুর সঙ্গে সঙ্গে আমরাও এগিয়ে গেলাম।

সুবীরবাবু সংক্ষেপে আজকের ঘটনাটা বলতে ভদ্রলোকের চোখ ছানাবড়া হয়ে গেল।

'এই মাত্র কয়েক মিনিটের মধ্যে এত ঘটনা ঘটে গেল? ইওর ব্রাদার মাস্ট বি টেরিবলি আপসেট!'

ফেলুদা বলেছিল যে অস্বাভাবিক মানসিক অবস্থায় মানুষের গলার স্বর এত বদলে যেতে পারে যে অনেক সময় চেনাই যায় না। মিঃ দস্তুর ইংরেজিতে আতঙ্ক ও বিস্ময় মেশানো স্বরে এই কথাগুলো বলার সময় লক্ষ করলাম যে খ্যানখ্যানে ভাবটা একেবারেই নেই। প্রায় মনে হয় যেন আরেকজন মানুষ কথাটা বলল।

'আপনি যখন এলেন তখন কাউকে বেরোতে দেখলেন এ বাড়ি থেকে?' ফেলুদা প্রশ্ন করল।

'কই, না তো?' বললেন মিঃ দস্তুর। 'অবিশ্যি এমনও হতে পারে যে অন্ধকারে দেখতে পাইনি। থ্যাঙ্ক গড যে আমার ঘরে কোনও মূল্যবান জিনিস নেই!'

'কে?'

প্রশ্নটা এল দোতলার ল্যান্ডিং থেকে। নীহারবাবুর গলা। আমরা সবাই গাড়িবারান্দার সিঁড়ির কাছটায় দাঁড়িয়ে কথা বলছিলাম, এবার ভিতরে ঢুকে উপরে চেয়ে দেখলাম অন্ধকারেও নীহারবাবুর কালো চশমাটা চকচক করছে।

'ইটস মি মিস্টার ডাট,' দৃষ্টি উপরে করে বললেন দস্তুর—'আপনার ভাই এই মাত্র আপনার লস-এর কথাটা বলল। আমি আপনাকে আমার সহানুভূতি জানাচ্ছি।'

চশমাটা সরে গেল। আর তার পরেই মিলিয়ে এল চটি আর লাঠির শব্দ।

'আপনারা একটু বসে যাবেন না আমার ঘরে?' বললেন মিঃ দস্তুর।—'সারাদিন কাজের পরে একটু সঙ্গ পেলে ভাল লাগে।'

ফেলুদা আপত্তি করল না। তার কারণ অবিশ্যি আমি জানি। যে বাড়িতে ক্রাইম ঘটেছে, সে বাড়ির লোকেদের চিনে রাখা গোয়েন্দার গোড়ার কাজ।

সুখওয়ানির ঘরের পর মিঃ দস্তুরের বৈঠকখানার নেড়া ভাবটা সত্যিই দেখবার মতো। আসবাব বলতে একটা সোফা, দুটো কাউচ, একটা রাইটিং ডেস্ক আর একটা বুকশেল্‌ফ। সোফার সামনে একটা নিচু টেবিল আছে বটে, তবে সেটা নেহাতই ছোট। তারই উপর একটা মোমবাতি রাখা ছিল। ফেলুদা সেটা ওর লাইটার দিয়ে জ্বালিয়ে দিল; এখন দেখলাম দেয়ালে একটিমাত্র ক্যালেন্ডার ছাড়া আর কিছুই নেই।

ভদ্রলোক ভিতর দিয়ে গিয়েছিলেন বোধহয় চাকরকে ডাকতে; ফিরে আসতে ফেলুদা তাঁকে একটা সিগারেট অফার করল।

'নো, থ্যাঙ্কস। ক্যানসারের ভয়ে ধূমপানটা বছর তিনেক হল ছেড়ে দিয়েছি।'

'অন্যের ধূমপানে আশা করি আপত্তি নেই। আপনার অ্যাশট্রেতে অলরেডি একটা আধখাওয়া সিগারেট পড়ে আছে।'

ফেলুদা টুকরোটা তুলে নিয়ে বলল, 'আমারই ব্র্যান্ড।' চারমিনারের টুকরো আমিও দূর থেকেই চিনতে পারি।

দস্তুর বলল, 'অনেকবার ভেবেছি সুখওয়ানির মতো আমিও আলো-পাখার একটা ব্যবস্থা করে নিই। তারপর যখনই মনে হয়েছে যে কলকাতার শতকরা নব্বই ভাগ লোককে গরম আর অন্ধকার ভোগ করতে হচ্ছে, তখন মনটা খারাপ হয়ে যায়। সেই কারণে আমিও'...

'আপনার তো ইলেকট্রিক্যাল গুডস্-এর ব্যবসা?'

'ইলেকট্রিক্যাল?'

'সুখওয়ানি যে বলছিলেন—'

'সুখওয়ানি ওই রকমই বলে। ইলেকট্রিক্যাল নয়, ইলেকট্রনিকস্। বছরখানেক হল শুরু করেছি।'

'আপনি নিজেই?'

'না, আমার এক বন্ধুর সঙ্গে পার্টনারশিপে। আমি বোম্বাই-এর লোক, তবে অনেকদিন দেশের

বাইরে। জার্মানিতে একটা কম্পিউটার ম্যানুফ্যাকচারিং ফার্মে কাজ করতাম। বন্ধু কলকাতা থেকে লিখল এখানে চলে আসতে। পয়সা ওর, আমি জোগাচ্ছি অভিজ্ঞতা।'

'কবে এলেন কলকাতায়?'

'গত নভেম্বরে। বন্ধুর বাড়িতে ছিলাম মাস তিনেক; এই ফ্ল্যাটের খবরটা পেয়ে এখানে চলে আসি।'

চাকর কোল্ড ড্রিঙ্কস নিয়ে এল। থাম্স আপ। মিঃ দস্তুর ফেলুদার পরিচয় আগেই পেয়েছেন, এবার গলাটা নামিয়ে বললেন, 'মিঃ মিটার, আমার ঘরে মূল্যবান জিনিস নেই ঠিকই, কিন্তু একটা কথা আপনাকে না বলে পারছি না। আমার প্রতিবেশীটি কিন্তু খুব সিধে লোক নন। তার ঘরে নানারকম গোপন কারবার চলে। গর্হিত ব্যাপার।'

'আপনি জানলেন কী করে?'

'আমার স্নানের ঘর আর ওর স্নানের ঘর লাগোয়া। দুটোর মাঝখানে একটা বন্ধ দরজা আছে। সে দরজায় কান লাগালে মাঝে মাঝে ওর শোবার ঘর থেকে কথাবার্তা শোনা যায়।'

ফেলুদা গলা খাকরিয়ে বলল, 'এই ভাবে কান লাগানোও একটা গর্হিত ব্যাপার নয় কি?'

মিঃ দস্তুর একটুও অপ্রস্তুত না হয়ে বললেন, 'সেটা করতাম না। যখন দেখলাম যে আমার চিঠি ভুল করে ওর হাতে পড়লে ও জল দিয়ে খাম খুলে তারপর আবার আঠা দিয়ে সেঁটে ফেরত দেয়, তখন একটা পালটা দুষ্টুমি করার লোভ সামলাতে পারলাম না। আমি নির্ঝঞ্ঝাট মানুষ। কিন্তু উনি যদি আমার পিছনে লাগেন তা হলে আমিও ওকে ছাড়ব না, এই বলে দিলাম।'

কোল্ড ড্রিঙ্কসের জন্য ধন্যবাদ জানিয়ে আমরা উঠে পড়লাম।

গেটের কাছে এসে ফেলুদা দারোয়ানকে জিজ্ঞেস করল গত আধ ঘণ্টার মধ্যে কাউকে ঢুকতে বা বেরোতে দেখেছে কি না। সে বলল সুখওয়ানি আর দস্তুরকে ছাড়া কাউকে দেখেনি। এটা আশ্চর্য না। সাতের এক বালিগঞ্জ পার্কের কম্পাউন্ড ওয়াল রয়েছে বাড়ির চারদিক ঘিরে। পিছন দিকের একটা বাড়ি নাকি খালি পড়ে আছে আজ কয়েক মাস যাবৎ। জোয়ান চোর হলে পাঁচিল টপকে আসায় কোনও অসুবিধা নেই—যদিও আমাদের সকলেরই মন বলছে এ কাজ বাড়ির লোকেই করেছে। কিন্তু সেই সঙ্গে আবার বলছে—ভেতরের লোকই যে বাইরের লোককে দিয়ে কাজটা করায়নি তারই বা বিশ্বাস কী?

আমাদের গাড়ি নেই। সুবীরবাবু বলেছিলেন তাঁর গাড়িতে আমাদের বাড়ি পৌঁছে দেবার কথা, কিন্তু ফেলুদা বলল হেঁটে গিয়ে ট্যাক্সি পেতে কোনও অসুবিধা হবে না।

'পুলিশে একটা খবর দিলে ভাল করতেন কিন্তু।'

ফেলুদার এ প্রস্তাবটা আমার কাছে একেবারেই অপ্রত্যাশিত। সুবীরবাবুও বেশ একটু অবাক হলেন। বললেন, 'কেন বলছেন বলুন তো!'

'পুলিশ সম্বন্ধে আপনার দাদার ধারণা যাই হোক না কেন, পলাতক চোর ধরার যে সব উপায় পুলিশের জানা আছে কোনও প্রাইভেট ইনভেসটিগেটরের তা নেই। বিশেষ করে যখন এতগুলো টাকা, তখন পুলিশকে বলাটা বুদ্ধিমানের কাজ হবে। নোটের নম্বর লেখা আছে বলছেন। কাজটা এমনিতেই অনেকটা সহজ হয়ে যাবে।'

সুবীরবাবু বললেন, 'আপনাকে যখন আসতে বলেছি, এবং দুর্ঘটনা যখন একটা ঘটেছে, তখন আপনাকে বাদ দেবার কথা আমি ভাবতেই পারি না। পুলিশ আসুক, কিন্তু তার পাশে আপনিও থাকলে শুধু আমিই নিশ্চিন্ত হব না, দাদাও হবেন। অবিশ্যি, সত্যি বলতে কী, চোর কে সেটা কারুর সাহায্য ছাড়াই আমি বলতে পারি।'

'আপনার ছেলের কথা বলছেন কি?'

সুবীরবাবু একটা দীর্ঘশ্বাস ফেলে মাথা নেড়ে সায় দিলেন।—'এ শঙ্কর ছাড়া আর কেউ হতে

পারে না। সে জানে এ পাড়ায় ছ'টায় বাতি নিভে যায়। ডানপিটে ছেলে, পাঁচিল টপকানো তার কাছে কিছুই নয়। তার পর পিছনের সিঁড়ি দিয়ে উঠে এসে জ্যাঠার ঘরে ঢুকে আলমারি খোলা—এ সবই তো তার কাছে নস্যি!'

'কিন্তু নীহারবাবুর গবেষণার কাগজপত্র নিয়ে সে কী করবে? বৈজ্ঞানিক মহলে কি তার খুব যাতায়াত আছে?'

'সেটার দরকার কী বলুন! সে তো সেই কাগজপত্রের বিনিময়ে তার জ্যাঠার কাছ থেকেই টাকা আদায় করতে পারে। এই কাগজপত্রের দাম যে দাদার কাছে কতখানি সেটা তো সে খুব ভালভাবেই জানে!'

এই অল্প সময়ের মধ্যে এত রকম ঘটনা ঘটার ফলে মাথাটা ভোঁ ভোঁ করছিল। তার পরেও একই দিনে যে আরও কিছু ঘটতে পারে সেটা ভাবতেই পারিনি। অবিশ্যি সেটার কথা বলার আগে বাড়ি ফিরে এসে ফেলুদা আর আমার মধ্যে যে কথা হয়েছিল সেটা বলা দরকার।

রাত্রে খাবার পরে ফেলুদার ঘরে গিয়ে দেখি সে খাটে চিত হয়ে শুয়ে সিলিং-এর দিকে চেয়ে পান চিবোচ্ছে আর চারমিনার ফুঁকছে। আমিও গিয়ে খাটে বসলাম। সে প্রশ্নটা গোলোকধাম থেকেই মনে খোঁচা দিচ্ছিল সেটা না বলে পারলাম না।

'তুমি কেসটা ছেড়ে দিতে চাইছিলে কেন ফেলুদা?'

ফেলুদা পর পর দুটো মোক্ষম রিং ছেড়ে বলল, 'কারণ আছে রে, কারণ আছে।'

'কারণ তো বললেই তুমি—পালানো চোর ধরা পুলিশের পক্ষে আরও সহজ— বিশেষ করে যদি অনেক টাকা নিয়ে পালায়।'

'সুবীরবাবুর ছেলেই নিয়েছে বলে তোর মনে হয়?'

'আর কে নেবে বল। বাড়ির লোক নিয়েছে সে তো বোঝাই যাচ্ছে। দস্তুর তো ছিলেনই না। সুখওয়ানি চুরি করে দিব্যি ঘরে বসে থাকবেন সেটাও যেন কেমন কেমন লাগে। রণজিৎবাবুও এলেন চুরির পরে। আর আছে চাকরবাকর...'

'কিন্তু ধর যদি মক্কেল নিজেই কিছু করে থাকেন?'

আমি অবাক হয়ে চাইলাম ফেলুদার দিকে।

'সুবীরবাবু!'

'একটু মাথা ঠাণ্ডা করে চুরি আবিষ্কারের ঠিক আগের ঘটনাগুলো ভেবে দেখ।'

আমি চোখ বুজে কল্পনা করলাম আমরা চারজনে বৈঠকখানায় বসে আছি। চা এল। আমরা চা খাচ্ছি। ফেলুদার হাতে কাপ। ঘরের বাতি নিভল। তারপর—

ধাঁ করে একটা জিনিস মনে পড়ে গিয়ে বুকটা কেঁপে উঠল।

'লোড শেডিং-এর সঙ্গে সঙ্গে সুবীরবাবু ঘর থেকে বেরিয়ে গিয়েছিলেন, ফেলুদা—চাকরকে ডাকতে!'

'তবে!—ভেবে দেখ আমার পোজিশনটা কী হবে যদি বেরোয় যে সুবীরবাবুই আলমারি খুলেছিলেন। এটা অসম্ভব নয় এই কারণেই যে ওই একটি লোক সম্বন্ধে আমরা বিশেষ কিছুই জানি না। চাকরের কথা যেটা বলেছেন সেটা অবিশ্যি অবিশ্বাস করার কোনও কারণ নেই। কিন্তু ধর যদি শেয়ার বাজারে বা রেসের মাঠে বা জুয়োর আড্ডায় ভদ্রলোকের অনেক টাকা খোয়া গিয়ে থাকে, বাজারে একগাদা ধারদেনা থাকে, তা হলে তাঁর পক্ষে টাকাটা নেওয়া খুব আশ্চর্য কি?'

'কিন্তু উনি তো নিজেই এলেন তোমার কাছে! উনিই তো তোমায় গোয়েন্দা অ্যাপয়েন্ট করলেন!'

'উনি যদি খুব উচ্চস্তরের ধূর্ত ব্যক্তি হয়ে থাকেন তা হলে নিজের উপর যাতে সন্দেহ না

পড়ে তার জন্যে ঠিক ওই কাজটাই করা কিছুই আশ্চর্য নয়।'

এর পরে আর কোনও কথা বলা যায় না।

ফেলুদা কালী সিংহের মহাভারতটা হাতে নিয়ে রিডিং ল্যাম্পটা জ্বালিয়েছে দেখে আমি খাট থেকে উঠে পড়লাম।

বসবার ঘরে আসতেই বাইরে থেকে একটা শব্দ পেলাম। স্কুটার। একটা নয়, একটার বেশি। নির্জন নিস্তব্ধ পাড়াটাকে কাঁপিয়ে যেন আমাদের বাড়ির সামনেই এসে থামল।

আর তার পরেই আমাদের দরজায় কলিং বেল বেজে উঠল।

দিনকাল ভাল নয়, আর তা ছাড়া আমাদের বাড়িতে মাঝে মাঝে বেটাইমে লোক এলেও স্কুটারে আসে না।

আমি দরজার দিকে না গিয়ে আগে ফেলুদার পর্দাটা ফাঁক করে একবার উঁকি দিলাম। ফেলুদা বই রেখে খাট থেকে উঠে পড়েছে। বলল—'দাঁড়া।' অর্থাৎ তুই খুলিস না, আমি খুলছি।

দরজা খুলতেই যিনি প্রবেশ করলেন তিনি যে শয়তানের অবতার সেটা বুঝতে পাঁচ সেকেন্ডও লাগল না। বসবারও দরকার নেই; ঘরে ঢুকে পিঠ দিয়ে দরজাটা বন্ধ করে ফেলুদার দিকে ঘোলাটে চোখ করে তাকিয়ে কথার চাবুক আছড়াতে শুরু করলেন সুবীর দত্তর ছেলে শঙ্কর দত্ত।

'শুনুন মশাই, আমার বাবা আমার বিষয়ে কী বলেছেন জানি না, কিন্তু গেস করতে পারি। এইটুকু শুধু বলে দিচ্ছি আপনাকে—আমার পেছনে টিকটিকি লাগিয়ে কারুর বাপের সাধ্যি নেই কিছু করে। আপনাকে ওয়ার্নিং দিচ্ছি; আমি একা নই। আমাদের গ্যাং আছে। বেশি ওস্তাদি করলে পস্তাবেন। বাপের নাম ভুলিয়ে ছাড়ব এই বলে দিলাম।'

শঙ্কর দত্ত যেরকম নাটকীয় ভাবে ঢুকেছিলেন, ঠিক সেই ভাবেই বেরিয়ে গেলেন স্পিচ ঝাড়া শেষ করে। তারপরই আওয়াজ পেলাম তিনটে স্কুটার স্টার্ট নিয়ে পাড়া কাঁপিয়ে বেরিয়ে চলে গেল।

ফেলুদা এতক্ষণ স্থির হয়ে ছিল। স্নায়ুর উপর অসাধারণ দখল আছে বলেই এত অপমানেও ও পাথর। ও বলে প্রচণ্ড রাগে যে ফেটে পড়ে তার চেয়ে সেই রাগ যে দমিয়ে রাখতে পারে তার মনের জোর বেশি।

স্কুটারের শব্দ মিলিয়ে যাবার আগেই কিন্তু ফেলুদা ঝড়ের বেগে গায়ে একটা পাঞ্জাবি চাপিয়ে পকেটে তার মানিব্যাগটা নিয়ে নিয়েছে।

'চ' তোপ্‌সে—ট্যাক্সি...'

তিন মিনিটের মধ্যে সার্দান এভিনিউতে একটা চলন্ত ট্যাক্সি থামিয়ে উঠে পড়লাম দুজনে। উত্তর দিকে গেছে স্কুটারগুলো এটা জানি।

'ল্যানসডাউন ধরুন', বলল ফেলুদা। বড় রাস্তায় খোঁড়াখুঁড়ি, তাই ল্যানসডাউন রোড ধরেই যাবে ওরা এটা আমারও মনে হয়েছিল।

পৌনে এগারোটা। সার্দান এভিনিউ প্রায় ফাঁকা। ট্যাক্সি চালক বাঙালি, আমাদের মুখ চেনা। বললেন, 'কাউকে ফলো করবেন, স্যার?'

'তিনটে স্কুটার', চাপা গলায় বলল ফেলুদা।

আন্দাজে ভুল নেই। এলগিন রোডের মোড়ের কাছে এসে স্কুটার তিনটের দেখা পাওয়া গেল। শঙ্কর একাই বসেছে একটায়, অন্য দুটোয় দুজন করে লোক। এরা সব মার্কামারা মস্তান সেটা আর বলে দিতে হয় না। আমাদের ট্যাক্সি ওদের লেজ ধরে চলতে লাগল।

লোয়ার সার্কুলার রোড, ক্যামাক স্ট্রিট পেরিয়ে স্কুটারগুলো পার্ক স্ট্রিটে পড়ে বাঁ দিকে ঘুরল। এঁকেবেঁকে সাপের মতো চালানোয় বোঝা যাচ্ছে এদের বেপরোয়া ফুর্তির ভাবটা। ফেলুদা

রাস্তার আলো বাঁচিয়ে ভিতর দিকে চেপে বসেছে, তার মাথায় কী খেলছে কিছুই বুঝতে পারছি না।

মিরজা গালিব স্ট্রিট দিয়ে কিছুদূর গিয়ে স্কুটারগুলো আবার বাঁয়ে ঘুরল। মার্কুইস স্ট্রিট। রাস্তা সরু হয়ে আসছে, পাড়া অন্ধকার, বাতিগুলো টিমটিমে। যাতে ওরা সন্দেহ না করে তাই ফেলুদার আদেশে আমাদের ড্রাইভার ট্যাক্সির স্পিড কমিয়ে ওদের সঙ্গে দূরত্বটা একটু বাড়িয়ে নিল।

আরও দুটো মোড় ঘুরে দেখলাম স্কুটারগুলো একটা বাড়ির সামনে দাঁড়িয়েছে।

'চালিয়ে বেরিয়ে যান', বলল ফেলুদা।

বাড়ি না। এক ধরনের হোটেল। নাম নিউ কোরিনথিয়ান লজ। নিউ? বাড়ির বয়স কম করে একশো বছর।

ফেলুদার কাজ শেষ। বুঝলাম এদের ডেরাটা জানার দরকার ছিল।

বাড়ি যখন ফিরলাম তখন এগারোটা চল্লিশ। ভাড়া উঠেছে উনিশ পঁচাত্তর।

পরদিন ভোরে সিধু জ্যাঠার আবির্ভাবটা একেবারে আনএক্সপেকটেড। উনি সকালে হাঁটতে বেরোন জানি, কিন্তু সেটা লেকের দিকে। আমাদের বাড়িতে আসার মানেই কোনও একটা বিশেষ কারণ আছে।

'খাতার ওজন অনেক, তাই খবরটা কপি করে এনেছি,' বললেন সিধু জ্যাঠা।— 'সুপ্রকাশ কিনা জানি না, তবে এস. চৌধুরী বলে লিখেছে, আর বায়োকেমিস্ট সেটাও লিখেছে।'

'কবেকার খবর?'

'উনিশশো একাত্তর। মেক্সিকোতে একটা ড্রাগ কোম্পানির উপর পুলিশের হামলায় একটি বাঙালি বায়োকেমিস্ট ধরা পড়ে, নাম এস.চৌধুরী। ভেজাল ড্রাগের ব্যবসা চালাচ্ছিল; তার ফলে সব মারাত্মক ব্যাধি দেখা দিয়েছিল। লোকটার জেল হয়। এইটুকুই খবর। আসলে মাথায় ঘুরছে সুপ্রকাশ, তাই এস. চৌধুরীর সঙ্গে নামটা ঠিক কানেক্ট করতে পারিনি। অবিশ্যি এ সেই একই এস. চৌধুরী কি না—'

'একই,' গম্ভীর ভাবে বলল ফেলুদা।

সিধু জ্যাঠা উঠে পড়লেন। তাঁর আজ চুল কাটার দিন, নাপিত এসে বসে থাকবে। ফেলুদার পিঠ চাপড়ে, আমার কান ধরে একটা মোচড় দিয়ে, মালকোচাটা একটু ভাল করে গুঁজে নিয়ে রাস্তায় বেরিয়ে পড়লেন।

ফেলুদা খাতা খুলে হিজিবিজি লেখা শুরু করেছে দেখে আমি পাশে গিয়ে দাঁড়ালাম। পর পর তিনটে প্রশ্ন লেখা রয়েছে খাতায়—

১) চাবির গর্তের ধারে আঁচড়ের বাড়াবাড়ি কেন?'

২) 'কে'-র অর্থ কী?

৩) অসমাপ্ত কাজটা কী?

প্রশ্নগুলো পড়ে সে সম্বন্ধে আমিও খানিকটা না ভেবে পারলাম না।

আলমারির চাবির গর্তের চারিধারে আঁচড় কালই ফেলুদার টর্চের আলোয় দেখেছিলাম। এটায় খটকা লাগার একটা কারণ থাকতে পারে। রীতিমতো জোরে ঘষা না লাগলে ইস্পাতের ওপর ওরকম দাগ পড়তে পারে না। নীহারবাবুর ঘুম কি এতই গভীর যে এত ঘষাঘষিতেও ঘুম ভাঙবে না?

'কে'-র ব্যাপারটা প্রথমে বুঝতে পারিনি। তারপর মনে পড়ল যে মিঃ দস্তুরের গলা শুনে দোতলার ল্যান্ডিং থেকে নীহারবাবু 'কে' বলে উঠেছিলেন। ফেলুদা এই 'কে' প্রশ্নে খটকার কারণ কী দেখল সেটা বুঝলাম না।

অসমাপ্ত কাজের কথাটাও নীহারবাবুই বলেছেন। অন্তত রণজিৎবাবু তাই বলেন। সেটা যে উনি গবেষণার বিষয় বলছিলেন সেটা কি ফেলুদা বিশ্বাস করে না?

ফেলুদা আরও কী সব লিখতে যাচ্ছিল, এমন সময় টেলিফোনটা বেজে উঠল। ওর ঘরেই এক্সটেনশন ফোন; বিছানা থেকে হাত বাড়িয়ে টেবিলের উপর থেকে রিসিভারটা তুলে নিল।

'হ্যালো।'

দু-চারবার হুঁ হুঁ করে এবং শেষে 'আমি এক্ষুনি আসছি' বলে ফোনটা রেখে ফেলুদা আলনা

থেকে শার্ট ও ট্রাউজার সমেত হ্যাঙ্গারটা একটানে নামিয়ে নিয়ে বলল, 'তৈরি হয়ে নে। গোলোকধামে খুন।'

আমার বুক ধড়াস।

'কে খুন হল?'

'মিঃ দস্তুর।'

বড় রাস্তা থেকে বালিগঞ্জ পার্কে ঢুকতেই দূরে সাতের একের সামনে দেখলাম পুলিশের ভ্যান আর লোকের জটলা। তাও সাহেবি পাড়া বলে রক্ষে, নইলে ভিড় আরও অনেক বেশি হত।

কলকাতার পুলিশ মহলে ফেলুদাকে চেনে না এমন লোক নেই। গোলোকধামে ঢুকতেই ওকে দেখে ইন্সপেক্টর বকশী হাসি হাসি মুখে এগিয়ে এসে বললেন, 'এসে পড়েছেন? গন্ধে গন্ধে হাজির?'

ফেলুদা ওর একপেশে হাসিটা হেসে বলল, 'সুবীরবাবুর সঙ্গে আলাপ হয়েছে সম্প্রতি; ফোন করছিলেন, তাই চলে এলাম। আপনাদের কাজে কোনও ব্যাঘাত করব না গ্যারান্টি দিচ্ছি। খুনটা হল কী ভাবে?'

'মাথায় বাড়ি। একটা নয়, তিনটে। ঘুমন্ত অবস্থায়। লাশ নিয়ে যাবে এইবার পোস্টমর্টেমের জন্য। ডাঃ সরকার একবার এসে দেখে গেছেন। আন্দাজ রাত দুটো থেকে তিনটের মধ্যে ব্যাপারটা ঘটে।'

'লোকটার সম্বন্ধে কিছু জানতে পারলেন?'

'খুব গণ্ডগোল। সুটকেস গুছোতে শুরু করেছিল। সটকাবার তালে ছিল।'

'টাকাকড়ি গেছে কিছু?'

'মনে তো হয় না। খাটের পাশের টেবিলে ওয়লেটে শ'তিনেক টাকা রয়েছে। বাড়িতে ক্যাশ বেশি রাখত বলে মনে হয় না। অথচ ব্যাঙ্কের জমার খাতা, চেক বই এসব কিচ্ছু পাওয়া যাচ্ছে না। একটা সোনার ঘড়ি পাওয়া গেছে বালিশের পাশে। এখনও ভাল করে সার্চ করা হয়নি; এবার করবে। এ পর্যন্ত যা পাওয়া গেছে তা থেকে লোকটার সঠিক পরিচয় কিচ্ছু পাওয়া যায়নি।'

সুবীরবাবু মিনিট খানেক হল এসে পাশে দাঁড়িয়েছেন। মিঃ বকশীকে উদ্দেশ করে বললেন, 'সুখওয়ানি বেজায় তম্বি করছে। বলছে তার নাকি একটা জরুরি অ্যাপয়েন্টমেন্ট আছে ডালহাউসিতে। আমি বলেছি জেরা না হওয়া পর্যন্ত ছাড়া যাবে না।'

'ঠিকই বলেছেন,' বললেন মিঃ বকশী। 'অবিশ্যি জেরাতে আপনিও বাদ যাবেন না।'

শেষের কথাটা হালকা হেসে বললেন মিঃ বকশী। সুবীরবাবু মাথা নেড়ে বুঝিয়ে দিলেন যে সেটা তিনি জানেন।

'তবে আমার দাদাকে যত অল্পের উপর দিয়ে সারতে পারেন ততই ভাল।'

'ন্যাচারেলি!'

'ঘরটা একবার দেখতে পারি কি?' ফেলুদা জিজ্ঞেস করল।

'নিশ্চয়ই!'

বকশীও ফেলুদার সঙ্গে সঙ্গে এগিয়ে গেলেন, পিছনে আমি। ঘরে ঢোকার আগে ফেলুদা সুবীরবাবুর দিকে ফিরে বলল, 'ভাল কথা, আপনার ছেলে কাল আমার বাড়িতে এসেছিল।'

'কখন!'—সুবীরবাবু অবাক।

ফেলুদা সংক্ষেপে কাল রাত্তিরের ঘটনাটা বলে বলল, 'সে কি কাল ফিরেছিল?'

'ফিরে থাকলেও টের পাইনি', বললেন সুবীরবাবু। 'সকালে উঠে তাকে দেখিনি।'

'যাক, তা হলে আপনার ছেলের ডেরার একটা সন্ধান পাওয়া গেল,' বললেন মিঃ বকশী, 'ওই হোটেলটা মোটেই সুবিধের নয়। বার দুয়েক রেড হয়ে গেছে ওখানে অলরেডি।'

কালকের দেখা ঘরের চেহারা আজ একেবারে পালটে গেছে। কাল ছিল অন্ধকার, আর আজ দুটো জানালা দিয়ে ঝলমল রোদ এসে, সোফা আর মেঝের উপর পড়েছে। আশ্চর্য লাগল দেখে যে কালকের দেখা চারমিনারের টুকরোটা এখনও অ্যাশট্রেতে পড়ে আছে। ঘরে দুজন পুলিশের লোক রয়েছে, আর পুলিশের ফোটোগ্রাফার তাঁর কাজ শেষ করে সরঞ্জাম ব্যাগে পুরছেন।

খুনটা অবিশ্যি হয়েছে পাশের শোবার ঘরে। ফেলুদা বকশীর সঙ্গে সেই ঘরেই গিয়ে ঢুকল। আমি চৌকাঠ অবধি গিয়ে একবার বিছানার দিকে চেয়ে চাদরে ঢাকা লাশটা দেখে নিলাম। একজন পুলিশের লোক খানাতল্লাশি চালিয়ে যাচ্ছে। মেঝেতে একটা খোলা সুটকেসের মধ্যে দেখলাম কিছু জামাকাপড় ভাঁজ করে রাখা রয়েছে। তার পাশে মাটিতে দাঁড় করানো রয়েছে গতকাল দস্তুরের হাতে দেখা নতুন ব্রিফকেসটা।

আমি আরও মিনিট তিনেক বসবার ঘরে জিনিসপত্র দেখে কাটিয়ে দিলাম। কোনও কিছুতেই হাত দেওয়া চলবে না এটা জানি, তার উপর দুটো পুলিশই আমার দিকে ড্যাবড্যাব করে চেয়ে আছে।

'চ' তোপসে।'

ফেলুদা বেরিয়ে এসেছে শোবার ঘর থেকে। 'আপনি আছেন কিছুক্ষণ?' বকশী প্রশ্ন করল।

'একবার বড় কর্তার সঙ্গে দেখা করে যাব', বলল ফেলুদা। 'ইন্টারেস্টিং কিছু পেলে বলবেন।'

সুবীরবাবু দোতলায় অপেক্ষা করছিলেন। আমরা তাঁর সঙ্গে নীহারবাবুর ঘরে গিয়ে হাজির হলাম।

ভদ্রলোক তাঁর আরাম কেদারায় চিত হয়ে শুয়ে আছেন। চোখে কালো চশমা, হাতের লাঠি পাশে খাটের উপর শোয়ানো। অ্যাদ্দিন লাঠিটা ভদ্রলোকের হাতে দেখেছি, তাই সেটার মাথা যে রুপো দিয়ে বাঁধানো সেটা বুঝতে পারিনি। মাথার নকশার মধ্যে খোদাই করা জি বি ডি দেখে বুঝলাম লাঠিটা ছিল নীহারবাবুর ঠাকুরদা গোলোকবিহারী দত্তর।

আমরা এসেছি সে খবরটা দেওয়াতে নীহারবাবু কাত করা ঘাড়টাকে একটু সোজা করে বললেন, 'শব্দ পেয়েছি। পায়ের শব্দ। শব্দ আর স্পর্শ—এই দুই নিয়েই তো কাটিয়ে দিলাম বিশ বছর। আর স্মৃতি...কী হতে পারত, কী হল না। লোকে বলে দুর্ভাগ্য। আমি তো জানি এটা ভাগ্য-টাগ্য কিছু নয়। আপনি সেদিন জিজ্ঞেস করলেন বিস্ফোরণটা অসাবধানতার জন্য হয়েছিল কিনা; আজ আপনাকে বলছি মিঃ মিত্তির—সমস্ত ব্যাপারটা করা হয়েছিল আমার শ্রম পণ্ড করার জন্য। ঈর্ষা যে মানুষকে কত নীচে নামাতে পারে সেটা আপনি গোয়েন্দা হয়ে নিশ্চয়ই বোঝেন।'

ভদ্রলোক একটু থামলেন। ফেলুদা বলল, 'তার মানে আপনার ধারণা সুপ্রকাশ চৌধুরীই বিস্ফোরণের জন্য দায়ী?'

'বাঙালি যে বাঙালির সবচেয়ে বড় শত্রু সেটা আপনি মানেন কি?'

ফেলুদা একদৃষ্টে চেয়ে আছে কালো চশমার দিকে। নীহারবাবুও যেন উত্তরের অপেক্ষা করছেন।

ফেলুদা বলল, 'আপনি এখন যে কথাটা যে ভাবে আমাদের বলছেন, সেটা এর আগে কাউকে বলেছেন কি?'

'না, বলিনি। কোনওদিন না। হাসপাতালে জ্ঞান হবার পর আমার এই কথাটাই প্রথম মনে হয়েছিল। কিন্তু বলিনি। বলে কী করব? আমার সর্বনাশ যা হবার তা তো হয়েই গেছে। যে এটার জন্য দায়ী, তার শাস্তি হলে তো আর আমি দৃষ্টি ফিরে পাব না, বা আমার গবেষণাও শেষ

করতে পারব না।'

'কিন্তু আপনাকে চিরকালের মতো অসহায় করে চৌধুরীরই বা কী লাভ হল বলুন। সে কি ভেবেছিল যে আপনার কাগজপত্রগুলো হাত করে সে-ই গবেষণা চালিয়ে নিজে নাম কিনবে?'

'নিশ্চয়ই তাই। তবে তার সে ধারণা ভুল। আমি তো বলেইছি আপনাকে। আমাকে ছাড়া এগোনোর পথ ছিল না তার।'

আমরা দুজনেই খাটে বসেছি। ফেলুদাকে দেখে বুঝতে পারছি সে গভীর ভাবে চিন্তা করছে। রণজিৎবাবু ইতিমধ্যে ঘরে এসে টেবিলটার পাশে দাঁড়িয়েছেন। সুবীরবাবু কোনও কাজে বাইরে গেছেন।

ফেলুদা বলল, 'টাকার কথা জানি না, সেটা হয়তো পুলিশের পক্ষে উদ্ধার করা আরও সহজ, কিন্তু আপনার এত মূল্যবান কাগজপত্র আমি এ বাড়িতে উপস্থিত থাকতে চুরি হয়ে গেল, এটা আমি কিছুতেই মানতে পারছি না। ওগুলো উদ্ধার করার আপ্রাণ চেষ্টা আমি চালিয়ে যাব।'

'আপনি যা ইচ্ছা তাই করতে পারেন।'

আমরা আর বেশিক্ষণ থাকলাম না। পুলিশ তাদের কাজ চালিয়ে যাচ্ছে। বকশী ফেলুদাকে বলে দিলেন যে তাদের জেরা আর খানাতল্লাশির কী ফল হয় সেটা ফোনে জানিয়ে দেবেন।

'আর নিউ কোরিনথিয়ান লজের খবরটাও জানাতে ভুলবেন না', বলে দিল ফেলুদা।

আমরা বাড়ি ফিরেছি সাড়ে দশটায়। তখন থেকে শুরু করে দুপুরের খাওয়ার আগে পর্যন্ত ফেলুদা পায়চারি করে, থেমে, শুয়ে-বসে, চোখ খুলে, চোখ বুজে, ভ্রূকুটি করে, মাথা নেড়ে, বিড়বিড় করে, মাঝে মাঝে ছোট বড় মাঝারি দীর্ঘশ্বাস ফেলে বুঝিয়ে দিচ্ছিল যে তার মনের মধ্যে নানারকম প্রশ্ন সন্দেহ খটকা দ্বন্দ্ব ইত্যাদির হুটোপাটি চলছিল। একবার হঠাৎ আমার দিকে চেয়ে প্রশ্ন করল, 'গোলকধামের একতলার প্ল্যানটা তোর মোটামুটি মনে পড়ছে?'

আমি একটু ভেবে বললাম, 'মোটামুটি।'

'সুখওয়ানির ঘর থেকে দস্তুরের ঘরে কীভাবে যাওয়া যায় বল তো?'

আমি আবার একটু ভাবলাম। তারপর বললাম, 'যদ্দুর মনে পড়ছে, দুটো ফ্ল্যাটের পাশ দিয়ে বাড়ির ভিতরে যে বারান্দাটা গেছে, তার মাঝখানে একটা দরজা রয়েছে, আর সে দরজাটা বোধ হয় বন্ধ থাকে। সেটা খোলা থাকলে সেই বারান্দা দিয়েই সোজা এক ফ্ল্যাট থেকে আরেক ফ্ল্যাটে চলে যাওয়া যেত।'

'ঠিক বলেছিস। তার মানে সুখওয়ানিকে যদি দস্তুরের ফ্ল্যাটে আসতে হয় তা হলে বাগান ঘুরে বাড়ি আর কম্পাউন্ড-ওয়ালের মধ্যের গলি দিয়ে একেবারে সামনে এসে সদর দরজা দিয়ে ঢুকতে হয়।'

'কিন্তু সামনের কোল্যাপ্‌সিব্‌ল গেট কি মাঝরাত্তিরে খোলা থাকবে?'

'নিশ্চয়ই না।'

তারপর আবার পায়চারি শুরু করে বলতে লাগল—

'X, Y, Z,...X, Y, Z...X হল গবেষণার কাগজ, Y হল টাকা, আর Z হল খুন। এখন কথা হচ্ছে— X, Y, Z, কি একই সূত্রে গাঁথা, না তিনটে আলাদা...'

আমি এক ফাঁকে বলে ফেললাম, 'ফেলুদা, আমার কিন্তু মনে হচ্ছে যে সুপ্রকাশ চৌধুরী দস্তুর সেজে নীহারবাবুর বাড়িতে ভাড়াটে হয়ে এসেছিলেন।'

আশ্চর্য হয়ে গেলাম দেখে যে ফেলুদা মোটেই আমার কথাটা উড়িয়ে দিল না। বরং আমার পিঠে দুটো চাপড় মেরে বলল, 'যদিও এ ধারণাটা আমার মাথায় আগেই এসেছে, তবুও বলতেই

হয় আজকাল তোর চিন্তায় মাঝে মাঝে বেশ ঝিলিক দিচ্ছে। কিন্তু দস্তুর যদি সুপ্রকাশ হয়, তা হলে মনে করা যেতে পারে সে গবেষণার নোটসের লোভেই ওখানে আস্তানা নিয়েছিল। এখন প্রশ্ন হচ্ছে, সেই যদি খামটা চুরি করে থাকে তা হলে সেটা গেল কোথায়? আর তার পক্ষে নিজে চুরি করাটা সম্ভবই বা হয় কী করে? সে তো দোতলায় কোনওদিন যায়ইনি।'

আমার সত্যিই মাথা খুলে গেছে। ব্যাপারটা তো জলের মতো সোজা! বললাম, 'উনি যাবেন কেন? ধর যদি ওঁর সঙ্গে শঙ্কর দত্তর ষড় হয়ে থাকে? শঙ্করই কাগজটা চুরি করে ওকে এনে দিয়েছে, আর তার জন্য কিছু টাকাও পেয়ে গেছে।'

'এক্সেলেন্ট' বলল ফেলুদা। 'অ্যাদ্দিনে বলা যায় তুই আমার উপযুক্ত অ্যাসিস্ট্যান্ট হলি। কিন্তু এতে তো খুনের রহস্যের সমাধান হচ্ছে না।'

'ধরো যদি রণজিৎবাবু বুঝে থাকেন যে দস্তুর আসলে সুপ্রকাশ। রণজিৎবাবু তো নীহারবাবুর সব ব্যাপারই জানেন, আর সেই সঙ্গে নীহারবাবুকে দারুণ ভক্তিও করেন। যে লোক নীহারবাবুর ভবিষ্যৎ অন্ধকার করে দিয়েছিল, তার উপর প্রচণ্ড আক্রোশে খুন করতে পারেন না রণজিৎবাবু?'

ফেলুদা মাথা নাড়ল।

'খুন জিনিসটা অত সহজ নয় রে তোপ্‌সে। রণজিতের মোটিভটাকে মোটেই জোরালো বলা চলে না। আসল আপশোসের ব্যাপার হচ্ছে যে দস্তুর লোকটার ঘরে সার্চ করে এখন অবধি কিছু পাওয়া গেল না। অত্যন্ত সাবধানী লোক ছিলেন এই দস্তুর।'

'আমার কী মনে হয় জান ফেলুদা?'

ফেলুদা পায়চারি থামিয়ে আমার দিকে চাইল। আমি বললাম, 'পুলিশের বদলে তুমি যদি সার্চ করতে তা হলে অনেক রকম ক্লু পেতে।'

'বলছিস?'

ফেলুদা নিজের ওপর কনফিডেন্স হারাচ্ছে এটা স্বপ্নেও ভাবতে পারি না; কিন্তু ওর ওই 'বলছিস' কথাটাতে যেন ওটারই একটা আভাস পেলাম। আর তারপর যে কথাটা বলল তাতে মনটা আরও দমে গেল।

'এই গরম আর এই লোড শেডিং-এ আইনস্টাইনেরও মাথা খুলত কিনা সন্দেহ।'

দুটো নাগাদ ইন্সপেক্টর বকশীর ফোন এল। দস্তুরের একটা জুতোর গোড়ালির মধ্যে একটা চোরা খুপরিতে অ্যামেরিকান ডলার আর জার্মান মার্ক মিলে প্রায় সতেরো হাজার টাকা পাওয়া গেছে। কিন্তু এমন কোনও কাগজ বা দলিল পাওয়া যায়নি যা থেকে লোকটার বিষয় কিছু জানা যায়। ইলেকট্রনিকস-এর নতুন কোনও দোকানের হদিস মেলেনি, দস্তুরের কোনও বন্ধুরও সন্ধান পাওয়া যায়নি। চিঠিপত্র প্রায় ছিল না বললেই চলে। একটি মাত্র ব্যক্তিগত চিঠি, আর্জেন্টিনা থেকে লেখা, যা থেকে বোঝা যায় যে সে দক্ষিণ আমেরিকায় কিছুদিন কাটিয়েছিল।

বকশীর দ্বিতীয় খবর হচ্ছে এই যে, নিউ কোরিনথিয়ান লজের ম্যানেজারকে ছবি দেখাতে সে শঙ্করকে চিনেছে; কাল সারারাত নাকি শঙ্কর কয়েকজন বন্ধু সমেত হোটেলের একটা ঘর ভাড়া করে সেখানে নেশা করেছে আর জুয়া খেলেছে। সকাল হতে তারা পাওনা চুকিয়ে দিয়ে চলে যায়। বকশী বললেন এবার শঙ্করকে ধরা নাকি 'এ ম্যাটার অফ মিনিটস'।

ফেলুদা সব শুনেটুনে ফোনটা রেখে দিয়ে বলল, 'শঙ্করবাবু যদি হোটেলের পেমেন্টটা চুরির টাকায় করতেন তা হলে খুব সুবিধে হত। যাই হোক, এটা প্রমাণ হয়ে গেল যে খুনটা সে করেনি, কারণ সেই সময়টা তার অ্যালিবাই ছিল।'

অ্যালিবাই কথাটার মানে অবিশ্যি আমি অনেকদিন থেকেই জানি, কিন্তু যারা জানে না তাদের বাংলায় কীভাবে বোঝানো যায় জিজ্ঞেস করাতে ফেলুদা বলল, 'ডিকশনারিতে যা লেখা আছে

তাই লিখে দে।' তাই বলছি, অ্যালিবাই মানে হল—'অপরাধের অনুষ্ঠানকালে অন্যত্র থাকার অজুহাতে রেহাই পাইবার দাবি।' তার মানে 'আমার বাড়িতে যখন খুন হয় তখন আমি কোরিনথিয়ান লজে বসে জুয়া খেলছিলাম'—এটাই হবে শঙ্করের অ্যালিবাই।

টেলিফোনটা পেয়েও ফেলুদার উসখুস ভাব গেল না। তিনটে নাগাদ দেখি ও পায়জামা ছেড়ে ট্রাউজারস পরেছে। বলল কতগুলো তথ্য সংগ্রহ করতে হবে তাই বেরোচ্ছে। ফিরল প্রায় সাড়ে চারটেয়। আমি এই দেড় ঘণ্টা একটানা মহাভারত পড়ে শেষ করে ফেলেছি।

মহাপ্রস্থানের পথে দ্রৌপদী নকুল সহদেব সবাই একে একে মরে গিয়ে ঠিক যখন অর্জুনের পতন হব-হব, তখন ক্রিং করে ফোনটা বেজে উঠল। আমিই ধরলাম। ফেলুদার ফোন, গোলোকধাম থেকে সুবীরবাবু কথা বলতে চাইছেন।

ফেলুদা তার ঘরেই ফোন ধরল; আমি বসবার ঘরের ফোনে কান লাগিয়ে দু তরফের কথাই শুনে নিলাম।

'হ্যালো।'

'কে, মিঃ মিত্তির?'

'বলুন মিঃ দত্ত।'

'দাদার গবেষণার নোটস সমেত সীল করা খামটা পাওয়া গেছে।'

'দস্তুরের ঘরে ছিল কি?'

'ঠিক বলেছেন। খাটের পাটাতনের তলায় সেলোটেপ দিয়ে আটকে রেখেছিল। একদিকের সেলোটেপ খুলে গিয়ে ঝুলছিল। পেয়েছে আমাদের চাকর ভগীরথ।'

'আপনার দাদা জানেন খবরটা?'

'তা জানেন। তবে দাদার মধ্যে কেমন যেন একটা হাল-ছেড়ে-দেওয়া ভাব এসেছে। কোনও ব্যাপারেই যেন বিশেষ প্রতিক্রিয়া হচ্ছে না। আজ সারাদিন চেয়ার ছেড়ে ওঠেননি। আমি আমাদের ডাক্তারকে আসতে বলেছি।'

'আপনার ছেলের কোনও খবর আছে?'

'আছে। জি টি রোডে ওদের পুরো দলটাই ধরা পড়েছে।'

'আর চোরাই টাকা?'

'সেটা নিলেও অন্য কোথাও সরিয়ে রেখেছে। অবিশ্যি চুরির ব্যাপারটা শঙ্কর সম্পূর্ণ অস্বীকার করছে।'

'খুনের ব্যাপারে পুলিশ কী বলছে?'

'ওরা সুখওয়ানিকেই সন্দেহ করছে। তা ছাড়া একটা নতুন ক্লু-ও পাওয়া গেছে। দস্তুরের জানলার বাইরে পড়ে থাকা একটা দলা পাকানো কাগজ।'

'কী লেখা আছে তাতে?'

'ইংরিজিতে এক লাইন হুমকি—"অতিরিক্ত কৌতূহলের পরিণাম কী জান তো"?'

'সুখওয়ানি কী বলে?'

'সে সম্পূর্ণ অস্বীকার করছে। তার ঘর থেকে যে দস্তুরের ঘরে যাবার কোনও উপায় নেই সেটা ঠিকই, কিন্তু একটা ভাড়াটে গুণ্ডা পাইপ বেয়ে দোতলার বারান্দায় উঠে তারপর সিঁড়ি দিয়ে নীচে নেমে এসে অনায়াসেই সে কাজটা করতে পারে।'

'হুঁ...ঠিক আছে, আমি একবার আসছি।'

ফেলুদা ফোনটা রেখে দিয়ে প্রথমে আপন মনে বিড়বিড় করে বলল, 'X আর Y তা হলে একই লোক। এখন প্রশ্ন হচ্ছে Z-কে নিয়ে।' তারপর আমার দিকে ফিরে বলল, 'ডেসটিনেশন গোলোকধাম। তৈরি হয়ে নে তোপ্‌সে।'

৪

'আপনি চললেন নাকি?'

গোলোকধামের গেট দিয়ে ঢুকে দেখি রণজিৎবাবু আসছেন। বাইরে পুলিশ দেখে বুঝেছি বাড়িটার উপর নজর রাখা হয়েছে।

'আজ্ঞে হ্যাঁ,' বললেন রণজিৎবাবু, 'নীহারবাবু বললেন আজ আর আমাকে প্রয়োজন হবে না।'

'উনি আছেন কেমন?'

'ডাক্তার এসেছিলেন। বললেন বাড়িতে এতগুলো ঘটনা একসঙ্গে ঘটাতে শক্ পেয়েছেন। প্রেসারটা ওঠানামা করছে।'

'কথা বলছেন কি?'

'হ্যাঁ হ্যাঁ, তা বলছেন', আশ্বাসের সুরে বললেন রণজিৎবাবু।

'যে খামটা পাওয়া গেছে দস্তুরের ঘর থেকে সেটা একবার দেখব। আপনার খুব তাড়া না থাকলে আর একবারটি চলুন ওপরে। আলমারিতে আছে তো ওটা?'

'হ্যাঁ।'

'আপনাকে বেশিক্ষণ ধরে রাখব না কথা দিচ্ছি। এ বাড়িতে তো আর বিশেষ আসা-টাসা হবে না।'

'কিন্তু খাম তো সীল করা', কিন্তু-কিন্তু ভাব করে বললেন রণজিৎবাবু।

'তা হলেও আমি জিনিসটা একবার শুধু হাতে নিয়ে দেখতে চাই।'

রণজিৎবাবু আর আপত্তি করলেন না।

আজও বাড়ি অন্ধকার, দশটার আগে আলো আসবে না, এখন বেজেছে মাত্র সোয়া-ছটা। দোতলার বারান্দায় আর ল্যান্ডিং-এ কেরোসিন ল্যাম্প জ্বললেও আনাচে-কানাচে অন্ধকার।

রণজিৎবাবু আমাদের বৈঠকখানায় বসিয়ে সুবীরবাবুকে খবর দিতে গেলেন। যাবার আগে বলে গেলেন যে নীহারবাবু যদি খামটা আলমারি থেকে বার করার ব্যাপারে আপত্তি করেন, তা হলে কিন্তু সেটা দেখানো সম্ভব হবে না।

'সেটা বলাই বাহুল্য', বলল ফেলুদা।

সুবীরবাবুকে দেখে বেশ ক্লান্ত বলে মনে হল। বললেন সারাদিন নাকি খবরের কাগজের রিপোর্টারদের ঠেকিয়ে রাখতেই কেটে গেছে। 'তবে একটা ভাল এই যে, দাদার নামটা লোক ভুলতে বসেছিল, এই সুবাদে আবার মনে পড়ছে।'

মিনিটখানেকের মধ্যেই রণজিৎবাবু এলেন, হাতে লম্বা সাদা খাম। বললেন, 'নীহারবাবু আপনার নাম শুনেই বোধহয় আপত্তি করলেন না। এমনিতে কাউকে দেখতে দিতেন না।'

'আশ্চর্য', ফেলুদা খামটা হাতে নিয়ে ল্যাম্পের তলায় এদিক ওদিক ঘুরিয়ে দেখে মন্তব্য করল। আমার চোখে মনে হচ্ছে সাধারণ লম্বা খাম, পিছনে লাল গালার সীল, সামনের দিকে ওপরের বাঁ কোণে ছাপার হরফে লেখা "ডিপার্টমেন্ট অফ বায়োকেমিস্ট্রি, ইউনিভার্সিটি অফ মিশিগ্যান, মিশিগ্যান, ইউ এস এ"। এতে যে আশ্চর্যের কী আছে জানি না। সুবীরবাবু আর রণজিৎবাবু বসে আছেন আবছা অন্ধকারে, তাঁদেরও মনের অবস্থা নিশ্চয়ই আমার মতো।

ফেলুদা সোফায় এসে বসল, তার দৃষ্টি তখনও খামটার দিকে। তারপর দুই ভদ্রলোককে সম্পূর্ণ অগ্রাহ্য করে, শুধু আমাকেই উদ্দেশ করে কথা বলতে শুরু করল। ভাবটা স্কুলমাস্টারের। এই মেজাজে অনেক সময় অনেক বিষয়ে অনেক জ্ঞান দিয়েছে ফেলুদা আমাকে।

'বুঝেছিস তোপ্‌সে, আশ্চর্য জিনিস এই ইংরেজি হরফ। বাংলায় সব মিলিয়ে গোটা দশ

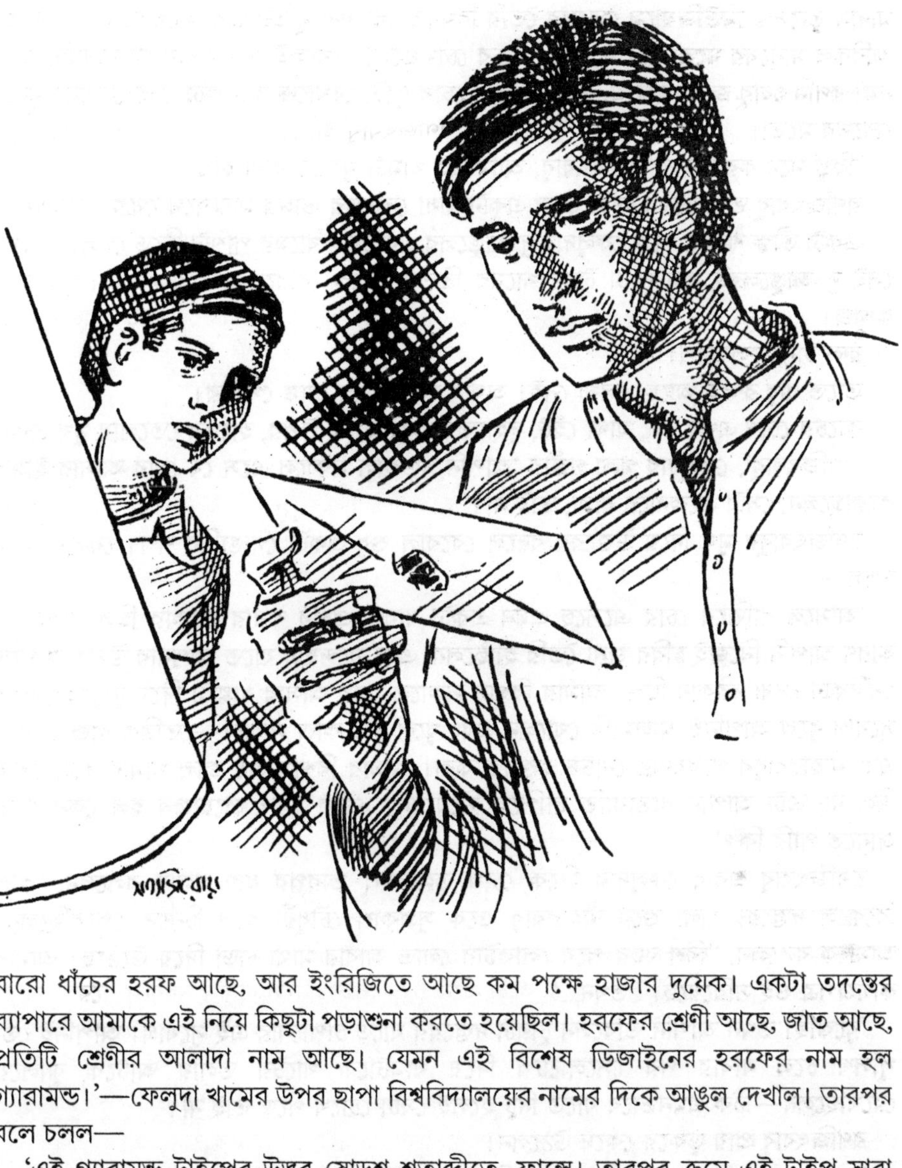

বারো ধাঁচের হরফ আছে, আর ইংরিজিতে আছে কম পক্ষে হাজার দুয়েক। একটা তদন্তের ব্যাপারে আমাকে এই নিয়ে কিছুটা পড়াশুনা করতে হয়েছিল। হরফের শ্রেণী আছে, জাত আছে, প্রতিটি শ্রেণীর আলাদা নাম আছে। যেমন এই বিশেষ ডিজাইনের হরফের নাম হল গ্যারামন্ড।'—ফেলুদা খামের উপর ছাপা বিশ্ববিদ্যালয়ের নামের দিকে আঙুল দেখাল। তারপর বলে চলল—

'এই গ্যারামন্ড টাইপের উদ্ভব ষোড়শ শতাব্দীতে, ফ্রান্সে। তারপর ক্রমে এই টাইপ সারা বিশ্বে ছড়িয়ে পড়ে। ইংল্যান্ড, জার্মানি, সুইটজারল্যান্ড, আমেরিকা ইত্যাদি দেশে শুধু যে এই টাইপের প্রচলন হয় তা নয়, ক্রমে এই সব দেশের নিজস্ব কারখানায় এই টাইপের ছাঁচ তৈরি করা শুরু করা হয়। এমনকী সম্প্রতি ভারতবর্ষেও এটা হচ্ছে। মজা এই যে, খুব ভাল করে দেখলে দেখা যায় যে এক দেশের গ্যারামন্ডের সঙ্গে অন্য দেশের গ্যারামন্ডের সূক্ষ্ম তফাত রয়েছে। কয়েকটা বিশেষ বিশেষ অক্ষরের গড়নে এই তফাতটা ধরা পড়ে। যেমন এই খামের উপরের হরফটা হওয়া উচিত আমেরিকান গ্যারামন্ড, কিন্তু তা না হয়ে এটা হয়ে গেছে ইন্ডিয়ান গ্যারামন্ড। এমনকী ক্যালকাটা গ্যারামন্ডও বলতে পারিস।'

ঘরে থমথমে স্তব্ধতা। ফেলুদার দৃষ্টি খাম থেকে চলে গেছে রণজিৎবাবুর দিকে। লন্ডনে

মাদাম ত্যুসোর মিউজিয়ামে মোমের তৈরি বিখ্যাত লোকের মূর্তির ছবি দেখেছি; তার সব কিছু অবিকল মানুষের মতো হলেও, শুধু কাচের চোখগুলো দেখলেই বোঝা যায় যে মানুষটা জ্যান্ত নয়। রণজিৎবাবু জ্যান্ত হলেও, তার দৃষ্টিহীন চোখ দুটো দেখাচ্ছে অনেকটা সেই মোমের মূর্তির চোখের মতো।

'কিছু মনে করবেন না রণজিৎবাবু, আমি এই খামটা খুলতে বাধ্য হচ্ছি।'

রণজিৎবাবু তাঁর ডান হাতটা তুলে একটা বাধা দেওয়ার ভঙ্গির মাঝপথে থেমে গেলেন।

একটা তীক্ষ্ণ শব্দের সঙ্গে ফেলুদার দু আঙুলের এক টানে খামের পাশটা ছিঁড়ে গেল। তারপর সেই দু আঙুলেরই আরেকটা টানে খামের ভিতর থেকে বেরিয়ে এল এক তাড়া ফুলস্ক্যাপ কাগজ।

রুল টানা ফুলস্ক্যাপ।

তাতে শুধু রুলই আছে, লেখা নেই। অর্থাৎ যাকে বলে ব্ল্যাঙ্ক পেপার।

কাচের চোখ এখন বন্ধ, মাথা হেঁট, দুহাতের কনুই হাঁটুর উপর, হাতের তেলোয় মুখ ঢাকা।

'রণজিৎবাবু', ফেলুদার গলা গম্ভীর 'আপনি গতকাল সকালে এসে যে চোর আসার ইঙ্গিত করেছিলেন, সেটা একেবারে ধাপ্পা, তাই না?'

রণজিৎবাবুর মুখ দিয়ে উত্তরের বদলে বেরোল শুধু একটা গোঙানির শব্দ। ফেলুদা বলে চলল—

'আসলে রাত্তিরে চোর এসেছে এমন একটা ধারণা প্রচার করার দরকার ছিল আপনার। কারণ আপনি নিজেই চুরির জন্য তৈরি হচ্ছিলেন, এবং সন্দেহটা যাতে আপনার উপর না পড়ে সেদিকটা দেখা দরকার ছিল। আমার বিশ্বাস সকালে চোর আসার ধাপ্পাটা দিয়ে দুপুরের দিকে সুযোগ বুঝে আপনিই আলমারি খোলেন এবং খুলে দুটি কাজ সারেন—তেত্রিশ হাজার টাকা এবং নীহারবাবুর গবেষণার নোটস হস্তগত করা। আমার বিশ্বাস এই জাল খামটা কাল তৈরি ছিল না; এটা আপনি রাতারাতি ছাপিয়ে নিয়েছেন। এটার হঠাৎ প্রয়োজন হল কেন সেটা জানতে পারি কি?'

রণজিৎবাবু এবার ফেলুদার দিকে চোখ তুললেন। তারপর ধরা গলায় বললেন, 'কাল বিকেলে দস্তুরের গলা শুনে নীহারবাবু ওকে সুপ্রকাশ চৌধুরী বলে চিনতে পেরেছিলেন! আমাকে বললেন, "বিশ বছর পরে লোকটার লোভ আবার মাথা চাড়া দিয়ে উঠেছে। আমার কাগজপত্র ওই সরিয়েছে।" তখন...'

'বুঝেছি। তখন আপনি ভাবলেন চুরিটা দস্তুরের ঘাড়ে চাপানোর এই সুযোগ। আপনিই তো পুলিশ চলে যাবার পর সেলোটেপ দিয়ে খামটাকে খাটের তলায় আটকে ঝুলিয়ে রেখেছিলেন—ঠিক এমনভাবে যাতে নিচু হলেই সেটা চোখে পড়ে তাই না?'

রণজিৎবাবু প্রায় ডুকরে কেঁদে উঠলেন।

'আমায় মাপ করবেন! আমি ফেরত দিয়ে দেব! টাকা আর কাগজপত্র আমি কালই ফেরত দিয়ে দেব, মিঃ মিত্তির! আমি...আমি লোভ সামলাতে পারিনি! সত্যি বলছি, আমি লোভ সামলাতে পারিনি!'

'ফেরত আপনাকে দিতেই হবে। না হলে আপনাকে পুলিশের হাতে তুলে দেব সেটা বুঝতেই পারছেন।'

'আমি জানি', বললেন রণজিৎবাবু। 'তবে একটা অনুরোধ। নীহারবাবু যেন জানতে না পারেন। তিনি আমাকে অত্যন্ত স্নেহ করেন। তিনি এ শক্ সহ্য করতে পারবেন না।'

'বেশ। তিনি জানবেন না এটা কথা দিচ্ছি। কিন্তু আপনি এত ভাল ছাত্র হয়ে এটা কী করলেন?'

রণজিৎবাবু ফ্যালফ্যাল করে ফেলুদার দিকে চাইলেন। ফেলুদা বলে চলল—

'আমি আপনার প্রোফেসর বাগচীর সঙ্গে দেখা করতে গিয়েছিলাম। আপনার উপর আমার সন্দেহ পড়ে চাবির গর্তের পাশের দাগ দেখে। চোর অত অসাবধানে কাজ করে না। বিশেষত যেখানে ঘরে লোক রয়েছে, দরজার বাইরে চাকর রয়েছে। যাই হোক, আপনার ভবিষ্যৎ কত উজ্জ্বল ছিল সেটা উনি বললেন। পরীক্ষা দিলে আপনি ফার্স্ট ক্লাস পেতেন এ বিশ্বাস তাঁর ছিল। হঠাৎ পড়াশুনা বন্ধ করে সেক্রেটারির চাকরিটা নেওয়া কি শর্ট কাটে নোবেল প্রাইজের লোভ?'

রণজিৎবাবু ভয়ে, লজ্জায়, অনুশোচনায় আর কথাই বলতে পারলেন না। ওঁর অবস্থা দেখে আমার মতো ফেলুদারও যে মায়া হচ্ছিল সেটা ওর পরের কথা থেকেই বুঝলাম।

'আপনি এবার বাড়ি যেতে চান যেতে পারেন। কালকের জন্য আর অপেক্ষা করব না আমরা। আপনি আজই আসল কাগজপত্র আর টাকা নিয়ে চলে আসুন। একটু অপেক্ষা করুন, আপনার সঙ্গে যাতে পুলিশ থাকে তার ব্যবস্থা করে দিচ্ছি। এতগুলো টাকা নিয়ে যাতায়াত করাটা মোটেই বুদ্ধিমানের কাজ হবে না।'

সুবোধ বালকের মতো মাথা নাড়লেন রণজিৎ ব্যানার্জি।

সুবীরবাবু তাঁর ছেলে সম্বন্ধে যাই বলে থাকুন না কেন, সে যে চুরি করেনি, সেটা জেনে তাঁর নিশ্চয়ই খানিকটা নিশ্চিন্ত লাগছে। অন্তত তাঁর চেহারা দেখে আর গলার স্বরে তাই মনে হল। বললেন, 'একবার দাদার সঙ্গে দেখা করে যাবেন কি?'

'নিশ্চয়ই', বলল ফেলুদা, 'সেটাই তো আসল কাজ।'

সুবীরবাবুর পিছন পিছন আমরা নীহারবাবুর ঘরে গিয়ে হাজির হলাম।

'আপনারা এসেছেন?' চেয়ারে শোয়া অবস্থায় প্রশ্ন করলেন নীহারবাবু।

'আজ্ঞে হ্যাঁ,' বলল ফেলুদা। 'আপনার গবেষণার কাগজপত্রগুলো ফেরত পেয়ে নিশ্চয়ই খানিকটা নিশ্চিন্ত বোধ করছেন?'

'ওগুলোর আর বিশেষ কোনও মূল্য নেই আমার কাছে', নিচু গলায় ক্লান্ত ভাবে বললেন নীহারবাবু। এক দিনে একজন মানুষ এত ফ্যাকাসে হয়ে যেতে পারে সেটা আমার ধারণাই ছিল না। কালকেও দেখে মনে হয়েছে ভদ্রলোক রীতিমতো শক্ত।

'আপনার কাছে মূল্য না থাকলেও আমাদের কাছে আছে', বলল ফেলুদা। 'বিশ্বের অনেক বৈজ্ঞানিকের কাছে আছে।'

'সে আপনারা বুঝবেন।'

'আপনাকে শুধু একটা প্রশ্ন করতে চাই। কথা দিচ্ছি এর পরে আর বিরক্ত করব না।'

নীহারবাবুর ঠোঁটের কোণে একটা ম্লান হাসি দেখা দিল। বললেন, 'বিরক্ত আর করবেন কী করে? বিরক্তির অনেক ঊর্ধ্বে চলে গেছি যে আমি!'

'তা হলে বলি শুনুন। কাল টেবিলের উপর দেখেছিলাম ঘুমের ট্যাবলেট দশটা। আজও দেখছি দশটা। আপনি কি কাল তা হলে ঘুমের ওষুধ খাননি?'

'না, খাইনি। আজ খাব।'

'তা হলে আসি আমরা!'

'দাঁড়ান।'

নীহারবাবু তাঁর ডান হাতটা ফেলুদার দিকে বাড়িয়ে দিলেন। দুজনের হাত মিলল। ভদ্রলোক ফেলুদার হাতটা বেশ ভাল করে ঝাঁকিয়ে দিয়ে বললেন—

'আপনি বুঝবেন। আপনার দৃষ্টি আছে।'

বাড়িতে এসেও ফেলুদা গম্ভীর। কিন্তু তা বলে আমি অত রহস্য বরদাস্ত করব কেন? চেপে

ধরে বললাম, 'ঢাক ঢাক গুড় গুড় চলবে না। সব খুলে বলো।'

ফেলুদা উত্তরে রামায়ণে চলে গেল। ওর সাসপেন্স বাড়ানোর কিছু কায়দা আমি সত্যিই বুঝে উঠতে পারি না।

'রামকে বনবাসে পাঠানোর ছদিন পর দশরথের হঠাৎ মনে পড়েছিল যে তিনি যুবরাজ অবস্থায় একটা সাংঘাতিক কুকীর্তি করে ফেলেছিলেন, আর সেই কারণেই আজ তাঁকে পুত্রশোক ভোগ করতে হচ্ছে। তোর মনে আছে সে কুকীর্তিটা কী?'

রামায়ণটা টাটকা পড়া ছিল না, কিন্তু এ ঘটনাটা মনে ছিল। বললাম, 'অন্ধমুনির ছেলে রাত্রে নদীতে জল তুলছিল কলসিতে। দশরথ অন্ধকারে শব্দ শুনে ভাবলেন বুঝি হাতি জল খাচ্ছে। উনি শব্দভেদী বাণ মেরে ছেলেটিকে মেরে ফেলেছিলেন।'

'গুড। অন্ধকারে শব্দ শুনে লক্ষ্যভেদ করার এই ক্ষমতাটা ছিল দশরথের। নীহারবাবুরও ছিল।'

'নীহারবাবু!'—আমি প্রায় চেয়ার থেকে পড়ে যাচ্ছিলাম।

'ইয়েস স্যার', বলল ফেলুদা।—'রাত জাগতে হবে বলে ঘুমের ওষুধ খাননি। সবাই যখন ঘুমে অচেতন, তখন খালি পায়ে সিঁড়ি দিয়ে নেমে চলে যান দস্তুর সুপ্রকাশের ঘরে। এই ঘরে এক কালে ওঁর ভাইপো থাকত। ঘর ওঁর চেনা। হাতে ছিল অস্ত্র—রুপো দিয়ে বাঁধানো জাঁদরেল লাঠি। খাটের কাছে গিয়ে লাঠি দিয়ে মোক্ষম ঘা। একবার নয়, তিনবার।'

'কিন্তু...কিন্তু...'

আমার এখনও সাংঘাতিক গোলমাল লাগছে। এ সব কী বলছে ফেলুদা? লোকটা তো অন্ধ!

'একটা কথা কি মনে পড়ছে না তোর?' অসহিষ্ণুভাবে বলল ফেলুদা। 'সুখওয়ানি কী বলেছে দস্তুর সম্পর্কে?'

বিদ্যুতের ঝলকের মতো কথাটা মনে পড়ে গেল।—

'দস্তুরের নাক ডাকত!!'

'এগজ্যাক্টলি!' বলল ফেলুদা।—'তার মানে বালিশের কোনখানে মাথা...কোন পাশে ফিরে রয়েছে, এ সবই বুঝতে পেরেছিলেন নীহারবাবু। যার শ্রবণশক্তি এত প্রখর, তার আর এর চেয়ে বেশি জানার কী দরকার? এক ঘায়ে যদি না হয়, তিন ঘায়ে তো হবেই!'

আমি কিছুক্ষণ হতভম্ব হয়ে থেকে ভয়ে ভয়ে বললাম, 'এই অসমাপ্ত কাজটার কথাই কি বলেছিলেন নীহারবাবু? প্রতিশোধ?'

'প্রতিশোধ', বলল ফেলুদা, 'জিঘাংসা। অন্ধেরও দেহমনে প্রচণ্ড শক্তির সঞ্চার করতে পারে এই প্রবৃত্তি। এই জিঘাংসাই তাঁকে এতদিন বাঁচিয়ে রেখেছিল। এখন তিনি মৃত্যুশয্যায়। আর সেই কারণেই তিনি আইনের নাগালের বাইরে।'

আরও সতেরো দিন বেঁচে ছিলেন নীহাররঞ্জন দত্ত। মারা যাবার ঠিক আগে তিনি উইল করে তাঁর গবেষণার কাগজপত্র আর জমানো টাকা দিয়ে গেছিলেন তাঁর বিশ্বস্ত মেধাবী সেক্রেটারি রণজিৎ বন্দ্যোপাধ্যায়কে।

যত কাণ্ড কাঠমাণ্ডুতে

১

রহস্য-রোমাঞ্চ ঔপন্যাসিক লালমোহন গাঙ্গুলী ওরফে জটায়ুর মতে হগ সাহেবের বাজারের মতো বাজার নাকি ভূ-ভারতে নেই। যারা জানে না তাদের জন্যে বলা দরকার যে হগ সাহেবের বাজার হল আমরা যাকে নিউ মার্কেট বলি তারই আদি নাম। —'দিল্লি বোম্বাই যোধপুর জয়পুর সিমলা কাশী, সবই তো দেখলুম, আর আপনাদের সঙ্গেই দেখলুম, কিন্তু আন্ডার দি সেম রুফ এমন একটা বাজার কোথাও দেখেছেন কি?'

এ ব্যাপারে অবিশ্যি আমি আর ফেলুদা দুজনেই লালমোহনবাবুর সঙ্গে একমত। মাঝে একটা কথা হয়েছিল যে এই মার্কেট ভেঙে ফেলে সেখানে একটা মাল্টি-স্টোরি সুপার মার্কেট তৈরি হবে। ফেলুদা তো শুনেই ফায়ার। বলল, 'এ কাজটা হলে কলকাতার অর্ধেক কলকাতাত্ব চলে যাবে সেটা কি এরা বুঝতে পারছে না? নগরবাসীদের কর্তব্য প্রয়োজনে অনশন করে এই ধ্বংসের পথ বন্ধ করা।'

আমরা তিনজন গ্লোবে ম্যাটিনিতে এপ অ্যান্ড সুপার এপ দেখে বাইরে এসে নিউ মার্কেটে যাব বলে স্থির করেছি। লালমোহনবাবুর টর্চের ব্যাটারি আর ডট পেনের রিফিল কেনা দরকার, আর ফেলুদাও বলল কলিমুদ্দির দোকান থেকে ডালমুট নিয়ে নেবে; বাড়ির ডালমুট মিইয়ে গেছে, অথচ চায়ের সঙ্গে ওটা চাই-ই চাই। তা ছাড়া লালমোহনবাবুর একবার মার্কেটটা ঘুরে দেখা দরকার, কারণ কালই নাকি এই মার্কেটকে সেন্টার করে একটা ভাল ভূতুড়ে গল্পের প্লট ওঁর মাথায় এসেছে। ট্রাফিক বাঁচিয়ে রাস্তা পেরিয়ে প্রাইভেট গাড়ি ও ট্যাক্সির লাইনের ফাঁক দিয়ে এগোনোর সময় প্লটের খানিকটা আভাস দিলেন আমাকে—'একজন লোক রাত্তিরে মার্কেট বন্ধ হয়ে যাবার পরে দেখে কী, সে ভিতরে আটকা পড়ে গেছে। লোকটা রিটায়ার্ড জজ—অনেককে ফাঁসিতে ঝুলিয়েছে। বোঝো তপেশ—এই বিশাল হগ সাহেবের বাজার, সব দোকান বন্ধ, সব বাতি নিভে গেছে, শুধু লিন্ডসে স্ট্রিটের দিকের কোল্যাপ্‌সিব্‌ল গেটের ভিতর দিয়ে আসা রাস্তার ক্ষীণ আলোয় যেটুকু দেখা যায়। গলিগুলোর এ মাথা থেকে ও মাথা খাঁ খাঁ করছে, আর তারই মধ্যে কেবল একটিমাত্র দোকান খোলা, একটা কিউরিওর দোকান, তাতে টিমটিমে আলো, আর তার ভিতর থেকে বেরিয়ে এল একটা কঙ্কাল, হাতে ছোরা! খুনির কঙ্কাল, যে খুনিকে ফাঁসিকাঠে ঝুলিয়েছিলেন ওই জজ সাহেব। যে দিকেই পালাতে যান, মোড় ঘুরেই দেখেন সামনে সেই কঙ্কাল, হাতে ছোরা, ড্রিপিং উইথ ব্লাড!'

আমি মুখে কিছু না বললেও মনে মনে বললাম ভদ্রলোক ভেবেছেন ভালই, তবে ফেলুদার হেল্‌প না নিলে গল্পের গোড়ায় গলদ থেকে যাবে; জজ সাহেবের আটকে পড়ার বিশ্বাসযোগ্য কারণ খুঁজে বার করা জটায়ুর সাধ্যের বাইরে।

সামনেই মোহনস্-এর কাপড়ের দোকানের ডান পাশ দিয়ে ঢুকে, বাঁয়ে ঘুরে গুলাবের ঘড়ির দোকান পেরিয়ে ডাইনে একটু গেলেই একটা তেমাথার মোড়ে ইলেক্‌ট্রিক্যাল গুড্‌সের দোকান। ব্যাটারি সেইখানেই পাওয়া যাবে, আর তার উলটোদিকেই পাওয়া যাবে রিফিল। দে ইলেক্‌ট্রিক্যালসের মালিক ফেলুদার ভক্ত, দেখেই একগাল হেসে নমস্কার করলেন।

আমাদের প্রায় সঙ্গে সঙ্গেই একজন লোক ঢুকলেন, তিনি গল্পে একটা বড় ভূমিকা নেবেন, তাই তাঁর বর্ণনা দিয়ে রাখি। বছর চল্লিশ বয়স, মাঝারি হাইট, ফরসা রং, মাথার চুল পাতলা, দাড়ি-গোঁফ নেই, সাদা বুশ শার্ট, কালো প্যান্ট আর হাতে একটা প্লাস্টিকের ব্যাগ।

'আপনি মিস্টার মিত্র না ?' ভদ্রলোক ফেলুদার দিকে তাকিয়ে অবাক হেসে প্রশ্নটা করলেন।

'আজ্ঞে হ্যাঁ।'

'ওই সামনের বইয়ের দোকানের লোক আমাকে চিনিয়ে দিল। বলল, উনি হচ্ছেন ফেমাস ডিটেকটিভ প্রদোষ মিত্র। হাউ স্ট্রেঞ্জ ! ঠিক আপনার কথাই ভাবছি আজ দু দিন থেকে।'

বাংলায় সামান্য টান। হয় ওদিকের লোক এদিকে সেট্‌লড, না হয় এদিকের লোক ওদিকে।

'কেন বলুন তো ?' ফেলুদা প্রশ্ন করল।

ভদ্রলোক কিছুটা নার্ভাস কি ? গলাটা খাক্‌রে নিয়ে বললেন, 'সেটা আপনার সঙ্গে দেখা করেই বলব। আপনি কাল বাড়ি থাকবেন কি ?'

'বিকেল পাঁচটার পরে থাকব।'

'তা হলে আপনার অ্যাড্রেসটা যদি একটু—'

ভদ্রলোক পকেট থেকে একটা নোটবুক আর ফাউনটেন পেন বার করে ফেলুদার হাতে দিলেন। ফেলুদা ঠিকানা লিখে দিল।

'স্যরি !'

ভদ্রলোকের 'স্যরি' বলার কারণ আর কিছুই না, পেন থেকে সামান্য বেগুনি কালি লিক করে ফেলুদার আঙুলে লেগেছে। আমি জানি ফেলুদা পুরনো ধরনের ফাউনটেন পেনই পছন্দ করে, বলে তাতে হাতের লেখা আরও ভাল হয়, কিন্তু মাঝে মাঝে লিক করে বলে ইদানীং ডট পেনই ব্যবহার করছে।

'আমার নাম বাটরা,' পেন-খাতা পকেটে পুরে বললেন ভদ্রলোক, 'আমার গ্র্যান্ডফাদার ক্যালকাটায় সেট্‌ল করেছিলেন সেভেনটি ফাইভ ইয়ারস আগে।'

'আই সি।'

'এর মধ্যেই মক্কেল জুটিয়ে ফেললেন নাকি ?'

ভদ্রলোক চলে যাবার পরমুহূর্তেই সামনের দোকান থেকে রিফিল কিনে এনে প্রশ্ন করলেন জটায়ু। ফেলুদা একটা নিঃশব্দ হাসি ছাড়া কোনও মন্তব্য করল না। তিনজনে রওনা দিলাম ডালমুটের উদ্দেশে।

লালমোহনবাবু পকেট থেকে ওঁর ছোট্ট লাল ডায়রিটা বার করে নোট নিতে শুরু করলেন। তার ফলে মাঝে মাঝে একটু পিছিয়ে পড়ছেন, আবার তৎক্ষণাৎ পা চালিয়ে আমাদের পাশ নিয়ে নিচ্ছেন। গত সপ্তাহে একবার লোডশেডিং-এর মধ্যে এসে দেখেছি সারা মার্কেটটার উপরে যেন মৃত্যুর ছায়া নেমে এসেছে। আজ আলো থাকায় ভোল পালটে গেছে। পদে পদে কানে আসছে এ পাশ ও পাশ থেকে ছুঁড়ে মারা 'কী চাইলেন দাদা ?'—আর আমরা তারই মধ্যে এঁকেবেঁকে এগিয়ে চলেছি ভিড় বাঁচিয়ে। ফেলুদার লক্ষ্য একটাই, কিন্তু দৃষ্টি ডাইনে বাঁয়ে সামনে তিন দিকে, যদিও তার জন্য ঘাড় ফেরাতে হয় না, চোখ ফেরালেই হল, আর তাতেই মনের মধ্যে অবিরাম ছাপা হয়ে যাচ্ছে ছবি আর কথা, যেগুলো পরে কখন কোন কাজে লাগবে কে জানে। আমি জানি লালমোহনবাবু অত কসরত করে খাতায় যা লিখছেন, ফেলুদার মাথায় আগেই তা লেখা হয়ে যাচ্ছে। সামনে

পুজো, তাই ভিড় বেশি, তাড়া বেশি, কেনার তাগিদ বেশি, লোকের পকেটে পয়সাও নিশ্চয়ই বেশি।

লালমোহনবাবু বেশ সাহেবি কায়দায় 'কস্‌মোপোলিট্যান' কথাটা বলার প্রায় সঙ্গে সঙ্গেই আমরা কলিমুদ্দির দোকানের সামনে এসে পড়লাম। এ দোকানও চেনা, 'সালাম বাবু' বলে কলিমুদ্দি তার কাজে লেগে গেল। দিব্যি লাগে দু হাতে ঠোঙা ধরে ঝাঁকিয়ে মেশানোর ব্যাপারটা। আর সেই সঙ্গে টাট্‌কা, নোনতা, জিভে-জল আনা গন্ধ।

আমি গরম ঠোঙাটা হাতে নিয়েছি, এমন সময় দেখি ওয়ালেট থেকে টাকা বার করতে গিয়ে কী যেন একটা দেখে ফেলুদা একেবারে স্ট্যাচু।

কারণটা স্পষ্ট। আমাদের পাশ দিয়ে আমাদের সম্পূর্ণ অগ্রাহ্য করে যে লোকটা এই মুহূর্তে মার্কেটের আরও ভিতর দিকে চলে গেল, সে হল মিঃ বাটরার ডুপলিকেট।

'টুইন্‌স,' চাপা গলায় মন্তব্য করলেন জটায়ু।

সত্যি, যমজ ছাড়া এ রকম হুবহু মিল কল্পনা করা যায় না। তফাত শুধু শার্টের রঙে। এঁরটা গাঢ় নীল । হয়তো কাছ থেকে সময় নিয়ে দেখলে আরও তফাত ধরা পড়ত, কিন্তু সেও নিশ্চয়ই খুবই সূক্ষ্ম। অবিশ্যি আরেকটা তফাত এই যে ইনি ফেলুদাকে আদপেই চেনেন না।

'এতে অবাক হবার কিচ্ছু নেই,' ফেরাপথে রওনা দিয়ে বলল ফেলুদা, 'মিঃ বাটরার একটি যমজ ভাই থেকে থাকলে মহাভারত অশুদ্ধ হয়ে যাবে না।'

'সে আপনার নীলগিরি, বিন্ধ্য, আরাবল্লী, ওয়েস্টার্ন ঘাট্‌স—যাই বলুন না কেন, পাহাড়ের মাথায় যদি বরফ না থাকে তাকে আমি পাহাড়ই বলব না।'

এবার পুজোয় পাহাড়ে যাবার কথাটা ক' দিন থেকেই হচ্ছিল। নতুন উপন্যাস বেরিয়ে গেছে, লেখার তাগিদ নেই, তাই লালমোহনবাবু তার সেকেন্ড হ্যান্ড সবুজ অ্যাম্বাসাডারে রোজই বিকেলে আসছেন আড্ডা দিতে। কাশ্মীরটা আমাদের কারুরই দেখা হয়নি, কিন্তু ওখানকার অকটোবরের শীত সহ্য হবে না সেটা বোধহয় নিজেই বুঝতে পেরে লালমোহনবাবু দু-একবার 'কাশ' 'কাশ' করে থেমে গেছেন। একটা অ্যাটলাস পড়ে আছে সামনের টেবিলে চা-ডালমুটের পাশে, সেটা খুলে বোধহয় ভারতবর্ষের ম্যাপটা একবার দেখার ইচ্ছে ছিল ভদ্রলোকের, এমন সময় কলিং বেল।

শ্রীনাথ আমাদের বাড়িতে চোদ্দ বছর কাজ করছে, তাই মিঃ বাটরা এসে বসার সঙ্গে সঙ্গে আরেক পেয়ালা চা এসে গেল।

'আপনার কি কোনও যমজ ভাই আছে?'

বাটরা কপালের ঘাম মুছে রুমালটা রাখার প্রায় সঙ্গে সঙ্গেই প্রশ্নটা করলেন লালমোহনবাবু।

মিঃ বাটরার ভুরু যে কতটা ওপরে উঠতে পারে, আর তলার ঠোঁট যে কতটা নীচে নামতে পারে সেটা এই এক প্রশ্নেই বোঝা গেল।

'আপনারা...আপনারা কী করে...?'

'আপনার সঙ্গে দেখা হবার মিনিট পাঁচ-সাতের মধ্যেই নিউ মার্কেটেই তাকে দেখেছি আমরা', বলল ফেলুদা।

'মিস্টার মিটরা',—চেয়ারে প্রায় এক হাত এগিয়ে এসে হাতলে একটা জবরদস্ত চাপড় মেরে বললেন মিঃ বাটরা—'আই অ্যাম দি ওনলি চাইল্ড অফ মাই পেরেন্টস্। আমার ভাই

বোন কিচ্ছু নেই।'

'তা হলে— ?'

'সেজন্যেই তো আপনার কাছে এলাম মিঃ মিটরা। এক উইক হল এই ব্যাপারটা আরম্ভ হয়েছে। ফ্রম কাঠমাণ্ডু। আমি কাঠমাণ্ডুর একটা ট্র্যাভেল এজেন্সিতে কাজ করি—সান ট্র্যাভেলস—আই অ্যাম দ্য পি আর ও। আমাকে কাজের জন্য ক্যালকাটা বোম্বাই দিল্লি যেতে হয় মাঝে মাঝে। আমার অফিসের কাছে একটা ভাল রেস্টোরান্ট আছে—ইন্দিরা—সেখানেই লাঞ্চ করি আমি এভরি ডে। লাস্ট মানডে গেছি—ওয়েটার বলছে, আপনি তো আধঘণ্টা আগে লাঞ্চ করে গেলেন, আবার কী ব্যাপার ?—বুঝুন মিঃ মিটরা ! আরও দু-একজন চেনা লোক ছিল, তারাও বলল আমাকে দেখেছে। দেন আই হ্যাড টু টেল দেম—কী আমি আসিনি। তখন ওয়েটার বলে কী, ওর সাসপিশন হয়েছিল, কারণ যে লোক খেতে এসেছিল, হি হ্যাড এ ফুল লাঞ্চ, উইথ রাইস অ্যান্ড কারি অ্যান্ড এভরিথিং ; আর আমি খাই স্রেফ স্যান্ডউইচেজ অ্যান্ড এ কাপ অফ কফি !'

মিঃ বাটরা দম নিতে থামলেন। আমরা তিনজনেই যাকে বলে উৎকর্ণ হয়ে শুনছি। লালমোহনবাবু বেশি মনোযোগ দিলে মুখ হাঁ হয়ে যায়, এখনও সেই অবস্থা। মিঃ বাটরা চায়ে একটা চুমুক দিয়ে আবার শুরু করলেন।

'আমি কলকাতায় এসেছি পরশু, সানডে। কাল সকালে হোটেল থেকে বেরোচ্ছি—আমি আছি গ্র্যান্ডে—ফ্র্যাঙ্ক রসে যাব টু বাই সাম অ্যাসপিরিন। আপনি জানেন বোধহয়, হোটেলের ভিতরেই একটা কিউরিওর দোকান আছে ? সেইটের পাশ দিয়ে যাবার সময় হঠাৎ শুনি ভিতর থেকে আমায় ডাকছে—মিঃ বাটরা, প্লিজ কাম ফর এ মোমেন্ট !—কী ব্যাপার ? গেলাম ভিতরে। সেলসম্যান একটা একশো টাকার নোট বার করে আমাকে দেখাচ্ছে। বলে—মিঃ বাটরা, আপনার এই নোটটা জাল নোট, নো ওয়াটারমার্ক, প্লিজ চেঞ্জ ইট !—আমার তো মাথায় বাজ পড়ল মিঃ মিটরা ! আমি তো দোকানে ঢুকিইনি ! অ্যান্ড দে ইনসিসটেড, কি আমি গেছি আধ ঘণ্টা আগে, আর আমি ওই একশো টাকার নোট দিয়েছি ওদের, অ্যান্ড আই বট এ কুকরি !'

'কুকরি ? মানে, নেপালি ছুরি ?' জিজ্ঞেস করলেন লালমোহনবাবু।

'বুঝুন কী ব্যাপার ! আমি থাকি কাঠমাণ্ডুতে ; কলকাতায় এসে গ্র্যান্ড হোটেলের দোকান থেকে আমি নেপালের জিনিস কিনব কেন ? নেপালে তো ও জিনিস আমি হাফ প্রাইসে পাব !'

'আপনাকে নোটটা বদলে দিতে হল ?' ফেলুদা প্রশ্ন করল।

'অনেকবার বললাম, যে আই অ্যাম নট দ্য সেম পারসন। শেষকালে এমন ভাবে আমার দিকে চাইতে লাগল যেন আমি আইদার পাগল, অর ফোর টোয়েন্টি। এ অবস্থায় কী করা যায়, বলুন !'

'হুঁ...'

ফেলুদা ভাবছে। হাতটা সাবধানে বাড়িয়ে চারমিনারের ডগা থেকে প্রায় এক ইঞ্চি লম্বা ছাইটা অ্যাশট্রেতে ফেলে দিয়ে বলল, 'আপনি বেশ অসহায় বোধ করছেন সেটা বুঝতে পারছি।'

'আমার রেগুলার প্যানিক হচ্ছে, মিঃ মিটরা। সে যে কখন কী করবে তার ঠিক কী ?'

'খুবই অদ্ভুত ব্যাপার,' বলল ফেলুদা।—'আপনার কথা আমার পক্ষে বিশ্বাস করাই কঠিন হত যদি না আমরা নিজের চোখে সে লোককে দেখতাম। কিন্তু তাও বলতে বাধ্য হচ্ছি, আমি এ ব্যাপারে আপনাকে কীভাবে হেল্প করতে পারি সেটা ঠিক বুঝতে পারছি না।'

ভদ্রলোকও চিন্তিতভাবে মাথা নেড়ে বললেন, 'সেটা ঠিক। এখন, আমি তো কাল কাঠমাণ্ডু ফিরে যাচ্ছি। ভরসা কী যে সে লোক আমার পিছে পিছে যাবে না, আর সেখানেও আমাকে হ্যারাস করবে না ? এ তো বুঝতে পারছি যে সে লোককে আমি না দেখলেও, সে আমাকে দেখেছে, আর ডেলিবারেটলি আমার পিছনে লেগেছে। দিস ইজ এ নিউ টাইপ অফ ক্রাইম, মিঃ মিটরা। এবারে হান্ড্রেড রুপিজের উপর দিয়ে বেরিয়ে গেছে, এর পরে কী হবে কে জানে ?'

বাইরের লোকের সঙ্গে কথা বলার সময় ফেলুদা এমনিতে পায়ের উপর পা তুলে বসে। যখন বোঝে আর কথা বলার নেই, বেশি বললে সময় নষ্ট হবে, তখন পা-টা এমন ভাবে নামিয়ে নেয় যে তাতেই বেশ বোঝা যায় 'এবার আপনি আসুন'। আজও তাই করল, আর তাতে ফলও হল। মিঃ বাটরা উঠে পড়লেন। বুঝলাম কতকটা ভদ্রতার খাতিরেই ফেলুদা বলল, 'আশা করি কাঠমাণ্ডুতে গিয়ে কোনও অসুবিধায় পড়তে হবে না।'

'লেট আস হোপ সো', বললেন ভদ্রলোক। 'এনিওয়ে, আপনার সঙ্গে আলাপ হয়ে গেল। আপনার খুব প্রশংসা শুনেছি মিঃ সর্বেশ্বর সহায়ের কাছে।'

সর্বেশ্বর সহায় ফেলুদার এক মক্কেল। কোডার্মায় থাকেন। হাজারিবাগে তাঁর একটা বাংলো প্রায়ই খালি পড়ে থাকে ; আমরা একবার সেখানে গিয়ে ছিলাম দিন দশেক।

'কাঠমাণ্ডুতে কোনও গোলমাল দেখলে আপনি পুলিশে খবর দিয়ে দেবেন', বলল ফেলুদা। 'এসব লোকের দরকার স্রেফ ধোলাই।'

মিঃ বাটরা চলে যাবার পর লালমোহনবাবুই প্রথম মুখ খুললেন।

'আশ্চর্য ! ফরেন কান্ট্রি বলেই বোধহয় এই হিল স্টেশনের কথাটা একবারও মাথায় আসেনি।'

২

পরদিন সকালে যে ঘটনাটা ঘটল, বলা যেতে পারে সেটা থেকেই আমাদের এই অ্যাডভেঞ্চারের শুরু। অবিশ্যি সেটার বিষয়ে বলার আগে গতকাল রাত্রের টেলিফোনটার কথা বলা দরকার।

কলকাতায় অকটোবর মাসেও মাঝে মাঝে আকাশ কালো-টালো করে বৃষ্টি এসে যায়। কালও তাই হল। লালমোহনবাবু সাধারণত বিকেলে এলে আটটা-সাড়ে আটটা পর্যন্ত থাকেন ; কাল সাতটা নাগাদ মেঘের গর্জন শুনে হন্তদন্ত হয়ে উঠে পড়লেন—'বরঞ্চ কাল সকালে আসা যাবে, তপেশ। নিউ মার্কেটের প্লটটা আরও খানিকটা এগিয়েছে ; তোমার একটা ওপিনিয়ন নেওয়া দরকার।'

বৃষ্টি এল আটটায়, আর ফোনটা পৌনে নটায়। ফেলুদা ওর ঘরে এক্সটেনশনে কথা বলল, আর আমি বসবার ঘরের মেইন টেলিফোনে শুনলাম।

'মিস্টার প্রদোষ মিত্র ?'

'কথা বলছি।'

'ডিটেকটিভ প্রদোষ মিত্র ?'

'আজ্ঞে হ্যাঁ। প্রাইভেট ইনভেসটিগেটর।'

'নমস্কার। আমার নাম অনীকেন্দ্র সোম। আমি বলছি সেন্ট্রাল হোটেল থেকে।'

'বলুন।'

'আপনার সঙ্গে একটু দরকার ছিল। একটু দেখা করা যাবে কি ?'

'ব্যাপারটা জরুরি ?'

'খুবই। আজ তো বাদলা, তবে কাল সকালে যদি একটু সময় দিতে পারেন। আমি বাইরে থেকে এসেছি, এবং আসার একটা প্রধান কারণ হল আপনার সঙ্গে দেখা করা। মনে হয় আপনি ব্যাপারটা শুনলে ইন্টারেস্টেড হবেন।'

'টেলিফোনে এর বেশি বলা যাবে না বোধহয় ?'

'আজ্ঞে না। ভেরি স্যরি।'

অ্যাপয়েন্টমেন্ট হল সকাল ন'টায়। 'কণ্ঠস্বরে বেশ ব্যক্তিত্বের পরিচয় পাওয়া যায়', বলল ফেলুদা। আমারও অবিশ্যি তাই মনে হয়েছিল। মনে মনে বললাম—সকালে বাটরা, বিকেলে সোম—মক্কেলের কিউ লেগে গেছে।

আজকাল ফেলুদার সঙ্গে আমিও যোগব্যায়াম করি। সকাল আটটার মধ্যে স্নান-টান সেরে দুজনেই সারা দিনের জন্য তৈরি। সাড়ে আটটায় লালমোহনবাবু ফোন করে বললেন, সেদিন নিউমার্কেটে একটা দোকানের উইন্ডোতে নাকি একটা লাইট গ্রিন জার্কিন দেখেছেন, সেইটের দরটা জেনেই আমাদের বাড়িতে চলে আসবেন। বুঝলাম ভদ্রলোক হিল স্টেশনে যাবার তোড়জোড় আরম্ভ করে দিয়েছেন।

পৌনে দশটাতেও যখন অনীকেন্দ্র সোম এলেন না, তখন ফেলুদার হাত থেকে খবরের কাগজটা পাশে ফেলে মাথা নাড়ার ভাবটা দেখে বুঝলাম বাঙালিদের পাংচুয়ালিটির অভাব নিয়ে একটা তেতো মন্তব্য করার জন্য তৈরি হচ্ছে।

দশ মিনিটের মধ্যেই ফোনটা বেজে উঠল।

'মার্ডার ভিকটিমের নোটবুকে আপনার ফোন নম্বর দেখছি কেন মশাই ?'

প্রশ্নটার মধ্যে একটা ভড়কে দেবার ভাব থাকলেও, আসলে সেটা যে হালকা মেজাজেই করা হয়েছে তা বুঝতে অসুবিধা হয় না। প্রশ্নকর্তা হচ্ছে জোড়াসাঁকো থানার ইন্সপেক্টর মহিম দত্তগুপ্ত।

ফেলুদার কপালে খাঁজ।

'কে খুন হল ?'

'চলে আসুন সেন্ট্রাল অ্যাভিনিউ। সেন্ট্রাল হোটেল। তেইশ নম্বর ঘর।'

'অনীকেন্দ্র সোম কি ?'

'আপনার চেনা নাকি ?'

'পরিচয় হবার কথা ছিল আজ সকালেই। কীভাবে খুন হল ?'

'ছুরিকাঘাত।'

'কখন ?'

'আর্লি মর্নিং। এলে সব জানতে পারবেন। আমি এসেছি এই মিনিট কুড়ি।'

'আমি চেষ্টা করছি আধ ঘণ্টার মধ্যে পৌঁছে যেতে।'

লালমোহনবাবু এলেন দশ মিনিট পরেই, তবে ঘরে ঢোকার আর সুযোগ পেলেন না। 'মার্ডার !' বলে লালমোহনবাবুকে ঠেলে নিয়ে গিয়ে তাঁর গাড়িতে তুলে দিয়ে নিজে উঠে তাঁর পাশে বসে ফেলুদা ড্রাইভার হরিপদবাবুকে বলল, 'সেন্ট্রাল হোটেলে, চট-জলদি।'

আপিসের ট্রাফিক, তার মধ্যেই যথাসম্ভব স্পিডে চলেছে আমাদের গাড়ি, আমি সামনে বসে একবার ঘাড় ঘুরিয়ে পিছনে দেখেই বুঝেছি লালমোহনবাবুর অবস্থা বিনা মেঘে বজ্রাঘাতের মতো। এটাও তিনি জানেন যে এ অবস্থায় ফেলুদাকে কোনও প্রশ্ন করেই কোনও উত্তর পাবেন না।

হোটেলে পৌঁছে যেটা জানা গেল তা মোটামুটি এই। রবিবার সন্ধ্যাবেলা অনীকেন্দ্র সোম

এসে হোটেলে ওঠেন। খাতা থেকে জানা যাচ্ছে তিনি থাকেন কানপুরে। আগামীকাল তাঁর চলে যাবার কথা ছিল। আজ ভোর পাঁচটায় নাকি একজন লোক এসে তাঁর খোঁজ করেন। তাঁকে বলা হয় সোম থাকেন তেইশ নম্বর ঘরে। দোতলার ঘর, তাই আগন্তুক লিফটে না উঠে সিঁড়ি দিয়েই ওঠেন, আর মিনিট পনেরো বাদেই নাকি চলে যান। চেহারার বর্ণনা হল—মাঝারি হাইট, পরিষ্কার রং, দাড়ি-গোঁফ নেই, পরনে ছাই রঙের প্যান্ট আর নীল বুশ শার্ট। দারোয়ান বলল যে ভদ্রলোক নাকি একটা ট্যাক্সি দাঁড় করিয়ে রেখেছিলেন।

মিঃ সোম আটটায় ব্রেকফাস্ট চেয়েছিলেন, রুমবয় ঠিক সময়ে গিয়ে দরজার বেল টিপে কোনও সাড়া পায়নি। তারপর ডুপলিকেট চাবি দিয়ে ঘর খুলে দেখে দরজার সামনেই পড়ে আছে মিঃ সোমের মৃতদেহ। অস্ত্রটা হচ্ছে একটা নেপালি কুকরি। সেটা মেরেছে বুকের মোক্ষম জায়গায়, এবং সেটাকে আর বার করা হয়নি।

তেইশ নম্বর ঘরে পুলিশ খানাতল্লাসি করছে, তবে জিনিস বলতে বিশেষ কিছুই নেই। একটি মাত্র ছোট ভি আই পি ব্যাগ, তাতে দিন-তিনেকের ব্যবহারের জন্য জামা-কাপড়। টাকা-পয়সা কিছুই পাওয়া যায়নি, অর্থাৎ ধরে নেওয়া যেতে পারে সেগুলো আততায়ীই সরিয়েছে। ফেলুদা লাশ দেখে এসে বলল ভদ্রলোক রীতিমতো সুপুরুষ ছিলেন, বয়স ত্রিশের বেশি নয়। রুমবয়ের সঙ্গে কথা বলে জানা গেল মিঃ সোম সিগারেট খেতেন না, ড্রিংক করতেন না। রিসেপশনে বসেন মিঃ লতিফ, তিনি বললেন মিঃ সোম নাকি গতকাল বেশির ভাগ সময়টাই হোটেলের বাইরে ছিলেন, ফেরেন বৃষ্টি নামার ঘণ্টাখানেক আগে। আজ ভোরে ছাড়া ওঁর কাছে কোনও ভিজিটর আসেনি, কেউ টেলিফোনেও ওঁর খোঁজ করেনি। তবে হ্যাঁ, এই হোটেলের ঘরে টেলিফোন নেই, তাই মিঃ সোম নাকি কাল রাত্রে রিসেপশন থেকে ডিরেক্টরি দেখে একটা নম্বর বার করে কাকে যেন টেলিফোন করেন, এবং করার পর নিজের নোটবুকে নম্বরটা লিখে নেন।

যে নোটবুকে ফেলুদার নম্বরটা ছিল সেটা পাওয়া যায় খাট এবং বেডসাইড টেবিলের মাঝখানে মেঝেতে। নতুন কেনা নোটবুক, তার প্রথম তিনটে পাতাতেই শুধু লেখা। এলোমেলো টুকরো টুকরো কথা—বাংলা ইংরেজি মেশানো। 'কী মনে হচ্ছে বল তো ?'—একটা পাতা খুলে আমার দিকে এগিয়ে দিয়ে বলল ফেলুদা।

আমি বললাম, 'লেখা মাঝে মাঝে কেঁপে গেছে, বিশেষ করে "ঘাঁটি" কথাটা তো প্রায় পড়াই যায় না।'

'প্রচণ্ড নার্ভাস টেনশনে লিখেছেন বলে মনে হয়', মন্তব্য করলেন জটায়ু।

'অথবা প্রচণ্ড বেগে ধাবমান কোনও যানে,' বলল ফেলুদা, 'ধরুন ঘণ্টায় ছ'শো মাইল।'

বোঝাই যাচ্ছে ফেলুদা প্লেনের কথা বলছে। জেটপ্লেনের স্পিড গড়ে ঘণ্টায় ছ'শো মাইল হতে পারে।

'আমার বিশ্বাস ঘাঁটি কথাটা লেখার সময় প্লেনটা একটা এয়ারপকেটে পড়েছিল,' বলল ফেলুদা।

'মোক্ষম ধরেছেন,' বললেন জটায়ু, 'সেবার বম্বে যাবার সময় মনে আছে সবেমাত্র কফিতে চুমুক দিয়েছি—আর অমনি পকেট ! সে মশাই কফি অন্ননালীতে না গিয়ে শ্বাসনালীতে ঢুকে বিষম-টিষম লেগে এক কেলেঙ্কারি ব্যাপার।'

ফেলুদা লেখাগুলো নিজের খাতায় টুকে নিয়ে নোটবুকটা মহিমবাবুকে ফেরত দিয়ে দিল।

'আমরা কানপুরে জানিয়ে দিচ্ছি,' বললেন মহিম দত্তগুপ্ত, 'লাশ সনাক্ত করার একটা ব্যাপার আছে তো।'

ফেলুদা বলল, 'আমার বিশ্বাস রাত্তিরে দিল্লি থেকে একটা ফ্লাইট আছে যেটা কানপুর হয়ে আসে। গত রবিবারের ফ্লাইটে অনীকেন্দ্র সোম নামে কোনও প্যাসেঞ্জার ছিল কি না সেটাও খোঁজ করে দেখতে পারেন। তবে আমার ধারণা লোকটা কোনও পাহাড়ি জায়গা থেকে আসছে।'

'কেন বলুন তো?'

'এক জোড়া মাউন্টেনিয়ারিং বুটস দেখলাম, তার একটার তলায় এক টুকরো ফার্ন লেগে রয়েছে, যেটা পাহাড়েই থাকা স্বাভাবিক।'

মহিমবাবু বললেন নতুন কোনও তথ্য পেলেই জানিয়ে দেবেন, বিশেষ করে কুকরির হাতলে কোনও ফিংগার প্রিন্ট পাওয়া গেল কি না।

'আর গ্র্যান্ড হোটেলে ঢুকেই প্যাসেজের বাঁদিকে একটা কিউরিওর দোকান আছে,' বলল ফেলুদা, 'খোঁজ করে দেখতে পারেন, কুকরিটা ওখান থেকেই কেনা হয়েছে কি না।'

ফেরার পথে নোটবুকের তিনটে পাতায় যে লেখাগুলো ছিল সেগুলো দেখাল ফেলুদা।

প্রথম পাতায় দু লাইন লেখা—(১) only L S D কি? (২) ASK C P about methods and past cases.

দ্বিতীয় পাতায় তিন লাইন—(১) ঘাঁটি এখানে না ওখানে? (২) A B সম্বন্ধে আগে জানা দরকার; (৩) Ring up P C M, D D C.

তৃতীয় পাতায় শুধু আমাদের বাড়ির ফোন নম্বর।

'ফরেন কারেন্সি ঘটিত কোনও ব্যাপার নাকি মশাই?' প্রশ্ন করলেন জটায়ু। মেট্রো ছাড়িয়ে চৌমাথায় লাল বাতিতে এসে থেমেছে আমাদের গাড়ি।

'কেন বলুন তো?'

'না, ওই এল এস ডি দেখলাম কি না। পাউন্ড-শিলিং-পেন্স তো?'

'আপনি বৈষয়িক চিন্তাটা একটু কম করুন তো মশাই,' মেকি ধমকের সুরে বলল ফেলুদা—'এল এস ডি হল এক রকম ড্রাগ। লাইসারজিক অ্যাসিড ডাইয়েথিলামাইড। হিপিদের দৌলতে এর খ্যাতি এখন সারা বিশ্বে ছড়িয়ে পড়েছে। আজকাল বৈজ্ঞানিকরা বলেন, মানুষের মগজে সেরোটোনিন বলে এক রকম রাসায়নিক পদার্থ আছে যেটা মানুষকে সুস্থ মস্তিষ্কে ভাবতে বুঝতে, চিন্তা করতে সাহায্য করে। এল এস ডি নাকি সেরোটোনিনের মাত্রা সাময়িকভাবে কমিয়ে দিয়ে মস্তিষ্কের বিকার ঘটিয়ে দেয়। কিছুক্ষণের জন্য মানুষ তাই একটা অবাস্তব জগতে বিচরণ করে। ধরুন, এই চৌরঙ্গিকে মনে হতে পারে নন্দনকানন।'

'বলেন কী! এ জিনিস কিনতে পাওয়া যায় নাকি?'

'তা যায় বইকী। তাই বলে কি আর দে'জ মেডিক্যাল স্টোর্সে গিয়ে চাইলে পাবেন? এসব পাওয়া যায় গোপন আস্তানায়। গ্লোব সিনেমার পিছন দিকে হিপিদের একটা হোটেল আছে। সেখানে গিয়ে তাদের সঙ্গে মিশলে পরে এক-আধটা শুগার কিউব পেলেও পেতে পারেন।'

'শুগার কিউব?'

'চার চৌকো চিনির ডেলা দেখেননি? তার মধ্যে পোরা থাকে এক কণা এল এস ডি। এই এক কণার তেজ আপনার ভাষায় ফাইভ থাউজ্যান্ড হর্স পাওয়ার। অবিশ্যি এল এস ডি সেবন করে সাময়িক স্বর্গবাস নরকবাস দুই-ই হতে পারে। সেটা কে খাচ্ছে তার উপর নির্ভর করে। সিঁড়ি নামছে মনে করে সাততলার ছাতের কার্নিশে দাঁড়িয়ে শূন্যে পা বাড়িয়ে দিয়েছে এল এস ডি-র প্রভাবে এও শোনা যায়।'

'তার মানে পপাত চ— ?'

'অ্যান্ড মমার চ।'

'কী ভয়ঙ্কর!'

৩

খুনটা হয়েছিল মঙ্গলবার সকালে। বিষ্যুদবার দুপুরে ফেলুদার ফোন এল মহিম দত্তগুপ্তর কাছ থেকে। খবর আছে অনেক।

অনীকেন্দ্র সোম কানপুরের আই আই টি-তে অধ্যাপনা করতেন। সেখানে তাঁর কোনও আত্মীয় থাকে না। তবে তাঁরা খবর পাঠান যে কলকাতায় অনীকেন্দ্র সোমের এক ভাই থাকে। সে নাকি স্টেট ব্যাঙ্কে চাকরি করে। পুলিশ তার হদিশ বার করে। ভদ্রলোক নাকি খবরের কাগজে তাঁর দাদার মৃত্যু-সংবাদটা মিস্ করে গেছিলেন। যাই হোক, তিনি লাশ সনাক্ত করে যান, এবং বলেন যে অনীকেন্দ্রবাবু নাকি তাঁর আত্মীয়-স্বজনের সঙ্গে বিশেষ যোগাযোগ রাখতেন না। কলকাতায় প্রায় আসতেন না বললেই চলে। তবে দাদা একটু খামখেয়ালি হলেও, নির্ভীক, স্বাধীনচেতা পুরুষ ছিলেন সেটা ভাই স্বীকার করেন।

দু নম্বর—কুকরিতে কোনও আঙুলের ছাপ পাওয়া যায়নি। অর্থাৎ খুনি অত্যন্ত সাবধানি লোক। যে ভাবে যে অ্যাঙ্গেলে ছোরা বুকে ঢুকেছে, তাতে মনে হয় খুনি ন্যাটা বা লেফট-হ্যান্ডেড। গ্র্যান্ড হোটেলের কিউরিওর দোকানের মালিক ছোরাটা দেখে চিনেছেন এবং বলেছেন সেটা তাঁরা বিক্রি করেন সোমবার সকালে মিঃ বাটরা নামক এক ব্যক্তিকে। ইনি গ্র্যান্ড হোটেলেই ছিলেন, এবং যেদিন খুন হয় সেদিন ইন্ডিয়ান এয়ার লাইনসের সকাল ন'টার ফ্লাইটে চলে যান কাঠমাণ্ডু।

তিন নম্বর—কানপুর হয়ে আসা দিল্লির রবিবারের ফ্লাইটে অনীকেন্দ্র সোম বলে কোনও যাত্রী ছিলেন না। তবে রবিবারের অন্য সব ফ্লাইটের প্যাসেঞ্জার লিস্ট দেখে পুলিশ জেনেছে যে সে দিন কাঠমাণ্ডু-ক্যালকাটা বিকালের ফ্লাইটে অনীকেন্দ্র সোম নামে একজন প্যাসেঞ্জার ছিলেন। এক ঘণ্টা লেট ছিল ফ্লাইটটা ; সেটা এসে দমদমে পৌঁছায় সাড়ে পাঁচটায়।

মহিমবাবু শেষ কথা বললেন এই যে, খুনি যখন বিদেশে ভাগলওয়া, তখন এখান থেকে কিছু করার কোনও সোজা রাস্তা নেই। কেসটা আপাতত চলে যাচ্ছে সি আই ডি হোমিসাইডের হাতে। সেখান থেকে দিল্লির হোম ডিপার্টমেন্টে জানালে পর তারা আবার নেপাল সরকারের কাছে অনুরোধ জানাবেন এই খুনের তদন্তে সহায়তার জন্য। নেপাল সরকার সম্মতি জানালে পর এখান থেকে সি আই ডি-র লোক চলে যাবে কাঠমাণ্ডু।

ফেলুদা ফোনটা রাখার সময় শুধু একটি কথাই বলল—

'বেস্ট অফ লাক্!'

এর পর দুটো দিন ফেলুদার কথা একদম বন্ধ। তবে ও যে গভীরভাবে চিন্তা করছে সেটা ওর ঘনঘন পায়চারি, মাঝে মাঝে আঙুল মটকানো, আর হঠাৎ হঠাৎ বিছানায় চিত হয়ে শুয়ে পড়ে সিলিং-এর দিকে চেয়ে থাকা দেখেই বুঝতে পারছিলাম।

দ্বিতীয় দিন লালমোহনবাবু এসে প্রায় দু ঘণ্টা রইলেন, অথচ পুরো সময়টা ফেলুদা টোট্যালি মৌনী। ভদ্রলোক শেষটায় যা বলার আমাকেই বললেন, এবং মোদ্দা ব্যাপারটা এই যে, উনি নাকি গতকাল এক আশ্চর্য পামিস্টের কাছে গিয়ে হাত দেখিয়ে এসেছেন।

'বুঝলে ভাই তপেশ, ভদ্রলোকের নাম হচ্ছে মৌলিনাথ ভট্টাচার্য। শুধু যে দুর্ধর্ষ হাত-দেখিয়ে তা নয়, ওরিজিন্যাল রিসার্চ আছে। বলেন, মানুষের মতো বাঁদরের হাতেও

নাকি রেখা থাকে, আর সে রেখা পড়া যায়। আমাদের চিড়িয়াখানায় একটা শিম্পাজি আছে। মৌলিবাবু কিউরেটারকে বলে স্পেশাল পারমিশন নিয়ে, যে লোকটা শিম্পাজিটার দেখাশোনা করে তাকে সঙ্গে নিয়ে ঢুকেছিলেন খাঁচার ভেতর। বললেন ভারী ভব্য জানোয়ার। দশ মিনিট ধরে হাত বাড়িয়ে বসে ছিল, টুঁ শব্দটি করেনি। কেবল বেরোবার সময় নাকি ভদ্রলোকের কাছাটা টেনে খুলে দেয়, হুইচ মে বি অনিচ্ছাকৃত। যাই হোক, হেড লাইন, লাইফ লাইন, হার্ট লাইন, ফেট লাইন—সব আছে ওই বাঁদরের হাতে। ওটা মরবে এইটটি-থ্রির অগাস্টে। অ্যাট দি এজ অফ থার্টি থ্রি। আমি ডায়রিতে নোট করে নিয়েছি। আমার তো মনে হয় ফলে যাবে। তুমি কী বলো?'

আমি বললাম, 'ফললে নিশ্চয়ই একটা অদ্ভুত ব্যাপার হবে। কিন্তু আপনাকে কী বললেন?'

'সে তো আরেক মজা। বছর পাঁচেক আগে কৈলাস বোস স্ট্রিটে এক পামিস্টকে হাত দেখিয়েছিলাম। তিনি বলেছিলেন ফরেন ট্যুর নেই। ইনি দেখিয়ে দিলেন স্পষ্ট রয়েছে। না হয়ে যায় না।'

লালমোহনবাবু হতাশ হননি। পরদিনই সকালে চা খেতে খেতে ফেলুদা বলল, 'বুঝলি তোপসে, মন বলছে অল রোডস্ লিড টু নেপাল। আর তার মধ্যে কিছু রাস্তা বেশ সর্পিল। অতএব নেপাল যাওয়াটা ফেলু মিত্তিরের কর্তব্য।'

ইন্ডিয়ান এয়ারলাইনসে কাঠমাণ্ডু ফ্লাইটে তিনজনের টিকিট কিনে, লন্ড্রি থেকে গরম জামা আনিয়ে, পুষ্পক ট্র্যাভেলস-এর সুদর্শনবাবুকে দিয়ে ওখানকার হোটেল বুক করার কথা বলে দিয়ে আমাদের রওনা হতে আরও তিন দিন লেগে গেল।

এরই মধ্যে একদিন আমি ফেলুদাকে জিজ্ঞেস করলাম, 'তোমার কি ধারণা নকল বাটরাও কাঠমাণ্ডু চলে গেছে?'

ফেলুদা বলল, 'খুন করে দেশের বাইরে পালিয়ে যেতে পারলে একটা মস্ত সুবিধে আছে। শুনলি তো মহিমবাবু কী বললেন—দুই দেশের সরকারের মধ্যে সমঝোতা না হওয়া পর্যন্ত তো খুনি নিশ্চিন্ত। যুক্তরাষ্ট্রে খুন করে অনেকে সীমানা পেরিয়ে পালিয়ে যায় মেকসিকোতে, শুনেছিস তো। ভারত আর নেপালও তো সেই একই ব্যাপার।'

যাবার আগের দিন সকালবেলা লালমোহনবাবু এসে বলে গেলেন যে লেনিন সরণির মোড়ে নকল বাটরাকে দেখেছেন। সে নাকি একটা ঠাণ্ডাইয়ের দোকানের সামনে দাঁড়িয়ে লস্যি খাচ্ছিল। ফেলুদা চারমিনারে টান দিয়ে সিলিং-এর দিকে দৃষ্টি রেখে প্রশ্ন করল, 'গেলাসটা বাঁ হাতে ধরেছিল কি না সেটা লক্ষ করেছিলেন?'

'এই রে!'

লালমোহনবাবু জিভ কেটে বুঝিয়ে দিলেন সেটা করেননি।

'তা হলে আপনার স্টেটমেন্টের কোনও মূল্য নেই', বলল ফেলুদা।

এয়ারপোর্টের কাউন্টারে ফেলুদার চেনা লোক ছিল। তিনি বললেন, 'আপনাদের ডানদিকে সিট দিচ্ছি, তা হলে ভাল ভিউ পাবেন।'

ভাল ভিউটা যে কতটা ভাল সেটা যে না দেখেছে তাকে বলে বোঝানো মুশকিল। স্বপ্নেও কি ভাবা যায় যে কলকাতার মাটি ছেড়ে আকাশে ওঠার দশ মিনিটের মধ্যে ডানদিকে চেয়ে দেখতে পাব দূরে ঝলমল করছে আমাদের সেই ছেলেবেলা থেকে চেনা কাঞ্চনজঙ্ঘা?

আর তার পরেই অবিশ্যি শুরু হল সারা ডানদিকটা জুড়ে ভিড় করে দাঁড়িয়ে থাকা বিখ্যাত সব পর্বতশৃঙ্গ, যার অনেকগুলোই কোনও-না-কোনও সময়ে কোনও-না-কোনও দেশের

বিখ্যাত পর্বতারোহী দলগুলোকে চুম্বকের মতো টেনে নিয়ে গেছে শেরপাদের দেশে, যেখান থেকে তারা থোড়াই-কেয়ার মেজাজে মরণপণে ঝাঁপিয়ে পড়েছে শৃঙ্গবিজয় অভিযানে।

ক্যাপ্টেন মুখার্জি যে এই প্লেনের অধিনায়ক সেটা আগেই ঘোষণা করা হয়েছিল। আমরা জানালা দিয়ে মন্ত্রমুগ্ধের মতো বরফের চুড়োগুলোর দিকে দেখছি, এমন সময় একজন বাঙালি এয়ার হোস্টেস এসে ফেলুদার উপর ঝুঁকে পড়ে বলল, 'ক্যাপ্টেন একবার আপনাকে ককপিটে ডেকেছেন।'

ফেলুদা ওঠবার জন্য তৈরি হয়ে মেয়েটিকে বলল, 'আমার পরে এঁরা দুজনও একবার যেতে পারেন কি?'

এয়ার হোস্টেস হেসে বলল, 'আপনারা তিনজনেই আসুন না।'

ককপিটে জায়গা খুবই কম, তবে ফেলুদার পিছনে দাঁড়িয়ে ওর কাঁধের দু দিক দিয়ে গলা বাড়িয়ে আমরা দুজনে যা দেখলাম তাই যথেষ্ট। দেখে মনের যে ভাবটা হল সেটাকে লালমোহনবাবু পরে বলেছিলেন 'স্তব্ধভাষ রুদ্ধশ্বাস বিমুগ্ধ বিমূঢ় বিস্ময়'। পর পর চুড়োর লাইন ডানদিক থেকে এসে বাঁয়ে ঘুরে প্লেন যেদিকে যাচ্ছে সেদিকে একটা প্রাচীর সৃষ্টি করেছে। দূরত্ব যতই কমে আসছে, শৃঙ্গগুলো ততই ফুলে ফেঁপে চাঙ্গিয়ে চিতিয়ে উঠছে। কো-পাইলটের হাতে একটা হ্যাডলি চেজের বই, তিনি সেটাকে বন্ধ করে পর পর চূড়াগুলো চিনিয়ে দিলেন। কাঞ্চনজঙ্ঘার পরই মাকালু, আর তার দুটো চূড়োর পরেই এভারেস্ট। বাকিগুলোর মধ্যে যে নামগুলো আমার চেনা সেগুলো হল গৌরীশঙ্কর, অন্নপূর্ণা আর ধবলগিরি।

মিনিট পাঁচেক ককপিটে থেকে আমরা ফিরে এলাম। এক ঘণ্টা লাগে কাঠমাণ্ডু পৌঁছাতে। এয়ার হোস্টেস চা দিয়েছিল, সেটা শেষ হতে না হতে বুঝতে পারলাম প্লেন নীচে নামতে শুরু করেছে। জানালা দিয়ে চেয়ে দেখি নীচে ঘন সবুজ ছাড়া আর কিচ্ছু দেখা যাচ্ছে না। এই সেই বিখ্যাত তেরাই। এর পরে মহাভারত পাহাড় পেরিয়েই কাঠমাণ্ডু ভ্যালি।

সামনে একটা বিশাল সাদা মেঘের কুণ্ডলী, আমাদের প্লেনটা তার মধ্যে ঢুকতেই বাইরের দৃশ্য মুছে গেল, আর সঙ্গে সঙ্গে একটা ঝাঁকুনি শুরু হল।

মিনিটখানেক এই অবস্থায় চলার পর হঠাৎ মেঘ সরে গেল, ঝাঁকুনি থেমে গেল, আর ঝলমলে রোদে দেখতে পেলাম নীচে বিছিয়ে আছে এক আশ্চর্য সুন্দর উপত্যকা।

'এ যে ফরেন কান্ট্রি সে আর বলে দিতে হয় না মশাই,' ঢোক গিলে কানের তালা ছাড়িয়ে অবাক চোখ করে বললেন লালমোহনবাবু।

কথাটা ঠিকই। ভারতবর্ষে এমন জায়গা নেই! পাহাড় নদী ধানখেত গাছপালা ঘরবাড়ি সবই আছে, কিন্তু তাও যেন একেবারে অন্য রকম।

'গ্রামের বাড়িগুলো লক্ষ কর,' বলল ফেলুদা, 'চিনেদের তৈরি ইটের দোতলা বাড়ি, তার উপর খড়ের চাল। এ জিনিস আমাদের দেশে দেখতে পাবি না।'

'ওগুলো কি মন্দির নাকি মশাই?'

'বৌদ্ধমন্দির,' বলল ফেলুদা। 'নদীর এ পারে, তাই মনে হয় ওটা পাটন শহর। আর ওইটে কাঠমাণ্ডু।'

আমাদের প্লেনের ছায়াটা কিছুক্ষণ থেকেই সঙ্গে সঙ্গে চলছিল। লক্ষ করছিলাম সেটার বড় হওয়ার স্পিড ক্রমেই বাড়ছে; এবারে সেটা যেন হঠাৎ তড়িঘড়ি ছুটে এসে বিরাট হয়ে আমাদের প্লেনের সঙ্গে মিশে যাওয়ার সঙ্গে সঙ্গে বুঝতে পারলাম আমরা ত্রিভুবন এয়ারপোর্টে ল্যান্ড করেছি।

এয়ারপোর্টে বেশ চনমনে অভিজ্ঞতা হল। এ রকম বিদেশি ট্যুরিস্টের ভিড় এর আগে একবারই দেখেছি, বোম্বের তাজমহল হোটেলের লবিতে।

আগেই জানতাম এখানে কাস্টমস-এর ঝামেলা আছে, চেকিং-এর একটু বাড়াবাড়ি, সকলেরই সুটকেস নাকি খুলে দেখে। আমাদের কাছে আপত্তিকর কিছুই নেই, তাও লালমোহনবাবু দাঁতে দাঁত চেপে আছেন কেন জিজ্ঞেস করাতে বললেন, 'একটা টিফিন বক্সে কিছু আমসত্ত্ব এনিচি ভাই। ফরেন কান্ট্রি, যদি সন্দেহ-টন্দেহ করে।'

শেষ পর্যন্ত কাস্টমস কিছু বলল না দেখে লালমোহনবাবু একটা হাঁপ-ছাড়া হাসি হেসেই হঠাৎ আবার গম্ভীর হয়ে গেলেন কেন সেটা ওঁর দৃষ্টি অনুসরণ করে বুঝতে পারলাম।

ফেলুদা আগেই দেখেছে লোকটাকে। একজন লালচে দাড়িওয়ালা শ্বেতাঙ্গ ঢ্যাঙ্গার সঙ্গে কথা বলছেন লাউঞ্জের কোণে দাঁড়িয়ে হয় নকল না হয় আসল বাটরা।

না, নকল নয়, আসল।

ফেলুদার সঙ্গে চোখাচোখি হওয়াতে ভদ্রলোক সাহেবকে 'এক্সকিউস মি' বলে ভুরু কপালে তুলে হেসে এগিয়ে এলেন আমাদের দিকে।

'ওয়েলকাম টু কাঠমাণ্ডু!'

'শেষ পর্যন্ত নিজেদের তাগিদেই এসে পড়লাম', বলল ফেলুদা।

'ভেরি গুড, ভেরি গুড!' তিনজনের সঙ্গেই হ্যান্ডশেক করলেন ভদ্রলোক। 'ফরচুনেটলি, সে লোক বোধহয় আর আমাকে ফলো করেনি, মিঃ মিটরা। এ ক' দিনে আর কোনও গোলমাল হয়নি। আপনারা ক' দিন আছেন?'

'দিন সাতেক?'

'কোথায় উঠছেন?'

'হোটেল লুম্বিনীতে রিজার্ভেশন আছে।'

'নতুন হোটেল', বললেন মিঃ বাটরা, 'অ্যান্ড কোয়াইট গুড। আপনারা সাইট-সিইং-এ যেতে চাইলে আমি বন্দোবস্ত করে দিতে পারি। আমার আপিস আপনাদের হোটেল থেকে পাঁচ মিনিটের হাঁটা পথ।'

'থ্যাঙ্ক ইউ। ইয়ে—এ খবরটা আপনি দেখেছেন কি? কলকাতার কাগজ এখানে আসে?'

ফেলুদা পকেট থেকে একটা কাটিং বার করে বাটরার হাতে দিল। আমি জানি এটা অনীকেন্দ্র সোমের খুনের খবর, স্টেটসম্যানে বেরিয়েছিল। তাতে এটাও বলা হয়েছিল যে খুনটা করা হয়েছিল একটা নেপালি কুকরির সাহায্যে।

'আপনি যেদিন এলেন সেদিনকারই ঘটনা এটা।'

মিঃ বাটরা খবরটা পড়ে কাগজটা থেকে চোখ তুলে গভীর সংশয়ের দৃষ্টিতে চাইলেন ফেলুদার দিকে। ফেলুদা বলল, 'কুকরিটা গ্র্যান্ড হোটেলের দোকান থেকে কেনা হয়েছিল খুনের আগের দিন সেটা পুলিশ ভেরিফাই করেছে! দোকানি এটাও বলে যে, যিনি কিনেছিলেন তার নাম বাটরা।'

'হাউ টেরিব্‌ল!'

মিঃ বাটরার মুখ ফ্যাকাশে হয়ে গেছে।

'আপনি বোধহয় এই অনীকেন্দ্র সোমের নাম শোনেননি?'

'নেভার,' কাটিংটা ফেরত দিয়ে বললেন মিঃ বাটরা।

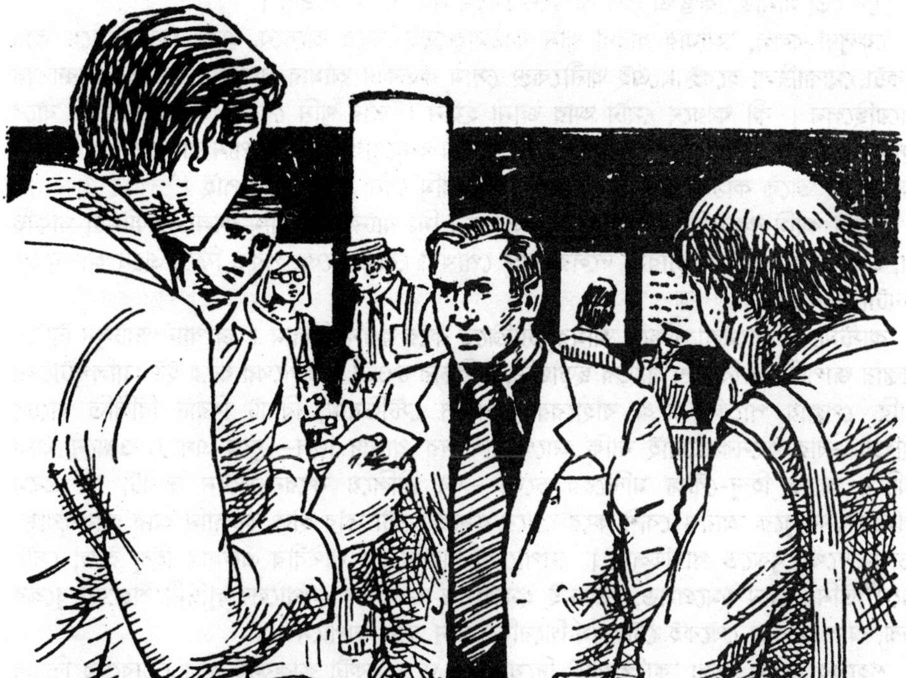

'ইনি কিন্তু একই প্লেনে এসেছিলেন আপনার সঙ্গে।'

'ফ্রম কাঠমাণ্ডু?'

'আজ্ঞে হ্যাঁ।'

'নেপাল এয়ারলাইনস্?'

'হ্যাঁ।'

'তা হলে চেহারা দেখলে হয়তো চিনতে পারতাম। একশো ত্রিশজন প্যাসেঞ্জার ছিল ওই ফ্লাইটে, মিঃ মিটরা।'

'যাই হোক, আপনি আর এর মধ্যে কলকাতা-টলকাতা যাবেন না, তা হলে গোলমালে পড়তে পারেন,' মোটামুটি হালকা ভাবেই বলল ফেলুদা।

'কিন্তু আমাকে ফাঁদে ফেলার এ রকম চেষ্টা কেন, মিঃ মিটরা?' প্রায় কাঁদো কাঁদো হয়ে বললেন মিঃ বাটরা।

ফেলুদা বলল, 'একজন ক্রিমিন্যাল যদি আবিষ্কার করে যে আরেকজন লোকের সঙ্গে তার চেহারায় খুব মিল, তা হলে তার নিজের ক্রাইমের বোঝাটা সেই লোকের ঘাড়ে ফেলার চেষ্টাটা কি তার পক্ষে খুব অস্বাভাবিক?'

'সে তো মানছি, কিন্তু এ তো সাধারণ ক্রাইম নয়, এ যে মার্ডার !'

ফেলুদা বলল, 'আমার ধারণা খুনি কাঠমাণ্ডুতেই ফিরে আসবে, এবং আমার সঙ্গে তার একটা মোকাবিলা হবেই। এই অনীকেন্দ্র সোম কতকটা আমার সাহায্য চাইতেই কলকাতায় গিয়েছিলেন। কী কারণে সেটা আর জানা হয়নি। তার খুনি বেকসুর খালাস পেয়ে যাবে সেটা আমি মানতে পারছি না, মিঃ বাটরা। আমি অনুরোধ করব, আপনি বা আপনার কোনও লোক যদি তাকে কাঠমাণ্ডুতে দেখেন তা হলে আমি যেন একটা খবর পাই।'

'সেটা আমি কথা দিচ্ছি আপনাকে,' বললেন মিঃ বাটরা। 'আমি কালকের দিনটা থাকছি না, একটা অ্যামেরিকান ট্যুরিস্ট দলের সঙ্গে পোখরা যেতে হচ্ছে, পরশু ফিরে এসে আপনাকে কনট্যাকট করব।'

কাস্টমসের ঝামেলা চুকিয়ে আমরা ট্যাক্সিতে করে রওনা দিলাম। জাপানি ডাটসুন ট্যাক্সি, রাস্তায় জাপানি ও বিদেশি গাড়ির ছড়াছড়ি, পরিষ্কার চওড়া রাজপথের ধারে ইউক্যালিপ্টাসের সারি; পেল্লায় পার্কের মধ্যে বাহারের স্পোর্টস স্টেডিয়াম, বিরাট বিরাট বিলিতি ধাচের বিল্ডিং—যার অনেকগুলোই নাকি আগে রাণাদের প্রাসাদ ছিল—দূরে এখানে-ওখানে মাথা উঁচিয়ে আছে হিন্দু-বৌদ্ধ মন্দিরের চুড়ো—সব মিলিয়ে ফরেন-ফরেন ভাবটা যে ক্রমে লালমোহনবাবুকে আরও বেশি করে পেয়ে বসছে সেটা তাঁর হাত কচলানি আর আধ-বোজা চোখ দেখেই বুঝতে পারছিলাম। নেপালের রাজাই যে পৃথিবীর একমাত্র হিন্দু রাজা সেটা শুনে তিনি যেমন ইমপ্রেসড, তেমনই ইমপ্রেসড শুনে যে নেপালের লুম্বিনী শহরেই বুদ্ধের জন্ম, আর নেপাল থেকেই বৌদ্ধধর্ম গিয়েছিল চিন আর জাপানে !

শহরের মেইন রাস্তা 'কান্তি পথ' দিয়ে বাঁয়ে ঘুরে একটা কারুকার্য করা তোরণের ভিতর দিয়ে আমরা এসে পড়লাম নিউ রোডে। এই নিউ রোডেই আমাদের হোটেল। দু দিকে দেখে বুঝলাম এটা দোকান আর হোটেলেরই পাড়া। লোকের ভিড়টাও এখানেই প্রথম চোখে পড়ল।

একটা চৌমাথার কাছাকাছি এসে আমাদের ট্যাক্সিটা রাইট অ্যাবাউট টার্ন করে রাস্তার উলটোদিকে একটা বাহারের কাঠের ফ্রেমে কাচ বসানো দরজার সামনে থামল। একদিকের পাল্লার কাচে লেখা 'হোটেল', অন্য দিকে 'লুম্বিনী' !

ফেলুদা একদিন বলছিল ভ্রমণের বাতিকটা বাঙালিদের মধ্যে যেমন আছে, ভারতবর্ষের আর কোনও জাতের মধ্যে তেমন নেই ; আর এই বাতিকটা নাকি মধ্যবিত্তদের মধ্যেই সবচেয়ে বেশি দেখা যায়। সবচেয়ে আশ্চর্য এই যে, যাতায়াতের খরচ যত বাড়ছে, ভ্রমণের নেশাও নাকি বাড়ছে তার সঙ্গে পাল্লা দিয়ে।

কাঠমাণ্ডুতে এসেও যার সঙ্গে প্রথম আলাপ হল তিনি একজন বাঙালি ট্যুরিস্ট। হোটেলের রিশেপসনে দাঁড়িয়ে খাতায় নাম লেখা হচ্ছে, এমন সময় ভদ্রলোক পাশের একটা সোফা থেকে উঠে এগিয়ে এলেন আমাদের দিকে।

'আপনারা আই-এ ফ্লাইটে এলেন ?' লালমোহনবাবুকে বয়োজ্যেষ্ঠ দেখে তাকেই প্রশ্ন করলেন ভদ্রলোক।

'আজ্ঞে হ্যাঁ। ইন্ডিয়ান এয়ারলাইনস। দশ মিনিট লেট ছিল।'

'এদিকে এই প্রথম ?'

'আজ্ঞে হ্যাঁ।'

'পারলে পোখরাটা একবার ঘুরে আসবেন। বেড়াতে এসেছেন তো ?'

'আজ্ঞে হ্যাঁ। হলিডে,' ফেলুদার দিকে একবার আড়-চোখে দেখে বললেন জটায়ু।

'আপনি এখানে থাকেন ?' ফেলুদা প্রশ্ন করল। বেয়ারা এসে আমাদের মালপত্র নিয়ে

গেছে দোতলায়। দুটো পাশাপাশি ঘর আমাদের—দুশো ছাব্বিশ, দুশো সাতাশ।

'আমি কলকাতার লোক,' বললেন ভদ্রলোক, 'বেড়াতে এসেছি ফ্যামিলি নিয়ে। ইনি অবিশ্যি এখানেরই বাসিন্দা।'

আরেকজন বয়স্ক ভদ্রলোকও যে সোফাটায় বসে ছিলেন সেটা এতক্ষণ লক্ষ করিনি। চোখে কালো ফ্রেমের চশমা, টকটকে রং, চুল ধপধপে সাদা। সব মিলিয়ে রীতিমতো সৌম্য চেহারা।

ভদ্রলোক এগিয়ে এসে আমাদের নমস্কার করলেন।

'এনারা নেপালে আছেন প্রায় তিনশো বছর,' প্রথম ভদ্রলোকটি বললেন।

'বলেন কী!' ফেলুদা ও জটায়ু একসঙ্গে বলে উঠল।

'সে এক ইতিহাস। শুনে দেখবেন এঁর কাছে।'

'তা চলুন না আমাদের ঘরে,' বলল ফেলুদা। 'আমি এমনিতেই নেপালের বাঙালিদের সম্বন্ধে একটু ইনফরমেশন চাচ্ছিলাম, একটা বিশেষ দরকারে।'

আমি জানি ফেলুদা কী দরকারের কথা বলছে, আর এটাও জানি যে দরকার না থাকলে ফেলুদা চট করে কাউকে প্রথম আলাপেই নিজের ঘরে ডেকে এনে গপ্পো করে না।

দুশো ছাব্বিশ-টা ডাবল রুম, অর্থাৎ আমার আর ফেলুদার ঘর। সেখানেই বসে রুম সার্ভিসকে বলে আনানো চা খেতে খেতে কথা হল।

কাঠমাণ্ডুর বাসিন্দা ভদ্রলোকটির নাম হরিনাথ চক্রবর্তী। ত্রিভুবন কলেজের ইংরিজির অধ্যাপক ছিলেন, পাঁচ বছর হল রিটায়ার করেছেন। তিনি তাঁদের বংশের ইতিহাস যা বললেন তা হল এই—

প্রায় তিনশো বছর আগে নেপালে নাকি একবার প্রচণ্ড খরা হয়। এখানে তখন মল্লদের রাজত্ব। রাজা জগৎজয় মল্ল এক বিখ্যাত তান্ত্রিককে নিয়ে আসেন বাংলাদেশ থেকে, যদি তার তন্ত্রের জোরে তিনি খরা দূর করতে পারেন। এই তান্ত্রিক ছিলেন হরিনাথের পূর্বপুরুষ জয়রাম চক্রবর্তী। জয়রামের পুজোর জোরে নাকি কাঠমাণ্ডু উপত্যকায় এগারো দিন ধরে একটানা বৃষ্টি হয়। জগৎজয় মল্ল জমিজমা দিয়ে জয়রামকে সপরিবারে কাঠমাণ্ডুতেই রেখে দেন। পঁচিশ বছরে এক পুরুষের হিসেবে চক্রবর্তীরা কাঠমাণ্ডুতে দশ-পুরুষ ধরে আছেন। মল্লদের পরে রাণাদের আমলেও চক্রবর্তীদের খাতির কমেনি, কারণ রাণারাও ছিলেন গোঁড়া হিন্দু। দুই পুরুষ আগে অবধি পুজো-আচ্চার কাজই চালিয়ে এসেছেন চক্রবর্তীরা। হরিনাথবাবুর এক কাকা এখনও পশুপতিনাথের মন্দিরের পূজারিদের একজন। হরিনাথের বাবা দীননাথই প্রথম কলকাতায় গিয়ে পড়াশুনা করেন বিংশ শতাব্দীর গোড়ায়। ফিরে এসে তিনি রাণাদের ফ্যামিলিতে প্রাইভেট টিউশনি করেন বাহাত্তর বছর বয়সে তাঁর মৃত্যু পর্যন্ত। হরিনাথবাবুও কলকাতায় লেখাপড়া করেন। তাঁর ছিল ইংরেজি সাহিত্যের দিকে ঝোঁক। প্রেসিডেন্সি কলেজ থেকে বি এ আর বিশ্ববিদ্যালয় থেকে এম এ পাশ করে তিনিও কাঠমাণ্ডু ফিরে এসে একই রাণা পরিবারে প্রাইভেট টিউশনি করেন। তার পর যখন রাণাদের প্রতিপত্তি চলে গিয়ে রাজা ত্রিভুবনের নামে কলেজ তৈরি হল, তখন হরিনাথ সেই কলেজে ইংরেজির অধ্যাপক হিসেবে যোগ দেন।

'অবিশ্যি আমার ছেলেরা মন্ত্রতন্ত্র থেকে আরও দূরে সরে গিয়েছিল', তাঁর কাহিনী শেষ করে বললেন হরিনাথ চক্রবর্তী। 'বড়টি—নীলাদ্রি ছিল মাউনটেনিয়ারিং ইনস্টিটিউটের শিক্ষক।'

'ছিল মানে?'

'সে সেভেনটি-সিক্সে পাহাড় থেকে পড়েই মারা যায়।'

'আর অন্যটি ?'

'হিমাদ্রি করত নেপাল সরকারের চাকরি। হেলিকপটার পাইলট। তেরাই-এর জঙ্গল আর হিমালয়ের পিকগুলো দেখিয়ে নিয়ে আসত ট্যুরিস্টদের। সেও ফাঁকি দিয়ে চলে গেছে আজ তিন হপ্তা হল।'

'এয়ার ক্র্যাশ ?'

ভদ্রলোক বিষণ্ণভাবে মাথা নাড়লেন।

'তা হলে তো তবু এক রকম বীরের মৃত্যু হত। এক বন্ধুকে 'থ্যাংবোচে নিয়ে যায় সেখানকার মনাস্টরি দেখাতে। ফিরে এসে দেখে কখন যেন হাতে একটা সামান্য ইনজুরি হয়েছে। কাউকে বলেনি, ডেটল লাগিয়ে চুপচাপ ছিল। শেষটায় ওর বন্ধুর চোখে পড়ে। তার ধারণা, একটা কাঁটাতারের বেড়া পেরোনোর সময় স্ক্র্যাচটা হয়েছে, সুতরাং কোনও রিস্ক না নিয়ে অ্যান্টি-টেট্যানাস ইনজেকশন নেওয়া উচিত। শেষটায় বন্ধুই ডাক্তার ডেকে এনে জোর করে ইনজেকশন নেওয়ায়।'

'তারপর ?'

ভদ্রলোক মাথা নাড়লেন।

'কিছুই হল না। সেই টেট্যানাসেই মরল।'

'দেরি হয়ে গিয়েছিল কি ইনজেকশন নিতে ?'

'দেরি আর কী করে বলি ? বন্ধুটির হিসেবে বিকেলে জখমটা হয়েছে। পরদিন সকালে ইনজেকশন পড়েছে। কিন্তু ফল হল না। ইনজেকশনের কিছু পর থেকেই কনভালশন শুরু হল। এক দিনের মধ্যে সব শেষ।'

'ডাক্তার কি আপনার বাড়ির ডাক্তার ?' প্রশ্ন করল ফেলুদা।

'বাড়ির ডাক্তার না হলেও, ডঃ দিবাকরকে আমরা যথেষ্ট চিনি। ইদানীং প্র্যাকটিসও বেড়েছে খুব—নতুন গাড়ি, বাড়ি—বোধহয় ডঃ মুখার্জি মারা যাবার পর থেকেই। মুখার্জি ছিলেন আমাদের ফ্যামিলি ফিজিশিয়ান।'

এবার অন্য বাঙালি ভদ্রলোকটি একটি মন্তব্য করলেন।

'ডাক্তারের কথা জিজ্ঞেস করে কী হবে ? বরং ওষুধের কথা জিজ্ঞেস করুন। ওষুধে কাজ না দেওয়াটা আর আজকের দিনে কী আজব ব্যাপার মশাই ? এ তো আকছার হচ্ছে। অ্যামপুলে জল, ক্যাপসুলে চুণ, চকখড়ি, এমনকী স্রেফ ধুলো—এ সব শোনেননি ?'

হরিনাথবাবু একটা শুকনো হাসি হাসলেন।

'বেশির ভাগ লোকে আপনার কথাটাই বলবে। আজকের যুগে সব কিছু মেনে নেওয়া ছাড়া গতি নেই। আমাকেও মেনে নিতে হল।'

ভদ্রলোক উঠে পড়লেন, আর সেই সঙ্গে অন্যটিও, যাঁর নাম এখনও জানা হয়নি।

'আপনার অনেকটা সময় নষ্ট করে গেলাম,' ফেলুদার দিকে ফিরে বললেন হরিনাথ চক্রবর্তী, 'কিছু মনে করবেন না।'

'মোটেই না,' বলল ফেলুদা, 'শুধু একটা কথা জানার ছিল।'

'বলুন।'

'আপনার ছেলের বন্ধুটি কি এখন এখানে ?'

'না। তবে কোথায় তা বলতে পারব না। ভয়ানক শক পেয়েছিল হিমুর মৃত্যুতে। তাকে বললাম, কপালের লিখন খণ্ডায় কার সাধ্যি ! সে আমার সঙ্গে কথা বন্ধ করে দিল। আমার বাড়িতেই ছিল। দিন আষ্টেক হল একদিন দেখি কোথায় যেন চলে গেছে। অবিশ্যি

ফিরে সে আসবেই। কারণ তার কিছু জিনিসপত্র এখনও রয়ে গেছে আমার বাড়িতে। দশ বছর এক ইস্কুলে, এক কলেজে পড়েছে দুজনে।'

'তার নামটা ?'

'অনীক বলে ডাকি। অনীকেন্দ্র সোম।'

৫

আধঘণ্টার মধ্যে স্নান সেরে নিয়ে তিনজনে একতলায় গেলাম হোটেলেরই নিরভানা রেস্টোর‍্যান্টে লাঞ্চ খেতে। কাঠমাণ্ডুতে আসার এত অল্প সময়ের মধ্যেই ঘটনা একটা বিরাট ধাপ এগিয়ে গেছে ভাবতে মনের মধ্যে একটা চাপা উত্তেজনার ভাব এসে গেছে, আর সেই সঙ্গে খিদেটাও পেয়েছে জবর। কলকাতায় অনীকেন্দ্র সোম খুন, নেপালে বাঙালি হেলিকপটার পাইলটের মৃত্যু, মিঃ বাটরার ডুপলিকেট—এ সবই যে এক সঙ্গে জট-পাকানো তাতে কোনও সন্দেহ নেই। মিঃ সোম কি চেয়েছিলেন ফেলুদা ওঁর বন্ধুর মৃত্যুর ব্যাপারেই তদন্ত করুক ? ইনজেকশনে ভেজাল ছিল বলেই কি হিমাদ্রি চক্রবর্তীর মৃত্যু হয় ? কিন্তু এ ব্যাপারে ফেলুদা আর কত দূর কী করতে পারে ?

আমরা দুজনে মোটামুটি চেনাশোনা খাবার অর্ডার দিয়েছি, কিন্তু লালমোহনবাবু হঠাৎ কেন যেন মেনু দেখে ওয়েটারকে জিজ্ঞেস করে বসলেন, 'হোয়াট ইজ মোমো ?'

'ইটস মিট বলস ইন সস, স্যার,' বলল ওয়েটার।

'তরল পদার্থে ভাসমান মাংসপিণ্ড,' বলল ফেলুদা। 'তিব্বতের খাবার। শুনেছি মন্দ লাগে না খেতে। ওটা খেলে আপনি কলকাতায় গিয়ে বলতে পারেন যে দলাই লামা যা খান, আপনিও তাই খেয়ে এসেছেন।'

'দেন ওয়ান মোমো ফর মি, ইফ ইউ প্লিজ।'

এছাড়া অবিশ্যি ভাত আর ফিশকারি অর্ডার দিয়েছেন ভদ্রলোক। বললেন, 'মোমোটা ফর একসপিরিয়েন্স।'

একটা হালকা সবুজ রংয়ের কার্ড হাতে নিয়েই রেস্টোর‍্যান্টে ঢুকেছিলেন লালমোহনবাবু, এবার সেটা ফেলুদার দিকে এগিয়ে দিয়ে বললেন, 'এইটে যে ধরিয়ে দিল হাতে হোটেলের কাউন্টারে, এর মানেটা কিছু বুঝলেন ? আমি তো মশাই হেড অর টেল কিছুই বুঝছি না। ক্যাসিনো কথাটা চেনা চেনা লাগছে, কিন্তু ব্ল্যাকজ্যাক, পনটুন, রুলেট, জ্যাকপট—এগুলো কী ? আর বলছে এই কার্ডের ভ্যালু নাকি পাঁচ ডলার। তার মানে তো চল্লিশ টাকা। ব্যাপারটা কী বলুন তো।'

আমিই লালমোহনবাবুকে বুঝিয়ে দিতে পারতাম, কিন্তু ফেলুদা আরও গুছিয়ে বলতে পারবে বলে ওর ওপর ছেড়ে দিলাম।

'এখানে একটা বিখ্যাত হোটেল আছে,' বলল ফেলুদা। 'নানা রকম জুয়া খেলার ব্যবস্থা আছে সেখানে। জ্যাকপট, পনটুন, কিনো—এ সবই এক-এক রকম জুয়ার নাম। আর খেলার জায়গাটাকে বলে ক্যাসিনো। আমাদের দেশে এ ধরনের পাবলিক গ্যাম্বলিং নিষিদ্ধ, তাই ক্যাসিনো জিনিসটা পাবেন না। এই কার্ডটা নিয়ে ক্যাসিনোতে গিয়ে আপনি পাঁচ ডলার পর্যন্ত জুয়া খেলতে পারেন, নিজের পকেট থেকে পয়সা না দিয়ে।'

'লেগে পড়ব নাকি, তপেশ ?'

'আমার আপত্তি নেই।'

'নাকের সামনে মুলোর টোপ ঝোলালে গাধা কি আর না খেয়ে পারে ?'

'খেলার শেষে নিজেকে গর্দভ গর্দভ মনে হতে পারে সেটা কিন্তু আগে থেকে বলে দিচ্ছি,'

বলল ফেলুদা। 'অবিশ্যি জ্যাকপটে এক টাকা দিয়ে হাতলের এক টানে পাঁচশো টাকা পেয়ে গেছে এমনও শোনা যায়।'

ঠিক হল একদিন সন্ধেবেলা গিয়ে দেখে আসা যাবে ক্যাসিনো ব্যাপারটা। হোটেল থেকেই বার-তিনেক বাস যায় সেখানে, তার জন্য আলাদা পয়সা লাগে না।

মোমো খেয়ে লালমোহনবাবু বললেন যে এর পাকপ্রণালীটা জেনে নেওয়া দরকার। ওঁর রান্নার লোক বসন্ত নাকি খুব এক্সপার্ট—'উইকে একদিন করে মোমো খেতে পারলে মশাই ছ' মাসের মধ্যে চেহারায় একটা ধ্যানী ভাব এসে যাবে। রাস্তায় বেরোলে পাড়ার ছোঁড়াগুলো যে মাঝে মাঝে ফ্যাচ ফ্যাচ করে হাসে, সেটা বন্ধ হয়ে যাবে।'

মনে মনে বললাম যে লালমোহনবাবু যখন মাঝে মাঝে ধ্যানী ভাব আনার চেষ্টা করেন, তখনই ওঁকে দেখে সবচেয়ে বেশি হাসি পায়।

তবে কাঠমাণ্ডুতে কেউ হাসবে না সেটা ঠিকই।

দুপুরে খাওয়ার পর নিউ রোড ধরে দক্ষিণ দিকে যেতে যেতে মনে হল, দেশি-বিদেশি এত জাতের লোক—নেপালি তিব্বতি পাঞ্জাবি সিন্ধি মারোয়াড়ি, জার্মান সুইডিশ ইংলিশ আমেরিকান ফ্রেঞ্চ—আর এত রকম ঘর বাড়ি দালান দোকান মন্দির হোটেলের এ রকম সাড়ে বত্রিশ ভাজা পৃথিবীর আর কোথাও আছে কি না সন্দেহ।

ফেলুদা বলল আমরা যেখানে যাচ্ছি—দরবার স্কোয়ার—যেটাকে বলা চলে কাঠমাণ্ডুর নার্ভ সেন্টার, যেমন চৌরঙ্গি ধর্মতলার মোড় কলকাতার—সেইখানেই নাকি এখানকার পুলিশ ঘাঁটি। ওকে একবার সেখানে যেতে হবে। আমরা ততক্ষণ চারপাশটা ঘুরে দেখব। আধঘণ্টা পরে একটা বাছাই করা জায়গায় আমরা আবার মিট করব।

হোটেল থেকে বেরিয়ে খানিকটা গিয়েই একটা চৌমাথা পড়ে, তারপর থেকে নিউ রোডের নাম হয়ে গেছে গঙ্গা-পথ। তারপর খানিকটা গিয়ে রাস্তাটা চওড়া হয়ে গেছে। এটা হল বসন্তপুর স্কোয়ার। ডাইনে পুরনো রাজার প্যালেস। সেটা ছাড়িয়ে ডাইনে ঘুরতেই বুঝে গেলাম দরবার স্কোয়ারে এসে গেছি, আর এমন একটা বিচিত্র জায়গা আমরা এর আগে কখনও দেখিনি।

লালমোহনবাবু বার তিনেক 'এ কোথায় এলাম মশাই' বলাতে ফেলুদা আর থাকতে না পেরে বলল, 'আপনার প্রশ্নের যে উত্তরটা এক কথায় হয়, যেটা আপনি ম্যাপ খুলেই পেতে পারেন, সেটা আপনি নিশ্চয়ই চাচ্ছেন না। আর অন্য যে উত্তর, সেটা সোজা গদ্যে বলার জিনিস নয়। আপাতত আপনাকে অ্যাডভাইস দিচ্ছি—চোখ-কান সজাগ রেখে মনপ্রাণ ভরে দেখে নিন। প্রাচীন শহরের এমন চেহারা আপনি ভারতবর্ষের কোথাও পাবেন না। এক পেতে পারেন কাশীর দশাশ্বমেধে, কিন্তু তার মেজাজ একেবারে আলাদা।'

সত্যিই, যেদিকে চাই সেদিকেই চমক। দাবা খেলা কিছুক্ষণ চলার পর যেমন ছকের উপর রাজা মন্ত্রী বড়ে গজ নৌকো সব ছড়িয়ে বসে থাকে, তেমনই কোনও খামখেয়ালি দানব যেন এই সব ঘর বাড়ি প্রাসাদ মন্দির মূর্তি স্তম্ভ ছড়িয়ে বসিয়ে দিয়েছে। আর তারই মধ্যে ছড়িয়ে আছে অসংখ্য মানুষ আর যানবাহন। কাশীর কথা যে মনে পড়ে না তা নয়, কিন্তু কাশীর আসল মন্দিরগুলো সব গলির মধ্যে হওয়াতে সেগুলো আর দূর থেকে দেখার কোনও উপায় থাকে না। এখানে কিন্তু তা নয়। রাস্তা দিব্যি চওড়া। পুরনো প্যালেসের বারান্দায় এসে রাজা দর্শন দিতেন বলে অনেকখানি খোলা জায়গা রাখা আছে।

'ম্যাপ অনুযায়ী একটু এগিয়েই কালভৈরবের মূর্তি,' বলল ফেলুদা। 'ওই মূর্তির সামনে আধঘণ্টা পরে তোদের মিট করছি।'

ফেলুদা পা চালিয়ে এগিয়ে গেল।

নেপালের কাঠের কাজ প্রসিদ্ধ সেটা আগেই শুনেছিলাম, সেটা যে কেন, এখানে এসে বুঝতে পারলাম। পুরনো বাড়িগুলোর জানালা দরজা বারান্দা, ছাত, সবই কাঠের তৈরি, আর তার কারুকার্য দেখলে মাথা ঘুরে যায়। এখানকার মন্দিরগুলোও কাঠের, আর তেমন মন্দির আর কোথাও দেখিনি। এমনিতে ভারতবর্ষের ধাঁচের হিন্দু মন্দিরও আছে, কিন্তু আসল হল যেগুলোকে গাইড বুকে বলে প্যাগোডা। দো-চালা, তিন-চালা, চার-চালা মন্দির, চওড়া থেকে ধাপে ধাপে ক্রমে সরু হয়ে উপর দিকে উঠেছে।

তবে দরবার স্কোয়ার শুধু ধর্মস্থান নয়, বাজারও বটে। রাস্তায় ফুটপাথে সিঁড়িতে বারান্দায়—সব জায়গায় জিনিস ফেরি হচ্ছে। শাকসবজি ফলমূল থেকে ঘটি-বাটি জামা-কাপড় অবধি। এখানকার নেপালিরা যে টুপি ব্যবহার করে, তার মধ্যে বেশ বাহার আছে। এক জায়গায় সেই টুপি বিক্রি হচ্ছে দেখে দুজনে সেদিকে এগিয়ে গেলাম। কলকাতার নিউ মার্কেট থেকে জটায়ুর মন এখন কাঠমাণ্ডুর বাজারে চলে এসেছে, সেটা বুঝতে পারলাম ভদ্রলোককে তাঁর লাল ডায়রিটা বার করতে দেখে।

টুপির শেপ সবই এক, কিন্তু নকশা প্রত্যেকটাতে আলাদা। আমি নিজে একটা বাছাই করে দর করছি, এমন সময় পিছন থেকে চাপা গলা পেলাম জটায়ুর।

'তপেশ !'

নামটা কানে আসতেই ঘুরে দেখি ভদ্রলোক কী যেন দেখে তটস্থ হয়ে গেছেন।

ওঁর দৃষ্টি অনুসরণ করে ডাইনে মুখে ঘোরাতেই দেখলাম—

হাত পঁচিশেক দূরে দাঁড়িয়ে বাটরা বা নকল বাটরা আমাদের দিকে পাশ করে সিগারেট ধরিয়ে হাঁটতে শুরু করল ডানদিকে একটা গলি লক্ষ্য করে।

'তোমার দাদাকে বাঁ হাতে লাইটার ধরাতে দেখেছ কখনও ?'

'না।'

'ইনি ধরালেন।'

'দেখেছি। আর বাঁ পকেটে রাখলেন লাইটারটা।'

'ফলো করবে ?'

'আপনাকে দেখেছে লোকটা ?'

'মনে তো হয় না।'

রোখ চেপে গেল। ফেলুদার সঙ্গে অ্যাপয়েন্টমেন্টের আরও বিশ মিনিট দেরি।

দুজনে এগিয়ে গেলাম।

সামনে একটা মন্দিরের চারপাশে ভিড়। লোকটা হারিয়ে গেছে ভিড়ের মধ্যে।

মন্দিরটা পেরোতেই আবার দেখতে পেলাম তাকে। সে এবার গলিটার মধ্যে ঢুকেছে। প্রায় বিশ হাত তফাত রেখে আমরা তাকে অনুসরণ করে চললাম।

গলিটার দু দিকে দোকান, ছোট ছোট হোটেল, রেস্টোর‍্যান্ট। 'পাই শপ' কথাটা অনেক রেস্টোরান্টের গায়েই লেখা রয়েছে। 'কলকাতায় পাইস হোটেল ছিল এককালে বলে জানি,' চাপা গলায় মন্তব্য করলেন লালমোহনবাবু, 'পাই শপ তো কখনও শুনিনি।'

আমি বললাম, 'এ পাই টাকা-আনা-পাই না ; পাই একরকম বিলিতি খাবার।'

একদল হিপি আসছে। গলিতে পাঁচমিশালি গন্ধ, তার বেশির ভাগটাই খাবারের। কয়েক মুহূর্তের জন্য একটা নতুন গন্ধ যোগ হল যখন হিপির দলটা আমাদের পাশ দিয়ে বেরিয়ে গেল। গাঁজা, ঘাম আর অনেক দিনের না-ধোয়া জামা-কাপড়ের গন্ধ।

'এই রে !'

কথাটা লালমোহনবাবু বলে উঠেছেন, কারণ লোকটা ডাইনে একটা দোকানের মধ্যে ঢুকে

পড়েছে।

কী করব এবার ? লোকটা আবার বেরোবে নিশ্চয়ই। অপেক্ষা করব ? যদি দেরি করে ? হাতে আর পনেরো মিনিট সময়। বললাম, 'চলুন যাই গিয়ে ঢুকি দোকানে। সে তো আমাদের চেনে না, ভয়টা কীসের ?'

'ঠিক বলেছ।'

তিব্বতি হ্যান্ডিক্র্যাফটের দোকান। মাঝারি দোকান, দরজা দিয়ে ঢুকেই সামনে একটা কাউন্টার। তার পাশে ফাঁক দিয়ে দোকানের পিছন দিকে যাওয়া যায়। পিছনে দরজা, তারও পিছনে একটা অন্ধকার ঘর।

সেই ঘরেই হয়তো গিয়ে থাকবেন নকল বাটরা, কারণ আর কোনও যাবার জায়গা নেই।

'ইয়েস ?'

কাউন্টারের পিছনে দাঁড়ানো তিব্বতি মহিলা হাসিমুখে আমাদের দিকে চেয়ে প্রশ্নটা করলেন। তার পিছনে একটি মাঝবয়সি তিব্বতি পুরুষ, গালে অসংখ্য বলিরেখা, একটা চোখ একটু ছোট, বেঞ্চিতে বসে আছে ঝিম ভাব নিয়ে।

আমরা দোকানে ঢুকে পড়েছি, তাই মহিলার প্রশ্নের উত্তরে কিছু বলা দরকার। কিছু দেখতে চাইতে হবে, যেন কিনতে চাই এমন ভাব করে। জিনিসের অভাব নেই দোকানে—মুখোশ, তংখা, জপযন্ত্র, তামার ঘটিবাটি, ফুলদানি, মূর্তি।

'আই লাইক মোমো,' হঠাৎ কী কারণে যেন বলে বসলেন লালমোহনবাবু।

'মোমো ইউ গেট ইন টিবেটান রেস্টোরান্ট, নট হিয়ার।'

ইংরিজিটা মোটামুটি ভালই বলেন মহিলা।

'নো নো নো,' বললেন লালমোহনবাবু, 'মানে, আই ডোন্ট ওয়ন্ট টু ইট মোমো।'

মহিলার ভুরু বিশেষ না থাকলেও, যেটুকু আছে সেটুকু উপর দিকে উঠে গেছে।

'ইউ লাইক মোমো, অ্যান্ড ইউ ডোন্ট ওয়ন্ট টু ইট মোমো ?'

‘নো নো—মানে, নট নাউ। ইন হোটেল আই এট মোমো। নাউ আই ওয়ন্ট টু, মানে, নো হাউ—মানে...’

এর কোনও শেষ নেই, অথচ ভদ্রলোক কী বলতে চাইছেন সেটা বেশ বুঝতে পারছি।

লালমোহনবাবুর পিঠে হাত দিয়ে ওঁকে থামিয়ে দিয়ে বললাম, ‘ডু ইউ হ্যাভ এ টিবেটান কুক-বুক ?’

আমি জানতাম এ জিনিসটা দোকানে থাকবে না। মহিলাও মাথা নেড়ে ‘স্যরি’ বলে বুঝিয়ে দিলেন নেই।

‘থ্যাঙ্ক ইউ’ বলে বেরিয়ে এলাম দুজনে। হাতে মিনিট আষ্টেক সময়। নকল-বাটরা-উধাও রহস্যটাকে হজম করে যে পথে গিয়েছিলাম সে পথে ফিরে এসে একজন লোকের কাছ থেকে দুটো নেপালি ক্যাপ কিনে সেগুলো মাথায় চাপিয়ে কিছুটা এগিয়ে গিয়েই দেখি পৌঁছে গেছি কালভৈরবের মূর্তির সামনে।

বাপ্‌রে কী ভয়াবহ মূর্তি ! দিনের বেলা দেখেই গা শিউরে ওঠে, আর রাত্তিরে যখন লোক থাকে না তখন দেখলে না জানি কী হবে। এর কাছেই কোথায় যেন আবার একটা শ্বেতভৈরবের মূর্তি আছে, সেটাও এক সময় এসে দেখে যেতে হবে।

ফেলুদা এল মিনিট পাঁচেকের মধ্যেই। থানার ফটক মূর্তির ঠিক সামনেই।

আমরা দুজনেই নকল বাটরার ঘটনাটা বলার জন্য উদ্‌গ্রীব, কিন্তু ফেলুদার কী বলার আছে সেটা জানা দরকার, সে যে কেন থানায় গিয়েছিল সেটাই জানি না। বলল, ‘দিব্যি লোক ও সি মিঃ রাজগুরুং। বললেন নেপাল সরকার যদি ভারত সরকারের অনুরোধ রাখতে রাজি হয়, তা হলে মিঃ সোমের আততায়ীকে ধরার ব্যাপারে এরা সব রকম সাহায্য করবেন।’

‘দ্যাট ম্যান ইজ হিয়ার, ফেলুবাবু !’ আর চাপতে না পেরে বলে ফেললেন জটায়ু।

আমি ব্যাপারটা আরেকটু খুলে বললাম।

‘তুই ঠিক দেখেছিস বাঁ হাতে লাইটার ধরাল ?’

‘আমরা দুজনেই দেখেছি !’ বললেন জটায়ু।

‘ভেরি গুড’, বলল ফেলুদা। ‘মিঃ বাটরাকে কাল খবরটা দিতে হবে। ইয়ে, তোরা বরং বাজার-টাজার একটু ঘুরে দেখ, আমার হোটেলে গিয়ে দু-একটা ফোন করার আছে।’

বুঝলাম কাঠমাণ্ডুতে এসে সাইট-সিইং ব্যাপারটা খুব বেশি হবে না ফেলুদার।

৬

আমাদের হোটেল থেকে বেরিয়েই যে চৌমাথার কথা বলেছিলাম, সেটা দিয়ে ডাইনে ঘুরলে পড়ে শুক্র পথ। এই শুক্র পথ দিয়ে কিছু দূর গেলেই এখানকার সুপার মার্কেট। একটা বেশ বড় ছাতওয়ালা চত্বরের চারদিক ঘিরে দোকানের সারি। কোনটা যে কীসের দোকান বোঝা মুশকিল, কারণ প্রায় সবকটাতেই সব কিছুই পাওয়া যায়। জামাকাপড় ঘড়ি ক্যামেরা রেকর্ডার রেডিয়ো ক্যালকুলেটার কলম পেনসিল টফি চকোলেট—কী না নেই, আর সবই অবশ্য বিদেশি জিনিস।

‘ডাক ছেড়ে কাঁদতে ইচ্ছে করছে ভাই তপেশ’, একটা দোকানের সামনে দাঁড়িয়ে বললেন লালমোহনবাবু।

‘কেন ?’

‘এসব দোকান কি আর আমাদের জন্যে ? এখানে আসবে জন ডি রকফেলার, কি বোম্বাইয়ের ফিল্ম স্টার !’

সত্যজিৎ রায়

শেষ পর্যন্ত আর লোভ সামলাতে না পেরে পৌনে দু মিটার জাপানি টেরিউলের ট্রাউজারের কাপড় কিনে ফেললেন লালমোহনবাবু। 'এই গেরুয়া টাইপের রংটা লামাদের দেশে মানাবে ভাল, কী বলো তপেশ ?'

আমাকে বাধ্য হয়ে বলতে হল লামাদের দেশটা আসলে হল তিব্বত, নেপালের শতকরা আশি ভাগ লোকই হিন্দু।

ট্রাউজারস আগামীকাল বিকেলে চারটেয় রেডি থাকবে, ট্রায়াল লাগবে না। লোকে দু দিনের জন্য এসেও কোট-প্যান্ট করিয়ে নিয়ে যায় কাঠমাণ্ডু থেকে, আর তার ফিটিংও হয় নাকি দিব্যি ভাল।

হোটেলে ফিরে এসে দেখি, ফেলুদা তার খাটে বসে নোটবুকটা খুলে কী যেন লিখছে। বলল, 'বোস। ডাক্তারকে কল দিয়েছি।'

ডাক্তার ? ডাক্তার আবার কেন ? শরীর-টরীর খারাপ হল নাকি ফেলুদার ?

আমরা দুজনে সোফায় বসে ফেলুদার দিকে চেয়ে রইলাম রহস্য উদ্‌ঘাটনের অপেক্ষায়।

ফেলুদা আরও দু মিনিট সময় নিল। তারপর খাতাটাকে পাশে সরিয়ে রেখে একটা চারমিনার ধরিয়ে বলল, 'হরিনাথ চক্রবর্তী মশাইয়ের ছেলেকে যে ইনজেকশন দিয়েছিল, সেই ডাঃ দিবাকরকে একটা কল দিয়েছি। ধর্ম পথে স্টার ডিসপেনসারিতে বসেন। তাঁর সঙ্গে একবার কথা বলা দরকার। কিছু পয়সা খসবে, ভিজিট নেবে, তা সে আর কী করা যায় !'

'আমাদের এই তদন্তে ওষুধপত্রের একটা বড় ভূমিকা আছে বলে মনে হচ্ছে!' লালমোহনবাবু মন্তব্য করলেন।

ফেলুদা তার কথাগুলোর ওপর বেশ জোর দিয়ে বলল, 'শুধু ভূমিকা নয়, আমার ধারণা প্রধান ভূমিকা।'

'সেই যে সার্জিক্যাল অ্যাসিডের কথা অনীকেন্দ্র সোমের নোটবুকে লেখা ছিল, সেটা কি—'

'সার্জিক্যাল নয়, লাইসার্জিক অ্যাসিড। এল এস ডি। অবিশ্যি—'

ফেলুদা আবার খাতাটা হাতে তুলে নিয়েছে, তার কপালে ভাঁজ।

'এল এস ডি অক্ষরগুলোর আরেকটা মানে হতে পারে। সেটা এই কিছুক্ষণ হল খেয়াল হয়েছে। এল এস ডি—লাইফ সেভিং ড্রাগস, অর্থাৎ যে ড্রাগ বা ওযুধের উপর মানুষের মরণ-বাঁচন নির্ভর করে। যেমন টেট্যানাস-রোধক ইনজেকশন। বা পেনিসিলিন, টেরামাইসিন, স্ট্রেপটোমাইসিন, টি বি-র ওযুধ, হার্টের ওযুধ। আমার তো মনে হচ্ছে—'

ফেলুদা আবার খাতাটার দিকে দেখল। তারপর বলল—

"A-B-র বিষয় জানা দরকার" কথাটাও এই সব ওষুধের বিষয়েই বলা হয়েছে। এ বি হচ্ছে অ্যান্টিবায়োটিকস। মিঃ সোম বোধহয়—বোধহয় কেন, নিশ্চয়ই—এই সব ড্রাগ সম্বন্ধে অনুসন্ধান করতে চাচ্ছিলেন। রিং আপ পি সি এম, ডি ডি সি—পি সি এম তো প্রদোষচন্দ্র মিত্র, আর ডি ডি সি নির্ঘাত আমাদেরই পশ্চিমবঙ্গ সরকারের ডিরেকটোরেট অফ ড্রাগ কন্ট্রোল। সোম নিশ্চয় কোনও ওষুধ নিয়ে গিয়েছিল সঙ্গে, যেটা সে এই ড্রাগ কন্ট্রোলকে দিয়ে টেস্ট করাতে চেয়েছিল। আশ্চর্য। লোকটা যেরকম মেথডিক্যালি এগোচ্ছিল, তাতে তো মনে হয় ও ইচ্ছে করলে আই আই টি-র প্রোফেসরি ছেড়ে গোয়েন্দাগিরিতে নেমে পড়তে পারত।'

'আর C P নিয়ে যে ব্যাপারটা ছিল ?'

'ওটা সহজ। সি পি হল ক্যালকাটা পুলিশ। আস্ক সি পি অ্যাবাউট মেথডস্ অ্যান্ড কেসেস—অর্থাৎ পুলিশকে জিজ্ঞেস করতে হবে কত রকম ভাবে ওষুধ জাল হয়, আর আগে

এ রকম জালের কেস কী কী ধরা পড়েছে।'

'তা হলে তো খাতায় যা লেখা ছিল তার সবই—'

কলিং বেল।

আমি উঠে গিয়ে দরজা খুললাম।

যিনি ঢুকলেন, তাঁকে দেখলে বেশ হকচকিয়ে যেতে হয়, কারণ এত ফিটফাট ডাক্তার এর আগে দেখেছি বলে মনে পড়ে না। বয়স ষাটের মধ্যে, বিলিতি পোশাকটা নিশ্চয়ই কাঠমাণ্ডুর সেরা টেলারের তৈরি, চশমার সোনার ফ্রেমটা বিলিতি, হাতের সোনার ঘড়িটা নিশ্চয়ই পেশেন্টের কাছ থেকে পাওয়া।

ফেলুদা খাটে ছিল বলে ভদ্রলোক অনুমান করে নিলেন সেই রুগী। আমি খাটের পাশে একটা চেয়ার দিয়ে দিলাম। ফেলুদা উঠে দাঁড়িয়েছিল, এখন খাটেই বসল।

'কী ব্যাপার?'

ভদ্রলোক বাংলা বলবেন আশা করিনি, কারণ 'দিবাকর' পদবিটা হয়তো বাংলা নয়। তারপর মনে হল এখানকার অনেকেই তো কলকাতায় গিয়ে পড়াশুনা করেছে। ইনিও নির্ঘাত মেডিক্যাল কলেজ থেকে পাশ করা।

'এই নিন।'

ফেলুদা বালিশের তলা থেকে একটা খাম বার করে ভদ্রলোককে দিল। ডাক্তার কিঞ্চিৎ হতভম্ব।

'এটা—'

'ওটা আপনার ফি। আর এইটে আমার কার্ড।'

কার্ড মানে ফেলুদার ভিজিটিং কার্ড, যাতে নামের তলায় ওর পেশাটা লেখা আছে।

ভদ্রলোক কার্ডটার দিকে দেখতে দেখতে চেয়ারে বসলেন।

'আমি জানি, আপনার কাছে ব্যাপারটা এখনও পরিষ্কার হচ্ছে না,' বলল ফেলুদা, 'কিন্তু কয়েকটা কথা বললেই আপনি বুঝতে পারবেন।'

ডাক্তারের ভাব দেখে বুঝলাম, তিনি সত্যিই এখনও অন্ধকারে রয়েছেন।

ফেলুদা বলল, 'প্রথমেই বলি দিই, আমি একটা খুনের তদন্ত করছি। খুনটা হয়েছে কলকাতায়, কিন্তু আমার ধারণা খুনি এখানে রয়েছে। আমি সেই ব্যাপারে কিছু তথ্য সংগ্রহ করছি। আমার বিশ্বাস আপনি আমাকে কিছুটা সাহায্য করতে পারেন।'

খুন শুনেই ভদ্রলোকের ভুরুতে ভাঁজ পড়েছে। বললেন, 'কে খুন হয়েছে?'

'সেটা পরে বলছি,' বলল ফেলুদা, 'আগে একটা জিনিস একটু ভেরিফাই করে নিই—হরিনাথ চক্রবর্তীর ছেলেকে তো আপনি অ্যান্টি-টেট্যানাস ইনজেকশন দেন?'

'হ্যাঁ, আমিই।'

'ইনজেকশনটা বোধ করি আপনার স্টক থেকেই এসেছিল?'

'হ্যাঁ। আমার ডিসপেনসারির স্টক।'

'কিন্তু তাতে কাজ দেয়নি!'

'তা দেয়নি, কিন্তু তার জন্য আমাকে রেসপনসি—'

'আপনি ব্যস্ত হবেন না, ডঃ দিবাকর। দায়িত্বের প্রশ্ন এখনও আসছে না। ইনজেকশন দিয়েও লোকে টেট্যানাসে মরেছে এমন ঘটনা নতুন নয়। সাধারণ লোক সেটা মেনেই নেয়। হরিনাথবাবুও তাঁর ছেলের মৃত্যু মেনেই নিয়েছেন। কিন্তু ডাক্তার হয়ে, হিমাদ্রি চক্রবর্তীর মৃত্যুর কী কারণ, সে সম্বন্ধে হয়তো আপনার কোনও মতামত থাকতে পারে।'

'কারণ একটা নয়,' বললেন ডাঃ দিবাকর, 'প্রথমত সে নিজেই জানত না তার ইনজুরি

কখন হয়েছে। তার বন্ধু বলেছে পনেরো-ষোল ঘণ্টা আগে। সেটা যদি ষোল না হয়ে ছাব্বিশ হয়, দেন দ্য ইনজেকশন মাইট হ্যাভ বিন টু লেট। দ্বিতীয়ত, সে ছেলে আগে কোনও কালে প্রিভেনটিভ নিয়েছে কি না সেটারও কোনও ঠিক নেই। নেওয়া থাকলে ইনজেকশনে কাজ দেবার সম্ভাবনা থাকে বেশি। ছেলে বলছে মনে নেই, বাবা বলছে নিয়েছে। হরিনাথবাবুর কথা, খুব বেশি নির্ভর করা যায় না। ওঁর স্ত্রী আর ছেলে মারা যাবার পর থেকে আমি দেখেছি ভদ্রলোকের মাঝে মাঝে মেমরি ফেল করে।'

ফেলুদা বলল, 'হিমাদ্রির মৃত্যুর পর ওর বন্ধু কি আপনার ডিসপেনসারি থেকে কোনও ইনজেকশনের অ্যামপুল নেয়?'

'নিয়েছিল।'

'অ্যান্টি-টেট্যানাস?'

'হ্যাঁ।'

'সেটা আপনি জানলেন কী করে? সে কি আপনার সঙ্গে দেখা করেছিল?'

'দেখা করেছিল বললে ঠিক বলা হবে না। সে আমার চেম্বারে ঢুকে এসে আমায় জানিয়ে দিয়ে যায় যে আমিই তার বন্ধুর মৃত্যুর জন্য দায়ী। আর সেটা যে সে খুব নরম ভাবে জানিয়েছিল তা নয়।'

'এই বন্ধুটিই খুন হয়েছে।'

'মানে?'

'হিমাদ্রি চক্রবর্তীর বন্ধু। অনীকেন্দ্র সোম।'

ডাঃ দিবাকর অবাক হয়ে চেয়ে আছেন ফেলুদার দিকে। ফেলুদা বলে চলল—

'সে আপনার দোকান থেকে ওষুধ নিয়ে কলকাতা গিয়েছিল ল্যাবরেটরিতে টেস্ট করাবে বলে। সম্ভবত সে-কাজটা তার করা হয়ে ওঠেনি। তার দৃঢ় বিশ্বাস ছিল যে ইনজেকশনে ভেজাল ছিল। সে চেয়েছিল যে আমার সাহায্য নিয়ে এই জাল ওষুধের চোরা কারবারটা একবার তলিয়ে দেখবে।'

'আমার ডিসপেনসারি থেকে কোনও জাল ওষুধ বেরোয়নি,' দৃঢ় স্বরে বললেন ডাঃ দিবাকর।

'আপনি কি ওষুধ খাঁটি কি না পরীক্ষা করে ইনজেকশন দেন?'

ভদ্রলোক রীতিমতো উত্তেজিত হয়ে উঠলেন।

'হাউ ইজ দ্যাট পসিবল? এমারজেন্সি কেস, তখন আমি ওষুধ পরীক্ষা করব, না ইনজেকশন দেব?'

'আপনার ডিসপেনসারির ওষুধ আসে কোত্থেকে?'

'হোলসেলারদের কাছে থেকে। তাতে ব্যাচ নাম্বার থাকে, এক্সপায়ারি ডেট থাকে—'

'সে সবই যে জাল করা যায় সেটা আপনি জানেন? ছাপাখানার সঙ্গে বন্দোবস্ত থাকে চোরা কারবারিদের সেটা জানেন? নাম-করা বিলিতি কোম্পানির লেবেল পর্যন্ত ছাপাখানার ব্যাকডোর দিয়ে চলে যায় এই সব জালিয়াতদের হাতে সেটা আপনি জানেন?'

ডাঃ দিবাকরকে দেখে বেশ বুঝতে পারলাম যে তিনি এ কথার যুৎসই উত্তর খুঁজে পাচ্ছেন না।

'শুনুন ডাঃ দিবাকর,' ফেলুদা এবার একটু নরম সুরে বলল, 'আমি গ্যারান্টি দিচ্ছি যে, ঘুণাক্ষরে কেউ ব্যাপারটা জানবে না। আপনি স্টক থেকে একটা অ্যান্টি-টেট্যানাসের অ্যামপুল নিয়ে তার ভেতরের পদার্থটি ল্যাবরেটরিতে টেস্ট করে তার রিপোর্ট আমাকে দিন। সময় বেশি নেই, সেটা বুঝতেই পারছেন।'

ডাঃ দিবাকর ধীরে ধীরে উঠে পড়লেন চেয়ার থেকে। 'কাল একটা জরুরি কেস আছে,'—দরজার দিকে যেতে যেতে বললেন ভদ্রলোক—'কাল সম্ভব না হলে পরশু জানাব।'

'আপনাকে অজস্র ধন্যবাদ ; এবং আপনাকে এভাবে উত্যক্ত করার জন্য আমি ক্ষমা চাইছি।'

আমরা যে একটা সাংঘাতিক গোলমেলে ব্যাপারের মধ্যে জড়িয়ে পড়েছি সেটা বেশ বুঝতে পারছি। আর, যতই নতুন নতুন ব্যাপার শুনছি, ততই অনীকেন্দ্র সোম লোকটার উপর শ্রদ্ধা বেড়ে যাচ্ছে। এমন একজন লোকের এভাবে খুন হওয়াটা যে ফেলুদা কিছুতেই বরদাস্ত করতে পারবে না সেটা খুবই স্বাভাবিক। কুকরিটার জন্য দু নম্বর বাটরাকেই খুনি বলে মনে হয় ; কিন্তু তা না হয়ে যদি অন্য কেউও হয়, ফেলুদা তাকে শায়েস্তা না করে ছাড়বে না।

ফেলুদা আগেই বলে রেখেছিল যে খাবার পরে একবার ঘুরতে বেরোবে, তবে সেটা কী উদ্দেশ্যে সেটা আন্দাজ করতে পারিনি। দরবার স্কোয়ারের দিকে যাচ্ছি দেখে মনে একটা সন্দেহ উঁকি দিল, আর সেটা যে ঠিক, সেটা বুঝতে পারলাম যখন পুরনো প্যালেসের সামনে খোলা জায়গাটায় এসে ফেলুদা বলল, 'এবার বল কোন গলিটায় গিয়েছিলি দুপুরে।'

রাত্তিরে দরবার স্কোয়ারের চেহারা একেবারে অন্য রকম। এখান থেকে ওখান থেকে মন্দিরের ঘণ্টা শোনা যাচ্ছে, এরই মধ্যে কোত্থেকে যেন হিন্দি ফিল্মের গান ভেসে আসছে। ট্যুরিস্টদের ভিড় আর সাইকেল-রিকশার ভিড় কাটিয়ে আমরা গলিটার মুখে গিয়ে পড়লাম। 'এটার নাম আগে ছিল মারু টোল', বলল ফেলুদা, 'হিপিরা এর নতুন নাম দিয়েছে পিগ অ্যালি—শুয়োর গলি।'

পাই শপগুলোর পাশ দিয়ে আমরা এগিয়ে গেলাম আমাদের সেই তিব্বতি দোকানটার দিকে।

দোকানটা এখনও খোলা রয়েছে। দু-একজন খদ্দেরও রয়েছে কাউন্টারের এদিকে, আর পিছনে দাঁড়িয়ে রয়েছেন সকালের সেই মহিলা। সেই পুরুষটা নেই।

ফেলুদা দোকানের বাইরে থেকেই ভেতরটায় একবার চোখ বুলিয়ে নিল। দোতলা বাড়ির এক তলায় দোকানটা। দোতলায় রাস্তার দিকে দুটো পাশাপাশি জানালা, দুটোই বন্ধ। কাঠের পাল্লাগুলোর একটার ফাটলের মধ্যে দিয়ে ঘরের ভিতর একটা ক্ষীণ আলোর আভাস পাওয়া যাচ্ছে।

দোকানের ডান পাশে একটা সরু চিলতে গলির পরেই একটা তিনতলা হোটেল, নাম হেভেনস্ গেট লজ। স্বর্গদ্বার বলতে চোখের সামনে যে দৃশ্যটা ভেসে ওঠে তার সঙ্গে কোনও সাদৃশ্য নেই।

ফেলুদা হোটেলটার ভিতরে গিয়ে ঢুকল, পিছনে আমরা দুজন।

'হাউ মাচ ডু ইউ চার্জ ফর রুমস হিয়ার ?'

কাউন্টারে একটা রোগামতন লোক বসে একটা ছোট্ট পকেট ক্যালকুলেটরের উপর পেনসিলের ডগা দিয়ে টোকা মেরে মেরে হিসেব করে একটা খাতায় লিখছে। লোকটা নেপালি কি ভারতীয় সেটা বোঝা গেল না। ফেলুদা তাকে প্রশ্নটা করেছে।

'সিঙ্গল টেন, ডাব্‌ল ফিফটিন।'

কাউন্টারের সামনে খোলা জায়গাটার এক পাশে একটা খালি সোফা, তার উপরে দেওয়ালে তিনটে পাশাপাশি ট্যুরিস্ট পোস্টার, তিনটেতেই হিমালয়ের কোনও না কোনও

বিখ্যাত শৃঙ্গের ছবি।

'ঘর খালি আছে?' ফেলুদা ইংরেজিতে জিজ্ঞেস করল।

'ক'টা চাই?'

'একটা সিঙ্গল একটা ডাবল। দোতলার পুবদিকে হলে ভাল হয়। অবিশ্যি নেবার আগে একবার দেখে নেওয়া দরকার।'

কাউন্টারের ভদ্রলোক যাকে বলে স্বল্পভাষী। মুখে কিচ্ছু না বলে শুধু একটা বেল টিপলেন, তার ফলে একটি নেপালি বেয়ারার আবির্ভাব হল। ভদ্রলোক তার হাতে একটা চাবি দিয়ে আমাদের দিকে একবার শুধু দেখিয়ে দিয়ে আবার হিসেব করতে লেগে গেলেন।

বেয়ারার পিছন পিছন সিঁড়ি উঠে আমরা সোজা চলে গেলাম পুবমুখো একটা প্যাসেজ দিয়ে। ডাইনের শেষ ঘরটা চাবি দিয়ে খুলে দিল বেয়ারা।

ঘরের বর্ণনা দেবার কোনও মানে হয় না, কারণ ফেলুদা যে ঘর ভাড়া করতে আসেনি সেটা খুব ভাল করেই জানি।

যেটা বলা দরকার সেটা এই যে, ঘরটার পুব দেয়ালে একটা জানালা রয়েছে যেটা দিয়ে তিব্বতি দোকানের দোতলার একটা জানালা এক পাশ থেকে দেখা যাচ্ছে।

লালমোহনবাবু যতক্ষণ খাটের গদি-টদি টিপে, বাথরুমের বাতি জ্বালিয়ে ভিতরটা দেখে, টেবিলের দেরাজ খোলা কি না দেখে, আমরা যে সত্যিই ঘর নিতে এসেছি—এমন একটা ধারণা বেয়ারার মনে ঢোকানোর চেষ্টা করছেন, ততক্ষণে আমি আর ফেলুদা যা দেখার দেখে নিলাম।

দোকানে দুপুরে যে তিব্বতি লোকটাকে দেখেছিলাম, সে বসে আছে ওই টিমটিমে বাতি-জ্বালা ঘরটার ভেতর। তার কাঁধ অবধি দেখা যাচ্ছে। তবে বেশ বোঝা যায় সে কোনও একটা কাজে ব্যস্ত। তার পিছনে কার্ড বোর্ডের প্যাকিং কেসের স্তূপ দেখে মনে হল, সে হয় বাক্স থেকে জিনিস বার করছে, না হয় বাক্সের মধ্যে পুরছে।

আরেকজন লোক রয়েছে ঘরের ভেতর, তবে তার শুধু ছায়াটা দেখা যাচ্ছে। সে যে ঘাড় নিচু করে তিব্বতিটার কাজ দেখছে সেটা বোঝা যায়।

হঠাৎ আমার বুকের ভিতরটা কেমন যেন করে উঠল।

ছায়াটা পকেট থেকে সিগারেটের প্যাকেট বার করেছে।

সিগারেট মুখে গোঁজার পর আরেকটা জিনিস বার করল পকেট চাপড়িয়ে।

লাইটার।

এবার লাইটারটা জ্বালানো হল।

বাঁ হাতে।

৭

'তোরা দুজন দেখবার জায়গাগুলোর কিছু আজ সকালেই দেখে নে,' পরদিন সকালে ব্রেকফাস্টের সময় বলল ফেলুদা।—'আমার আরেকবার থানায় যাওয়া দরকার। ট্রান্সপোর্ট তো সান ট্র্যাভেলস্ থেকে পেয়ে যাবি। আর কিছু না হোক, স্বয়ম্ভু, পশুপতিনাথ ও পাটনটা ঘুরে আয়। একদিনের পক্ষে এই তিনটেই যথেষ্ট।'

রেস্টোর‍্যান্ট থেকে বেরিয়ে সামনেই দেখি মিঃ বাটরা। একেই বলে টেলিপ্যাথি।

ভদ্রলোক হাসিমুখে তিনজনকেই গুড মর্নিং জানালেন বটে, কিন্তু সে হাসি টিকল না।

'দ্যাট ম্যান ইজ ব্যাক হিয়ার,' গম্ভীরভাবে বললেন মিঃ বাটরা। 'কাল বিকেলে নিউ

রোডেরই এক জুয়েলারি শপ থেকে ওকে বেরোতে দেখেছে আমাদের আপিসের এক ছোকরা।'

'সে ছোকরা কি ভেবেছিল আপনি হঠাৎ পোখরা থেকে ফিরে এসেছেন?'

বাটরা একটু হেসে বললেন 'সেখানে একটা সুবিধে আছে। আমার যমজ ভাইটি একটু উগ্র রং-এর জামাকাপড় পছন্দ করে। কাল পরেছিল একটা শকিং পিংক পুলোভার আর একটা সবুজ শার্ট। আমাকে যারা চেনে তারা কখনও ওকে দেখে আমি বলে ভুল করবে না। যাই হোক, আমি আজ শুনেই পুলিশে জানিয়েছি ব্যাপারটা। এক সাব-ইনস্‌পেকটর আছে, তাকে আমি ভাল করে চিনি।'

'তিনি কী বললেন?'

'যা বলল তাতে আমি অনেকটা নিশ্চিন্ত বোধ করছি। বলল পুলিশ এ লোক সম্বন্ধে জানে। ওদের সন্দেহ লোকটা কোনও স্মাগলিং র‍্যাকেটের সঙ্গে জড়িত। তবে, কোনও পাওয়ারফুল, ধনী লোক ওর পিছনে থাকায় পুলিশ ওকে বাগে আনতে পারছে না। তা ছাড়া লোকটা অত্যন্ত ধূর্ত। যতক্ষণ পর্যন্ত না একটা বেচাল চালছে, ততক্ষণ পুলিশের ওত পেতে থাকা ছাড়া আর কিছু করার নেই।'

'কিন্তু আপনার নিজের যে অসুবিধে হচ্ছে সেটা বললেন না? কুকরিটা কিন্তু সে আপনার নামেই কিনেছিল।'

বাটরা বললেন, 'আপনার কথাটা মনে করেই ওদের জিজ্ঞেস করলাম যে লোকটা তার ক্রাইমের বোঝা আমার ঘাড়ে চাপাতে পারে কি না। তাতে ওই সাব-ইনস্‌পেকটর হেসেই ফেলল। বলল, মিঃ বাটরা, ডোন্ট থিংক দ্য নেপাল পোলিস আর সো স্টুপিড।'

'যাক, তা হলে আপনি এখন খানিকটা হালকা বলুন।'

'মাচ রিলিভ্‌ড, মিঃ বাটরা। আমি বলি কী, আপনারাও একটু রিল্যাক্স করুন। প্রথম বার কাঠমাণ্ডুতে এসে স্রেফ একটা ক্রিমিন্যালের পিছনে ঘুরে বেড়াবেন, সেটা কি ভাল হবে? আপনি একটা দিন ফ্রি রাখুন। এই জন্যে বলছি কী, আমাদের কোম্পানি একটা নতুন ফরেস্ট বাংলো করেছে রাপ্তি ভ্যালিতে, ইন দ্য তেরাইজ। এ রিয়েলি ওয়ান্ডারফুল স্পট। আপনি বিকেলে বলবেন, আমি পরদিন সকালে আপনার ট্রানসপোর্ট অ্যারেঞ্জ করে দেব। চাই কী, আমি ফ্রি থাকলে আপনাদের সঙ্গে চলেই আসব। কী বলেন?'

তেরাই শুনেই আমার মনটা নেচে উঠেছে। লালমোহনবাবুরও চোখ চকচক। তবু ভাল যে ফেলুদা কথা না দিলেও ব্যাপারটা বাতিল করে দিল না।

'আপনি শূকর-সরণির ঘটনাটা চেপে গেলেন কেন?' ভদ্রলোক চলে যাবার পর জটায়ু প্রশ্ন করলেন।

'তার কারণ,' বলল ফেলুদা, 'তদন্তের সব কথা সব্বাইয়ের কাছে ফাঁস করে দেওয়াটা আপনার গোয়েন্দা-হিরো প্রখর রুদ্রের অভ্যাস হলেও, প্রদোষ মিত্রের নয়। বিশেষ করে যে ব্যক্তির সঙ্গে সর্বসাকুল্যে আড়াই ঘণ্টার আলাপ, তার কাছে তো নয়ই।'

'বুঝলাম,' বললেন জটায়ু। 'জানলাম। শিখলাম।'

সকালের আর একটা ঘটনা হল—যে-বাঙালি ভদ্রলোকটির সঙ্গে কাল এসেই আলাপ হল, যাঁর নাম আজ জানলাম বিপুল ভৌমিক—তাঁর সঙ্গে দেখা হল মিঃ বাটরাকে বিদায় দিয়ে দোতলায় ওঠার সময়।

'এটা কী চিনতে পারছেন?' ভনিতা না করেই হাতের একটা বোতল ফেলুদার দিকে তুলে ধরে প্রশ্নটা করলেন ভদ্রলোক। বোতল আমার চেনা, বিশেষ করে তার ভিতরের লাল রঙের ওষুধটার জন্য। কাশির ওষুধ, আমাদের বাড়িতে সব সময়ই থাকে। বেন্যাড্রিল

একস্‌পেকটোর‍্যান্ট।

'চিনতে তো পারছি,' বলল ফেলুদা, 'কিন্তু রংটা তো—'

'আপনি রঙে তফাত পাচ্ছেন ? সেটা বোধহয় আপনাদের বিশেষ ক্ষমতা। আমি পাচ্ছি গন্ধে।'

ভদ্রলোক ক্যাপ খুলে বোতলটা ফেলুদার নাকের সামনে ধরলেন।

'আপনার ঘ্রাণশক্তি তো খুবই প্রখর,' বেশ তারিফের সঙ্গে বলল ফেলুদা।—'তফাত আছে, তবে খুবই সূক্ষ্ম।'

'অন্তত একটি ইন্দ্রিয় তো জোরদার হওয়া চাই,' বললেন বিপুলবাবু, 'আপনি চারমিনার খেয়েছেন না একটু আগে ? আমি দেখিনি খেতে, কিন্তু গন্ধ পাচ্ছি। কেমন, ঠিক তো ?'

'ঠিক তো বটেই। কিন্তু আপনি বোতল নিয়ে চললেন কোথায় ?'

'ফেরত দোব। পয়সা ফেরত নোব,' বললেন বিপুলবাবু, 'ছাড়ব না। একি ইয়ার্কি পেয়েছে ?'

'কোন দোকান ?'

'আইডিয়াল মেডিক্যাল স্টোর্স, ইন্দ্র চক। আপনাকে বললাম না সেদিন, ওষুধ নিয়ে যাচ্ছেতাই কারবার হচ্ছে ? মিল্ক পাউডারে খড়ি মিশিয়ে দেয়, জানেন ? শিশুদের পর্যন্ত বাঁচতে দেবে না এরা।'

মিঃ বাটরাকে গাড়ির কথা বলে দিয়েছিলাম, সাড়ে নটায় একটা জাপানি টয়োটা এসে হাজির। আমরা যখন বেরোচ্ছি তখন ফেলুদা টেলিফোন ডিরেকটরি নিয়ে পড়েছে। বলল এ অঞ্চলের ওষুধের দোকানগুলোর নাম নোট করে নিচ্ছে।

একই শহরে স্বয়ম্ভুনাথের মতো বৌদ্ধস্তূপ আর পশুপতিনাথের মতো হিন্দু মন্দির—এ এক কাঠমাণ্ডুতেই সম্ভব। পশুপতিতে 'তপেশ, তুমি দৃশ্য দেখো' বলে আমাকে ফেলে রেখে মন্দিরে ঢুকে পুজো দিয়ে ফোঁটা-টোটা কেটে এলেন লালমোহনবাবু। মন্দিরটা কাঠের তৈরি, দরজাগুলো রূপোর আর চুড়োটা সোনা দিয়ে বাঁধানো। গেট দিয়ে ঢুকে প্রথমেই যেটা সামনে পড়ে সেটা হল পাথরের বেদিতে বসানো সোনায় মোড়া বিশাল নন্দীর মূর্তি। চাতাল দিয়ে এগিয়ে গেলে দেখা যায় নীচ দিয়ে বাগমতী নদী বয়ে যাচ্ছে, সেখানেই শ্মশান। নদীর ওপারে পাহাড়।

স্বয়ম্ভুতে যেতে হলে গাড়ি প্যাঁচালো পাহাড়ি পথ দিয়ে উপরে উঠে একটা জায়গায় এসে থেমে যায়। বাকি পথ সিঁড়ি দিয়ে উঠতে হয়।

আমরা গাড়ি থেকে নেমে দেখি সিঁড়ির মুখ অবধি রাস্তার ধারে তিব্বতি জিনিস বিক্রি হচ্ছে। লালমোহনবাবুর হঠাৎ শখ হয়েছে একটা জপযন্ত্র কিনবেন। জিনিসটা আর কিছুই না—একটা লাঠির মাথায় একটা কৌটো, তার পাশ থেকে ঝুলছে একটা চেনের ডগায় একটা বলের মতো জিনিস। লাঠিটা হাতে নিয়ে ঘোরালে মাথার বল সমেত কৌটোটা ঘুরতে থাকে। ভদ্রলোক আমাকে বুঝিয়ে বললেন, 'লিখতে লিখতে যখন আইডিয়ার অভাবে থেমে যাই, বুঝলে তপেশ, তখন অনেক সময় মনে হয়েছে হাতে একটা কিছু নিয়ে ঘোরাতে পারলে হয়তো মাথাটা খুলে যেত। দেখে মনে হচ্ছে জপযন্ত্র ইজ আইডিয়াল ফর দ্যাট।'

চার রকমের হয় জিনিসটা—কাঠের, তামার, রূপোর আর হাতির দাঁতের। কাঠের হলেই চলত, কিন্তু এখানে ট্যুরিস্টদের জন্য সব জিনিসের দাম চড়িয়ে রেখেছে এরা ; কাঠও সত্তর টাকার কমে হবে না শুনে ভদ্রলোক আর এগোলেন না।

দু হাজার বছর আগে পাহাড়ের চুড়োয় বসানো বৌদ্ধস্তূপ স্বয়ম্ভুনাথে যে জিনিসটা

সবচেয়ে বেশি মনে থাকে সেটা হল স্তূপের চুড়োর ঠিক নীচে চারকোনা স্তম্ভের চারদিকে আঁকা ঢেউ খেলানো ভুরুওয়ালা জোড়া জোড়া চোখ—যে চোখ মনে হয় সেই আদ্যিকাল থেকেই সারা কাঠমাণ্ডু উপত্যকার উপর সজাগ দৃষ্টি রেখে আসছে, কোথায় কী ঘটেছে সব জানে, কিন্তু কোনওদিন বলবে না।

স্তূপটা যে সমতল চাতালের উপর দাঁড়িয়ে আছে, সেটা যেমন গিজগিজ করছে দেখবার জিনিসে, তেমনই করছে মানুষ আর বাঁদরের ভিড়ে। লালমোহনবাবু একবার কোমরে একটা খোঁচা খেয়ে বললেন, বাঁদরের খোঁচা, কিন্তু সেটা যে আসলে তা নয় সেটা পরে জেনেছিলাম। সেটার কথা, যাকে বলে, যথাস্থানে বলব।

আসল ঘটনা ঘটল পাটনে।

পাটন শহর, যার প্রাচীন নাম ললিতপুর, হল বাগমতীর ওপারে, কাঠমাণ্ডু থেকে মাত্র তিন মাইল। শহরে ঢোকবার মুখে একটা পেল্লায় তোরণ, সেটা পেরিয়ে একটা দোকানের সামনে গাড়ি থামিয়ে আমেরিকান কোকা-কোলা খেয়ে তেষ্টা মিটিয়ে আমরা এখানকার দরবার স্কোয়ারে গিয়ে হাজির হলাম।

ফেলুদা এবার আমাকে সাবধান করে দিয়েছিল—'আমাদের কাঠমাণ্ডু অ্যাডভেঞ্চার সম্বন্ধে যখন লিখবি, তখন খেয়াল রাখিস যে ফেলু মিত্তিরের গোয়েন্দা কাহিনী যেন নেপালের ট্যুরিস্ট গাইড না হয়ে পড়ে।'

ফেলুদার কথা মনে রেখে শুধু এইটুকুই বলছি যে দেড় হাজার বছর আগে লিচ্ছবি বংশের রাজা বরদেবের পত্তন করা পাটন বা ললিতপুরের মন্দির, স্তূপ, প্রাসাদ, কাঠের কারুকার্য, স্বর্ণস্তম্ভের মাথায় রাজার মূর্তি ইত্যাদির এ-বলে-আমায়-দেখ ও-বলে-আমায়-দেখ অবস্থার মধ্যে পড়ে লালমোহনবাবু অবিশ্বাস্য, অভাবনীয়, অকল্পনীয়, অতুলনীয়, অননুকরণীয়, অবিস্মরণীয় ইত্যাদি ছাব্বিশ রকম বিশেষণ ব্যবহার করেছিলেন গড়ে তিন মিনিটে একটা করে। আমার বিশ্বাস সেই সময় সেই বিশেষ ঘটনাটা না ঘটলে তিনি আরও মিনিট পনেরো এই ভাবে চালিয়ে যেতে পারতেন।

ঘটনাটা ঘটল দরবার স্কোয়ার পেরিয়ে ডাইনে মোড় নিয়ে একটা বাজারে পড়বার পর। এই বাজার যে মঙ্গল বাজার নামে বিখ্যাত সেটা পরে জেনেছিলাম। এখানে চারদিকে ছোট ছোট দোকানে নেপালি আর তিব্বতি জিনিস বিক্রি হচ্ছে। কাঠমাণ্ডুর চেয়ে দাম কম, আর ভিড় কম বলে দেখার বেশি সুবিধে।

আমরা জিনিস দেখতে দেখতে এগিয়ে চলেছি। লালমোহনবাবুর দৃষ্টি জপযন্ত্রের দিকে, ফেলুদা বলে দিয়েছে পাটনের কাঠের কাজ পৃথিবী-বিখ্যাত, তাই দাম স্বয়ম্ভুর চেয়ে অনেক কম হলেও 'হাই ক্লাস কারুকার্য নয়' বলে অনেকগুলোই হাতে নিয়েও বাতিল করে দিচ্ছেন। এমন সময় দেখলাম বাজারের শেষ দিকে একটা মোটামুটি নিরিবিলি অংশে একটা বেশ বড় পুরনো বাড়ির নীচে একটা দোকানের সামনে টেম্পোতে মাল তোলা হচ্ছে।

দোকানের কাছে গিয়ে দেখি লালমোহনবাবু যা চাইছেন সেই জিনিসই বাক্স-বোঝাই হয়ে চালান যাচ্ছে, সম্ভবত কাঠমাণ্ডুর বাজারে।

'এইখেনেই বোধহয় তৈরি হচ্ছে জিনিসগুলো, বুঝলে তপেশ। দেখে একেবারে টাট্‌কা বলে মনে হয়। এটা বোধহয় একটা ফ্যাকটরি।'

সেটাও অসম্ভব না। ফেলুদা বলেছিল পাটনে নাকি অনেক কারিগর এইসব পুরনো কালের জিনিস নতুন করে তৈরি করছে।

'সুবিধের দরে পাওয়া যেতে পারে। জিজ্ঞেস করব?'

'করুন না।'

সে গুড়ে বালি। দোকানদার বলল অন্য দোকানে দেখো, আমাদের স্টক ফুরিয়ে গেছে। যা মাল চালান যাচ্ছে সব অর্ডারের মাল।

'যাচ্চলে, লাক্‌টাই—'

লালমোহনবাবুর কথা আটকে গেছে, আর সেই সঙ্গে আমাদের দুজনেরই দৃষ্টি চলে গেছে পাশের গলিটায়।

একটা লোক গলির ডানদিক থেকে বাঁয়ে আসছে। তিব্বতি। একে আমরা চিনি। সেই হলদে টুপি, সেই লাল জোব্বা, সেই একটা চোখ বড়, একটা ছোট।

এ সেই শুয়োর-গলির তিব্বতি দোকানের বেঞ্চিতে বসা আধঘুমো লোকটা। একটা বাড়ি থেকে বেরিয়ে আমরা যে-বাড়িটার সামনে দাঁড়িয়ে আছি, তারই একটা পাশের দরজা দিয়ে ঢুকে গেল।

ঢুকেছে কি? আমরা যেখানে দাঁড়িয়ে, সেখান থেকে দরজাটা দৃষ্টির বাইরে। সেটা দেখতে পাওয়া যাবে চার পা সামনে গিয়ে বাঁয়ের গলিটায় ঢুকে এগিয়ে গেলে।

আবার সেই ফলো করার রোখ চেপেছে আমাদের দুজনের একসঙ্গে।

লোকটা কোথায় গেল দেখা দরকার।

গোয়েন্দা-গোয়েন্দা ভাবটা যথা সম্ভব চেপে রেখে দুজনে এগিয়ে গেলাম গলিটা দিয়ে।

হাত-বিশেক যেতেই বাঁয়ে একটা দরজা পড়ল, যার পাল্লা আর ফ্রেমে কাঠের কাজ দেখলে তাক্ লেগে যায়।

দরজাটা বন্ধ।

বাড়িটার এদিকের দেওয়ালে এই একটাই দরজা।

এই দরজা দিয়েই ভিতরে ঢুকেছে লোকটা।

আরও দশ পা গিয়ে বাড়িটা শেষ হয়েছে; তার পাশ দিয়ে একটা গলি বাঁয়ে চলে গেছে। একটা ছড়-টানা বাজনার শব্দ আসছে। মনে হল গলিটা থেকেই।

এগিয়ে গেলাম গলিটার মুখ অবধি। এদিকটা একেবারে নির্জন।

গলির ডাইনে, আমাদের থেকে দশ-বারো হাত দূরে, একটা ভিখিরি একটা বাড়ির রোয়াকে বসে সারিন্দা বাজাচ্ছে। লোকটা নেপালি, কারণ সারিন্দা নেপালের যন্ত্র, তিব্বতের নয়। অবিশ্যি এই রকমই যন্ত্র একই নামে পূর্ববঙ্গেও পাওয়া যায়।

যতটা সম্ভব ট্যুরিস্টের ভাব করে এগিয়ে গেলাম গলি ধরে। লোকটার সামনে একটা মরচে-ধরা টিনের কৌটো। যেখানে বসেছে, তার উলটোদিকে একটা দরজা। এটা সেই একই বাড়ির দরজা, যার সামনের দিকে দোকান থেকে জপযন্ত্র চালান যাচ্ছে কাঠমাণ্ডু। এই বাড়িতেই ঢুকেছে শুয়োর-গলির সেই তিব্বতি।

ভিখিরি এক মনে বাজিয়ে চলেছে তার নেপালি গৎ, আমাদের সম্বন্ধে তার কোনও কৌতূহল নেই।

লালমোহনবাবু টিনের কৌটোটায় কয়েকটা খুচরো পয়সা ফেলে দিয়ে চাপা গলায় বললেন, 'যাবে নাকি ভেতরে?'

এ দরজাটা খোলা। এটা সাইজেও ছোট আর এটার বাহারও কম, কারণ এটা হল ব্যাকডোর, যাকে বলে খিড়কি।

'চলুন।'

'যদি জিজ্ঞেস করে তো কী বলবে?'

'বলব ট্যুরিস্ট, ভেতরে কী আছে দেখতে এসেছি।'

'চলো।'

সত্যজিৎ রায়

ভিখিরিটার দিকে একটা আড়দৃষ্টি দিয়ে, গলিতে আর কোনও লোক নেই দেখে আমরা দুজনে মাথা হেঁট করে দরজাটা দিয়ে ভেতরের প্যাসেজে ঢুকলাম।

প্যাসেজটা পেরিয়ে ডাইনে একটা উঠোনের এক চিলতে দেখা যাচ্ছে। তারও ডাইনে নিশ্চয়ই ঘর আছে। সেই ঘরের দিক থেকেই শব্দটা আসছে।

যান্ত্রিক শব্দ।

না, ঠিক যান্ত্রিক না। যদি বা একটা মেশিন গোছের কিছু চলে, তার সঙ্গে আরও কয়েকটা শব্দ মিশে আছে। মোটামুটি বলা যায় যে শব্দটার মধ্যে একটা তাল আছে।

আমরা দম বন্ধ করে পা টিপে টিপে এগিয়ে গেলাম।

বাঁয়ে একটা দরজার পিছনে অন্ধকার ঘর।

একটা পায়ের শব্দ পাচ্ছি। ডানদিক থেকে আসছে সেটা। শব্দটা বাড়ছে।

হঠাৎ খেয়াল হল যে এর মধ্যে কখন জানি সারিন্দার সুর পালটে গেছে। আগেরটা ছিল করুণ, মোলায়েম ; এটা নাচানি, হালকা সুর।

এবারে যে লোকটা আসছে তাকে দেখা যাবে।

গলা শুকিয়ে গেছে।

বুঝলাম লোকটা যদি কিছু জিজ্ঞেস করে তো গলা দিয়ে আওয়াজ বেরোবে না।

আর চিন্তা না করে এক ঝটকায় লালমোহনবাবুকে টেনে নিয়ে দুজনে ঢুকে পড়লাম বাঁ পাশের অন্ধকার ঘরটায়। রাস্তার দিকের একটা খুপরি জানালা দিয়ে ঘরে সামান্য আলো আসছে, তাতে দেখা যাচ্ছে একটা খাটিয়া, একটা তামার পাত্র, দড়িতে ঝোলানো কিছু জামা-কাপড়।

আমরা দরজার আড়ালে দাঁড়িয়ে শুনলাম পায়ের শব্দটা বাইরে প্যাসেজ দিয়ে রাস্তার দিকে চলে গেল।

সারিন্দা থেমেছে। তার বদলে গলার আওয়াজ পেলাম। লোকটা বাইরে গিয়ে ভিখিরিটার সঙ্গে কথা বলছে।

আমাদের ডাইনে আর একটা দরজার পরে আর একটা ঘর। এটাও অন্ধকার।

জটায়ুর আস্তিন ধরে টেনে নিয়ে সেই ঘরে ঢুকলাম।

কাঠ ও কার্ডবোর্ডের বাক্সে বোঝাই ঘরটা। তা ছাড়া আছে কিছু তামার জিনিস, কিছু মূর্তি, গোটা কুড়ি-পঁচিশ কাঠের ছাঁচ। বাঁয়ে ঘরের কোনায় পড়ে আছে লালমোহনবাবুর শখের জিনিস—তিনটে কাঠের জপযন্ত্র।

আমরা ঢুকেই বাঁয়ে দরজার আড়ালে লুকিয়ে পড়েছি। বেশ বুঝতে পারছি, এ ঘরের বাইরেই বারান্দা পেরিয়ে উঠোন, আর উঠোনের ওদিকের ঘর থেকেই শব্দটা আসছিল।

এখন শব্দ নেই।

এবার একটা নতুন শব্দ।

লোকটা বাইরে থেকে ফিরে এসেছে।

সে খুঁজছে আমাদের।

প্যাসেজ ধরে পায়ের শব্দ এগিয়ে গিয়ে কাউকে না পেয়ে আবার ফিরে এল। যে ঘরে আছি, সে ঘরের ডাইনের দেওয়ালে উঠোনের দিকে পর পর তিনটে দরজা। দরজার বাইরে থেকে আসা আলো তিনবার বাধা পেল সেটা দেখতে পেলাম।

এবারে আমাদের ঠিক পাশের দরজার সামনে এসে পায়ের শব্দটা থামল।

একটা আবছা ছায়া ঢুকে এল ঘরের ভিতরে চৌকাঠ পেরিয়ে।

আমার দম বন্ধ। শরীরের সব শক্তি জড়ো করে তৈরি হচ্ছি। যা করবার আমাকেই

করতে হবে।

লোকটা আর দু পা এগোতেই আমাদের দেখতে পেল।

ওর প্রথম হকচকানিটা কাটবার আগেই আমি ডাইভ দিয়ে পড়লাম লোকটার উপর। হাত দুটো সমেত কোমর জাপটে ধরে ঘুরিয়ে দেয়াল-ঠাসা করব।

কিন্তু লোকটা ষণ্ডা। এক ঝটকায় হাত দুটোকে ছাড়িয়ে নিয়ে আমার কোটের লেপেল দুটো দু হাতের মুঠোয় ধরে এক হ্যাঁচকায় মাটি থেকে শূন্যে তুলে ফেলল আমায়। বোধহয় ইচ্ছে ছিল ছুড়ে ফেলবে, কিন্তু লালমোহনবাবু সে ব্যাপারে বাগড়া দিচ্ছেন। আমাদের দুজনের মাঝখান দিয়ে হাত গলিয়ে দিয়ে লোকটার হাত দুটোকে আমার কোট থেকে ছাড়াবার চেষ্টা করছেন।

কিন্তু পারলেন না।

লোকটার কনুইয়ের ধাক্কা লালমোহনবাবুকে ছিট্‌কে ফেলে দিল কার্ডবোর্ডের বাক্সের স্তূপের ওপর।

আমার দু হাতের তেলো লোকটার থুতনির তলায় রেখে উপর দিকে চাড় দিয়ে মাথাটাকে চিতিয়ে দিয়েছি, কিন্তু বুঝতে পারছি আমি এখনও শূন্যে, এখনও লোকটা আমাকে ধরে—।

ঠকাং!

হাত দুটো আলগা হয়ে গেল। আমার পায়ের তলায় আবার মাটি। লোকটা দুমড়ে মুচড়ে মাটিতে পড়ল অজ্ঞান হয়ে।

মাথায় বাড়ি।

জপযন্ত্রের বাড়ি।

পাঁচ সেকেন্ডের মধ্যে আমরা দুজনে আবার রাস্তায়, জপযন্ত্র লালমোহনবাবুর থলিতে।

৮

কলকাতায় আমাদের বাড়িতে বসে আমি আর ফেলুদা অনেক সময় আমাদের পুরনো অ্যাডভেঞ্চারগুলো সম্বন্ধে আলোচনা করেছি, বিশেষ করে তাদের সম্বন্ধে, যাদের শয়তানি বুদ্ধি ফেলুদাকেও মাঝে মাঝে প্যাঁচে ফেলে দিয়েছিল। লখ্‌নউ-এর বনবিহারী সরকার, কৈলাসের মূর্তি চোর, সোনার কেল্লার বর্মন আর মন্দার বোস, মিঃ গোরে, কাশীর মগনলাল মেঘরাজ—এরা সব কোথায়? কী করছে? ভোল পালটে সৎপথে চলছে, না শয়তানির মওকা খুঁজছে? নাকি অলরেডি আরম্ভ করে দিয়েছে শয়তানি?

এসবগুলো এত দিন শুধু প্রশ্নই ছিল; শেষে কাঠমাণ্ডুতে এসে এই পুরনো আলাপীদের একজনের সঙ্গে দেখা হয়ে নেগেটিভ-পজিটিভের ঠোকাঠুকিতে যে বিস্ফোরণের সৃষ্টি হবে, সেটা কে জানত?

পাটন থেকে ফিরে ইন্দিরা রেস্টোরান্টে লাঞ্চ খেয়ে (এদের মেনুতে মোমো ছিল না) প্রায় তিনটে নাগাদ হোটেলে ফিরে দেখি ফেলুদা খাটে শুয়ে সদ্য-কেনা একটা ইংরিজি বই পড়ছে, নাম 'ব্ল্যাক মার্কেট মেডিসিন'। আমাদের দিকে চোখ পড়তেই চোখ কপালে উঠে গেল।

'ব্যাপার কী? খুব ধকল গেছে বলে মনে হচ্ছে?'

দুজনে ভাগাভাগি করে পাটনের পুরো ঘটনাটা বললাম। জানতাম ফাঁকে ফাঁকে অনেক প্রশ্ন গুঁজে দেবে ফেলুদা। বেশ বুঝতে পারছি আমরা দুজনে মিলে আজ একটা জবরদস্ত কাজ করে এসেছি। কেন তা ঠিক বলতে পারব না, সমস্ত বাড়িটার মধ্যে যেন জালিয়াতির

একটা গন্ধ ছড়িয়ে ছিল। অথচ বাইরে থেকে দেখলে প্রাচীন পাটনের ইমারতি আর কাঠের কাজের তারিফ করা ছাড়া আর কিছুই করার থাকে না।

সব শুনে-টুনে ফেলুদা 'সাবাস' বলে আমাদের দুজনেরই পিঠ চাপড়ে দিল।

'গোয়েন্দাগিরিতে বীরচক্র থাকলে আমি তোদের দুজনেরই নাম রেকমেন্ড করতাম। কিন্তু আপনি যে জিনিসটা দিয়ে বাজিমাত করলেন, সেটা একবার দেখান!'

লালমোহনবাবু হালকা মেজাজে থলি থেকে জপযন্ত্রটা তুলে ধরে দেখালেন।

'ওর মধ্যে মন্ত্র পোরা আছে কি না সেটা দেখেছেন?'

'আজ্ঞে?'

'ওম্ মণি পদ্মে হুম্।'

'আজ্ঞে?'

'ওম্—মণি—পদ্মে—হুম্। তিব্বতি মহামন্ত্র। এই মন্ত্রটা একটা কাগজে হাজার বার লিখে অথবা ছেপে প্রত্যেকটা জপযন্ত্রে পুরে দেবার কথা।'

'পুরে দেবে? কোথায় পুরে দেবে?'

'ওই ওপরের জিনিসটা তো একটা কৌটো। ওটার মাথাটা তো ঢাকনার মতো খুলে যাবার কথা।'

'তাই বুঝি?'

লালমোহনবাবু একটা মোচড় দিতেই মাথাটা খুলে এল।

'উঁহু—নো সাইন অফ মন্ত্র।'

'ভেতরে কিচ্ছু নেই?'

লালমোহনবাবু আর একবার ভেতরটা দেখলেন আলোর কাছে এনে।

'নাথিং।—না না, দেয়ার ইজ সামথিং। কীসের যেন গুঁড়ো চক্‌চক্ করছে।'

'কই দেখি!'

এবার ফেলুদা ভাল করে দেখল ভেতরটা। তারপর ল্যাম্পের পাশে বেডসাইড টেবিলের উপর উপুড় করে ধরল কৌটোটা।

'কাচ। কাচের টুকরো।'

'একটা বড় টুকরো রয়েছে, ফেলুদা।'

'দেখেছি।'

'মনে হয় একটা ছোট্ট পাইপ জাতীয় কিছুর অংশ।'

ফেলুদা মাথা নাড়ল।

'পাইপ নয়। অ্যামপুল। অসাবধানে ভেঙে ফেলাতে এই পুরো জিনিসটাকে বাতিল করে দিয়েছে।'

'তার মানে বলছেন এই জপযন্ত্রের মধ্যে জাল ওষুধ চালান হত?'

'কিছুই আশ্চর্য না। জপযন্ত্রের ভিতর পুরে প্যাকিং কেসে করে জমা হত পিগ অ্যালির তিব্বতি দোকানের দোতলায়। সেখান থেকে নিশ্চয়ই চলে যেত হোলসেলারদের কাছে। তারপর সেখান থেকে দাওয়াখানায়। যে বাক্সগুলো কাল ওই হোটেলের ঘর থেকে দেখেছিলি, আর আজ টেম্পোতে যে বাক্সগুলো তুলছিল—সে কি একই রকম?'

'আইডেনটিক্যাল,' উত্তর দিলেন জটায়ু।

'বুঝেছি'—ফেলুদার কপালে ত্রিশূলের মতো দাগ—'সাপ্লাইয়ের ব্যাপারটা তদ্বির করছে নকল বাটরা। আর ব্যাপারটা যদি বড় স্কেলে হয়, তা হলে হয়তো বেশ কিছু মাল চলে যাচ্ছে সীমানা পেরিয়ে ভারতবর্ষে। বিহার, ইউ পি-র ছোট ছোট শহরে কত লোক এই ভেজাল

ওষুধ খায় আর ভেজাল ইনজেকশন ব্যবহার করে তার হিসেব কে রাখছে ? ডাক্তারের সন্দেহ হলেও সে যে শোরগোল তুলবে না সে তো দেখাই গেল। এই যুগটাই যে ওই রকম। চাচা আপন প্রাণ বাঁচা !'

ফেলুদা খাট থেকে উঠে কিছুক্ষণ বেশ তেজের সঙ্গে পায়চারি করে নিল। লালমোহনবাবু আবার জপযন্ত্রে ঢাকনা পরিয়ে সেটা হাতে নিয়ে ঘোরাচ্ছেন। ফেলুদার অ্যাডভেঞ্চারে অনেক সময়ই তিনি কেবল দর্শকের ভূমিকা পালন করেছেন ; আজ তিনি যাকে বলে স্বয়ং রঙ্গমঞ্চে অবতীর্ণ।

ঘড়িতে দেখি পৌনে চারটে। আমি লালমোহনবাবুকে মনে করিয়ে দিলাম যে এতক্ষণে তাঁর প্যান্ট রেডি হয়ে থাকার কথা।

'এইদ্দ্যাখো ! ভুলেই গেস্‌লাম।'

ভদ্রলোক এক লাফে সোফা থেকে উঠে পড়লেন। 'আজ ক্যাসিনো যাচ্ছি তো আমরা ? ট্রাউজারটা কিন্তু সেই উদ্দেশ্যেই করানো।'

ফেলুদা পায়চারি থামিয়ে একটা তালি মেরে মন থেকে যেন সমস্ত চিন্তা দূর করে দিয়ে বলল, 'গুড আইডিয়া। আজকে উই ডিজার্ভ এ হলিডে। ডিনারের পরে এক ঘণ্টা ক্যাসিনোয় যাপন।'

অবিশ্যি ক্যাসিনো-পর্ব এক ঘণ্টায় শেষ হয়নি। কেন হয়নি সেটা জানতে হলে আর একটু ধৈর্য ধরতে হবে।

সাড়ে আটটার মধ্যে ডিনার খেয়ে বেরিয়ে পড়লাম। ক্যাসিনো খোলা থাকে নাকি ভোর চারটে অবধি, আর আসল ভিড়টা হয় এগারোটার পর থেকে। এখন গেলে খানিকটা খালি পাওয়া যাবে।

হোটেলটা শহর থেকে খানিকটা বাইরে। বাসে যেতে যেতে বেশ বুঝতে পারছিলাম যে আমরা লোকালয় ছাড়িয়ে চলে যাচ্ছি, কারণ রাস্তার আলো ছাড়া আর বিশেষ আলো চোখে পড়ছে না।

মিনিট পনেরো চলার পর খানিকটা চড়াই উঠে একটা গেট পড়ল। তারপর ডাইনে বেশ বড় একটা লন ও সুইমিং পুল পেরিয়ে আবার ডাইনে ঘুরে বাসটা গিয়ে থামল হোটেলের পোর্টিকোর ঠিক আগে একেবারে ক্যাসিনোর প্রবেশদ্বারের সামনে। পেল্লায় হোটেলের এক পাশটায় এই ক্যাসিনো। বুঝলাম যারা বাইরে থেকে আসবে তাদের আর আসল হোটেলে ঢুকতেই হবে না।

আমাদের আজকের হিরো—অন্তত এখন পর্যন্ত—হলেন লালমোহনবাবু। বিদেশি ফিল্মে দেখা আদব-কায়দার কোনওটাই বাদ দেবেন না এমন একটা সংকল্প নিয়েই যেন তিনি ক্যাসিনোতে এসেছেন। অবিশ্যি এসব আদব-কায়দা যে তিনি সব সময় ঠিকভাবে প্রয়োগ করতে পেরেছিলেন তা নয়। যেমন, সুইং ডোর দিয়ে ঢুকেই বাঁয়ে কাউন্টারের পিছনে যে দুটি বো-টাই পরা ভদ্রলোক বসে ছিলেন—যাদের কাছে হোটেল থেকে পাওয়া পাঁচ ডলারের কার্ডটা দেখিয়ে তবে ক্যাসিনোয় ঢুকতে হয়—তাদের দিকে চেয়ে রীতিমতো গলা তুলে 'হেল্‌লো' বলাটা ঠিক বিলিতি কেতার মধ্যে বোধহয় পড়ে না। তবে এটা স্বীকার করতেই হবে যে কাঠমাণ্ডুর টেলার ভদ্রলোকের প্যান্ট বেশ ভালই বানিয়েছে। তার সঙ্গে নিউ মার্কেটে কেনা হাল্‌কা সবুজ জার্কিন আর মাথায় নেপালি ক্যাপ—সব মিলিয়ে ভদ্রলোকের মধ্যে বেশ একটা স্মার্টনেসের ভাব এসেছে সেটা স্বীকার করতেই হবে।

কয়েক ধাপ সিঁড়ি নেমে গিয়ে তবে আসল ক্যাসিনো। এক জাপানি ভদ্রমহিলা উঠছিলেন সিঁড়ি দিয়ে হ্যান্ডব্যাগ খুলে টাকা ভরতে ভরতে, আর লালমোহনবাবুর দৃষ্টি হাতের কার্ডের দিকে ; ফলে দুজনের মধ্যে একটা কোলিশন লাগত যদি না আমি ভদ্রলোকের জার্কিনের আস্তিনটা ধরে ঠিক সময়ে একটা টান দিতাম। লালমোহনবাবু মহিলার দিকে চেয়ে যেভাবে হেসে "হেহেকেসখিউজ মিহিহি' বললেন, সেটার দামও লাখ টাকা।

অবিশ্যি যতই কনফিডেনস্-এর ভাব করুন না কেন, খোদ ক্যাসিনোয় ঢুকে চারিদিকের ব্যাপার-স্যাপার দেখে ভদ্রলোককে ফেলুদার শরণাপন্ন হতেই হল। ফেলুদাও তৈরি ছিল ওঁকে উদ্ধার করার জন্য।

'হাতের কার্ডটায় দেখুন পাঁচ রকম খেলার জন্য পাঁচটা কুপন রয়েছে। আপনার দ্বারা জ্যাকপট ছাড়া আর কিছু খেলা চলবে না : অন্যগুলোর তল পাবেন না। আপনি জ্যাকপটের কুপনটি ছিঁড়ে ওই কাউন্টারে দিন। ওটা হল ক্যাসিনোর ব্যাঙ্ক। আপনাকে এক ডলারের হিসেবে যত টাকা হয় দিয়ে দেবে। বোধহয় এগারো টাকার মতো হবে—নেপালি টাকা। তাতে আপনি এগারোটা চান্স পাবেন জ্যাকপটে। তাতে যদি কিছু মূলধন হয়, তা হলে আরও খেলতে পারবেন। যদি টাকাগুলো যায়, তবে আরও খেলতে হলে ট্যাঁক থেকে দিতে হবে। কখন থামবেন সেটা সম্পূর্ণ আপনার মর্জি। বেশি হারলে কী হয় তার একটা বড় নজির তো রয়েইছে—যুধিষ্ঠির।'

একটা বড় হলঘর আর তার ডানদিকে একটা মাঝারি ঘর মিলিয়ে ক্যাসিনো। বড়টায় পনটুন, ব্ল্যাকজ্যাক, ফ্লাশ আর আসল খেলা রুলেট ছাড়াও কিছু জ্যাকপটের মেশিন রয়েছে, আর ছোটটায় রয়েছে কিনো আর জ্যাকপট। ফেলুদা দেখলাম রুলেটের দিকে এগিয়ে গেল : আমরা গিয়ে ঢুকলাম ডাইনের ঘরে। আমরা দুজনেই কুপন ভাঙিয়ে টাকা নিয়ে নিয়েছি।

তিনদিকের দেয়ালের সামনে পর পর দাঁড়িয়ে আছে বারো-চোদ্দটা জ্যাকপট মেশিন।

'ব্যাপারটা খুব সোজা,' একটা মেশিনের সামনে নিয়ে গিয়ে বললাম লালমোহনবাবুকে, 'এই দেখুন স্লট। ওয়েইং মেশিনের মতো করে এর মধ্যে টাকা গুঁজে দেবেন। তারপর এই ডাইনের হাতল ধরে টান। তারপর যা হবার আপনিই হবে।'

'মানে ?'

'জিত হলে মেশিন থেকে টাকা বেরিয়ে এই পাত্রটায় পড়বে, যেমন ওজনে কার্ড পড়ে। হার হলে কিছুই বেরুবে না।'

'হুঁ...'

'আপনি একবার ফেলে দেখুন।'

'দেখব ?'

'হ্যাঁ। গুঁজুন টাকা।'

'গুঁজলাম।'

একটা ঘড়ঘড় শব্দের পর বোঝা গেল টাকাটা একটা জায়গায় গিয়ে পড়ল, আর সঙ্গে সঙ্গে মেশিনের গায়ে এক লাইন লেখা জ্বলে উঠল—'কয়েন অ্যাক্সেপটেড।'

'এবার হাতল টানুন। জোরে।'

লালমোহনবাবু মারলেন টান।

মেশিনের সামনে একটা চৌকো কাচের জানালার পিছনে পাশাপাশি তিনটে তিন-রকম ছবি ছিল—হল্‌দে ফল, লাল ফল, ঘণ্টা। হাতলে টান দিতেই মেশিনের ভিতর থেকে একটা ঘড়ঘড় করে ঘোরার শব্দ শুরু হল আর চোখের সামনে কাচের পিছনের ছবিগুলো বদলাতে

বদলাতে সেকেন্ড পাঁচেক পরে ঘট ঘট ঘট শব্দে একটা নতুন কম্বিনেশনে এসে দাঁড়াল। হলদে ফল, হলদে ফল, নীল ফুল।

আর তার পরমুহূর্তেই ঝনাৎ ঝনাৎ করে দুটো টাকা এসে পড়ল পাত্রের মধ্যে।

'জিতলুম নাকি?' চোখ গোল গোল করে জিজ্ঞেস করলেন লালমোহনবাবু।

'জিতলেন বইকী। একে দুই। সে-রকম ভাগ্য হলে একে একশোও হতে পারে। এই দেখুন চার্ট। কোন কম্বিনেশনে কত লাভ হবে এটা দেখালেই বুঝতে পারবেন। ঠিক হ্যায়?'

'ঔক্কে!'

আমি দুটো মেশিন পরে আমার মেশিনে চলে গেলাম। আরও সাত-আটটা মেশিনের সামনে দেশি-বিদেশি মেয়ে-পুরুষ দাঁড়িয়ে খেলে যাচ্ছে। ঘরের এক পাশে কাউন্টারে একজন লোক বসে আছে, তার কাছে চাইলেই একটা প্লাসটিকের বাটি পাওয়া যায় টাকা রাখার জন্য। আমি দুটো চেয়ে নিয়ে একটা লালমোহনবাবুকে দিয়ে এলাম।

এমন জমাটি ব্যাপার যে, খেলার সময় অন্য কোনও দিকে চাওয়া যায় না, অন্য কিছু ভাবা যায় না, মনে হয় বেঁচে থাকার একমাত্র উদ্দেশ্য হল এই জ্যাকপট। তাও একবার বাঁদিকে আড়চোখে চেয়ে দেখলাম লালমোহনবাবু বাটিতে করে বেশ কিছু টাকা কাউন্টারে নিয়ে গিয়ে সেগুলোর বদলে নোট নিয়ে এলেন।

আমারও জিতই হচ্ছিল, রোখও চেপে গিয়েছিল, এমন সময় ফেলুদা পাশের ঘর থেকে এসে হাজির, সঙ্গে একজন বছর পঁচিশেকের মহিলা।

'আপাতত কিছুক্ষণের বিরতি,' বলল ফেলুদা।

'হোয়াই স্যার?'

বুঝলাম লালমোহনবাবুর মোটেই ভাল লাগল না ফেলুদার প্রস্তাবটা।

'চারশো তেত্রিশ থেকে ডাক এসেছে।'

'মানে?'

ভদ্রমহিলাই বুঝিয়ে দিলেন পরিষ্কার বাংলায়।

'ফোর থার্টিথ্রিতে আপনাদের একজন বন্ধু রয়েছেন। তিনি বিশেষ করে অনুরোধ করেছেন একবার তাঁর সঙ্গে দেখা করতে।'

'হু ইজ দিস ফ্রেন্ড?'

লালমোহনবাবু এখনও পুরো ক্যাসিনোর মেজাজে রয়েছেন।

'নাম বললেন না, তবে বললেন আপনারা তিনজনেই খুব ভাল করে চেনেন?'

'চলুন চট্ করে দেখাটা সেরে আসি,' বলল ফেলুদা, 'কৌতূহলও হচ্ছে, তা ছাড়া মিনিট দশেকের বেশি থাকার তো কোনও প্রয়োজন নেই।'

অগত্যা খেলা থামিয়ে রওনা দিলাম এই অজানা বন্ধুর উদ্দেশে। ভদ্রমহিলা লিফ্‌টের মুখ অবধি এসে নমস্কার করে চলে গেলেন।

চার তলায় লিফ্‌ট থেকে বেরিয়ে বাঁয়ে কার্পেট মোড়া প্যাসেজ ধরে একেবারে শেষ প্রান্তে গিয়ে ডানদিকে ৪৩৩ নম্বর ঘর। ফেলুদাই বেল টিপল।

'কাম ইন।'

দরজাটা লক্ করা ছিল না; ঠেলতেই খুলে গেল। ফেলুদাকে সামনে নিয়ে ঢুকলাম আমরা।

বিশাল বৈঠকখানায় একটা মাত্র ল্যাম্প জ্বলছে। ঘরের এক প্রান্তে একটা সোফায় যিনি বসে আছেন, তার ঠিক পিছনেই ল্যাম্পটা জ্বলছে বলে ভদ্রলোকের মুখ ভাল করে বোঝা

যাচ্ছে না। বাইরে থেকে মনে হয়েছিল ঘরে আরও লোক, কারণ কথাবার্তা শুনতে পাচ্ছিলাম। এখন দেখলাম ভদ্রলোকের উলটোদিকে একটা টেলিভিশনের পাশে আরেকটা যন্ত্র। রঙিন অ্যামেরিকান ছবি হচ্ছে টিভিতে, দেখে বুঝলাম ভিডিও চলছে। ফিল্মের কথাবার্তাই শোনা যাচ্ছিল বাইরে থেকে।

'আসুন মিঃ মিত্তর, আসুন আঙ্কল।'

আমার মাথাটা ভোঁ ভোঁ করছে, গলা শুকিয়ে গেছে, পেটের ভিতরটা খালি খালি লাগছে।

এ গলা যে আমাদের খুব চেনা! ফেলুদা বলেছিল এর মতো ধুরন্ধর প্রতিদ্বন্দ্বীর সঙ্গে লড়েও আনন্দ। পুণ্যতীর্থ কাশীধামে এর সঙ্গে মোকাবিলা হয়েছিল ফেলুদার।

মগনলাল মেঘরাজ।

যার মাইনে করা নাইফ থ্রোয়ার লালমোহনবাবুকে টার্গেট করে খেলা দেখিয়ে ওঁর আয়ু কমিয়ে দিয়েছিল অন্তত তিন বছর।

কাঠমাণ্ডুতে কী করছে এই সাংঘাতিক লোকটা?

৯

'আসেন! বসেন।'

টিভির পাশের যন্ত্রটা থেকে একটা তার চলে গেছে ভদ্রলোকের হাতে, সেটার ডগায় একটা সুইচ। ভদ্রলোক সেটা টিপতেই শব্দ সমেত রঙিন ছবি উবে গেল।

'ওয়েল, মিঃ মিটার?'

আমরা দুটো সোফায় ভাগ করে বসেছি, আমার পাশে লালমোহনবাবু।

এতক্ষণে ভদ্রলোকের মুখটা খানিকটা স্পষ্ট। বিশেষ বদল হয়নি চেহারায়। ধুতিটা এখনও ছাড়েননি, তবে শেরওয়ানিটায় জাত কাটারের ছাপ রয়েছে, আর বোতামগুলো হিরের হলেও হতে পারে। সবচেয়ে বদল হয়েছে পরিবেশে; বেনারসের গলির বাড়ির গদি, আর ফাইভ-স্টার হোটেলের রয়েল সুইটে আকাশ পাতাল তফাত।

'এবার রিয়েল হলিডে তো?'

'তার কি আর জো আছে,' একপেশে হাসি হেসে বলল ফেলুদা। 'ঢেঁকি স্বর্গে গেলেও ধান ভানে, জানেন তো?'

'এখানে কী ধান ভানবেন আপনি মিঃ মিত্তর?'

মগনলালের সামনে রূপোর ট্রেতে চায়ের সরঞ্জাম। কাপে শেষ চুমুক দিয়ে সেটা নামিয়ে রেখে পাশের টেবিল থেকে ফোনটা তুলে নিলেন।

'টি অর কফি? বেস্ট দার্জিলিং টি পাবেন এই হোটেলে।'

'চা-ই হোক।'

রুম সার্ভিস ডায়াল করে তিনটে চায়ের অর্ডার দিয়ে ফোন রেখে আবার ফেলুদার দিকে চাইলেন মগনলাল।

'ইন্ডিয়াতে আপনি হিরো—বিগ ডিটেকটিভ। কাঠমাণ্ডু ইজ ফরেন কান্ট্রি মিঃ মিত্তর। এখানে জান-পেহ্‌চান আছে কি আপনার?'

'এই তো একজন পুরনো আলাপী বেরিয়ে গেল!'

মগনলাল হালকা হাসি হাসলেন। দুজনের দৃষ্টি পরস্পরের দিক থেকে সরছে না।

'আপনি কি সারপ্রাইজড্‌ হলেন আমাকে দেখে?'

'তা একটু হয়েছি বইকী !' একটা চারমিনার ধরিয়ে দুটো রিং ছেড়ে জবাব দিল ফেলুদা। 'আপনি হাজতের বাইরে দেখে নয়; ওটা আপনার কাছে কিছুই না। অবাক হচ্ছি আপনার কর্মক্ষেত্র বদলেছে দেখে।'

'হোয়াই ? বনারস হোলি প্লেস, কাঠমাণ্ডুভি হোলি প্লেস। ওখানে বিশ্বনাথজি, ইখানে পস্‌পতিনাথজি। একই বেপার, মিঃ মিত্তর। যেখানে ধরম, সেখানেই আমার করম। কী বলেন, আঙ্কল ?'

'হেঁঃ হেঁঃ।'

বুঝলাম হাসি ফুটলেও, কথা ফোটার অবস্থা এখনও হয়নি জটায়ুর।

'করমের কথা যে বলছেন, সেটা কি ওষুধ সংক্রান্ত কোনও কাজ ?'

আমার শিরদাঁড়ায় একটা শিহরন খেলে গেল। বাঘের সামনে পড়ে ধরনের বেতোয়াক্কা ব্যবহার একমাত্র ফেলুদার পক্ষেই সম্ভব।

'ওসূদ ?' মগনলাল যেন আকাশ থেকে পড়লেন। 'হোয়াট ওসূদ মিঃ মিত্তর ? সূদের কারবার আমার একটা আছে ঠিকই, লেকিন ওসূদকা কেয়া মতলব ?'

'তা হলে আপনি এখানে কী করছেন সেটা জানতে পারি কি ?'

'সার্টেনলি ! লেকিন ফেয়ার এক্সচেঞ্জ হোনা চাই।'

'বেশ। আপনি বলুন। আমিও বলব।'

'আমার বেপার ভেরি সিম্পল মিঃ মিত্তর। আমি আর্টের কারবারি সেটা তো আপনি জানেন, আর নেপালে যে আর্টের ডিপো, সেটাও আপনি নিশ্চয়ই জানেন।'

ফেলুদা চুপ। লালমোহনবাবু দ্রুত নিশ্বাস ফেলছেন।

'এবার আপনার বেপার বলুন। ফেয়ার এক্সচেঞ্জ।'

'আপনি সব কথা খুলে বলেছেন বলে মনে হয় না,' বলল ফেলুদা, 'তবে আমার কথা আমি খুলেই বলছি। আমি এসেছি একটা খুনের তদন্ত করতে।'

'খুন ?'

'খুন।'

'ইউ মিন দ্য মার্ডার অফ মিঃ সোম ?'

আমি থ। ফেলুদাও থ কি না বোঝার উপায় নেই। লালমোহনবাবু শীত লাগার ভাব করে দাঁতে দাঁত চাপলেন সেটা লক্ষ করলাম। হোটেলের ভিতরের টেমপারেচারটা এমনিতেই একটু কমের দিকে। ক্যাসিনোতে লোকের ভিড়ের জন্য বলে বোধহয় ঠাণ্ডা লাগেনি।

'আপনি ঠিকই ধরেছেন মগনলালজি,' বলল ফেলুদা, 'মিস্টার অনীকেন্দ্র সোম।'

চা এল। মগনলালের আদেশে নতুন ট্রে থেকে শুধু তিনটে কাপ-ডিশ আর টি-পট রেখে পুরনোটা থেকে টি-পট আর মগনলালের ব্যবহার করা পেয়ালাটা তুলে নিয়ে চলে গেল বেয়ারা।

'আমার বিশ্বাস,' ফেলুদা বলে চলল, 'সোম ভদ্রলোকটি এখানকার কোনও ব্যক্তির কিছুটা অসুবিধার সৃষ্টি করেছিল। তাই তাকে খতম করে ফেলা হল।'

মগনলাল চা ঢালছেন আমাদের জন্য।

'ওয়ান ? টু ?'

মগনলালের হাতে চিনির পাত্র। কিউব শুগার।

'ওয়ান,' আমি বললাম, কারণ প্রশ্নটা আমাকেই করা হয়েছিল।

'ওয়ান ?'

এবার জটায়ুকে প্রশ্ন। আমি জানি জটায়ুর মাথায় এল এস ডি ঘুরছে, আর ঘুরছে সেই লোকটার কথা, যে সিঁড়ি নামছে ভেবে সাত তলার ছাতের কার্নিশ থেকে পা বাড়িয়ে দিয়েছিল।

'টু ? থ্রি ?'

'নো, নো।'

'নো শুগার ?'

'নো।'

লালমোহনবাবু মিষ্টির ভক্ত, চায়ের দু চামচের কম চিনি হলে চলে না, তাও নো বলছেন।

'ই কেমন কথা হল মোহনবাবু ? আপনার রসগুল্লা খাওয়া চেহারা, শুগারে নো করছেন কেন ?'

আমি নিয়েছি বলেই বোধহয় ভদ্রলোক শেষ পর্যন্ত সাহস পেলেন।

'ও-কে। ওয়ান।'

ফেলুদারও একটা। উঠে গিয়ে যে যার চা নিয়ে এসে আবার বসলাম।

ফেলুদা চায়ের কাপটা পাশের টেবিলে রেখে আগের কথার জের টেনে বলল—

'আমার বিশ্বাস মিঃ সোম জানতে পেরেছিলেন যে এখানে একটা গর্হিত কারবার চলেছে। সে ব্যাপারে তিনি কলকাতা গিয়েছিলেন। একটা উদ্দেশ্য ছিল আমার সঙ্গে দেখা করা। তার আগেই তাকে খুন করা হয়। আপনি যখন খুনের ব্যাপারটা জানেন, তখন স্বভাবতই প্রশ্ন জাগে আপনি এ ব্যাপারে জড়িত কি না।'

মগনলাল ভাসা ভাসা চোখে ঠোঁটের কোণে মৃদু হাসি নিয়ে কিছুক্ষণ ফেলুদার দিকে চেয়ে রইলেন। আমাদের হাতে ধরা পেয়ালা থেকে ভুরভুর করে হাই ক্লাস চায়ের গন্ধ বেরোচ্ছে : আমি আর লালমোহনবাবু এই অবস্থাতেই চুমুক না দিয়ে পারলাম না।

'জগ্‌দীশ !'

মগনলাল হঠাৎ হাঁকটা দেওয়াতে চমকে উঠেছিলাম। বসবার ঘরের দু দিকেই যে আরও ঘর আছে সেটা এসেই বুঝেছিলাম। এবার মগনলালের পিছনের একটা দরজা খুলে একজন লোক এসে আমাদের ঘরে ঢুকল। সঙ্গে সঙ্গে 'কিড়িং' করে যে শব্দটা হল সেটা লালমোহনবাবুর হাতের পেয়ালা কেঁপে গিয়ে পিরিচের সঙ্গে লাগার শব্দ।

জগদীশ নামে যে ভদ্রলোকটি মগনলালের পিছনে এসে দাঁড়ালেন, তিনি হলেন বাটরা নাম্বার টু। কাছ থেকে দেখে বাটরার সঙ্গে সামান্য তফাতটা বুঝতে পারছি। এনার চোখ একটু কটা, কানের দু পাশের চুলে সামান্য পাক ধরেছে, হয়তো শরীরে মাংসও কিছুটা বেশি। আরেকটা বড় তফাত হল, এর চাহনিতে মিশুকে ভাবটা নেই।

'ইনাকে চিনেন ?' প্রশ্ন করলেন মগনলাল।

'আলাপ হয়নি। দেখেছি,' বলল ফেলুদা।

'তবে শুনে রাখুন গোয়েন্দা বাহাদুর। ইনাকে হ্যারাস করবেন না। আমি জানি আপনারা ইনার পিছ্‌নে লেগেছেন। উয়ো আমি বরদাস্ত করব না। জগ্‌দীশ ইজ মাই রাইট হ্যান্ড ম্যান।'

'যদিও উনি নিজে যা করেন তা বাঁ হাতেই করেন।'

বলিহারি ফেলুদা। এখনো নার্ভ স্টেডি, গলার স্বর একটুও কাঁপছে না।

মগনলাল আর কিছু বলার আগে ফেলুদা একটা প্রশ্ন করল।

'ওনার চেহারার সঙ্গে প্রায় হুবহু মিলে যায়, এমন একজন লোক কাঠমাণ্ডুতে আছে সেটা আপনি জানেন কি ?'

মগনলালের মুখ আরও থমথমে হয়ে উঠল।

'ইয়েস মিঃ মিত্তর। আই নো দ্যাট। সে লোক যদি আপনার দোস্ত্ হয় তা হলে টেল হিম টু বি ভেরি কেয়ারফুল। সে যেন বুঝে-সুঝে কাম করে। আপনি তো আজ পস্‌পতিনাথজির শ্মশান দেখে এসেছেন, মোহনবাবু?'

লালমোহনবাবু প্রচণ্ড মনের জোরে মগনলালের কথা যেন শুনতে পাননি এমন ভাব করে বাকি চা-টা ঢক করে খেয়ে পেয়ালাটা ঠং শব্দে পাশের টেবিলে রেখে দিলেন।

মগনলালের দৃষ্টি আবার ফেলুদার দিকে ঘুরল।

'বাটরা যদি মনে করে সে তার নিজের গলতি কাম জগ্‌দীশের কান্‌ধে ডালবে, তবে তাকে বলে দিবেন, মিঃ মিত্তর, কি ওই শ্মশানে তার ডেডবডির সৎকার হবে উইদিন টু ডেজ।'

'নিশ্চয়ই বলব।'

ফেলুদাও তার চা শেষ করে কাপটা হাত থেকে নামিয়ে রাখল।

মগনলালের কথা শেষ হয়নি এখনও।

'আরও একটা কথা বলে দিই মিঃ মিত্তর। আপনি দাওয়াইয়ের কথা বলছিলেন। আপনি জানেন আমাদের দেশের মানুষের সব্‌সে বড়া দুষমন কে? অ্যালোপ্যাথ ডকটরস্! মাইসিন জানেন তো? সিন মানে কী? সিন মানে পাপ! পাকিট ফেঁড়ে পয়সা নেবে, হাথ ফেঁড়ে ব্লাড নেবে, পেট ফেঁড়ে পিঠ ফেঁড়ে বুক ফেঁড়ে এটা নেবে সেটা নেবে। ওয়র্স দ্যান এনি স্মাগলিং র‍্যাকেট। পেনিসিলিনসে পসপতিনাথের চরণামৃত ইজ হান্ড্রেড টাইমস বেটার! দেশের লোক যদি অ্যালোপ্যাথি ছেড়ে দুস্‌রা দাওয়াই খাবে তো আখেরে দেশের মঙ্গল হবে—এ আপনি জেনে রাখবেন!'

'শুনলাম আপনার কথা'—ফেলুদা উঠে দাঁড়িয়েছে,—'কিন্তু আপনি দেখছি নিজে এখনও অ্যালোপ্যাথি ছাড়তে পারেননি। আপনার টেলিফোনের পাশে রাখা ওই শিশিটা নিশ্চয়ই চরণামৃতের শিশি নয়!'

শিশিটা এমনভাবে আড়ালে রয়েছে যে প্রায় চোখেই পড়ে না।

কথাটা যে মগনলালের মোটেই পছন্দ হল না সেটা তার মুখের উপর ঝোড়ো ভাবটা নেমে আসা থেকেই বুঝেছি।

'আসি, মগনলালজি। চা-টা সত্যিই ভাল ছিল।'

মগনলাল তার জায়গা থেকে নড়লেন না।

যখন চারশো তেত্রিশ নম্বর সুইট থেকে বেরোচ্ছি, তখন একটা সুইচের শব্দের সঙ্গে সঙ্গে শুনলাম মার্কিন ছবির সংলাপ আবার শুরু হয়েছে।

১০

মগনলালপর্বের পরেও একই রাত্রে যে আরও কিছু ঘটতে পারে সেটা আমি স্বপ্নেও ভাবতে পারিনি। অথচ লুম্বিনী হোটেলে ফেরার পর আরও দুটো এমন ঘটনা ঘটল, যার ফলে এই বিশেষ দিনটা আমার জীবনে চিরকালের মতো একটা লাল-তারিখ মার্কা দিন হয়ে রইল।

হোটেলে ফিরে রিসেপশনের বেঞ্চিতে হরিনাথ চক্রবর্তীকে বসে থাকতে দেখে রীতিমতো অবাক হলাম। এত রাত্রে কী ব্যাপার? বললেন প্রায় এক ঘণ্টা, মানে সাড়ে দশটা থেকে, ভদ্রলোক অপেক্ষা করছেন আমাদের জন্য, বিশেষ দরকার।

'আসুন আমাদের ঘরে,' বলল ফেলুদা।

ঠাণ্ডা মানুষটার মধ্যে বেশ একটা চাপা উদ্বেগের ভাব লক্ষ করছিলাম।

'কী ব্যাপার বলুন তো ?' ঘরে এসে ভদ্রলোককে সোফায় বসিয়ে প্রশ্ন করল ফেলুদা।

ভদ্রলোক একটুক্ষণ সময় নিয়ে যেন তাঁর চিন্তাগুলোকে গুছিয়ে নিলেন। তারপর বললেন, 'হিমাদ্রি এইভাবে চলে যাওয়াতে সব যেন কেমন গণ্ডগোল হয়ে গিয়েছিল। আর সত্যি বলতে কী, এও মনে হচ্ছিল যে, তাকে যখন আর ফিরিয়ে আনা যাবে না, তখন এত কথা বলেই বা লাভ কী ?'

'কীসের কথা বলছেন আপনি ?'

'বছর তিনেক আগে,' একটু দম নিয়ে বললেন হরিনাথবাবু, 'হিমাদ্রি এখানে একটা চোরা কারবারের ব্যাপার ধরিয়ে দিয়েছিল। গাঁজা চরস ইত্যাদি গোপনে চালান যাচ্ছিল এখান থেকে। হিমাদ্রি ছিল ভয়ানক রেকলেস অ্যাডভেঞ্চার-প্রিয় ছেলে। নিজের জীবনের কোনও তোয়াক্কা করত না। স্মাগলিং যে হচ্ছে সেটা শোনা যাচ্ছিল, কিন্তু ঘাঁটিটা কোথায় জানা যাচ্ছিল না। আপনাকে আগেই বলেছি যে হিমাদ্রিকে হেলিকপটরে নেপালের উত্তর-দক্ষিণ দুদিকেই যেতে হত। একবার উত্তরে গিয়ে সে নিজেই অনুসন্ধান করে জানতে পারে যে ঘাঁটিটা হচ্ছে হেলাম্বুর কাছে একটা শেরপাদের গ্রামে। সে পুলিশকে খবর দেয়। ফলে দলটা ধরা পড়ে।'

ভদ্রলোক একটু থামলেন। ফেলুদা বলল, 'আপনার কি ধারণা ইদানীং সে এই ধরনের আরেকটা চোরা কারবারের সন্ধান পেয়েছিল ?'

'আমাকে সে কিছু বলেনি,' বললেন হরিনাথবাবু, 'তবে ও মারা যাবার দিন পাঁচেক আগে থেকে দুই বন্ধুতে উত্তেজিত হয়ে আলোচনা করতে দেখেছি। তার কিছু কিছু কথা আমার কানেও এসেছিল। আমি ওকে বলেছিলাম, তুই এসব গোলমালের মধ্যে আর যাস না। এসব গ্যাঙ বড় সাংঘাতিক হয় ; এদের দয়ামায়া বলে কিছু নেই। ও আমার কথায় কান দেয়নি।'

ফেলুদা গম্ভীরভাবে মাথা নাড়ল।

'ওরা যে নির্মম হয় সেটা তো অনীকেন্দ্র সোমের খুন থেকেই বুঝতে পারছি।'

'আমার বিশ্বাস হিমু টেট্যানাসে না মরলে ওকেও হয়তো এরাই মেরে ফেলত।'

'এটা কেন বলছেন ?'

ভদ্রলোক পকেট থেকে এক টুকরো কাগজ বার করে ফেলুদার হাতে দিলেন। খাতার পাতা থেকে ছেঁড়া কাগজ। তাতে লাল কালি দিয়ে দেবনাগরীতে লেখা এক লাইন কথা।

'এটা ছিল হিমুর একটা প্যান্টের পকেটে। ও মারা যাবার পর আমার চাকর পেয়ে আমাকে দেয়।'

'নেপালি ভাষা বলে মনে হচ্ছে ?' ফেলুদা বলল।

'হ্যাঁ। ওর মোটামুটি বাংলা হচ্ছে—তোমার বাড় বড্ড বেড়েছে।'

ফেলুদা কাগজটা ফেরত দিয়ে একটা শুকনো হাসি হেসে বলল, 'সবচেয়ে আশ্চর্যের ব্যাপার এই যে, জাল ওষুধের চোরা কারবার বন্ধ করতে গিয়ে আপনার পুত্রকে সেই জাল ওষুধের ইনজেকশনেই মরতে হল !'

'আপনি তা হলে বিশ্বাস করেন যে ইনজেকশনে ভেজাল ছিল ?'

'আমার তো তাই বিশ্বাস। সেটা ঠিক কি না সেটা কাল জানতে পারব বলে আশা করছি।'

ডাঃ দিবাকরকে যে ওষুধ টেস্ট করতে বলা হয়েছে সেটা ফেলুদা হরিনাথবাবুকে বলল। ভদ্রলোক উঠে পড়লেন।

'জানি না এসব তথ্য জেনে আপনার কোনও লাভ হল কি না,' দরজার দিকে এগিয়ে

গিয়ে বললেন হরিনাথ চক্রবর্তী।

'আমার মনের কিছু অস্পষ্ট ধারণা খানিকটা স্পষ্ট হল।' বলল ফেলুদা। 'তদন্তের ব্যাপারে সেটা একটা মস্ত লাভ।'

হরিনাথবাবু যাবার সঙ্গে সঙ্গে লালমোহনবাবুও গুডনাইট করে চলে গেলেন তাঁর ঘরে।

আমি শুয়ে পড়লাম, যদিও ফেলুদার হাবভাবে মনে হচ্ছে বেড-সাইড ল্যাম্প এখন জ্বলবে কিছুক্ষণ।

আজকের রাতটা কী অদ্ভুত ভাবে গেল, হিমাদ্রিবাবুর চোরা কারবারিদের ধরিয়ে দেওয়া, মগনলাল কী সাংঘাতিক লোক, কী বেপরোয়াভাবে ফেলুদাকে শাসিয়ে দিল—এইসব ভাবতে ভাবতে চোখের পাতা দুটো বুজে এসেছে, এমন সময় হঠাৎ দরজার বেলটা বেজে উঠল।

সোয়া বারো। এই সময় আবার কে এল?

উঠে গিয়ে দরজা খুলে দেখি তাজ্জব ব্যাপার।

লালমোহনবাবু। বাঁ হাতে এক টুকরো কাগজ, ডান হাতে জপযন্ত্র। মুখের হাসিটাকে লামা-স্মাইল ছাড়া আর কিছু বলা যায় না। এরকম অমায়িক, স্নিগ্ধ হাসি আজকের দিনে চট করে কোনও সেয়ানা শহুরে লোকের মুখে দেখা যায় না।

'হুম্ হুম্ হুম্!'

তিনবার হুম্ শব্দটা উচ্চারণ করে জপযন্ত্র ঘোরাতে ঘোরাতে ভদ্রলোক ঢুকে এলেন ঘরের ভেতর।

ফেলুদা খাটে উঠে বসেছে। আমি ভদ্রলোকের হাত থেকে কাগজের টুকরোটা নিয়ে নিয়েছি। তাতে লাল কালি দিয়ে ইংরাজিতে লেখা—'ইউ হ্যাভ বিন ওয়ার্নড।' অর্থাৎ তোমাদের সাবধান করে দেওয়া হচ্ছে। ঠিক এই লাল কালিই দেখেছি একটু আগে একটা নেপালি ভাষায় লেখা হুমকিতে।

'কোথায় ছিল এটা?' ফেলুদার হাতে কাগজটা চালান দিয়ে জিজ্ঞেস করলাম ভদ্রলোককে। লালমোহনবাবু তাঁর জহরকোটের ডান পকেটে দুটো চাপড় মেরে বুঝিয়ে দিলেন। ভদ্রলোক এই কোটটা পরেই বেরিয়েছিলেন সকালে। মনে পড়ল স্বয়ম্ভুনাথে বলেছিলেন বাঁদরে ওঁর পকেট ধরে টান দিয়েছিল।

'ও—ম্মম্ম্!'

টেনে দম নিয়ে পুরো দমটা ছেড়ে শব্দটা উচ্চারণ করলেন ভদ্রলোক চেয়ারে বসতে বসতে।

'ও-ম্ মণি পদ্মে হুম্—হুম্—হুম্কি।'

হুম্কি তো বটেই, কিন্তু এ কী দশা লালমোহনবাবুর! অথচ মুখে সেই হাসিটা রয়েই গেছে।

আমি ফেলুদার দিকে চাইলাম। ও ঠোঁট নেড়ে বুঝিয়ে দিল—'পাউন্ড-শিলিং-পেন্স।'

এল এস ডি।

শুগার কিউব!

মগনলাল নিজের হাতেই চিনি দিয়েছিল আমাদের চায়ে। আমাদের দুজনের যখন কিছুই হচ্ছে না, তখন শুধু লালমোহনবাবুর চায়েই দিয়েছিল ওই বিশেষ একটি কিউব। আঙ্কলকে নিয়ে রসিকতা করাটা দেখছি মগনলাল চরিত্রের একটা বিশেষ দিক। কী শয়তান লোকটা!

'ওঁ—ম্মম্ম্মণিপদ্মে হুম্কি!' আবার বললেন ভদ্রলোক। পরমুহূর্তেই হঠাৎ হাসিটা চলে গিয়ে একটা বিরক্তির ভাব দেখা দিল চাহনিতে। দৃষ্টি ফেলুদার দিকে। ফেলুদা একদৃষ্টে লক্ষ করে যাচ্ছে ভদ্রলোককে।

'খুলিটা খুলে ফেলুন!' ধমকের সুরে বললেন ভদ্রলোক—'বলছে খুলি, অথচ খোলার নামটি নেই। হ্যাঃ!'

ফেলুদা চাপা গলায় বলল, 'স্কাউন্ড্রেল'। বুঝলাম সেটা মগনলালকে উদ্দেশ করে বলা হচ্ছে।

জপযন্ত্র এখন থেমে আছে। আস্তে আস্তে বিরক্ত ভাবটা চলে গিয়ে লালমোহনবাবুর চোখ ফেলুদার উপর থেকে সরে গিয়ে চলে গেছে খাটের পাশে জলভরা গেলাসটার দিকে।

চোখের দৃষ্টি ক্রমশ তীক্ষ্ণ থেকে তীক্ষ্ণতর হয়ে এল।

আমার দম বন্ধ হয়ে আসছে। ঘরে পিন ড্রপ সাইলেন্স। লালমোহনবাবু চেয়ে আছেন গেলাসটার দিকে; মনে হচ্ছে গেলাসটা হয়তো বা ওঁর মন্ত্রের জোরে টেবিল থেকে শূন্যে

উঠে পড়বে।

'অহোহো!' বললেন লালমোহনবাবু। তীক্ষ্ণতা চলে গিয়ে একটা ঢুলু-ঢুলু ভাব চোখে, সেই সঙ্গে তারিফের হাসি। 'অহোহো ভিবজিওর! অহো! অহো!—তপেশ, দেখেছ রং?'

আমি থতমত খেয়ে কিছু বলার খুঁজে পাচ্ছি না। অথচ লালমোহনবাবু ছাড়বেন না। ভিবজিওর মানে হচ্ছে ভায়োলেট, ইন্ডিগো, ব্লু, গ্রীন, ইয়েলো, অরেঞ্জ, রেড। অর্থাৎ গেলাসের জলে রামধনুর রং দেখছেন তিনি।

'তপেশ ভাই, দেখেছ রং? ভিবজিওর ভাইব্রেট করছে, দেখেছ?'

কথার মাঝে মাঝে যখন ফাঁক পড়ছে আর লালমোহনবাবু শুধু চুপ করে চেয়ে আছেন সামনের দিকে, সেই সময়টা আমার তন্দ্রার মতো আসছে। আবার কথা শুরু হলেই ঘুমটা ভেঙে যাচ্ছে। একবার তন্দ্রার অবস্থা থেকে 'মাইস!' বলে একটা চিৎকারে লাফিয়ে উঠে দেখি লালমোহনবাবু ভীষণ সোজা হয়ে বসে ওঁর সামনে মেঝের দিকে চেয়ে আছেন।

'মাইস!' আবার বললেন ভদ্রলোক। তারপর বিড়বিড়ানি শুরু হল কিছুক্ষণ—'টেরামাইস, টেট্রামাইস, সুবামাইস, ক্লোরোমাইস, কমপ্রোমাইস...কিলবিল করে ঘুরে বেড়াচ্ছে সব!—আমার সঙ্গে ইয়ার্কি?'

শেষের কথাটা বেদম জোরে বলে লালমোহনবাবু হঠাৎ সোফা ছেড়ে উঠে কার্পেটে মোড়া মেঝেতে পায়ের গোড়ালি দিয়ে ঘা দিতে শুরু করলেন—যেন প্রত্যেকটা ইঁদুরকে পিষে পিষে মারছেন।—'আবার পেখম ধরা হয়েছে! এদিক নেই ওদিক আছে!'

এইভাবে চলল মিনিট তিনেক। এক জায়গায় দাঁড়িয়ে না—সারা ঘর ঘুরে ঘুরে এই কাণ্ড। আশা করি আমাদের ঠিক নীচের ঘরে কোনও গেস্ট নেই!

'ব্যস্, খতম।'

লালমোহনবাবু বসে পড়লেন।

'ঝ্যাক্' আবার বললেন ভদ্রলোক।—'অল টিকটিকিজ খতম।'

কোন ফাঁকে যে ইঁদুর টিকটিকি হয়ে গেল সেটা বোঝা গেল না।

'খতম্! অ্যান্টিবায়োটিকটিকিজ—খতম্।'

এতটা এনার্জি খরচ করার ফলেই বোধহয় লালমোহনবাবুর মধ্যে এবার একটা ঝিমধরা ভাব এসে গেল। তার সঙ্গে সেই আলাভোলা হাসি।

'ওম্ম্ম্ মোমোমোমোমো—ওম্ম্ম্!'

এর পরে কখন যে ঘুমিয়ে পড়েছি জানি না। যখন উঠলাম, তখন পুবের জানালা দিয়ে রোদ এসে ঘর একেবারে আলোয় আলো। ফেলুদা চানটান করে দাড়িটাড়ি কামিয়ে রেডি, সবেমাত্র কাকে যেন ফোন করে রিসিভারটা নামিয়ে রাখল।

'উঠে পড় তোপসে, কাজ আছে। আজ সকালেই বাটরার সঙ্গে একবার দেখা করা দরকার। তার অবস্থাটা যে খুব নিরাপদ নয় সেটা তাকে জানানো দরকার।'

'ফোনটা কাকে করলে?'

'পুলিশ স্টেশন। ভেরি গুড নিউজ। দুই সরকারে সমঝোতা হয়ে গেছে।'

'এ তো দারুণ খবর!'

'হ্যাঁ। কিন্তু তার আগে আমি নিজে একটা ফোন করেছিলাম, সেটার খবরটা খুব ভাল না।'

'কেন? কাকে করেছিলে ফোন?'

'ডাঃ দিবাকর। উনি নাকি আজ ভোরে একটা জরুরি কল পেয়ে চলে গেছেন, এখনও ফেরেননি। ব্যাপারটা মোটেই ভাল লাগছে না।'

'কেন ফেলুদা ?'

'মনে হয় উনি আমাদের হয়ে ওষুধ পরীক্ষা করে দেখছিলেন, সেটা চোরাকারবারি দল পছন্দ করেনি। অবিশ্যি এটা আমার অনুমান। দেখি, ঘণ্টাখানেক পরে আরেকটা ফোন করে দেখব। তাতেও না হলে ডিসপেনসারিতে চলে যাব।'

লালমোহনবাবুর ব্যাপারটা কতক্ষণ চলেছিল সেটা না জিজ্ঞেস করে পারলাম না।

'উনি গেছেন ঘণ্টা খানেক হল', বলল ফেলুদা, 'পরের দিকটা একেবারে মহানির্বাণের অবস্থা। কোনও উৎপাত করেননি। আসলে এল এস ডি-র প্রভাব সাত-আট ঘণ্টার কমে যায় না।'

'তুমি অল অ্যালং জেগে ছিলে ?'

'উপায় কী ? কখন কী করে বসে তার তো ঠিক নেই। ভাগ্য ভাল ভদ্রলোকের কোনও খারাপ এফেক্ট হয়নি।'

'এখন একদম নরম্যাল ?'

'পুরোপুরি নয়। যাবার সময় বলে গেলেন আমার মগজের নাকি তিন ভাগ স্থল, একভাগ জল। সেটা কমপ্লিমেন্ট হল কি না ঠিক বুঝলাম না। তবে খোশ মেজাজে আছেন। কোনও ডেঞ্জার নেই।'

১১

আমি আধ ঘণ্টার মধ্যে তৈরি হয়ে নিলাম। ফেলুদা বলেছিল নীচে থাকবে, যাতে টেলিফোন এলে তৎক্ষণাৎ রিসেপশন থেকেই কথা বলতে পারে। গিয়ে দেখি ও পায়চারি করছে। বলল, 'এখনও ফেরেনি ডাঃ দিবাকর। মুশকিল হচ্ছে কী, কোথায় যে গেছেন, সেটাও বাড়ির লোকে জানে না।'

'আর বাটরা ?'

'বাটরার লাইনটা পাচ্ছি না। আরও বার-দুয়েক দেখি। না হলে ব্রেকফাস্টের পর সোজা চলে যাব ওর আপিসে। এমনিতেও একটা গাড়ির ব্যবস্থা করতে হবে।'

মিনিট তিনেকের মধ্যেই লালমোহনবাবু এসে হাজির। কোনও তাপ-উত্তাপ নেই, যেন অস্বাভাবিক কিছুই ঘটেনি। তবে আমার সঙ্গে যে সামান্য কথাবার্তা হল তাতে বুঝলাম যে চিনি এখনও সম্পূর্ণ হজম হয়নি।

রিসেপশনের দেওয়ালে টাঙানো একটা নেপালি মুখোসের নাকের উপর বার তিনেক হাত বুলিয়ে বললেন, 'ইংলন্ডের রাজপ্রাসাদের নামটা কী যেন ভাই তপেশ ?'

'বাকিংহাম প্যালেস ?'

'ইয়েস,' বললেন লালমোহনবাবু, 'তবে এর সঙ্গে বোধহয় কমপ্যারিজন হয় না।'

'কার সঙ্গে ?'

'আমাদের এই হোটেল লুমুম্বা।'

'লুম্বিনী।'

'লুম্বিনী।'

তারপর একটুক্ষণ চুপ থেকে বললেন, 'এইখানেই তো জন্মেছিলেন, তাই না ?'

'কে ?'

'গৌতম বুদ্ধ ?'

'এই হোটেলে নয় নিশ্চয়ই।'

'কেন, বিফোর ক্রাইস্ট হোটেল ছিল না বলছ ?'

এই অদ্ভুত আলোচনা আর বেশিক্ষণ চলল না, কারণ ফেলুদা এসে বলল যে চটপট ব্রেকফাস্ট সেরে বাটরার আপিস সান ট্র্যাভেলসে যাওয়া দরকার, ওদের টেলিফোনে পাওয়া যাচ্ছে না।

ফেলুদার দেখাদেখি আমরাও শুধু কফিতে ব্রেকফাস্ট সারলাম। মন বলছে আজ অনেক কিছু ঘটবে, কিন্তু কী ঘটবে সেটা বুঝতে পারছি না।

আমাদের হোটেল থেকে পাঁচ মিনিটের হাঁটা পথ মিঃ বাটরার আপিস। বেশি বড় না হলেও, বেশ ছিমছাম আপিস, দেখেই বোঝা যায় বয়স বছর-তিনেকের বেশি না। এক দেওয়ালে নেপালের রাজা-রানির ছবি, আর অন্য দেওয়ালে যার ছবি—বুঝলাম সে-ই এই আপিসের মালিক মিঃ রাণা।

আপিসে এসে যে খবরটা পেলাম সেটাকে একটা বমশেল বললেও বাড়িয়ে বলা হবে না।

বাটরার ঘরে গিয়ে দেখি তিনি নেই, রয়েছেন তাঁর সেক্রেটারি মিঃ প্রধান। তাঁর কাছেই জানলাম যে মিঃ বাটরাকে হঠাৎ বেরিয়ে যেতে হয়েছে।

'এ ভেরি ইম্পর্ট্যান্ট পারসন আজ সকালে ফোন করলেন মিঃ বাটরাকে,' বললেন মিঃ প্রধান। 'বললেন তেরাইতে আমাদের নতুন বাংলোটা দেখার খুব ইচ্ছা। তাই মিঃ বাটরাকে ওঁর সঙ্গে চলে যেতে হল। অবিশ্যি উনি ইনস্ট্রাকশন দিয়ে গেছেন যে আপনার গাড়ি লাগলে যেন তার ব্যবস্থা আমরা করে দিই। তার কোনও ডিফিকাল্টি হবে না।'

'এই ইম্পর্ট্যান্ট পারসনটির নাম জানতে পারি কি ?' ফেলুদা জিজ্ঞেস করল।

'সার্টেনলি। মিঃ মেঘরাজ। ওবেরয় হোটেলে আছেন। ভেরি বিগ আর্ট ডিলার।'

লালমোহনবাবু আমার হাতটা খপ্ করে ধরলেন। বুঝলাম মেঘরাজের নামেই ওর নেশা ছুটে গেছে। সত্যিই, যেখানে বাঘের ভয় সেখানেই সন্ধে হয়। মিঃ বাটরা যে এত সহজেই মগনলালের ফাঁদে পড়ে যাবেন সেটা ভাবতে পারিনি।

'এখান থেকে আপনাদের বাংলোয় যেতে কতক্ষণ লাগে ?' ফেলুদা জিজ্ঞেস করল।

'আপনাকে যেতে হবে ত্রিভুবন রোড দিয়ে হেতাওরা—১৫০ কিলোমিটার। হেতাওরা ইজ এ টাউন—ওখানে আপনি লাঞ্চ করে নিতে পারেন। কারণ আমাদের বাংলো নতুন, সেখানে কিচেন চালু হয়নি এখনও। টাউন থেকে ডাইনে ঘুরে রাপ্তি নদীর পাশ দিয়ে তিন কিলোমিটার গিয়ে আরও ডাইনে দু ফার্লং গিয়েই বাংলো। জঙ্গলের মধ্যে—বিউটিফুল স্পট।'

ফেলুদা আধঘণ্টা পরে হোটেলে গাড়ি পাঠাতে বলে দিল। ওকে একবার নাকি চট করে দরবার স্কোয়ারের দিকে ঘুরে আসতে হবে। বলল, 'তোরা হোটেলে ফিরে গিয়ে আমার জন্য অপেক্ষা কর। আমার বিশ-পঁচিশ মিনিটের বেশি লাগবে না।'

গাড়ি এল কুড়ি মিনিটের মধ্যে, আর ফেলুদা পঁচিশে। বলল, ওকে নাকি একবার ফ্রিক স্ট্রিট যেতে হয়েছিল। 'সেটা আবার কোথায় ?' আমি জিজ্ঞেস করলাম।

'কাছেই,' বলল ফেলুদা, 'বলা যেতে পারে হিপি-পাড়া।'

পাঁচ মিনিটের মধ্যে শহর ছাড়িয়ে ত্রিভুবন রোড ধরল আমাদের ট্যাক্সি। ফেলুদার হাতে খাতা, চোখে ভ্রূকুটি, বাইরের দৃশ্য সম্বন্ধে সম্পূর্ণ উদাসীন। লালমোহনবাবুর নেশা ছুটে গেলেও, একটা আশ্চর্য মোলায়েম ভাব লক্ষ করছি ওঁর মধ্যে যেটা আগে কখনও দেখিনি। মনে হয় যেন এ সব সাময়িক উত্তেজনার অনেক উর্ধ্বে উঠে গেছেন তিনি। জানালা দিয়ে বাইরের দৃশ্য দেখে শুধু একটা মাত্র মন্তব্য করলেন—

'কাল সব ডবল দেখছিলাম, আজ সিঙ্গল।'

ফেলুদা কথাটা শুনে খাতা থেকে মুখ তুলে লালমোহনবাবুর দিকে কেমন যেন অন্যমনস্কভাবে চেয়ে থেকে বলল, 'এটাও যেমন ঠিক, তেমন এর উলটোটাও ঠিক।'

কথাটা আমার কাছে ভীষণ রহস্যজনক বলে মনে হল।

কাঠমাণ্ডুর চার হাজার ফুট থেকে আরও অনেক উপরে উঠে এসেছি। তিন পাশ ঘিরে বরফের চুড়ো দেখা যাচ্ছে। আগেই জানতাম যে সাড়ে সাত হাজার ফুট অবধি উঠতে হবে তাই ঝোলাতে করে গরম মাফলার নিয়ে নিয়েছিলাম। ঘণ্টা দেড়েক চলার পর সেগুলোর প্রয়োজন হয়ে পড়ল। সঙ্গে ফ্লাস্কে কফি ছিল, গাড়ি চালু অবস্থাতেই তিনজন খেয়ে নিলাম।

অল্পক্ষণের মধ্যেই নামা শুরু হয়ে গেল। ন্যাড়া মহাভারত পর্বতশ্রেণী ছাড়িয়ে আমরা এখন ঘন সবুজে ঢাকা শিবালিক পর্বতশ্রেণীর দিকে চলেছি। অত দূর যেতে হবে না আমাদের, কারণ মাঝপথেই পড়বে রাপ্তি উপত্যকায় নদীর পাশে হেতাওরা শহর। সেইখান থেকে ত্রিভুবন রাজপথ ছেড়ে ডানদিকে ঘুরব আমরা।

'তোপসে—বাটরার পুরো নামটা জানিস?'

হাতের খাতাটা বন্ধ করে হঠাৎ প্রশ্ন করল ফেলুদা।

আমি বললাম, 'না তো, উনি তো কোনওদিন বলেননি।'

'না বললেও তোর জানা উচিত ছিল,' বলল ফেলুদা, 'ওর আপিসের ঘরে ওর টেবিলের উপর একটা প্লাস্টিকের ফলকে লেখা ছিল পুরো নামটা। অনন্তলাল বাটরা।'

হেতাওরা যখন পৌঁছলাম তখন দুটো বেজে গেছে। খিদে পাবার কথা, কিন্তু পায়নি। একেকটা অবস্থায় পড়লে মানুষ খিদে-তেষ্টা ভুলে যায়, এটা সেই অবস্থা। লালমোহনবাবুকে জিজ্ঞেস করাতে বললেন, 'ফুড ইজ নাথিং।'

ড্রাইভার রাস্তা জানে, সে ত্রিভুবন রোড ছেড়ে ডানদিকে ঘুরল। একটা সাইন বোর্ড দেখে বুঝলাম যে, এই রাস্তা দিয়েই ট্রি-টপস হোটেলে যায়, যেখানে গাছের মাথায় বসানো হোটেলের বারান্দায় বসে তেরাই-এর বন্য জানোয়ার দেখা যায়। আমাদের বাংলো অবিশ্যি পড়বে তার অনেক আগেই।

বাঁদিক দিয়ে রাপ্তি নদী ছুটে চলেছে পাথর ভেঙে দু দিকের ঘন জঙ্গলের মধ্যে দিয়ে। আমাদের রাস্তারও ডানদিকে ঘন শালবন। মন বার বার বলছে, এই হল সেই তেরাই, সেই গায়ে কাঁটা দেওয়া অরণ্যভূমি, হিংস্র জানোয়ারের ডেরা হিসেবে যার আর জুড়ি নেই। সিপাহি বিদ্রোহের পর নানাসাহেব তার দলবল নিয়ে ভারতবর্ষ থেকে পালিয়ে এসে এই তেরাইয়েরই এক অংশে গা ঢাকা দিয়ে ছিল।

রাস্তা আবার ডাইনে মোড় নিল। এটা কাঁচা, হালে তৈরি হয়েছে।

এই রাস্তা ধরে মিনিট তিনেক চলেই লাল টালির ছাতওয়ালা কালো কাঠের বাংলোটা চোখে পড়ল। বনের গাছ কেটে বেশ কিছুটা জায়গা সাফ করে কম্পাউন্ডে ঘেরা বাংলোটা তৈরি হয়েছে।

ডাইনে ঘুরে বাংলোর গেট দিয়ে ঢুকে নুড়ি ফেলা পথের উপর দিয়ে শব্দ তুলে আমাদের গাড়ি বাংলোর বারান্দার সামনে গিয়ে দাঁড়াল। বাঁয়ে কিছুটা দূরে কম্পাউন্ডেরই ভেতর দুটো পাশাপাশি গ্যারাজের সামনে আর একটা গাড়ি দাঁড়িয়ে আছে।

গাড়ি থামার সঙ্গে সঙ্গে জায়গাটার আশ্চর্য নিস্তব্ধতার একটা আন্দাজ পেয়েছি। ঝিঁঝির শব্দ ছাড়া আর কোনও শব্দ নেই। না, সেটা ঠিক না। একটা সামান্য খুটখাট শব্দ কোত্থেকে আসছে সেটা বুঝতে পারছি না।

আমাদের গাড়ির ড্রাইভার অন্য গাড়িটার দিকে চলে গেল, আমরা তিনজন তিন ধাপ সিঁড়ি ভেঙে জাল দেওয়া দরজাটা খুলে বারান্দায় গিয়ে ঢুকলাম।

'ভিতরে আসুন মিঃ মিত্তর!'

সামনের ঘরটাই বৈঠকখানা, তার ভিতর থেকেই ডাকটা এসেছে। মগনলালের পালিশ করা গম্ভীর গলাটা চিনতে অসুবিধা হয় না।

আমরা তিনজন গিয়ে বৈঠকখানায় ঢুকলাম।

ঘরের তিন দিকে সোফা, মাঝখানে একটা বড় গোল টেবিল, দেওয়ালে বাঁধানো নেপালের দৃশ্য, মেঝেতে তিব্বতি কার্পেট। এ ছাড়া পাশে একটা টেবিলের উপর একটা রেডিয়ো রয়েছে। আর এক কোণে একটা বুক শেলফে কিছু বই আর পত্রিকা।

আমাদের ঠিক সামনের সোফাটায় এক ধারে বসে মগনলাল একটা টিফিন ক্যারিয়ার থেকে পুরি আর তরকারি খাচ্ছে। একজন চাকর পাশে দাঁড়িয়ে আছে জলের জাগ আর গামলা হাতে নিয়ে।

এ ছাড়া আর কোনও তৃতীয় ব্যক্তি নেই।

'আমি জানতাম আপনি আসবেন,' খাওয়া শেষ করে ভেজা তোয়ালে দিয়ে মুখ মুছে বললেন মগনলাল। আমরা তিনজনে ইতিমধ্যে বসে পড়েছি।

'আপনি কী ব্যাপারে এসেছেন, সেটা আমি জানি মিঃ মিত্তর। বাট দিস টাইম ইট ইজ মাই টার্ন। ঘুঘুতে বার বার খাবে না দানা, খাবে কি?'

ফেলুদা নির্বাক।

'বেনারসে আপনি যে বেইজ্জত করলেন আমাকে,' বললেন মগনলাল, 'সে তো আমি ভুলিনি মিঃ মিত্তর। বদলা নেবার মওকা যদি আপনি দিয়ে দেন, বদলা আমি নেব না?'

একটা ধপ ধপ আওয়াজ শুনতে পাচ্ছি মাঝে মাঝে এই বাংলোরই কোনও অংশ থেকে। মনে হচ্ছে, ডানদিকের কোনও ঘর থেকে আসছে। কীসের শব্দ বোঝা মুশকিল।

'মিঃ বাটরা কোথায় সেটা জানতে পারি কি?'

মগনলালের হুমকি অগ্রাহ্য করে শান্তভাবে জিজ্ঞেস করল ফেলুদা।

মগনলাল আপসোসের ভঙ্গিতে চুক্ চুক্ করে শব্দ করে বললেন, 'ভেরি স্যাড, মিঃ মিত্তর। আমি তো কাল বললাম আপনাকে—জগদ্‌দীশ আমার রাইট হ্যান্ড ম্যান। রাইট হ্যান্ড তো একটাই থাকে মানুষের—দোনো কা কেয়া জরুরত?'

'আপনি কিন্তু আমার কথার জবাব দিলেন না। আমি জানতে চাই সে ভদ্রলোক কোথায়?'

'বাটরা জিন্দা আছে মিঃ মিত্তর,' শেরওয়ানির পকেট থেকে পানের ডিবে বার করে দুটো পান মুখে পুরে দিয়ে বললেন মগনলাল—'ডে টাইমে হি উইল বি সেফ। তেরাই-এর বেপার তো আপনি জানেন। গরমিন্ট ল আছে কী এখানে ওয়াইলড লাইফ মারা চলবে না, লেকিন ওয়াইলড লাইফ যদি মানুষ মারে, দেন হোয়াট? সেটার এগনেস্টে কোনও ল আছে কি?'

'আপনি যে এখানে চলে এলেন, কাঠমাণ্ডুতে আজ কী হচ্ছে সেটা আপনি জানেন?'

'কী হচ্ছে মিঃ মিত্তর?'

'আপনার পাটনের কারখানা আর কাঠমাণ্ডুর শুয়োর-গলির গুদোম আজ তছনছ হয়ে যাচ্ছে।'

মগনলাল সমস্ত দেহ দুলিয়ে অট্টহাসি করে উঠলেন।

'আপনি কি ভাবেন আমি এত বুদ্ধু মিঃ মিত্তর? পোলিস উইল ফাইন্ড নাথিং, নাথিং। পাটনে দেখবে হ্যান্ডিক্রাফট তৈয়ার হচ্ছে, আউর শুয়ার-গলিতে দেখবে গুদাম খালি! সব

মাল লরিতে করে আমি সঙ্গে নিয়ে এসেছি মিঃ মিত্তর। হেতাওরা দিয়ে লরিতে মাল যায় ইন্ডিয়া। টিম্বার। সেই লরিতে করে সব দাওয়াই চলে যাবে বিহার, ইউ পি। ওষুধের অনেক কাম তো আমার ইন্ডিয়াতেই হয়। লেবেল, ক্যাপসুল, অ্যামপুল, ক্যাপ, ফায়াল, সবই তো ইন্ডিয়া থেকে আসে। বাকি কাম হয় এখানে, বিকজ এখানের লোক ইন্ডিয়ার লোকের চেয়ে কাম করে বেশি। অ্যান্ড বেটার।'

আমার কানটা খুব ভাল বলেই বোধহয় ঝিঁঝির ডাক ছাপিয়ে আরেকটা আওয়াজ শুনতে পেলাম। ফেলুদার ঘাড়টা এক মুহূর্তের জন্য একবার সামান্য বাঁদিকে ঘুরতে বুঝলাম সেও আওয়াজটা পেয়েছে।

'জগদীশ!'

বুঝলাম মগনলাল কথা শেষ করে কাজে চলে এসেছেন।

ডান পাশের ঘর থেকে ফুলকারি করা পর্দা ফাঁক করে যিনি আমাদের ঘরে এসে ঢুকলেন, তার বাঁ হাতে ধরা রিভলভারটা সোজা ফেলুদার দিকে তাগ করা রয়েছে।

'উঠুন আপনারা তিনজন!' মগনলাল হাঁকিয়ে হুকুম দিলেন।

আমরা উঠলাম।

'হাত তুলুন মাথার উপরে।'

তুললাম।

'গঙ্গা! কেস্‌রী!'

আরও দুজন লোক—তাদের ঠিক ভদ্র বলা যায় না—পিছনের দরজা দিয়ে ঢুকে সোজা আমাদের তিনজনকে সার্চ করে ফেলুদার পকেট থেকে ওর কোল্ট রিভলভারটা বার করে মগনলালের কাছে দিয়ে দিল।

রিভলভারধারী জগদীশ ভদ্রলোকটিকে দিনের আলোতে দেখেও বাটরার সঙ্গে যে তফাতটুকু পেয়েছিলাম, তার চেয়ে বেশি পাওয়া যাচ্ছে না।

ডানদিক থেকে আবার সেই ধুপ ধুপ শব্দটা শোনা গেল। এবার মগনলাল সেদিকে একটা বিরক্ত দৃষ্টি দিয়ে বললেন, 'ভেরি স্যরি মিঃ মিত্তর, আপনার আর একজন ফ্রেন্ডকেও এখানে নিয়ে এসেছি আমি। উনি আমাদের ওষুধ নিয়ে ল্যাবরেটরিতে টেস্ট করে ঝামেলা করছিলেন। ন্যাচারেলি ওনাকে রোকে দিতে হল।'

'উনিও কি বাঘের পেটে যাবেন?'

'নো নো মিঃ মিত্তর,' হেসে বললেন মগনলাল, 'ওনাকে দিয়ে আমার অন্য কাম হবে। একজন ডকটর হাতে রাখলে সুবিধা হবে আমার, মিঃ মিত্তর। আমার নিজের হার্ট খুব ভাল নেই, সেটা আপনি বোধহয় জানেন না।'

'তা হলে চরণামৃততে কাজ দিল না?'

মগনলাল এ কথার কোনও উত্তর দেবার আগেই গঙ্গা ও কেশরী নামে দুটো ষণ্ডা মার্কা লোক লম্বা লম্বা দড়ি নিয়ে ঘরে ঢুকে সোজা আমাদের দিকে এগিয়ে আসতেই পর পর এমন কতকগুলো ঘটনা ঘটে গেল যে সেগুলো লিখে বোঝানো খুবই কঠিন। তাও আমি চেষ্টা করছি—

প্রথমে বাইরে একটা গাড়ির শব্দতে জগদীশ ভদ্রলোক খচ্‌ শব্দে রিভলভারটার সেফ্‌টি ক্যাচ্‌টা খুলে ফেলুদার দিকে টান করে বাড়াতেই কিছু বোঝার আগেই দেখলাম ফেলুদার ডান পা-টা একটা হাই কিক্‌ করে রিভলভারটাকে ভদ্রলোকের হাত থেকে ছিটকে বার করে দিল, কিন্তু তার আগে ট্রিগারের চাপ পড়ে যাওয়াতে তার থেকে সশব্দে একটা গুলি বেরিয়ে বন্ধ সিলিং ফ্যানের ব্লেডের কিনারে লেগে সেটাকে ঘোরাতে আরম্ভ করে দিল।

এরই মধ্যে কখন যে ঘরে এত লোক ঢুকে পড়েছে জানি না। এদের কাউকেই চিনি না, কিন্তু বুঝতে পারছি এরা সবাই পুলিশের লোক। আর তার মধ্যে কিছু নেপালের আর কিছু আমাদের পশ্চিমবাংলার। এদেরই একজন খপ করে ধরে ফেললেন জগদীশকে, যিনি পিছনের দরজা দিয়ে পালাতে গিয়েছিলেন।

মগনলাল সোফা ছেড়ে উঠে দাঁড়িয়েছে, তার চোখ দিয়ে আগুন ঠিকরে বেরোচ্ছে।

'খবরদার ! আমার গায়ে কেউই হাত দিবেন না ! খবরদার !'

'আপনার ব্যাপারে পরে আসছি মগনলালজি,' বলল ফেলুদা, 'আগে এনারটা ফয়সালা হয়ে যাক।'

ফেলুদার দৃষ্টি ঘুরে গেছে পুলিশের হাতে বন্দি জগদীশের দিকে।

'আপনার বাঁ হাতের তর্জনীটা এতক্ষণ রিভলভারের ট্রিগারে ছিল বলে দেখতে পাইনি,' বলল ফেলুদা, 'এখন দেখছি তর্জনীতে বেগুনি কালির দাগ। আপনি কি এখনও সেই লিক-করা কলমটাই ব্যবহার করছেন, মিঃ বাটরা ?'

'আপনি মুখ সামলে কথা বলবেন মিঃ মিত্তর,' ষাঁড়ের মতো চেঁচিয়ে উঠলেন মগনলাল, 'জগ্‌দীশ ইজ মাই—'

'জগদীশ না, বাটরা—অনন্তলাল বাটরা—ইজ ইওর রাইট হ্যান্ড ম্যান। জগদীশ বলে কেউ নেই, নকল বাটরা নেই, লোক একজনই। একটু চাপ দিলেই উনি চোখের কনট্যাকট লেনস্ দুটো খুলে ফেলবেন, তা হলেই কটা ভাবটা চলে যাবে। আর মিঃ বাটরা বোধহয় জানেন না যে তিনি আজ ভোরে চলে আসার পর তার বাড়িতে সার্চ হয়েছিল, এবং একটি চোরা কুঠরি থেকে বেশ কিছু জাল একশো টাকার নোট পাওয়া গেছে—যেগুলো আপনার ওই জাল ওষুধের কারখানাতেই ছাপানো হত।'

নেপাল পুলিশের একজন অফিসার এক বাণ্ডিল একশো টাকার নোট বার করে ধরলেন আমাদের সামনে। বাটরার মুখ ব্লটিং পেপার। ফেলুদা বলল—

'আপনি একটা কাঁচা কাজ করে ফেলেছিলেন কলকাতায়, মিঃ বাটরা। আপনি যে জাল নোটটা দিয়েছিলেন সেই কুকরির দোকানে, সেটা আর ফেরত নেননি। কারণ একবার যখন বলেছেন সেটা আপনি দেননি, তখন আর সেটা ফেরত নেওয়া যায় না। ফলে সেটা দোকান থেকে পুলিশের হাতে চলে আসে। এখন দেখা যাচ্ছে সে নোটের নম্বর আর আজ আপনার বাড়িতে পাওয়া নোটের নম্বর এক !'

বাটরার শেষ অবস্থা, কিন্তু মগনলাল এখনও তম্বি করে চলেছে।

'আমি ফের বলছি মিস্টার মিত্তর, আমি—'

'আপনি বড্ড বেশি বকছেন,' বাধা দিয়ে বলল ফেলুদা, 'আপনার বুকনিটা বন্ধ করা দরকার। তোপসে, তোরা দুজনে চেপে ধর তো লোকটাকে।'

আমি তো এ সব পারিই, কিন্তু লালমোহনবাবুর মধ্যেও যে হঠাৎ এতটা এনার্জি এসে যাবে সেটা ভাবতে পারিনি। দুই রাজ্যের পুলিশ হল দর্শক, আর তার মধ্যে আমাদের এই নাটক।

দুজনের কম্বাইন্ড ঠেলা আর চাপে মগনলাল সোফার সঙ্গে সিঁধিয়ে গেলেন। ফেলুদা এর মধ্যে ওর পকেট থেকে দুটো জিনিস বার করেছে, তার একটা ভদ্রলোকের হাঁসফাঁসানির ফাঁকে তার মুখের ভেতর চাল গেল। এটা হল একটা শুগার কিউব। বুঝলাম এটা আজই সকালে ফ্রিক স্ট্রিটের হিপিদের কাছ থেকে জোগাড় করে এনেছে ফেলুদা। দ্বিতীয় জিনিসটা হল একটা স্কচ টেপ, যেটা থেকে চড়াৎ করে খানিকটা অংশ ছিঁড়ে ফেলুদা সেটা দিয়ে মগনলালের ঠোঁট দুটো সিল করে দিল।

সব শেষে একটা সিগারেট কেসের মতো দেখতে জিনিস বার করে নেপাল পুলিশ

অফিসারের হাতে দিয়ে ফেলুদা বলল, 'এই মিনি-ক্যাসেট রেকর্ডারটা এই ঘরে ঢুকবার আগেই আমি পকেটে চালু করে দিয়েছিলাম। এতে আপনারা এই ভদ্রলোকের জাল ওষুধের কারবার সম্বন্ধে ওঁর নিজেরই বলা অনেক তথ্য পাবেন।'

১২

ফেলুদা বলল, 'আমার ধারণা তার আপিসের জনসংযোগের কাজের মধ্য দিয়েই মগনলালের সঙ্গে বাটরার পরিচয় হয়।'

আমরা ফিরতি পথে কাঠমাণ্ডুর আশি কিলোমিটার আগে সাড়ে সাত হাজার ফুট হাইটে দামন ভিউ টাওয়ার লজের ছাতে বসে কফি আর স্যান্ডউইচ খাচ্ছি। আমরা তিনজন ছাড়া আছেন ডাঃ দিবাকর, নেপাল পুলিশের সাব-ইন্সপেক্টর শর্মা, আর কলকাতার হোমিসাইড ডিপার্টমেন্টের ইন্সপেক্টর জোয়ারদার। ডাঃ দিবাকরকে হাত-পা-মুখ বাঁধা অবস্থায় পাওয়া গিয়েছিল বাংলোর বৈঠকখানার দুটো ঘর পরে দক্ষিণে একটা বেডরুমে। হাত-পা বাঁধা অবস্থাতেই পা দিয়ে মেঝেতে লাথি মেরে উনিই ধপ্‌ ধপ্‌ শব্দ করছিলেন। তিনি যে ফেলুদার ফরমাশে তাঁর দোকানের ওষুধ টেস্ট করছেন সে খবর তার চর মারফত পৌঁছায় মগনলালের কাছে। তার রাইট হ্যান্ড ম্যান বাটরা আজই ভোরে একটা রুগি দেখতে নিয়ে যাবার অছিলায় ডাঃ দিবাকরকে তার বাড়ি থেকে তুলে নিয়ে, মগনলালকেও তুলে, এখানে চলে আসে। মগনলালের দলকে নিয়ে যাওয়া হয়েছে কাঠমাণ্ডু। এল এস ডি খেয়ে তার কী প্রতিক্রিয়া হয় সেটা কালকের আগে জানা যাবে না। ঘড়িতে বলছে পাঁচটা পাঁচ। বেশ বুঝতে পারছি আমাদের চারিদিকে ঘিরে থাকা হিমালয়ের বিখ্যাত চুড়োগুলোতে একটু পরেই সোনার রং ধরতে শুরু করবে।

ফেলুদা বলে চলল—'বাটরা চতুর লোক, শিক্ষিত আর ভদ্র বলে তার ভারতবর্ষেও যাতায়াত আছে, এই সব জেনে মগনলাল বাটরাকে তার চোরা কারবারের মধ্যে জড়ায়।

'অনীকেন্দ্র সোম জাল ওষুধের পিছনে উঠে পড়ে লেগেছে শুনে মগনলাল বাটরাকে দিয়ে তাকে হটাবার মতলব করে। মিঃ সোম কলকাতায় যাচ্ছে জেনে বাটরাকে তার সঙ্গে পাঠায়। হয় এয়ারপোর্টে না হয় প্লেনে, বাটরা সোমের সঙ্গে আলাপ করে, যদিও বাটরা আমার কাছে এটা অস্বীকার করে। সোমের নোটবুকে একটা কথা লেখা ছিল—এ বি-র বিষয় আরও জানা দরকার। আমি প্রথমে ভেবেছিলাম এ বি হল অ্যান্টিবায়োটিকস, কিন্তু যখন জানলাম বাটরার প্রথম নাম অনন্তলাল, তখন বুঝতে পারলাম সোম আসলে বাটরার বিষয়েই আরও জানবার কথা লিখেছিল। হয়তো আলাপ করে বাটরা সম্বন্ধে সোমের মনে কোনওরকম সন্দেহ দেখা দিয়েছিল।

'আমার বিশ্বাস কথাচ্ছলে সোম বাটরাকে বলেছিল সে কলকাতায় এসে আমার সঙ্গে দেখা করবে। বাটরা আমাকে নামে জানত। তার তখন বিশ্বাস হয় যে সে যদি সোমকে খুন করে, তা হলে সে-খুনের তদন্ত আমিই করব।

'নিউ মার্কেটে দৈবাৎ আমার সঙ্গে দেখা হয়ে যাবার ফলে একটা নকল বাটরা তৈরি করার আশ্চর্য ফন্দিটা বাটরার মাথায় আসে। মার্কেটে তার হাতে প্লাস্টিকের ব্যাগে নতুন কেনা একটা নীল রংয়ের শার্ট ছিল। আমার সঙ্গে আলাপ হবার পরমুহূর্তেই সে কোনও একটি কাপড়ের দোকানে ঢুকে তাদের ট্রায়াল রুমে গিয়ে পুরনোর জায়গায় নতুন শার্টটা পরে নিয়ে, পুরনোটা আরেকটা প্যাকেটে ভরে আমাদের সামনে দিয়ে হেঁটে চলে যায়, এবং বুঝিয়ে দেয় সে আমাদের আদৌ চেনে না।

'পরদিন বিকেলে আমার বাড়িতে এসে সে নকল বাটরার ধারণাটা আমার মনে আরও বদ্ধমূল করার চেষ্টা করে। তার পরদিন সকালে ন'টায় তার কাঠমাণ্ডুর ফ্লাইট। মালপত্র নিয়ে ট্যাক্সি করে ভোরে হোটেল থেকে বেরোয়, পাঁচটায় সেন্ট্রাল হোটেলে গিয়ে সোমকে খুন করে চলে যায় এয়ারপোর্টে। ছুরিটা সে রেখেই যায়, যেন আমি মনে করি যে গ্র্যান্ড হোটেল থেকে যে লোক ছুরিটা কিনেছিল অর্থাৎ নকল বাটরা, সে-ই খুনটা করেছে।'

'কিন্তু আপনার প্রথম সন্দেহটা হয় কখন ?' প্রশ্ন করলেন ইন্সপেক্টর জোয়ারদার।

ফেলুদা বলল, 'নিউ মার্কেটে বাটরার একটা পুরনো ফাউনটেন পেন দিয়ে আমি তার নোটবুকে আমার ঠিকানাটা লিখে দিই। সে আমাকে দিয়ে লেখাল, কারণ নিজে লিখলে লিখতে হত বাঁ হাতে। সে প্রমাণ করতে চেয়েছিল যে নকল বাটরাই লেফট-হ্যান্ডেড। কিন্তু ব্যাপার হচ্ছে কী, যারা ন্যাটা হয়, তারা এক কলম দিয়ে বেশি দিন লিখলে সেই কলমের নিব একটা বিশেষ অ্যাঙ্গেলে ক্ষয়ে যায়, ফলে রাইট-হ্যান্ডেড লোকেদের সে কলম দিয়ে লিখতে একটু অসুবিধে হয়। এই সামান্য অসুবিধাটা তখন বোধ করেছিলাম। কিন্তু গা করিনি। পরে যখন জানলাম যিনি খুন করেছেন তিনি লেফট-হ্যান্ডেড, তখনই প্রথম খটকাটা লাগে, আর তখনই স্থির করি যে কাঠমাণ্ডু গিয়ে ব্যাপারটা একটু তলিয়ে দেখতে হবে। অবিশ্যি এসে যে দেখব খুন একটা নয়, দুটো—সেটা ভাবতেই পারিনি।'

'ডাবল ?' ভুরু তুলে প্রশ্ন করলেন লালমোহনবাবু। আমরা সকলেই অবাক, সকলেই জিজ্ঞাসু দৃষ্টিতে দেখছি ফেলুদার দিকে। দ্বিতীয় কোন খুনের কথা বলছে ফেলুদা ?

শেষ পর্যন্ত মুখ খুললেন ডাঃ দিবাকর।

'উনি ঠিকই বলেছেন। টেট্যানাসের ওষুধ আমার টেস্ট করা হয়ে গিয়েছিল। খবরটা মিঃ মিত্রকে দেবার আর সুযোগ হয়নি। ওটা সত্যিই ছিল জাল। কাজেই এই ইনজেকশানের পর টেট্যানাস হয়ে মরাটা এক রকম খুন বইকী। যারা জাল ওষুধ চালু করে তারা তো এক রকম খুনিই।'

'আমি কিন্তু জাল ওষুধের কথা বলছি না।'

এবার দিবাকরও অবাক হয়ে চাইলেন ফেলুদার দিকে। পাহাড়ের চুড়োগুলোতে সোনালি রং লেগেছে বলেই বোধহয় সকলের মুখ এত হলদে দেখাচ্ছে।

'তা হলে কীসের কথা বলছেন ?' ডাঃ দিবাকর প্রশ্ন করলেন।

'সেটা বলার আগে আমি একটা কথা বলতে চাই। হিমাদ্রি চক্রবর্তী বছর তিনেক আগে একটা চোরা-কারবারের ব্যাপার ফাঁস করে দিয়েছিল। এই নতুন চোরা-কারবারটা সম্বন্ধেও তার মনে সন্দেহ জেগে থাকতে পারে সে খবর হরিনাথবাবু আমাদের দিয়েছেন। সুতরাং মগনলালের দিক থেকে তাকে হটাবার একটা বড় কারণ পাওয়া যাচ্ছে। মগনলাল সে ব্যাপারে পেছ-পা হবার পাত্র নয়।'

'কিন্তু হটাবে সে কীভাবে ?'

'রাস্তা আছে,' বলল ফেলুদা, 'যদি একজন ডাক্তার তার হাতে থাকে।'

'ডাক্তার ?'

'ডাক্তার।'

'কোন ডাক্তারের কথা বলছেন আপনি ?'

'এমন ডাক্তার যার অবস্থার উন্নতি দেখা গেছে সম্প্রতি—নতুন গাড়ি, নতুন বাড়ি, সোনার ঘড়ি, সোনার কলম—'

'আপনি এসব কী ননসেন্স—'

'—যে ডাক্তার সামান্য একটা স্ক্র্যাচ দেখে টেট্যানাসের কোনও সম্ভাবনা নেই বুঝেও

ইনজেকশন দেয়। আজ আপনাকে হাত-পা বেঁধে ফেলে রাখাটা যে স্রেফ ভাঁওতা সেটা কি আমি বুঝিনি, ডাঃ দিবাকর ? আপনিও যে বাটরার মতোই মগনলালের একজন রাইট হ্যান্ড ম্যান, সেটা কি আমি জানি না ?'

'কিন্তু জল দিয়ে কি খুন করা যায় ?' কাঁপতে কাঁপতে তারস্বরে প্রশ্ন করলেন ডাঃ দিবাকর।

'না, জল দিয়ে যায় না, যায় বিষ দিয়ে।' কপালের শিরা ফুলে উঠেছে ফেলুদার—'বিষ, ডঃ দিবাকর, বিষ ! স্ট্রিকনিন ! যার প্রতিক্রিয়ার সঙ্গে টেট্যানাসের প্রতিক্রিয়ার কোনও পার্থক্য ধরা যায় না। ঠিক কি না, মিঃ জোয়ারদার ?'

ইন্সপেক্টর জোয়ারদার গম্ভীরভাবে মাথা নেড়ে সায় দিলেন।

ডাঃ দিবাকর চেয়ার ছেড়ে উঠে দাঁড়িয়েছিলেন, এবার আবার ধপ করে বসে চেয়ার থেকে গড়িয়ে মুখ থুবড়ে মাটিতে পড়ে গেলেন।

আসলে গল্প এখানেই শেষ, তবু লেজুড় হিসেবে তিনটে খবর দেওয়া যেতে পারে।

এক—এল এস ডি খেয়ে মগনলালের প্রতিক্রিয়া নাকি মোটেই ভাল হয়নি, একটানা তিন ঘণ্টা ধরে হাজতের দেয়াল নখ দিয়ে আঁচড়ানোর পর ঘরের টেবিল ক্লথটাকে কাশীর কচৌরি গলির রাবড়ি মনে করে চিবিয়ে ফালা ফালা করে দেয়।

দুই—ওষুধের চোরা কারবার, আর সেই সঙ্গে জাল নোটের কারবার—ধরে দেবার জন্য নেপাল সরকার ফেলুদাকে পুরস্কার দেয়, যাতে কাঠমাণ্ডুর পুরো খরচটা উঠে আসার পরেও হাতে বেশ কিছুটা থাকে।

তিন—লালমোহনবাবুর ভীষণ ইচ্ছে ছিল যে আমাদের কাঠমাণ্ডুর অ্যাডভেঞ্চার উপন্যাসের নাম হোক 'ওম্ মণি পদ্মে হুমিসাইড'। যখন বললাম সেটা একটু বাড়াবাড়ি হয়ে যাবে, ভদ্রলোক শুধু 'হুম্ম্' বলে যেন একটু রাগত ভাবেই আমাদের ঘরের সোফায় বসে জপযন্ত্র ঘোরাতে লাগলেন।

নেপোলিয়নের চিঠি

১

'তুমি কি ফেলুদা ?'

প্রশ্নটা এল ফেলুদার কোমরের কাছ থেকে। একটি বছর ছয়েকের ছেলে ফেলুদার পাশেই দাঁড়িয়ে মাথাটাকে চিত করে তার দিকে চেয়ে আছে। এই সে দিনই একটা বাংলা কাগজে ফেলুদার একটা সাক্ষাৎকার বেরিয়েছে, তার সঙ্গে হাতে চারমিনার নিয়ে একটা ছবি। তার ফলে ফেলুদার চেহারাটা আজকাল রাস্তাঘাটে লোকে ফিল্মস্টারের মতোই চিনে ফেলছে। আমরা এসেছি পার্ক স্ট্রিট আর রাসেল স্ট্রিটের মোড়ে খেলনা আর লাল মাছের দোকান হবি সেন্টারে। সিধু জ্যাঠার সত্তর বছরের জন্মদিনে তাঁকে একটা ভাল দাবার সেট উপহার দিতে চায় ফেলুদা।

ছেলেটির মাথায় আলতো করে হাত রেখে ফেলুদা বলল, 'ঠিক ধরেছ তুমি।'

‘আমার পাখিটা কে নিয়েছে বলে দিতে পারো ?’ বেশ একটা চ্যালেঞ্জের সুরে বলল ছেলেটি। ততক্ষণে ফেলুদারই বয়সী এক ভদ্রলোক ব্রাউন কাগজে মোড়া একটা লম্বা প্যাকেট নিয়ে আমাদের দিকে এগিয়ে এসেছেন, তাঁর মুখে খুশির সঙ্গে একটা অপ্রস্তুত ভাব মেশানো।

‘তোমার নিজের নামটাও বলে দাও ফেলুদাকে’, বললেন ভদ্রলোক।

‘অনিরুদ্ধ হালদার’, গম্ভীর মেজাজে বলল ছেলেটা।

‘ইনি আপনার খুদে ভক্তদের একজন’, বললেন ভদ্রলোক। ‘আপনার সব গল্প ওর মার কাছ থেকে শোনা।’

‘পাখির কথা কী বলছিল ?’

‘ও কিছু না’, ভদ্রলোক হালকা হেসে বললেন, ‘পাখি পোষার শখ হয়েছিল, তাই ওকে একটা চন্দনা কিনে দিয়েছিলাম। যে দিন আসে সে দিনই কে খাঁচা থেকে পাখিটা বার করে নিয়ে যায়।’

‘খালি একটা পালক পড়ে আছে’, বলল ফেলুদার খুদে ভক্ত।

‘তাই বুঝি ?’

‘রাত্তিরে ছিল পাখিটা, সকালবেলা নেই। রহস্য।’

‘তাই তো মনে হচ্ছে। তা অনিরুদ্ধ হালদার এই রহস্যের ব্যাপারে কিছু করতে পারেন না ?’

‘আমি বুঝি গোয়েন্দা ? আমি তো ক্লাস টু-তে পড়ি।’

ছেলের বাবা আর বেশিদূর কথা এগোতে দিলেন না।

‘চলো অনু। আমাদের আবার নিউ মার্কেট যেতে হবে। তুমি বরং ফেলুদাকে একদিন আমাদের বাড়িতে আসতে বলো।’

ছেলে বাবার অনুরোধ চালান করে দিল। এবার ভদ্রলোক একটা কার্ড বের করে ফেলুদার হাতে দিয়ে বললেন, ‘আমার নাম অমিতাভ হালদার।’

ফেলুদা কার্ডটায় একবার চোখ বুলিয়ে বলল, ‘বারাসতে থাকেন দেখছি।’

‘আপনি হয়তো আমার বাবার নাম শুনে থাকতে পারেন। পার্বতীচরণ হালদার।’

‘হ্যাঁ হ্যাঁ। ওঁর লেখা-টেখাও তো পড়েছি। ওঁরই সব নানারকম জিনিসের কালেকশন আছে না ?’

‘ওটা বাবার নেশা। ব্যারিস্টারি ছেড়ে এখন ওসবই করেন। সারা পৃথিবী ঘুরেছেন ওই নেশার পিছনে। আপনার তো অনেক ব্যাপারে ইয়ে আছে, আমার মনে হয় আপনি দেখলে আনন্দ পাবেন। আদ্যিকালের গ্রামোফোন, মুগল আমলের দাবা বড়ে, ওয়ারেন হেস্টিংসের নস্যির কৌটো, নেপোলিয়নের চিঠি...। তা ছাড়া আমাদের বাড়িটাও খুব ইন্টারেস্টিং। দেড়শো বছরের পুরনো। এক দিন যদি ফ্রি থাকেন, একটা ফোন করে দিলে—রোববার-টোববার...। আমিই বরং একটা ফোন করব। ডাইরেকটরিতে তো আপনার— ?’

‘আজ্ঞে হ্যাঁ, আমার নামেই আছে। এই যে।’

ফেলুদাও তার একটা কার্ড ভদ্রলোককে দিয়ে দিল।

কথা হয়ে গেল আমরা এই মাসেই এক দিন বারাসত গিয়ে হাজির হব। লালমোহনবাবুর গাড়ি আছে, যাবার কোনও অসুবিধে নেই। এখানে বলে রাখি, লালমোহনবাবু বহাল তবিয়তে এবং খোশমেজাজে আছেন, কারণ এই পুজোয় জটায়ুর জায়ান্ট অমনিবাস বেরিয়েছে, তাতে বাছাই করা দশটা সেরা রহস্য রোমাঞ্চ উপন্যাস। দাম পঁচিশ টাকা এবং

লালমোহনবাবুর ভাষায় 'সেলিং লাইক হট কচুরিজ।'

সন্ধ্যাবেলা ফেলুদার মুখ শুকনো দেখে জিজ্ঞেস করলাম, কী ব্যাপার। ও বলল, 'খুদে মক্কেলের আরজিটা মাথায় ঘুরছে রে।'

'সেই চন্দনার ব্যাপারটা?'

'খাঁচা থেকে পাখি চুরি যায় শুনেছিস কখনও?'

তা শুনিনি সেটা স্বীকার করতেই হল।—'তুমি কি এর মধ্যেও রহস্যের গন্ধ পাচ্ছ নাকি?'

'ব্যাপারটা ঠিক দৈনন্দিন ঘটনার মধ্যে পড়ে না। চন্দনা তো আর বার্ড অফ প্যারাডাইজ নয়। এক যদি না কারও নেগলিজেন্সে খাঁচার দরজাটা বন্ধ করতে ভুল হয়ে গিয়ে থাকে।'

'কিন্তু সেটা তো আর জানবার কোনও উপায় নেই।'

'তা থাকবে না কেন? ওখানে গিয়ে জিজ্ঞেস করলেই জানা যায়। আসলে বুঝতে পারছি এ ব্যাপারটা ও-বাড়ির কেউ সিরিয়াসলি নেয়নি। ঘটনাটা যে অস্বাভাবিক সেটা কারুর মাথায় ঢোকেনি। অথচ ছেলের মনটা যে খচ্ খচ্ করছে সেটা বুঝতে পারছি, না হলে আমায় দেখে ও কথাটা বলত না। অন্তত একবার যদি গিয়ে দেখা যেত...'

'তা ভদ্রলোক তো বললেনই যেতে।'

'হ্যাঁ—কিন্তু সেটাও হয়তো আমাকে সামনা-সামনি দেখলেন বলে। বাড়ি ফিরে সে কথা আর মনে নাও থাকতে পারে। ছোট ছেলের অনুরোধ বলেই মনে হচ্ছে সেটাকে একেবারে এড়িয়ে যাওয়া ঠিক নয়।'

ক্রিসমাসের যখন আর পাঁচ দিন বাকি তখনই এক শনিবারের সকালে এসে গেল অমিতাভবাবুর ফোন। আমি কলটা ফেলুদার ঘরে ট্রানসফার করে বসবার ঘরের মেন টেলিফোনে কান লাগিয়ে শুনলাম।

'মিঃ মিত্তির?'

'বলুন কী খবর।'

'আমার ছেলে তো মাথা খেয়ে ফেলল। কবে আসছেন?'

'পাখির কোনও সন্ধান পেলেন?'

'নাঃ—সে আর পাওয়া যাবে না।'

'ভয় হয়, আপনার ছেলে যদি ধরে বসে থাকে তার পাখি উদ্ধার করে দেব, তখন সেটা না পাওয়া গেলে তো বেইজ্জতের ব্যাপার হবে।'

'সে নিয়ে আপনি চিন্তা করবেন না। ছেলেকে খানিকটা সময় দিলেই সে খুশি হয়ে যাবে। আসলে আমার বাবার সঙ্গে একবার আপনার আলাপ করিয়ে দিতে চাই। আজ তো আমার ছুটি; আপনি কী করছেন?'

'তেমন কিছুই না। আজ দশটা নাগাদ হলে হবে?'

'নিশ্চয়ই।'

শনি রবি দু দিনই আমাদের বাড়িতে সকাল নটায় লালমোহনবাবুর আসাটা একেবারে হান্ড্রেড পারসেন্ট শিওর। ঘড়ির কাঁটায় কাঁটায় আসাটা কলকাতা শহরে আজকাল আর সম্ভব নয়, তবে দশ মিনিট এদিক ওদিকের বেশি হয় না কোনও দিনই। আজও হল না। ঠিক ন'টা বেজে পাঁচ মিনিটে ঘরে ঢুকে ধপ্ করে সোফায় বসে পড়ে বললেন, 'কালি কলম মন, লেখে তিনজন। মশাই, পুজোর লেখার ধকলের পর শীতকালটা এলে লেখার চিন্তাটা থাউজ্যান্ড মাইলস দূরে চলে যায়—কালি কলম খাতার দিকে আর চাইতেই ইচ্ছা করে না।'

লালমোহনবাবু ইদানীং প্রবাদ নিয়ে ভীষণ মেতে উঠেছেন। সাড়ে তিনশো প্রবাদ নাকি

উনি মুখস্থ করেছেন। লেখার ফাঁকে ফাঁকে লাগসই প্রবাদ গুঁজে দিতে পারলে সাহিত্যের রস নাকি ঘনীভূত হয়। তিনি অবিশ্যি শুধু লেখায় নয়, কথাতেও যখন-তখন প্রবাদ লাগাচ্ছেন। আজ ভদ্রলোকের পরনে ছাই রঙের টেরিলিনের প্যান্ট আর সবুজ সোয়েটার, আর হাতে এক চাঙাড়ি কচুরি। কচুরির কারণ আর কিছুই না—হট কচুরির আজকাল আর তেমন ডিমান্ড আছে কি না ফেলুদার এই প্রশ্নের উত্তরে লালমোহনবাবু বলেন, 'মশাই, বাগবাজারের মোহন ময়রার দোকানে কচুরির জন্য কিউ দেখলে মনে হবে সেখানে কোনও বোম্বাই-মার্কা হিন্দি হিট ছবি চলছে। আপনাকে খাওয়ালে বুঝবেন উপমাটা কত অ্যাপ্রোপ্রিয়েট।'

সঙ্গে এক ফ্লাস্ক জল আর কচুরির চাঙাড়িটা নিয়ে আমরা বেরিয়ে পড়লাম। লালমোহনবাবু পার্বতী হালদারের নাম শোনেননি। তবে নেপোলিয়নের চিঠি শুনে ভয়ানক ইমপ্রেস্‌ড হলেন। বললেন ইস্কুলে থাকতে ওঁর হিরো নাকি ছিল নেপোলিয়ন। 'গ্রেট ম্যান, বোনাপার্টি' কথাটা বার তিনেক চাপা গলায় বললেন যাবার পথে।

ভি আই পি রোডের আগে স্পিড তুলতে পারলেন না লালমোহনবাবুর ড্রাইভার হরিপদবাবু। বারাসতে যখন পৌঁছলাম, তখন প্রায় সাড়ে দশটা।

অমিতাভবাবুদের বাড়িটা মেন রোডের উপরেই, তবে গাছপালায় ঘেরা বলে আসল বাড়িটা রাস্তা থেকে চোখে পড়ে না। গেট দিয়ে ঢুকে নুড়ি ফেলা রাস্তায় খানিকটা গিয়ে তবে থামওয়ালা দালানটা দেখা যায়। একেবারে সাহেবি ঢঙের বাড়ি, বয়সের ছাপ যতটা থাকার কথা ততটা নেই; মনে হয় বছরখানেকের মধ্যেই অন্তত সামনের অংশটায় চুনকাম ও রিপেয়ার দুই-ই হয়েছে। বাড়ির সামনে একটা বাঁধানো পুকুরের চারিপাশে সুপুরি গাছের সারি।

অমিতাভবাবু নীচেই অপেক্ষা করছিলেন আমাদের জন্য, ফেলুদা লালমোহনবাবুর সঙ্গে আলাপ করানোতে বললেন, 'আমি নিজে আপনার লেখা পড়িনি বটে, তবে আমার স্ত্রী রহস্য-রোমাঞ্চ সিরিজের ভীষণ ভক্ত।'

আমরা শ্বেত পাথরের সিঁড়ি দিয়ে দোতলায় উঠলাম। পার্বতীবাবুর কালেকশনের জিনিস নাকি সবই দোতলায়।

'বাবার আগে আমার পুত্রের সঙ্গে দেখাটা সেরে নিন', বললেন অমিতাভবাবু। 'বাবার কাছে এখন লোক আছে। উনি বাইরের লোকের সঙ্গে দেখা-সাক্ষাৎগুলো সকালেই করেন।'

'অ্যাদ্দুরেও লোক এসে উৎপাত করে?'

'বাবার মতো কিছু কালেক্টর আছেন, তাঁরা প্রায়ই আসেন। তা ছাড়া সম্প্রতি বাবা একজন সেক্রেটারির জন্য কাগজে বিজ্ঞাপন দিয়েছেন। তার জন্য কিছু লোক দেখা করতে আসছে।'

'ওন্নার সেক্রেটারি নেই?'

'আছে, তবে তিনি দিল্লি চলে যাচ্ছেন সামনের সপ্তাহে একটা ভাল কাজ পেয়ে। লোকটি বেশ কাজের ছিল। আসলে সেক্রেটারির ব্যাপারে বাবার লাক্‌টাই খারাপ। গত দশ বছরে চারটি সেক্রেটারি এল গেল। একটি তো বছরখানেক কাজ করার পর মেনিনজাইটিসে মারা গেলেন। আরেকটি কথা নেই বার্তা নেই, সাঁইবাবার ভক্ত হয়ে বিবাগী হয়ে গেলেন। এখন যে ভদ্রলোকটির সঙ্গে বাবা কথা বলছেন, তাকে সাত বছর আগে তাড়িয়ে দেন। সেও ছিল সেক্রেটারি।'

'কেন, তাড়ান কেন?'

'ভদ্রলোক কাজ খুব ভালই করতেন, তবে অসম্ভব কুসংস্কারী। বাবা সেটা একেবারে সহ্য করতে পারতেন না। একবার ইজিপ্ট থেকে একটা জেড পাথরের মূর্তি আনার পর কলকাতায় এসে বাবার অসুখ করে। সাধনবাবু বাবাকে সিরিয়াসলি বলেন যে, মূর্তিটি যে দেবীর, তাঁর অভিশাপ পড়েছে বাবার ওপর। এই এক কথাতেই বাবা তাঁকে একরকম ঘাড় ধরে বার করে দেন।'

'এই সাধনবাবু যদি আবার এসে থাকেন তা হলে তাঁকে খুবই অপটিমিস্টিক বলতে হবে, এবং আপনার বাবাকে অত্যন্ত ক্ষমাশীল বলতে হয়।'

'আসলে লোকটাকে তাড়িয়ে দেবার পর বাবার একটু অনুশোচনা হয়েছিল। কারণ ভদ্রলোকের অবস্থা মোটেই ভাল ছিল না। আর বাবা ওঁকে সার্টিফিকেটও দেননি।'

বাড়িটা বাইরে থেকে বিলিতি ধাঁচের হলেও, ভিতরটা বাংলা জমিদারি বাড়ির মতোই। মাঝখানের নাটমন্দিরকে ঘিরে দোতলার বারান্দার এক পাশে সারি সারি ঘর। বৈঠকখানা, আর পার্বতীচরণের স্টাডি বা কাজের ঘর সামনের দিকে, আর ভিতর দিকে সব শোবার ঘর। ফেলুদার খুদে মক্কেল বারান্দায় তার ঘরের সামনেই দাঁড়িয়ে ছিল। আমরা সেই দিকে এগিয়ে যাব, এমন সময় জুতোর শব্দ শুনে বৈঠকখানার দিকে চেয়ে দেখি, নীল কোট পরা হাতে ব্রিফকেসওয়ালা একজন লোক গটগটিয়ে ঘরটা পেরিয়ে সিঁড়ির দিকে চলে গেল। অমিতাভবাবু বললেন, 'এই সেই প্রাক্তন সেক্রেটারি সাধনবাবু। ভদ্রলোককে খুব প্রসন্ন বলে মনে হল না।'

'এই যে আমার পাখির খাঁচা', ফেলুদা তার সামনে গিয়ে দাঁড়াতেই বলল অনিরুদ্ধ।

'আমি তো সেটাই দেখতে এলাম।'

খাঁচাটা একটা হুক থেকে ঝুলছে বারান্দায় রেলিং-এর উপরে। ঝকঝকে ভাবটা দেখে বোঝা যায় খাঁচাটাও কেনা হয়েছিল পাখির সঙ্গেই। ফেলুদা সেটার দিকে এগিয়ে গেল। দরজাটা এখনও খোলাই রয়েছে।

'আপনার বাড়ির কোনও চাকরের পাখিতে অ্যালার্জি আছে বলে জানেন ?'

অমিতাভবাবু হেসে উঠলেন।

'সেটা ভাববার তো কোনও কারণ দেখি না। আমাদের বাড়ির কোনও চাকরই কুড়ি বছরের কম পুরনো নয়। তা ছাড়া এক কালে এ বাড়িতে একসঙ্গে দুটো গ্রে প্যারট ছিল। বাবা নিজেই এনেছিলেন। অনেক দিন ছিল তারপর মারা যায়।'

'এই ব্যাপারটা লক্ষ করেছেন কি ?'

ফেলুদা বেশ কিছুক্ষণ হাত দিয়ে খাঁচাটাকে নেড়ে-চেড়ে প্রশ্নটা করল।

অমিতাভবাবুর সঙ্গে আমরা দুজনও এগিয়ে গেলাম।

ফেলুদা খাঁচার দরজাটার একটা অংশে আঙুল দিয়ে দেখাল।

'ছোট্ট একটা লালের ছোপ বলে মনে হচ্ছে ?' বললেন অমিতাভবাবু। 'তার মানে কি— ?'

'যা ভাবছেন তাই। ব্লাড।'

'চন্দনা মার্ডার ?' বলে উঠলেন লালমোহনবাবু।

ফেলুদা খাঁচার দরজাটা বন্ধ করে দিয়ে বলল, 'পাখির রক্ত না মানুষের রক্ত সেটা কেমিক্যাল অ্যানালিসিস না করে বোঝা যাবে না। তবে একটা স্ট্রাগ্‌ল হয়েছে তাতে কোনও সন্দেহ নেই। অবিশ্যি সেটা তেমন অস্বাভাবিক কিছু নয়। এটা বোঝাই যাচ্ছে যে খাঁচার দরজা খোলা রাখার জন্য পাখি পালায়নি ; দরজা খুলে পাখিকে বার করে নেওয়া হয়েছে। আপনারা কোত্থেকে কিনেছিলেন পাখিটা ?'

'নিউ মার্কেট,' বলে উঠল অনিরুদ্ধ।

অমিতাভবাবু বললেন, 'নিউ মার্কেটের তিনকড়িবাবুর পাখির দোকান খুব পুরনো দোকান। আমাদের জানাশোনা অনেকেই ওখান থেকে পাখি কিনেছে।'

অনিরুদ্ধর ইচ্ছা ছিল তার নতুন কেনা খেলনাগুলো আমাদের দেখায়, বিশেষ করে মেশিনগানটা, কিন্তু অমিতাভবাবু বললেন, 'এঁরা আবার তোমার কাছে আসবেন। তখন তোমার খেলনা দেখবেন, তোমার মা-র সঙ্গে আলাপ করবেন, চা খাবেন—সব হবে। আগে দাদুর সঙ্গে আলাপ করিয়ে দিই, কেমন ?'

আমরা পার্বতীবাবুর স্টাডির উদ্দেশে রওনা দিলাম।

কিন্তু দাদুর সঙ্গে আর আলাপ হল না। লালমোহনবাবু পরে বলেছিলেন, এক-একটা ঘটনার শক্-এর এফেক্ট নাকি সারা জীবন থাকে! এটা সেইরকম একটা ঘটনা।

বৈঠকখানায় ঢুকেই বুঝেছিলাম চারিদিকে দেখবার জিনিস গিজগিজ করছে। সে সব দেখার সময় ঢের আছে মনে করে আমরা এগিয়ে গেলাম ঘরের দক্ষিণ-পশ্চিম কোণে পরদা দেওয়া স্টাডির দরজার দিকে।

'আসুন' বলে অমিতাভবাবু গিয়ে ঢুকলেন ঘরের মধ্যে। আর ঢোকামাত্র এক অস্ফুট চিৎকার দিয়ে উঠলেন—

'বাবা!'

ফেলুদার অমিতাভবাবুকে দু হাত দিয়ে ধরতে হল, কারণ ভদ্রলোক প্রায় পড়েই যাচ্ছিলেন।

ততক্ষণে আমরা দুজনেও ঘরে ঢুকেছি।

বিরাট মেহগনি টেবিলের পিছনে একটা রিভলভিং চেয়ারে বসে আছেন পার্বতীচরণ হালদার। তাঁর মাথাটা চিত, দুটো পাথরের মতো চোখ চেয়ে আছে সিলিং-এর দিকে, হাত দুটো ঝুলে রয়েছে চেয়ারের দুটো হাতলের পাশে।

ফেলুদা এক দৌড়ে চলে গেছে ভদ্রলোকের পাশে। নাড়ীটা দেখার জন্য হাতটা বাড়িয়ে আমাদের দিকে ফিরে বলল, 'তোরা দৌড়ে গিয়ে ওই সাধন লোকটাকে আটকা...দারোয়ানকে বল। দরকার হলে বাইরে রাস্তায় দ্যাখ্—'

আমার সঙ্গে সঙ্গে লালমোহনবাবুও ছুট দিলেন। মন বলছিল, দশ মিনিট চলে গেছে, সে লোককে আর পাওয়া যাবে না—বিশেষ করে যদি সে খুন করে থাকে।

সিঁড়ি দিয়ে নামবার সময় এক ভদ্রলোকের সঙ্গে প্রায় কোলিশন হয়েছিল। পরে জেনেছিলাম উনি পার্বতীচরণের বর্তমান সেক্রেটারি হৃষীকেশবাবু। দুজন অচেনা লোককে এইভাবে তড়িঘড়ি নামতে দেখে তিনি কী ভাবলেন সেটা আর তখন ভাবার সময় ছিল না।

বাইরে কেউ নেই, রাস্তায়ও না, কারুর থাকার কথাও নয়। যেটা সবচেয়ে অদ্ভুত লাগল সেটা হল এই যে দারোয়ান জোর গলায় বলল গত দশ মিনিটের মধ্যে কেউ গেট দিয়ে বাইরে যায়নি। বাবুর কাছে লোক আসবে বলে সে সকাল থেকে ডিউটিতে রয়েছে, তার ভুল হতেই পারে না।

'চলো বাগানের দিকটা দেখি', বললেন লালমোহনবাবু, 'হয়তো কোথাও ঘাপটি মেরে আছে।'

তাই করলাম। দক্ষিণের পুকুরের ধার, পশ্চিমের গোলাপ বাগান, কম্পাউন্ড ওয়ালের পাশটা, চাকরদের ঘরের আশেপাশে, কোথাও বাদ দিলাম না। পাঁচিল টপকানোও সহজ নয়, কারণ প্রায় আট ফুট উঁচু।

হাল ছাড়তে হল।

সাধনবাবু উধাও।

সত্যজিৎ রায়

২

পার্বতীবাবুকে মাথার উপরের একটা ভারী জিনিস দিয়ে আঘাত মেরে খুন করা হয়েছে। এঁদের বাড়ির ডাক্তার সৌরীন সোম বললেন, মৃত্যুটা হয়েছে মারার সঙ্গে সঙ্গেই। ভদ্রলোকের রক্তের চাপ ওঠা-নামা করত, হার্টেরও গোলমাল ছিল।

ইতিমধ্যে পুলিশও এসে গেছে। ইন্সপেক্টর হাজরা ফেলুদাকে চেনেন। মোটামুটি খাতিরও করেন। সাধারণ পুলিশের লোক প্রাইভেট ইনভেসটিগেটরকে যে রকম অবজ্ঞার চোখে দেখে, সে রকম নয়। বললেন, 'আমাদের যা রুটিন কাজ তা করে যাচ্ছি আমরা, যদি কিছু তথ্য বেরোয় তো আপনাকে জানাব।'

ফেলুদা বলল, 'যে ভারী জিনিসটা দিয়ে খুন করা হয়েছিল সেটা সম্বন্ধে কোনও আইডিয়া করেছেন ?'

হাজরা বললেন, 'তেমন তো কিছু দেখছি না আশেপাশে। খুনি সেই জিনিসটা নিয়েই ভেগেছে বলে মনে হচ্ছে।'

'পেপারওয়েট।'

'পেপারওয়েট ?'

'একবার আসুন আমার সঙ্গে।'

হাজরা ও ফেলুদার পিছন পিছন আমরাও ঢুকলাম ঘরের মধ্যে।

ফেলুদা টেবিলের একটা অংশে আঙুল দিয়ে দেখাল।

সবুজ ফেল্টের উপর মিহি ধুলো জমে আছে। তারই একটা অংশে একটা ধুলোহীন গোল চাকতি। খুব ভাল করে লক্ষ না করলে বোঝা যায় না।

'অমিতাভবাবুকে জিজ্ঞেস করেছিলাম', বলল ফেলুদা, 'একটা বেশ বড় এবং ভারী ভিক্টোরীয় আমলের কাচের পেপারওয়েট থাকত এই টেবিলের উপর। এখন নেই।'

'ওয়েল ডান, মিস্টার মিত্তির !'

'কিন্তু আসল লোক তো বেমালুম হাওয়া হয়ে গেল বলে মনে হচ্ছে', ঘর থেকে বেরিয়ে এসে বলল ফেলুদা।

হাজরা বললেন, 'নাম আর ডেস্‌ক্রিপশন যখন পাওয়া গেছে, তখন তাকে খুঁজে বের করতে অসুবিধা হবে না। তা ছাড়া সে তো অ্যাপ্লিকেশন করেছিল ; সেটা থেকে থাকলে তো তার ঠিকানাই পাওয়া যাবে। আমার মনে হয় দারোয়ান সত্যি কথা বলছে না। একটা সময় সে গেটের কাছে ছিল না ; তখনই লোকটা পালিয়েছে। মেন রোডের উপর বাড়ি, হয়তো বেরিয়েই বাস পেয়ে গেছে। অবিশ্যি সে ছাড়াও তো আরও লোক এসেছিল সকালে। সাধনবাবু আসার ঠিক আগেই আরেকজন ভদ্রলোক এসেছিলেন। খুনটা তিনিও করে থাকতে পারেন।'

'কিন্তু পার্বতীবাবুকে মৃত দেখলে সাধনবাবু আর থাকবেন কেন ?'

'আপনি তো দেখেছেন ঘরটা ; ও তো কিউরিওর দোকান মশাই। একজন লোক যদি অসৎ হয়, ও ঘরে ঢুকে মালিক মৃত দেখলে তো তার পোয়া বারো !'

'আপনি দেখলে বুঝতে পারবেন কোনও জিনিস গেছে কি না ?'

ফেলুদা প্রশ্নটা করল বর্তমান সেক্রেটারি হৃষীকেশ দত্তকে। ভদ্রলোক দশটার ঠিক আগে বেরিয়েছিলেন পোস্ট আপিসে দুটো জরুরি বিদেশি টেলিগ্রাম করতে। ফেরার পরেই আমাদের সঙ্গে সিঁড়িতে দেখা হয়।

'তা হয়তো পারতে পারি', বললেন হৃষীকেশবাবু। 'বাইরের যা জিনিস তা মোটামুটি সবই আমার জানা। ভিতরে আলমারিবন্দি জিনিসেরও একটা তালিকা একবার আমাকে দিয়ে করিয়েছিলেন মিঃ হালদার। তার কিছু জিনিস বোধহয় আজ পেস্টনজীকে দেখাবার জন্য বার করেছিলেন। পেস্টনজী আসেন সাড়ে ন'টায়।'

'এই পেস্টনজীর সঙ্গে কি আগেই আলাপ ছিল পার্বতীবাবুর ?'

'খুব। প্রায় দশ বছরের আলাপ। মাসে অন্তত দুবার করে আসতেন। উনিও একজন কালেক্টার। মিঃ হালদারের সংগ্রহে একটা চিঠি ছিল, সেটা দেখতেই ভদ্রলোক আসেন।'

'এটা কি সেই নেপোলিয়নের চিঠি ?'

'হ্যাঁ।'

'সেটা কি মিঃ হালদার বিক্রি করার কথা ভাবছিলেন ?'

'মোটেই না। পেস্টনজীর খুব লোভ ছিল ওটার উপর। তিনি মোটা টাকা অফার করবেন, আর মিঃ হালদার রিফিউজ করবেন—তাতে পেস্টনজীর মুখের ভাবটা কেমন হবে সেটা দেখেই মিঃ হালদারের আনন্দ। এ ব্যাপারে ওঁর একটা জিদও ছিল। এই চিঠিটা কেনার জন্য একবার এক আমেরিকান দাম চড়াতে চড়াতে বিশ হাজার ডলারে উঠেছিল। মিঃ হালদার ক্রমাগত মাথা নেড়ে গেলেন। সাহেবের মুখ লাল, শেষ পর্যন্ত মুখ খারাপ করতে আরম্ভ করল, আর সমস্ত ব্যাপারটা বসে বসে উপভোগ করলেন মিঃ হালদার। আজও পেস্টনজী গলা চড়াতে শুরু করেছিলেন সেটা আমি বাইরে থেকেই বুঝতে পেরেছিলাম।'

'কীসের মধ্যে থাকত জিনিসটা ?'

'একটা অ্যালক্যাথিনের খামে।'

'তা হলে বোধ হয় যায়নি চিঠিটা। কারণ খামটা টেবিলের উপরই রয়েছে। আর তার মধ্যে একটা সাদা ভাঁজ করা কাগজও দেখলাম।'

'না গেলেই ভাল। ও চিঠির মর্ম সকলে বুঝবে না।'

চুরি হয়েছে কি না সেটা এখন জানা যাবে না, কারণ পুলিশ ও ঘরে কাজ করছে ; তা ছাড়া পুলিশের ডাক্তার এইমাত্র এসেছেন, তিনি লাশ পরীক্ষা করছেন।

হৃষীকেশবাবু বললেন, 'আশ্চর্য। যে সময় সাধনবাবু গেলেন, প্রায় সে সময়ই আমি ফিরেছি। অথচ লোকটার সঙ্গে দেখা হল না।'

'আপনি বেরিয়েছেন ক'টায় ?' ফেলুদা জিজ্ঞেস করল।

'ঠিক দশটা বাজতে পাঁচ। এখান থেকে পাঁচ মিনিট লাগে পোস্টাপিস যেতে। খোলার সঙ্গে সঙ্গে টেলিগ্রামগুলো দিতে চেয়েছিলাম।'

'সে তো পাঁচ মিনিটের কাজ, তা হলে ফিরতে এত দেরি হল কেন ?'

হৃষীকেশবাবু মাথা নাড়ালেন।—'আর বলবেন না মশাই। ঘড়ির ব্যান্ডের খোঁজ করছিলুম স্টেশনারি দোকানগুলোতে। দেখছেন না ডান হাতে ঘড়ি পরেছি। ব্যান্ডটা ঢিলে হয়ে গেছে। বাঁ কব্জি আমার ডান কব্জির চেয়ে প্রায় আধ ইঞ্চি সরু। ব্যান্ড ঢলঢল করে। কোনও লাভ হল না। সেই নিউ মার্কেট ছাড়া গতি নেই।'

ভদ্রলোক ডান হাতে ঘড়ি পরেন সেটা আগেই লক্ষ করেছি।

'আপনি এ বাড়িতেই থাকেন ?' ফেলুদা জিজ্ঞেস করল। অমিতাভবাবু ভিতরে সামলাচ্ছেন, তা ছাড়া উনি নিজেও বেশ ভেঙে পড়েছেন, তাই ফেলুদা হৃষীকেশবাবুর কাছ থেকে যা তথ্য পাওয়া যায় বার করে নিচ্ছে।

'হ্যাঁ, এ বাড়িতেই', বললেন হৃষীকেশবাবু, 'একতলায়। ফ্যামিলি-ট্যামিলি নেই, তাই মিঃ হালদার বললেন এখানেই থাকতে ; ঘরের তো অভাব নেই। সাধনবাবুও শুনেছি এ বাড়িতেই থাকতেন।'

'এ কাজ তো ছেড়ে চলে যাচ্ছিলেন আপনি। ভাল লাগছিল না বুঝি ?'

'প্রাণ হাঁপিয়ে উঠছিল মশাই। তা ছাড়া উন্নতির সুযোগ আজকের দিনে কে ছাড়ে বলুন। মিঃ হালদার অবিশ্যি এমপ্লয়ার হিসেবে ভালই ছিলেন। তাঁর বিরুদ্ধে কিছু বলার নেই আমার।'

আর একজন ভদ্রলোকের সঙ্গে এর মধ্যে আলাপ হয়েছে, যদিও কথা হয়নি। তিনি হলেন অমিতাভবাবুর ছোট ভাই অচিন্ত্যবাবু। ভদ্রলোক বাড়িতেই ছিলেন, তাই বোধ হয় পুলিশ এখন তাঁকে জেরা করছে। ফেলুদা হৃষীকেশবাবুকেই জিজ্ঞেস করলেন ছোট ভাইয়ের কথা।

'অচিন্ত্যবাবু কী করেন ?'

'থিয়েটার।'

'থিয়েটার ?'

আমরা তিনজনেই অবাক।

'পেশাদারি থিয়েটার ? মানে থিয়েটার করেই ওঁর রোজগার ?'

হৃষীকেশবাবুকে উত্তরটা দিতে যেন বেশ একটু ভাবতে হল। বললেন, 'এ সব ভেতরের ব্যাপার। আর সত্যি, আমার পক্ষে বলাটা বোধ হয় খুব শোভা পায় না। এ ফ্যামিলিতে থিয়েটার করাটা বেমানান তাতে সন্দেহ নেই, তবে আমার একটা সন্দেহ হয়েছে যে অচিন্ত্যবাবুর মনে একটা বড় রকমের অভিমান ছিল। চার ভাইয়ের মধ্যে উনিই একমাত্র বিলেত যাননি পড়াশুনো করতে। আসলে বড় ফ্যামিলিতে ছোট ভাই অনেক সময় একটু নেগলেকটেড হয়। ওনার ক্ষেত্রে মনে হয় সেটাই হয়েছে। আমার সঙ্গে মাঝে-মধ্যে কথাবার্তা থেকেও সেটাই মনে হয়েছে। চাকরি একটা করিয়ে দিয়েছিলেন মিঃ হালদারই, কিন্তু অচিন্ত্যবাবু সেটা ছেড়ে দেন। থিয়েটারের শখটা বোধ হয় এমনিতেই ছিল। বারাসতে একটা ড্রামাটিক ক্লাব নিয়ে খুব মেতে ওঠেন, কিন্তু তাতে মন ভরে না। এখন নবরঙ্গমঞ্চে ঘোরাঘুরি করছেন। দু-একটা হিরোর পার্টও নাকি করেছেন। কালও দেখছিলাম পার্ট মুখস্থ করছেন।'

এবারে ইনস্পেক্টর হাজরা এগিয়ে এলেন আমাদের দিকে। অচিন্ত্যবাবুর জেরা শেষ। তিনি গোমড়া মুখে ঘর থেকে বেরিয়ে গেলেন। হাজরা বললেন,'খুনটা হয়েছে দশটা থেকে সাড়ে দশটার মধ্যে। পেস্টনজী ছিলেন সাড়ে ন'টা থেকে দশটার কিছু পর অবধি। সাধন দস্তিদার এসেছেন সোয়া দশটায়, গেছেন সাড়ে দশটায়। ছোট ছেলের ঘর থেকে বাইরের বারান্দা দিয়ে সোজা বাপের ঘরে যাওয়া যায়। বাড়ির ভেতরের লোক দেখতে পাবে না। দশটা পাঁচ থেকে সোয়া দশটার মধ্যে অচিন্ত্যবাবু বাপের ঘরে এসে থাকতে পারেন। উনি বলছেন সারা সকাল পার্ট মুখস্থ করেছেন, কেবল সাড়ে দশটা নাগাদ একবার ভাইপো অনিরুদ্ধর ডাক পেয়ে তার কাছে যান তার খেলার মেশিনগানটা দেখতে। তখনও তিনি বাপের মৃত্যু-সংবাদ পাননি। যাই হোক, মোটামুটি তিন জনেরই মোটিভ ছিল। ছেলের সঙ্গে বাপের বনত না, পেস্টনজী ছিলেন মিঃ হালদারের রাইভ্যাল, আর সাধন দস্তিদারের ছিল পুরনো আক্রোশ। এই হল ব্যাপার। এবার আপনি এসে একটু দেখে বলুন তো কিছু চুরি গেছে কি না।'

শেষ অনুরোধটা করা হল হৃষীকেশবাবুকে। ভদ্রলোক এগিয়ে গেলেন স্টাডির দিকে,

আমরা তাঁর পিছনে।

ঘরটায় ঢুকে হৃষীকেশবাবু একবার চারিদিকে চোখ বুলিয়ে নিলেন। মেক্যানিক্যাল জিনিসে পার্বতীবাবুর খুব শখ ছিল, কারণ বৈঠকখানায় দেখেছি একটা প্রথম যুগের সিলিন্ডার গ্রামোফোন, আর এ ঘরে দেখছি একটা আদ্যিকালের ম্যাজিক ল্যানটার্ন। তা ছাড়া ছোট ছোট মূর্তি, পাত্র, দোয়াত, কলম, পিস্তল, পুরনো ছবি, ম্যাপ, বই—এ সব তো আছেই। বাইরের জিনিসপত্র দেখে, চাবি দিয়ে আলমারি, বাক্স দেরাজ ইত্যাদি খুলে দেখে অবশেষে হৃষীকেশবাবু জানালেন যে কোনও জিনিস গেছে বলে তো মনে হচ্ছে না।

ফেলুদা বলল, 'আপনি অ্যালক্যাথিনের খামটা একবার দেখলেন না ?'

'ওতে তো চিঠিটা রয়েছে বলেই মনে হচ্ছে।'

'তবু একবার দেখে নেওয়া উচিত।'

হৃষীকেশবাবুকে খামটা খুলে ভেতরের কাগজটা টেনে বার করতে হল। কাগজের রংটা দেখেই আমার সন্দেহ হয়েছিল ; পুরনো কাগজ কি এত সাদা হয় ? ভাঁজ করা কাগজটা খুলে ফেলেই ভদ্রলোক চেঁচিয়ে উঠলেন।

'এ কী ! এ তো প্যাড থেকে ছেঁড়া হালদার মশাইয়ের নিজের চিঠির কাগজ !'

অর্থাৎ নেপোলিয়নের চিঠি উধাও।

৩

আরও আধ ঘণ্টা ছিলাম আমরা হালদারবাড়িতে। সেই সময়টা ফেলুদা বাড়ির কম্পাউন্ডটা ঘুরে দেখল। বাগানটা দেখা শেষ করে, কম্পাউন্ড ওয়ালের কোনও অংশ নিচু বা ভাঙা

আছে কি না দেখে আমরা পুকুরের কাছে এলাম। ফেলুদার দৃষ্টি মাটির দিকে, জানি ও পায়ের ছাপ খুঁজছে। শুকনো মাটি, পায়ের ছাপের সম্ভাবনা কম, তবে পুকুরের পূর্ব পাড়ে একটা অংশ ফেলুদার দৃষ্টি আকর্ষণ করায় সে থেমে গেল।

একটা ছোট্ট বুনো ফুলের গাছ যেন কীসের চাপে পিষে গেছে। আর সেটা হয়েছে কিছুক্ষণ আগেই।

ফেলুদা ফুলের আশপাশটা দেখে পুকুরের দিকে চেয়ে কিছুক্ষণ চুপ করে দাঁড়িয়ে রইল। এ পুকুর ব্যবহার হয় না, তাই জলটা পানার আবরণে ঢেকে গেছে। আমরা যেখানটা দাঁড়িয়ে আছি, সেখান থেকে হাত পাঁচেক দূরে বেশ খানিকটা জায়গা জুড়ে পানা সরে গিয়ে জল বেরিয়ে পড়েছে।

কিছু ফেলা হয়েছে কি জলের মধ্যে ? তাই তো মনে হয়।

কিন্তু ফেলুদা এ নিয়ে কোনও মন্তব্য করল না। যা দেখবার ও দেখে নিয়েছে।

বাড়ি ফেরার সময় লালমোহনবাবু হঠাৎ বললেন, 'বাগানে একটা চন্দনা দেখলুম বলে মনে হল। একটা পেয়ারা গাছ থেকে উড়ে একটা সজনে গাছে গিয়ে বসল।'

'সেটা আমাদের বললেন না কেন ?' ধমকের সুরে বলল ফেলুদা।

'কী জানি, যদি বেরিয়ে যায় টিয়া ! দুটো পাখি এত কাছাকাছি। তবে এ পাখিটা কথা বলে।'

'আপনি শুনলেন কথা ?'

'শুনলুম বইকী। আপনারা তখন বাগানের উলটো দিকে। আমি আরেকটু হলেই একটা তেঁতুলে বিছের উপর পা ফেলেছি, এমন সময় শুনলুম, "বাবু, সাবধান।" আর মুখ তুলে দেখি পাখি।'

'পাখি বলল বাবু সাবধান ?'

'তাই তো স্পষ্ট শুনলুম। আপনারা বিশ্বাস করবেন না বলেই বলিনি।'

বিশ্বাস করাটা সত্যিই কঠিন, তাই কথা আর এগোল না।

তবে এটা ঠিক যে এ রকম একটা খুন আর এ রকম চুরির পরেও ফেলুদার মন থেকে চন্দনার ব্যাপারটা যাচ্ছে না। খুনের দু দিন পর, সোমবার সকালে চা খাওয়ার পর ফেলুদার কথায় সেটা বুঝতে পারলাম। ও বলল, 'পার্বতীবাবুর খুন আর নেপোলিয়নের চিঠি চুরি—এই দুটো ঘটনাই গতানুগতিক। কিন্তু আমাকে একেবারে বোকা বানিয়ে দিয়েছে এই পাখি চুরির ব্যাপারটা।'

গতকাল অমিতাভবাবু ফোন করেছিলেন ; ফেলুদা জানিয়ে দিয়েছে যে নেহাত দরকার না পড়লে এই অবস্থায় ও আর ওঁদের বিরক্ত করবে না, বিশেষ করে পুলিশ যখন তদন্ত চালাচ্ছেই। লালমোহনবাবু বলেছেন সোমবার হলেও আজ একবার আসবেন, কারণ কী ডেভেলাপমেন্ট হচ্ছে না হচ্ছে সেটা জানার ওঁর বিশেষ আগ্রহ।

আমি বললাম, 'পাখির খাঁচার গায়ে রক্তটা পাখির না মানুষের সেটা তো এখনও জানা গেল না।'

'ওটা যে মানুষের, সেটা অ্যানালিসিস না করেই বলা যায়', বলল ফেলুদা। 'কেউ যদি পাখিকে খাঁচা থেকে বার করতে যায় তা হলে সেটা সাবধানেই করবে, কিন্তু পাখি ছটফট করতে পারে, খামচাতে পারে, ঠোক্‌রাতে পারে। অর্থাৎ যে লোকে পাখিটাকে বার করেছে, তার হাতে জখমের চিহ্ন থাকা উচিত।'

'সে জিনিস ও বাড়ির কারুর হাতে দেখলে ?'

উঁহু। সেটার দিকে আমি চোখ রেখেছিলাম । বাবু, চাকর কারুর হাতেই দেখিনি। অথচ টাট্‌কা জখম। অমিতাভবাবু বললেন পার্ক স্ট্রিটে আমাদের সঙ্গে দেখা হবার দু দিন আগে পাখিটা কিনেছিলেন। তার মানে ১৩ ডিসেম্বর। খুনটা হয় ১৯ ডিসেম্বর। ...এই পাখির জন্য আমি অন্য ব্যাপারগুলোতে পুরোপুরি মনও দিতে পারছি না।'

'খুনের সুযোগ কার কার ছিল তার একটা লিস্ট করছিলে না তুমি কাল রাত্তিরে ?'

'শুধু সুযোগ নয়, মোটিভও।'

ফেলুদার পাশেই সোফায় পড়েছিল খাতাটা। সে ওটা খুলে বলল, 'সাধন দস্তিদার সম্বন্ধে নতুন কথা বলার বিশেষ কিছু নেই। রহস্যটা হচ্ছে তার অন্তর্ধানে। এটা সম্ভব হয় একমাত্র যদি দারোয়ান মিথ্যে কথা বলে থাকে। সাধন তাকে ভালরকম ঘুষ দিয়ে থাকলে এটা হতে পারে। সেটা পুলিশে বার করুক। মিথ্যেবাদীকে সত্যি বলানোর রাস্তা তাদের জানা আছে।

'দ্বিতীয় সাসপেক্ট—পেস্টনজী। তবে পেস্টনজীর সত্তর বছর বয়স ; বুড়ো মানুষের পক্ষে এ খুন সম্ভব কি না সেটা ভাবতে হবে। আঘাতটা করা হয়েছিল রীতিমতো জোরে। অবিশ্যি সত্তরেও অনেকের স্বাস্থ্য দিব্যি ভাল থাকে। সেটা ভদ্রলোককে চাক্ষুষ না দেখা পর্যন্ত বোঝা যাবে না।

'তৃতীয়—অচিন্ত্য হালদার। বাপের উপর ছেলের টান না থাকলেও খুন করার মতো আক্রোশ ছিল কি না সেটা ভাবার কথা। তবে নেপোলিয়নের চিঠি হাতাতে পারলে ওর আর্থিক সমস্যা কিছুটা মিটত ঠিকই। আর কেউ না হোক, পেস্টনজী যে সে চিঠি কিনতে রাজি হতেন, সেটা বোধহয় অনুমান করা যায়। চতুর্থ—'

'আবার আরও একজন আছে নাকি ?'

'তাকে সাসপেক্ট বলে বলছি না, কিন্তু অমিতাভবাবু সে সময়টা কী করছিলেন, সেটা জানা দরকার বইকী। তাঁর জবানিতে তিনি বলেছেন সকালে তিনি বাগানে থাকেন। ওঁর খুব ফুলের শখ। সে দিন দশটা পর্যন্ত তিনি বাগানে ছিলেন। মাঝে একবার আমাদের ফোন করতে ন'টার সময় তাঁকে নীচের বৈঠকখানায় আসতে হয়। তারপর আমরা আসার আগে আর দোতলায় যাননি। চাকর তাঁকে চা দিয়ে যায় দশটার সময় একতলায় বাগানের দিকের খোলা বারান্দায়। আমাদের গাড়ির আওয়াজ পেয়ে তিনি সামনের দিকে চলে আসেন। দোতলায় যান তিনি একেবারে আমাদের নিয়ে, তার আগে নয়।

'সব শেষে হলেন হৃষীকেশবাবু। ইনি দশটা বাজতে পাঁচে বেরিয়েছেন সেটা দারোয়ান দেখেছে, কিন্তু ফিরতে দেখেছে কি না মনে করতে পারছে না। দারোয়ানের কথাবার্তা খুব রিলায়েবল বলে মনে হয় না। চল্লিশ বছর চাকরি করছে বটে হালদার বাড়িতে, হয়তো এমনিতে বিশ্বস্ত, কিন্তু বয়স হয়েছে সত্তরের উপর, কাজেই স্মরণশক্তি ক্ষীণ হয়ে আসা অস্বাভাবিক নয়। হৃষীকেশবাবু স্টেশনারি দোকানে অতটা সময় কাটিয়েছেন কি না সেটা জানা দরকার। যদি সে ব্যাপারে মিথ্যেও বলে থাকেন, তার খুনের সুযোগ সম্বন্ধে সন্দেহ থেকেই যায়। একমাত্র নেপোলিয়নের চিঠি হাত করা ছাড়া মোটিভও খুঁজে পাওয়া যায় না।'

ফেলুদা খাতাটা বন্ধ করল। আমি বললাম, 'চাকর-বাকরদের বোধহয় সব ক'টাকেই বাদ দেওয়া যায় !'

'শুনলিই তো চাকর সব ক'টাই পুরনো। তাদের মধ্যে বেয়ারা মুকুন্দ পার্বতীচরণের ঘরে কফি নিয়ে যায় পেস্টনজী ও পার্বতীবাবুর জন্য। পার্বতীচরণ একা থাকলেও রোজ দশটায় কফি খেতেন। এ ছাড়া আর কোনও চাকর নটার পর পার্বতীচরণের ঘরে যায়নি। বাড়িতে

লোক বলতে আর আছে অমিতাভবাবুর স্ত্রী, অনিরুদ্ধ, পার্বতীবাবুর আশি বছরের বুড়ি মা, মালী, মালীর এক ছেলে, ড্রাইভার ও দারোয়ান। অচিন্ত্যবাবু বিয়ে করেননি।'

ফেলুদা একটা চারমিনার ধরাবার সঙ্গে সঙ্গেই ফোন বেজে উঠল। ইনস্পেক্টর হাজরা।

'কী খবর বলুন স্যার', বলল ফেলুদা।

'সাধন দস্তিদারের ঠিকানা পাওয়া গেছে।'

'ভেরি গুড।'

'ভেরি ব্যাড, কারণ সে ঠিকানায় ওই নামে কেউ থাকে না।'

'বটে?'

'এবং কোনও দিন ছিলও না।'

'তা হলে?'

'তা হলে আর কী—যে তিমিরে সেই তিমিরে। মহা ফিচেল লোক বলে মনে হচ্ছে।'

'আর হৃষীকেশবাবুর অ্যালিবাই ঠিক আছে?'

'উনি পোস্টাপিসে গিয়েছিলেন দশটায় এবং টেলিগ্রামগুলো করেছেন এটা ঠিক। তারপর স্টেশনারি দোকানে যাবার কথা যেটা বললেন সেটা ভেরিফাই করা গেল না, কারণ দোকানে কেউ মনে করতে পারল না।'

'আর পেস্টনজী?'

'অসম্ভব তিরিক্ষি মেজাজের লোক। প্রচণ্ড ধনী। দেড়শো বছর কলকাতায় আছে এই পার্শি ফ্যামিলি। এমনিতে বেশ শক্ত সমর্থ লোক, তবে কাবু হয়ে আছেন আরথ্রাইটিসে, ডান হাত কাঁধের উপর ওঠে না। ওঁর পক্ষে এই খুন প্রায় ইমপসিবল। লর্ড সিন্‌হা রোডে গিয়ে রোজ সকালে ফিজিওথেরাপি করান। চেক করে দেখেছি; কথাটা সত্যি।'

'তা হলে তো সাধন দস্তিদারের সন্ধানেই লেগে থাকতে হয়।'

'আমার ধারণা লোকটা বারাসতেই থাকে, কারণ ওর অ্যাপ্লিকেশনের খামে বারাসতের পোস্টমার্ক রয়েছে।'

'সে কী, এ তো খুবই ইন্টারেস্টিং ব্যাপার।'

'আমরা খোঁজ করছি। এখানে গা ঢাকা দিয়ে থাকতে পারবে বলে মনে হয় না। ও, ভাল কথা, খোকার ঘরে চোর এসেছিল।'

'আবার?'

'আবার মানে?'

হাজরা পাখির কথাটা জানেন না। ফেলুদা সেটা চেপে গিয়ে বলল, 'না, বলছিলাম—একটা চুরি তো হল বাড়িতে, আবার চোর?'

'যাই হোক, কিছু নেয়নি।'

'খোকা টের পেল কী করে?'

'সে বাবা-মায়ের পাশের ঘরে একা শোয়। বিলিতি কায়দা আর কী! তা কাল মাঝ রাত্তিরে নাকি খুটখাট শব্দে ঘুম ভেঙে যায়। ছেলের সাহস আছে। "কে" বলে চেঁচিয়ে ওঠে, আর তাতেই নাকি চোর পালিয়ে যায়। আমি খোকাকে জিজ্ঞেস করলুম—তোমার ভয় করল না? তাতে সে বললে যে বাড়িতে খুন হবার পর থেকে নাকি সে বালিশের তলায় মেশিনগান নিয়ে শোয়, আর সেই কারণেই নাকি তার ভয় নেই।'

দশটার সময় লালমোহনবাবু এসে হাজির। ফেলুদাকে গম্ভীর দেখে ভদ্রলোক ভারী ব্যস্ত হয়ে উঠলেন।—'সে কী মশাই, আপনি এখনও অন্ধকারে নাকি?'

'কী করি বলুন—রোজ যদি একটা করে নতুন রহস্যের উদ্ভব হয়, তা হলে ফেলু মিত্তির

কী করে ?'

'আবার রহস্য ?'

'খোকার ঘরে চোর ঢুকেছিল কাল রাত্তিরে।'

'বলেন কী ? চোরের কি কোনও বাছবিচার নেই ? মুড়ি-মিছরি এক দর ?'

'এখন আপনার উপর ভরসা।'

'হুঁ—চন্দ্র-সূর্য অস্ত গেল, জোনাক ধরে বাতি—ভীষ্ম দ্রোণ কর্ণ গেল, শল্য হল রথী ! তবে হ্যাঁ—চন্দনার ব্যাপারটা কিন্তু আমায় হন্ট করছে। ওটা নিয়ে একটা আলাদা তদন্ত করা উচিত। আপনার সময় না থাকলে আমি করতে রাজি আছি। তিনকড়িবাবুর দোকানে আমার খুব যাতায়াত ছিল এককালে।'

'সে কী, এটা তো বলেননি আগে।'

'আরে মশাই, এককালে খুব পাখির শখ ছিল আমার। একটা ময়না ছিল, সেটাকে মেঘনাদবধ কাব্যের প্রথম লাইন আবৃত্তি করতে শিখিয়েছিলাম।'

'জল পড়ে পাতা নড়ে দিয়ে শুরু করা উচিত ছিল আপনার।'

ভদ্রলোক ফেলুদার খোঁচাটা অগ্রাহ্য করে আমার দিকে ফিরে বললেন, 'কী হে তপেশবাবু, যাবে নিউমার্কেট ?'

ফেলুদা বলল, 'যেতে হয় তো বেরিয়ে পড়ুন। আমি ঘণ্টাখানেক পরে আপনাদের মিট করব।

'কোথায় ?'

'নিউ মার্কেটের মধ্যিখানে, কামানটার পাশে। বিস্তর ঘোরাঘুরি আছে, বাইরে খাওয়া আছে।'

সপ্তাহে এক দিন রেস্টুর‍্যান্টে খাওয়াটা আমাদের রেগুলার ব্যাপার।

লালমোহনবাবুর গাড়িতে করে বেরিয়ে পড়লাম।

নিউ মার্কেটের পাখির বাজারের জবাব নেই। তবে তিনকড়িবাবু যে জটায়ুকে চিনবেন না তাতে আশ্চর্য হবার কিছু নেই, কারণ ভদ্রলোক এ দোকানে শেষ এসেছেন সিক্স্টি এইটে। লালমোহনবাবু এক গাল হেসে 'চিনতে পারছেন ?' জিজ্ঞেস করাতে তিনকড়িবাবু তাঁর মোটা চশমার উপর দিয়ে লালমোহনবাবুর দিকে চেয়ে বললেন, 'চেনা মুখ তো ভুলি না চট করে। নাকু বাবু তো ? আপনি কারবালা ট্যাঙ্ক রোডে থাকেন না ?'

লালমোহনবাবুর চুপসানো ভাব দেখে আমিই কাজের কথাটা পাড়লাম।

'আপনার এখান থেকে গত দিন দশেকের মধ্যে কি কেউ একটা চন্দনা কিনে নিয়ে গেছে ? বারাসতের এক ভদ্রলোক ?'

'বারাসতে কিনা জানি না, তবে দুখানা চন্দনা বিক্রি হয়েছে দিন দশেকের মধ্যে। একটা নিল জয়শক্তি ফিলিম কোম্পানির নেপেনবাবু। বলল চিন্ময়ী মা না মৃন্ময়ী মা কী একটা বইয়ের শুটিং-এ লাগবে। ভাড়ায় চাইছিল—আমি বললুম সে দিন আর নেই। নিলে ক্যাশ দিয়ে নিয়ে যান, কাজ হয়ে গেলে পর আপনাদের হিরোইনকে দিয়ে দেবেন।'

'আর অন্যটা যে বেচলেন, সেটা কোত্থেকে এসেছিল আপনার দোকানে মনে আছে ?'

'কেন মশাই, অত ইনফরমেশনে কী দরকার ?'

ভদ্রলোক একটু সন্দিগ্ধ বলে মনে হল।

'সেই পাখিটা খাঁচা থেকে চুরি গেছে অত্যন্ত রহস্যজনকভাবে', বললেন লালমোহনবাবু, 'সেটা ফিরে পাওয়া দরকার।'

'ফিরে পেতে চান তো কাগজে অ্যাডভারটাইজ দিন।'

'তা না হয় দেব, কিন্তু আপনার দোকানে কোত্থেকে এসেছিল সেটা—'

'অতশত বলতে পারব না। আপনি অ্যাডভারটাইজ দিন।'

'পাখিটা কথা বলত কি?'

'তা বলবে না কেন? তবে কী বলত জিজ্ঞেস করবেন না। সতেরোটা টকিং বার্ড আছে আমার দোকানে। কেউ বলে গুড মর্নিং, কেউ বলে ঠাকুর ভাত দাও, কেউ বলে জয় গুরু, কেউ বলে রাধাকেষ্ট—কোনটা কোন পাখি বলে সেটা ফস্ করে জিজ্ঞেস করলে বলতে পারব না।'

আধ ঘণ্টা সময় ছিল হাতে, তার মধ্যে লালমোহনবাবু একটা নখ কাটার ক্লিপ, আধ ডজন দেশবন্ধু মিলসের গেঞ্জি আর একটা সিগন্যাল টুথপেস্ট কিনলেন। তারপর চীনে জুতোর দোকানে গিয়ে একটা মোকাসিনের দাম করতে করতে আমাদের অ্যাপয়েন্টমেন্টের সময় এসে গেল। আমরা কামানের কাছে যাবার তিন মিনিটের মধ্যেই ফেলুদা হাজির।

'এবার কোথায় যাওয়া?' মার্কেট থেকে বাইরে এসে জিজ্ঞেস করলেন লালমোহনবাবু।

'পার্শিরা প্রায় দুশো বছর ধরে কলকাতায় আছে, সেটা জানতেন?'

'বলেন কী? সেই সিরাজদ্দৌলার আমল থেকে?'

'সেই রকম একটি প্রাচীন পার্শি বাড়িতে এখন যাব আমরা। ঠিকানা হচ্ছে'—ফেলুদা পকেট থেকে খাতা বার করল—

'একশো তেত্রিশের দই বৌবাজার স্ট্রিট।'

৪

একশো তেত্রিশের দুই বৌবাজার স্ট্রিট দেড়শো বছরের পুরনো বাড়ি কি না জানি না। তবে এত পুরনো বাড়িতে এর আগে আমি কখনও যাইনি তাতে কোনও সন্দেহ নেই। দুটো দোকানের মাঝখানে একটা খিলেনের মধ্যে দিয়ে প্যাসেজ পেরিয়ে কাঠের সিঁড়ি। সেই সিঁড়ি দিয়ে তিনতলায় গিয়ে ডান দিকে ঘুরে সামনেই দরজার উপর পিতলের ফলকে লেখা 'আর. ডি. পেস্টনজী'। কলিং বেল টিপতেই একজন বেয়ারা এসে দরজা খুলল। ফেলুদা তার হাতে তার নিজের নাম আর পেশা লেখা একটা কার্ড দিয়ে দিল।

মিনিট তিনেক পর বেয়ারা এসে বলল, 'পাঁচ মিনিটের বেশি সময় দিতে পারবেন না বাবু।'

তাই সই। আমরা তিনজন বেয়ারার সঙ্গে গিয়ে একটা ঘরে ঢুকলাম।

বিশাল অন্ধকার বৈঠকখানা, তারই এক পাশে দেওয়ালের সামনে সোফায় বসে আছেন ভদ্রলোক। সামনে টেবিলে রাখা বোতলে পানীয় ও গেলাস। গায়ের রং ফ্যাকাসে। নাকটা টিয়া পাখির মতো ব্যাঁকা, চওড়া কপাল জুড়ে মেচেতা।

সোনার চশমার মধ্যে দিয়ে ঘোলাটে চোখে আমাদের দিকে চেয়ে কর্কশ গলায় বললেন, 'বাট ইউ আর নট ওয়ান ম্যান, ইউ আর এ ক্রাউড!'

ফেলুদা ক্ষমা চেয়ে ইংরাজিতে বুঝিয়ে দিল যে তিনজন হলেও, সে একাই কথা বলবে; বাকি দুজনকে ভদ্রলোক অনায়াসে অগ্রাহ্য করতে পারেন।

'ওয়েল, হোয়াট ডু ইউ ওয়ন্ট?'

'আপনি পার্বতী হালদারকে চিনতেন বোধহয়?'

'মাই গড্, এগেন!'

ফেলুদা হাত তুলে ভদ্রলোককে ঠাণ্ডা করার চেষ্টা করে বলল, 'আমি পুলিশের লোক নই

সেটা আমার কার্ড দেখেই নিশ্চয় বুঝেছেন। তবে ঘটনাচক্রে আমি এই খুনের তদন্তে জড়িয়ে পড়েছি ; আমি শুধু জানতে চাইছিলাম—এই যে নেপোলিয়নের চিঠিটা চুরি হয়েছে, সেটা সম্বন্ধে আপনার কী মত।'

পেস্টনজী কিছুক্ষণ চুপ করে থেকে বললেন, 'তুমি দেখেছ চিঠিটা ?'

ফেলুদা বলল, 'কী করে দেখব, যে দিন ভদ্রলোকের মৃত্যু, সে দিনেই তো আমি প্রথম গেলাম তার বাড়িতে।'

পেস্টনজী বললেন, 'নেপোলিয়নের বিষয় পড়েছ তো তুমি ?'

'তা কিছু পড়েছি।'

ফেলুদা গত দু দিনে নেপোলিয়ন সম্বন্ধে আর পুরনো আর্টিস্টিক জিনিস সম্বন্ধে সিধু জ্যাঠার কাছ থেকে বেশ কিছু বই ধার করে এনে পড়েছে সেটা আমি জানি।'

'সেন্ট হেলেনায় তার শেষ নির্বাসনের কথা জানো তো ?'

'তা জানি।'

'কোন সালে সেটা হয়েছিল মনে আছে ?'

'১৮১৫।'

ভদ্রলোকের ঠোঁটের কোণে হাসি দেখে বুঝলাম তিনি ইম্প্রেস্ড হয়েছেন। বললেন, 'এই চিঠি লেখা হয়েছিল ১৮১৪ খ্রিস্টাব্দে। সেন্ট হেলেনায় যে ছ বছর বেঁচেছিলেন নেপোলিয়ন, সেই সময়টা তাঁকে চিঠি লিখতে দেওয়া হয়নি। তার মানে এই চিঠিটা তাঁর শেষ চিঠিগুলির মধ্যে একটা। কাকে লেখা সেটা জানা যায়নি—শুধু 'মঁশেরামী'—অর্থাৎ "আমার প্রিয় বন্ধু।" চিঠির ভাব ও ভাষা অপূর্ব। সব হারিয়েছেন তিনি, কিন্তু এই অবস্থাতেও তিনি এক বিন্দু আদর্শচ্যুত হননি। এ চিঠি লাখে এক। জুরিখ শহরে এক সর্বস্বান্ত মাতালের কাছ থেকে জলের দরে এ চিঠি কিনেছিলেন পার্বতী হালদার। আর সে জিনিস আমার হাতে চলে আসত মাত্র বিশ হাজার টাকায়।'

'কী রকম ?'—আমরা সকলেই অবাক—'মাত্র বিশ হাজার টাকায় এ চিঠি আপনাকে বিক্রি করতে রাজি ছিলেন মিঃ হালদার ?'

পেস্টনজী মাথা নাড়লেন।—'নো নো। হি ডিডন্‌ট ওয়ন্ট টু সেল ইট। হালদারের গোঁ ছিল সাংঘাতিক। ওঁর এদিকটা আমি খুব শ্রদ্ধা করতাম।'

'তা হলে ?'

পেস্টনজী গেলাসটা তুলে মুখে খানিকটা পানীয় ঢেলে বললেন, 'তোমাদের কিছু অফার করতে পারি ? চা, বিয়ার— ?'

'না না, আমরা এখুনি উঠব।'

'ব্যাপারটা আর কিছুই না' বললেন পেস্টনজী, 'এটা পুলিশকে বলিনি। ওদের জেরার ঠেলায় আমার ব্লাড প্রেশার চড়িয়ে দিয়েছিল সাংঘাতিকভাবে। ইউ লুক লাইক এ জেন্টলম্যান, তাই তোমাকে বলছি। কাল সকালে একটা বেনামি টেলিফোন আসে। লোকটা সরাসরি আমায় জিজ্ঞেস করে, আমি বিশ হাজার টাকায় নেপোলিয়নের চিঠিটা কিনতে রাজি আছি কি না। আমি তাকে গতকাল রাত্রে আসতে বলি। সে বলে সে নিজে আসবে না, লোক পাঠিয়ে দেবে, আমি যেন তার হাতে টাকাটা দিই। সে এও বলে যে, আমি যদি পুলিশে খবর দিই তা হলে আমারও দশা হবে পার্বতী হালদারের মতো।'

'এসেছিল সে লোক ?'—আমরা তিনজনেই যাকে বলে উদ্‌গ্রীব, উৎকর্ণ।

পেস্টনজী মাথা নাড়লেন।—'নো। নোবডি কেম।'

আমরা তখনই উঠে পড়তাম, কিন্তু ফেলুদার হঠাৎ পেস্টনজীর পিছনের তাকের উপর

রাখা একটা জিনিসের দিকে দৃষ্টি গেছে।

'ওটা মিং যুগের পোর্সিলেন বলে মনে হচ্ছে?'

ভদ্রলোকের দৃষ্টি উদ্ভাসিত।

'বাঃ, তুমি তো এ সব জানোটানো দেখছি। এক্স্‌কুইজিট জিনিস।'

'একবার যদি...'

'নিশ্চয়ই, নিশ্চয়ই। হাতে নিয়ে না দেখলে বুঝতে পারবে না।'

ভদ্রলোক উঠে গিয়ে জিনিসটার দিকে হাত বাড়িয়েই 'আউচ!' বলে যন্ত্রণায় কুঁচকে

গেলেন।

'কী হল ?' ফেলুদা গভীর উৎকণ্ঠার সুরে বলল।

'আর বোলো না ! বুড়ো বয়সের যত বিদ্‌ঘুটে ব্যারাম। আরথ্রাইটিস। হাতটা কাঁধের উপর তুলতেই পারি না।'

শেষকালে ফেলুদা নিজেই এগিয়ে গিয়ে তাক থেকে চীনেমাটির পাত্রটা নামিয়ে নিয়ে হাতে করে ঘুরিয়ে ঘুরিয়ে দেখে বার দু-এক 'সুপার্ব' বলে আবার যথাস্থানে রেখে দিল।

'ভদ্রলোকের সত্যিই হাত ওঠে কি না সেটা যাচাই করা দরকার ছিল', রাস্তায় এসে বলল ফেলুদা।

'ধন্যি মশাই আপনার মস্তিষ্ক ! বলুন, এবার কোনদিকে ?'

'বলতে সংকোচ হচ্ছে। এবার একেবারে কর্নওয়ালিস স্ট্রিট।'

'কেন, সংকোচের কী আছে ?'

'যা দাম হয়েছে আজকাল পেট্রোলের।'

'আরে মশাই, দাম তো সব কিছুরই বেশি। আমার যে বই ছিল পাঁচ টাকা, সেটা এখন এইট রুপিজ। অথচ সেল একেবারে স্টেডি। আপনি ওসব সংকোচ-টংকোচের কথা বলবেন না।'

কর্নওয়ালিস স্ট্রিটের নতুন থিয়েটার নবরঙ্গমঞ্চে গিয়ে হাজির হলাম। প্রোপ্রাইটারের নাম অভিলাষ পোদ্দার। ফেলুদা কার্ড পাঠাতেই তৎক্ষণাৎ আমাদের ডাক পড়ল। দোতলার আপিস ঘরে ঢুকলাম গিয়ে।

'আসুন আসুন, কী সৌভাগ্য আমার, স্বনামধন্য লোকের পায়ের ধুলো পড়ল এই গরিবের ঘরে !'

নাদুস-নুদুস বার্নিশ করা চেহারাটার সঙ্গে এই বাড়িয়ে কথা বলাটা বেশ মানানসই। হাতে সোনার ঘড়ি, ঠোঁট দুটো টুকটুকে লাল—এই সবে এক খিলি পান পুরেছেন মুখে, গা থেকে ভুরভুরে আতরের গন্ধ।

ফেলুদা লালমোহনবাবুকে আলাপ করিয়ে দিল 'গ্রেট থ্রিলার রাইটার' বলে।

'বটে ?' বললেন পোদ্দারমশাই।

'একটা হিন্দি ফিল্‌ম হয়ে গেছে আমার গল্প থেকে', বললেন জটায়ু। 'বোম্বাইয়ের বোম্বেটে। নাটকও হয়েছে একটা গল্প থেকে। গড়পারের রিক্রিয়েশন ক্লাব করেছিল সেভেনটি এইটে।'

ফেলুদা বলল, 'আপনার জায়ান্ট অমনিবাস একটা পাঠিয়ে দেবেন না মিস্টার পোদ্দারকে।'

'সার্টেনলি, সার্টেনলি', বললেন মিঃ পোদ্দার। 'আমি নিজে অবিশ্যি বই-টই পড়ি না, তবে আমার মাইনে করা লোক আছে। তারা পড়ে ওপিনিয়ন দেয় আমাকে। তা বলুন মিঃ মিত্তির, আপনার কী কাজে লাগতে পারি।'

'আপনাদের একটি হিরো সম্বন্ধে ইনফরমেশন চাই।'

'হিরো ? মানস ব্যানার্জি ?'

'অচিন্ত্য হালদার।'

'অচিন্ত্য হালদার ? কই সে রকম নামে তো—ও হো, হ্যাঁ হ্যাঁ, ওই নামে একটি ছেলে ঘোরাঘুরি করছে বটে। একটা বইয়ে একটা পার্টও করেছিল। চেহারা মোটামুটি ভাল, তবে ভয়েসে গণ্ডগোল। বরং সিনেমা লাইনে কিছু হতে পারে। আমি সেই কথাই বলেছি তাকে। ইন ফ্যাক্ট, ছেলেটি আমাকে টাকা অফার করেছে।'

'মানে ? হিরোর পার্ট পাবার জন্য ?'

'আপনি আকাশ থেকে পড়লেন যে। এ রকম হয় মিঃ মিত্তির।'

'আপনি আমল দেননি ?'

'নো মিঃ মিত্তির। আমাদের নতুন কোম্পানি, এ সব ব্যাপার খুব রিস্‌কি। এ প্রস্তাবে রাজি হবার কোনও প্রশ্নই ওঠে না। ইয়ে—চা, কফি... ?'

'নো, থ্যাঙ্কস।'

আমরা উঠে পড়লাম। দেড়টা বাজে, পেটে বেশ চন্‌চনে খিদে।

রয়েল হোটেলে খাবারের অর্ডার দিয়ে ফেলুদা চন্দনা চুরির ব্যাপারে একটা বিজ্ঞাপনের খসড়া করে ফেলল। ওর চেনা আছে খবরের কাগজের আপিসে ; সম্ভব হলে কালকে না হয় লেটেস্ট পরশু কাগজে বেরিয়ে যাবে। গত দশ দিনের মধ্যে নিউ মার্কেটে তিনকড়িবাবুর দোকানে কেউ যদি একটা চন্দনা বিক্রি করে থাকেন, তা হলে তিনি যেন নিম্নলিখিত ঠিকানায়, ইত্যাদি।

বিরিয়ানি খেতে খেতে একটা নলী হাড় কামড় দিয়ে ভেঙে ম্যারো-টা মুখে পুরে ফেলুদা বলল, 'রহস্য যে রকম উত্তরোত্তর বৃদ্ধি পাচ্ছে, কোথাকার জল কোথায় গিয়ে দাঁড়ায় বলা মুশকিল।'

'দাঁড়ান দাঁড়ান, দেখি গেস্ করতে পারি কি না', বললেন লালমোহনবাবু, 'এই নতুন রহস্য হচ্ছে—সেই লোক চিঠি নিয়ে আসবে বলে এল না কেন, এই তো ?'

'ঠিক ধরেছেন। আমার মতে এর মানে একটাই। সে লোক চিঠিটা পাবে বলে আশা করেছিল, কিন্তু শেষ পর্যন্ত পায়নি।'

আমি বললাম, 'তার মানে যে চুরি করেছে সে নয়, অন্য লোক।'

'তাই তো মনে হচ্ছে।'

'ওরেব্বাস', বললেন লালমোহনবাবু, 'তার মানে তো একজন ক্রিমিন্যাল বাড়ল।'

'আচ্ছা ফেলুদা'—এ প্রশ্নটা ক দিন থেকেই আমার মাথায় ঘুরছে—'পেপারওয়েট দিয়ে মাথায় মারলে লোক মরবেই এমন কোনও গ্যারান্টি আছে কি ?'

'গুড কোয়েশ্চেন', বলল ফেলুদা। 'উত্তর হচ্ছে, না নেই। তবে এ ক্ষেত্রে যে মেরেছে তার হয়তো ধারণা ছিল মরবেই।'

'কিংবা অজ্ঞান করে জিনিসটা নিতে চেয়েছিল ; মরে যাবে ভাবেনি।'

'রয়েলের খাওয়া যে ব্রেন টনিকের কাজ করে, সেটা তো জানতাম না। তুই ঠিক বলেছিস তোপ্‌সে। সেটাও একটা পসিব্‌ল ব্যাপার। কিন্তু সেগুলো জানলেও যে এ ব্যাপারে খুব হেল্‌প হচ্ছে তা তো নয়। যে লোকটাকে দরকার সে এমন আশ্চর্য ভাবে গা ঢাকা দিয়েছে যে, ঘটনাটা প্রায় অসম্ভবের পর্যায়ে পড়ে।'

অবিশ্যি ভ্যানিশ যে করেনি সে লোক সেটা সন্ধেবেলা জানতে পারলাম, আর সেটা ঘটল বেশ নাটকীয় ভাবে।

সেটা বলার আগে জানানো দরকার যে সাড়ে চারটের সময় হাজরা ফোন করে জানালেন বারাসতে সাধন দস্তিদারের কোনও সন্ধান পাওয়া যায়নি।

লালমোহনবাবু হোটেল থেকে আর বাড়ি ফেরেননি। আমাদের পৌঁছে দিয়ে আমাদের এখানেই রয়ে গিয়েছিলেন। সাড়ে সাতটার সময় শ্রীনাথ আমাদের কফি এনে দিয়েছে, এমন সময় কলিং বেল বেজে উঠল। শীতকালের সন্ধে, পাড়াটা এর মধ্যেই নিঝুম, তাই বেলের শব্দে বেশ চমকে উঠেছিলাম।

দরজা খুলে আরও এক চমক।

এসেছেন হৃষীকেশবাবু।

'কিছু মনে করবেন না—অসময়ে খবর না দিয়ে এসে পড়লাম— আমাদের টেলিফোনটা ফাঁকা পাওয়া যাচ্ছে না মিঃ হালদারের মৃত্যুর পর থেকেই...'

শ্রীনাথকে বলতে হয় না, সে নতুন লোকের গলা পেয়েই আরেক কাপ কফি দিয়ে গেল।

ফেলুদা বলল, 'আপনাকে বেশ উত্তেজিত মনে হচ্ছে। বসে ঠাণ্ডা হয়ে কী ঘটনা বলুন।'

হৃষীকেশবাবু কফিতে একটা চুমুক দিয়ে দম নিয়ে বললেন, 'আপনি আমার একতলার ঘরটা দেখেননি, তবে আমি বলতে পারি ও ঘরটায় থাকতে বেশ সাহসের দরকার হয়। অত বড় বাড়ির একতলায় আমি একমাত্র বাসিন্দা। চাকরদের আলাদা কোয়ার্টারস আছে। এ ক বছরে অভ্যেস খানিকটা হয়েছে ঠিকই, কিন্তু পুরোপুরি হয় না। সন্ধে থেকে গাটা কেমন ছমছম করে। যাই হোক, কাল রাত্তিরে, তখন সাড়ে দশটা হবে, আমি খাওয়া সেরে ঘরে এসে দরজা বন্ধ করে মশারিটা ফেলেছি সবে, এমন সময় দরজায় টোকা পড়ল। সত্যি বলতে কী, নক্ করার লোক ও বাড়িতে কেউ নেই। যারা আমাকে চায় তারা বাইরে থেকে হাঁক দেয়—এমন কী চাকর-বাকরও। কাজেই বুঝতে পারছেন, আমার মনে বেশ একটু খট্‌কা লাগল। খোলার আগে জিজ্ঞেস করলুম, কে ? উত্তরের বদলে আবার টোকা পড়ল। একবার ভাবলুম খুলব না। কিন্তু সারারাত যদি ওই ভাবে খট্‌খট্ চলে তা হলে তো আরও গণ্ডগোল। তাই কোনওরকমে সাহস সঞ্চয় করে যা থাকে কপালে করে দরজাটা খুললুম ; খোলামাত্র একটি লোক ঢুকে এসে দরজাটা বন্ধ করে দিল। তখনও মুখ দেখিনি ; তারপর আমার দিকে ফিরতে চাপ-দাড়ি দেখে আন্দাজ করলুম কে। ভদ্রলোক আমাকে কোনও কথা বলতে না দিয়ে সোজা গড়গড় করে তাঁর কথা বলে গেলেন এবং যতক্ষণ বললেন ততক্ষণ তাঁর ডান হাতে একটি ছোরা সোজা আমার দিয়ে পয়েন্ট করা।'

বর্ণনা শুনে আমারই ভয় করছিল। লালমোহনবাবুর দেখলাম মুখ হাঁ হয়ে গেছে।

'কী বললেন সাধন দস্তিদার ?' প্রশ্ন করল ফেলুদা।

'সাংঘাতিক কথা', বললেন হৃষীকেশবাবু। 'মিঃ হালদারের কালেকশনে কী জিনিস আছে তা যেমন মোটামুটি আমি জানি, তেমনি ইনিও জানেন। বললেন বাহাদুর শা-র যে পান্না বসানো সোনার জর্দার কৌটোটা মিঃ হালদারের সংগ্রহে রয়েছে, সেটার একজন ভাল খদ্দের পাওয়া গেছে, সেটা তার চাই। আমি যেন আজ রাত্তিরে এগারোটার সময় মধুমুরলীর দিঘির ধারে ভাঙা নীলকুঠির পাশে শ্যাওড়া গাছটার নীচে ওয়েট করি—ও এসে নিয়ে যাবে।'

'এই যে কাজটা করতে বলেছে তার জন্য আপনার পারিশ্রমিক কী ?'

'কচু পোড়া। এ তো হুমকির ব্যাপার। বললে যদি পুলিশে খবর দিই, তা হলে নির্ঘাত মৃত্যু।'

'রাত্তিরে দারোয়ান গেটে থাকে না ?'

'থাকে বইকী, কিন্তু আমার ধারণা হয়েছে লোকটা পাঁচিল টপকে আসে।'

'আপনার ঘর চিনল কী করে ?'

'সাধু দস্তিদারও তো ওই ঘরেই থাকত—চিনবে না কেন ?'

'ভদ্রলোকের ডাক নাম সাধু ছিল বুঝি ?'

'মিঃ হালদারকে তো সেই নামই বলতে শুনেছি !'

'আপনি তাকে কী বললেন ?' জিজ্ঞেস করল ফেলুদা।

'আমি বললুম, এখন মিঃ হালদারের জিনিসপত্রে কড়া পাহারা, সে কৌটো আমি নেব কী করে ? সে বললে, চেষ্টা করলেই পারবে। তুমি মিঃ হালদারের সেক্রেটারি ছিলে ; জরুরি

কাগজপত্র দেখার জন্য তোমার সে ঘরে ঢোকার সম্পূর্ণ অধিকার আছে ; ব্যস্—এই বলেই সে চলে গেল। আমি জানি, আপনি ছি ছি করবেন, বলবেন পুলিশে খবর দেওয়া উচিত ছিল, অন্তত বাড়ির লোককে জানানো উচিত ছিল। কিন্তু প্রাণের ভয়ের মতো ভয় আর কী আছে বলুন। আপনার কথাটাই মনে হল। আপনিও যে তদন্ত করছেন সেটা আমার মনে হয় সাধু জানে না।'

'আপনি তা হলে কৌটো বার করেননি।'

'পাগল!'

'আপনি কি প্রস্তাব করছেন যে, আমরা সেখানে যাই?'

'আপনারা যদি একটু আগে গিয়ে গা ঢাকা দিয়ে থাকেন—আমি গেলাম এগারোটায়—তারপর সে এলে যা করার দরকার সে তো আপনিই ভাল বুঝবেন। এইভাবে হাতেনাতে লোকটাকে ধরার সুযোগ তো আর পাবেন না।'

'পুলিশকে খবর দেব না বলছেন?'

'অমন সর্বনাশের কথা উচ্চারণ করবেন না, দোহাই। আপনি আসুন, সঙ্গে এঁদেরও নিতে পারেন। তবে সশস্ত্র অবস্থায় যাবেন, কারণ লোকটা ডেঞ্জারাস।'

'লেগে পড়ুন', বিনা দ্বিধায় বললেন লালমোহনবাবু। 'রাজস্থানের ডাকাত যখন আমাদের পেছু হটাতে পারেনি, তখন এর জন্য কী ভয়? এ তো নস্যি মশাই।'

'আমি অবিশ্যি জায়গাটা দেখিয়ে দেব', বললেন হৃষীকেশবাবু ; 'মেন রোড ছেড়ে খানিকটা ভেতর দিকে যেতে হয়। স্টেশন থেকে মাইল চারেক।'

ফেলুদা রাজি হয়ে গেল। হৃষীকেশবাবু কফি শেষ করে উঠে পড়ে বললেন, 'দশটা নাগাদ তা হলে আপনারা মিট করছেন আমাকে।

'কোথায়?'

'আমাদের বাড়ি ছাড়িয়ে দু ফার্লং গেলেই একটা তেমাথার মোড় পাবেন। সেখানে দেখবেন একটা মিষ্টির দোকান। সেই দোকানের সামনে থাকব আমি।'

৫

রাত্রে বিশেষ ট্রাফিক নেই, তাও এক ঘণ্টা হাতে নিয়ে আমরা বেরিয়ে পড়লাম। খাওয়াটা বাড়িতেই সেরে নিলাম। এত তাড়াতাড়ি খাওয়া অভ্যেস নেই আমাদের ; লালমোহনবাবু বললেন, 'খিদে পেলে ওই মিষ্টির দোকানে ঢুকে পড়া যাবে। কচুরি আর আলুর তরকারি নির্ঘাত পাওয়া যাবে।'

একটা সুবিধে এই যে লালমোহনবাবুর ড্রাইভার হরিপদবাবু ফেলুদার ভীষণ ভক্ত। তার উপর বোম্বাই মার্কা ফাইটিং-এর ছবি দেখার সুযোগ ছাড়েন না কখনও। এ রকম না হলে রাতবিরেতে বারাসতে ঠ্যাঙাতে অনেক ড্রাইভারই গজগজ করত ; ইনি যেন নতুন লাইফ পেলেন।

ভি আই পি রোডে পড়ে লালমোহনবাবু গান ধরেছিলেন—'জ্যোৎস্না রাতে সবাই গেছে বনে', কিন্তু ফেলুদা তাঁর দিকে চাইতে অমাবস্যায় গানটা বেমানান হচ্ছে বুঝতে পেরে থেমে গেলেন।

আকাশে এক টুকরো মেঘ নেই। তারার আলো বলে একটা জিনিস আছে, সেটা হয়তো আমাদের কিছুটা হেল্প করতে পারে। ফেলুদার ফরমাশ অনুযায়ী গাঢ় রঙের জামা পরেছি। লালমোহনবাবুর পুলোভারটা ছিল হলদে, তাই তার উপর ফেলুদার রেনকোটটা

চাপিয়ে নিয়েছেন। ভদ্রলোক এখন গাড়িতে বসা ; যখন হাঁটবেন তখন একটা পকেট ভীষণ ঝুলে থাকবে, কারণ তাতে ভরা আছে একটা হামানদিস্তার লোহার ডাণ্ডা। ওয়েপন হিসেবে ব্যবহার করার জন্য ভদ্রলোক ওটা চেয়ে নিয়েছেন শ্রীনাথের কাছে। ফেলুদার পকেটে অবশ্য রয়েছে তার কোল্ট রিভলভার।

আমাদের আন্দাজ ভুল হয়নি ; দশটার কিছু আগে আমরা তেমাথায় পৌঁছে গেলাম। মিষ্টির দোকানের পাশেই একটা পানের দোকান—তার সামনে থেকে হৃষীকেশবাবু এগিয়ে এসে আমাদের গাড়িতে উঠে হরিপদবাবুকে বললেন, 'ডাইনের রাস্তাটা নিন।'

খানিক দূর যেতেই বাড়ি কমে এল। আলোও বেশি নেই ; রাস্তায় যা আলো ছিল তাও ফুরিয়ে গেল বাঁয়ে মোড় নিতে। বুঝলাম এটা প্রায় পল্লীগ্রাম অঞ্চল। 'বারাসতেই ছিল প্রথম নীলকুঠি।' বললেন হৃষীকেশবাবু। 'এ দিকটাতে এককালে অনেক সাহেব থাকত ; দিনের আলোয় তাদের সব ভাঙা বাগানবাড়ি দেখতে পেতেন।'

মিনিট কুড়ি চলার পর একটা জায়গায় এসে গাড়ি দাঁড় করাতে বললেন হৃষীকেশবাবু।

'আসুন।'

গাড়ি থেকে নামলাম চার জনে। 'গাড়িটা এখানেই ওয়েট করুক', বললেন হৃষীকেশবাবু, 'আমি আপনাদের জায়গাটা দেখিয়ে দিয়ে আসি, তারপরে এই গাড়িই আমাকে বাড়ি পৌঁছে দিয়ে আবার ফিরে আসবে। আমি সাইকেল রিকশা করে ঠিক এগারোটার সময় চলে আসব।'

লালমোহনবাবু হরিপদবাবুকে টাকা দিয়ে বললেন, 'তুমি এঁকে পৌঁছে দিয়ে ফেরার সময় কোনও দোকান-টোকান থেকে খাওয়াটা সেরে নিও। ফিরতে রাত হবে আমাদের।'

ঘাসের উপর দিয়ে মিনিট পাঁচেক হাঁটতে একটা জংলা জায়গা এসে পড়ল।

'এখানেই ছিল মধুমুরলীর দিঘি', বললেন হৃষীকেশবাবু। 'আমাদের যেতে হবে ওখানটায়।'

খুবই কম আলো, কিন্তু তাও বুঝতে পারছি যে গাছপালা ছাড়াও ও দিকে একটা দালানের ভগ্নস্তূপ রয়েছে। শীতকাল বলে রক্ষে, না হলে এ জায়গাটা হত সাপ ব্যাঙের ডিপো!

'এখন টর্চের আলোটা বোধহয় তেমন বিপজ্জনক কিছু নয়', বলল ফেলুদা।

'মনে তো হয় না', বললেন হৃষীকেশবাবু।

ছোট্ট পকেট টর্চের আলোতে ঝোপঝাড় খানাখন্দ বাঁচিয়ে আমরা পৌঁছে গেলাম নীলকুঠির ভগ্নস্তূপের পাশে।

'ওই যে দেখুন শ্যাওড়া গাছ', বললেন হৃষীকেশবাবু। ফেলুদা সে দিকে একবার টর্চ ফেলে সেটা নিবিয়ে পকেটে পুরল।

'আমি তা হলে আসি।'

'আসুন।'

'তিন কোয়ার্টার আপনাদের একটু অপেক্ষা করতে হবে।'

আমরা যে দিক দিয়ে এসেছিলাম সে দিক দিয়েই চলে গেলেন হৃষীকেশবাবু। এক মিনিটের মধ্যেই তাঁর পায়ের আওয়াজ মিলিয়ে গেল।

'ওডোমসটা লাগিয়ে নিন।'

ফেলুদা পকেট থেকে টিউব বার করে লালমোহনবাবুর দিকে এগিয়ে দিল।

'যা বলেছেন মশাই। ম্যালেরিয়া শুনছি আবার খুব বেড়েছে।'

আমরা তিন জনেই ওডোমস লাগিয়ে নিয়ে একটা বড় রকম দম নিয়ে অপেক্ষার জন্য তৈরি হলাম। আমাদের কাউকেই দাঁড়াতে হবে না, কারণ ভগ্নস্তূপে নানান হাইটের ইটের

পাঁজা রয়েছে, তাতে চেয়ার চৌকি মোড়া সব কিছুরই কাজ হয়। কথা বলতে হলে ফিস্‌ফিস্ ছাড়া গতি নেই, তাও প্রথম দিকটায়। পরের দিকে কমপ্লিট মৌনী। অন্ধকারে চোখ সয়ে গেছে, এখন চারিদিকে চাইলে বট, অশ্বত্থ, আমগাছ, বাঁশঝাড়—এসব বেশ তফাত করা যায়। ঝিঁঝির শব্দ ছাড়াও যে অন্য শব্দ আছে সেটা বেশ বুঝতে পারছি। ট্রেনের আওয়াজ, সাইকেল রিকশার চড়া হর্ন, রাস্তার কুকুরের ঘেউ ঘেউ, এমন কী দূরের কোনও বাড়ি থেকে ট্রানজিস্টারের গান পর্যন্ত। ফেলুদার ঘড়িতে রেডিয়াম ডায়াল, তাই অন্ধকারেও টাইম দেখতে পারে।

শীত যেন মিনিটে মিনিটে বাড়ছে। শহরের চেয়ে নির্ঘাত পাঁচ-সাত ডিগ্রি কম। লালমোহনবাবু তাঁর টুপি আনেননি, রুমাল সাদা, তাই সেটা বাঁধলেও চলে না ; নিরুপায় হয়ে দু হাতের তেলো দিয়ে টাক ঢেকেছেন। একবার মুখ দিয়ে একটা অস্ফুট শব্দ করাতে ফেলুদা বলল, 'কিছু বললেন ?' তাতে ভদ্রলোক ফিস্‌ফিস্ করে জবাব দিলেন, 'শ্যাওড়া গাছেই বোধহয় পেত্নি না শাঁকচুন্নি কী যেন থাকে।'

'শ্যাওড়া গাছের নামই শুনেছি', ফিস্‌ফিসিয়ে বলল ফেলুদা, 'চোখে এই প্রথম দেখলাম।'

আকাশে তারাগুলো সরছে। একটু আগে একটা তারাকে দেখেছিলাম নারকোল গাছের মাথার উপরে, এখন দেখছি গাছটায় ঢাকা পড়ে গেছে। কোনও চেনা কনস্টেলেশন আছে কি না দেখার জন্য মাথাটা উপর দিকে তুলেছি, এমন সময় একটা শব্দ কানে এল। পায়ের শব্দ।

এগারোটা বাজেনি এখনও। ফেলুদা দু মিনিট আগে ঘড়ি দেখে ফিস্‌ফিস্ করে বলেছে, 'পৌনে।'

আমরা পাথরের মতো স্থির।

যে দিক দিয়ে এসেছি, সে দিক দিয়েই আসছে শব্দটা। ঘাসের উপর মাঝে মাঝে ইট-পাটকেল রয়েছে, তার জন্যই শব্দ। তাও কান না পাতলে, আর অন্য শব্দ না কমলে শোনা যায় না। এখন ঝিঁঝির ডাক ছাড়া আর কোনও শব্দ নেই।

এবার লোকটাকে দেখা গেল। সে এগিয়ে এসেছে শ্যাওড়া গাছটাকে লক্ষ্য করে।

এবারে তার হাঁটার গতি কমাল। আমরা মাটিতে ঘাপটি মেরে বসা, সামনে একটা ভাঙা পাঁচিল আমাদের শরীরের নীচের অংশটা ঢেকে রেখেছে। আমরা তার উপর দিয়ে দেখছি।

'হৃষীকেশবাবু—'

লোকটা চাপা গলায় ডাক দিয়েছে। হাঁটা থামিয়ে। তার দৃষ্টি যে শ্যাওড়া গাছটার দিকে সেটা মাথাটা দেখে আন্দাজ করতে পারছি, যদিও মানুষ চেনার কোনও প্রশ্ন ওঠে না।

'হৃষীকেশবাবু—'

ফেলুদা ওঠার জন্য তৈরি। তার শরীর টান সেটা বেশ বুঝতে পারছি।

লোকটা ধীরে ধীরে এগিয়ে আসতে শুরু করল।

লালমোহনবাবুর ডান কনুইটা উঁচিয়ে উঠেছে। উনি পকেট হাতড়াচ্ছেন হামানদিস্তার ডাণ্ডাটার জন্য।

লোকটা এখন দশ হাতের মধ্যে।

'হৃষীকেশ—'

ফেলুদা বাঘের মতো লাফিয়ে উঠতেই একটা রক্ত জল করা ব্যাপার ঘটে গেল।

আমাদের পিছন থেকে দুটো লোক এসে তার উপর হুমড়ি খেয়ে পড়েছে।

ফেলুদার সঙ্গে থেকেই বোধহয় আমার নার্ভও শক্ত হয়ে গেছে। চট করে বিপদে মাথা গুলোয় না। আমি তৎক্ষণাৎ লাফিয়ে উঠে ঝাঁপিয়ে পড়লাম সামনের দিকে। ফেলুদার ঘুঁষি

খেয়ে একটা লোক আমারই দিকে ছিটকে এসেছিল। আমি তাকে লক্ষ্য করে আরেকটা ঘুঁষি চালাতে সে হুমড়ি খেয়ে পড়ল ঘাসের উপর।

কিন্তু এ কী, আরও লোক এসে পড়েছে পিছন থেকে ! তার মধ্যে একটা আমায় জাপটে ধরেছে, আরও দুটো গিয়ে আক্রমণ করেছে ফেলুদাকে। ধস্তাধস্তির শব্দ পাচ্ছি। কিন্তু আমি নিজে বন্দি, যদিও তারই মধ্যে জুতো পরা ডান পা-টা দিয়ে ক্রমাগত পিছন দিকে লাথি চালাচ্ছি।

লালমোহনবাবু কী করছেন এই চিন্তাটা মাথায় আসতেই থুতনিতে একটা বিরাশি শিক্কা ঘা খেলাম, আর সঙ্গে সঙ্গে চারিদিকের অন্ধকার যেন আরও দশ গুণ গাঢ় হয়ে গেল।

তারপর আর কিছু জানি না।

'কীরে, ঠিক হ্যায় ?'

ফেলুদার চেহারাটাই প্রথম দেখতে পেলাম জ্ঞান হয়ে।

'ঘাবড়াসনি, আমিও নক-আউট হয়ে গেসলাম দশ মিনিটের জন্য।'

এবারে দেখলাম ঘরের অন্য লোকেদের। অমিতাভবাবু তাঁর পাশে একজন মহিলা—নিশ্চয়ই তাঁর স্ত্রী—লালমোহনবাবু, হৃষীকেশবাবু, আর দরজার মুখে দাঁড়িয়ে অচিন্ত্যবাবু। এ ঘরটা আগে দেখিনি ; বাড়ির বত্রিশটা ঘরের কোনও একটা হবে।

আমি বিছানায় উঠে বসলাম। একটা কন্‌কনে ব্যথা থুতনির কাছটায়। তা ছাড়া আর কোনও কষ্ট নেই। ফেলুদা ঘুঁষিটা খেয়েছিল ডান চোখের নীচে সেটা কালসিটে দেখেই বোঝা যাচ্ছে। ব্ল্যাক-আই ব্যাপারটা অনেক বিদেশি ছবিতে দেখেছি ; স্বচক্ষে এই প্রথম দেখলাম।

'একমাত্র জটায়ুই অক্ষত', বলল ফেলুদা।

সে কী। আশ্চর্য ব্যাপার তো !—'কী করে হল ?'

'মোক্ষম ওয়েপন ওই হামানদিস্তা', বললেন লালমোহনবাবু, 'হাতে নিয়ে মাথার উপর তুলে হেলিকপটারের মতো বাঁই বাঁই করে ঘুরিয়ে গেলাম। আমার ধারে কাছেও এগোয়নি একটি গুণ্ডাও।'

'ওরা গুণ্ডা ছিল বুঝি ?'

'হায়ার্ড গুণ্ডাজ', বললেন লালমোহনবাবু।

'বললাম লোকটা ডেঞ্জারাস', বললেন হৃষীকেশবাবু। 'তবে ও যে এতটা করবে তা ভাবিনি। আমি তো গিয়ে অবাক। একজন শোয়া একজন বসা একজন হুমড়ি খেয়ে পড়ে মাটিতে। আর আসল যে লোক সে হাওয়া।'

ফেলুদা আর লালমোহনবাবু নাকি আমাকে ধরাধরি করে গাড়িতে এনে তোলেন। অমিতাভবাবু নিজে বেশ রাত অবধি পড়েন, তাই উনি জেগে ছিলেন। যে ঘরটায় আমরা রয়েছি সেটা একতলার একটা গেস্টরুম। বেশ বড় ঘর, পাশেই বাথরুম। পুবে জানালা দিয়ে নাকি বাগান দেখা যায়। অমিতাভবাবুই জোর করলেন আজ রাতটা এখানে থাকার জন্য। অসুবিধা এই যে বাড়তি কাপড় নেই, যা পরে আছি তাই পরেই শুতে হবে। 'হৃষীকেশবাবুর ভয়ের জন্যই এই গোলমালটা হল', বললেন অমিতাভবাবু, 'পুলিশকে বলা থাকলে সাধু সমেত গুণ্ডারা এতক্ষণে হাজতে।'

হৃষীকেশবাবুও অবিশ্যি অ্যাপলজাইজ করলেন। কিন্তু ভদ্রলোককেই বা দোষ দেওয়া যায় কী করে ? ও রকম শাসানির পর যে কোনও মানুষেরই ভয় হতে পারে।

অমিতাভবাবুর স্ত্রীই সব ব্যবস্থা করে দিয়েছেন। বললেন, 'বাড়িতে এই দুর্যোগ,

আপনাদের সঙ্গে বসে দু দণ্ড কথা বলারও সুযোগ হল না। এনার এত বই আমি পড়েছি—কী যে আনন্দ পাই তা বলতে পারি না।'

শেষের কথাটা অবিশ্যি লালমোহনবাবুকে উদ্দেশ করে বলা।

ফেলুদা বলল, 'কাল সকালে যাবার আগে আপনার ছেলের সঙ্গে একবার কথা বলে নেব। ঘরে চোর ঢোকার পরেও ও যা সাহস দেখিয়েছে তেমন সচরাচর দেখা যায় না।'

সাড়ে বারোটা নাগাদ যখন আমরা শোবার আয়োজন করছি তখন ফেলুদা একটা কথা বলল।

'ঘুঁষিটাও যে ব্রেন টনিকের কাজ করে সেটা আজ প্রথম জানলাম।'

'কী রকম ?' বললেন লালমোহনবাবু।

'সাধুবাবু ভ্যানিশ করার ব্যাপারটা বুঝতে পারছি এতদিনে।'

'বলেন কী !'

'তুখোড় লোক। তবে যার সঙ্গে মোকাবিলা করছে, সেও তো কম তুখোড় নয় !'

এর বেশি আর কিছু বলল না ফেলুদা।

৬

অনিরুদ্ধ সকালে স্কুলে যায়, তাই চা খাবার আগেই ফেলুদা ওর সঙ্গে দেখা করে নিল।

চোর ঢোকার কথাটা আজ শুনে মনে হল ছেলেটি বেশি রকম কল্পনাপ্রবণ। পরপর দুবার ! একটু বাড়াবাড়ি বলে মনে হল। ফেলুদা বলল, 'তুমি যে বন্দুকটা দিয়ে চোরকে মারবে ঠিক করেছিলে সেটা তো আমাকে দেখালে না। শুনলাম তোমার ছোটকাকাকে দেখিয়েছ।'

অনিরুদ্ধ বন্দুকটা বার করে ফেলুদার হাতে দিয়ে বলল, 'এটা থেকে আগুনের ফুলকি বেরোয়।'

লাল প্লাস্টিকের তৈরি মেশিনগান, ট্রিগার টিপলে মেশিনগানের মতো শব্দের সঙ্গে নলের মুখ দিয়ে সত্যিই স্পার্ক বেরোয়।

ফেলুদা বন্দুকটা নিয়ে নেড়ে-চেড়ে দেখে সেটার খুব তারিফ করে ফেরত দিয়ে বলল, 'তোমার যে ঘুমের ব্যাঘাত হচ্ছে, দেখা যাক সেটা বন্ধ করা যায় কি না।'

'তুমি চোর ধরে দেবে ?'

'গোয়েন্দার তো ওই কাজ।'

'আর আমার চন্দনা যে চুরি করেছে সেই চোর ?'

'সেটারও চেষ্টা চলেছে, তবে কাজটা খুব সহজ নয়।'

'খুব শক্ত ?'

'খুব শক্ত।'

'দারুণ রহস্য ?'

'দারুণ রহস্য।'

'আর সে দিন যে বললে, খাঁচার দরজায় রক্ত লেগে আছে ?'

'ওটাই তো ভরসা। ওটাই তো ক্লু।'

'ক্লু মানে ?'

'ক্লু হল যার সাহায্যে গোয়েন্দা দুষ্টু লোককে জব্দ করে।'

লালমোহনবাবু হঠাৎ জিজ্ঞেস করলেন, 'আচ্ছা, তোমার পাখিকে কথা বলতে শুনেছ ?'

'হ্যাঁ', বলল অনিরুদ্ধ। 'আমি ঘরে ছিলাম, আর শুনলাম পাখিটা কথা বলছে।'

'কী কথা ?'

'বলছে : "দাদু ভাত খান, দাদু ভাত খান।" আমি তক্ষুনি বেরিয়ে এলাম কিন্তু তারপর আর কিছু বলল না।'

লালমোহনবাবুর মুখে হাসি। অনিরুদ্ধ শুনেছে, 'দাদু ভাত খান' আর লালমোহনবাবু শুনেছেন, 'বাবু সাবধান'। মানতেই হয় দুটো খুব কাছাকাছি। পাখি নিশ্চয়ই ওই ধরনেরই কিছু বলছিল।

'আপনার এখানে পাখি ধরতে পারে এমন কেউ আছে ?' ফেলুদা অমিতাভবাবুকে জিজ্ঞেস করল।

'আমাদের মালীর ছেলে আছে, শঙ্কর', বললেন অমিতাভবাবু। 'এর আগে দু-একবার ধরেছে পাখি। খুব চালাক-চতুর ছেলে।'

'তাকে বলবেন একটু চোখ রাখতে। খুব সম্ভব চন্দনাটা আপনাদের বাগানেই রয়েছে।'

বারাসতে থাকতেই দেখেছিলাম যে, খবরের কাগজে চন্দনার বিষয় বিজ্ঞাপনটা বেরিয়েছে। সেটার কাজ যে এত তাড়াতাড়ি হবে তা ভাবতে পারিনি।

বারোটা নাগাদ একটি বছর পঁচিশের ছেলে আমাদের বাড়িতে এসে হাজির। বেশ চোখাচোখা চেহারা, পরনে জিন্‌স আর মাথার চুলের কপাল-ঢাকা কায়দা দেখলেই বোঝা যায় ইনি হাল-ফ্যাশানের তরুণ।

ফেলুদা বসতে বলাতে ভদ্রলোক মাথা নেড়ে বললেন, 'বসব না। আজ একটা ইন্টারভিউ আছে। ইয়ে, আমি আসছি ওই পাখির ব্যাপারে কাগজে যে বিজ্ঞাপনটা দিয়েছেন সেইটে দেখে।'

'ওটা আপনাদের পাখি ছিল ?'

'আমাদের মানে আমার দাদুর। দাদু মারা গেছেন লাস্ট মান্‌থ। তাই বাবা ওটাকে বেচে দিলেন। ওটার দেখাশুনা দাদুই করতেন। বাবা কোর্ট-কাচারি করেন, মা বাতে ভোগেন, আর আমার ও সবে ইন্টারেস্ট নেই।'

'কদ্দিন ছিল আপনাদের বাড়ি ?'

'তা বছর দশেক। দাদুর খুব পিয়ারের চন্দনা ছিল।'

'কথা বলত ?'

'হ্যাঁ। দাদুই শিখিয়েছিলেন। খুব রসিক মানুষ ছিলেন। অদ্ভুত অদ্ভুত কথা শিখিয়েছিলেন।'

'অদ্ভুত মানে ?'

'এই যেমন—দাদুর পাশার নেশা ছিল ; পাখিটাকে শিখিয়েছিলেন "কচে বারো" বলতে। তারপর ব্রিজও খেলতেন দাদু। খেলার সময় অপোনেন্টের তাস ভাল বুঝতে পারলে পার্টনারকে একটা কথা খুব বলতেন। সেটা পাখিটা তুলে নিয়েছিল।'

'কী কথা ?'

'সাধু সাবধান।'

'ঠিক আছে। অনেক ধন্যবাদ।'

'আর কিছু— ?'

'না, আর কিছু জানার নেই।

'ইয়ে, বিজ্ঞাপন দেখে বুঝতে পারিনি এটা আপনার বাড়ি।'

'সেটা না বোঝারই কথা।'

'আপনাকে মিট করে খুব ইয়ে হলাম।'

ঝাড়া পাঁচ ঘণ্টা তার ঘরের দরজা বন্ধ করে বসে থেকে বিকেলে চা খেতে বেরিয়ে এসে ফেলুদা হাজরাকে একটা টেলিফোন করল :

'কাল সকালে কী করছেন ?'

'কেন বলুন তো ?'

'হালদার বাড়িতে আসতে পারবেন—নটা নাগাদ ? মনে হচ্ছে রহস্যের কিনারা হয়েছে। তৈরি হয়ে আসবেন।'

লালমোহনবাবুকে টেলিফোনে বলে দেওয়া হল, আমরা ট্যাক্সি করে চলে যাব তাঁর বাড়ি সাড়ে আটটায়। সেখান থেকে তাঁর গাড়িতে বারাসত।

'রহস্য আরও বৃদ্ধি পেল নাকি ?'

'না। সম্পূর্ণ উদ্ঘাটিত।'

সব শেষে অমিতাভবাবুকে ফোন করা হল।

'আপনাদের বাড়িতে কাল সকালে একটা ছোটখাটো মিটিং করব ভাবছি।'

'মিটিং ?'

'আপনাদের পুরুষ মেম্বার যে কজন আছেন তাঁরা যেন থাকেন। আর হাজরাকে থাকতে বলেছি।'

'কটায় করতে চাইছেন ?'

'নটায় হাজিরা। আপনার কাজের হয়তো একটু দেরি হতে পারে, কিন্তু ব্যাপারটা জরুরি।'

অমিতাভবাবু রাজি হয়ে গেলেন। —'পুরুষ মেম্বার মানে কি অনুকেও চাইছেন ?'

'না। সে না থাকাটাই বাঞ্ছনীয়। এটা শুধু প্রাপ্তবয়স্কদের জন্য।'

আমরা যখন পৌঁছলাম, তার আগেই হাজরার দল হাজির। ফেলুদা এ রকম ধরনের মিটিং এর আগেও করেছে। প্রত্যেক বারই আমার মনের মধ্যে একটা চনমনে ভাব, কারণ জানি না কী হতে চলেছে, কার ভাগ্যে হাতকড়া আছে, কীভাবে ফেলুদা রহস্যের সমাধান করেছে। লালমোহনবাবু আমাকে বললেন, 'আমি চিন্তাটাকে স্রেফ অন্য পথে ঘুরিয়ে নিয়েছি। এ ব্যাপারে ব্রেন খাটিয়ে কোনও লাভ নেই, কারণ আমার ঘিলুতে অনেক ভেজাল, তোমার দাদারটা পিওর। নিজের তৈরি রহস্যের সমাধান এক জিনিস, আর অ্যাকচুয়েল লাইফে সমাধান আরেক জিনিস।'

নীচের বৈঠকখানা ঘরে জমায়েত হয়েছি। হৃষীকেশবাবুর দিল্লি যাবার সময় হয়ে এসেছে। বললেন, 'এ বাড়ি ছেড়ে যেতে পারলে বাঁচি মশাই। কাজ থাকলে তবু একটা কথা। এখন প্রাণ হাঁপিয়ে ওঠে।'

অচিন্ত্যবাবুর সঙ্গে ভাল করে আলাপ হয়নি। তিনি আপত্তি করেছিলেন এই মিটিং-এ উপস্থিত থাকার ব্যাপারে। তাঁর নাকি একটা বড় পার্ট নিয়ে খুব পরিশ্রম করতে হচ্ছে। কালই নাকি নাটকটার প্রথম শো। ভদ্রলোক ফেলুদাকে বললেন, 'আপনার এ ব্যাপারটা কতক্ষণ চলবে ?'

ফেলুদা বলল, 'খুব বেশি তো আধ ঘণ্টা।'

ভদ্রলোক তাও গজগজ করতে লাগলেন।

কফি খাবার পর ফেলুদা উঠে দাঁড়াল। কালশিটে ঢাকার জন্য ও আজ কালো চশমা পরেছে। এটা ওর একেবারে নতুন চেহারা। হাত দুটোকে প্যান্টের পকেটে পুরে সে আরম্ভ করল তার কথা।

'পার্বতীচরণের খুনের ব্যাপারে আমাদের যেটা সবচেয়ে অবাক করেছিল সেটা হল সাধন দস্তিদারের অন্তর্ধান। দশটা থেকে সাড়ে দশটার মধ্যে খুনটা হয়। সাধন দস্তিদার পার্বতীবাবুর ঘরে ছিলেন সোয়া দশটা থেকে সাড়ে দশটা পর্যন্ত। সাড়ে দশটায় তাঁকে আমরা ঘর থেকে বেরিয়ে সিঁড়ির দিকে যেতে দেখেছি ; দশটা পঁয়ত্রিশে অনিরুদ্ধর সঙ্গে কথা বলে পার্বতীবাবুর ঘরে গিয়ে আমরা তাঁকে মৃত অবস্থায় দেখি। তৎক্ষণাৎ সাধন দস্তিদারকে খোঁজা হয়, কিন্তু পাওয়া যায় না। দারোয়ান বলে, তাঁকে গেট থেকে বেরোতে দেখেনি। বাগানে খোঁজা হয়, সেখানেও পাওয়া যায়নি। কম্পাউন্ডের যে পাঁচিল, সেটা আট ফুট উঁচু। সেটা টপকানো সহজ নয়, বিশেষ করে হাতে একটা ব্রিফকেস থাকলে। আমরা—'

এখানে অচিন্ত্যবাবু ফেলুদাকে বাধা দিলেন।

'সাধনবাবুর আগে যিনি এসেছিলেন, তাকে কি আপনি বাদ দিচ্ছেন ?'

'আপনার বাবাকে যেভাবে আঘাত করা হয়েছিল, সেটা শক্ত সমর্থ লোকের পক্ষেই সম্ভব। পেস্টনজীর আরথ্রাইটিস আছে, তিনি ডান হাত কাঁধের উপর তুলতে পারেন না। অবিশ্যি পেস্টনজী ছাড়াও একজন তৃতীয় ব্যক্তি ছিলেন যিনি পেস্টনজী ও সাধনবাবুর ফাঁকে পার্বতীবাবুর ঘরে গিয়ে থাকতে পারেন।'

'তিনি কে ?'

'আপনি।'

অচিন্ত্যবাবু সোফা ছেড়ে উঠে পড়েছেন।

'আ—আপনার কি ধারণা আমি— ?'

'আমি শুধু বলেছি আপনার সুযোগ ছিল। আপনি খুন করেছেন সে কথা তো বলিনি।'

'তাও ভাল।'

'যাই হোক—সাধনবাবুর অন্তর্ধান বিশ্বাসযোগ্য হয় এক যদি দারোয়ান ভুল বা মিথ্যে বলে থাকে। আর দুই, যদি সাধনবাবু এ বাড়ি থেকে না বেরিয়ে থাকেন।'

'কোনও চোরা কুঠুরিতে আত্মগোপন করার কথা বলছেন ?' হৃষীকেশবাবু প্রশ্ন করলেন।

অমিতাভবাবু বললেন, 'সে রকম লুকোনোর কোনও জায়গা এ বাড়িতে নেই। একতলার অধিকাংশ ঘরই তালাচাবি বন্ধ। এক বৈঠকখানা খোলা, রান্নাঘর ভাঁড়ারঘর খোলা আর হৃষীকেশবাবুর ঘর খোলা।'

'এবং সে ঘরে তাকে আমি আশ্রয় দিইনি সেটা আমি বলতে পারি', বললেন হৃষীকেশবাবু। 'শুধু তাই নয়, সাধনবাবু যখন আসেন, তখন আমি ছিলাম না।'

'আমরা পোস্টাপিসে খোঁজ নিয়েছি', বলল ফেলুদা। 'আপনি টেলিগ্রাম পাঠিয়েছেন পোস্টাপিস খোলার সঙ্গে সঙ্গে। তখন দশটা। পাঁচ মিনিট লেগেছে আপনার টেলিগ্রাম করতে। তারপরেই আপনি—'

'তারপর আমি যাই ঘড়ির ব্যান্ড কিনতে।'

'দুঃখের বিষয় দোকানের লোক আপনাকে মনে করতে পারছে না।'

'মিঃ মিত্তির, দোকানের লোকের স্মরণশক্তির উপর নির্ভর করেই কি আপনি গোয়েন্দাগিরি করেন ?'

'না, তা করি না। এবং তাদের কথায় আমরা খুব আমল দিইনি। আর আপনিও যে সত্যি কথা বলছেন সেটা আমরা মানতে বাধ্য নই।'

'কেন, আমি মিথ্যে বলব কেন ?'

'কারণ সোয়া দশটার সময় আপনারও তো পার্বতীচরণের ঘরে যাবার প্রয়োজন হয়ে থাকতে পারে !'

'এ সব কী বলছেন আপনি ? আপনি নিজেই বলছেন সাধনবাবুকে বেরোতে দেখেছেন, আবার বলছেন আমি গিয়েছি ?'

'ধরুন সাধন দস্তিদার যদি নাই এসে থাকেন। তার জায়গায় আপনি গেলেন।'

আমার মাথা গুলিয়ে যাচ্ছে। ঘরে সবাই চুপ, তারই মধ্যে হৃষীকেশবাবু হো হো করে হেসে উঠলেন।

'মিঃ হালদার কি উন্মাদ না জরাগ্রস্ত, যে আমি দাড়ি গোঁফ লাগিয়ে তাঁর ঘরে ঢুকব আর তিনি আমাকে চিনবেন না ?'

'কী করে চিনবেন, হৃষীকেশবাবু ? আপনি যদি গোঁফ দাড়ি লাগিয়ে চোখের চশমাটা খুলে পোশাক বদলে তাঁর ঘরে ঢোকেন, তা হলে আপনাকে সাত বছর আগের সাধন দস্তিদার বলে কেন মনে করবেন না পার্বতীবাবু ? আপনি আর সাধন দস্তিদার যে আসলে একই লোক ! প্রতিশোধ নেবার জন্য চেহারা পালটে নাম পালটে সেই একই লোক যে আবার সেক্রেটারি হয়ে ফিরে এসেছে, সেটা তো আর বোঝেননি পার্বতীচরণ !'

হৃষীকেশবাবুর মুখের ভাব একদম পালটে গেছে। তাঁর ঠোঁট নড়ছে, কিন্তু মুখ দিয়ে কথা বেরোচ্ছে না। দুজন কনস্টেবল এগিয়ে গেল তাঁর দিকে।

ফেলুদার কথা এখনও শেষ হয়নি।

'খুনের পর কি আপনার ভাড়া করা কোটের পকেটে পেপার ওয়েট পুরে তার ওজন বাড়িয়ে আপনি পুকুরের জলে ফেলে দেননি ? তারপর নিজের ঘরে গিয়ে আবার হৃষীকেশ দত্ত সেজে বেরিয়ে আসেননি ?'

এই শীতকালেও হৃষীকেশবাবুর শার্টের কলার ভিজে গেছে।

'আরও একটা কথা', বলে চলল ফেলুদা। 'সাধু সাবধান কথাটা কি চেনা চেনা লাগছে ? অনিরুদ্ধের জন্য কেনা চন্দনার মুখে কি কথাটা শোনেননি আপনি সম্প্রতি ? আর শুনে আপনার কুসংস্কারাচ্ছন্ন মনে কি বিশ্বাস ঢোকেনি যে কথাটা আপনাকে উদ্দেশ করেই বলছে ? আপনি সাধু সেজে মনিবের সর্বনাশ করতে যাচ্ছেন জেনেই পাখি এই সাবধানবাণী উচ্চারণ করছে ? আপনিই কি এই পাখিকে খাঁচা থেকে বার করে বাগানে নিয়ে গিয়ে ছেড়ে দেননি ? এবং এই কাজটা করার সময় আপনাকেই কি পাখি জখম করেনি ?'

হৃষীকেশবাবু এবার লাফিয়ে উঠলেন চেয়ার থেকে।

'অ্যাবসার্ড ! অ্যাবসার্ড ! কোথায় জখম করেছে ? কোথায় ?'

'ইনস্পেক্টর হাজরা, আপনার লোককে বলুন তো ওঁর ডান হাত থেকে ঘড়িটা খুলে নিতে।'

প্রচণ্ড বাধা সত্ত্বেও ঘড়ি খুলে এল।

কবজিতে প্রায় এক ইঞ্চি লম্বা একটা আঁচড়ের দাগ, সেটা দিব্যি ঘড়ির ব্যান্ডের তলায় লুকিয়ে ছিল।

'আমি খুন করতে যাইনি—দোহাই আপনার—বিশ্বাস করুন !'

হৃষীকেশবাবুর অবস্থা শোচনীয়।

'সেটা অবিশ্বাস্য নয়', বলল ফেলুদা, 'কারণ আপনার আসল উদ্দেশ্য ছিল নেপোলিয়নের চিঠিটা নেওয়া। পেস্টনজী বড় রকম দর দিয়েছেন সেটা আপনি জানতেন। মিঃ হালদার বেচবেন না সেটাও আপনি পূর্ব-অভিজ্ঞতা থেকে জানতেন। কিন্তু জিনিসটা চুরি করে তো পেস্টনজীর কাছে বিক্রি করা যায় ! তাই—'

'আমি না, আমি না !' মরিয়া হয়ে প্রতিবাদ জানালেন হৃষীকেশবাবু।

'আগে আমার কথা শেষ করতে দিন। ফেলু মিত্তির আধাখেঁচড়াভাবে সমস্যার সমাধান

করে না। এ ব্যাপারে আপনি একা নন, সেটা আমি জানি। চিঠিটা বার করে এনে নিজের ঘরে গিয়ে মেক-আপ বদলে আপনি যান আরেকজনের কাছে চিঠিটা দিতে। কিন্তু বাড়িতে খুন হয়েছে, খানাতল্লাশি হবে, সেটা জেনে এই দ্বিতীয় ব্যক্তিও সাময়িকভাবে চিঠিটাকে অন্য জায়গায় চালান দেন। তাই নয়, অচিন্ত্যবাবু ?'

প্রশ্নটা একেবারে বুলেটের মতো। কিন্তু লোকটার আশ্চর্য নার্ভ। অচিন্ত্যবাবু ঠোঁটের কোণে হাসি নিয়ে দিব্যি বসে আছেন সোফায়।

'বলুন, বলুন, কী বলবেন,' বললেন ভদ্রলোক, 'আপনি তো দেখছি সবই জেনে বসে আছেন।'

'আপনি সাড়ে দশটার একটু পরে একবার আপনার ভাইপোর ঘরে যাননি ?'

'গিয়েছিলাম বইকী। আমার ভাইপোর ঘরে যাওয়ায় তো কোনও বাধা নেই। সে কদিন থেকেই বলছে তার নতুন খেলনা দেখাবে, তাই গিয়েছিলাম।'

'আপনার ভাইপোর ঘরে গতকাল এবং তার আগের রাত্রে একজন চোর ঢুকেছিল। সে যা খুঁজছিল তা পায়নি। আপনি কি অস্বীকার করতে পারেন যে, সে চোর আপনিই এবং আপনি খুঁজতে গিয়েছিলেন নেপোলিয়নের চিঠি—যেটা আপনিই তার ঘরে লুকিয়ে রেখেছিলেন ? চিঠিটা পাবেন এই বিশ্বাসে আপনিই পেস্টনজীকে ফোন করে অফার দিয়েছিলেন, তারপর সেটা না পেয়ে আর পেস্টনজীর ওখানে যেতে পারেননি ?'

'আমিই যখন লুকিয়েছিলাম, তখন সেটা আমি কেন পাব না সেটা বলতে পারেন ?'

'কারণ যাতে লুকিয়েছিলেন, সেটা ছিল খোকার বালিশের তলায়। এই যে।'

ফেলুদা মিঃ হাজরার দিকে হাত বাড়িয়ে দিল। হবি সেন্টার থেকে কেনা লাল প্লাস্টিকের মেশিনগান চলে এল ফেলুদার হাতে। তার নলের ভিতরে আঙুল ঢুকিয়ে টান দিতে বেরিয়ে এল গোল করে পাকানো নেপোলিয়নের চিঠি।

'হৃষীকেশবাবুর মেক-আপের ব্যাপারে আপনিই মালমশলা সাপ্লাই করেছিলেন বোধহয় ?' প্রশ্ন করল ফেলুদা, 'ভাগ বাঁটোয়ারা কী রকম হত ? ফিফ্‌টি ফিফ্‌টি ?'

*

মালীর ছেলে শঙ্কর চন্দনাটা ধরতে পেরেছিল ঠিকই, যদিও পাখি ফেরত পাওয়ার পুরো ক্রেডিটটা তার খুদে মক্কেলের কাছে ফেলুদাই পেল।

অমিতাভবাবু ফেলুদাকে অফার করেছিলেন পার্বতীচরণের কালেকশন থেকে একটা কোনও জিনিস বেছে নিতে। ফেলুদা রাজি হল না। বলল, 'এই কেসটায় আমার জড়িয়ে পড়াটা একটা আকস্মিক ঘটনা। আসলে আমি এসেছিলাম আপনার ছেলের ডাকে। তার কাছ থেকে তো আর ফি নেওয়া যায় না!'

ঘটনার দু দিন পরে শনিবার সকালে লালমোহনবাবু এসে বললেন, 'জলের তল পাওয়া যায়, মনের তল পাওয়া দায়। আপনার অতলস্পর্শী চিন্তাশক্তির জন্য আপনাকে একটি অনারারি টাইটেলে ভূষিত করা গেল।—এ বি সি ডি।'

'এ বি সি ডি ?'

'এশিয়া'জ বেস্ট ক্রাইম ডিটেক্টর।'

টিনটোরেটোর যীশু

রুদ্রশেখরের কথা (১)

মঙ্গলবার ২৮শে সেপ্টেম্বর ১৯৮২ সন্ধ্যা সাড়ে ছটায় একটি কলকাতার ট্যাক্সি—নম্বর ডব্লিউ. বি. টি. ৪১২২—বৈকুণ্ঠপুরের প্রাক্তন জমিদার নিয়োগীদের বাড়ির গাড়িবারান্দায় এসে থামল।

দারোয়ান এগিয়ে আসার সঙ্গে সঙ্গে একটি বছর পঞ্চান্নর ভদ্রলোক গাড়ি থেকে নেমে এলেন। ভদ্রলোকের রং ফরসা, চুল অবিন্যস্ত, মুখে কাঁচা-পাকা গোঁফদাড়ি, চোখে টিনটেড গ্লাসের চশমা, পরনে গাঢ় নীল টেরিলিনের স্যুট।

গাড়ির ড্রাইভার ক্যারিয়ারের ডালা খুলে একটি ব্রাউন রঙের সুটকেস বার করে ভদ্রলোকের পাশে রাখল।

'নিয়োগী সাহাব?' দারোয়ান প্রশ্ন করল।

ভদ্রলোক মাথা নেড়ে হ্যাঁ বললেন। দারোয়ান সুটকেসটা তুলে নিল।

'আসুন, বাবু আপনার জন্য অপেক্ষা করছেন।'

বাড়ির বর্তমান মালিক সৌম্যশেখর নিয়োগী দোতলার দক্ষিণের বারান্দায় আরাম কেদারায় বসে বায়ু সেবন করছিলেন। আগন্তুককে দেখে তিনি একটু সোজা হয়ে বসে নমস্কার করে সামনে রাখা চেয়ারের দিকে ইঙ্গিত করলেন। সৌম্যশেখরের বয়স সত্তরের কাছাকাছি। দৃষ্টির দুর্বলতা হেতু চোখে পুরু চশমা পরতে হয়েছে, এ ছাড়া শরীরে বিশেষ কোনও ব্যারাম নেই।

'আপনিই রুদ্রশেখর?'

আগন্তুক ইতিমধ্যে চেয়ারে বসে কোটের বুক পকেট থেকে একটি পাসপোর্ট বার করে সৌম্যশেখরের দিকে এগিয়ে দিয়েছেন। সৌম্যশেখর সেটি হাতে নিয়ে একবার চোখ বুলিয়ে একটু হেসে বললেন, 'দেখুন কী কাণ্ড। আপনি আমার আপন খুড়তুতো ভাই, অথচ আপনাকে পাসপোর্ট দেখিয়ে সেটা প্রমাণ করতে হচ্ছে। অবিশ্যি আপনাকে দেখলে নিয়োগী পরিবারের বলে বিশ্বাস করতে কষ্ট হয় না।'

ভদ্রলোকের ঠোঁটের কোণে একটা সামান্য কৌতুকের আভাস দেখা গেল।

'তা যাক্‌গে,' পাসপোর্ট ফেরত দিয়ে বললেন সৌম্যশেখর, 'আপনার রোম থেকে লেখা চিঠিটা পেয়ে আমি যে উত্তর দিয়েছিলাম সেটা আপনি পেয়েছিলেন আশা করি। আপনি যে অ্যাদ্দিন আসেননি সেটাই আমাদের কাছে একটা বিস্ময়ের ব্যাপার। কাকা ঘর ছেড়ে চলে যান ফিফ্‌টি ফাইভে, অর্থাৎ সাতাশ বছর আগে। থার্টি-এইটে কাকা যখন আপনাকে ছাড়াই দেশে ফিরলেন তখন অনুমান করেছিলুম আপনাদের দুজনের মধ্যে খুব একটা বনিবনা নেই। কাকা অবিশ্যি এ নিয়ে কোনওদিন কিছু বলেননি, আর আমরাও জিজ্ঞেস করিনি। শুধু জানতুম যে তাঁর একটি ছেলে আছে রোমে। তা এখন যে এলেন, সেটা বোধ করি সম্পত্তির ব্যাপারে?'

'হ্যাঁ।'

'আপনাকে তো লিখেছিলুম যে বছর দশেক আগে অবধি মাঝে মাঝে একটা করে কাকার পোস্টকার্ড পেয়েছি। তারপর আর পাইনি। কাজেই আইনের চোখে তাঁকে মৃত বলেই ধরে

নেওয়া যায়। আপনি এ বিষয়ে উকিলের সঙ্গে কথা বলেছেন?'

'হ্যাঁ।'

'তা বেশ তো। আপনি কদিন থাকুন এখানে। সব দেখে-শুনে নিন। ওপরে কাকার স্টুডিয়ো এখনও সেইভাবেই আছে। রং তুলি ছবি ক্যানভাস সবই আছে, আমরা কেউ হাত দিইনি। কী আছে না আছে সব দেখে নিন। ব্যাঙ্কের বই-টই সবই আছে। তবে, আপনাদের ইটালিতে কী রকম জানি না, আমাদের দেশে এসব ব্যাপারে লেখাপড়া হতে হতে ছমাস লেগে যায়। আপনি সময় হাতে নিয়ে এসেছেন আশা করি?'

'হ্যাঁ।'

'মাঝে মাঝে তো কলকাতায় যাতায়াত করতে হবে; ট্যাক্সিটা রেখে দিয়েছেন তো?'

'হ্যাঁ।'

'আপনার ড্রাইভারের থাকার বন্দোবস্ত করে দেবে আমার লোক, কোনও অসুবিধা হবে না।'

'গ্রা—থ্যাঙ্কস।'

রুদ্রশেখর বলতে গিয়েছিলেন গ্রাৎসিয়ে, অর্থাৎ ইটালিয়ান ভাষায় ধন্যবাদ।

'ইয়ে, আপনি আমাদের দিশি খাবারে অভ্যস্ত কি? লন্ডনে তো শুনিচি রাস্তার মোড়ে মোড়ে ইন্ডিয়ান রেস্তোরাঁ, রোমেও আছে কি?'

'কিছু আছে।'

'বেশ, তা হলে আর চিন্তা নেই। গাঁয়ে দেশে আপনাকে যে হোটেল থেকে খাবার

আনিয়ে দেব তারও তো উপায় নেই। —কী, জগদীশ—কী হল ?'

একটি বৃদ্ধ ভৃত্য দরজার মুখে এসে দাঁড়িয়েছে। দেখে বোঝা যায় সে কোনও রকমে অশ্রু সংবরণ করে আছে।

'হুজুর, ঠুম্‌রী মরে গেছে।'

'মরে গেছে !'

'হাঁ হুজুর।'

'সেকী ? ভিখু যে ওকে নিয়ে বেড়াতে বেরোল !'

'ওরা কেউ ফেরেনি। তাই খুঁজতে গেলাম। বাঁশবনে মরে আছে হুজুর। ভিখু পালিয়েছে।'

সংগীতপ্রিয় সৌম্যশেখরের দুটি ফক্স টেরিয়ারের একটির নাম ছিল ঠুম্‌রী, একটি কাজরী। কাজরী স্বাভাবিক কারণেই মারা গেছে দু বছর আগে। ঠুম্‌রীর বয়স হয়েছিল এগারো। তবে আজ বিকেল অবধি সে ছিল সম্পূর্ণ সুস্থ।

সৌম্যশেখরকে প্রিয় কুকুরের শোকে বিহ্বল দেখে সদ্য রোম থেকে আগত রুদ্রশেখর নিয়োগী চেয়ার ছেড়ে উঠে পড়লেন।

এই বেলা তাঁর থাকার ঘরটা দেখে নিতে হবে।

২

শিবপুরের ট্র্যাফিক আর ঘন বসতি পেরিয়ে ন্যাশনাল হাইওয়ে নাম্বার সিক্‌স্‌-এ আমাদের গাড়িটা পড়তেই যেন একটা নতুন জগতে এসে পড়লাম। আমাদের গাড়ি মানে রহস্য রোমাঞ্চ ঔপন্যাসিক লালমোহন গাঙ্গুলী ওরফে জটায়ুর সবুজ অ্যাম্বাসাডার। গাড়ি কেনার পয়সা ফেলুদার নিজের কোনও দিন হবে বলে মনে হয় না। এ দেশের প্রাইভেট ইনভেসটিগেটরের রোজগারে গাড়ি বাড়ি হয় না। আমাদের রজনী সেন রোডের ফ্ল্যাট ছেড়ে ফেলুদা কিছুদিন থেকেই একটা নিজের ফ্ল্যাটে যাবার চিন্তা করছিল, বাবা সেটা জানতে পেরে এক ধমকে ফেলুদাকে ঠাণ্ডা করেছেন। 'সুখে থাকতে ভূতে কিলোয়', বললেন বাবা। 'যেই একটু রোজগার বেড়েছে অমনি নিজের ফ্ল্যাটের ধান্দা। পরে পসার কমলে যদি আবার সুড়সুড় করে এই কাকার ফ্ল্যাটেই ফিরে আসতে হয় ? সেটার কথা ভেবেছিস কি ?' তারপর থেকে ফেলুদা চুপ।

আর গাড়ির ব্যাপারে জটায়ুর তো আগে থেকেই বলা আছে। 'ধরে নিন আমার গাড়ি ইজ ইকুয়াল টু আপনার গাড়ি। আপনি আমার এত উপকার করেছেন, এই সামান্য প্রিভিলেজটুকু তো আপনার ন্যায্য পাওনা মশাই।'

উপকারের ব্যাপারটা লালমোহনবাবুর ভাষাতেই বলা ভাল। ওঁর জীবনের অনেকগুলো বন্ধ দরজা নাকি ফেলুদা এসে খুলে দিয়েছে। তাতে নাকি উনি শরীরে নতুন বল মনে নতুন সাহস আর চোখে নতুন দৃষ্টি পেয়েছেন। 'আর, কত জায়গায় ঘোরা হল বলুন তো আপনার দৌলতে—দিল্লি, বোম্বাই, কাশী, সিমলা, রাজস্থান, সিকিম, নেপাল—ওঃ ! ট্র্যাভেল ব্রডন্‌স্‌ দি মাইন্ড—এটা শুনে এসেছি সেই ছেলেবেলা থেকে। এটার সত্যতা উপলব্ধি করলুম তো আপনি আসার পর।'

এবারের ট্রাভেলটায় মনের প্রসার কতটা বাড়বে জানি না। ক্যালকাটা টু মেচেদা ভ্রমণ বলতে তেমন কিছুই নয়। তবে লালমোহনবাবুরই ভাষায় আজকাল কলকাতায় বাস করা আর ব্ল্যাক হোলে বাস করা নাকি একই জিনিস। সেই ব্ল্যাক হোল থেকে একটি দিনের

জন্যও যদি বাইরে বেরিয়ে আসা যায় তা হলে খাঁটি অক্সিজেন পেয়ে মানুষের আয়ু নাকি কমপক্ষে তিন মাস বেড়ে যায়।

অনেকেই হয়তো ভাবছে এত জায়গা থাকতে মেচেদা কেন। তার কারণ সংখ্যাতাত্ত্বিক ভবেশচন্দ্র ভট্টাচার্য। মাস তিনেক হল এঁর কথা কাগজে পড়ার পর থেকেই লালমোহনবাবুর রোখ চেপেছে এর সঙ্গে দেখা করার।

এই ভবেশ ভটচায নাকি সংখ্যাতত্ত্বের সাহায্যে লোকেদের নানা রকম অ্যাডভাইস দিয়ে তাঁদের জীবনের মোড় ঘুরিয়ে দিচ্ছেন। বড় বড় ব্যবসাদার, বড় বড় কোম্পানির মালিক, খবরের কাগজের মালিক, ফিল্মের প্রযোজক, বইয়ের প্রকাশক, উপন্যাসের লেখক, উকিল, ব্যারিস্টার, ফিল্মস্টার—সব রকম লোক নাকি এখন তাঁর মেচেদার বাড়ির দরজায় কিউ দিচ্ছে। জটায়ুর শেষ উপন্যাসের কাটতি আগের তুলনায় কম—এক মাসে তিনটে এডিশনের বদলে দুটো এডিশন হয়েছে। জটায়ুর বিশ্বাস উপন্যাসের নামে গণ্ডগোল ছিল, তাই এবার ভটচায মশাইয়ের অ্যাডভাইস নিয়ে নতুন বইয়ের নামকরণ হবে, তারপর সেটা বাজারে বেরুবে। ফেলুদার মত অবিশ্যি আলাদা। গত উপন্যাসটা পড়েই ফেলুদা বলেছিল রংটা বেশি চড়ে গেছে।—'সাত-সাতটা গুলি খাওয়া সত্ত্বেও আপনার হিরোকে বাঁচিয়ে রাখাটা একটু বাড়াবাড়ি হয়ে যাচ্ছে না, লালমোহনবাবু?'

'কী বলছেন মশাই! একি যেমন-তেমন হিরো? প্রখর রুদ্র ইজ এ সুপার-সুপার-সুপারম্যান' ইত্যাদি। এবারের গল্পটা ফেলুদার মতে বেশ জমেছে, নামের রদবদলে বিক্রির এদিক ওদিক হবার সম্ভাবনা কম। কিন্তু তাও লালমোহনবাবু একবার সংখ্যাতাত্ত্বিকের মত না নিয়ে ছাড়বেন না। তাই মেচেদা।

ন্যাশনাল হাইওয়ে সিক্স খুব বেশি দিন হল তৈরি হয়নি। এই রাস্তাই সোজা চলে গেছে বম্বে। গ্র্যান্ড ট্যাঙ্ক রোডের ধারে ধারে যেমন সব প্রাচীন গাছ দেখা যায়, এখানে তা একেবারেই নেই। বাড়ি-ঘরও বেশি নেই, চারিদিক খোলা, আশ্বিন মাসের প্রকৃতির চেহারাটা পুরোপুরি পাওয়া যায়। ড্রাইভার হরিপদবাবু স্পিডোমিটারের কাঁটা আশি কিলোমিটারে রেখে দিয়ে দিব্যি চালাচ্ছেন গাড়ি। কলকাতা থেকে মেচেদা যেতে লাগবে দু ঘণ্টা। আমরা বেরিয়েছি সকাল সাড়ে সাতটায়; কাজ সেরে দেড়টা-দুটোর মধ্যে স্বচ্ছন্দে ফিরে আসতে পারব।

কোলাঘাট পেরিয়ে মিনিট তিনেক যাবার পরেই একটা উদ্ভট গাড়ির দেখা পেলাম যেটা রাস্তার একপাশে অকেজো হয়ে পড়ে আছে। মালিক করুণ মুখ করে দাঁড়িয়ে আছেন গাড়ির পাশেই। আমাদের আসতে দেখে ভদ্রলোক হাত নাড়লেন, আর হরিপদবাবু ব্রেক কষলেন।

'একটা বিশ্রী গোলমালে পড়েছি মশাই,' রুমালে ঘাম মুছতে মুছতে বললেন ভদ্রলোক। 'টায়ারটা গেছে, কিন্তু জ্যাকটা বোধ হয় অন্য গাড়িতে রয়ে গেছে, হেঁ হেঁ...'

'আপনি চিন্তা করবেন না,' বললেন লালমোহনবাবু। 'দেখো তো হরিপদ।'

হরিপদবাবু জ্যাক বার করে নিজেই ভদ্রলোকের গাড়ির নীচে লাগিয়ে সেটাকে তুলতে আরম্ভ করে দিলেন।

'আপনার এ গাড়ি কোন ইয়ারের?' প্রশ্ন করল ফেলুদা।

'থার্টি-সিক্স,' বললেন ভদ্রলোক, 'আর্মস্ট্রং সিড্‌লি।'

'লং রানে কোনও অসুবিধা হয় না?'

'দিব্যি চলে। আমার আরও দুটো পুরনো গাড়ি আছে। ভিনটেজ কার-র‍্যালিতে প্রতিবারই যোগ দিই আমি। ইয়ে, আপনারা চললেন কতদূর?'

'মেচেদায় একটু কাজ ছিল।'

'কতক্ষণের কাজ ?'

'আধ ঘণ্টাখানেক।'

'তা হলে একটা কাজ করুন না। ওখান থেকে আমাদের বাড়িতে চলে আসুন। মেচেদা থেকে বাঁয়ে রাস্তা ধরবেন—মাত্র আট কিলোমিটার। বৈকুণ্ঠপুর।'

'বৈকুণ্ঠপুর ?'

'ওখানেই পৈতৃক বাড়ি আমাদের। আমি অবিশ্যি থাকি কলকাতায়। তবে মা-বাবা ওখানেই থাকেন। দুশো বছরের পুরনো বাড়ি। আপনাদের খুব ভাল লাগবে। দুপুরে আমাদের ওখানেই খাওয়া-দাওয়া করে বিকেলের দিকে চলে আসবেন। আপনারা আমার যা উপকার করলেন! কতক্ষণ যে এইভাবে দাঁড়িয়ে থাকতে হত জানি না।'

ফেলুদা একটু যেন অন্যমনস্ক। বলল, 'বৈকুণ্ঠপুর নামটা কোথায় যেন দেখেছি রিসেন্টলি ?'

'ভূদেব সিং-এর লেখাতে কি ? ইলাস্ট্রেটেড উইকলিতে ?'

'হ্যাঁ হ্যাঁ। মাস দেড়েক আগে বেরিয়েছিল।'

'আমি শুনেছি লেখাটার কথা, কিন্তু পড়া হয়নি।'

ইলাস্ট্রেটেড উইকলি আমাদের বাড়িতে আসে না। ফেলুদা কোথায় পড়েছে জানি। হেয়ার কাটিং সেলুনে। একটা বিশেষ সেলুনে ও যায় আর ইয়াসিন নাপিত ছাড়া কাউকে দিয়ে চুল কাটায় না। ইয়াসিন যতক্ষণ ব্যস্ত থাকে ফেলুদা ততক্ষণ ম্যাগাজিন পড়ে।

'বৈকুণ্ঠপুরের নিয়োগী পরিবারের একজনকে নিয়ে লেখা,' বলল ফেলুদা, 'ভদ্রলোক ছবি আঁকতেন। রোমে গিয়ে আঁকা শিখেছিলেন।'

'আমার দাদু চন্দ্রশেখর,' হেসে বললেন ভদ্রলোক। 'আমি ওই পরিবারেরই ছেলে। আমার নাম নবকুমার নিয়োগী।'

'আই সি। আমার নাম প্রদোষ মিত্র। ইনি লালমোহন গাঙ্গুলী, আর ইনি আমার খুড়তুতো ভাই তপেশ।'

প্রদোষ মিত্র শুনে ভদ্রলোকের ভুরু কুঁচকে গেল।

'গোয়েন্দা প্রদোষ মিত্র ?'

'আজ্ঞে হ্যাঁ।'

'তা হলে তো আপনাদের আসতেই হবে। আপনি তো বিখ্যাত লোক মশাই। সত্যি বলতে কী, এর মধ্যে আপনার কথা মনেও হয়েছিল একবার।'

'কেন বলুন তো ?'

'একটা খুনের ব্যাপারে। আপনি শুনলে হাসবেন, কারণ ভিকটিম মানুষ নয়, কুকুর।'

'বলেন কী ? কবে হল এ খুন ?'

'গত মঙ্গলবার। আমাদের একটা ফক্স টেরিয়ার। বাবার খুবই প্রিয় কুকুর ছিল।'

'খুন মানে ?'

'চাকরের সঙ্গে বেড়াতে বেরিয়েছিল। আর ফেরেনি। চাকরও ফেরেনি। কুকুরের লাশ পাওয়া যায় বাড়ি থেকে মাইল খানেক দূরে, একটা বাঁশবনে। মনে হয় বিষাক্ত কিছু খাওয়ানো হয়েছিল। বিস্কিটের গুঁড়ো পড়ে ছিল আশেপাশে।'

'এ তো অদ্ভুত ব্যাপার। এর কোনও কিনারা হয়নি ?'

'উহুঁ। কুকুরের বয়স হয়েছিল এগারো। এমনিতেই আর বেশিদিন বাঁচত না। আমার কাছে ব্যাপারটা তাই আরও বেশি মিস্টিরিয়াস বলে মনে হয়। যাই হোক, আপনাকে অবিশ্যি এ নিয়ে তদন্ত করতে হবে না, কিন্তু আপনারা এলে সত্যিই খুশি হব। দাদুর স্টুডিয়ো এখনও

রয়েছে, দেখিয়ে দেব।'

'ঠিক আছে,' বলল ফেলুদা। 'আমারও লেখাটা পড়ে যথেষ্ট কৌতূহল হয়েছিল নিয়োগী পরিবার সম্বন্ধে। আমরা কাজ সেরে সাড়ে দশটা নাগাত গিয়ে পড়ব।'

'মেচেদার মোড় থেকে দু-কিলোমিটার গেলে একটা পেট্রল পাম্প পড়ে। সেখানে জিজ্ঞেস করলেই বৈকুণ্ঠপুরের রাস্তা বাতলে দেবে।'

টায়ার লাগানো হয়ে গিয়েছিল। আমাদের গাড়ি আরও স্পিডে যাবে বলে ভদ্রলোক আমাদেরই আগে যেতে দিলেন। গাড়ি রওনা হবার পর ফেলুদা বলল, 'কত যে ইন্টারেস্টিং বাঙালি চরিত্র আছে যাদের নামও আমরা জানি না। এই চন্দ্রশেখর নিয়োগী বিংশ শতাব্দীর গোড়ার দিকে চব্বিশ বছর বয়সে রোমে চলে যান ওখানকার বিখ্যাত অ্যাকাডেমিতে পেন্টিং শিখতে। ছাত্র থাকতেই একটি ইটালিয়ান মহিলাকে বিয়ে করেন। স্ত্রীর মৃত্যুর পর দেশে ফিরে আসেন। এখানে পোর্ট্রেট আঁকিয়ে হিসেবে খুব নাম হয়। নেটিভ স্টেটের রাজ-রাজড়াদের ছবি আঁকতেন। একটি রাজার সঙ্গে খুব বন্ধুত্ব হয়। তিনিই লিখেছেন প্রবন্ধটা। প্রৌঢ় বয়সে আঁকাটাকা সব ছেড়ে দিয়ে সন্ন্যাসী হয়ে চলে যান।'

'আপনি বলছেন চন্দ্রশেখরের কথা। আর আমি ভাবছি কুকুর খুন,' বললেন লালমোহনবাবু। 'এ জিনিস শুনেছেন কখনও?'

ফেলুদা স্বীকার করল সে শোনেনি।

'লেগে পড়ুন মশাই,' বললেন লালমোহনবাবু 'শাঁসালো মক্কেল। তিন তিনখানা ভিনটেজ গাড়ি। হাতের ঘড়িটা দেখলেন? কমপক্ষে ফাইভ থাউজ্যান্ড চিপস। এ দাঁও ছাড়বেন না।'

৩

ভবেশ ভট্টাচার্যের সঙ্গে পোস্টকার্ডে অ্যাপয়েন্টমেন্ট করা ছিল, তাই তাঁর দর্শন পেতে দেরি হল না। ইস্কুল মাস্টার টাইপের চেহারা, চোখে মোটা চশমা, গায়ে ফতুয়ার উপর একটা এন্ডির চাদর, বসেছেন তক্তপোশে, সামনে ডেস্কের উপর গোটা পাঁচেক ছুঁচোলো করে কাটা পেনসিল, আর একটা খোলা খেরোর খাতা।

'লালমোহন গঙ্গোপাধ্যায়?'—পোস্টকার্ডে নামটা পড়ে জিজ্ঞেস করলেন ভদ্রলোক। লালমোহনবাবু মাথা নাড়লেন। 'বয়স কত হল?' লালমোহনবাবু বয়স বললেন। 'জন্মতারিখ?' 'উনত্রিশে শ্রাবণ।'

'হুঁ...সিংহ রাশি। তা আপনার জিজ্ঞাসাটা কী?'

'আজ্ঞে আমি রহস্য রোমাঞ্চ সিরিজে উপন্যাস লিখি। আমার আগামী উপন্যাসের তিনটি নাম ঠিক করা আছে। কোনটা ব্যবহার করব যদি বলে দেন।'

'কী কী নাম?'

'"কারাকোরামে রক্ত কার?", "কারাকোরামের মরণ কামড়", আর "নরকের নাম কারাকোরাম"।'

"হুঁ। দাঁড়ান।"

ভদ্রলোক নামগুলো খাতায় লিখে নিয়ে কীসব যেন হিসেব করলেন, তার মধ্যে যোগ বিয়োগ গুণ ভাগ সবই আছে। তারপর বললেন, 'আপনার নাম থেকে সংখ্যা পাচ্ছি একুশ, আর জন্ম-মাস এবং জন্মতারিখ মিলিয়ে পাচ্ছি ছয়। তিন সাতে একুশ, তিন দুগুণে ছয়। অর্থাৎ তিনের গুণণীয়ক না হলে ফল ভাল হবে না। আপনি তৃতীয় নামটাই ব্যবহার

করুন। তিন আঠারং চুয়ান্ন। কবে বেরোচ্ছে বই ?'

'আজ্ঞে পয়লা জানুয়ারি।'

'উঁহু। তেসরা করলে ভাল হবে, অথবা তিনের গুণণীয়ক যে-কোনও তারিখ।'

'আর, ইয়ে—বিক্রিটা— ?'

'বই ধরবে।'

একশোটি টাকা খামে পুরে দিয়ে আসতে হল ভদ্রলোককে। লালমোহনবাবুর তাতে বিন্দুমাত্র আক্ষেপ নেই। উনি ষোল আনা শিওর যে বই হিট হবেই। বললেন, 'মনের ভার নেমে গিয়ে অনেকটা হালকা লাগছে মশাই।'

'তার মানে এবার থেকে কি প্রত্যেক বই বেরোবার আগেই মেচেদা— ?'

'বছরে দুটি তো ! সাক্সেসের গ্যারান্টি যেখানে পাচ্ছি...'

ভটচায মশাইয়ের কাছে বিদায় নিয়ে একটা চায়ের দোকানে চা খেয়ে আমরা বৈকুণ্ঠপুর রওনা দিলাম। নবকুমারবাবুর নির্দেশ অনুযায়ী পেট্রল পাম্পে জিজ্ঞেস করে নিয়োগী প্যালেসে পৌঁছাতে লাগল বিশ মিনিট।

বাড়ির বয়স যে দুশো সেটা আর বলে দিতে হয় না। খানিকটা অংশ মেরামত করে রং করা হয়েছে সম্প্রতি, বাড়ির লোকজন বোধহয় সেই অংশটাতেই থাকে। দুদিকে পাম গাছের সারিওয়ালা রাস্তা পেরিয়ে বিরাট পোর্টিকোর নীচে এসে আমাদের গাড়ি থামল। নবকুমারবাবু গাড়ির আওয়াজ পেয়েই নীচে এসে দাঁড়িয়েছিলেন। একগাল হেসে আসুন আসুন বলে আমাদের ভিতরে নিয়ে গেলেন। আমরা কথা রাখব কি না এ বিষয়ে তাঁর খানিকটা সংশয় ছিল এটাও বললেন।

'বাবাকে আপনার কথা বলেছি,' সিঁড়ি দিয়ে দোতলায় উঠতে উঠতে বললেন ভদ্রলোক। 'আপনারা আসছেন শুনে উনি খুব খুশি হলেন।'

'আর কে থাকেন এ বাড়িতে ?' জিজ্ঞেস করল ফেলুদা।

'সব সময় থাকার মধ্যে বাবা আর মা। মা-র জন্যেই থাকা। ওঁর শ্বাসের কষ্ট। কলকাতার ক্লাইমেট সহ্য হয় না। তা ছাড়া বঙ্কিমবাবু আছেন। বাবার সেক্রেটারি ছিলেন। এখন ম্যানেজার বলতে পারেন। আর চাকর-বাকর। আমি মাঝে মধ্যে আসি। এমনিতেও আমি ফ্যামিলি নিয়ে আর কদিন পরেই আসতাম। এ বাড়িতে পুজো হয়, তাই প্রতিবারই আসি। এবারে একটু আগে এলাম কারণ শুনলাম বাড়িতে অতিথি আছে—আমার কাকা, চন্দ্রশেখরের ছেলে, রোম থেকে এসেছেন কদিন হল—তাই মনে হল বাবা হয়তো একা ম্যানেজ করতে পারছেন না।'

'আপনার কাকার সঙ্গে আপনাদের যোগাযোগ আছে বুঝি ?'

'একেবারেই না। এই প্রথম এলেন। বোধহয় দাদুর সম্পত্তির ব্যাপারে।'

'আপনার দাদু কি মারা গেছেন ?'

'খবরাখবর নেই বহুদিন। বোধহয় মৃত বলেই ধরে নিতে হবে।'

'উনি রোম থেকে ফিরে এসে এখানেই থাকতেন ?'

'হ্যাঁ।'

'কলকাতায় না থেকে এখানে কেন ?'

'কারণ উনি যাদের ছবি আঁকতেন তারা সারা ভারতবর্ষে ছড়ানো। নেটিভ স্টেটের রাজা-মহারাজা। কাজেই ওঁর পক্ষে কলকাতায় থাকার কোনও বিশেষ সুবিধে ছিল না।'

'আপনি আপনার দাদুকে দেখেছেন ?'

'উনি যখন বাড়ি ছেড়ে চলে যান তখন আমার বয়স ছয়। আমায় ভালবাসতেন খুব

এইটুকু মনে আছে।'

বৈঠকখানায় আসবাবের চেহারা দেখে চোখ টেরিয়ে গেল। মাথার উপরে ঘরের দুদিকে দুটো ঝাড়লণ্ঠন রয়েছে যেমন আর আমি কখনও দেখিনি। একদিকের দেয়ালে প্রায় আসল মানুষের মতো বড় একটা পোর্ট্রেট রয়েছে একজন বৃদ্ধের—গায়ে জোব্বা, কোমরে তলোয়ার, মাথায় মণিমুক্তা বসানো পাগড়ি। নবকুমার বললেন ওটা ওঁর প্রপিতামহ অনন্তনাথ নিয়োগীর ছবি। চন্দ্রশেখর ইটালি থেকে ফিরে এসেই ছবিটা এঁকেছিলেন। —'ছেলে ইটালিয়ান মেয়ে বিয়ে করেছে শুনে অনন্তনাথ বেজায় বিরক্ত হয়েছিলেন। বলেছিলেন আর কোনওদিন ছেলের মুখ দেখবেন না। কিন্তু শেষ বয়সে ওঁর মনটা অনেক নরম হয়ে যায়। দাদু বিপত্নীক অবস্থায় ফিরলে উনি দাদুকে ক্ষমা করেন, এবং উনিই দাদুর প্রথম সিটার।'

আমি একটা কথা না জিজ্ঞেস করে পারলাম না।

'এস. নিয়োগী লেখা দেখছি কেন ? ওঁর নাম তো ছিল চন্দ্রশেখর।'

'রোমে গিয়ে ওঁর নাম হয় সান্‌ড্রো। সেই থেকে ওই নামই লিখতেন নিজের ছবিতে।'

পোর্ট্রেট ছাড়া ঘরে আরও ছবি ছিল এস. নিয়োগীর আঁকা। আর্টের বইয়ে যে সব বিখ্যাত বিলিতি পেন্টারের ছবি দেখা যায়, তার সঙ্গে প্রায় কোনও তফাত নেই। বোঝাই যায় দুর্দান্ত শিল্পী ছিলেন সান্‌ড্রো নিয়োগী।

একজন চাকর শরবত নিয়ে এল। ট্রে থেকে একটা গেলাস তুলে নিয়ে ফেলুদা প্রশ্ন করল।

'ওই প্রবন্ধটাতে ভদ্রলোক লিখেছেন চন্দ্রশেখরের ব্যক্তিগত সংগ্রহে নাকি কোনও বিখ্যাত বিদেশি শিল্পীর আঁকা একটি পেন্টিং ছিল। অবিশ্যি ভদ্রলোক শিল্পীর নাম বলেননি, কারণ চন্দ্রশেখরই নাকি ওঁকে বলতে বারণ করেছিলেন—বলেছিলেন "বললে কেউ বিশ্বাস করবে না"। আপনি কিছু জানেন এই পেন্টিং সম্বন্ধে ?'

নবকুমারবাবু বললেন, 'দেখুন, মিস্টার মিত্র—পেন্টিং একটা আছে এটা আমাদের পরিবারের সকলেই জানে। বেশি বড় না। এক হাত বাই দেড় হাত হবে। একটা ক্রাইস্টের ছবি। সেটা কোনও বিখ্যাত শিল্পীর আঁকা কি না বলতে পারব না। ছবিটা দাদু নিজের স্টুডিয়োর দেয়ালেই টাঙিয়ে রাখতেন, অন্য কোনও ঘরে টাঙানো দেখিনি কখনও।'

'অবিশ্যি যিনি প্রবন্ধটা লিখেছেন তিনি জানেন নিশ্চয়ই।'

'তা তো জানবেনই, কারণ ভগওয়ানগড়ের এই রাজার সঙ্গে দাদুর খুবই বন্ধুত্ব ছিল।'

'আপনার কাকা জানতেন না ? যিনি এসেছেন ?'

নবকুমার মাথা নাড়লেন।

'আমার বিশ্বাস বাপ আর ছেলের মধ্যে বিশেষ সদ্ভাব ছিল না। তা ছাড়া কাকা বোধহয় আর্টের দিকে যাননি।'

'তার মানে ওই ছবির সঠিক মূল্যায়ন এ বাড়ির কেউ করতে পারবে না ?'

'কাকা না পারলে আর কে পারবে বলুন। বাবা হলেন গানবাজনার লোক। রাতদিন ওই নিয়েই পড়ে থাকতেন। আর্টের ব্যাপারে আমার যা জ্ঞান, ওঁরও সেই জ্ঞান। আর আমার ছোটভাই নন্দকুমার সম্বন্ধেও ওই একই কথা।'

'তিনিও গানবাজনা নিয়ে থাকেন বুঝি ?'

'না। ওর হল অ্যাকটিং-এর নেশা। আমাদের একটা ট্র্যাভেল এজেন্সি আছে কলকাতায়। বাবাই করেছিলেন, আমরা দুজনেই পার্টনার ছিলাম তাতে। নন্দ সেভেন্টি-ফাইভে হঠাৎ সব ছেড়ে ছুড়ে বম্বে চলে যায়। ওর এক চেনা লোক ছিল ওখানকার ফিল্ম লাইনে। তাকে ধরে হিন্দি ছবিতে একটা অভিনয়ের সুযোগ করে নেয়। তারপর থেকে ওখানেই আছে।'

সাকসেসফুল ?'

'মনে তো হয় না। ফিল্ম পত্রিকায় গোড়ার দিকের পরে তো আর বিশেষ ছবিটবি দেখিনি ওর।'

'আপনার সঙ্গে যোগাযোগ আছে ?'

'মোটেই না। শুধু জানি নেপিয়ান সি রোডে একটা ফ্ল্যাটে থাকে। বাড়ির নাম বোধহয় সি-ভিউ। মাঝে মাঝে ওর নামে চিঠি আসে। সেগুলো রিডাইরেক্ট করতে হয়। ব্যস।'

সরবত শেষ করে আমরা নবকুমারবাবুর বাবার সঙ্গে দেখা করতে গেলাম।

দক্ষিণের একটা চওড়া বারান্দায় একটা ইংরিজি পেপারব্যাক চোখের খুব কাছে নিয়ে

আরাম কেদারায় বসে আছেন ভদ্রলোক।

আমাদের সঙ্গে পরিচয়ের পর ভদ্রলোক ছেলেকে বললেন, 'ঠুমরীর কথা বলেছিস এঁকে ?'

নবকুমারবাবু একটু অপ্রস্তুত ভাব করে বললেন, 'তা বলেছি। তবে ইনি এমনি বেড়াতে এসেছেন, বাবা।'

ভদ্রলোকের ভুরু কুঁচকে গেল।

'কুকুর বলে তোরা ব্যাপারটাকে সিরিয়াসলি নিচ্ছিস না, এটা আমার মোটে ভাল লাগছে না। একটা অবোলা জীবকে যে-লোকে এভাবে হত্যা করে তার কি শাস্তি হওয়া উচিত নয় ? শুধু কুকুরকে মেরেছে তা নয়, আমার চাকরকে শাসিয়েছে। তাকে মোটা ঘুষ দিয়েছে, নইলে সে পালাত না। ব্যাপারটা অনেক গণ্ডগোল। আমার তো মনে হয় যে-কোনও ডিটেকটিভের পক্ষে এটা একটা চ্যালেঞ্জিং ব্যাপার। মিস্টার মিত্তির কী মনে করেন জানি না।'

'আমি আপনার সঙ্গে একমত,' বলল ফেলুদা।

'যাক। আমি শুনে খুশি হলুম। এবং সে লোককে যদি ধরতে পারেন তো আরও খুশি হব। ভাল কথা—' সৌম্যশেখরবাবু ছেলের দিকে ফিরলেন—'তোর সঙ্গে রবীনবাবুর দেখা হয়েছে ?'

'রবীনবাবু ?' নবকুমারবাবু বেশ অবাক। 'তিনি আবার কে ?'

'একটি জার্নালিস্ট ভদ্রলোক। বয়স বেশি না। আমায় লিখেছিল আসবে বলে। চন্দ্রশেখরের জীবনী লিখবে। একটা ফেলোশিপ না গ্রান্ট কী জানি পেয়েছে। সে দু দিন হল এসে রয়েছে। অনেক তথ্য সংগ্রহ করেছে। ইটালিও যাবে বলে বলছে। বেশ চৌকস ছেলে। আমার সঙ্গে কথা বলে সকালে ঘণ্টাখানেক ধরে। টেপ করে নেয়।'

'তিনি কোথায় এখন ?'

'বোধহয় তার ঘরেই আছে। এক তলায় উত্তরের বেডরুমটায় রয়েছে। আরও দিন দশেক থাকবে। রাতদিন কাজ করে।'

'তার মানে তোমাকে দুজন অতিথি সামলাতে হচ্ছে ?'

'সামলানোর আর কী আছে। রোম থেকে আসা খুড়তুতো ভাইটিকে তো সারাদিন প্রায় চোখেই দেখি না। আর যখন দেখিও, দুচারটের বেশি কথা হয় না। এমন মুখচোরা লোক দুটি দেখিনি।'

'যখন কথা বলেন কী ভাষায় বলেন ?' ফেলুদা জিজ্ঞেস করল।

'ইংরিজি বাংলা মেশানো। বললে চন্দ্রশেখর নাকি ওর সঙ্গে বাংলাই বলত। তবে সেও তো আজ প্রায় চল্লিশ বছর হয়ে গেছে। চন্দ্রশেখর যখন দেশে ফেরে তখন ছেলের বয়স আঠারো-উনিশ। বাপের সঙ্গে বোধহয় বিশেষ বনত না। পাছে কিছু জিজ্ঞেস-টিজ্ঞেস করি তাই বোধহয় কথা বলাটা অ্যাভয়েড করে। ভেবে দেখুন—আমার নিজের খুড়তুতো ভাই, তাকে পাসপোর্ট দেখিয়ে বোঝাতে হল সে কে !'

'ইন্ডিয়ান পাস্‌পোর্ট কি ?' ফেলুদা জিজ্ঞেস করল।

'তাই তো দেখলাম।'

নবকুমার বললে, 'তুমি ভাল করে দেখেছিলে তো ?'

'ভাল করে দেখার দরকার হয় না। সে যে নিয়োগী পরিবারের ছেলে সে আর বলে দিতে হয় না।'

'উনি সম্পত্তির ব্যাপারেই এসেছেন তো ?' জিজ্ঞেস করল ফেলুদা।

'হ্যাঁ। এবং পেয়েও যাবে। সে নিজে তার বাবার কোনও খবরই জানত না। তাই রোম

থেকে চিঠি লিখেছিল আমায়। আমিই তাকে জানাই যে দশ বছর হল তার বাপের কোনও খোঁজ নেই। তার পরেই সে এসে উপস্থিত হয়।'

ফেলুদা বলল, 'চন্দ্রশেখরের সংগ্রহে যে বিখ্যাত পেন্টিংটা আছে সেটা সম্বন্ধে উনি কিছু জানেন ? কিছু বলেছেন ?'

'না। ইনি নাকি ইঞ্জিনিয়ারিং-এর লোক। আর্টে কোনও ইন্টারেস্ট নেই।...তবে ছবিটার খোঁজ করতে লোক এসেছিল।'

'কে ?' জিজ্ঞেস করলেন নবকুমারবাবু।

'সোমানি না কী যেন নাম। বঙ্কিমের কাছে তার নাম ঠিকানা আছে। বললে এক সাহেব কালেক্টর নাকি ইন্টারেস্টেড। এক লাখ টাকা অফার করলে। প্রথমে পঁচিশ হাজার দেবে, তারপর সাহেব দেখে জেনুইন বললে বাকি টাকা। দিন পনেরো আগের ঘটনা। তখনও রুদ্রশেখর আসেনি, তবে আসবে বলে লিখেছে। সোমানিকে বললাম এ হল আর্টিস্টের ছেলের প্রপার্টি। সে ছেলে আসছে। যদি বিক্রি করে তো সেই করবে। আমার কোনও অধিকার নেই।'

'সে লোক কি আর এসেছিল ?' ফেলুদা জিজ্ঞেস করল।

'এসেছিল বই কী। সে নাছোড়বান্দা। এবার রুদ্রশেখরের সঙ্গে কথা বলেছে।'

'কী কথা হয়েছিল জানেন ?'

'না। আর রুদ্র যদি বিক্রিও করতে চায়, আমাদের তো কিছু বলার নেই। তার নিজের ছবি সে যা ইচ্ছে করতে পারে।'

'কিন্তু সেটা সম্পত্তি পাবার আগে তো নয়,' বলল ফেলুদা।

'না, তা তো নয়ই।'

খাবার সময় দুজন ভদ্রলোকের সঙ্গেই দেখা হল। রবীনবাবু সাংবাদিককে দেখে হঠাৎ কেন জানি চেনা-চেনা মনে হয়েছিল। হয়তো কোনও কাগজে ছবি-টবি বেরিয়েছে কখনও। দাড়ি-গোঁফ কামানো, মাঝারি রং, চোখ দুটো বেশ উজ্জ্বল। বয়স ত্রিশ-পঁয়ত্রিশের বেশি না। বললেন অদ্ভুত সব তথ্য বার করেছেন চন্দ্রশেখর নিয়োগী সম্বন্ধে। স্টুডিয়োতে একটা কাঠের বাক্সে নাকি অনেক মূল্যবান কাগজপত্র আছে।

'রুদ্রশেখরবাবু থাকাতে আপনার খুব সুবিধে হয়েছে বোধহয় ?' বলল ফেলুদা, 'ইটালির অনেক খবর তো আপনি এঁর কাছেই পাবেন।'

'ওঁকে আমি এখনও বিরক্ত করিনি,' বললেন রবীনবাবু, 'উনি নিজে ব্যস্ত রয়েছেন। আপাতত আমি চন্দ্রশেখরের ভারতবর্ষে ফিরে আসার পরের অংশটা নিয়ে রিসার্চ করছি।'

রুদ্রশেখরের মুখ দিয়ে একটা হুঁ ছাড়া আর কোনও শব্দ বেরোল না।

বিকেলে নবকুমারবাবুর সঙ্গে একটু বেড়াতে বেরিয়েছিলাম, কাছেই পোড়া ইটের কাজ করা দুটো প্রাচীর মন্দির আছে সেগুলো নাকি খুবই সুন্দর। ফটক দিয়ে বেরিয়ে গ্রামের রাস্তায় পড়তেই একটা কাণ্ড হল। পশ্চিম দিক থেকে ঘন কালো মেঘ এসে আকাশ ছেয়ে ফেলল, আর দশ মিনিটের মধ্যেই বজ্রপাতের সঙ্গে নামল তুমুল বৃষ্টি। লালমোহনবাবু বললেন এরকম ড্রামাটিক বৃষ্টি তিনি কখনও দেখেননি। সেটার একটা কারণ অবশ্য এই যে এ রকম খোলা প্রান্তরে বৃষ্টি দেখার সুযোগ শহরবাসীদের হয় না।

দৌড় দেওয়া সত্ত্বেও বৃষ্টির ফোঁটা এড়ানো গেল না। তারপর বুঝতে পারলাম যে এ বৃষ্টি সহজে ধরার নয়। আর আমাদের পক্ষে এই দুর্যোগের সন্ধ্যায় কলকাতায় ফেরাও সম্ভব নয়।

নবকুমারবাবু অবিশ্যি তাতে বিন্দুমাত্র বিচলিত হলেন না। বললেন বাড়তি শোবার ঘর

কম করে দশখানা আছে এ বাড়িতে। খাট বালিশ তোশক চাদর মশারি সবই আছে ; কাজেই রাত্তিরে থাকার ব্যবস্থা করতে কোনওই হাঙ্গাম নেই। পরার জন্য লুঙ্গি দিয়ে দেবেন উনি, এমনকী গায়ের আলোয়ান, ধোপে কাচা পাঞ্জাবি, সবই আছে।—'আমাকে এখানে মাঝে মাঝে আসতে হয় বলে কয়েক সেট কাপড় রাখাই থাকে। আপনারা কোনও চিন্তা করবেন না।'

উত্তরের দিকে পাশাপাশি দুটো পেল্লায় ঘরে আমাদের বন্দোবস্ত হল। লালমোহনবাবু একা একটি জাঁদরেল খাট পেয়েছেন, বললেন, 'একদিন-কা সুলতানের গপ্পের কথা মনে পড়ছে মশাই।'

তা খুব ভুল বলেননি। দুপুরে শ্বেত পাথরের থালাবাটি গেলাসে খাবার সময় আমারও সে কথা মনে হয়েছিল। রাত্তিরে দেখি সেই সব জিনিসই রুপোর হয়ে গেছে।

'আপনার দাদুর স্টুডিয়োটা কিন্তু দেখা হল না,' খেতে খেতে বলল ফেলুদা।

'সেটা কাল সকালে দেখাব,' বললেন নবকুমারবাবু। 'আপনারা যে দুটো ঘরে শুচ্ছেন, ওটা ঠিক তারই উপরে।'

যখন শোবার বন্দোবস্ত করছি, তখন বৃষ্টিটা ধরে গেল। জানালায় দাঁড়িয়ে দেখলাম ধ্রুবতারা দেখা যাচ্ছে। চারিদিকে অদ্ভুত নিস্তব্ধতা। রাজবাড়ির পিছনে বাগান, সামনে মাঠ। আমাদের ঘর থেকে বাগানটাই দেখা যাচ্ছে, তার গাছে গাছে জোনাকি জ্বলছে। অন্য কোনও বাড়ির শব্দ এখানে পৌঁছায় না, যদিও পুবে বাজারের দিক থেকে ট্রানজিস্টারের গানের একটা ক্ষীণ শব্দ পাচ্ছি।

সাড়ে দশটা নাগাত লালমোহনবাবু গুডনাইট করে তাঁর নিজের ঘরে চলে গেলেন। দুই ঘরের মাঝখানে একটা দরজা আছে। ভদ্রলোক বললেন সেটা বেশ কনভিনিয়েন্ট।

এই দরজা দিয়েই ভদ্রলোক মাঝরাত্তিরে ঢুকে এসে চাপা গলায় ডাক দিয়ে ফেলুদার ঘুম ভাঙালেন। সঙ্গে সঙ্গে অবিশ্যি আমারও ঘুম ভেঙে গেল।

'কী ব্যাপার মশাই ? এত রাত্তিরে ?'

'শ্‌ শ্‌ শ্‌ শ্‌ ! কান পেতে শুনুন।'

কান পাতলাম। আর শুনলাম।

খচ্‌ খচ্‌ খচ্‌ খচ্‌...

মাথার উপর থেকে শব্দটা আসছে। একবার একটা খুট্‌ শব্দও পেলাম। কেউ হাঁটাচলা করছে।

মিনিট তিনেক পরে শব্দ থেমে গেল।

উপরেই সান্‌ড্রো নিয়োগীর স্টুডিয়ো।

ফেলুদা ফিসফিস করে বলল, 'তোরা থাক, আমি একটু ঘুরে আসছি।'

ফেলুদা খালি পায়ে নিঃশব্দে বেরিয়ে গেল।

লালমোহনবাবু আর আমি আমাদের খাটে বসে রইলাম। প্রচণ্ড সাসপেন্স, ফেলুদা না-আসা পর্যন্ত হৃৎপিণ্ডটা ঠিক আলজিভের পিছনে আটকে রইল। প্রাসাদের কোথায় যেন ঘড়িতে ঢং ঢং করে দুটো বাজল। তারপর আরও দুটো ঘড়িতে।

মিনিট পাঁচেকের মধ্যে আবার ঠিক তেমনি নিঃশব্দে এসে ঘরে ঢুকল ফেলুদা।

'দেখলেন কাউকে ?' চাপা গলায় ঘড়ঘড়ে গলায় লালমোহনবাবুর প্রশ্ন।

'ইয়েস।'

'কাকে ?'

'সিঁড়ি দিয়ে এক তলায় নেমে গেল।'
'কে ?'
'সাংবাদিক রবীন চৌধুরী।'

৪

রাত্তিরের ঘটনাটা আর নবকুমারবাবুকে বলল না ফেলুদা। চায়ের টেবিলে শুধু জিজ্ঞেস করল, 'স্টুডিয়োটা চাবি দেওয়া থাকে না ?'

'এমনিতে সবসময়ই থাকে,' বললেন নবকুমারবাবু, 'তবে ইদানীং রবীনবাবু প্রায়ই গিয়ে কাজ করেন। রুদ্রশেখরবাবুও যান, তাই ওটা খোলাই থাকে। চাবি থাকে বাবার কাছে।'

চা খাওয়ার পর আমরা চন্দ্রশেখরের স্টুডিয়োটা দেখতে গেলাম।

তিনতলায় ছাত। তারই একপাশে উত্তর দিকটায় স্টুডিয়ো। সিঁড়ি দিয়ে উঠে ডান দিকে ঘুরে স্টুডিয়োতে ঢোকার দরজা।

উত্তরের আলো নাকি ছবি আঁকার পক্ষে সবচেয়ে ভাল, তাই স্টুডিয়োর উত্তরের দেয়ালটা পুরোটাই কাচ। বেশ বড় ঘরের চারদিকে ছড়ানো রয়েছে ডাঁই করা ছবি, নানান সাইজের কাঠের ফ্রেমে বাঁধানো সাদা ক্যানভাস, দুটো বেশ বড় টেবিলের উপর রং তুলি প্যালেট ইত্যাদি নানারকম ছবি আঁকার সরঞ্জাম, জানালার পাশে দাঁড় করানো একটা ইজেল। সব দেখেটেখে মনে হয় আর্টিস্ট যেন কিছুক্ষণের জন্য স্টুডিয়ো ছেড়ে বেরিয়েছেন, আবার এক্ষুনি ফিরে এসে কাজ শুরু করবেন।

'জিনিসপত্তর সবই বিলিতি,' চারিদিক দেখে ফেলুদা মন্তব্য করল। 'এমনকী লিনসীড অয়েলের শিশিটা পর্যন্ত। রংগুলো তো দেখে মনে হয় এখনও ব্যবহার করা চলে।'

ফেলুদা দু-একটা টিউব তুলে টিপে টিপে পরীক্ষা করে দেখল।

'হুঁ, ভাল কন্ডিশনে রয়েছে জিনিসগুলো। রুদ্রশেখর এগুলো বিক্রি করেও ভাল টাকা পেতে পারেন। আজকালকার যে কোনও আর্টিস্ট এসব জিনিস পেলে লুফে নেবে।'

ঘরের দক্ষিণ দিকের বড় দেয়ালে আট-দশটা ছবি টাঙানো রয়েছে। তার একটার দিকে নবকুমারবাবু আঙুল দেখালেন।

'ওটা দাদুর নিজের আঁকা নিজের ছবি।'

আর্টিস্টরা অনেক সময় আয়নার সামনে বসে সেলফপোর্ট্রেট আঁকতেন সেটা আমি জানি। চন্দ্রশেখর নিজেকে এঁকেছেন বিলিতি পোশাকে। চমৎকার শার্প, সুপুরুষ চেহারা। কাঁধ অবধি ঢেউখেলানো কুচকুচে কালো চুল, দাড়ি আর গোঁফও খুব হিসেব করে আঁচড়ানো বলে মনে হয়।

'এই ছবিটাই ওই প্রবন্ধের সঙ্গে বেরিয়েছে,' বলল ফেলুদা।

'তা হবে,' বললেন নবকুমারবাবু, 'বাবার কাছে শুনেছিলাম ভূদেব সিং-এর এক ছেলে এখানে এসেছিল একদিনের জন্য। বাপের আর্টিকলের জন্য বেশ কিছু ছবি তুলে নিয়ে যায়।'

'ভদ্রলোকের রং তো তেমন ফরসা ছিল বলে মনে হচ্ছে না।'

'না,' বললেন নবকুমারবাবু। 'উনি আমার প্রপিতামহ অনন্তনাথের রং পেয়েছিলেন। মাঝারি।'

'সেই বিখ্যাত ছবিটা কোথায় ?' এবার ফেলুদা প্রশ্ন করল।

'এদিকে আসুন, দেখাচ্ছি।'

নবকুমারবাবু আমাদের নিয়ে গেলেন দক্ষিণের দেয়ালের একেবারে কোণের দিকে। গিল্টিকরা ফ্রেমে বাঁধানো রয়েছে যীশুখ্রিস্টের ছবিটা।

মাথায় কাঁটার মুকুট, চোখে উদাস চাহনি, ডান হাতটা বুকের উপর আলতো করে রাখা। মাথার পিছনে একটা জ্যোতি, তারও পিছনে গাছপালা-পাহাড়-নদী-বিদ্যুৎ-ভরা মেঘ মিলিয়ে একটা নাটকীয় প্রাকৃতিক দৃশ্য।

আমরা মিনিটখানেক ধরে অবাক হয়ে চেয়ে রইলাম ছবিটার দিকে। কিছুই জানি না, অথচ মনে হল হাজার ঐশ্বর্য, হাজার রহস্য লুকিয়ে রয়েছে ওই ছবির মধ্যে।

ফেলুদার হাবভাবে বেশ বুঝতে পারছিলাম যে বৈকুণ্ঠপুরের নিয়োগীদের সঙ্গে সম্পর্ক এইখানেই শেষ নয়। নীচে এসেই ফেলুদা একটা অনুরোধ করল নবকুমারবাবুকে।

'আপনাদের একটা বংশলতিকা পাওয়া যাবে কি ? অনন্তনাথ থেকে শুরু করে আপনারা পর্যন্ত জন্ম মৃত্যু ইত্যাদির তারিখ সমেত হলে ভাল হয়, আর আলাদা করে চন্দ্রশেখরের জীবনের জরুরি তারিখগুলো। অবিশ্যি যেসব তারিখ আপনাদের জানা আছে।'

'আমি বঙ্কিমবাবুকে বলছি। উনি খুব এফিশিয়েন্ট লোক। দশ মিনিটের মধ্যে তৈরি করে দেবেন আপনাকে।'

'আর, ইয়ে—যে ভদ্রলোক ছবি কিনতে এসেছিলেন তাঁর ঠিকানাটা। যদি বঙ্কিমবাবুর কাছে থাকে।'

বঙ্কিমবাবুর বয়স পঞ্চাশের কাছাকাছি। বেশ চালাক চেহারা। হাসলেই গোঁফের নীচে ধবধবে সাদা দাঁতের পাটি বেরিয়ে পড়ে। বললেন, বংশলতিকা একটা রবীনবাবুর জন্য করেছিলেন, তার কার্বন রয়েছে। সেটা পেতে দশ মিনিটের জায়গায় লাগল দু মিনিট।

যিনি ছবি কিনতে এসেছিলেন তাঁর একটা কার্ড বঙ্কিমবাবুর কাছে ছিল, উনি সেটা এনে দিলেন ফেলুদাকে। দেখলাম নাম হচ্ছে হীরালাল সোমানি, ঠিকানা ফ্ল্যাট নং ২৩, লোটাস টাওয়ারস, আমীর আলি অ্যাভিনিউ।

কার্ডটা দেবার পর ভদ্রলোক দাঁড়িয়ে রয়েছেন, মুখে একটা কিন্তু কিন্তু ভাব। ফেলুদা বলল, 'কিছু বলবেন কি ?'

'আপনার নাম শুনেছি,' বললেন ভদ্রলোক, 'আপনি ডিটেকটিভ তো ?'

'আজ্ঞে হ্যাঁ।'

'আপনি কি আবার আসবেন ?'

'প্রয়োজন হলে নিশ্চয়ই আসব। কেন বলুন তো ?'

'ঠিক আছে,' ভদ্রলোকের এখনও সেই ইতস্তত ভাব। —'মানে, একটু ইয়ে ছিল। তা সে পরেই হবে।'

আমার কাছে ব্যাপারটা কেমন যেন রহস্যময় মনে হল, যদিও পরে ফেলুদাকে বলতে ও বলল, 'বোধহয় অটোগ্রাফ নেবার ইচ্ছে ছিল, বলতে সাহস পেলেন না।'

গাড়িতে যখন উঠছি তখন ফেলুদা নবকুমারবাবুকে বলল, 'অনেক ধন্যবাদ, মিস্টার নিয়োগী। আপনাদের এখানে এসে সত্যিই ভাল লাগল। যা দেখলাম আর শুনলাম, তা খুবই ইন্টারেস্টিং। আমি যদি একটু এদিক ওদিক খোঁজখবর করি তাতে আপনার আপত্তি হবে না তো ?'

'মোটেই না।'

'একবার ভগওয়ানগড়ে ভূদেব সিং-এর কাছে যাবার ইচ্ছে আছে। ওই যীশুর বাজার দরটা কী হতে পারে সেটা একবার ওঁর কাছ থেকে জানা দরকার।'

'বেশ তো, চলে যান ভগওয়ানগড়। আমার আপত্তির কোনও প্রশ্নই ওঠে না।'

'আর আপনার বাবা কিন্তু ঠিকই বলেছেন ; আপনাদের ফক্স-টেরিয়ার খুনের ব্যাপারটাকে কিন্তু আপনি মোটেই হালকা করে দেখবেন না। আমি ওটার মধ্যে গূঢ় রহস্যের গন্ধ পাচ্ছি।'

'তা তো বটেই। আমার কাছে ব্যাপারটা অত্যন্ত নৃশংস বলে মনে হয়েছিল।'

ফেলুদা আর নবকুমারবাবুর মধ্যে কার্ড বিনিময় হল। ভদ্রলোক বললেন, 'আপনি প্রয়োজনে টেলিফোন করবেন, তেমন বুঝলে সোজা চলে আসবেন। আর ভগওয়ানগড়ে কী হল সেটা দয়া করে জানিয়ে দেবেন।'

*

'ভগওয়ানগড় বলে যে একটা জায়গা আছে সেটাই জানা ছিল না, মশাই,' ফেরার পথে বললেন লালমোহনবাবু।

'জায়গাটা বোধহয় মধ্যপ্রদেশে,' বলল ফেলুদা। 'তবে আই অ্যাম নট শিওর। গিয়েই পুষ্পক ট্র্যাভেলসের সুদর্শন চক্রবর্তীর শরণাপন্ন হতে হবে।'

'এম পি-টা দেখা হয়নি,' আপন মনে বললেন জটায়ু।

'অবিশ্যি এ যাত্রায় যে বিশেষ দেখা হবে সেটা মনে করবেন না। স্রেফ কতগুলো তথ্য

জেনে নিয়ে ফিরে আসা। বৈকুণ্ঠপুরকে বেশিদিন নেগলেকট করা চলবে না।'

'এটা কেন বলছেন?'

'রুদ্রশেখরের পায়ের দিকে লক্ষ করেছেন?'

'কই, না তো?'

'রবীন চৌধুরীর খাওয়াটা লক্ষ করেছেন?'

'কই, না তো।'

'তা ছাড়া ভদ্রলোক রাত দুটোর সময় স্টুডিয়োতে কী করেন, বঙ্কিমবাবু কী বলতে গিয়ে বললেন না, একটা কুকুরকে কী কী কারণে খুন করা যেতে পারে—এসব অনেক প্রশ্ন আছে।'

আমি বললাম, 'কোনও বাড়ির কুকুর যদি ভাল ওয়াচডগ হয়, তা হলে একজন চোর সে-বাড়ি থেকে কিছু সরাবার মতলব করে থাকলে আগে কুকুরকে সরাতে পারে।'

'ভেরি গুড। কিন্তু কুকুরকে মারা হয়েছে মঙ্গলবার আঠাশে সেপ্টেম্বর, আর আজ হল ৫ই অক্টোবর। কই, এখনও তো কিছু চুরি হয়েছে বলে জানা যায়নি। আর, এগারো বছরের বুড়ো ফক্স-টেরিয়ার কতই বা ভাল ওয়াচডগ হবে?'

'আমার কী আপশোস হচ্ছে জানেন তো?' বললেন লালমোহনবাবু।

'কী?'

'যে আর্টের বিষয় এত কম জানি।'

'বর্তমান ক্ষেত্রে শুধু এইটুকু জানলেই চলবে যে একজন প্রাচীন যুগের প্রখ্যাত শিল্পীর ছবি যদি বাজারে আসে, তা হলে তার দাম লাখ দু লাখ টাকা হলেও আশ্চর্য হবার কিছু নেই।'

'অ্যাঁ!'

'আজ্ঞে হ্যাঁ।'

'তার মানে বলতে চান একটি লাখ টাকার ছবি আজ চল্লিশ বছর ধরে টাঙানো রয়েছে বৈকুণ্ঠপুরের ওই স্টুডিয়োর দেয়ালে, অথচ সেটা সম্বন্ধে কেউ কিচ্ছু জানে না?'

'ঠিক তাই। এবং সেইটে জানার জন্যেই ভগওয়ানগড় যাওয়া।'

৫

কলকাতায় ফিরে এসেই ফেলুদা প্রবন্ধের কথাটা উল্লেখ করে একটা জরুরি অ্যাপয়েন্টমেন্ট চেয়ে টেলিগ্রাম করে দিল ভগওয়ানগড়ের এক্স মহারাজা ভূদেব সিংকে। তার আগেই অবিশ্যি পুষ্পক ট্র্যাভেলসে ফোন করেছিল ফেলুদা। ও ঠিকই আন্দাজ করেছিল ভগওয়ানগড় মধ্যপ্রদেশেই, তবে আমাদের প্রথমে যেতে হবে নাগপুরে। সেখান থেকে ছোট লাইনের ট্রেনে ছিন্দওয়ারা। ছিন্দওয়ারা থেকে পঁয়তাল্লিশ কিলোমিটার পশ্চিমে হল ভগওয়ানগড়।

টেলিগ্রামের উত্তর এসে গেল পরের দিনই। এই সপ্তাহে যে-কোনওদিন গেলেই ভূদেব সিং আমাদের সঙ্গে দেখা করবেন। কবে যাচ্ছি জানিয়ে দিলে ছিন্দওয়ারাতে রাজার লোক গাড়ি নিয়ে থাকবে।

সুদর্শনবাবুকে ফোন করতে ভদ্রলোক বললেন, 'আপনাদের তাড়া থাকলে কাল বুধবার ভোরে একটা নাগপুর ফ্লাইট আছে। সাড়ে ছ'টায় রওনা হয়ে পৌঁছবেন সোয়া আটটায়। তারপর নাগপুর থেকে সাড়ে দশটায় ট্রেন আছে, সেটা ছিন্দওয়ারা পৌঁছবে বিকেল পাঁচটায়। ট্রেনের টিকিট আপনাদের ওখানেই কেটে নিতে হবে।'

'আর ফেরার ব্যাপারটা ?' জিজ্ঞেস করল ফেলুদা।

'আপনি বিষ্যুদবার রাত্রে আবার ছিন্দওয়ারা থেকে ট্রেন ধরতে পারবেন। সেটা নাগপুর পৌঁছবে শুক্রবার ভোর পাঁচটায়। সেদিনই কলকাতার ফ্লাইট আছে তিন ঘণ্টা পরে। সাড়ে দশটায় ব্যাক্ ইন ক্যালকাটা।'

সেইভাবেই যাওয়া ঠিক হল, আর রাজাকেও জানিয়ে টেলিগ্রাম করে দেওয়া হল।

আজকের বাকি দিনটা হাতে আছে, তাই ফেলুদা ঠিক করল এই ফাঁকে একটা জরুরি কাজ সেরে নেবে।

টেলিফোনে অ্যাপয়েন্টমেন্ট করে আমরা বিকেল সাড়ে পাঁচটায় গিয়ে হাজির হলাম আমীর আলি অ্যাভিনিউতে লোটাস টাওয়ারসে হীরালাল সোমানির ফ্ল্যাটে।

বেল টিপতে একটি বেয়ারা এসে দরজা খুলে আমাদের বৈঠকখানায় নিয়ে গিয়ে বসিয়ে দিল।

ঘরে ঢুকলেই বোঝা যায় ভদ্রলোকের সংগ্রহের বাতিক আছে, আর অনেক জিনিসেরই যে অনেক দাম সেটাও বুঝতে অসুবিধে হয় না। যেটা নেই সেটা হল সাজানোর পারিপাট্য।

ঝাড়া দশ মিনিট বসিয়ে রাখার পর সোমানি সাহেব প্রবেশ করলেন, আর করামাত্র একটা পারফিউমের গন্ধ ঘরটায় ছড়িয়ে পড়ল। বুঝলাম তিনি সবেমাত্র গোসল সেরে এলেন। সাদা ট্রাউজারের উপর সাদা কুর্তা। পায়ে সাদা কোলাপুরি চটি। পালিশ করে আঁচড়ানো চুলেও সাদার ছোপ লক্ষ করা যায়। যদিও সরু করে ছাঁটা গোঁফটা সম্পূর্ণ কালো।

ভদ্রলোক আমাদের সামনের সোফায় বসে ফেলুদা ও লালমোহনবাবুকে সিগারেট অফার করে নিজে একটা ধরিয়ে একরাশ ধোঁয়া ছেড়ে পরিষ্কার বাংলায় বললেন—

'বলুন কী ব্যাপার।'

'আমি কয়েকটা ইনফরমেশন চাইছিলাম,' বলল ফেলুদা।

'বলুন যদি পসিব্‌ল হয় দেব।'

'আপনি রিসেন্টলি একটা ছবির খোঁজে বৈকুণ্ঠপুর গিয়েছিলেন। তাই না ?'

'ইয়েস।'

'ওরা বিক্রি করতে রাজি হননি।'

'নো।'

'আপনি ছবির কথাটা কীভাবে জানলেন সেটা জানতে পারি কি ?'

ভদ্রলোক প্রশ্নটা শুনে একটু আড়ষ্ট হয়ে গেলেন, যেন ফেলুদা বাড়াবাড়ি করছে, এবং উত্তর দেওয়া-না দেওয়াটা তাঁর মর্জি। কিন্তু শেষ পর্যন্ত উত্তরটা এল।

'আমি জানিনি। আরেকজন জেনেছিলেন। আমি তাঁরই রিকোয়েস্টে ছবি কিনতে গিয়েছিলাম।'

'আই সি।'

'আপনি কি সেই ছবি আমায় এনে দিতে পারেন ? তবে, জেনুইন জিনিস চাই। ফোর্জারি হলে এক পইসা ভি নহী মিলেগা।'

'জাল না আসল সেটা আপনি বুঝবেন কী করে ?'

'আমি বুঝব কেন ? যিনি কিনবেন তিনি বুঝবেন। হি হ্যাজ থার্টিফাইভ ইয়ারস এক্সপিরিয়েন্স অ্যাজ এ বাইয়ার অফ পেন্টিংস।'

'তিনি কি এদেশের লোক ?'

সোমানি সাহেবের চোয়ালটা যেন একটু শক্ত হল। ভদ্রলোক ধোঁয়া ছেড়ে যাচ্ছেন, কিন্তু দৃষ্টি এক মুহূর্তের জন্য সরেনি ফেলুদার দিক থেকে। এই প্রথম ভদ্রলোকের ঠোঁটের কোণে

একটা হাসির আভাস দেখা গেল।

'এ-ইনফরমেশন আমি আপনাকে দেব কেন ? আমি কি বুদ্ধু ?'

'ঠিক আছে।'

ফেলুদা ওঠার জন্য তৈরি হচ্ছিল, এমন সময় সোমানি বললেন, 'আপনি যদি আমাকে এনে দিতে পারেন, আমি আপনাকে কমিশন দেব।'

'শুনে সুখী হলাম।'

'টেন থাউজ্যান্ড ক্যাশ।'

'আর তারপর সেটা দশ লাখে বিক্রি করবেন ?'

সোমানি কোনও উত্তর না দিয়ে একদৃষ্টে চেয়ে রইল ফেলুদার দিকে।

'ছবি পেলে আপনাকে দেব কেন, মিস্টার সোমানি ?' বলল ফেলুদা। 'আমি সোজা চলে যাব আসল লোকের কাছে।'

'নিশ্চয় যাবেন, বাট ওনলি ইফ ইউ নো হোয়্যার টু গো।'

'সে সব বার করার রাস্তা আছে, মিস্টার সোমানি। সকলের না থাকলেও, আমার আছে।...আমি আসি।'

ফেলুদা উঠে পড়ল।

'অনেক ধন্যবাদ।'

'গুডডে, মিস্টার প্রদোষ মিত্র।'

শেষ কথাটা ভদ্রলোক এমনভাবে বললেন যেন উনি ফেলুদার নাম ও পেশা দুটোর সঙ্গেই বিশেষভাবে পরিচিত।

'একরকম মাংসাশী ফুল আছে না,' বাইরে বেরিয়ে এসে বললেন, লালমোহনবাবু, 'দেখতে খুব বাহারে, অথচ পোকা পেলেই কপ্‌ করে গিলে ফেলে ?'

'আছে বই কী।'

'এ লোক যেন ঠিক সেইরকম।'

ফেলুদার উৎকণ্ঠার ভাবটা বুঝতে পারলাম যখন সন্ধ্যাবেলা বাড়ি ফিরে এসেই ও বৈকুণ্ঠপুরে একটা ফোন করল।

তবে নবকুমার বললেন আর নতুন কোনও ঘটনা ঘটেনি।

বাড়িতে ফিরে বৈঠকখানায় বসে 'ভাই, শ্রীনাথকে একটু চা করতে বলো না,' বলে লালমোহনবাবু পকেট থেকে একটা বই বার করে সশব্দে টেবিলের উপর রাখলেন। বইটা হল 'সমগ্র পাশ্চাত্য শিল্পের ইতিহাস', লেখক অনুপম ঘোষদস্তিদার।

'কী বলছেন ঘোষদস্তিদার মশাই ?' আড়চোখে বইটা দেখে প্রশ্ন করল ফেলুদা। ও নিজে আজই দুপুরে সিধু জ্যাঠার বাড়িতে গিয়ে দুটো মোটা আর্টের বই নিয়ে এসেছে সেটা আমি জানি।

'ওঃ, ভেরি ইউজফুল মশাই। আপনি আর রাজা কথা বলবেন আর্ট নিয়ে, আর আমি হংসমধ্যে বক যথা, এ হতে দেওয়া যায় না। এটা পড়ে নিলে আমিও পার্টিসিপেট করতে পারব।'

'গোটা বইটা পড়ার কোনও দরকার নেই ; আপনি শুধু রেনেসাঁস অংশটা পড়ে রাখবেন। রেনেসাঁস আছে তো ও বইয়ে ?'

'তা তো বলছে না।'

'তবে কী বলছে ?'

'রিনেইস্যান্স।'

'ঘোষদস্তিদারের জবাব নেই।'

'জিনিসটা তো একই ?'

'তা একই।'

'ইয়ে, রেনেসাঁস বলতে বোঝাচ্ছেটা কী ?'

'পঞ্চদশ আর ষোড়শ শতাব্দী। এই দেড়শো-দুশো বছর হল ইটালির পুনর্জন্মের যুগ। রেনেসাঁস হল পুনর্জন্ম, পুনর্জাগরণ।'

'কেন পুনঃ বলছে কেন ? হোয়াই এগেইন ?'

'কারণ প্রাচীন গ্রিক ও রোম্যান সভ্যতার আদর্শে ফিরে যাওয়ার একটা ব্যাপার ছিল এই যুগে—যে আদর্শ মধ্যযুগে হারিয়ে গিয়েছিল। তাই রেনেসাঁস। ইটালিতে শুরু হলেও রেনেসাঁসের প্রভাব ক্রমে ছড়িয়ে পড়েছিল সমস্ত ইউরোপে। বহু প্রতিভা জন্মেছে এই সময়টাতে। শিল্পে, সাহিত্যে, সংগীতে, বিজ্ঞানে, রাজনীতিতে। ছাপাখানার উদ্ভব এই সময়; তার মানে শিক্ষার প্রসার এই সময়। কোপর্নিকাস, গ্যালিলিও, শেক্সপিয়র, দাভিঞ্চি, রাফেল, মাইকেল এঞ্জেলো—সব এই দেড়শো-দুশো বছরের মধ্যে।'

'তা আপনার কি ধারণা বৈকুণ্ঠপুরের যীশুও আঁকা হয়েছে এই রেনেসাঁসের যুগে ?'

'তার কাছাকাছি তো বটেই। আগে নয় নিশ্চয়ই, বরং সামান্য পরে হতে পারে। মধ্যযুগের পেন্টিং-এ মানুষ জন্তু গাছপালা সব কিছুর মধ্যে একটা কেঠো-কেঠো, আড়ষ্ট, অস্বাভাবিক ভাব দেখতে পাবেন। রেনেসাঁসে সেটা আরও অনেক জীবন্ত, স্বাভাবিক হয়ে আসে।'

'এই যে সব নাম দেখছি এ বইয়ে—গায়োট্টো—'

'গায়োট্টো লিখেছে নাকি ?'

'তাই তো দেখছি। গায়োট্টো, বট্টিসেল্লি, মানটেগ্‌না'...

'আপনি ও বইটা রাখুন। আমি আর্টিস্টের নামের একটা তালিকা করে দেব—আপনি চান তো সে নামগুলো মুখস্থ করে রাখবেন। গায়োট্টো নয়। ইংরিজি উচ্চারণে জিয়োটো, ইতালিয়ানে জ্যোত্তো। জ্যোত্তো, বত্তিচেল্লী, মানতেন্যা...'

'এরা সব বলছেন জাঁদরেল আঁকিয়ে ছিলেন ?'

'নিশ্চয়ই ! শুধু এঁরা কেন ? এ রকম অন্তত ত্রিশটা নাম পাবেন শুধু ইটালিতেই।'

'আর এই ত্রিশ জনের মধ্যে একজনের আঁকা ছবি রয়েছে বৈকুণ্ঠপুরে ? বোঝো !'

রাত্রে খাওয়া-দাওয়া সেরে জিনিসপত্র গুছিয়ে ফেলুদা নিয়োগীদের বংশলতিকা খাটে বিছিয়ে সেটা খুব মনোযোগ দিয়ে দেখতে লাগল। সেই সঙ্গে অবিশ্যি চন্দ্রশেখরের জীবন সংক্রান্ত তারিখগুলোও ছিল। সে কার দাদু, কে কার কাকা, কে কার ভাই, এগুলো আমার একটু গুলিয়ে যাচ্ছিল। এবার সেটা পরিষ্কার হয়ে গেল।

দুটো জিনিসের চেহারা এই রকম—

১। বংশলতিকা

- অনন্তনাথ (১৮৬২-১৯৪১)
  - সূর্যশেখর (১৮৮৮-১৯৪৮)
    - সৌম্যশেখর (১৯১৩—)
      - নবকুমার (১৯৪১—)
      - নন্দকুমার (১৯৪৪—)
  - চন্দ্রশেখর (১৮৯০—?)
    - রুদ্রশেখর (১৯২০—)
      - ?

২। চন্দ্রশেখর নিয়োগী

১৮৯০ — জন্ম (বৈকুণ্ঠপুর)
১৯১২ — প্রেসিডেন্সি কলেজ থেকে বি.এ. পাশ
১৯১৪ — রোমযাত্রা। অ্যাকাডেমি অব ফাইন আর্টসের ছাত্র
১৯১৭ — কার্লা ক্যাসিনিকে বিবাহ
১৯২০ — পুত্র রুদ্রশেখরের জন্ম
১৯৩৭ — কার্লার মৃত্যু
১৯৩৮ — স্বদেশে প্রত্যাবর্তন
১৯৫৫ — গৃহত্যাগ

৬

প্লেনে নাগপুরে সাড়ে আটটার সময় পৌঁছে, সেখান থেকে দশটা পঞ্চাশের প্যাসেঞ্জার ট্রেন ধরে ছিন্দওয়ারা পৌঁছতে প্রায় ছ'টা বেজে গেল। স্টেশনে শেভরোলে গাড়ি নিয়ে হাজির ছিলেন ভূদেব সিং-এর লোক। হাসিখুশি হৃষ্টপুষ্ট মাঝবয়সী এই ভদ্রলোকটির নাম মি. নাগপাল। চারজন গাড়িতে রওনা দিয়ে পৌনে সাতটার মধ্যে পৌঁছে গেলাম ভগওয়ানগড়ের রাজবাড়ি।

নাগপাল বললেন, 'আপনাদের জন্য ঘর ঠিক করা আছে, আপনারা হাত-মুখ ধুয়ে নিন, সাড়ে সাতটার সময় রাজা আপনাদের মিট করবেন। আমি এসে আপনাদের নিয়ে যাব।'

ঘরের চেহারা দেখেই বুঝলাম যে আজ রাতটা আমাদের এইখানেই থাকার জন্য ব্যবস্থা হয়েছে। বিছানা, বালিশ, লেপ, মশারি, বাথরুমে তোয়ালে সাবান—সবই রয়েছে। যে কোনও ফাইভ-স্টার হোটেলের চেয়ে কোনও অংশে কম নয়। লালমোহনবাবু বললেন, এখানকার বাথরুমে নাকি তাঁর গড়পারের বাড়ির পাঁচটা বেডরুম ঢুকে যায়। 'নেহাত টাইম নেই, নইলে টবে গরম জল ভরে শুয়ে থাকতুম আধ ঘণ্টা।'

কাঁটায় কাঁটায় সাড়ে সাতটার সময় মিঃ নাগপাল আমাদের রাজার সামনে নিয়ে গিয়ে হাজির করলেন। শ্বেতপাথরের মেঝেওয়ালা বারান্দায় বেতের চেয়ারে বসে আছেন ভূদেব সিং। চেহারা যাকে বলে সৌম্যকান্তি। বয়স সাতাত্তর, কিন্তু মোটেও থুত্থুড়ে নন।

আমরা নিজেদের পরিচয় দিয়ে রাজার সামনে তিনটে বেতের চেয়ারে বসলাম। হাসনাহানা ফুলের গন্ধে বুঝতে পারছি বারান্দার পরেই বাগান, কিন্তু অন্ধকারে গাছপালা বোঝা যাচ্ছে না।

কথাবার্তা ইংরিজিতেই হল, তবে আমি বেশির ভাগটা বাংলা করেই লিখছি। জটায়ু

বলেছিলেন, পার্টিসিপেট করবেন। কতদূর করেছিলেন সেটা যাতে ভাল বোঝা যায় তাই নাটকের মতো করে লিখছি।

ভূদেব—আমার লেখাটা কেমন লাগল?
ফেলুদা—খুবই ইন্টারেস্টিং। ওটা না পড়লে এরকম একজন শিল্পীর বিষয় কিছুই জানতে পারতাম না।
ভূদেব—আসলে আমরা নিজের দেশের লোকদের কদর করতে জানি না। বিদেশ হলে এ রকম কখনওই হত না। তাই ভাবলাম—আমার তো বয়স হয়েছে, সেভেনটি-সেভেন—মরে যাবার আগে এই একটা কাজ করে যাব। চন্দ্রশেখরের বিষয় জানিয়ে দেব দেশের লোককে। আমার ছেলেকে পাঠিয়ে দিলাম বৈকুণ্ঠপুর। চন্দ্রর সেল্‌ফপোর্ট্রেট আমার কাছে ছিল না। সে আমাকে ছবি তুলে এনে দিল।
ফেলুদা—আপনার সঙ্গে চন্দ্রশেখরের আলাপ হয় কবে?
ভূদেব—দাঁড়ান, এই খাতাটায় সব লেখা আছে।...হ্যাঁ, ৫ই নভেম্বর ১৯৪২ সে আমার পোর্ট্রেট আঁকতে আসে এখানে। তার কথা আমি শুনি ভূপালের রাজার কাছ থেকে। রাজার পোর্ট্রেট চন্দ্র করেছিল। আমি দেখেছিলাম। আমার খুব ভাল লেগেছিল। চন্দ্র হ্যাড ওয়াণ্ডারফুল স্কিল।
জটায়ু—ওয়াণ্ডারফুল।
ফেলুদা—আপনার লেখায় পড়েছি তিনি ইটালিতে গিয়ে একজন ইটালিয়ান মহিলাকে বিয়ে করেন। এই মহিলা সম্বন্ধে

আরেকটু কিছু যদি বলেন।

জটায়ু—সামথিং মোর...

ভূদেব—চন্দ্রশেখর রোমে গিয়ে অ্যাকাডেমি অফ ফাইন আর্টসে ভর্তি হয়। ওর ক্লাসেই ছিল কার্লা ক্যাসিনি। ভেনিসের অভিজাত বংশের মেয়ে। বাবা ছিলেন কাউন্ট। কাউন্ট আলবের্তো ক্যাসিনি। কার্লা ও চন্দ্রশেখরের মধ্যে ভালবাসা হয়। কার্লা তার বাবার সঙ্গে চন্দ্রশেখরের পরিচয় করিয়ে দেয়। এখানে বলে রাখি, চন্দ্রশেখর আয়ুর্বেদ চর্চা করেছিল। ইটালি যাবার সময় সঙ্গে বেশ কিছু শিকড় বাকল নিয়ে গিয়েছিল। কার্লার বাপ ছিলেন গাউটের রুগি। প্রচণ্ড যন্ত্রণায় ভুগতেন। চন্দ্রশেখর তাঁকে ওষুধ দিয়ে ভাল করে দেয়। বুঝতেই পারছ, এর ফলে চন্দ্রর পক্ষে কাউন্টের মেয়ের পাণিগ্রহণের পথ অনেক সহজ হয়ে যায়। ১৯১৭-তে বিয়েটা হয়, এবং এই বিয়েতে কাউন্ট একটি মহামূল্য উপহার দেন চন্দ্রকে।

ফেলুদা—এটা কি সেই ছবি ?

জটায়ু—রেনেসাঁস ?

ভূদেব—হ্যাঁ। কিন্তু এই ছবিটা সম্বন্ধে কতটা জানেন আপনারা ?

ফেলুদা—ছবিটা দেখেছি, এই পর্যন্ত। মনে হয় রেনেসাঁস যুগের কোনও শিল্পীর আঁকা।

জটায়ু—(বিড়বিড় করে)—বত্তিজাত্তো...দাভিঞ্চেল্লি...

ভূদেব—আপনারা ঠিকই ধরেছেন, তবে যে-কোনও শিল্পী নয়। রেনেসাঁসের শেষ পর্বের অন্যতম সবচেয়ে খ্যাতিমান শিল্পী। টিনটোরেটো।

জটায়ু—ওফ্‌ফ্‌ফ !

ফেলুদা—টিন্‌টোরেটোর নিজের আঁকা তো খুব বেশি ছবি আছে বলে জানা যায় না, তাই না ?

ভূদেব—না। অনেক ছবিই আংশিক ভাবে টিনটোরেটোর আঁকা, বাকিটা এঁকেছে তার স্টুডিয়ো বা ওয়র্কশপের শিল্পীরা। এটা তখনকার অনেক পেন্টার সম্পর্কেই খাটে। তবে কাজটা যে উঁচুদরের তাতে সন্দেহ নেই। সে ছবি চন্দ্র এনে আমাকে দেখিয়েছিল। টিনটোরেটোর সব লক্ষণই রয়েছে ছবিটায়। ষোড়শ শতাব্দী থেকেই ক্যাসিনি প্যালেসে ছিল ছবিটা।

ফেলুদা—তার মানে ওটা তো একটা মহামূল্য সম্পত্তি।

ভূদেব—ওর দাম বিশ-পঁচিশ লাখ হলে আশ্চর্য হব না।

জটায়ু—(নিশ্বাস টেনে)—হিঁ ই ই ই ই ই !

ভূদেব—সেই জন্যেই তো আমি পেন্টারের নামটা বলিনি প্রবন্ধটায়।

ফেলুদা—কিন্তু তাও বৈকুণ্ঠপুরে লোক এসে খবর নিয়ে গেছে।

ভূদেব—কে ? ক্রিকোরিয়ান এসেছিল নাকি ?

ফেলুদা—ক্রিকোরিয়ান ? কই না তো। ও নামে তো কেউ আসেনি।

ভূদেব—আর্মেনিয়ান ভদ্রলোক। আমার কাছে এসেছিল। ওয়লটার ক্রিকোরিয়ান। টাকার কুমির। হংকং-এর ব্যবসাদার এবং ছবির কালেক্টর। বলে ওর কাছে ওরিজিন্যাল রেমব্রান্ট আছে, টার্নার আছে, ফ্রাগোনার আছে। আমাদের বাড়িতে একটা বুশের-এর ছবি আছে, আমার ঠাকুরদাদার কেনা। সেটা কিনতে এসেছিল। আমি দিইনি। তারপর বলল ও আমার লেখাটা পড়েছে। জিজ্ঞেস করছিল নিয়োগীদের ছবিটার কথা। ও নিজে এত বড়াই করছিল যে আমি উলটে একটু বড়াই করার লোভ সামলাতে পারলাম না। বলে দিলাম টিনটোরেটোর কথা। ও তো লাফিয়ে উঠেছে চেয়ার থেকে। আমি বললাম, ও ছবিও তুমি কিনতে পাবে না, কারণ পয়সার লোভের চেয়ে প্রাইড অফ পোজেশন আমাদের ভারতীয়দের অনেক বেশি। এটা তোমরা বুঝবে না। ও বললে, সে ছবি আমার হাতে আসবেই, তুমি দেখে নিয়ো। বলেছিল নিজেই যাবে বৈকুণ্ঠপুরে। হয়তো হঠাৎ কোনও কাজে ফিরে গেছে। তবে ওর এক দালাল আছে—

ফেলুদা—হীরালাল সোমানি ?

ভূদেব—হ্যাঁ।

ফেলুদা—ইনিই গিয়েছিলেন বৈকুণ্ঠপুরে।

ভূদেব—অত্যন্ত ঘুঘু লোক। ওকে যেন একটু সাবধানে হ্যান্ডল করে।

ফেলুদা—কিন্তু ও ছবি তো চন্দ্রশেখরের ছেলের সম্পত্তি। সে তো এখন বৈকুণ্ঠপুরে।

ভূদেব—হোয়াট ! চন্দ্রর ছেলে এসেছে ? এতদিন পরে ?

ফেলুদা—তাকে দেখে এলাম আমরা।

ভূদেব—ও। তা হলে অবিশ্যি সে ছবিটা ক্লেম করতে পারে। কিন্তু টিনটোরেটো তার হাতে চলে যাচ্ছে এটা ভাবতে ভাল লাগে না মিস্টার মিত্র !

ফেলুদা—এটা কেন বলছেন ?

ভূদেব—চন্দ্রর ছেলের কথা তো আমি জানি। চন্দ্রকে কত দুঃখ দিয়েছে তাও জানি। এসব কথা তো নিয়োগীরা জানবে না, কারণ চন্দ্র আমাকে ছাড়া আর কাউকে বলেনি। পরের দিকে অবিশ্যি ছেলের কথা আর বলতই না, কিন্তু গোড়ায় বলেছে। ছেলে মুসোলিনির ভক্ত হয়ে পড়েছিল। মুসোলিনি তখন ইটালির একচ্ছত্র অধিপতি।

বেশির ভাগ ইটালিয়ানই তাকে পুজো করে। কিন্তু কিছু বুদ্ধিজীবী—শিল্পী, সাহিত্যিক, নাট্যকার, সংগীতকার—ছিলেন মুসোলিনি ও ফ্যাসিস্ট পার্টির ঘোর বিরোধী। চন্দ্র ছিল এদের একজন। কিন্তু তার ছেলেই শেষ পর্যন্ত ফ্যাসিস্ট পার্টিতে যোগ দেয়। তার এক বছর আগে কার্লা মারা গেছে ক্যানসারে। এই দুই ট্র্যাজিডির ধাক্কা চন্দ্র সইতে পারেনি। তাই সে দেশে ফিরে আসে। ছেলের সঙ্গে সে কোনও যোগাযোগ রাখেনি। ভাল কথা, ছেলেকে দেখলে কেমন? তার তো ষাটের কাছাকাছি বয়স হবার কথা।

ফেলুদা—বাষট্টি। তবে এমনিতে শক্ত আছেন বেশ। কথাবার্তা বলেন না বললেই চলে।

ভূদেব—বলার মুখ নেই বলেই বলে না।...স্ত্রীর মৃত্যু ও ছেলের বিপথে যাওয়ার দুঃখ চন্দ্র কোনওদিন ভুলতে পারেনি। শেষে তাই তাকে সংসার ত্যাগ করতে হয়েছিল। এই নিয়ে অবশ্য তার সঙ্গে আমার কথা কাটাকাটিও হয়। তাকে বলি—তোমার মধ্যে এত ট্যালেন্ট আছে, এখনও কাজের ক্ষমতা আছে, তুমি বিবাগী হবে কেন? কিন্তু সে আমার কথা শোনেনি।

ফেলুদা—আপনার সঙ্গে যোগাযোগ রেখেছিলেন কি?

ভূদেব—মাঝে মাঝে একটা করে পোস্টকার্ড লিখত, তবে অনেকদিন আর খবর পাইনি।

ফেলুদা—শেষ কবে পেয়েছিলেন মনে আছে?

ভূদেব—দাঁড়াও, এই বাক্সের মধ্যেই আছে তার চিঠিগুলো। হ্যাঁ, সেপ্টেম্বর ১৯৭৭। হৃষীকেশ থেকে লিখেছে এটা।

ফেলুদা—অর্থাৎ পাঁচ বছর আগে। তার মানে তো আইনের চোখে তিনি এখনও জীবিত!

ভূদেব—সত্যিই তো! এটা তো আমার খেয়াল হয়নি।

ফেলুদা—তার মানে রুদ্রশেখর এখনও তার সম্পত্তি ক্লেম করতে পারেন না।

পরদিন ভূদেব সিং গাড়িতে ঘুরিয়ে ভগওয়ানগড়ের যা কিছু দ্রষ্টব্য সব দেখিয়ে দিলেন আমাদের। গড়ের ভগ্নস্তূপ, ভবানীর মন্দির, লক্ষ্মীনারায়ণ গার্ডেনস, পিথৌরি লেক, জঙ্গলে হরিণের পাল—কিছুই বাদ গেল না।

কথাই ছিল এবার শেভরোলে গাড়ি আমাদের একেবারে নাগপুর অবধি পৌঁছে দেবে, যাতে আমাদের আর প্যাসেঞ্জার ট্রেনের ঝক্কি পোয়াতে না হয়। গাড়িতে ওঠার আগে ভূদেব সিং ফেলুদার কাঁধে হাত রেখে বললেন—

'সি দ্যাট দ্য টিনটোরেটো ডাজন্ট ফল ইনটু দ্য রং হ্যান্ডস।'

মি. নাগপালকে আগেই বলা ছিল; তিনি ওই আর্মেনিয়ান ভদ্রলোকের নাম ঠিকানা একটা কাগজে লিখে ফেলুদাকে দিলেন, ফেলুদা সেটা সযত্নে ব্যাগে পুরে রাখল।

পরদিন এগারোটায় বাড়ি ফিরে এক ঘণ্টার মধ্যে বৈকুণ্ঠপুর থেকে নবকুমারবাবুর টেলিফোন এল।

'চট করে চলে আসুন মশাই। এখানে গণ্ডগোল।'

৭

আমরা আধ ঘণ্টার মধ্যেই বেরিয়ে পড়লাম।

'ছবিটা কি লোপাট হয়ে গেল নাকি মশাই?' যেতে যেতে জিজ্ঞেস করলেন লালমোহনবাবু।

'সেইটেই তো ভয় পাচ্ছি।'

'অ্যাদ্দিন ছবির ব্যাপারটায় ঠিক ইন্টারেস্ট পাচ্ছিলুম না, জানেন। এখন বইটা পড়ে, আর ভূদেব রাজার সঙ্গে কথা বলে কেমন যেন একটা নাড়ীর যোগ অনুভব করছি ওই টিরিনটোরোর সঙ্গে।'

ফেলুদা গম্ভীর, লালমোহনবাবুর ভুল শুধরোনোর চেষ্টাও করল না।

এবারে হরিপদবাবু স্পিডোমিটারের কাঁটা আরও চড়িয়ে রাখায় আমরা ঠিক দুঘণ্টায় পৌঁছে গেলাম।

নিয়োগীবাড়িতে এই তিনদিনে যেমন কিছু নতুন লোক এসেছে—নবকুমারবাবুর স্ত্রী ও দুই ছেলে-মেয়ে—তেমনি কিছু লোক চলেও গেছে।

চন্দ্রশেখরের ছেলে রুদ্রশেখর আজ ভোরে চলে গেছেন কলকাতা।

আর বঙ্কিমবাবুও নেই।

বঙ্কিমবাবু খুন হয়েছেন।

কোনও ভারী জিনিস দিয়ে তাঁর মাথায় আঘাত করা হয়, আর তার ফলেই তাঁর মৃত্যু হয়। বেশ বেলা পর্যন্ত তাঁর কোনও হদিস না পেয়ে খোঁজাখুঁজি পড়ে যায়। শেষে চাকর গোবিন্দ স্টুডিয়োতে গিয়ে দেখে তাঁর মৃতদেহ পড়ে আছে মেঝেতে, মাথার চার পাশে রক্ত। পুলিশের ডাক্তার দেখে বলেছে মৃত্যু হয়েছে আঘাতের সঙ্গে সঙ্গে। সময়—আন্দাজ রাত তিনটে থেকে ভোর পাঁচটার মধ্যে।

নবকুমার বললেন, 'আপনাকে ফোনে পাওয়া গেল না, তাই বাধ্য হয়েই পুলিশে খবর দিতে হল।'

'তা ভালই করেছেন,' বলল ফেলুদা—'কিন্তু কথা হচ্ছে—ছবিটা আছে কি?'

'সেটাই তো আশ্চর্য ব্যাপার মশাই। আততায়ী যে কে সেটা আন্দাজ করা তো খুব মুশকিল নয়; ভদ্রলোকের হাবভাব এমনিতেই সন্দেহজনক মনে হত। বোঝাই যাচ্ছিল টাকার দরকার, অথচ আইনের পথে যেতে গেলে সম্পত্তি পেতে অন্তত ছ-সাত মাস তো লাগতই—'

'আরও অনেক বেশি,' বলল ফেলুদা, 'পাঁচ বছর আগেও ভূদেব সিং চন্দ্রশেখরের কাছ থেকে চিঠি পেয়েছেন।'

'তাই বুঝি? তা হলে তো ভদ্রলোকের কোনও লিগ্যাল রাইটই ছিল না।'

'তাতে অবিশ্যি চুরি করতে কোনও বাধা নেই।'

'কিন্তু চুরি হয়নি! ছবি যেখানে ছিল সেখানেই আছে।'

'তাজ্জব ব্যাপার,' বলল ফেলুদা। 'এ জাতীয় ঘটনা সমস্ত হিসেব-টিসেব গুলিয়ে দেয়। পুলিশে কী বলে?'

'এক দফা জেরা হয়ে গেছে সকালেই। আসল কাজ তো হল, যে চলে গেছে তাকে খুঁজে পাওয়া। কারণ, কাল রাত্রে এ বাড়িতে ছিলাম আমি, আমার স্ত্রী আর ছেলেমেয়ে, বাবা, মা, রবীনবাবু আর চাকর-বাকর।'

'রবীনবাবু ভদ্রলোকটি— ?'

'উনি প্রায় রোজ রাত দেড়টা-দুটো অবধি ওঁর ঘরে কাজ করেন। চাকরেরা ওঁর ঘরে বাতি জ্বলতে দেখেছে। তাই সকাল আটটার আগে বড় একটা ঘুম থেকে ওঠেন না। আটটায় ওঁর ঘরে চা দেয় গোবিন্দ। আজও দিয়েছে। রুদ্রশেখরও যে খুব সকালে উঠতেন তা নয়, তবে আজ সাড়ে ছ'টার মধ্যে উনি চলে গেছেন। উনি আর ওঁর সঙ্গে একজন আর্টিস্ট।'

'আর্টিস্ট ?'

'আপনি যেদিন গেলেন সেদিনই এসেছেন কলকাতা থেকে। রুদ্রশেখরই গিয়ে নিয়ে এসেছিলেন। স্টুডিয়োর জিনিসপত্রের একটা ভ্যালুয়েশন করার জন্য। সব বিক্রি করে দেবেন বলে ভাবছিলেন বোধহয়।'

'ভদ্রলোক আপনার সঙ্গে দেখা করে যাননি ?'

'উঁহু। আমি তো জানি কলকাতায় যাচ্ছেন উকিল-টুকিলের সঙ্গে কথা বলতে ; কাজ হলেই আবার ফিরে আসবেন। কিন্তু এখন তো আর মনে হয় না ফিরবেন বলে।'

আমরা এক তলার বৈঠকখানায় বসে কথা বলছিলাম। নবকুমারবাবু বোধহয় আমাদের দোতলায় নিয়ে যাবেন বলে সোফা ছেড়ে উঠতেই ফেলুদা বলল—

'রুদ্রশেখর যে ঘরটায় থাকতেন সেটা একবার দেখতে পারি কি ?'

'নিশ্চয়ই। এই তো পাশেই।'

ঘরের দক্ষিণ দিকের দরজা একটা দিয়ে আমরা মেঝেতে চিনে মাটির টুকরো বসানো একটা শোবার ঘরে ঢুকলাম। ঢুকেই মনে হল যেন ঊনবিংশ শতাব্দীতে এসে পড়েছি। এমন খাট, খাটের উপর মশারি টাঙানোর এমন ব্যবস্থা, এমন ড্রেসিং টেবিল, এমন রাইটিং ডেস্ক, কাপড় রাখার এমন আলনা—কোনওটাই আর আজকের দিনে দেখা যায় না। নবকুমারবাবু বললেন, এ ঘরটাতে আগে চন্দ্রশেখরের ভাই সূর্যশেখর—অর্থাৎ নবকুমারবাবুর ঠাকুরদা—থাকতেন। 'ঠাকুরদাদা শেষের দিকে আর দোতলায় উঠতে পারতেন না। অথচ রোজ সকালে-বিকেলে মন্দিরে যাওয়া চাই, তাই একতলাতেই বসবাস করতেন।'

'বিছানা করা হয়নি দেখছি,' বলল ফেলুদা। সত্যি, মশারিটা পর্যন্ত এখনও ঝুলে রয়েছে।

'সকাল থেকেই বাড়িতে যা হট্টগোল, চাকরবাকররা সব কাজকর্ম ভুলে গেছে আর কী !'

'পাশের ঘরটায় কে থাকে ?'

'ওটায় থাকতেন বঙ্কিমবাবু।'

দুটো ঘরের মাঝখানে একটা দরজা রয়েছে, কিন্তু সেটা বন্ধ। ফেলুদা রুদ্রশেখরের ঘর থেকে বেরিয়ে এসে বাইরের দরজা দিয়ে ঢুকল বঙ্কিমবাবুর ঘরে।

এঘরে স্বভাবতই জিনিসপত্র অনেক বেশি। আলনায় জামা-কাপড়, তার নীচে চটি-জুতো, টেবিলের উপর কিছু বই, কলপ, প্যাড, একটা রেমিংটন টাইপরাইটার। দেয়ালে টাঙানো কিছু ফোটোগ্রাফ, তার মধ্যে একটা একজন সন্ন্যাসী-গোছের ভদ্রলোকের। এ ঘরেও বিছানা করা হয়নি। মশারি ঝুলে রয়েছে।

ফেলুদা হঠাৎ খাটের দিকে এগিয়ে গিয়ে মশারিটা তুলে ধরল, তার দৃষ্টি বালিশের দিকে।

বালিশটা তুলতেই তার তলা থেকে একটা জিনিস বেরিয়ে পড়ল।

একটা ছোট্ট নীল বাক্সের মধ্যে একটা ট্র্যাভেলিং অ্যালার্ম ক্লক।

'এ জিনিস তো আমরাও এককালে করতুম মশাই' বললেন লালমোহনবাবু। 'আমার পাশের ঘরে ছোটকাকা শুতেন ; পরীক্ষার সময় অ্যালার্ম দিয়ে ভোরে উঠতুম, আর ওঁর যাতে ঘুম না ভাঙে তাই ঘড়িটা রাখতুম বালিশের নীচে।'

'হুঁ,' বলল ফেলুদা, 'কিন্তু ইনি অ্যালার্ম দিয়েছিলেন সাড়ে তিনটেয়।'

'সাড়ে তিনটে !'

নবকুমারবাবু অবাক।

'এবং সেই সময়ই বোধহয় গিয়েছিলেন চন্দ্রশেখরের স্টুডিয়োতে। মনে হয় ভয়ানক কিছু একটা সন্দেহ করছিলেন। সেই সন্দেহের কথাটাই বোধহয় আমায় বলতে চেয়েছিলেন গতবার।'

*

এই খুনের আবহাওয়াতেও লালমোহনবাবুর হঠাৎ উৎফুল্ল হয়ে ওঠার কারণ আর কিছুই না ; নবকুমারবাবুর এগারো বছরের ছেলে আর ন বছরের মেয়ে দুজনেই বেরিয়ে গেল জটায়ুর অন্ধ ভক্ত। ভদ্রলোককে বৈঠকখানার সোফায় ফেলে দুজনেই চেপে ধরল—'একটা গল্প বলুন ! একটা গল্প বলুন !'

লালমোহনবাবু খুব স্পিডে উপন্যাস লেখেন ঠিকই, তাই বলে কেউ চেপে ধরলেই যে টুথপেস্টের টিউবের মতো গলগল করে নতুন গল্প বেরিয়ে যাবে এমন নয়। 'আচ্ছা বলছি' বলে পর পর তিনবার খানিকদূর এগোতেই ভাই বোনে চেঁচিয়ে ওঠে—'আরে, এ তো সাহারায় শিহরন !' 'আরে, এ তো হনডুরাসে হাহাকার !' এ তো অমুক, এ তো তমুক...

শেষে ভদ্রলোকের কী অবস্থা হল জানি না, কারণ ফেলুদা নবকুমারবাবুকে বলল যে একবার খুনের জায়গাটা দেখবে।

লালমোহনবাবুকে দোতলায় রেখে আমরা তিনজনে গেলাম চন্দ্রশেখরের স্টুডিয়োতে।

প্রথমেই যেটার দিকে দৃষ্টি দিয়ে ফেলুদা থেমে গেল সেটা হল ঘরের মাঝখানের টেবিলটা।

'এর ওপর একটা ব্রঞ্জের মূর্তি ছিল না—একটা ঘোড়সওয়ার ?'

'ঠিক বলেছেন। ওটা ইন্সপেক্টর মণ্ডল নিয়ে গেলেন আঙুলের ছাপ নেওয়ার জন্য। ওঁর ধারণা ওটা দিয়েই খুনটা করা হয়েছে।'

'হুঁ...'

এবার আমরা তিনজনেই দক্ষিণের দেয়ালের কোণের ছবিটার দিকে এগিয়ে গেলাম।

আজ যেন যীশুর জৌলুস আরও বেড়েছে। কেউ পরিষ্কার করেছে কি ছবিটাকে ?

ফেলুদা এক পা এক পা করে এগিয়ে গিয়ে ছবিটার একেবারে কাছে দাঁড়াল। তারপর মিনিটখানেক সেটার দিকে চেয়ে থেকে একটা অদ্ভুত প্রশ্ন করল।

'ইটালিতে রেনেসাঁসের যুগে মিনি-শ্যামাপোকা ছিল কি ?'

'মিনি-শ্যামাপোকা ?' নবকুমারবাবুর চোখ কপালে উঠে গেছে।

'আজকাল তিনরকম শ্যামাপোকা হয়েছে জানেন তো ? মিনি, মিডি আর ম্যাক্সি। ম্যাক্সিগুলো সাদা, সবুজ নয়। মিনিগুলো রেগুলার কামড়ায়। সবুজ মিডিগুলো অবিশ্যি চিরকালই ছিল। কিন্তু ষড়বিংশ শতাব্দীর ভেনিসে ছিল কি না সে বিষয় আমার সন্দেহ আছে।'

'ভেনিসে না হোক, এই বৈকুণ্ঠপুরে তো আছেই। কাল রাত্রেও হয়েছিল।'

'তা হলে দুটো প্রশ্ন করতে হয়,' বলল ফেলুদা, 'প্রাচীন পেন্টিং-এর শুকনো রঙে সে পোকা আটকায় কী করে, আর যে ঘরে বাতি জ্বলে না সে ঘরে পোকা আসে কী করে।'

'তার মানে— ?'

'তার মানে এ ছবি আসল নয়, মিস্টার নিয়োগী। আসল ছবিতে যীশুর কপালে শ্যামাপোকা ছিল না, আর ছবির রংও এত উজ্জ্বল ছিল না। এ ছবি গত দু-এক দিনে আঁকা হয়েছে মূল থেকে কপি করে। কাজটা রাত্তিরে মোমবাতি বা কেরোসিনের বাতি জ্বালিয়ে হয়েছে, আর সেই সময় একটি শ্যামাপোকা ঢুকে যীশুর কপালের কাঁচা রঙে আটকে গেছে।'

নবকুমারবাবুর মুখ ফ্যাকাসে।

'তা হলে আসল ছবি— ?'

'আসল ছবি সরিয়ে ফেলা হয়েছে মিস্টার নিয়োগী। খুব সম্ভবত আজ ভোরেই। এবং কে সরিয়েছে সেটা তো নিশ্চয়ই বুঝতে পারছেন।'

৮

রুদ্রশেখরের কথা (২)

'গুড আফটারনুন, মিস্টার নিয়োগী।'

'গুড আফটারনুন।'

রুদ্রশেখর এগিয়ে এসে সোমানির বিপরীত দিকে একটা চেয়ারে বসলেন। দুজনের মাঝখানে একটা প্রশস্ত আধুনিক ডেস্ক। আপিসঘরটা শীতাতপনিয়ন্ত্রিত ও চারিদিক থেকে রন্ধ। তাই শহরের কোনও শব্দই এখানে পৌঁছায় না। পাশের শেলফের উপর ঘড়িটা ইলেকট্রনিক, তাই সেটাও নিঃশব্দ।

'আপনি কি ছবিটা পেয়েছেন ?' প্রশ্ন করলেন হীরালাল সোমানি।

রুদ্রশেখর নিয়োগী কোনও জবাব দেওয়ার পরিবর্তে বললেন, 'আপনি তো আরেকজনের হয়ে ছবিটা কিনতে চান, তাই না ?'

হীরালাল একদৃষ্টে চেয়ে রইলেন রুদ্রশেখরের দিকে, ভাবটা যেন তিনি প্রশ্নটা শুনতেই পাননি।

'আমি সেই ভদ্রলোকের নাম-ঠিকানাটা চাইতে এসেছি,' বললেন রুদ্রশেখর নিয়োগী।

হীরালাল ঠিক সেই ভাবেই চেয়ে থেকে বললেন, 'আমি আবার জিজ্ঞেস করছি মিঃ নিয়োগী—ছবিটা কি এখন আপনার হাতে ?'

'সেটা বলতে আমি বাধ্য নই।'

তা হলে আমিও ইনফরমেশন দিতে বাধ্য নই।'

'এবার দেবেন কি ?'

রুদ্রশেখর বিদ্যুদ্বেগে উঠে দাঁড়িয়েছে, তার হাতে একটা একটি রিভলভার, সোজা হীরালালের দিকে তাগ করা।

'বলুন মিঃ সোমানি। আমার জানা দরকার। আমি আজই সে লোকের সঙ্গে যোগাযোগ করতে চাই।'

টেবিলের তলায় সোমানি যে তাঁর বাঁ হাঁটু দিয়ে একটি বোতামে চাপ দিয়েছেন, এবং দেওয়ামাত্র রুদ্রশেখরের পিছনের একটি ঘরের দরজা খুলে গিয়ে দুটি লোক বেরিয়ে এসে

তাঁর পিছনে দাঁড়িয়েছে, সেটা তাঁর জানার উপায় ছিল না।

পরমুহূর্তেই রুদ্রশেখর দেখলেন যে তিনি মোক্ষম প্যাঁচে পড়েছেন।

একটি লোক তার ডান হাতটা ধরে তাতে মোচড় দেওয়াতে রিভলভারটা এখন তারই হাতে চলে গেছে, এবং সেটি এখন রুদ্রশেখরের দিকেই তাগ করা।

'পালাবার কোনও চেষ্টায় ফল হবে না মিঃ নিয়োগী। এই দুজন লোক আপনার সঙ্গে গিয়ে আপনার কাছ থেকে ছবিটা নিয়ে আসবে। আশা করি আপনি মূর্খের মতো বাধা দেবেন না।'

বিশ মিনিটের মধ্যে লোক দুজন সমেত রুদ্রশেখর একটি ফিয়াট গাড়িতে করে সদর স্ট্রিটের একটি হোটেলে পৌঁছে গেলেন। আপাতদৃষ্টিতে কোনও অস্বাভাবিক ঘটনা নয়—দুটি লোককে সঙ্গে নিয়ে রুদ্রশেখর তাঁর ঘরে চলেছেন। দুজনের একজনের হাত কোটের পকেটে ঠিকই, কিন্তু সে হাতে যে রিভলভার ধরা সেটা বাইরের লোকে বুঝবে কী করে ?

উনিশ নম্বর ঘরে ঢুকে দরজা বন্ধ করে দেবার পর রিভলভার বেরিয়ে এল কোটের পকেট থেকে। রুদ্রশেখর বুঝলেন কোনও আশা নেই, তাঁকে আদেশ মানতেই হবে।

সুটকেস বিছানার উপর রেখে চাবি দিয়ে ডালা খুলে একটা খবরের কাগজে মোড়া পাতলা বোর্ড বার করে আনেন রুদ্রশেখর।

যে লোকটির হাতে রিভলভার নেই সে মোড়কটা ছিনিয়ে নিয়ে খবরের কাগজের র‍্যাপিং খুলতেই বেরিয়ে পড়ল যীশু খ্রিষ্টের ছবি।

লোকটা ছবিটা আবার কাগজে মুড়ে পকেট থেকে প্রথমে একটি সিল্কের রুমাল বার করে তাই দিয়ে রুদ্রশেখরের মুখ বাঁধল।

তারপর একটি মোক্ষম ঘুঁষিতে তাকে অজ্ঞান করে মেঝেতে ফেলে, নাইলনের দড়ির সাহায্যে আষ্টেপৃষ্ঠে বেঁধে সেইভাবেই ফেলে রেখে দুজনে ঘর থেকে বেরিয়ে গেল।

পনেরো মিনিটের মধ্যে যীশু খ্রিষ্টের ছবি হীরালাল সোমানির কাছে পৌঁছে গেল। সোমানি ছবিটার উপর চোখ বুলিয়ে দুটির একটি লোকের হাতে দিয়ে বললেন, 'এটা ভাল করে প্যাক করো।'

তারপর অন্য লোকটিকে বললেন, 'একটা জরুরি টেলিগ্রাম লিখে দিচ্ছি। এখুনি পার্ক স্ট্রিট পোস্টাপিসে চলে যাও। টেলিগ্রাম আজকের মধ্যেই যাওয়া চাই।'

সোমানি টেলিগ্রাম লিখলেন—

মিঃ ওয়লটার ক্রিকোরিয়ান
ক্রিকোরিয়ান এন্টারপ্রাইজেজ
১৪ হেনেসি স্ট্রিট
হংকং
অ্যারাইভিং স্যাটারডে নাইনথ অক্টোবর
—সোমানি

৯

সন্ধের দিকে ইন্সপেক্টর মণ্ডল এলেন। মহাদেব মণ্ডল। নামটা শুনলেই যে একটা গোলগাল নাদুসনুদুস চেহারা মনে হয়, মোটেই সেরকম নয়। বরং একেবারেই উলটো। লালমোহনবাবু পরে বলেছিলেন, 'নামের তিনভাগের দুভাগই যখন রোগা, তখন এটাই স্বাভাবিক, যদিও সচরাচর এটা হয় না।' এখানে অবিশ্যি নাম বলতে লালমোহনবাবু

'দারোগা' বোঝাতে চেয়েছিলেন।

দেখলাম ফেলুদার নাম যথেষ্ট জানা আছে ভদ্রলোকের।

'আপনি তো খড়্গপুরের সেই জোড়া খুনের রহস্যটা সমাধান করেছিলেন, তাই না? সেভেনটি এইটে?'

যমজ ভাইয়ের একজনকে মারার কথা, কোনও রিস্ক না নিয়ে দুজনকেই খুন করেছিল এক ভাড়াটে গুণ্ডা। ফেলুদার খুব নামডাক হয়েছিল কেসটাতে।

ফেলুদা বলল, 'বর্তমান খুনের ব্যাপারটা কী বুঝেছেন?'

'খুনি তো যিনি ভেগেছেন তিনিই,' বললেন ইন্সপেক্টর মণ্ডল। 'এ বিষয়ে তো কোনও ডাউট নেই, কিন্তু কথাটা হচ্ছে মোটিভ নিয়ে।'

‘একটা মহামূল্য জিনিস নিয়ে খুনি ভেগেছেন সেটা জানেন কি ?’

‘এটা আবার কী ব্যাপার ?’

‘এটা আবিষ্কারের ব্যাপারে আমার সামান্য অবদান আছে।’

‘জিনিসটা কী ?’

‘একটা ছবি। স্টুডিয়োতেই ছিল। সেই ছবিটা নেবার সময় বঙ্কিমবাবু গিয়ে পড়লে পরে খুনটা অসম্ভব নয়।’

‘তা তো বটেই।’

‘আপনি সাংবাদিক ভদ্রলোকটিকে জেরা করেছেন ?’

‘করেছি বইকী। সত্যি বলতে কী, দু-দুটি সম্পূর্ণ অচেনা লোক একই সঙ্গে বাড়িতে এসে রয়েছে এটা খুবই খটকার ব্যাপার। ওঁর ওপরেও যে আমার সন্দেহ পড়েনি তা না, তবে জেরা করে মনে হল লোকটি বেশ স্ট্রেট-ফরওয়ার্ড, কথাবার্তাও পরিষ্কার। তা ছাড়া, যে মূর্তিটা মাথায় মেরে খুন করা হয়েছে বলে আমার বিশ্বাস, তাতে স্পষ্ট আঙুলের ছাপ পাওয়া গেছে। তার সঙ্গে এনার আঙুলের ছাপ মেলে না।’

‘রুদ্রশেখরবাবুর ট্যাক্সির খোঁজটা করেছেন ? ডব্লু বি টি ফোর ওয়ান ডবল টু ?’

‘বা-বা, আপনার তো খুব মেমারি !—খোঁজ করা হয়েছে বই কী। পাওয়া গেছে সে ট্যাক্সি। রুদ্রশেখরকে এখান থেকে নিয়ে গিয়ে সদর স্ট্রিটে একটা হোটেলে নামায়। সে হোটেলে খোঁজ করে ভদ্রলোককে পাওয়া যায়নি। অন্য হোটেলগুলোতেও নাম এবং চেহারার বর্ণনা দিয়ে খোঁজ করা হচ্ছে, কিন্তু এখনও কোনও খবর আসেনি। মহামূল্য ছবি যদি নিয়ে থাকে তা হলে তো সেটাকে বিক্রি করতে হবে। সে কাজটা কলকাতায় হবারই সম্ভাবনা বেশি।’

‘সে ব্যাপারে পুরোপুরি ভরসা করা যায় বলে মনে হয় না।’

‘আপনি বলছেন শহর ছেড়ে চলে যেতে পারে ?’

‘দেশ ছেড়েও যেতে পারে।’

‘বলেন কী !’

‘আমার যদ্দুর ধারণা আজই হংকং-এ একটা ফ্লাইট আছে।’

‘হংকং ! এ যে আন্তর্জাতিক পুলিশের ব্যাপার হয়ে দাঁড়াচ্ছে মশাই। হংকং চলে গেলে আর মহাদেব মণ্ডল কী করতে পারে বলুন !’

‘হংকং যে গেছে এমন কোনও কথা নেই। তবে আপনি না পারলেও আমাকে একটা চেষ্টা দেখতেই হবে।’

‘আপনি হংকং যাবেন ?’ বেশ কিছুটা অবাক হয়েই জিজ্ঞেস করলেন নবকুমারবাবু।

‘আরও দু-একটা অনুসন্ধান করে নিই,’ বলল ফেলুদা, ‘তারপর ডিসাইড করব।’

‘যদি যাওয়া স্থির করেন তো আমাকে জানাবেন। ওখানে একটি বাঙালি ব্যবসাদারের সঙ্গে খুব আলাপ আছে আমার। পূর্ণেন্দু পাল। আমার সঙ্গে কলেজে পড়ত। ভারতীয় হ্যান্ডিক্রাফ্‌টসের দোকান আছে। সিন্ধি-পাঞ্জাবিদের সঙ্গে পাল্লা দিয়ে মন্দ করছে না।’

‘বেশ তো। আমি গেলে তাঁর ঠিকানা নিয়ে নেব আপনার কাছে।’

‘ঠিকানা কেন ? আমি তাকে কেব্‌ল করে জানিয়ে দেব, সে আপনাদের এসে মিট করবে এয়ারপোর্টে। প্রয়োজনে তার ফ্ল্যাটেই থাকতে পারেন আপনারা।’

‘ঠিক আছে, ঘুরে আসুন,’ ফেলুদাকে উদ্দেশ করে বললেন মিঃ মণ্ডল, ‘যদি পারেন আমার জন্য কিছু বিলিতি ব্লেড নিয়ে আসবেন তো মশাই। আমার দাড়ি বড় কড়া। দিশি ব্লেডে শানায় না।’

মিঃ মণ্ডল বিদায় নিলেন।

'যাক, তা হলে শেষমেষ আমাদের পাস্‌পোর্টটা কাজে লাগল,' আমরা তিনজনে আমাদের ঘরে গিয়ে বসার পর বললেন লালমোহনবাবু। দু বছর আগে বম্বের প্রেসিডেন্ট হোটেলের একজন আরব বাসিন্দা খুন হয়। ফেলুদার বন্ধু বম্বের ইন্সপেক্টর পটবর্ধন মারফত কেসটা ফেলুদার হাতে আসে। সেই সূত্রেই আমাদের আবু ধাবি যাবার কথা হয়েছিল। সব ঠিক, পাসপোর্ট-টাসপোর্ট রেডি, এমন সময় খবর আসে খুনি পুলিশের কাছে আত্মসমর্পণ করেছে।—'কান ঘেঁষে বেরিয়ে গেল, তপেশ ভাই!' আক্ষেপ করে বলেছিলেন লালমোহনবাবু। 'কাঠমাণ্ডু ফরেন কান্ট্রি ঠিকই, কিন্তু পাসপোর্ট দেখিয়ে ফরেনে যাবার একটা আলাদা ইয়ে আছে।'

সেই ইয়েটা এবার হলেও হতে পারে।

লালমোহনবাবু হংকং-এর ক্রাইম রেট সম্বন্ধে কী একটা মন্তব্য করতে যাচ্ছিলেন, এমন সময় দরজার বাইরে একটা মৃদু কাশির শব্দ পেলাম।

'আসতে পারি?'

সাংবাদিক রবীন চৌধুরীর গলা।

ফেলুদা 'আসুন' বলাতে ভদ্রলোক ঘরে ঢুকে এলেন। আমার আবার মনে হল এঁকে যেন আগে দেখছি, কিন্তু কোথায় সেটা বুঝতে পারলাম না।

ফেলুদা চেয়ার এগিয়ে দিলেন ভদ্রলোকের দিকে।

'আপনি শুনলাম ডিটেকটিভ?' বসে বললেন ভদ্রলোক।

'আজ্ঞে হ্যাঁ। সেটাই আমার পেশা।'

'জীবনী লেখার কাজটাও অনেক সময় প্রায় গোয়েন্দাগিরির চেহারা নেয়। এক-একটা নতুন তথ্য এক-একটা ক্লু-এর মতো নতুন দিক খুলে দেয়।'

'আপনি চন্দ্রশেখর সম্বন্ধে নতুন কোনও তথ্য পেলেন নাকি?'

'স্টুডিয়ো থেকে চন্দ্রশেখরের দুটো বাক্স আমি আমার ঘরে নিয়ে এসেছিলাম। তাতে বেশির ভাগই চিঠি, দলিল, ক্যাশমেমো, ক্যাটালগ ইত্যাদি, কিন্তু সেই সঙ্গে কিছু খবরের কাগজের কাটিং-ও ছিল। তার মধ্যে একটা খুবই গুরুত্বপূর্ণ। এই দেখুন।'

ভদ্রলোক পকেট থেকে একটা খবরের কাগজের টুকরো বার করে ফেলুদার দিকে এগিয়ে দিলেন। তার একটা অংশ লাল পেনসিল দিয়ে মার্ক করা। তাতে লেখা—

La moglie Vittoria con in figlio Rajsekhar annuncio con profondo dolore la scomparsa del loro Rudrasekhar Neogi.

—Roma, Juli 27, 1955

'এ তো দেখছি ইটালিয়ান ভাষা,' বলল ফেলুদা।

'হ্যাঁ, কিন্তু আমি ডিকশনারি দেখে মানে করেছি। এতে বলছে—স্ত্রী ভিত্তোরিয়া ও ছেলে রাজশেখর গভীর দুঃখের সঙ্গে জানাচ্ছে—"লা স্কমপারসা দেল লোরো রুদ্রশেখর নিয়োগী"—অর্থাৎ, দ্য লস্ অফ দেয়ার রুদ্রশেখর নিয়োগী।'

'মৃত্যু সংবাদ?' ভুরু কুঁচকে বলল ফেলুদা।

'রুদ্রশেখর ডেড?' চোখ কপালে তুলে বললেন জটায়ু।

'তা তো বটেই। এবং তিনি মারা যান ১৯৫৫ সালের সাতাশে জুলাই। তার সঙ্গে এটাও জানা যাচ্ছে যে তিনি বিয়ে করেছিলেন, এবং রাজশেখর নামে তাঁর একটি ছেলে হয়েছিল।'

'সর্বনাশ! এ যে বিস্ফোরণ!' ফেলুদা খাট ছেড়ে উঠে দাঁড়িয়েছে। 'আমার নিজেরও সন্দেহ হয়েছিল, কিন্তু এই ভাবে হাতে-নাতে প্রমাণ পাওয়া যাবে সেটা ভাবতে পারিনি।

আপনি কবে পেলেন এটা ?'

'আজই দুপুরে।'

'ইস্—লোকটা সট্‌কে পড়ল। কী মারাত্মক ধাপ্পাবাজি !'

'আমি কিন্তু প্রথম থেকেই সন্দেহ করেছিলাম, কারণ আমি কোনও প্রশ্ন করলে হয় উনি এড়িয়ে যাচ্ছিলেন, না হয় ভুল জবাব দিচ্ছিলেন। শেষে অবিশ্যি প্রশ্ন করা বন্ধই করে দিয়েছিলাম।'

'যাক্‌গে। এই নিয়ে এঁদের এখন কিছু জানিয়ে কোনও লাভ নেই। এখন লোকটাকে ধরা নিয়ে কথা। তারপর অবিশ্যি শাস্তি যেটা দরকার সেটা হবে। আপনি সত্যিই গোয়েন্দার কাজ করেছেন। অনেক ধন্যবাদ।'

রবীনবাবু চলে গেলেন। আমাদের অনেক উপকার করে গেলেন ঠিকই, কিন্তু তাও ওঁর সম্বন্ধে খট্‌কা লাগছে কেন ?

ওঁর শার্টের এক পাশে রক্তের দাগ কেন ?

ফেলুদাকে বললাম।

লালমোহনবাবুও দেখেছেন দাগটা, এবং বললেন, 'হাইলি সাস্‌পিশাস।'

ফেলুদা শুধু গম্ভীরভাবে একটা কথাই বলল, 'দেখেছি।'

*

আমরা সন্ধে সাতটায় বৈকুণ্ঠপুর থেকে বেরিয়ে পড়লাম। রওনা দেবার ঠিক আগে নবকুমারবাবু আমাদের সঙ্গে দেখা করতে এসে একটা অপ্রত্যাশিত ব্যাপার করলেন। ফেলুদার হাতে একটা খাম গুঁজে দিয়ে বললেন, 'এই নিন মশাই, সামনে আপনাদের অনেক খরচ আছে। এতে কিছু আগাম দিয়ে দিলাম। আমাদেরই হয়ে আপনি তদন্তটা করছেন এ ব্যাপারে আপনার মনে যেন কোনও দ্বিধা না থাকে।'

'অনেক ধন্যবাদ।'

'আর আমি পূর্ণেন্দুকে কাল একটা টেলিগ্রাম করে দেব। আপনি যদি যান তা হলে ফ্লাইট নাম্বার জানিয়ে এই ঠিকানায় ওকে একটা তার করে দেবেন। ব্যস, আর কিচ্ছু ভাবতে হবে না।'

খাম ছিল পাঁচ হাজার টাকার একটা চেক।

'জাল-রুদ্রশেখরকে খোঁজার কী করবেন ?' ফেরার পথে লালমোহনবাবু জিজ্ঞেস করলেন।

'ওঁর পাত্তা পাবার আশা কম, যদি বা ভদ্রলোক হংকং গিয়ে থাকেন।'

'গেছে কি না-গেছে সেটা জানছেন কী করে ?'

'জানার কোনও উপায় নেই। তাকে দেশের বাইরে যেতে হলে তার নিজের নামে যেতে হবে ; তার পাসপোর্টও হবে নিজের নামে। নবকুমারবাবুর বাবাকে যে পাসপোর্ট দেখিয়েছিলেন ভদ্রলোক, সেটা জাল ছিল তাতে কোনও সন্দেহ নেই। ক্ষীণদৃষ্টি বৃদ্ধের পক্ষে সেটা ধরার কোনও সম্ভাবনা ছিল না। কিন্তু এয়ারপোর্টে তো আর সে ধাপ্পা চলবে না তার আসল নামটা যখন আমরা জানি না, তখন প্যাসেঞ্জার লিস্ট দেখে কোনও লাভ নেই।'

'তা হলে ?'

'একটা ব্যাপার হতে পারে। আমার মনে হয় সেই আর্মেনিয়ান ভদ্রলোকের নাম ঠিকানা নিতে জাল-রুদ্রশেখরকে একবার হীরালাল সোমানির কাছে যেতেই হবে। সোমানি সম্বন্ধে

যা শুনলাম, এবং তাকে যতটুকু দেখেছি, তাতে মনে হয় না সে নাম ঠিকানা দেবে। এত বড় দাঁও সে হাতছাড়া করবে না। ছলেবলে কৌশলে সে জাল-রুদ্রশেখরের হাত থেকে ছবিটা আদায় করবে। তারপর সেটা নিয়ে নিজেই হংকং যাবে সাহেবকে দিতে।'

'তা হলে তো সোমানির নাম খুঁজতে হবে প্যাসেঞ্জার লিস্টে।'

'তা তো বটেই। ওটার উপরই তো নির্ভর করছে আমাদের যাওয়া না-যাওয়া।'

লালমোহনবাবুর চট্ করে চোখ কপালে তোলা থেকে বুঝলাম উনি একটা কুইক্ প্রার্থনা সেরে নিলেন যাতে হংকং যাওয়া হয়। যদি যাওয়া হয় তা হলে চিনে ভাষা শেখার প্রয়োজন হবে কি না জিজ্ঞেস করাতে ফেলুদা বলল, 'চিনে ভাষায় অক্ষর কটা আছে জানেন?'

'কটা?'

'দশ হাজার। আর আপনার জিভে প্লাস্টিক সার্জারি না করলে চিনে উচ্চারণ বেরোবে না মুখ দিয়ে। বুঝেছেন?'

'বুঝলাম।'

পরদিন সকালে আপিস খোলার টাইম থেকেই ফেলুদা কাজে লেগে গেল।

আজকাল শুধু এয়ার ইন্ডিয়া আর থাই এয়ারওয়েজে হংকং যাওয়া যায় কলকাতা থেকে। এয়ার ইন্ডিয়া যায় সপ্তাহে একদিন—মঙ্গলবার, আর থাই এয়ারওয়েজ যায় সপ্তাহে তিনদিন—সোম, বুধ আর শনি—কিন্তু শুধু ব্যাঙ্কক পর্যন্ত; সেখান থেকে অন্য প্লেন নিতে হয়।

আজ শনিবার, তাই ফেলুদা প্রথমে থাই এয়ারওয়েজেই ফোন করল।

পাঁচ মিনিটের মধ্যেই প্যাসেঞ্জার লিস্টের খবর জানা গেল।

আজই সকালে হীরালাল সোমানি হংকং চলে গেছেন।

আমরা সবচেয়ে তাড়াতাড়ি যেতে পারি আগামী মঙ্গলবার, অর্থাৎ তরশু।

তার মানে হংকং-এ তিনটে দিন হাতে পেয়ে যাচ্ছে হীরালাল সোমানি।

সুতরাং ধরে নেওয়া যেতে পারে আমরা যতদিনে পৌঁছাব ততদিনে ছবি সোমানির হাত থেকে সাহেবের হাতে চলে যাবে।

তা হলে আমাদের গিয়ে কোনও লাভ আছে কি?

কথাগুলো অবিশ্যি ফেলুদাই বলছিল আমাদের শুনিয়ে শুনিয়ে।

লালমোহনবাবু কিছুক্ষণ চুপ করে থেকে বললেন—

'টিনটোরেটোর ইটালিয়ান উচ্চারণটা কী মশাই?'

'তিনতোরোত্তো,' বলল ফেলুদা।

'নামের গোড়াতেই যখন তিন, আর আমি যখন আছি আপনাদের সঙ্গে, তখন মিশন সাক্সেসফুল না হয়ে যায় না।'

'যাবার ইচ্ছেটা আমারও ছিল পুরোমাত্রায়,' বলল ফেলুদা, 'কিন্তু যাবার এত বড় একটা জাস্টিফিকেশন খুঁজে পাওয়া আমার পক্ষে সম্ভব হত না।'

১০

মঙ্গলবার ১২ই অক্টোবর রাত দশটায় এয়ার ইন্ডিয়ার ৩১৬নম্বর ফ্লাইটে আমাদের হংকং যাওয়া। বোইং ৭০৭ আর ৭৩৭-এ ওড়ার অভিজ্ঞতা ছিল এর আগে, এবার ৭৪৭ জাম্বো-জেটে চড়ে আগের সব ওড়াগুলো ছেলেমানুষি বলে মনে হল।

প্লেনের কাছে পৌঁছে বিশ্বাস হচ্ছিল না যে এত বড় জিনিসটা আকাশে উড়তে পারে।

সিঁড়ি দিয়ে উঠে ভিতরে ঢুকে যাত্রীর ভিড় দেখে সেটা আরও বেশি করে মনে হল। লালমোহনবাবু যে বলেছিলেন শুধু ইকনমি ক্লাসের যাত্রীতেই নেতাজি ইন্ডোর স্টেডিয়াম ভরে যাবে, সেটা অবিশ্যি বাড়াবাড়ি, কিন্তু একটা মাঝারি সাইজের সিনেমা হলের একতলাটা যে ভরে যাবে তাতে সন্দেহ নেই।

ফেলুদা গতকাল সকালেই পূর্ণেন্দুবাবুকে টেলিগ্রাম করে দিয়েছে। আমরা হংকং পৌঁছাব আগামীকাল সকাল পৌনে আটটা হংকং টাইম—তার মানে ভারতবর্ষের চেয়ে আড়াই ঘণ্টা এগিয়ে।

যেখানে যাচ্ছি সেটা যদি নতুন জায়গা হয় তা হলে সেটা সম্বন্ধে পড়াশুনা করে নেওয়াটা ফেলুদার অভ্যাস, তাই ও গতকালই অক্সফোর্ড বুক অ্যান্ড স্টেশনারি থেকে হংকং সম্বন্ধে একটা বই কিনে নিয়েছে। আমি সেটা উলটে পালটে ছবিগুলো দেখে বুঝেছি হংকং-এর মতো এমন জমজমাট রংদার শহর খুব কমই আছে। লালমোহনবাবু উৎসাহে ফেটে পড়ছেন ঠিকই, কিন্তু যেখানে যাচ্ছেন সে-জায়গা সম্বন্ধে ধারণা এখনও মোটেই স্পষ্টই নয়। একবার জিজ্ঞেস করলেন চিনের প্রাচীরটা দেখে আসার কোনও সুযোগ হবে কি না। তাতে ফেলুদাকে বলতে হল যে চিনের প্রাচীর হচ্ছে পিপ্‌লস রিপাবলিক অফ চায়নায়, পিকিং-এর কাছে, আর হংকং হল ব্রিটিশদের শহর। পিকিং হংকং থেকে অন্তত পাঁচশো মাইল।

আবহাওয়া ভাল থাকলে জাম্বো জেটের মতো এমন মোলায়েম ঝাঁকানিশূন্য ওড়া আর কোনও প্লেনে হয় না। মাঝরাত্রে ব্যাঙ্ককে নামে প্লেনটা, কিন্তু যাত্রীদের এয়ারপোর্টে নামতে দেবে না শুনে দিব্যি ঘুমিয়ে কাটিয়ে দিলাম।

সকালে উঠে জানালা দিয়ে চেয়ে দেখি আমরা সমুদ্রের উপর দিয়ে উড়ে চলেছি।

তারপর ক্রমে দেখা গেল জলের উপর উচিয়ে আছে কচ্ছপের খোলার মতো সব ছোট ছোট দ্বীপ। প্লেন নীচে নামছে বলে দ্বীপগুলো ক্রমে বড় হয়ে আসছে, আর বুঝতে পারছি তার অনেকগুলোই আসলে জলে-ডুবে-থাকা পাহাড়ের চুড়ো।

সেগুলোর উপর দিয়ে যেতে যেতে হঠাৎ দেখতে পেলাম পাহাড়ের ঘন সবুজের উপর সাদার ছোপ।

আরও কাছে আসতে সেগুলো হয়ে গেল পাহাড়ের গায়ে থরে থরে সাজানো রোদে-চোখ-ঝলসানো বিশাল বিশাল হাইরাইজ।

হংকং-এ ল্যান্ডিং করতে হলে পাইলটের যথেষ্ট কেরামতির দরকার হয় সেটা আগেই শুনেছি। তিনদিকে সমুদ্রের মাঝখানে এক চিলতে ল্যান্ডিং স্ট্রিপ—হিসেবে একটু গণ্ডগোল হলে জলে ঝপাং, আর বেশি গণ্ডগোল হলে সামনের পাহাড়ের সঙ্গে দড়াম্।

কিন্তু এ দুটোর কোনওটাই হল না। মোক্ষম হিসেবে প্লেন গিয়ে নামল ঠিক যেখানে নামবার, থামল যেখানে থামবার, আর তারপর উলটো মুখে গিয়ে টার্মিন্যাল বিল্ডিং-এর পাশে ঠিক এমন জায়গায় দাঁড়াল যে চাকার উপর দাঁড় করানো দুটো চারকোনা মুখ-ওয়ালা সুড়ঙ্গ এসে ইকনমি ক্লাস আর ফার্স্ট ক্লাসের দুটো দরজার মুখে বেমালুম ফিট করে গেল। ফলে আমাদের আর সিঁড়ি দিয়ে নীচে নামতে হল না, সোজা দরজা দিয়ে বেরিয়ে সুড়ঙ্গে ঢুকে টার্মিন্যাল বিল্ডিং-এর ভিতরে পৌঁছে গেলাম।

'হংকং-এর জবাব নেই,' বললেন চোখ-ছানাবড়া লালমোহনবাবু।

'এটা হংকং-এর একচেটে ব্যাপার নয় লালমোহনবাবু,' বলল ফেলুদা। 'ভারতবর্ষের বাইরে পৃথিবীর সব বড় এয়ারপোর্টেই প্লেন থেকে সোজা টার্মিন্যাল বিল্ডিং-এ ঢুকে যাবার এই ব্যবস্থা।'

হংকং-এ এক মাসের কম থাকলে ভিসা লাগে না, কাস্টমস-এও বিশেষ কড়াকড়ি নেই,

তাই বিশ মিনিটের মধ্যে সব ল্যাঠা চুকে গেল। লাগেজ ছিল সামান্যই, তিন জনের তিনটে ছোট সুটকেস, আর কাঁধে একটা করে ছোট ব্যাগ। সব মাল আমাদের সঙ্গেই ছিল।

কাস্টমস থেকে বেরিয়ে এসে দেখি একটা জায়গায় লোকের ভিড়, তাদের মধ্যে একজনের হাতে একটা হাতলের মাথায় বোর্ডে লেখা 'পি. মিটার'। বুঝলাম ইনিই হচ্ছেন পূর্ণেন্দু পাল। পরস্পরের মুখ চেনা নেই বলে এই ব্যবস্থা।

'ওয়েলকাম টু হংকং', বলে আমাদের অভ্যর্থনা করলেন পাল মশাই। নবকুমারবাবুরই বয়স, অর্থাৎ চল্লিশ-বেয়াল্লিশ-এর মধ্যেই। মাথায় টাক পড়ে গেছে, তবে দিব্যি চকচকে স্মার্ট চেহারা, আর গায়ের খয়েরি সুটটাও স্মার্ট আর চকচকে। ভদ্রলোক যে রোজগার ভালই করেন, আর এখানে দিব্যি ফুর্তিতে আছেন, সেটা আর বলে দিতে হয় না।

একটা গাঢ় নীল জার্মান ওপেল গাড়িতে গিয়ে উঠলাম আমরা। ভদ্রলোক নিজেই ড্রাইভ করেন। ফেলুদা ওঁর পাশে সামনে বসল, আমরা দুজন পিছনে। আমাদের গাড়ি রওনা দিয়ে দিল।

'এয়ারপোর্টটা কাউলূনে,' বললেন মিঃ পাল। 'আমার বাসস্থান এবং দোকান দুটোই হংকং-এ। কাজেই আমাদের বে পেরিয়ে ওপারে যেতে হবে।'

'আপনার উপর এভাবে ভর করার জন্য সত্যিই লজ্জিত,' বলল ফেলুদা।

ভদ্রলোক কথাটা উড়িয়েই দিলেন।

'কী বলছেন মশাই। এটুকু করব না? এখানে একজন বাঙালির মুখ দেখতে পেলে কীরকম লাগে তা কী করে বলে বোঝাব? ভারতীয় গিজগিজ করছে হংকং-এ, তবে বঙ্গসন্তান তো খুব বেশি নেই!'

'আমদের হোটেলের কোনও ব্যবস্থা—?'

'হয়েছে, তবে আগে চলুন তো আমার ফ্ল্যাটে! ইয়ে, আপনি তো ডিটেকটিভ?'

'আজ্ঞে হ্যাঁ।'

'কোনও তদন্তের ব্যাপারে এসেছেন তো?'

'হ্যাঁ। একদিনের মামলা। কাল রাত্রেই আবার এয়ার ইন্ডিয়াতেই ফিরে যাব।'

'কী ব্যাপার বলুন তো।'

'নবকুমারবাবুদের বাড়ি থেকে একটি মহামূল্য পেন্টিং চুরি হয়ে এখানে এসেছে। এনেছে সোমানি বলে এক ভদ্রলোক। হীরালাল সোমানি। সেটা চালান যাবে এক আর্মেনিয়ানের হাতে। জিনিসটার দাম বেশ কয়েক লাখ টাকা।'

'বলেন কী!'

'সেইটেকে উদ্ধার করতে হবে।'

'ওরে বাবা, এ তো ফিল্মের গপ্পো মশাই। তা এই আর্মেনিয়ানটি থাকেন কোথায়?'

'এঁর আপিসের ঠিকানা আছে আমার কাছে।'

'সোমানি কি কলকাতার লোক?'

'হ্যাঁ, এবং তিনি এসেছেন গত শনিবারের ফ্লাইটে। সে ছবি ইতিমধ্যে সাহেবের কাছে পৌঁছে গেছে।'

'সর্বনাশ! তা হলে?'

'তা হলেও সাহেবের সঙ্গে একবার দেখা করে ব্যাপারটা বলতে হবে। চোরাই মাল ঘরে রাখা তার পক্ষেও নিরাপদ নয়। সেইটে তাকে বুঝিয়ে দিতে হবে।'

'হুঁ...'

পূর্ণেন্দুবাবুকে বেশ চিন্তিত বলে মনে হল।

লালমোহনবাবুকে একটু গম্ভীর দেখে গলা বেশি না তুলে জিজ্ঞেস করলাম, কী ব্যাপার।

'হংকংকে কি বিলেত বলা চলে ?' জিজ্ঞেস করলেন ভদ্রলোক।

বললাম, 'তা কী করে বলবেন। বিলেত তো পশ্চিমে। এটা তো ফার ইস্ট। তবে বিলেতের যা ছবি দেখেছি তার সঙ্গে এর কোনও তফাত নেই।'

ফেলুদার কান খাড়া, কথাগুলো শুনে ফেলেছে। বলল, 'আপনি চিন্তা করবেন না, লালমোহনবাবু। আপনার গড়পারের বন্ধুদের বলবেন হংকংকে বলা হয় প্রাচ্যের লন্ডন। তাতেই ওঁরা যথেষ্ট ইমপ্রেস্‌ড হবেন।'

'প্রাচ্যের লন্ডন ! গুড।'

ভদ্রলোক 'প্রাচ্যের লন্ডন' বলে বিড়বিড় করছেন, এমন সময় আমাদের গাড়িটা গোঁৎ খেয়ে একটা চওড়া টানেলের ভিতর ঢুকে গেল ! সারবাঁধা হলদে বাতিতে সমস্ত টানেলের মধ্যে একটা কমলা আভা ছড়িয়ে দিয়েছে। পূর্ণেন্দুবাবু বললেন আমরা নাকি জলের তলা দিয়ে চলেছি। আমাদের মাথার উপর হংকং বন্দর। আমরা বেরোব একেবারে হংকং-এর আলোয়।

লালমোহনবাবু বললেন, 'এমন দুর্দান্ত শহর, তার নামটা এমন হুপিং কাশির মতো হল কেন ?'

'হংকং মানে কী জানেন তো ?' জিজ্ঞেস করলেন পূর্ণেন্দুবাবু।

'সুবাসিত বন্দর,' বলল ফেলুদা। বুঝলাম ও খবরটা পেয়েছে ওই বইটা থেকে।

বেশ কিছুক্ষণ এই পথে চলার পর টানেল থেকে বেরিয়ে দেখলাম ছোট বড়-মাঝারি নানারকম জলযান সমেত পুরো বন্দরটা আমাদের পাশে বিছিয়ে রয়েছে, আর তারও পিছনে দূরে দেখা যাচ্ছে ফেলে আসা কাউলূন শহর।

আমাদের বাঁয়ে এখন বিশাল হাইরাইজ। কোনওটা আপিস, কোনওটা হোটেল, প্রত্যেকটারই নীচে লোভনীয় জিনিসে ঠাসা দোকানের সারি। পরে বুঝেছিলাম পুরো হংকং শহরটা একটা অতিকায় ডিপার্টমেন্ট স্টোরের মতো। এমন কোনও জিনিস নেই যা হংকং-এ পাওয়া যায় না।

কিছুদূর গিয়ে বাঁয়ে ঘুরে দুটো হাইরাইজের মাঝখান দিয়ে আমরা আরেকটা বড় রাস্তায় গিয়ে পড়লাম।

এমন রাস্তা আমি কখনওই দেখিনি।

ফুটপাথ দিয়ে চলেছে কাতারে কাতারে লোক, আর রাস্তা দিয়ে চলেছে ট্যাক্সি, বাস, প্রাইভেট গাড়ি আর ডবলডেকার-ট্রাম। ট্রামের মাথা থেকে ডাণ্ডা বেরিয়ে তারের সঙ্গে লাগানো, কিন্তু রাস্তায় লাইন বলে কিছু নেই। রাস্তার দুপাশে রয়েছে দোকানের পর দোকান। তাদের সাইনবোর্ডগুলো দোকানের গা থেকে বেরিয়ে আমাদের মাথার উপর এমন ভাবে ভিড় করে আছে যে আকাশ দেখা যায় না। চিনে ভাষা লেখা হয় ওপর থেকে নীচে, তাই সাইনবোর্ডগুলোও ওপর থেকে নীচে, তার একেকটা আট-দশ হাত লম্বা।

ট্র্যাফিক প্রচণ্ড, আমাদের গাড়িও চলেছে ধীরে, তাই আমরা আশ মিটিয়ে দেখে নিচ্ছি এই অদ্ভুত শহরের অদ্ভুত রাস্তার চেহারাটা। কলকাতার ধরমতলাতেও ভিড় দেখেছি, কিন্তু সেখানে অনেক লোকের মধ্যেই যেন একটা যাচ্ছি-যাব ভাব, যেন তাদের হাতে অনেক সময়, রাস্তাটা যেন তাদের দাঁড়িয়ে আড্ডা মারার জায়গা। এখানের লোকেরা কিন্তু সকলেই ব্যস্ত, সকলেই হাঁটছে, সকলেরই তাড়া। বেশির ভাগই চিনে, তাদের কারুর চিনে পোশাক, কারুর বিদেশি পোষাক। এদেরই মধ্যে কিছু সাহেব-মেমও আছে। তাদের হাতে ক্যামেরা, চোখে কৌতূহলী দৃষ্টি আর মাঝে মাঝে দাঁড়িয়ে পড়ে এদিক ওদিক ঘাড় ঘোরানো থেকেই বোঝা

যায় এরা টুরিস্ট।

অবশেষে এ-রাস্তাও পিছনে ফেলে একটা সরু রাস্তা ধরে একটা অপেক্ষাকৃত নিরিবিলি অঞ্চলে এসে পড়লাম আমরা। পরে জেনেছিলাম এটার নাম প্যাটারসন স্ট্রিট। এখানেই একটা বত্রিশ তলা বাড়ির সাত তলায় পূর্ণেন্দুবাবুর ফ্ল্যাট।

গাড়ি থেকে যখন নামছি তখন আমাদের পাশ দিয়ে একটা কালো গাড়ি হঠাৎ স্পিড বাড়িয়ে বেরিয়ে গেল আর ফেলুদা কেমন যেন একটু টান হয়ে গেল। এই গাড়িটাকে আমি আগেও আমাদের পিছনে আসতে দেখেছি। এদিকে পূর্ণেন্দুবাবু নেমেই এগিয়ে গেছেন কাজেই আমাদেরও তাঁকে অনুসরণ করতে হল।

'একটু হাত পা ছড়িয়ে বসুন স্যার,' আমাদের নিয়ে তাঁর বৈঠকখানায় ঢুকেই বললেন পূর্ণেন্দুবাবু। 'দুঃখের বিষয় আমার এক ভাগনের বিয়ে, তাই আমার স্ত্রী ও ছেলেমেয়েকে এই সেদিন রেখে এসেছি কলকাতায়। আশা করি আতিথেয়তার একটু-আধটু ত্রুটি হলে মাইন্ড করবেন না।—কী খাবেন বলুন।'

'সবচেয়ে ভাল হয় চা হলে,' বলল ফেলুদা।

'টি-ব্যাগস-এ আপত্তি নেই তো?'

'মোটেই না।'

ঘরের উত্তর দিকে একটা বড় ছড়ানো জানালা দিয়ে হংকং শহরের একটা অংশ দেখা যাচ্ছে। লালমোহনবাবু দৃশ্য দেখছেন, আমি দেখছি সোনি কালার টেলিভিশনের পাশে আরেকটা যন্ত্র, সেটা নিশ্চয়ই ভিডিয়ো। তারই পাশে তিন তাক ভরা ভিডিয়ো ফিল্ম। তার মধ্যে বেশির ভাগই হিন্দি, আর অন্য পাশে টেবিলের উপর ডাঁই করা ম্যাগাজিন। ফেলুদা তারই খানকতক টেনে নিয়ে পাতা ওলটাতে আরম্ভ করেছে। মিঃ পাল ঘরে নেই তাই এই ফাঁকে প্রশ্নটা না করে পারলাম না।

'গাড়িতে কে ছিল ফেলুদা?'

'যে না-থাকলে আমাদের আসা বৃথা হত।'

'বুঝেছি।'

হীরালাল সোমানি।

'কিন্তু লোকটা কী করে জানল যে আমরা এসেছি?'

'খুব সহজ,' বলল ফেলুদা। 'আমরা যে ভাবে ওর আসার ব্যাপারটা জেনেছি সেই ভাবেই। প্যাসেঞ্জার লিস্ট চেক করেছে। এয়ারপোর্টে ছিল নিশ্চয়ই। ওখান থেকে পিছু নিয়েছে।'

লালমোহনবাবু জানালা থেকে ফিরে এসে বললেন, 'ছবি যদি পাচার হয়ে গিয়ে থাকে তা হলে আর আমাদের পিছনে লাগার কারণটা কী?'

'সেটাই তো ভাবছি।'

'আসুন স্যার!'

পূর্ণেন্দুবাবু ট্রে-তে চা নিয়ে এসেছেন, সঙ্গে বিলিতি বিস্কুট। টেবিলের উপর ট্রে-টা রেখে ফেলুদার দিকে ফিরে বললেন, 'আপনি যে মান্ধাতার আমলের ফিল্মের পত্রিকায় মশগুল হয়ে পড়লেন।'

ফেলুদা একটা ছবি বেশ মন দিয়ে দেখতে দেখতে বলল, 'স্ক্রিন ওয়ার্লডের এই সংখ্যাটা কি আপনার খুব কাজে লাগছে? এটা সেভেনটি-সিক্স-এর।'

'মোটেই না। আপনি স্বচ্ছন্দে নিতে পারেন। ওগুলো আমি দেখি না মশাই, দেখেন আমার গিন্নি। একেবারে ফিল্মের পোকা।'

'থ্যাঙ্ক ইউ। তোপ্‌সে, এই পত্রিকাটা আমার ব্যাগের মধ্যে ভরে দে তো। ইয়ে, আপনাদের এখানকার আপিস-টাপিস খোলে কখন ?'

'আর মিনিট দশেকের মধ্যেই খুলে যাবে। আপনি সেই সাহেবকে ফোন করবেন তো ?'

'আজ্ঞে হ্যাঁ।'

'নম্বর আছে ?'

'আছে।'

ফেলুদা নোটবুক বার করল।—'এই যে—৫-৩১,১৬৮৬।'

'হুঁ। হংকং-এর নম্বর। আপিসটা কোথায় ?'

'হেনেসি স্ট্রিট। চোদ্দো নম্বর।'

'হুঁ। আপনি দশটায় ফোন করলেই পাবেন।'

'আমাদের হোটেল কোনটা ঠিক করেছেন জানতে পারি কি ?'

'পার্ল হোটেল। এখান থেকে হেঁটে পাঁচ মিনিট। তাড়া কীসের ? দুপুরের খাওয়াটা সেরে যাবেন এখন। কাছেই খুব ভাল ক্যান্টনিজ রেস্টোরান্ট আছে। তারপর, আপনাদের মিশন যদি আজ সাক্‌সেসফুল হয়, তা হলে কাল নিয়ে যাব কাউলুনের এক রেস্টোরান্টে। এমন একটা জিনিস খাওয়াব যা কখনও খাননি।'

'কী জিনিস মশাই ?' লালমোহনবাবু জিজ্ঞেস করলেন। 'এরা তো আরশোলা-টারশোলাও খায় বলে শুনিচি।'

'শুধু আরশোলা কেন,' বলল ফেলুদা, 'আরশোলা, হাঙরের পাখনা, বাঁদরের ঘিলু, এমন কী সময় সময় কুকুরের মাংস পর্যন্ত।'

'এ একেবারে অন্য জিনিস,' বললেন পূর্ণেন্দুবাবু। 'ফ্রাইড স্নেক।'

'স্‌-স্‌-স্‌-স্নেক ?' লালমোহনবাবুর চোখ-নাক সব একসঙ্গে কুঁচকে গেল।

'স্নেক।'

'মানে সাপ ? সর্প ?'

'সর্প। সাপের সুপ, সাপের মাংস, ফ্রাইড স্নেক—সব পাওয়া যায়।'

'খেতে ভাল ?'

'অপূর্ব। ব্যাঙের মাংস তো অতি সুস্বাদু জিনিস, জানেন বোধহয়। তা ব্যাঙের ভক্ষক কেন ভাল হবে না খেতে বলুন।'

লালমোহনবাবু যদিও বললেন 'তা বটে,' কিন্তু যুক্তি পুরোপুরি মানলেন বলে মনে হল না।

ফেলুদা উঠে পড়েছে।

'যদি কিছু মনে না করেন—আপনার টেলিফোনটা...'

'নিশ্চয়ই, নিশ্চয়ই।'

ফেলুদা আর্মেনিয়ান সাহেবের নম্বরটা ডায়াল করল। এ ডায়ালিং আমাদের মতো ঘুরিয়ে ডায়ালিং নয়। এটা বোতাম টিপে ডায়ালিং। টেপার সঙ্গে সঙ্গে বিভিন্ন নম্বরে বিভিন্ন সুরে একটা 'পিঁ' শব্দ হয়।

'আমি একটু ক্রিকোরিয়ান সাহেবের সঙ্গে কথা বলতে চাই।'

'তিনি তো নেই।'

'কোথায় গেছেন ?'

'তাইওয়ান।'

'কবে ?'

'গত শুক্রবার। আজ সন্ধ্যায় ফিরবেন।'

'থ্যাঙ্ক ইউ।'

ফেলুদা ফোন রেখে তারপর কী কথা হয়েছে সেটা বলল আমাদের।

'তার মানে সে ছবি তো এখনও সোমানির কাছেই আছে,' বললেন পূর্ণেন্দুবাবু।

'তাই তো মনে হচ্ছে,' বলল, ফেলুদা। 'তার মানে আমাদের এখানে আসাটা ব্যর্থ হয়নি।'

১১

ইয়ুং কী রেস্টোরান্টে আমাদের দুর্দান্ত ভাল চিনে খাবার খাইয়ে বাইরে বেরিয়ে এসে পূর্ণেন্দুবাবু বললেন, 'আপনাদের তিনটের আগে যখন হোটেলে যাবার দরকার নেই তখন কিছু কেনাকাটার থাকলে এই বেলা সেরে নিন। অবিশ্যি কালকেও সময় পাবেন। আপনাদের ফ্লাইট তো সেই রাত দশটায়।'

'কিনি বা না কিনি, দু-একটা দোকানে অন্তত একটু উঁকি দিতে পারলে ভাল হত,' বলল ফেলুদা।

'আমার দোকানে নিয়ে যেতে পারতাম, কিন্তু সে তো ভারতীয় জিনিস। আপনাদের ইন্টারেস্ট হবে না বোধহয়।'

লালমোহনবাবুর একটা পকেট ক্যালকুলেটার কেনার শখ—বইয়ের বিক্রির হিসেবটা নাকি চেক করতে সুবিধে হয়—তাই ইলেকট্রনিক্সের দোকানেই যাওয়া স্থির হল।

'আমার চেনা দোকানে নিয়ে যাচ্ছি,' বললেন পূর্ণেন্দুবাবু, 'জিনিসও ভাল পাবেন, দামেও এদিক ওদিক হবে না।'

ফেলুদা আর লালমোহনবাবু দুজনেই তাদের প্রাপ্য পাঁচশো ডলার নিয়ে এসেছেন সঙ্গে করে। তাই হংকং-এর মতো জায়গা থেকে কিছু কেনা হবে না এটা হতেই পারে না।

লী ব্রাদারসে ইলেকট্রনিক্স-এর সব কিছু ছাড়াও ক্যামেরার জিনিসপত্রও পাওয়া যায়। আমার সঙ্গে ফেলুদার পেনট্যাক্স, তার জন্য কিছু রঙিন ফিল্ম কিনে নিলাম। আজ আর সময় হবে না, কিন্তু কাল মা-বাবার জন্যে কিছু কিনে নিতে হবে। লালমোহনবাবু যে ক্যালকুলেটারটা কিনলেন সেটা এত ছোট আর চ্যাপটা যে তার মধ্যে কোথায় কী ভাবে ব্যাটারি থাকতে পারে সেটা আমার মাথায় ঢুকল না। ফেলুদা একটা ছোট্ট সোনি ক্যাসেট রেকর্ডার কিনে আমাকে দিয়ে বলল, 'এবার থেকে মক্কেল এলে এটা অন করে দিবি। কথাবার্তা রেকর্ড করা থাকলে খুব সুবিধে হয়।'

দোকানের পাট সেরে তিনটে নাগাদ আবার পূর্ণেন্দুবাবুর বাড়িতে গিয়ে আমাদের মালপত্র তুলে রওনা দিলাম। পূর্ণেন্দুবাবুকে একবার দোকানে যেতে হবে, এবং সেটা আমাদের হোটেলের উলটো দিকে, তাই আমরা ট্যাক্সিতেই যাব পার্ল হোটেলে।

'আমি কিন্তু চিন্তায় থাকব মশাই,' বললেন পূর্ণেন্দুবাবু। 'কী হল না-হল একটা ফোন করে জানিয়ে দেবেন।'

রাস্তায় বেরিয়ে সামনেই একটা ট্যাক্সি পাওয়া গেল। মাথাটা রুপোলি, গা-টা লাল—এই হল হংকং ট্যাক্সির রং। লম্বা আমেরিকান গাড়ি, তিনজনে উঠে পিছনে বসলাম।

'পার্ল হোটেল,' বলল ফেলুদা।

ট্যাক্সি ফ্ল্যাগ ডাউন করে চলতে আরম্ভ করল।

লালমোহনবাবুর কিছুক্ষণ থেকেই একটা ঝিম-ধরা নেশা-করা ভাব লক্ষ করছিলাম।

জিজ্ঞেস করাতে বললেন সেটা অল্প সময়ে মনের প্রসার প্রচণ্ড বেড়ে যাওয়ার দরুন। আর বাড়লে নাকি সামলানো যাবে না। —'কলকাতায় কেবল চিনে ছুতোর মিস্ত্রি আর চিনে জুতোর দোকানের কথাই শুনিচি। তারা যে এমন একখানা শহর গড়তে পারে সেটা চাক্ষুষ না দেখলে বিশ্বাস করতুম না মশাই।'

পূর্ণেন্দুবাবু বলেছিলেন পায়ে হেঁটে পার্ল হোটেলে যেতে লাগে পাঁচ মিনিট। অলি গলি দিয়ে দশ মিনিট চলার পরেও যখন পার্ল হোটেল এল না, তখন বেশ ঘাবড়ে গেলাম। ব্যাপার কী ? ফেলুদা আরেকবার গলা চড়িয়ে বলে দিল, 'পার্ল হোটেল। উই ওয়ন্ট পার্ল হোটেল।'

উত্তর এল—'ইয়েস, পার্ল হোটেল।' কালো কোট, কালো চশমা পরা ড্রাইভার, ভুল শুনেছে এটাও বলা চলে না, আর একই নামে দুটো হোটেল থাকবে সেটাও অবিশ্বাস্য।

প্রায় কুড়ি মিনিট চলার পর ট্যাক্সিটা একটা রাস্তার মোড়ে এসে থামল।

এটা যে একেবারে চিনে পাড়া তাতে কোনও সন্দেহ নেই। রাস্তার দু-দিকে সারবাঁধা আট-দশ তলা বাড়ি। সেগুলোর প্রত্যেকটির জানালায় ও ছোট ছোট ব্যালকনিতে কাপড় শুকোচ্ছে, বাইরে থেকেই বোঝা যায় ঘরগুলোতে বিশেষ আলো বাতাস ঢোকে না। দোকান যা আছে তার মধ্যে টুরিস্টের মাথা-ঘোরানো হংকং-এর কোনও চিহ্ন নেই। সব দোকানের নামই চিনে ভাষায় লেখা, তাই বাইরে থেকে কীসের দোকান তা বোঝার উপায় নেই।

'পার্ল হোটেল—হোয়্যার ?' ফেলুদা জিজ্ঞেস করল।

লোকটা হাত বাড়িয়ে বুড়ো আঙুল দিয়ে বুঝিয়ে দিল সামনের ডাইনের গলিটায় যেতে হবে।

মিটারে ভাড়া বলছে হংকং ডলারে, সেটা হিসেব করে দাঁড়ায় প্রায় একশো টাকার মতো। উপায় নেই। তাই দিয়ে আমরা তিনজন মাল নিয়ে নেমে পড়লাম। আমি আর লালমোহনবাবুর দিকে চাইছি না, জানি তাঁর মুখ ফ্যাকাসে হয়ে গেছে, হংকং-এ ক্রাইমের বাড়াবাড়ি সম্বন্ধে যা কিছু শুনেছেন সবই এখন বিশ্বাস করছেন।

যে গলিটার দিকে ড্রাইভার দেখিয়েছে সেটায় সূর্যের আলো কোনওদিন প্রবেশ করে কি না জানি না ; অন্তত এখন তো নেই।

আমরা মোড় ঘুরে গলিটায় ঢুকলাম, আর ঢোকার সঙ্গে সঙ্গে কোত্থেকে কারা যেন এসে আমাদের ঘিরে ফেলল, আর তার পরমুহূর্তেই মাথায় একটা মোক্ষম বাড়ির সঙ্গে সঙ্গে ব্ল্যাক-আউট।

যখন জ্ঞান হল তখন বুঝতে পারলাম একটা ঘুপচি ঘরের মেঝেতে পড়ে আছি। ফেলুদা আমার পাশে একটা কাঠের প্যাকিং কেসের উপর বসে চারমিনার খাচ্ছে। একটা অদ্ভুত গন্ধে মাথাটা কীরকম ভার ভার লাগছে। পরে জেনেছিলাম সেটা আফিং-এর গন্ধ। ব্রিটিশরা নাকি ভারতবর্ষের আফিং চিনে বিক্রি করে প্রচুর টাকা করেছিল, আর সেই সঙ্গে চিনেদের মধ্যে ঢুকিয়ে দিয়েছিল আফিং-এর নেশা।

লালমোহনবাবু এখনও অজ্ঞান, তবে মাঝে মাঝে নড়ছেন-চড়ছেন, তাই মনে হয় এবার জ্ঞান ফিরবে।

আমাদের মালপত্র ? নেই।

ঘরে গোটাপাঁচেক ছোট বড় প্যাকিং কেস, একটা কাত হয়ে পড়ে থাকা বেতের চেয়ার, দেয়ালে একটা চিনে ক্যালেন্ডার—ব্যস, এ ছাড়া কিচ্ছু নেই। বাঁ দিকের দেয়ালে প্রায় দেড় মানুষ উঁচুতে একটা ছোট্ট জানালা, তাই দিয়ে ধোঁয়া মেশানো একটা ফিকে আলো আসছে। বোঝা যাচ্ছে দিনের আলো এখনও ফুরোয়নি। ডাইনে আর সামনে দুটো দরজা, দুটোই

বন্ধ। শব্দের মধ্যে মাঝে মাঝে একটা পাখির ডাক শুনতে পাচ্ছি। চিনেরা খাঁচায় পাখি রাখে এটা অনেক জায়গায় লক্ষ করেছি, এমন কী দোকানেও।

'উঠুন লালমোহনবাবু,' বলল ফেলুদা, 'আর কত ঘুমোবেন?'

লালমোহনবাবু চোখ খুললেন, আর সঙ্গে সঙ্গে চোখ কুঁচকোনোতে বুঝলাম মাথার যন্ত্রণাটা বেশ ভাল ভাবেই অনুভব করছেন।

'উঃ, কী ভয়ংকর অভিজ্ঞতা!' কোনওমতে উঠে বসে বললেন ভদ্রলোক। 'এ কোথায় এনে ফেলেছে আমাদের?'

'গুম ঘর,' বলল ফেলুদা। 'একেবারে আপনার গপ্পের মতো, তাই না?'

'আমার গপ্প? ছোঃ!'

ছোঃ বলতেই বোধহয় মাথাটা একটু ঝন্‌ঝন্ করে উঠেছিল, তাই নাকটা কুঁচকে একটু থেমে এবার গলাটা খানিকটা নামিয়ে নিয়ে বললেন—

'যা ঘটল তার কাছে গপ্প কোন ছার? সব ছেড়ে দোব মশাই। ঢের হয়েছে। হনডুরাস ড্যাড্যাড্যাং, ক্যাম্বোডিয়ায় কচকচি আর ভ্যানকুভারের ভ্যানভ্যানানি—দুর্ দুর্!'

'আর লিখবেন না বলছেন?'

'নেভার।'

'আপনার এই স্টেটমেন্ট কিন্তু রেকর্ড হয়ে গেল। এর পরে আবার লিখলে কিন্তু কথার খেলাপ হবে।'

ফেলুদার পাশেই রাখা আছে তার নতুন কেনা ক্যাসেট রেকর্ডার। আর কিছু করার নেই তাই ওটা নিয়েই খুটুর খাটুর করছে। রেকর্ডিং-এর কথাটা যে মিথ্যে বলেনি সেটা ও প্লে-ব্যাক করে জানিয়ে দিল।

'এ তো সোমানিরই কীর্তি বলে মনে হচ্ছে,' বললেন লালমোহনবাবু।

'নিঃসন্দেহে। এখন আমাদের লাগেজটা ফেরত পেলে হয়। রিভলভারটা গেছে। কী ভাগ্যি রেকর্ডারটা নেয়নি।'

'দুটো যে দরজা দেখছি, দুটোই কি বন্ধ?'

'সামনেরটা বন্ধ। পাশেরটা খোলা যায়। ওটা বাথরুম।'

'ওটাতে পালাবার পথ নেই বোধহয়?'

'দরজা একটা আছে। বাইরে থেকে বন্ধ। জানালা দিয়ে মাথা গলবে, ধড় গলবে না।'

লালমোহনবাবু একটা দীর্ঘশ্বাস ফেলে হাতের উপর মাথা রেখে আবার শুয়ে পড়লেন।

মিনিট খানেক পরে দেখি ভদ্রলোক গুনগুন করে গান গাইছেন। অনেক কষ্টে চিনতে পারলাম গানটা। হরি দিন তো গেল সন্ধ্যা হল পার কর আমারে।

'কড়িকাঠের দিকে চেয়ে কী ভাবছেন মশাই?'

'মাথায় ঘা খেয়ে অজ্ঞান হয়েও যে লোকে স্বপ্ন দেখে সেটা এই এক্সপেরিয়েন্সটা না হলে জানতুম না।'

'কী স্বপ্ন দেখলেন?'

'এক জায়গায় ডজনখানেক বাঁদর বিক্রি হচ্ছে, আর একটা লোক ডুগডুগি বাজিয়ে বলছে—রেনেসাঁসকা সুবাসিত বান্দর—রেনেসাঁসকা সুবাসিত বান্দর—দো দো ডলার—দো দো—'

ঘরের বাইরে পায়ের শব্দ। সিঁড়ি দিয়ে উঠছে লোক। তার মানে বাইরে বারান্দা।

সামনের দরজা চাবি দিয়ে খোলা হল।

একজন কালো সুট পরা ভদ্রলোক এসে ঢুকলেন। পিছনে আবছা অন্ধকারে আরও দুটো

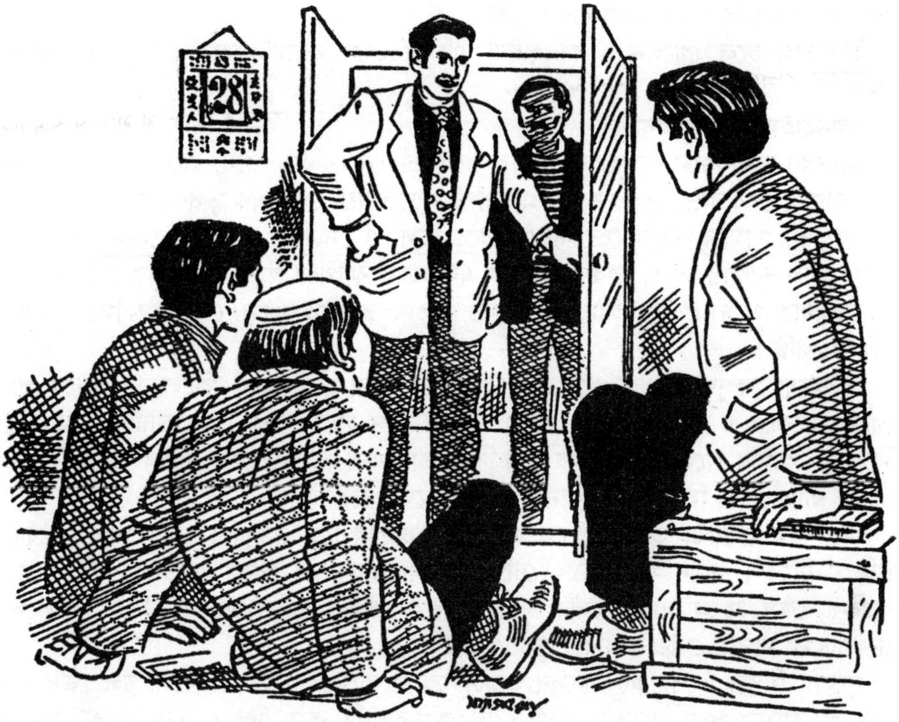

লোক রয়েছে দেখতে পাচ্ছি। তিনজনেই ভারতীয়।

যিনি ঢুকলেন তিনি হচ্ছেন হীরালাল সোমানি। চোখে মুখে বিশ্রী একটা বিদ্রূপের হাসি।

'কী মিস্টার মিত্তির ? কেমন আছেন ?'

'আপনারা যেমন রেখেছেন।'

'আপনি ঘাবড়াবেন না। আপনাকে লাইফ ইম্‌প্রিজনমেন্ট দিইনি আমি। আমার কাম হয়ে গেলেই খালাস করে দেব।'

'আমাদের মালগুলো সরিয়ে রাখার কী কারণ বুঝতে পারলাম না।'

'দ্যাট ওয়জ এ মিসটেক। কান্‌হাইয়া ! কান্‌হাইয়া !'

দুজন লোকের একজন কোথায় চলে গিয়েছিল, সে ডাক শুনে ফিরে এল। এতক্ষণে বুঝতে পারছি যে অন্য লোকটি সোমানির পিছনে দাঁড়িয়ে রিভলভার উঁচিয়ে রয়েছে।

'ইনলোগকা সামান লাকে রখ্‌ দো ইস্‌ কামরেমে,' কান্‌হাইয়াকে আদেশ করলেন হীরালাল। তারপর ফেলুদার দিকে ফিরে বললেন, 'এখানে ডিনারের অ্যারেঞ্জমেন্ট একটু মুশকিল হবে। আজ রাতটা ফাস্ট করুন। কাল থেকে আবার খাবেন, কেমন ?'

কান্‌হাইয়া লোকটা আমাদের ব্যাগগুলো এবার ঘরের মধ্যে ছুঁড়ে ফেলে দিল।

'বেশি ঝামেলা করবেন না মিস্টার মিত্তির। রাধেশ্যাম হ্যাজ ইওর রিভলভার। উয়ো আলতু ফালতু আদমি নহী হ্যায়। গোলি চালাতে জানে। আর মনে রাখবেন কি হংকং ইজ নট ক্যালকাটা। প্রদোষ মিটার ইজ নোবডি হিয়ার। আমি চলি। কাল সকালে দশটার সময় এসে এরা আপনাদের ফ্রি করে দেবে। গুড নাইট।'

ঘরের আলো ইতিমধ্যে অনেক কমে গেছে। বুঝতে পারছি সূর্য ডুবে গেছে। এ ঘরে

বাল্‌বের হোলডার আছে, কিন্তু বাল্‌ব নেই।

হীরালাল চলে গেলেন। কান্‌হাইয়া এগিয়ে এসে দরজাটা বন্ধ করার জন্য পাল্লাটা টানল।

'কান্‌হাইয়া ! কান্‌হাইয়া !'

মনিবের ডাক শুনে কান্‌হাইয়া 'হুজুর' বলে ডাইনে বেরিয়ে গেল, রাধেশ্যাম এগিয়ে এল তার কাজটা শেষ করে দেবার জন্য, আর সেই মুহূর্তে ঘটে গেল এক তুলকালাম কাণ্ড।

ফেলুদার সামনে ওর কাঁধের ব্যাগটা পড়ে ছিল, ও সেটাকে চোখের নিমেষে তুলে প্রচণ্ড বেগে ছুঁড়ল দরজার দিকে, আর সেই সঙ্গে এক লাফে ঝাঁপিয়ে পড়ল রাধেশ্যামের উপর।

ফেলুদার সঙ্গে থেকে আমারও একটা প্রত্যুৎপন্নমতিত্ব এসে গেছে, আমিও লাফিয়ে এগিয়ে গেছি।

ইতিমধ্যে ফেলুদা জাপটে ধরেছে রাধেশ্যামকে, তার হাত থেকে রিভলভার ছিটকে পড়ে গেছে মেঝেতে। ফেলুদা 'ওটা তোল' বলার সঙ্গে সঙ্গে আমি রিভলভারটা হাতে নিয়ে নিয়েছি—আমার হাতের রিভলভার তার দিকে তাগ করা। ছেলেবেলা এয়ার গান চালিয়েছি, পয়েন্ট ব্ল্যাঙ্ক রেঞ্জে মিস করার কোনও প্রশ্নই উঠতে পারে না।

রাধেশ্যাম লোকটা তাগড়াই, সে প্রাণপণে চেষ্টা করছে ফেলুদার হাত থেকে নিজেকে ছাড়িয়ে নিতে। এমন সময় হঠাৎ দেখি লালমোহনবাবু ঘর থেকে একটা মাঝারি গোছের প্যাকিং কেস তুলে এনে সেটা দুহাতে ধরে তিড়িং-তিড়িং এদিক-ওদিক লাফাচ্ছেন রাধেশ্যামের মাথায় সেটাকে মারার সুযোগের জন্য।

সুযোগ মিলল। প্যাকিং কেসের একটা কোনা রাধেশ্যামের ঘন কালো চুল ভেদ করে তার ব্রহ্মতালুতে এক মোক্ষম আঘাতে তাকে ধরাশায়ী করে দিল। এক ঝলক দেখলাম লোকটার চুল থেকে রক্ত চুঁইয়ে পড়ছে মেঝের উপর।

ফেলুদা আমার হাত থেকে রিভলভার নিয়ে নিল। সেটা কান্‌হাইয়ার দিক থেকে এক চুলও নড়েনি।

'ব্যাগগুলো বাইরে আন। আমার ছোট ব্যাগটা আমার কাঁধে ঝুলিয়ে দে। বড়টা তুই হাতে নে।'

আমি আর লালমোহনবাবু মিলে আমাদের মাল বাইরে নিয়ে এলাম।

রাধেশ্যাম মেঝেতে পড়ে আছে ; এবার ফেলুদার একটা আপার কাটে কান্‌হাইয়াও তার পাশেই মাটিতে লুটিয়ে পড়ল। যতক্ষণে এদের জ্ঞান হবে ততক্ষণে আমরা আউট অফ ডেনজার।

আমরা এতক্ষণ ছিলাম তিনতলায়। সিঁড়ি দিয়ে নেমে রাস্তায় বেরিয়ে এসে দেখি চারিদিক জ্বলন্ত নিয়নে ছেয়ে আছে। চিনে ভাষায় দশ হাজার অক্ষরের সব অক্ষরই যেন আমাদের গিলে ফেলতে চাইছে চতুর্দিক থেকে। তবে এটা কোনও মেন রোড নয়। পিছন দিকের একটা মাঝারি রাস্তা। এখানে ট্রাম নেই, বাসও নেই ; আছে ট্যাক্সি, প্রাইভেট গাড়ি আর মানুষ।

আমরা প্রথম দুটো ট্যাক্সি ছেড়ে দিয়ে তৃতীয়টায় উঠলাম। উঠেই ফেলুদাকে প্রশ্নটা করলাম।

'কান্‌হাইয়াকে ডাকার ব্যাপারটা কি তোমার ক্যাসেটে বাজল ?'

'ঠিক ধরেছিস। হীরালাল আসতেই রেকর্ডারটা আবার অন করে দিয়েছিলাম। কান্‌হাইয়া বলে যখন দু'বার ডাকল, তার পরেই বন্ধ করে দিয়েছিলাম। মন বলছিল ডাক দুটো কাজে লাগতে পারে। আর সত্যিই তাই হল।'

'আপনার জবাব নেই,' বলল লালমোহনবাবু।

'আপনারও,' বলল ফেলুদা। আমি জানি ফেলুদা কথাটা অন্তর থেকে বলেছে।

পার্ল হোটেল পৌঁছাতে লাগল দশ মিনিট, ভাড়া উঠল সাড়ে সাত ডলার।

আমাদের ঘরে গিয়েই পূর্ণেন্দুবাবুকে একটা ফোন করল ফেলুদা। ভদ্রলোক জানালেন ফেলুদাকে নাকি অনেক চেষ্টা করেও পাননি। —'হোটেলে বলল আপনারা নাকি আসেনইনি। আমি তো চিন্তায় পড়ে গেসলাম মশাই।'

'একবার আসতে পারবেন?'

'পারি বই কী। তা ছাড়া আপনাদের জন্য খবর আছে।'

পনেরো মিনিটের মধ্যে পূর্ণেন্দুবাবু চলে এলেন। ফেলুদা সংক্ষেপে আমাদের ঘটনাটা বলল।

'এইসব শুনলে বাঙালির জন্য গর্বে বুকটা দশ হাত হয়ে ওঠে মশাই। যাক্‌গে, এখন আমার খবরটা বলি। সেই ক্রিকোরিয়ান কোথায় থাকে সেটা তো টেলিফোনের বই দেখেই বেরিয়ে গেল। কিন্তু হীরালাল সোমানির হদিসও পেয়েছি।'

'কী করে?'

'এখানে আরও পাঁচজন সোমানি থাকে। তাদের এক-এক করে ফোন করে বেরিয়ে গেল হীরালাল হচ্ছে কেশব সোমানির খুড়তুতো ভাই। কেশবের কাপড়ের দোকান আছে কাউলূনে। কাউলূনেরই তার বাড়ি, আর হীরালাল সেখানেই উঠেছে। আপনার আর্মেনিয়ান তো সন্ধেবেলা আসছে। তাইওয়ানের প্লেন এসে গেছে এতক্ষণে। হীরালাল নিশ্চয়ই আজই ছবি পাচার করবে। আমি ওয়াং শূ-কে পাঠিয়ে দিয়েছি সোমানির বাড়ির উপর চোখ রাখতে। আমাদের আপিসের এক ছোকরা। খুব স্মার্ট। তাকে বলা ছিল সোমানির বাড়ি থেকে কোনও গাড়ি বেরোতে দেখলেই যেন আমাকে ফোন করে।'

'ক্রিকোরিয়ান কোথায় থাকে?'

'ভিকটোরিয়া হিল। হংকং-এ। অভিজাত পাড়া। সোমানি রওনা হবার সঙ্গে সঙ্গেই আমরা রওনা দিলে ওর আগেই ভিকটোরিয়া হিল পৌঁছে যাব। তখন আপনি ইচ্ছে করলে ওকে মাঝপথে রুখতে পারেন। অবিশ্যি আপনার নিজের প্ল্যানটা কী সেটা আমার জানা ছিল না।'

ফেলুদা পূর্ণেন্দুবাবুর পিঠ চাপড়ে দিল।

'আপনি তো মশাই সাংঘাতিক বুদ্ধিমানের কাজ করেছেন। আপনার রাস্তা ছাড়া আর রাস্তাই নেই। কিন্তু সেই ছোকরার কাছ থেকে ফোন পেয়েছেন কি?'

'আমি এখানে আসার ঠিক আগেই করেছিল। অর্থাৎ মিনিট কুড়ি আগে। গাড়ি রওনা হয়ে গেছে। যিনি আসছেন তাঁর হাতে একটা ফ্ল্যাট কাগজের প্যাকেট।'

তিন মিনিটের মধ্যে আমরা পূর্ণেন্দুবাবুর গাড়িতে করে রওনা দিয়ে দিলাম।

মিনিট দশেকের মধ্যে গাড়ি প্যাঁচালো রাস্তা দিয়ে ঘুরে ঘুরে পাহাড়ে উঠতে শুরু করল। যেন হিল-স্টেশনে যাচ্ছি। হংকং এখন আলোয় আলো, আর যত উপরে উঠছি ততই সমুদ্র পাহাড় রাস্তা গাড়ি হাইরাইজ সমেত সমস্ত শহরটা আরও বেশি বেশি করে দেখা যাচ্ছে, আর লালমোহনবাবু খালি বলছেন, 'স্বপ্ন রাজ্য, স্বপ্ন রাজ্য'।

আরও কিছুক্ষণ যাবার পর পূর্ণেন্দুবাবু বললেন, 'এইবার বাড়ির নম্বরটা দেখে নিতে হবে।'

গাছপালা বাগানে ঘেরা দারুণ সুন্দর সুন্দর সব পুরনো বাড়ি, দেখলেই মনে হয় সাহেবদের জন্য সাহেবদেরই তৈরি। তারই একটা বাড়ির গেটের সামনে এসে নম্বর দেখে বুঝলাম ক্রিকোরিয়ানের বাড়িতে এসে গেছি। আর এসেই দেখলাম ভিতরে পোর্টিকোর এক পাশে একটা কালো গাড়ি দাঁড়িয়ে আছে যেটা আমাদের চেনা। আমরা যখন সকালে পূর্ণেন্দুবাবুর গাড়ি থেকে নামছি, তখন এই গাড়িটাই আমাদের পাশ দিয়ে বেরিয়ে গিয়েছিল।

হীরালাল সোমানির গাড়ি।

আমাদের গাড়িটা আরেকটু এগিয়ে নিয়ে গিয়ে রাস্তার ধারে একটা গাছের তলায় পার্ক করে পূর্ণেন্দুবাবু বললেন, 'সাহেবের বাড়িটার দিকে চোখ রাখার জন্য একটা গোপন জায়গা বার করতে হবে।'

সেরকম একটা জায়গা পেয়েও গেলাম।

তবে বেশিক্ষণ আড়ি পাততে হল না।

মিনিটখানেকের মধ্যেই বাড়ির সামনের দরজাটা খুলে যাওয়াতে তার থেকে একটা

চতুষ্কোণ আলো বেরিয়ে পড়ল বাগানের ঘাসের উপর, আর তার পরেই নেপথ্যে বলা গুড নাইটের সঙ্গে সঙ্গে হীরালাল নিজেই বেরিয়ে এসে তাঁর গাড়িতে উঠলেন, আর গাড়িও রওনা দিল বিলিতি এঞ্জিনের মৃদু গম্ভীর শব্দ তুলল।

'এবার কী করবেন?' ফিসফিসিয়ে প্রশ্ন করলেন পূর্ণেন্দুবাবু।

'সাহেবের সঙ্গে দেখা করব,' বলল ফেলুদা।

আমরা আড়াল থেকে বেরিয়ে এগিয়ে গিয়ে সাহেবের গেট দিয়ে ভিতরে ঢুকলাম।

পোর্টিকোর দিকে এগোচ্ছি এমন সময় হঠাৎ এক অদ্ভুত ব্যাপার হল।

বাড়ির দরজা আবার খুলে গিয়ে উদ্‌ভ্রান্ত ভাবে সাহেব স্বয়ং বেরিয়ে এসে আমাদের সম্পূর্ণ অগ্রাহ্য করে দৌড়ে এগিয়ে গেলেন গেটের দিকে। সাহেবের হাতে গিল্টিকরা নতুন ফ্রেমে বাঁধানো টিনটোরেটোর যীশু।

গেট থেকে বেরিয়ে রাস্তার দিকে একবার চেয়ে মাথায় হাত দিয়ে সাহেব চেঁচিয়ে উঠলেন—'স্কাউন্ড্রেল! সুইন্ডলার! সান-অফ-এ-বিচ!'

তারপর আমাদের দিকে ফিরে দিশেহারা আধ-পাগলা ভাব করে বললেন, 'হি হ্যাজ জাস্ট সোল্ড মি এ ফেক—অ্যান্ড আই পেড ফিফ্‌টি থাউজ্যান্ড ডলারস ফর ইট!'

অর্থাৎ লোকটা আমাকে এক্ষুনি একটা জাল ছবি বিক্রি করে গেল, আর আমি ওকে তার জন্য পঞ্চাশ হাজার ডলার দিলাম।

আমরা কে, কেন এসেছি তার বাড়িতে, এসব জানার কোনও প্রয়োজন বোধ করলেন না সাহেব।

'তুমি কি টিনটোরেটোর ছবিটার কথা বলছ?' ফেলুদা জিজ্ঞেস করল। সাহেব আবার বোমার মতো ফেটে পড়লেন।

'টিনটোরেটো? টিনটোরেটো মাই ফুট! এসো, তোমাকে দেখাচ্ছি, এসো!'

সাহেব দ্রুত পায়ে এগিয়ে গেলেন পোর্টিকোর দিকে। আমরা চারজন তাঁর পিছনে।

পোর্টিকোর আলোতে সাহেব ছবিটা তুলে ধরলেন।

'লুক অ্যাট দিস্! থ্রি গ্রিন ফ্লাইজ স্টিকিং টু দ্য পেন্ট—থ্রি গ্রিন ফ্লাইজ! এই পোকা আমার জীবন অতিষ্ঠ করে তুলেছিল কলকাতার গ্র্যান্ড হোটেলে! সেই পোকা আটকে আছে এই ছবির ক্যানভাসে। আর লোকটা বলে কিনা ছবিটা জেনুইন!—হি ফুলড মি, বিকজ ইটস এ গুড কপি—বাট ইটস এ কপি!'

'ঠিক বলেছ,' বলল ফেলুদা, 'ষোড়শ শতাব্দীতে ইটালিতে এ পোকা থাকা সম্ভব না।'

পোর্টিকোর আলোতে দেখতে পাচ্ছি সাহেবের সাদা মুখ লাল হয়ে গেছে।—'দ্যাট ডার্টি ডাব্‌ল ক্রসিং সোয়াইন! লোকটার ঠিকানাটা পর্যন্ত জানি না।'

'ঠিকানা আমি জানি,' বললেন পূর্ণেন্দুবাবু।

'জান?' সাহেব যেন ধড়ে প্রাণ পেলেন।

'হ্যাঁ, জানি। কাউলুনে থাকেন ভদ্রলোক। হ্যানয় রোড।'

'গুড। দেখি ব্যাটা কী ভাবে পার পায়। আই'ল স্কিন হিম অ্যালাইভ।'

তারপর সাহেব হঠাৎ ফেলুদার দিকে চেয়ে বললেন, 'হু আর ইউ?'

'আমরা জানতাম ছবিটা জাল, তাই আপনাকে সাবধান করে দিতে আসছিলাম'—অম্লানবদনে মিথ্যে কথা বলল ফেলুদা।

'কিন্তু তাকে তো ধরা যেতে পারে,' হঠাৎ বললেন পূর্ণেন্দুবাবু, 'এক্ষুনি চলুন না। আমার গাড়ি আছে। লোকটা এখনও বেশি দূর যায়নি।'

সাহেবের চোখ জ্বলজ্বল করে উঠল।

'লেট্‌স গো !'

আসবার সময় চড়াই বলে বেশি স্পিড দেওয়া সম্ভব হয়নি ; উতরাই পেয়ে পূর্ণেন্দুবাবু দেখিয়ে দিলেন তারাবাজি কাকে বলে । সোমানির পকেটে পঞ্চাশ হাজার ডলারের চেক, তার কাজ উদ্ধার হয়ে গেছে, তার আর তাড়া থাকবে কেন ? পাঁচ মিনিটের মধ্যে একটা মোড় ঘুরেই দেখতে পেলাম চেনা গাড়িটাকে ।

পূর্ণেন্দুবাবু আরেকটু স্পিড বাড়িয়ে গাড়িটার একেবারে পিছনে এসে পড়লেন । তারপর বার কয়েক হর্ন দিতেই সোমানির গাড়ি পাশ দিল । পূর্ণেন্দুবাবু ওভারটেক করে নিজের গাড়িটাকে টেরচাভাবে রাস্তায় দাঁড় করিয়ে দিলেন ।

ব্যাপারটা দেখে সোমানি গাড়ি থেকে নেমে পড়েছে, ক্রিকোরিয়ানও নেমেছেন ছবিটা হাতে নিয়ে, আর সেই সঙ্গে ফেলুদাও ।

'এক্সকিউজ মি !'

ফেলুদা ক্রিকোরিয়ানের হাত থেকে ছবিটা নিয়ে নিল । ক্রিকোরিয়ান যেন বাধা দিতে গিয়েও পারল না ।

তারপর বড় বড় পা ফেলে সোমানির দিকে এগিয়ে গিয়ে কী হচ্ছে সেটা বোঝার আগেই দেখলাম ছবি সমেত ফেলুদার হাত দুটো মাথার উপর উঠল, আর সঙ্গে সঙ্গে প্রচণ্ড বেগে নেমে এল সোমানির মাথার উপর ।

দিশি ক্যানভাস ফুঁড়ে সোমানির মাথাটা বেরিয়ে এল বাইরে, আর ছবির গিল্টিকরা ফ্রেমটা হয়ে গেল হতভম্ব ভদ্রলোকের গলার মালা ।

'এবার উনি আপনাকে আপনার চেকটা ফেরত দেবেন ।'

ফেলুদার হাতে এখন রিভলভার ।

সোমানির হতভম্ব ভাবটা এখনও কাটেনি, কিন্তু ফেলুদার কথা বুঝতে ওঁর কোনও

অসুবিধে হল না।

কাঁপা হাত পকেটের মধ্যে ঢুকিয়ে চেকটা বার করে ক্রিকোরিয়ানের দিকে এগিয়ে দিলেন ভদ্রলোক।

সাহেব যখন চেকটা ছিনিয়ে নিয়ে পকেটে পুরছেন, তখন সোমানির হাঁ করা মুখ আরও হাঁ করিয়ে দিয়ে ফেলুদা বলল—

'এই যে আপনার সর্বনাশটা হল, হীরালালজি, এর জন্য কিন্তু আমি দায়ী নই, দায়ী তিনটি সবুজ পোকা।'

১২

সবচেয়ে যেটা অবাক লাগছিল সেটা হল দ্বিতীয় ছবিটাও জাল বেরিয়ে পড়া। কিন্তু আশ্চর্য, এটা নিয়ে ফেলুদা কোনও মন্তব্যই করল না। এমনিতে ছবিটা দেখে একেবারেই জাল বলে মনে হয়নি। লালমোহনবাবু তো বললেন, 'ইটালিতে চারশো বছর আগে শ্যামাপোকা ছিল না—এ ব্যাপারে আপনি এত শিওর হচ্ছেন কী করে? হয়তো পশ্চিম থেকেই আমদানি হয়েছে এই পোকার। শুনিচি তো কচুরিপানাও এদেশে এককালে ছিল না, সেটা নাকি এসেছে এক মেমসাহেবের সঙ্গে।'

এতেও ফেলুদা তার একপেশে হাসিটা ছাড়া কোনও মন্তব্য করল না।

পরদিন পূর্ণেন্দুবাবু এয়ারপোর্টে এলেন আমাদের সি-অফ্ করতে। ফেলুদা তাঁকে একটা ভাল টাই কিনে উপহার দিল। ভদ্রলোক বললেন, 'চব্বিশ ঘণ্টায় একটা ছোটখাটো ঝড় বইয়ে দিলেন মশাই হংকং-এ। তবে এর পরের বার আরেকটু বেশি দিন থাকতে হবে। আপনাদের সাপের মাংস না খাইয়ে ছাড়ছি না।'

হংকং ছাড়তে সত্যিই ইচ্ছে করছিল না, কিন্তু আমি জানি ফেলুদা যে-কয়েকটা মন্ত্রে বিশ্বাস করে তার মধ্যে একটা হল 'ডিউটি ফার্স্ট'। এত রহস্যের সমাধান বাকি আছে—নকল যীশুর রহস্য, বঙ্কিমবাবু খুনের রহস্য, কুকুর খুনের রহস্য—সেগুলির একটা গতি না করে হংকং-ভোগ ফেলুদার ধাতে নেই।

বুধবার রাত্রে রওনা হয়ে বিষ্যুদবার দুপুর সাড়ে বারোটায় পৌঁছলাম কলকাতা। এয়ারপোর্টেই লালমোহনবাবুকে বলে দেওয়া হয়েছিল যে আজকের দিনটা বিশ্রাম। কাল সকাল আটটা নাগাত ট্যাক্সিতে ওঁর বাড়িতে পৌঁছে যাব, সেখান থেকে ওঁর গাড়িতে বৈকুণ্ঠপুর। ফেরার পথে ফেলুদা একবার পার্ক স্ট্রিট পোস্টআপিসে থামল। বলল, একটা জরুরি টেলিগ্রাম করার আছে; কাকে সেটা বলল না।

বাকি দিনটা ফেলুদার পেট থেকে আর কোনও কথা বার করা গেল না। ওর এই মৌনী অবস্থাটা আমার খুব ভাল জানা আছে। এটা হচ্ছে ঝড়ের থমথমে পূর্বাবস্থা। আমি নিজে অনেক ভেবেও কূলকিনারা পাইনি। এখনও যেই তিমিরে সেই তিমিরে। তার উপর একদিনের হংকং-এর ধাক্কায় এমনিতেই সব তালগোল পাকিয়ে গেছে, চোখ বুজলেই এখনও চোখের সামনে দেখতে পাচ্ছি আকাশের গায়ে ঝুলছে লম্বা লম্বা চিনে অক্ষর।

পরদিন বৈকুণ্ঠপুর পৌঁছতে পৌঁছতে প্রায় এগারোটা হয়ে গেল।

নবকুমারবাবু উদ্‌গ্রীব হয়ে হংকং-এর কথা জিজ্ঞেস করতে ফেলুদার মাথা নাড়তে হল।

'ছবি পাওয়া যায়নি?'

'যেটা ছিল সেটাও জাল,' বলল ফেলুদা।

'সে কী করে হয় মশাই? দু-দুটো জাল? তা হলে আসলটা গেল কোথায়?'

আমরা সিঁড়ির নীচে দাঁড়িয়ে কথা বলছিলাম। ফেলুদা বলল, 'ওপরে চলুন। বৈঠকখানায় বসে কথা হবে।'

বৈঠকখানায় গিয়ে দেখি মহাদেব মণ্ডল বসে লেবুর সরবত খাচ্ছেন।

'কী মশাই—মিশন সাকসেসফুল ?' প্রশ্ন করলেন ভদ্রলোক।

'চোরাই মাল পাওয়া যায়নি। তবে সেটা আমারই ভুল। অন্য দিক দিয়ে সাকসেসফুল বই কী।'

'বটে ? খুনি ?'

'সে হয়তো নিজেই ধরা দেবে।'

'বলেন কী !'

ফেলুদা আর চেয়ারে বসল না। আমাদের জন্যও ট্রে-তে সরবত এসেছিল, একটা গেলাস তুলে নিয়ে তাতে একটা চুমুক দিয়ে টেবিলে নামিয়ে রেখে ফেলুদা পকেট থেকে খাতাটা বার করল। আমরা সবাই ওকে ঘিরে সোফায় বসেছি।

'আমার মনে হয় শুরু থেকেই শুরু করা ভাল,' বলল ফেলুদা। তারপর খাতাটা একটা বিশেষ পাতায় খুলে সেটার দিকে একবার চোখ বুলিয়ে নিয়ে বলল—

'২৮শে সেপ্টেম্বর মঙ্গলবার বৈকুণ্ঠপুরে দুটো ঘটনা ঘটে—নবকুমারবাবুদের ফক্স টেরিয়ার ঠুমরীকে কে জানি বিষ খাইয়ে মারে, আর চন্দ্রশেখরের ছেলে রুদ্রশেখর বৈকুণ্ঠপুরে আসেন। এটা একই দিনে ঘটায় আমার মনে প্রশ্ন জেগেছিল এই দুটোর মধ্যে কোনও যোগ আছে কি না। একটা পোষা কুকুরকে কে মারতে পারে এবং কেন মারতে পারে, এই প্রশ্ন নিয়ে ভাবতে গিয়ে দুটো উত্তর পেলাম। কোনও বাড়ির কুকুর যদি ভাল পাহারাদার হয়, তা হলে সে বাড়ি থেকে কিছু চুরি করতে হলে চোর কুকুরকে আগে থেকে সরিয়ে ফেলতে পারে। কিন্তু এখানে চুরি যেটা হয়েছে সেটা কুকুর মারা যাবার অনেক পরে। তাই আমাকে দ্বিতীয় কারণটার কথা ভাবতে হল। সেটা হল, কোনও ব্যক্তি যদি তার পরিচয় গোপন করে ছদ্মবেশে কোনও বাড়িতে আসতে চায়, এবং সে ব্যক্তি যদি সে বাড়ির কুকুরের খুব চেনা হয়, তা হলে কুকুর ব্যাঘাতের সৃষ্টি করতে পারে। এবং সেই কারণে কুকুরকে সরানোর প্রয়োজন হতে পারে। কারণ, কুকুর প্রধানত মানুষ চেনে মানুষের গায়ের গন্ধ থেকে এবং এই গন্ধ ছদ্মবেশে ঢাকা পড়ে না।

'তখনই মনে হল রুদ্রশেখর হয়তো আপনাদের চেনা লোক হতে পারে। তার হাবভাবেও এ বিশ্বাস আরও বদ্ধমূল হল। তিনি কথা প্রায় বলতেন না, ঘোলাটে চশমা ব্যবহার করতেন, পারতে কারুর সামনে বেরোতেন না। তা হলে এই রুদ্রশেখর আসলে কে ? তিনি ইটালি থেকে এসেছেন, অথচ পায়ে বাটার জুতো পরেন। তিনি তাঁর পাসপোর্ট আপনার বাবাকে দেখিয়েছেন ঠিকই, কিন্তু আপনার বাবা চোখে ভাল দেখেন না, এবং চক্ষুলজ্জার খাতিরে পাসপোর্ট খুঁটিয়ে দেখবেন না, তাই জাল পাসপোর্ট চালানো খুব কঠিন নয়।

'অথচ পাসপোর্ট যদি জাল হয়, তা হলে চন্দ্রশেখরের সম্পত্তি পাবার ব্যাপারেও তিনি ব্যর্থ হতে বাধ্য, কারণ উকিলের কাছে তিনি কোনওদিনও প্রমাণ করতে পারবেন না যে তিনি চন্দ্রশেখরের ছেলে।

'তা হলে তিনি এলেন কেন ? কারণ একটাই—চন্দ্রশেখরের ব্যক্তিগত সংগ্রহের মহামূল্য ছবিটি হাত করার জন্য। ভূদেব সিং-এর প্রবন্ধের দৌলতে এ ছবির কথা আজ ভারতবর্ষের অনেকেরই জানা।

'যিনি রুদ্রশেখরের ভেক ধরে এসেছিলেন, তিনি একটা কথা জানতেন না, যে কথাটা আমরা জেনেছি চন্দ্রশেখরের বাক্সে পাওয়া একটি ইটালিয়ান খবরের কাগজের কাটিং

থেকে। এই খবরে বলা হয়েছে, আজ থেকে ছাব্বিশ বছর আগে রোম শহরে রুদ্রশেখরের মৃত্যু হয়।'

'অ্যাঁ!'—নবকুমারবাবু প্রায় চেয়ার থেকে লাফিয়ে উঠলেন।

'আজ্ঞে হ্যাঁ, নবকুমারবাবু। আর খবরটার জন্য আমি রবীনবাবুর কাছে কৃতজ্ঞ।'

'তা হলে এখানে এসেছিল কে?'

ফেলুদা এবার পকেট থেকে একটা কাগজ বার করল। একটা ম্যাগাজিনের পাতা।

'হংকং-এ অত্যন্ত আকস্মিকভাবে এই পত্রিকার পাতাটা আমার চোখে পড়ে যায়। এই ভদ্রলোকের ছবিটা একবার দেখবেন কি নবকুমারবাবু? "মোম্বাসা" নামক একটি হিন্দি ফিল্মের ছবি এটা। ১৯৭৬-এর ছবি। এই ছবির অনেক অংশ আফ্রিকায় তোলা হয়েছিল। এতে ভিলেনের ভূমিকায় অভিনয় করেছিলেন এই শ্মশ্রু-গুম্ফ বিশিষ্ট ভদ্রলোকটি। দেখুন তো এঁকে চেনেন কি না।'

কাগজটা হাতে নিয়ে নবকুমারবাবুর চোখ কপালে উঠে গেল।

'এই তো রুদ্রশেখর!'

'নীচে নামটা পড়ে দেখুন।'

নবকুমারবাবু নীচের দিকে চাইলেন।

'মাই গড! নন্দ!'

'হ্যাঁ, নবকুমারবাবু। ইনি আপনারই ভাই। প্রায় এই একই মেক-আপে তিনি এসেছিলেন রুদ্রশেখর সেজে। আসল দাড়ি-গোঁফ, নকল নয়। কেবল চুলটা বোধহয় ছিল পরচুলা। আসবার আগে তাঁর কোনও চেনা লোককে দিয়ে রোম থেকে একটা চিঠি লিখিয়েছিল সৌম্যশেখরকে। এ কাজটা করা অত্যন্ত সোজা।'

নবকুমারবাবুর অবস্থা শোচনীয়। বার বার মাথা নেড়ে দীর্ঘশ্বাস ফেলে বললেন, 'নন্দটা চিরকালই রেকলেস।'

ফেলুদা বলল, 'আসল ছবি হঠাৎ মিসিং হলে মুশকিল হত, তাই উনি কলকাতা থেকে আর্টিস্ট আনিয়ে তার একটা কপি করিয়ে নিয়েছিলেন। কোনও কারণে বোধহয় বঙ্কিমবাবুর সন্দেহ হয়, তাই যেদিন ভোরে নন্দকুমার যাবেন সেদিন সাড়ে তিনটায় অ্যালার্ম লাগিয়ে স্টুডিয়োতে গিয়েছিলেন। এবং তখনই তিনি নিহত হন।'

বৈঠকখানায় কিছুক্ষণের জন্য পিন-ড্রপ সাইলেন্স। তারপর ফেলুদা বলল, 'অবিশ্যি একজন ব্যক্তি নন্দবাবুকে আগেই ধরিয়ে দিতে পারতেন, কিন্তু দেননি কারণ তাঁর বোধহয় লজ্জা করছিল। তাই নয় কি?'

প্রশ্নটা ফেলুদা করল যাঁর দিকে চেয়ে তিনি মিনিটখানেক হল ঘরে এসে এক কোনায় একটা সোফায় বসেছেন।

সাংবাদিক রবীন চৌধুরী।

'সত্যিই কি? আপনি সত্যিই পারতেন নন্দকে ধরিয়ে দিতে?' নবকুমারবাবু প্রশ্ন করলেন।

রবীনবাবু একটু হেসে ফেলুদার দিকে চেয়ে বললেন, 'এতদূর যখন বলেছেন, তখন বাকিটাও আপনিই বলুন না।'

'আমি বলতে পারি, কিন্তু সব প্রশ্নের উত্তর তো আমার জানা নেই রবীনবাবু। সেখানে আপনার আমাকে একটু সাহায্য করতে হবে।'

'বেশ তো, করব। আপনার কী কী প্রশ্ন আছে বলুন।'

'এক—আপনি যে সেদিন বললেন ইটালিয়ান কাগজের খবরটা পড়তে আপনার

ডিকশনারির সাহায্য নিতে হয়েছিল, সেটা বোধহয় মিথ্যে, না ?'

'হ্যাঁ, মিথ্যে।'

'আর আপনার শার্টের বাঁ দিকে যে লাল রংটা লেগে রয়েছে, যেটাকে প্রথম দেখে রক্ত বলে মনে হয়েছিল, সেটা আসলে অয়েল পেন্ট, তাই না ?'

'তাই।'

'আপনি পেন্টিং শিখেছিলেন বোধহয় ?'

'হ্যাঁ।'

'কোথায় ?'

'সুইটজারল্যান্ডে। বাবা মারা যাবার পর মা আমাকে নিয়ে সুইটজারল্যান্ডে চলে যান। মা নার্সিং শিখেছিলেন, জুরিখে একটা হাসপাতালে যোগ দেন। আমার বয়স তখন তেরো। আমি লেখাপড়ার সঙ্গে সঙ্গে আর্ট অ্যাকাডেমিতে ক্লাস করি।'

'কিন্তু বাংলাটা শিখলেন কোথায় ?'

'সেটা আরও পরে। ১৯৬৬-তে আমি প্যারিসে যাই একটা আর্ট স্কুলের শিক্ষক হিসেবে। ওখানে কিছু বাঙালির সঙ্গে পরিচয় হয় এবং বাংলা শেখার ইচ্ছে হয়। শেষে সোরবোন বিশ্ববিদ্যালয়ে বাংলার ক্লাসে যোগ দিই। ভাষার উপর আমার দখল ছিল, কাজেই শিখতে মুশকিল হয়নি। বছর দু-এক হল চন্দ্রশেখরের জীবনী লেখা স্থির করি। রোমে যাই। ভেনিসেও গিয়ে ক্যাসিনি পরিবারের সঙ্গে আলাপ করি। সেখানেই টিনটোরেটোর ছবিটার কথা জানতে পারি।'

'তার মানে আপনিও একটি কপি করেছিলেন টিনটোরেটো ছবির। এবং সেই কপিই হীরালাল সোমানি নিয়ে গিয়েছিল হংকং-এ ?'

'আজ্ঞে হ্যাঁ।'

'তা হলে আসলটা কোথায় ?' চেঁচিয়ে উঠলেন নবকুমারবাবু।

'ওটা আমার কাছেই আছে,' বললেন রবীনবাবু।

'কেন, আপনার কাছে কেন ?'

'ওটা আমার কাছে আছে বলেই এখনও আছে, না-হলে হংকং চলে যেত। এখানে এসেই আমার সন্দেহ হয়েছিল যে ওটাকে সরাবার মতলব করছেন জাল-রুদ্রশেখর। তাই ওটার একটা কপি করে, আসলটাকে আমার কাছে রেখে কপিটাকে ফ্রেমে ভরে টাঙিয়ে রেখেছিলাম।'

ফেলুদা বলল, 'আসলটা তো আপনারই নেবার ইচ্ছে ছিল, তাই না ?'

'নিজের জন্য নয়। আমি ভেবেছিলাম ওটা ইউরোপের কোনও মিউজিয়ামে গিয়ে দেব। পৃথিবীর যে-কোনও মিউজিয়াম ওটা পেলে লুফে নেবে।'

'আপনি মিউজিয়ামে দেবেন মানে ?' সোফা ছেড়ে উঠে দাঁড়িয়ে রীতিমতো উত্তেজিত হয়ে বললেন নবকুমারবাবু। 'ওটা তো নিয়োগী পরিবারের সম্পত্তি।'

'আপনি ঠিকই বলেছেন নবকুমারবাবু,' বলল ফেলুদা, 'কিন্তু উনিও যে নিয়োগী পরিবারেরই একজন।'

'মানে ?'

'আমার বিশ্বাস উনি রুদ্রশেখরের পুত্র ও চন্দ্রশেখরের নাতি—রাজশেখর নিয়োগী। অর্থাৎ আপনার আপন খুড়তুতো ভাই। ওঁর পাসপোর্টও নিশ্চয়ই সেই কথাই বলছে।'

নবকুমারবাবুর মতো আমরা সকলেই থ।

রবীন—থুড়ি, রাজশেখরবাবু বললেন, 'পাসপোর্টটা কোনওদিন দেখাতে হবে ভাবিনি।

আমি ভেবেছিলাম ছদ্মনামে এখানে থেকে ঠাকুরদাদা সম্বন্ধে রিসার্চ করে চলে যাব, আর যেহেতু ছবিটা উত্তরাধিকারসূত্রে আমারই প্রাপ্য, ওটা নিয়ে যাব। কিন্তু ঘটনাচক্রে এবং প্রদোষবাবুর আশ্চর্য বুদ্ধির জন্য—আসল পরিচয়টা দিতেই হল। আশা করি আপনারা অপরাধ নেবেন না।'

ফেলুদা বলল, 'এখানে একটা কথা বলি রাজশেখরবাবু—পাঁচ বছর আগে পর্যন্ত চন্দ্রশেখরের চিঠি পেয়েছেন ভূদেব সিং। কাজেই আইনত ছবিটা এখনও আপনার প্রাপ্য নয়। কিন্তু আমার মতে ছবি আপনার কাছেই থাকা উচিত। কারণ আপনিই সত্যি করে এটার কদর করবেন। কী বলেন নবকুমারবাবু ?'

'একশোবার। কিন্তু মিস্টার মিত্তির, আপনার সন্দেহটা হল কী করে বলুন তো ? আমার কাছে তো সমস্ত ব্যাপারটা ভেলকির মতো।'

ফেলুদা বলল, 'উনি যে বাংলাদেশের বাঙালি নন সেটা সন্দেহ হয় সেদিন দুপুরে ওঁর খাওয়া দেখে। সুক্তো কখন খেতে হয় সেটা বাংলার বাঙালিরা ভাল ভাবেই জানে। ইনি দেখলাম বেশ কিছুক্ষণ ইতস্তত করে প্রথমে খেলেন ডাল, তারপর মাছ, সব শেষে সুক্তো ! তা ছাড়া, সন্দেহের দ্বিতীয় কারণ হল—'

এবার ফেলুদা যে ব্যাপারটা করল সেটা একেবারে ম্যাজিক।

উত্তরের দেওয়ালের দিকে গিয়ে চন্দ্রশেখরের আঁকা তাঁর বাবা অনন্তনাথের ছবির সামনে দাঁড়িয়ে নিজের দুটো হাত ছবির গোঁফে আর দাড়ির উপর চাপা দিতেই দেখা গেল মুখটা হয়ে গেছে রবীন চৌধুরীর !

লালমোহনবাবু ক্ল্যাপ দিয়ে উঠলেন, আর আমি অ্যাদ্দিনে বুঝতে পারলাম রবীনবাবুকে দেখে কেন চেনা চেনা মনে হত।

কিন্তু চমকের এখানেই শেষ না।

একটি চাকর কিছুক্ষণ হল একটা টেলিগ্রাম নিয়ে দাঁড়িয়ে ছিল, এবার সেটা নবকুমারবাবুর হাতে এল।

ভদ্রলোক সেটা খুলে পড়ে চোখ কপালে তুলে বললেন, 'আশ্চর্য ! নন্দ লিখেছে আজ সকালের ফ্লাইটে কলকাতায় আসছে। আমি কিছুই বুঝতে পারছি না।'

ফেলুদা বলল, 'ওটার জন্য আমিই দায়ী, মিস্টার নিয়োগী। আপনার নাম করে কাল আমিই ওঁকে টেলিগ্রাম করেছিলাম।'

'আপনি ?'

'আজ্ঞে হ্যাঁ। আমি বলেছিলাম সৌম্যশেখরবাবুর হার্ট অ্যাটাক হয়েছে। কন্ডিশন ক্রিটিক্যাল। কাম ইমিডিয়েটলি।'

*

নবকুমারবাবুর কাছ থেকে আরও টাকা নেওয়ার ব্যাপারে প্রচণ্ড আপত্তি করেছিল ফেলুদা। বলল, 'দেখলেন তো, তদন্তর ফলে বেরিয়ে গেল আপনার নিজের ভাই হচ্ছেন অপরাধী।' তাতে নবকুমারবাবু বেশ বিরক্ত হয়েই বললেন, 'ওসব কথা আমি শুনতে চাই না। আপনি আমাদের হয়ে তদন্ত করেছেন। ফলাফলের জন্য তো আপনি দায়ী নন। আপনার প্রাপ্য আপনি না নিলে আমরা অসন্তুষ্ট হব। সেটা নিশ্চয়ই আপনি চান না।'

নিজের ভাই অপরাধী প্রমাণ হলেও, সেই সঙ্গে যে খুড়তুতো ভাইটিকে পেলেন নবকুমারবাবু, তেমন ভাই সহজে মেলে না। টিনটোরেটোর যীশু যে এখন উপযুক্ত লোকের

হাতেই গেছে তাতে সন্দেহ নেই। কিছুদিনের মধ্যেই সেটা ইউরোপের কোনও বিখ্যাত মিউজিয়ামের দেয়ালে শোভা পাবে।

আমরা আর একদিন ছিলাম বৈকুণ্ঠপুরে। ফেরার পথে লালমোহনবাবুর অনুরোধে একবার ভবেশ ভট্টাচার্যের ওখানে ঢুঁ মারতে হল। সামনের বছর বৈশাখের জন্য জটায়ু যে উপন্যাসটা লিখবেন সেটার নাম 'হংকং-এ হিমসিম' হলে সংখ্যাতত্ত্বের দিক দিয়ে ঠিক হবে কিনা সেটা জানা দরকার।

অম্বর সেন অন্তর্ধান রহস্য

'আপনি তো আমার লেখা শুধরে দেন,' বললেন লালমোহনবাবু, 'সেটা আর এবার থেকে দরকার হবে না।'

ফেলুদা তার প্রিয় সোফাটায় পা ছড়িয়ে বসে রুবিকস কিউবের একটা পিরামিড সংস্করণ নিয়ে নাড়াচাড়া করছিল; সে মুখ না তুলেই বলল, 'বটে?'

'নো স্যার। আমার পাড়ায় এক ভদ্রলোক এয়েচেন, কাল পার্কে দেখা হল। এক বেঞ্চিতে বসে কথা বললুম প্রায় আধ ঘণ্টা। গ্রেট স্কলার। নাম মৃত্যুঞ্জয় সোম।'

'স্কলার?'

'স্কলার। বোধহয় হার্বার্ট ইউনিভার্সিটির ডবল এম এ, বা ওই ধরনের কিছু।'

'উফ্‌ফ্!' ফেলুদা এবার মুখ না তুলে পারল না। 'হার্বার্ট নয় মশাই, হার্ভার্ড, হার্ভার্ড!'

'তাই হবে। হার্ভার্ড।'

'হার্ভার্ড সেটা বুঝলেন কী করে? নাকিসুরে মার্কিন মার্কা ইংরিজি বলেন ভদ্রলোক?'

'ইংরিজিটা একটু বেশি বলেন। নাকিসুর কিনা লক্ষ করিনি। তবে বিদ্বান লোক। থাকেন বহরমপুর। একটা বই লিখছেন, তাই নিয়ে রিসার্চ করবেন বলে ক'দিনের জন্য কলকাতায় এসেছেন। চেহারাতে বেশ একটা ইয়ে আছে। ফ্রেঞ্চ-কাট দাড়ি, চোখে সোনার বাই-ফোকাল, জামাকাপড়ও ধোপদুরস্ত। আমার 'হন্ডুরাসে হাহাকার'টা পড়তে দিয়েছিলুন। চৌত্রিশটা মিসটেক দেখিয়ে দিলেন। তবে বললেন ভেরি এনজয়েব্‌ল।'

'তা হলে আর কী। আপনার পেট্রল খরচা অনেক কমে যাবে এবার থেকে। আর গড়পার-বালিগঞ্জ ঠ্যাঙাতে হবে না।'

'তবে ব্যাপারটা হচ্ছে কী—'

ব্যাপারটা কী হচ্ছে সেটা আর জানা গেল না, কেন না ঠিক এই সময় এসে পড়লেন ফেলুদার মক্কেল অম্বর সেন। ন'টায় অ্যাপয়েন্টমেন্ট ছিল। ঘড়ির কাঁটায় কাঁটায় আমাদের কলিং বেল বেজে উঠল।

অম্বর সেনের বয়স মনে হয় পঁয়তাল্লিশ থেকে পঞ্চাশের মধ্যে, ফরসা রং, দাড়িগোঁফ কামানো, চোখে পুরু ফ্রেমের চশমা, গায়ে পাঞ্জাবি আর ধুতির উপর একটা পুরনো জামেওয়ার শাল। কাশ্মীরি শাল যে কতরকম হয় সেটা সেদিন ফেলুদার সঙ্গে মিউজিয়ামে গিয়ে দেখে এসেছি।

অম্বর সেন ফেলুদার মুখোমুখি চেয়ারে বসে বললেন, 'আপনিও ব্যস্ত মানুষ, আমিও ব্যস্ত।

কাজেই সময় নষ্ট না করে সোজা কাজের কথায় চলে যাওয়াই ভাল। আগে এই জিনিসটা দেখুন।'

পাঞ্জাবির পকেট থেকে একটা কাগজ বের করে ভদ্রলোক ফেলুদার দিকে এগিয়ে দিলেন। খাতা থেকে ছেঁড়া একটা পাতা, সেটাকে দলা করে পাকানো হয়েছিল, তারপর আবার হাত বুলিয়ে মসৃণ করার চেষ্টা করা হয়েছে।

কাগজটাতে গোটা অক্ষরে লাল কালি দিয়ে লেখা—'আমার সর্বনাশের শাস্তি ভোগ করার জন্য প্রস্তুত হও। আর সাতদিন মেয়াদ। পালিয়ে পথ পাবে না।'

কাগজটা নেড়েচেড়ে দেখে ফেলুদা প্রশ্ন করল, 'কীভাবে পেলেন এটা?'

'আমার বাড়িতে একতলায় আমার কাজের ঘর', বললেন ভদ্রলোক, 'রাত্তিরে এসে জানালা দিয়ে ছুঁড়ে ডেস্কের উপর ফেলে দিয়ে গেছে। সকালে আমার চাকর লক্ষ্মণ এটা পেয়ে আমার কাছে নিয়ে আসে।'

'আপনার ঘর কি রাস্তার উপর?'

'না। ঘরের বাইরে বাগান, তারপর কম্পাউন্ড ওয়াল, তারপর রাস্তা। তবে দেয়াল টপকানো যায়।'

'সর্বনাশের কথা যে বলছে সেটা কী?'

অম্বর সেন মাথা নাড়লেন।

'দেখুন মিস্টার মিত্তির, আমি নির্ঝঞ্ঝাট মানুষ। আমার পেশা হল ব্যবসা, তবে আসল কাজ আমার ভাইই করে। আমার পাঁচ রকম অন্য শখ আছে, সেই সব নিয়ে থাকি। সজ্ঞানে কারুর কখনও কোনও সর্বনাশ করেছি বলে তো মনে পড়ে না। অন্তত এমন সর্বনাশ নিশ্চয়ই নয় যেটা এই হুমকি-চিঠিকে জাস্টিফাই করতে পারে। ব্যাপারটা আমার কাছে সম্পূর্ণ অর্থহীন বলে মনে হচ্ছে।'

ফেলুদা ভুরু কুঁচকে একটুক্ষণ ভেবে বলল, 'অবিশ্যি এটা এক ধরনের রসিকতাও হতে পারে—যাকে বলে প্র্যাকটিক্যাল জোক। আপনার পাড়ায় কাছাকাছির মধ্যে মস্তান ছেলেদের আস্তানা আছে?'

'আমরা থাকি পাম এভিনিউতে,' বললেন অম্বর সেন। 'পুব দিকে কিছু দূরে একটা বস্তি আছে, সেখানে এই ধরনের ছেলে থাকা কিছুই আশ্চর্য নয়।'

'পুজোর চাঁদার জন্য হামলা করে না?'

'তা করে, কিন্তু চাঁদা তো আমরা নিয়মিত দিই।'

শ্রীনাথ চা এনেছে, তাই কাজের কথা কিছুক্ষণের জন্য বন্ধ হল। লালমোহনবাবু দুবার বিড়বিড় করে 'রিভেঞ্জ' কথাটা বললেন। ফেলুদা সেই সুযোগে আমাদের দুজনের সঙ্গে ভদ্রলোকের আলাপ করিয়ে দিল।

'আপনিই বিখ্যাত লালমোহন গাঙ্গুলী?'

'হেঁ হেঁ।'

ভদ্রলোক বেশ তৃপ্তি সহকারে চায়ে চুমুক দিয়ে ফেলুদার দিকে ফিরে বললেন, 'আসলে আপনার বিষয় আমি আপনার কাহিনীগুলো থেকেই জেনেছি। তাই মনে হল আপনার কাছেই আসি।'

'পুলিশে খবর দেননি?' জিজ্ঞেস করল ফেলুদা।

'আমার ভাই অবিশ্যি পুলিশের কথাই বলেছিল, কিন্তু আমি আবার এ সব ব্যাপারে একটু আন-অর্থডক্স। প্রচলিত নিয়মগুলো চট্ করে মানতে মন চায় না। আর সত্যি বলতে কী, এখনও বোধহয় অতটা বিচলিত হবার কারণ ঘটেনি। আপনার কাছে এলাম, তার একটা কারণ

আপনাকে দেখারও একটা ইচ্ছে ছিল। আমাদের পরিবারের মোটামুটি সকলেই আপনাকে চেনে।'

'পরিবারে আর কে কে আছেন?'

'আমার ভাই অম্বুজ আছে। সে বিয়ে করেছে, আমি করিনি। অম্বুজের স্ত্রী আছে, একটি মেয়ে আছে বছর দশেকের—ছেলে দুটি বড়, তারা বাইরে থাকে—তা ছাড়া আমার বিধবা মা আছেন, আর আছে আমাদেরই এক দূর সম্পর্কের আত্মীয়। সে আমাদেরই বাড়িতে মানুষ। ফ্যামিলি মেমবার বলতে এই; তার বাইরে তিনজন চাকর, একটি ঠিকে ঝি, রান্নার লোক, মালী, দারোয়ান আর ড্রাইভার। আমরা থাকি ফাইভ বাই ওয়ান পাম এভিনিউতে। বাবা ছিলেন নামকরা হার্ট স্পেশালিস্ট অনাথ সেন।'

ফেলুদা একটু কিন্তু-কিন্তু ভাব করছে দেখে ভদ্রলোক বললেন, 'আপনাকে আমি শুধু ব্যাপারটা জানিয়ে গেলাম। হতে পারে এটা একটা প্র্যাকটিক্যাল জোক ছাড়া আর কিছুই না; তবে কী জানেন, এ ধরনের রসিকতার টারগেট বিখ্যাত ব্যক্তিদের মাঝে মাঝে হতে হয় ঠিকই, কিন্তু আমি তো আর তেমন কেউ-কেটা নই, তাই...'

ফেলুদা বললে, 'বুঝতেই পারছেন, এ হুমকি যদি সম্পূর্ণ ভিত্তিহীন হয় তা হলে আমার পক্ষে কিছু করা সম্ভব নয়। যাই হোক—আপাতত এই চিঠিটা আমি রাখতে পারি তো?'

'নিশ্চয়ই। ওটা তো আপনাকে দেবার জন্যেই আনা।'

এমন একটা হুমকি-চিঠি নিয়ে অম্বর সেনের ফেলুদার কাছে আসাটা একটু বাড়াবাড়ি বলেই মনে হচ্ছিল, পরদিন সকালে পাম এভিনিউ থেকে যে ফোনটা এল, তাতে সমস্ত ব্যাপারটা একটা অন্য চেহারা নিল।

বসবার ঘর থেকে ফেলুদার ঘরে কলটা ট্রান্সফার করে দিয়ে কান লাগিয়ে যা শুনলাম তা হল এই—

'কে, মিস্টার মিত্তির?'

'আজ্ঞে হ্যাঁ।'

'আমার নাম অম্বুজ সেন। কাল আমার দাদা বোধহয় আপনার ওখানে গেস্‌লেন একটা হুমকি-চিঠির ব্যাপারে?'

'হ্যাঁ হ্যাঁ।'

'ওয়েল, হি ইজ মিসিং।'

'মানে?'

'দাদাকে পাওয়া যাচ্ছে না।'

'পাওয়া যাচ্ছে না?'

'না। দাদা রোজ ভোরে গাড়িতে করে বেরোন; গঙ্গার ধারে গাড়ি দাঁড় করিয়ে তারপর মাইল দুয়েক হাঁটেন। আজও গেস্‌লেন, কিন্তু আজ আর ফেরেননি।'

'সে কী!'

'ড্রাইভার গাড়ি নিয়ে ফিরে এসেছে এক ঘণ্টা ওয়েট করার পর। ও তন্নতন্ন করে খুঁজেও দাদার দেখা পায়নি।'

'পুলিশে জানাননি?'

'সেখানে একটা গোলমাল আছে মিঃ মিত্তির। আমার মা'র বয়স আশি, শরীরও ভাল নেই। ওঁকে দাদার ব্যাপারটা নিয়ে এখনও কিছুই জানাইনি। পুলিশ এলেই কিন্তু ব্যাপারটা আর চাপা থাকবে না। তখন ওঁকে সামলানো মুশকিল হবে। কাজেই আমাদের ইচ্ছা কেসটা আপনিই

হ্যান্ডল করুন। আপনার উপর আমাদের পুরো ভরসা আছে। অবশ্য আপনার উপযুক্ত পারিশ্রমিক আমরা দেব।'

'আমি তা হলে একবার আপনাদের ওখানে আসছি। অসুবিধা হবে না তো?'

'মোটেই না। আপনি এখনই চলে আসুন। আমাদের বাড়ির নম্বরটা জানেন তো?'

'ফাইভ বাই ওয়ান পাম এভিনিউ তো?'

'হ্যাঁ হ্যাঁ।'

২

সাহেবি ধাঁচের গাড়িবারান্দাওয়ালা দোতলা ছড়ানো বাড়ি, সামনে একটা ছোট বাগান, পিছনেও সবুজ দেখে মনে হল বোধহয় টেনিস কোর্ট জাতীয় কিছু আছে। গেটের গায়ে শ্বেতপাথরের ফলকে অম্বরবাবুর বাবার নাম, নামের পরে অনেকগুলো ইংরিজি অক্ষর, কমা, ফুলস্টপ। সব শেষে ব্র্যাকেটের মধ্যে 'এডিন' কথাটা দেখে বুঝলাম ভদ্রলোককে স্কটল্যান্ড যেতে হয়েছিল ডাক্তারি পড়তে।

যিনি আমাদের ট্যাক্সির শব্দ পেয়ে বেরিয়ে এলেন তাঁর সঙ্গে অম্বরবাবুর আদল আছে ঠিকই, কিন্তু ইনি বেঁটে, মোটা আর কালো। অর্থাৎ মুখের মিল বাদ দিলে ইনি অম্বরবাবুর ঠিক উলটো।

আমাদের দেখে ভদ্রলোকের মুখে হাসি ফুটে উঠলেও, দুশ্চিন্তার ফলে সেটা সঙ্গে সঙ্গেই মিলিয়ে গেল।

'আসুন ভিতরে।'

শ্বেতপাথরের মেঝেওয়ালা ল্যান্ডিং পেরিয়ে বৈঠকখানায় গিয়ে ঢুকলাম। এখানেও মার্বল, তার উপর কার্পেট, আর তার উপর দামি দামি ফারনিচার। যে সোফায় বসলাম, সেটার গদি এত নরম যে, আমার ভারেই প্রায় ছ ইঞ্চি বসে গেল।

'রুনা, এসো।'

একটি ফ্রক-পরা মেয়ে এসে দরজায় দাঁড়িয়ে অবাক চোখে চেয়ে আছে ফেলুদার দিকে। অম্বুজবাবু ডাকতেই সে গুটি গুটি ঘরের ভিতরে এগিয়ে এল।

'ইনি কে জান?' জিজ্ঞেস করলেন অম্বুজবাবু।

'ফেলুদা,' চাপা গলায় উত্তর এল।

'আর ইনি?'

'তোপ্‌সে।'

'বাঃ, তুমি তো আমাদের দুজনকেই চেনো দেখছি,' বলল ফেলুদা।

'জটায়ু কোথায়?' জিজ্ঞেস করল মেয়েটি। বোঝা গেল সে এই তৃতীয় ব্যক্তিটিকে না দেখে কিছুটা হতাশ হয়েছে।

'তিনি তো আসেননি,' বলল ফেলুদা। 'তবে তাঁকে একদিন নিশ্চয়ই নিয়ে আসব।'

'তোপ্‌সে এত মিথ্যে কথা বলে কেন?'

এই রে!—আমার সম্বন্ধে হঠাৎ এমন বদনাম কেন?

'মিথ্যে মানে?' ফেলুদা জিজ্ঞেস করল।

'একটা বইয়ে লিখেছে ফেলুদা ওর মাসতুতো ভাই, আরেকটায় লিখেছে জ্যাঠতুতো ভাই। মিথ্যেই তো!'

ফেলুদাই আমাকে বাঁচিয়ে দিল। বলল, 'ওহো—প্রথমে মাসতুতো ভাই লিখেছিল বটে, তখন ও গপ্‌পের মতো বানিয়ে লিখতে চেষ্টা করছিল। আমি ধমক দিতে তারপর সত্যি কথাটা

লিখতে শুরু করল। আসলে জ্যাঠতুতো ভাইটাই ঠিক।'

'আপনার সব অ্যাডভেঞ্চার ওর পড়া,' বললেন অম্বুজ সেন।

'জেঠুকে খুঁজে বার করে দিতে পারবে তুমি?' ফেলুদার দিকে সটান তাকিয়ে প্রশ্ন করল রুনা।

'চেষ্টা করতে হবে।' বলল ফেলুদা। 'তুমি যদি কোনও ক্লু জোগাড় করে দিতে পারো তা হলে তো কথাই নেই।'

'ক্লু?'

'ক্লু জান তো?'

'জানি।'

'আছে তোমার কাছে কোনও ক্লু, যাতে আমরা চট করে বের করে দিতে পারি তোমার জেঠুকে?'

'ক্লু তো তুমি বার করবে। তুমি তো ডিটেকটিভ।'

'ঠিক বলেছ। খুব চালাক মেয়ে তুমি। কী নাম তোমার? একটা নাম তো জানি, অন্যটা কী?'

'ভাল নাম ঝর্না।'

ফেলুদা অম্বুজবাবুর দিকে ফিরল।

'দেখুন, আপনাদের দিক থেকে কতকগুলো ব্যাপারে সাহায্য না পেলে কিন্তু আমার পক্ষে এগোনো মুশকিল হবে।'

'কী সাহায্য বলুন।'

'প্রথমত, আপনাদের সকলের সঙ্গে কথাবার্তা বলতে হবে। আপনার দাদার সঙ্গে আমার মাত্র কয়েক মিনিটের আলাপ। তাঁকে আমার আরেকটু ভাল করে চিনতে হবে। তাঁর কাজের ঘরটাও একবার দেখা দরকার। এমনকী, দরকার হলে তাঁর জিনিসপত্র একটু ঘেঁটে দেখতে হতে পারে। আশা করি আপত্তি হবে না।'

'মোটেই না,' বললেন অম্বুজবাবু।

'আর আপনার দাদা যেখানে মর্নিং ওয়াকে যেতেন, সেই জায়গাটাও একবার দেখে আসা দরকার।'

'কোনওই অসুবিধে নেই। আমাদের ড্রাইভার বিলাস আপনাদের গাড়ি করে নিয়ে গিয়ে সব দেখিয়ে আনবে।'

ফেলুদা সোফা ছেড়ে উঠে পায়চারি আরম্ভ করেছে। তিনটে বড় বড় বুককেস বোঝাই বই, সেইদিকে তার দৃষ্টি।

'এ সব বই কার?'

'সবই দাদার।'

'নানান বিষয়ে ইন্টারেস্ট আছে দেখছি।'

'আজ্ঞে হ্যাঁ।'

'এমনকী গোয়েন্দাগিরি সম্বন্ধেও তো বই আছে।'

'হ্যাঁ। এক সময় ওটা নিয়েও পড়াশুনা করেছেন।'

'বিজ্ঞান, ইতিহাস, রান্নার বই, মুদ্রা সংগ্রহ, থিয়েটার...'

'থিয়েটারটা দাদার নেশা বলতে পারেন। আমাদের মাঠে পুজোর সময় স্টেজ বেঁধে নাটক হয়। দাদাই নির্দেশক; ফ্যামিলির সকলেই রংটং মেখে নেমে পড়ে। এমনকী ইনিও।' রুনার দিকে দেখিয়ে দিলেন অম্বুজবাবু। রুনা এখনও সেইভাবেই হাঁ করে চেয়ে আছে ফেলুদার দিকে।

'এবারে অম্বরবাবুর কাজের ঘরটা একটু দেখতে পারি?'

'আসুন আমার সঙ্গে।'

অম্বুজবাবু উঠে পড়লেন সোফা থেকে।

বৈঠকখানার পাশে একটা প্যাসেজ, সেইটা পেরিয়ে পিছনের মাঠের দিকের একটা ঘরে গিয়ে ঢুকলাম আমরা।

পুব দিকের জানালা দিয়ে রোদ এসে ঘরটাকে আলো করে দিয়েছে। একটা বড় ডেস্‌ক, তার সামনে একটা রিভলভিং চেয়ার, উলটো দিকে আরও দুটো চেয়ার। জানালার ধারে একটা আরাম-কেদারা। এ ছাড়া টেবিলের পিছন দিকে রয়েছে একটা শেলফ, একটা ক্যাবিনেট আর একটা গোদরেজের আলমারি। তার পাশের দেয়ালে একটা ফোলডিং ব্র্যাকেট থেকে হ্যাঙ্গারে ঝুলছে একটা ছাই রঙের কোট।

ডেস্‌কের উপরটা দেখলে মনে হয় অম্বরবাবু বেশ গোছানো লোক ছিলেন। কাগজপত্র টেলিফোন পেনহোলডার পিনকুশন পেপার-ওয়েট চিঠির র‍্যাক, সব পরিপাটি করে সাজানো। একটা ডেট-ক্যালেন্ডার রয়েছে, তার তারিখটা তিনদিন আগের। ব্যাপারটা আমারও খটকা লেগেছিল, ফেলুদা সেটার দিকে অম্বুজবাবুর দৃষ্টি আকর্ষণ করায় ভদ্রলোক বললেন, 'দাদাকে কয়েকদিন থেকেই অন্যমনস্ক দেখছিলাম। সচরাচর দাদার এরকম ভুল হয় না কিন্তু।'

ফেলুদা খুঁতখুঁতে মানুষ, সে নিজেই শনিবার দোসরাটা বদলে মঙ্গলবার পাঁচই করে দিল।

'দেরাজ খুলে দেখতে পারি কি?' ফেলুদা জিজ্ঞেস করল।

'দেখুন না।'

তিনটে দেরাজই পরপর খুলে তার ভিতরের জিনিসপত্র হাতড়ে দেখল ফেলুদা। ওপরের দেরাজ থেকে পাওয়া এক টুকরো কাগজ সম্বন্ধে মনে হল তার একটু কৌতূহল হয়েছে, কারণ সেটা সে ঘুরিয়ে ফিরিয়ে দেখছে।

'হিমালয়ান অপটিক্যালস থেকে চশমা করাতেন বুঝি আপনার দাদা?'

'হ্যাঁ।'

'একটা ক্যাশমেমো দেখছি। তারিখটা সাতদিন আগের। নতুন চশমা করিয়েছিলেন বুঝি?'

'কই, না তো!' বলে উঠল রুনা। সে-ও আমাদের পিছন পিছন এসেছে।

'তুমি কী করে জানলে, রুনা?' জিজ্ঞেস করল ফেলুদা।

'আমাকে তো দেখায়নি জেঠু!'

অম্বুজবাবু একটু হেসে বললেন, 'দাদা যে কখন কী করছেন তার খবর আমরা সব সময়ে পেতাম না।'

আমরা অম্বরবাবুর স্টাডি থেকে বেরিয়ে এলাম।

'আপনাদের এক আত্মীয় এখানে থাকেন বোধ হয়', প্যাসেজে বেরিয়ে এসে বলল ফেলুদা, 'আপনাদের এখানেই মানুষ হয়েছেন?'

'কে, সমরেশ? হাঁ, থাকে বইকী।'

ফেলুদার অনুরোধে সমরেশকে ডেকে পাঠানো হল। বছর পঁয়ত্রিশ বয়স, মুখে বসন্তের দাগ, চোখে পুরু চশমা। একটু যেন আড়ষ্টভাব নিয়ে ভদ্রলোক এসে দাঁড়ালেন আমাদের দিকে হাত দশেক দূরে।

'বসুন,' বলল ফেলুদা।

বেশ কিছুটা দূরে একটা চেয়ারে বসলেন সমরেশবাবু।

'আপনার পদবিটা কী?'

'মল্লিক।'

'কদ্দিন আছেন এ-বাড়িতে?'

'বছর পঁচিশ।'
'কী করেন?'
'একটা ফিল্ম ডিসট্রিবিউশন আপিসে কাজ করি।'
'কোথায়?'
'ধরমতলায়।'
'কী নাম কোম্পানির?'
'কোহিনুর পিকচার্স।'
'কদ্দিন আছেন ওখানে?'

'সাত বচ্ছর।'

'তার আগে কী করতেন.'

'এই...বাড়ির কাজকর্ম।'

হাত দুটোকে ভাঁজ করে হাঁটুর মধ্যে চেপে রেখেছেন ভদ্রলোক—যাকে বলে জবুথবু ভাব।

'আপনি অম্বরবাবুর অন্তর্ধানের ব্যাপারে কোনও আলোকপাত করতে পারেন?'

সমরেশবাবু চুপ। ফেলুদা বলল, 'তিনি একটা হুমকি-চিঠি পেয়েছিলেন জানেন?'

'জানি।'

'আপনার ঘর কি এ-বাড়ির একতলাতে?'

'হ্যাঁ।'

'অম্বরবাবুর কাছে বাইরের লোকজন দেখা করতে আসত?'

'তা আসত, মাঝে-মাঝে।'

'সম্প্রতি এমন কোনও লোককে আসতে দেখেছেন, যাকে আগে দেখেননি?'

'সেটা লক্ষ করিনি। তবে—'

'তবে কী?'

'এই পাড়ায় কিছু ছেলেকে দেখেছি, যাদের আগে দেখিনি।'

'কোথায়?'

'মোড়ের মাথায়।'

'কী করত তারা?'

'মনে হত এই বাড়ির দিকে চোখ রাখছে।'

'বয়স কীরকম তাদের?'

'বিশ থেকে পঁচিশের মধ্যে বলে মনে হয়।'

'কজন ছেলে?'

'চারজন।'

ফেলুদা একটুক্ষণ চুপ করে কী যেন ভাবল। তারপর বলল, 'ঠিক আছে। আপনি আসতে পারেন।'

এইসব কথা থেকে ফেলুদা কোনও ক্লু পেল কিনা জানি না। যেটাতে মনে হয় সত্যি করে কাজ হল, সেটা হল অম্বুজবাবুর স্ত্রীর সঙ্গে কথাবার্তায়।

রীতিমতো সুন্দরী মহিলা, তার উপর যাকে বলে 'ব্রাইট'। বয়স চল্লিশের উপর হলেও দেখে বোঝার জো নেই। দোতলার একটা ছোট বৈঠকখানায় বসে কথা হল।

ফেলুদা প্রথমেই ক্ষমা চেয়ে নিল ভদ্রমহিলাকে বিব্রত করার জন্য। 'তাতে কী হয়েছে,' বললেন মিসেস অম্বুজ সেন, 'গোয়েন্দাকে যে এভাবে জেরা করতে হয় সে তো ফেলুদার গল্প পড়েই জেনেছি। খুব ভাল লাগে পড়তে গোয়েন্দার কাহিনী।'

'তা হলে তো ভালই হল,' বলল ফেলুদা। 'আমার প্রধান মুশকিলটা কোথায় হচ্ছে বলি। অম্বরবাবু একটা হুমকি-চিঠি পেয়েছিলেন জানেন বোধহয়।'

'তা জানি বইকী।'

'দেখেছেন সে চিঠি?'

'তাও দেখেছি।'

'আমি অম্বরবাবুকে জিজ্ঞেস করেছিলাম তাঁর জীবনে এমন কোনও ঘটনা ঘটেছিল কি না যার ফলে অন্য কোনও মানুষের সর্বনাশ হতে পারে। উনি বলেছিলেন তেমন কোনও ঘটনা তাঁর জানা নেই। অবিশ্যি আমার বলা উচিত ছিল যে, রিসেন্ট ঘটনা হবার দরকার নেই, অতীতের

ঘটনা হলেও চলবে, কেন না প্রতিহিংসার ভাবটা মানুষ অনেক সময়ে অনেক দিন পুষে রাখে। আমি এখন আপনাকে জিজ্ঞেস করতে চাই, আপনি কি এমন কোনও ঘটনার কথা জানেন? দশ-বিশ বছর আগের হলেও চলবে।'

ভদ্রমহিলা একটুক্ষণ চিন্তিতভাবে চুপ করে থেকে বললেন, 'তা হলে আপনাকে বলি। আপনি দেখুন এমনি ঘটনার কথাই বলছেন কি না। এটা আমার কাল রাত্তিরে হঠাৎ মনে পড়ে। আমার স্বামীকেও এখনও বলিনি।'

'কী ঘটনা বলুন তো।'

'একটা অ্যাক্সিডেন্টের ব্যাপার।'

'অ্যাক্সিডেন্ট?'

'অনেকদিন আগে। তখনও রুনা হয়নি; বোধহয় তার পরের বছরই হল। আমার ভাসুর তখন নিজেই গাড়ি চালাতেন। আমার শ্বশুরের গাড়ি। অস্টিন। উনি শ্যামবাজারের দিকে একজন লোককে চাপা দেন। সে-লোক মারা যায়।'

আমরা দুজনেই চুপ। ঘরে থমথমে ভাব। অম্বুজবাবু পাশেই ছিলেন, চাপা গলায় বললেন, 'আশ্চর্য, এটা আমার মনেই ছিল না।'

'আর কী মনে পড়ছে?' ফেলুদা দুজনকেই প্রশ্নটা করল।

'নিম্ন-মধ্যবিত্ত ফ্যামিলি,' বললেন অম্বুজবাবু, 'ক্লার্ক ছিলেন ভদ্রলোক।'

'নাম মনে পড়ছে?'

'উঁহু।'

'স্ত্রী ছিল, আর তিনটি ছেলেমেয়ে,' বললেন মিসেস সেন। 'ছেলেটির বয়স তেরো-চোদ্দো। মেয়ে দুটি আরও ছোট। পাঁচ হাজার টাকা তুলে দেন বিধবার হাতে।'

'কে, অম্বরবাবু?'

'হ্যাঁ।'

'সেই থেকেই দাদা ড্রাইভিং বন্ধ করে দেন,' বললেন অম্বুজবাবু। 'এখন মনে পড়ছে।'

'হুঁ...' ফেলুদা গম্ভীর। 'তার মানে এখন সে-ছেলের বয়স বছর পঁচিশ। পরিবারটির যে সর্বনাশ হবে এই ঘটনার ফলে, এটা মোটেই অস্বাভাবিক নয়। পাঁচ হাজার টাকা আর কদ্দিন চলে?'

'এর বেশি আর কিছু মনে পড়ছে না, জানেন,' বললেন মিসেস সেন।

'আমারও না,' বললেন অম্বুজবাবু।

'অম্বরবাবু কি ডায়রি রাখতেন?' ফেলুদা জিজ্ঞেস করল।

'কই, সে রকম তো শুনিনি এখনও,' বললেন অম্বুজবাবু।

ফেলুদা উঠে পড়ল।

'অনেক ধন্যবাদ, মিসেস সেন। আপনি অন্ধকারে একটা আলো দেখিয়েছেন আমাদের, তার জন্য আমি বিশেষ কৃতজ্ঞ।'

'আমরা কিন্তু মনেপ্রাণে চাইছি যে, আপনি ব্যাপারটার একটা সুরাহা করেন।'

কথাটা যে ভদ্রমহিলা খুব আন্তরিকতার সঙ্গে বললেন তাতে কোনও সন্দেহ নেই।

৩

অম্বরবাবুর অসুস্থ মাকে বিরক্ত করার কোনও মানে হয় না, তাই আমরা আপাতত পাম এভিনিউ-এর পাট শেষ করে সেনেদের অ্যামবাসাডরে চলে গেলাম গঙ্গার ধারে। গে রেস্টোরান্টের সামনে গাড়ি দাঁড় করিয়ে ড্রাইভার বিলাসবাবু বললেন, 'এইখান থেকে স্যার হাঁটতে আরম্ভ করে সোজা দক্ষিণ দিকে গিয়ে ঠিক এক ঘণ্টা বাদে আবার ফিরে আসতেন। একেবারে ঘড়ির কাঁটায় কাঁটায়।'

'আপনি গাড়িতেই বসে থাকতেন?'

'আজ্ঞে হ্যাঁ।'

'কদ্দিন ড্রাইভারি করছেন সেন-বাড়িতে?'

'নাইন ইয়ারস।'

'তার মানে অ্যাক্সিডেন্টের ব্যাপারটা আপনি জানেন না?'

'অ্যাক্সিডেন্ট?'

'অম্বরবাবু বছর বারো আগে একবার একটি লোককে গাড়ি চাপা দিয়ে মারেন।'

'সেন সাহেব?'

'কেন, আপনার বিশ্বাস হচ্ছে না?'

'উনি যে কোনওদিন নিজে ড্রাইভ করেছেন সেইটেই জানতুম না।'

'ওই ঘটনার পরেই ড্রাইভিং ছেড়ে দেন।'

'তা হবে। ড্রাইভারের তো দোষ দেওয়া যায় না সব সময়! রাস্তার লোকে যেভাবে চলাফেরা করে, আরও বেশি লোক মরে না কেন সেইটেই তো ভাবি। ড্রাইভারের আর কী দোষ?'

'অম্বরবাবু যেদিন আর ফিরলেন না, সেদিনের ঘটনাটা একটু বলবেন?'

'সেদিন উনি আসছেন না দেখে আমি হেস্টিংস পর্যন্ত গিয়ে তল্লাশ করেছিলাম। পথে লোক ধরে ধরে জিজ্ঞেস পর্যন্ত করছি। গাড়ি থামিয়ে থামিয়ে রাস্তায় নেমে খুঁজেছি যদি কোথাও পড়ে-টড়ে গিয়ে থাকেন। হার্টটা তেমন মজবুত ছিল না তো।'

'লোকজন কেমন ছিল রাস্তায়?'

'সকালে এদিকটা লোক মন্দ থাকে না। সব হাঁটতে আসে। তবে নিউ হাওড়া ব্রিজের সাইডটায় লোক থাকে না বললেই চলে। স্যার তো ওদিকেই যেতেন। ফস করে যদি গাড়িতে কটা জোয়ান লোক এসে কোলপাঁজা করে তুলে নিয়ে যায়, কেউ টেরও পাবে না।'

আমরা গাড়িতে করেই দশ মাইল স্পিডে চালিয়ে হেস্টিংস পর্যন্ত ঘুরে এলাম, কিন্তু সন্দেহজনক কিছুই দেখতে পেলাম না।

এরপর দুদিন পাম এভিনিউ থেকে কোনও খবর নেই। বিষ্যুদবার বিকেলে লালমোহনবাবু এসেই বললেন, 'ঘটনা এগোল?' অম্বর সেন উধাও শুনে ভদ্রলোকের চোখ কপালে উঠে গেল। বললেন, 'আপনার একটি কেসও গেঁজে যেতে দেখলুম না। ধন্যি আপনার লাক্!'

'আপনার গ্রেট স্কলার প্রতিবেশী মৃত্যুঞ্জয় সোমের কী খবর?'

'দূর দূর! স্কলার না মুণ্ডু!'

'সে কী মশাই, এর মধ্যে আবার কী হল? সেদিন তো সুপারলেটিভ ছাড়া কথাই বলছিলেন না।'

'আর বলবেন না মশাই।'

'কেন, কী হল?'

'বলতেও লজ্জা করে।'

'আমার কাছে আবার লজ্জা কী? বলে ফেলুন।'

ব্যাপারটা কী জানি না, কিন্তু সেটা যে লালমোহনবাবু চেপে যেতে চাইছেন সেটা বুঝতেই পারছি। এদিকে ফেলুদাও ছাড়বার পাত্র নয়। শেষটায় পীড়াপীড়িতে ভদ্রলোক বলেই ফেললেন।

'আরে মশাই, ভাবতে পারেন, ভদ্রলোক প্রদোষ মিত্তিরের নাম শোনেননি! আপনার বন্ধু বলে পরিচয় দিতে গিয়ে একেবারে ভেড়া বনে গেলুম! বলে কিনা—হু ইজ প্রদোষ মিত্র?'

'তাতে আর কী হল, এত বড় স্কলার, হার্বার্টের ডবল এম এ, আমিও তো তাঁর নাম শুনিনি।'

কথাটা বোধহয় লালমোহনবাবুকে কিছুটা আশ্বস্ত করল। বললেন, 'তা যা বলেছেন। এত বড় দুনিয়ায় কটা মানুষকে আর কটা মানুষ চেনে! আর ভদ্রলোক বোধহয় বেশির ভাগ সময় বিদেশে কাটিয়েছেন। কাজেই এক্সকিউজ করে দেওয়া যায়—কী বলেন?'

আমাদের কথার মাঝখানেই পাম এভিনিউ থেকে ফোন এল। অম্বুজ সেন। একটা বেনামি চিঠি এসেছে ভদ্রলোকের নামে। টেলিফোনে সেটা পড়ে শোনালেন ভদ্রলোক।

আগামীকাল শুক্রবার সন্ধ্যা সাড়ে ছ'টায় ১০০ টাকার নোটে ২০০০০ টাকা ব্যাগে পুরে প্রিনসেপঘাটের দক্ষিণ-পূর্ব কোণের থামের ধারে রেখে যাবেন। অম্বর সেনকে অক্ষত অবস্থায় ফিরে পাবার এই একমাত্র উপায়। পুলিশ বা গোয়েন্দার সাহায্য নিলে ফল হবে মারাত্মক।'

ফেলুদা ফোনে বলল, 'এখনই কোনও সিদ্ধান্ত নেবার দরকার নেই, মিঃ সেন। আরও চব্বিশ ঘণ্টা সময় আছে। এর মধ্যে আমার কয়েকটা কাজ আছে। আপনাদের দিক থেকে কী করণীয় সেটা আমি কাল দুপুর দুটোর মধ্যে আপনাদের বাড়ি গিয়ে বলে আসব। তবে হ্যাঁ, টাকার ব্যবস্থাটা করে রাখবেন। ওটা খুবই জরুরি।'

'কিন্তু গোয়েন্দার ব্যাপারে শাসিয়ে রেখেছে যে মশাই,' ফেলুদা ফোন রাখার পর লালমোহনবাবু বললেন।

ফেলুদা উত্তরে শুধু বলল, 'জানি।'

রকেটের বেগে ঘটনা এগিয়ে চলেছে। এই টাকাটা না দিয়ে উপায় কী আছে সেটা আমিও ভেবে পেলাম না।

'লালমোহনবাবু, কাল আপনার গাড়িটা একটু পাওয়া যাবে কি?' প্রায় পাঁচ মিনিট চুপ করে থেকে অবশেষে প্রশ্ন করল ফেলুদা।

'এনি টাইম,' বললেন জটায়ু। 'কখন চাই বলুন।'

'সকালে একবার বেরোব। সাড়ে নটা নাগাত পেলেই চলবে। ঘণ্টা দুয়েকের মধ্যে আমার কাজ হয়ে যাবে। তারপর বিকেল পাঁচটা নাগাত আপনি যদি গাড়িটা নিয়ে চলে আসেন তো খুব ভাল হয়।'

'ভেরি গুড।'

এরপর ফেলুদা আর কোনও কথাই বলল না।

পরদিন লালমোহনবাবুর গাড়িতে করে ফেলুদা বেরোল। একাই বেরোল, কাজেই কোথায় গেল কী করল জানার উপায় নেই। বারোটা নাগাত ফিরে আসার পর দেখলাম তার মুখের ভাব বদলে গেছে।

'কী ঠিক করলে ফেলুদা।' ভয়ে ভয়ে জিজ্ঞেস করলাম।

'টাকাটা দিতেই হবে,' বলল ফেলুদা। 'তবে গোয়েন্দা সম্পর্কে হুমকিটা মানা চলবে না।'

'মানে? তুমি নিজেও থাকবে সেখানে?'

'ফেলু মিত্তির অত সহজে ঘাবড়াবার লোক নয় রে তোপ্‌সে।'

'আর আমরা? আমরা কোথায় থাকব?'

'তোরাও থাকবি কাছাকাছির মধ্যে, কারণ হেলপ দরকার হতে পারে।'

আমি তো শুনে থ।

দুপুরে খেয়ে দেয়ে আমরা গেলাম পাম এভিনিউ।

অম্বুজবাবু স্বভাবতই বাড়িতে ছিলেন, ফেলুদাকে দেখেই ব্যস্ত হয়ে উঠলেন।

'কাল রাত্তিরে চোখের পাতা এক করতে পারিনি মশাই। দেখতে দেখতে কী যে হয়ে গেল!'

ফেলুদা গম্ভীরভাবে বলল, 'টাকাটা আপনাদের খসবেই, মিঃ সেন। অম্বরবাবুকে ফিরে পাবার আর কোনও রাস্তা নেই।'

'তুমি ধরতে পারনি এখনও?' রুনা হঠাৎ ঘরের দরজা থেকে চেঁচিয়ে জিজ্ঞেস করে উঠল।

'অনেকটা ধরে ফেলেছি, রুনা,' বলল ফেলুদা। 'খুব চেষ্টা করছি যাতে বাকিটা আজ বিকেলের মধ্যেই ধরতে পারি।'

'ব্যাস, ঠিক আছে।'

রুনাকে ভীষণ নিশ্চিন্ত বলে মনে হল। ফেলুদা ব্যর্থ হবে এটা যেন তার কাছে ভয়ানক একটা দুঃখের ব্যাপার।

'তা হলে কী করা উচিত বলে মনে হয়?' জিজ্ঞেস করলেন অম্বুজবাবু।

'টাকার ব্যবস্থা হয়েছে?'

'সেটা করে ফেলেছি। বাড়িতে তো অত ক্যাশ থাকে না, তাই আজ সকালেই সমরেশকে দিয়ে ব্যাঙ্ক থেকে আনিয়ে নিয়েছি।'

'সেই টাকা, এবং যে ব্যাগে করে সেটা দেওয়া হবে—এই দুটো জিনিস আমি একবার দেখতে চাই।'

টাকা এবং ব্যাগ এসে গেল। এত টাকা এর আগে একসঙ্গে দেখেছি কি? মনে তো পড়ে না।

ফেলুদার সামনেই কুড়িটা করে একশো টাকার নোট রাবার ব্যান্ড দিয়ে গোছ করে দশ ভাগে ব্যাগের মধ্যে পুরে দেওয়া হল। তার ফলে ব্যাগের চেহারা হয়ে গেল কচ্ছপের পিঠের মতো।

'ভেরি গুড,' বলল ফেলুদা। 'তা হলে আমরা বেরিয়ে পড়ছি পৌনে ছটা নাগাত।'

অম্বুজবাবু চমকে উঠলেন।

'সে কী, আপনি যাবেন?'

'অপরাধীকে ধরার চেষ্টা আমাকে করতেই হবে,. মিঃ সেন। আপনি টাকা রেখে আসবেন, আর সে লোক দিব্যি এসে সেটা তুলে নিয়ে চলে যাবে, এ তো হতে দেওয়া যায় না! অম্বরবাবুকে ফেরত পাওয়াটাই বড় কথা সেটা জানি, কিন্তু সেই সঙ্গে এই গুণ্ডাদেরও সাজা হওয়া উচিত নয় কি? না হলে তো তারা এই ধরনের কুকীর্তি করেই চলবে। তবে আপনি চিন্তা করবেন না। সাবধানতা অবলম্বন না করে আমি কখনও কিছু করি না।'

'তা হলে—'

'আমি বলছি, আপনি মন দিয়ে শুনুন। আপনি আপনার গাড়িতে করে যাবেন টাকা নিয়ে। নিউ হাওড়া ব্রিজের দিকটা দিয়ে আসবেন। ওদিকটা মোটামুটি নিরিবিলি। গাড়ি প্রিনসেপঘাট থেকে অন্তত দুশো গজ আগে দাঁড় করিয়ে আপনার ড্রাইভারকে বলবেন টাকাটা যথাস্থানে রেখে আসতে। আমি কাছাকাছির মধ্যেই থাকব। কাজটা ঠিকমতো হচ্ছে কিনা সেটা আমি দেখতে পাব। আমরা মিট করব ঘটনার পর। গে রেস্টোরান্টের সামনে। আপনি টাকা রেখে সোজা ওখানে চলে আসবেন। আমিও তাই করব। অপরাধীকে যদি ধরতে পারি তা হলে তিনিও আমার সঙ্গেই থাকবেন, বলাই বাহুল্য।'

অম্বুজবাবুকে মনে হল যিনি তিনি বেশ নার্ভাস বোধ করছেন। সেটা অস্বাভাবিক নয়। টাকার অঙ্কটা তো কম নয়। আর গুণ্ডারা কী করবে না-করবে কে জানে?

বিকেলে সাড়ে চারটের সময় লালমোহনবাবু এলে পর ফেলুদার প্রথম কথা হল, 'মশাই, এমন অভিনব কেস আর আমি কোনওদিন পাইনি।'

অবিশ্যি আমাকে জিজ্ঞেস করলে পরে আমি এখনও বলতে পারব না এর বিশেষত্বটা কোথায়।

'তা হলে আমরা কী করছি?' জিজ্ঞেস করলেন লালমোহনবাবু।

'শুনে নিন মন দিয়ে,' বলল ফেলুদা। 'তুইও শোন, তোপ্‌সে। সাড়ে পাঁচটার সময় আপনার

গাড়ি নিয়ে আপনি আর তোপ্‌সে চলে যাচ্ছেন গে রেস্টোরান্টে। সেখানে আপনাদের অভিরুচি অনুযায়ী পানাহার সেরে ঠিক সোয়া ছ'টায় রেস্টোরান্ট থেকে বেরিয়ে সটান চলে যাবেন দক্ষিণে প্রিনসেপঘাট লক্ষ্য করে। গাড়ি রেখে যাবেন রেস্টোরান্টের সামনে। থামওয়ালা ঘাটটার কাছে পৌঁছনোর কিছু আগেই দেখবেন ডানদিকে একটা গম্বুজওয়ালা বসার ঘর রয়েছে। দুজনে সেখানে ঢুকে বেঞ্চিতে বসে পড়বেন। ভাবটা এমন হওয়া চাই যেন সান্ধ্যভ্রমণ আর বায়ুসেবন ছাড়া আপনাদের আর কোনও উদ্দেশ্য নেই। ঘাটের দিকে আড়দৃষ্টি রাখবেন, তবে যেন মনে না হয় যে, ওটাই আপনাদের লক্ষ্য। তারপর সাড়ে ছ'টার দশ মিনিট পর ওখান থেকে উঠে পড়ে নিজের গাড়িতে ফিরে আসবেন। আমিও সেখানেই আপনাদের মিট করব।'

৫

ফেব্রুয়ারি মাস শেষ হতে চলল, কিন্তু এখনও দিব্যি ঠাণ্ডা। তবে শীতকালের মতো দিন আর অত ছোট নেই, ছটা পর্যন্ত বেশ আলো থাকে। আমি আর লালমোহনবাবু কফি আর মুরগির কাটলেট খেয়ে ঠিক সোয়া ছ'টায় রেস্টোরান্ট থেকে বেরিয়ে রওনা দিলাম প্রিনসেপঘাটের দিকে।

পথে লালমোহনবাবু মাঝে-মাঝে বুক ভরে নিশ্বাস নিয়ে আঃ উঃ শব্দ করে সান্ধ্যভ্রমণের অভিনয় করছেন, সেটা যে খুব কনভিনসিং হচ্ছে তা নয়। কিন্তু ক্রমেই আশপাশের লোকজন এত কমে আসছে, ফুচকাওয়ালা আর ভেলপুরিওয়ালার দল এত পিছিয়ে পড়ছে যে, এখন উনি যা খুশি করলেও আপত্তির কিছু নেই।

দশ মিনিট লাগল আমাদের গম্বুজওয়ালা বসার জায়গাটায় পৌঁছতে। বেঞ্চ দখল করার পর এদিক ওদিক চেয়ে লালমোহনবাবু চাপা গলায় প্রশ্ন করলেন, 'তোমার দাদাকে দেখতে পাচ্ছ কি, তপেশ?'

দাদা কেন, কোনও মানুষকেই দেখতে পাচ্ছি না ঘাটের নৌকোর মাঝিদের ছাড়া। কোনখানে লুকিয়ে রয়েছে ফেলুদা কে জানে। ঘাটের দেড়শো বছরের পুরনো থামগুলো মাথা উঁচিয়ে দাঁড়িয়ে আছে, তাদের মধ্যে ফাঁকগুলো ক্রমেই অন্ধকারে হয়ে আসছে। ওখানে গিয়ে কেউ টাকার ব্যাগ রাখলে, বা সে ব্যাগ নিতে এলে, কেউ দেখতেও পাবে না।

'ওই যে!' লালমোহনবাবু আমার হাত খামচে ধরেছেন।

হ্যাঁ—ঠিকই দেখেছেন ভদ্রলোক।

একজন সাদা প্যান্ট আর কালো কোট পরা লোক হাতে একটা ব্যাগ নিয়ে এগিয়ে যাচ্ছে প্রিনসেপঘাটের দিকে। অম্বরবাবুদের ড্রাইভার। বিলাসবাবু।

বিলাসবাবু এবার থামগুলোর ফাঁক দিয়ে ভিতরে ঢুকে অন্ধকারে মিলিয়ে গেলেন।

মিনিটখানেক পরেই তাঁকে আবার দেখা গেল। এবার হাত খালি। বড়রাস্তায় পড়ে ডাইনে মোড় ঘুরে গাছের আড়াল হয়ে গেলেন ভদ্রলোক।

সাড়ে ছ'টা বেজে গেছে। আলো আরও পড়ে এসেছে। এখন সামনের সারির থামগুলো ছাড়া আর কোনওটাই দেখা যাচ্ছে না। একবার মনে হল অন্ধকারের মধ্যে কে যেন নড়ল; কিন্তু সেটা চোখের ভুল হতে পারে।

এবার দেখলাম সেনদের গাড়ি আমাদের সামনে দিয়ে রেস্টোরান্টের দিকে চলে গেল। তারপর তিনজন জিনস-পরা ছেলে, আর তাদের পিছনে ঢোলা প্যান্টপরা হাতে লাঠিওয়ালা এক বৃদ্ধ ফিরিঙ্গিও সেই দিকেই চলে গেল।

আমরাও উঠে পড়লাম।

আবার ঠিক দশ মিনিটই লাগল আমাদের গাড়িতে পৌঁছাতে।

কিন্তু ফেলুদা কই?

এবার গাড়ির ভিতরে চোখ গেল।

নস্যিরঙের আলোয়ান জড়ানো এবং লুঙ্গি পরা এক বুড়ো বসে আছে ড্রাইভার হরিপদবাবুর পাশে। থুতনিতে খোঁচা-খোঁচা দাড়ি, কিন্তু গোঁফ নেই।

'স্যালাম কর্তা!' লালমোহনবাবুর দিকে চেয়ে বলল লোকটা।

এ আর বলতে হবে না। ওই মুসলমান মাঝি ফেলুদা ছাড়া আর কেউ না। এদিকে অম্বুজবাবুও এসে পড়েছেন রাস্তার ওদিক থেকে। তাঁর কাছে ফেলুদার নিজের পরিচয় দিতেই হল। 'নৌকো থেকে ঘাটটা সবচেয়ে ভাল দেখা যায়, তাই ওখানেই ওত পাতার সিদ্ধান্ত নিয়েছিলাম।'

'কিন্তু কী হল সেইটে বলুন, মিঃ মিত্তির।'

ফেলুদা গম্ভীর।

'ভেরি সরি, মিঃ সেন।'

'মানে?'

'আমি ঘাটে ওঠার আগেই সে লোক টাকা নিয়ে হাওয়া।'

'বলেন কী! টাকা নেই? লোকটাকেও ধরা গেল না?'

'বলছি তো—আমি অত্যন্ত দুঃখিত।'

অম্বুজবাবু কিছুক্ষণ ফ্যালফ্যাল করে চেয়ে রইলেন ফেলুদার দিকে। কথাটা যেন ভদ্রলোকের বিশ্বাসই হচ্ছে না। সত্যি বলতে কী, আমারও কেমন যেন মাথা ঝিমঝিম করছিল। ফেলুদাকে এভাবে হার মানতে এর আগে দেখিনি কখনও।

'আপনাদের পুলিশের সাহায্যই নিতে হবে, মিঃ সেন,' বলল ফেলুদা। 'আপনি বাড়ি চলে যান। এবার তো অম্বরবাবুর ফিরে আসা উচিত। আমরা একবার বাড়িতে ঢুঁ মেরে আপনার ওখানেই আসছি। এই বেশে তো আর পাম এভিনিউ-এর বৈঠকখানায় ঢোকা যাবে না।'

বাড়ি যাওয়ার একমাত্র কারণ ফেলুদার একটু ফিটফাট হয়ে নেওয়া। তা ছাড়া হাতেও রং লেগেছিল—জিজ্ঞেস করতে বলল আলকাতরা—সেটাও ধুয়ে নেওয়া দরকার। আলকাতরাটাও মেক-আপের অংশ কিনা জিজ্ঞেস করাতে কোনও উত্তর দিল না ফেলুদা।

আমরা যখন পাম এভিনিউ রওনা হলাম, তখন প্রায় সাড়ে সাতটা বাজে। পথে লালমোহনবাবু একবার বলেছিলেন, 'আপনার অমন ব্রিলিয়ান্ট মেক-আপটা মাঠে মারা যাবে ভাবিনি মশাই—' কিন্তু তাতে ফেলুদা কোনও মন্তব্য করেনি।

পাম এভিনিউ পৌঁছানোর সঙ্গে-সঙ্গেই রুনার গলায় উচ্ছ্বসিত চিৎকার শোনা গেল, 'জেঠু এসে গেছে!'

অম্বরবাবু ফিরেছেন আমরা আসার মিনিট দশেক আগে। আমরা বৈঠকখানায় গিয়ে ঢুকতেই ভদ্রলোক সোফা ছেড়ে উঠে হাত বাড়িয়ে ফেলুদার হাত দুটো ধরে ঝাঁকিয়ে দিলেন। ভাই ভাইয়ের বউ, ভাইঝি, সমরেশবাবু, বিলাসবাবু, সকলেই ঘরে রয়েছেন।

'কোথায় আটক করে রেখেছিল আপনাকে?' একগাল হেসে প্রশ্ন করলেন লালমোহনবাবু।

'ওঃ—সে আর বলবেন না—'

ফেলুদা হাত তুলে বাধা দিল ভদ্রলোককে।

'উনি তো বলবেনই না, আর আপনিও বলবেন না, মিঃ সেন। কারণ বললেই একরাশ কল্পনার আশ্রয় নিতে হবে। মিথ্যে শব্দটা ব্যবহার করলাম না, কারণ সেটা ভাল শোনায় না।'

'হুররে হুররে হুররে!' চেঁচিয়ে উঠল রুনা। 'ফেলুদা ধরে ফেলেছে, ফেলুদা ধরে ফেলেছে!'

এবার ফেলুদা একটা চারমিনার ধরিয়ে নিয়ে বলল, 'আপনারা যে একটা বিরাট ফন্দি এঁটেছিলেন সেটা ধরে ফেলেছি, কিন্তু সেটার কারণটা এখনও ঠিক ধরতে পারছি না।'

'কারণ বলছি মিঃ মিত্তির,' হেসে বললেন অম্বর সেন। 'কারণ আমার ওই খুদে ভাইঝিটি। সে আপনাকে বলতে গেলে একরকম পুজোই করে। তার ধারণা আপনি ভুলভ্রান্তির ঊর্ধ্বে। তাই ওকে আমি সেদিন বললাম যে, তোর ফেলুদাকে আমি জব্দ করতে পারি। ব্যস—ওই একটি উক্তি থেকেই সমস্ত ফন্দিটির উৎপত্তি। এতে আমাদের সকলেরই ভূমিকা আছে।'

'অর্থাৎ এও আপনাদের একটা ফ্যামিলি নাটক?'

'ঠিক তাই। সবাইকে সব কিছু আমিই শিখিয়ে পড়িয়ে দিয়েছিলাম। আপনি কী জিজ্ঞেস করলে কী উত্তর দেবে, সব লিখে মুখস্থ করিয়ে দিয়েছিলাম—এমনকী ড্রাইভার ও চাকরকে পর্যন্ত। প্রধান নারীচরিত্র অবশ্য বউমা, যাঁকে দিয়ে মনগড়া অ্যাকসিডেন্টের কথাটা বলানো হয়েছিল। আমি নিজে ভাবিনি যে, আপনি ব্যাপারটা ধরে ফেলবেন—ইন ফ্যাক্ট, এই নিয়ে আমার ভাইয়ের সঙ্গে একশো টাকা বাজিও ধরেছিলাম। এ ব্যাপারে রুনার উৎকণ্ঠাই ছিল সবচেয়ে বেশি। কারণ তার হিরো যদি ফেল করত, তা হলে তার দুঃখের সীমা থাকত না। এই ঝুঁকিটা অবশ্য আমাকে নিতেই হয়েছিল, কিন্তু এখন সে নিশ্চিন্ত। এবার বলুন তো আপনার সিসটেমটা কী। কীসে আপনার প্রথম সন্দেহ হল মিঃ মিত্তির?'

ফেলুদা বলল, 'প্রথমত এবং প্রধানত, দুটো ক্লু, দুটোই আপনার কাজের ঘরে পাওয়া। এক হল হিমালয়ান অপটিক্যালসের ক্যাশ মেমো। আমি সেখানে খোঁজ নিয়ে জেনেছি যে, আপনি দিন সাতেক আগে একটি সোনালি ফ্রেমের নতুন চশমা করিয়েছেন। অথচ আপনার বাড়িতে সেটা সম্বন্ধে কেউ জানে না, বা কেউ সেটা আপনাকে পরতে দেখেনি। প্রশ্ন হল, এই চশমার দরকার পড়ছে কেন। এবং ঠিক এই সময় দরকার কেন।

'দুই হল—আপনার ডেট ক্যালেন্ডারে তিন দিনের পুরনো তারিখ। আপনার চাকর যখন তারিখ বদল করে না, তখন সেটা নিশ্চয় আপনিই করেন। তা হলে বদল হয়নি কেন?

'তখনই মনে হল যে, আপনাকে যদি কিডন্যাপড হবার ভান করে গা ঢাকা দিতে হয়, তা হলে হয়তো একটা ডেরা স্থির করে দু'দিন আগে গিয়েই সেখানে থাকা অভ্যাস করতে হবে। নতুন জায়গা ধাতস্থ হতে সময় লাগে বইকী! আর তাই যদি হয়, তা হলে সাবধানতা অবলম্বন করার জন্য আপনাকে হয়তো একটি ছদ্মবেশ ও একটি নতুন নাম নিতে হবে। সেই ক্ষেত্রে একটি নতুন চশমা নেওয়াও মোটেই অস্বাভাবিক নয়।'

'ধরে ফেলেছে, ফেলুদা সব ধরে ফেলেছে!' আবার চেঁচিয়ে উঠল রুনা।

এর মধ্যে লালমোহনবাবু যে হঠাৎ কেন খাঁচায়-বন্ধ সিংহের মতো পায়চারি করতে আরম্ভ করেছেন তা বুঝতে পারলাম না। ভদ্রলোক যাতে কোনও বাড়াবাড়ি না করে ফেলেন তাই ওঁকে সামলাতে যাব, এমন সময় উনি হঠাৎ দুহাত তুলে চেঁচিয়ে উঠলেন—

'ইউরেকা!'

'চিনেছেন ভদ্রলোককে?' ফেলুদা প্রশ্ন করল।

'চিনব না? মৃত্যুঞ্জয় সোম!'

অম্বরবাবু হো হো করে হেসে উঠলেন।

'আপনার সঙ্গে সেদিন পার্কে দেখা হওয়াটা সম্পূর্ণ অ্যাকসিডেন্ট, মশাই। আসলে গড়পারেই আমার এক বন্ধুর বাড়িতে গিয়ে ছিলাম সাতদিন। আপনি যখন এগিয়ে এসে জটায়ু-টটায়ু বলে নিজের পরিচয় দিলেন, তখন ভাবলাম— বা রে, এ তো বেশ মজা! যাকে জব্দ করতে যাচ্ছি তারই সাকরেদের সঙ্গে দেখা হয়ে গেল! তা হলে এঁকে নিয়ে একটু রগড় করতে পারলে কেমন হয়? তারপর অবিশ্যি মিত্তির মশাইয়ের বাড়িতেও আপনার সঙ্গে দেখা

হয়েছিল আমার আসল চেহারায়, কিন্তু আপনি চিনতে পারেননি।'

'কিন্তু তা হলে ব্যাপারটা কী দাঁড়াচ্ছে?' বলল ফেলুদা, 'নাটকের তো এখানেই শেষ নয়, অম্বরবাবু। এখনও তো ড্রপসিন ফেল চলবে না।'

ঘরের আবহাওয়া মুহূর্তে বদলে গেল, কারণ ফেলুদা কথাটা বলেছে গম্ভীর থমথমে ভাবে।

'হোয়্যার ইজ দ্য মানি?' প্রশ্ন করল ফেলুদা।

অম্বর সেন ফেলুদার দিকে তীক্ষ্ণদৃষ্টিতে চেয়ে বললেন, 'মিঃ মিত্তির, আপনি আমাকেও কিন্তু একজন শখের গোয়েন্দা বলতে পারেন। আমি যদি বলি যে, টাকাটা আপনিই নিয়ে আমাদের সঙ্গে একটু রগড় করছেন, তা হলে কি খুব ভুল বলা হবে? অপরাধী যখন নেই, কিডন্যাপার নেই, তখন টাকাটা সরে কোথায় যাবে মিঃ মিত্তির?'

ফেলুদা মাথা নেড়ে বলল, 'মিঃ সেন অত্যন্ত দুঃখের সঙ্গে জানাচ্ছি যে, আপনার শখের গোয়েন্দাগিরি এক্ষেত্রে খাটল না। প্রিনসেপঘাটের কাছে আজ সন্ধ্যায় আমি ছাড়াও আরেকজন ছদ্মবেশী ছিলেন।'

'বলেন কী!' বললেন অম্বর সেন, 'আপনি তাকে দেখেছেন?'

'দেখেছি, কিন্তু চিনিনি।'

'কিন্তু আপনি তখনই তাকে ধরলেন না কেন?'

'তখন ধরাটা আপনাদের পক্ষে যথেষ্ট নাটকীয় হত না। আপনারা নাটক পছন্দ করেন তো? আমার মনে হয় আপনাদের সামনে ধরাটা আরও নাটকীয় হবে। আমার সন্দেহ তিনি এখানেই আছেন। এ সন্দেহ ঠিক কি না সেটা আমি একবার পরখ করে দেখতে চাই।'

ঘরে যাকে বলে পিন-পড়া নিস্তব্ধতা। রুনার দিকে আড়চোখে চেয়ে দেখলাম সেও ফ্যাকাসে মেরে গেছে।

'বিলাসবাবু, আপনার জুতোর তলাটা একবার দেখুন তো,' বলে উঠল ফেলুদা।

বিলাসবাবু ঘরের দরজার মুখে দাঁড়িয়ে ছিলেন, বললেন, 'দেখব আর কী স্যার, জুতোর তলায় তো আলকাতরা লেগে রয়েছে। ব্যাগ রেখে ফেরবার সময় তো রাস্তায় পা আটকে যাচ্ছিল।'

'ওই আলকাতরা আমিই ছড়িয়ে রেখেছিলাম থামটার চারপাশে,' বলল ফেলুদা, 'কারণ একজনের সম্বন্ধে আমার মনে একটা সন্দেহের কারণ ঘটেছিল। আপনারা সকলেই বানিয়ে বানিয়ে কথা বলেছিলেন। কিন্তু ইনি যে মিথ্যেটা বলেছিলেন সেটা একটু অন্যরকম। ইনি বলেছিলেন...ও কী, আপনি যাচ্ছেন কোথায়?'

কিন্তু পালাবার পথ নেই। দরজা আগলে দাঁড়িয়ে আছেন বিলাসবাবু। এক ঝটকায় যাকে বগলদাবা করে ফেলেছেন ভদ্রলোক, তিনি হচ্ছেন সমরেশ মল্লিক।

'এবার আপনার স্যান্ডেলের তলাটা এঁদের দেখিয়ে দিন তো,' বলল ফেলুদা। 'বিলাসবাবু একটু হেল্প করলে ব্যাপারটা সহজে হয়ে যায়।'

বিলাসবাবু নিচু হয়ে সমরেশবাবুর পা থেকে স্যান্ডেলটা একটানে খুলে নিয়ে তার তলাটা সকলকে দেখিয়ে দিলেন। উনিই যে গিয়েছিলেন প্রিনসেপঘাটের থামের পাশে, তাতে আর কোনও সন্দেহ রইল না।

'আপনার কোহিনুর কোম্পানি তো দুবছর হল লাটে উঠেছে সমরেশবাবু,' বলল ফেলুদা, 'তা সত্ত্বেও আপনি সেখানে চাকরি করছিলেন কী করে সেটা এঁদের একটু বুঝিয়ে বলবেন? আর যদি চাকরি না-ই করে থাকেন, তবে এই দুবছর কীভাবে রোজগার করেছেন সেটা বলবেন?'

সমরেশবাবু নিরুত্তর। বিলাসবাবু এখনও তাঁকে জাপটে ধরে আছেন; মনে হয় পুলিশ

আসার আগে পর্যন্ত সেইভাবেই ধরে থাকবেন।

'অবিশ্যি এই ব্যক্তির খোলস খুলে ফেলার জন্য আপনাদের আমাকেই ধন্যবাদ দিতে হবে,' বলল ফেলুদা। 'আপনারা তো আর বিশ হাজার টাকা রাখতেন না থামের পাশে! নেহাত আমি যখন বললাম শাসানি কেয়ার করি না, আমি নিজে থাকব সেখানে, তখন আপনাদের বাধ্য হয়েই রাখতে হল, আর সেই টাকা হাত করার সুযোগ নিলেন সমরেশবাবু। যাকগে, এখন তো জানলেন টাকা কোথায় আছে। এবার সেটা আদায় করার রাস্তা আপনারা দেখুন। উনি যদি সে-টাকা অন্যত্র পাচার করে থাকেন, তা হলে পুলিশ তো আছেই; তারা এসব আদায়ের অনেক রাস্তা জানে। আমার কাজ এখানেই শেষ।'

ফেলুদার সঙ্গে সঙ্গে আমরা দুজনও উঠে পড়েছিলাম, কিন্তু ওঠা আর হল না। মিসেস সেন বাধা দিলেন।

'শেষ বলছেন কী? এত সহজে শেষ হবে কী করে? আপনাকে ঝুড়ি ঝুড়ি মিথ্যে কথাগুলো বললাম, তার বুঝি প্রায়শ্চিত্ত করতে হবে না? আজ রাত্তিরে আপনাদের খেতে হবে আমাদের বাড়িতে।'

'আর ওই বিশ হাজারের অন্তত খানিকটা তো আপনার প্রাপ্য,' বললেন অম্বর সেন, 'সেটা না নিয়ে যাবেন কী করে?'

'আর তোমরা তিনজনে একসঙ্গে এসেছ,' বললেন শ্রীমতী রুনা, 'আমার অটোগ্রাফে সই দেবে না বুঝি?'

'এন্ডস ওয়েল দ্যাট অলস্ ওয়েল,' বললেন লালমোহনবাবু।

জাহাঙ্গীরের স্বর্ণমুদ্রা

১

'হ্যালো—প্রদোষ মিত্র আছেন ?'

'কথা বলছি।'

'ধরুন—পানিহাটি থেকে কল আছে আপনার......হ্যাঁ, কথা বলুন।'

'হ্যালো—'

'কে, মিঃ প্রদোষ মিত্র ?'

'বলছি—'

'আমার নাম শঙ্করপ্রসাদ চৌধুরী। আমি পানিহাটি থেকে বলছি। আমি অবিশ্যি আপনার অপরিচিত, কিন্তু একটা বিশেষ অনুরোধ জানাতে আপনাকে টেলিফোন করছি।'

'বলুন।'

'আমার ইচ্ছা আপনি একবার এখানে আসেন।'

'পানিহাটি ?'

'আজ্ঞে হ্যাঁ। আমি এখানেই থাকি। গঙ্গার উপরে আমাদের একটা একশো বছরের পুরনো বাড়ি আছে। নাম অমরাবতী। এখানে সকলেই জানে। আপনার কাজের সঙ্গে আমার যথেষ্ট পরিচয় আছে, এবং আপনারা যে তিনজন একসঙ্গে ঘোরাফেরা করেন তাও আমি জানি। আমি আপনাদের তিনজনকেই আমন্ত্রণ জানাচ্ছি। এই শনিবার সকালে

এসে—এই ধরুন দশটা নাগাদ—রাত্তিরটা থেকে আবার রবিবার ফিরে যাবেন।'

'কোনও অসুবিধায় পড়েছেন কি? মানে আমার পেশাটা তো জানেন; কোনও রহস্য— ?'

'তা না হলে আপনাকে ডাকব কেন বলুন? তবে সে বিষয়ে আমি ফোনে বলব না, আপনি এলে বলব। আমার বাড়িটা আপনাদের ভালই লাগবে, ভাল ইলিশ মাছ খাওয়াব, যদি ভিডিও ক্যাসেটে ছবি দেখতে চান তাও দেখাব, আর তার উপরে আপনার মস্তিষ্ক খাটানোর খোরাকও জুটবে বলে মনে হয়।'

'আমার অবিশ্যি এখন এমনিতে কোনও এন্‌গেজমেন্ট নেই—'

'তা হলে চলে আসুন—দ্বিধা করবেন না। তবে একটা কথা।'

'কী?'

'এখানে আমি ছাড়াও কয়েকজন থাকবেন। গোড়ায় আমি কাউকে আপনার আসল পরিচয়টা দিতে চাই না—একটা বিশেষ কারণে।'

'ছদ্মবেশ নিয়ে আসতে বলছেন?'

'সেটার হয়তো প্রয়োজন নেই। আপনি তো ফিল্মস্টার নন। যাঁরা এখানে থাকবেন, আমার বিশ্বাস তাঁরা আপনার চেহারার সঙ্গে পরিচিত নন। আপনি শুধু আপনাদের তিনজনের জন্য ভূমিকা বেছে নেবেন। কী ভূমিকা সেটাও আমি সাজেস্ট করতে পারি।'

'কীরকম?'

'আমার প্রপিতামহ বনোয়ারিলাল চৌধুরী ছিলেন এক বিচিত্র চরিত্র। তাঁর কথা পরে জানবেন, কিন্তু আমি এইটুকু বলতে পারি যে তাঁর একটা জীবনী লেখা এমনিতেও বিশেষ দরকার। আপনি যদি ধরুন তাঁর সম্বন্ধে তথ্য সংগ্রহ করতে আসেন।'

'ভেরি গুড। আর আমার বন্ধু—মিঃ গাঙ্গুলী ।'

'আপনার বাইনোকুলার আছে?'

'তা আছে।'

'তা হলে ওঁকে পক্ষিবিদ করে দিন না। আমার বাগানে অনেক পাখি আসে; ওঁর একটা অকুপেশন হয়ে যাবে।'

'বেশ। আমার খুড়তুতো ভাইটি হবেন পক্ষিবিদের ভাইপো।'

'ব্যাস্, তা হলে তো হয়েই গেল।'

'তা হলে পরশু শনিবার সকাল দশটা?'

'দশটা।'

'অমরাবতী?'

'অমরাবতী। আর আমার নাম শঙ্করপ্রসাদ চৌধুরী।'

ফেলুদাকে অবিশ্যি টেলিফোনের পুরো ব্যাপারটা আমার জন্য রিপিট করতে হল। বলল, 'কিছু লোক আছে যাদের কণ্ঠস্বরে এমন একটা ভরসা-জাগানো হৃদ্যতাপূর্ণ ভাব থাকে যে তাদের অনুরোধ এড়ানো খুব মুশকিল হয়।'

আমি বললাম, 'এড়াবে কেন? এঁকে তো একরকম মক্কেল বলেই মনে হচ্ছে। তোমার রোজগারের কথাটাও ভাবতে হবে তো।'

আসলে ফেলুদার একটা ব্যাপার আছে। পর পর গোটা দু-তিন কেসে ভাল রোজগার হলে কিছুদিনের জন্য গোয়েন্দাগিরিতে ইস্তফা দিয়ে অন্য জিনিস নিয়ে পড়ে। সে জিনিসে অবিশ্যি রোজগার নেই, শুধু শখের ব্যাপার। এখন ওর সেই অবস্থা চলেছে। এখনকার নেশা হল আদিম মানুষ। সম্প্রতি পূর্ব আফ্রিকার জীবতত্ত্ববিদ্ রিচার্ড লীকির একটা

সাক্ষাৎকার পড়ে ও জেনেছে যে লীকির কিছু আবিষ্কারের ফলে আদিম মানুষের উদ্ভবের সময়টা এক ধাক্কায় লাখ লাখ বছর পিছিয়ে গেছে। ফেলুদা এখন আদিম মানুষ ও তার বানর পূর্বাবস্থার ভাবনায় মশগুল। পাঁচবার গেছে মিউজিয়ামে, তিনবার ন্যাশনাল লাইব্রেরি আর একবার চিড়িয়াখানা। একদিন বলল, 'একটা থিওরিতে কী বলে জানিস?' বলে মানুষ এসেছে আফ্রিকার এক বিশেষ ধরনের খুনে বানর থেকে, যাকে বলে "কিলার এপ"। আর সেই কারণেই নাকি মানুষের মজ্জায় একটা হিংস্র প্রবৃত্তি রয়ে গেছে—যেটা প্রকাশ পায় যুদ্ধে, দাঙ্গায় আর খুন-খারাপিতে।'

পানিহাটিতে মানুষের এই হিংস্র প্রবৃত্তির কোনও নমুনা ও আশা করছে কি না জানি না, তবে এটা জানি যে মাঝে মাঝে ওর কলকাতা ছেড়ে অন্তত কিছুক্ষণের জন্য বাইরে ঘুরে আসতে ভালই লাগে। এইতো সেদিন আমরা লালমোহনবাবুর গাড়িতে গিয়ে বর্ধমানের রাস্তায় পাণ্ডুয়ার বিখ্যাত ঐতিহাসিক গম্বুজ আর হিন্দু মন্দিরের উপরে তৈরি ষোড়শ শতাব্দীর মুসলমান মসজিদ দেখে এলাম।

লালমোহনবাবুর ড্রাইভার হরিপদবাবু দশ দিনের ছুটিতে দেশে গেছেন বলে ফেলুদাকেই তাঁর জায়গা নিতে হল। পথে যেতে যেতে লালমোহনবাবু বললেন, 'দিলেন তো মশাই একটা দায়িত্ব আর একটা বাইনোকুলার আর দুখানা বই ঘাড়ে চাপিয়ে; এদিকে গড়পারে তো কাক-চড়ুই ছাড়া কোনও পাখি কোনওদিন দেখিচি বলে মনে পড়ে না।'

বই দুটো হল সেলিম আলির ইন্ডিয়ান বার্ডস আর অজয় হোমের বাংলার পাখি।

ফেলুদা বলল, 'কুছ পরোয়া নেহী। মনে রাখবেন, কাক হল করভাস স্প্লেন্ডেন্স্, চড়ুই হল পাসের ডোমেস্টিকাস। সব সময় ল্যাটিন নাম বলতে গেলে জিভ জড়িয়ে যাবে, তাই ইংরিজি নামও ব্যবহার করতে পারেন—যেমন ফিঙেকে ড্রঙ্গো, টুনটুনিকে টেলর বার্ড, ছাতারেকে জাঙ্গল ব্যাবলার। আর পাখি না দেখলেও, মাঝে মাঝে বাইনোকুলার চোখে লাগালেই অনেকটা কাজ দেবে।'

'আমার নামও তো একটা চাই' বললেন লালমোহনবাবু।

'আপনি হলেন ভবতোষ সিংহ, আপনার ভাইপো প্রবীর আর আমি সোমেশ্বর রায়।'

পৌনে নটায় রওনা হয়ে আমরা দশটা বেজে পাঁচে পানিহাটিতে শঙ্করপ্রসাদ চৌধুরীর বাড়ি অমরাবতীতে পৌঁছে গেলাম। আমাদের গাড়ি দেখেই বন্দুকধারী গুর্খা দারোয়ান এসে বিকট ক্যাঁ-চ শব্দে লোহার গেট খুলে দিল।

ফেলুদা বলে, 'গল্পের শুরুতেই একগাদা বর্ণনা হড় হড় করে ঢেলে দিলে পাঠক হাবুডুবু খায়; ওটা দিবি গল্পের ফাঁকে ফাঁকে।' তাই শুধু বলছি—বিশাল জমির ওপর লাল বাড়িটা পেল্লায়, থমথমে আর অনেকটা বিলিতি কাস্‌লের ধাঁচে তৈরি। বাড়ির দক্ষিণে ফুলবাগান, তার পরে গাছপালা রাখার কাচের ঘর, আর তারও পরে ফলবাগান। নুড়ি বিছানো প্যাঁচালো পথ দিয়ে আমরা সদর দরজায় পৌঁছলাম।

বাড়ির মালিক গাড়ির শব্দ পেয়ে বাইরে এসে দাঁড়িয়েছিলেন, আমরা নামলে হেসে বললেন, 'ওয়েলকাম্ টু অমরাবতী।' এঁর বর্ণনা হল—মাঝারি হাইট, ফরসা রং, বয়স পঞ্চাশ-টঞ্চাশ। পরনে পায়জামা আর আদ্দির পাঞ্জাবি, পায়ে শুঁড় তোলা লাল চটি, ডান হাতে চুরুট।

'আমার খুড়তুতো ভাই জয়ন্তও কাল এসেছে, তাকেও দলে টেনে নিয়েছি। অর্থাৎ সে আপনার আসল পরিচয় জানলেও অন্যদের সামনে প্রকাশ করবে না।'

'অন্যরা কি এসে গেছেন?' ফেলুদা জিজ্ঞেস করল।

'না। তাঁরা আসবেন বিকেলে। চলুন, একটু বসে জিরোবেন। আর সেই সুযোগে কিছু

কথাও হবে।'

আমরা বাড়ির পশ্চিমদিকের বিরাট চওড়া বারান্দায় গিয়ে বসলাম। সামনে দিয়ে গঙ্গা বয়ে চলেছে, দেখলেও চোখ জুড়িয়ে যায়। অমরাবতীর প্রাইভেট ঘাটও দেখতে পাচ্ছি সামনে ডান দিকে। একটা তোরণের নীচ দিয়ে সিঁড়ি নেমে গেছে জল অবধি।

'ওই ঘাট কি ব্যবহার হয় ?' ফেলুদা জিজ্ঞেস করল।

'হয় বইকী,' বললেন শঙ্করবাবু। 'আমার খুড়িমা থাকেন তো এখানে। উনি রোজ সকালে গঙ্গাস্নান করেন।'

'উনি একা থাকেন এ বাড়িতে ?'

'একা কেন ? আমিও তো দু বছর হল এখানেই থাকি। টিটাগড় আমার কাজের জায়গা। কলকাতায় আমহার্স্ট স্ট্রিটের বাড়ির চেয়ে এ বাড়ি অনেক কাছে হয়।

'আপনার খুড়িমার বয়স কত ?'

'সেভেনটি এইট। আমাদের পুরনো চাকর অনন্ত ওঁর দেখাশোনা করে। এমনিতে মোটামুটি শক্তই আছেন, তবে ছানি কাটাতে হয়েছে কিছুদিন হল, দাঁতও বেশি বাকি নেই, আর মাথায় সামান্য ছিট দেখা দিয়েছে। নাম ভুলে যান, খেতে ভুলে যান, মাঝরাত্তিরে পান ছাঁচতে বসেন—এই আর কী। ঘুম তো এমনিতে খুবই কম—রাত্তিরে ঘণ্টা দুয়েকের বেশি নয়। আসলে চার বছর আগে কাকা মারা যাওয়ার পর উনি আর কলকাতায় থাকতে চাননি। এখানে থাকাটা ওঁর কাছে একরকম কাশীবাসের মতো।'

বেয়ারা ট্রেতে করে চা আর মিষ্টি নিয়ে এল।

'দুপুরে খেতে খেতে সেই একটা-দেড়টা হবে,' বললেন শঙ্করবাবু, 'কাজেই আপনারা মিষ্টিটার সদ্ব্যবহার করুন। এ মিষ্টি কলকাতায় পাবেন না।'

চায়ের কাপ হাতে নিয়ে একটা চুমুক দিয়ে ফেলুদা বলল, 'আমাদের আসল আর নকল দুটো পরিচয়ই তো জানেন, এবার আপনাদের পরিচয়টা পেলে ভাল হত। আপনি কী করেন জিজ্ঞেস করাটা কি অভদ্রতা হবে ?'

'মোটেই না', বললেন শঙ্করবাবু। 'আপনাকে ডেকেছি তো সব কথা খুলে বলবার জন্যেই ; না হলে আপনি কাজ করবেন কী করে ?—সোজা কথায় আমি হলাম ব্যবসাদার। বুঝতেই পারছেন, এত বড় বাড়ি যখন মেনটেন করছি তখন ব্যবসা আমার মোটামুটি ভালই চলে।'

'আপনার কি বংশানুক্রমিক ব্যবসা ?'

'না। এ বাড়ি তৈরি করেন আমার প্রপিতামহ—বনোয়ারিলাল চৌধুরী।'

'অর্থাৎ যাঁর জীবনী লিখতে যাচ্ছি আমি ?'

'এগজ্যাক্টলি। তিনি ছিলেন রামপুরের ব্যারিস্টার। অগাধ পয়সা করে শেষ বয়সে কলকাতায় চলে আসেন ; এসে এই বাড়িটা তৈরি করেন। উনি এখানেই থাকতেন, এখানেই মৃত্যু হয়। ঠাকুরদাদাও ব্যারিস্টার ছিলেন, তবে তাঁর পসার আমার প্রপিতামহের মতো ছিল না। তার দুটো কারণ—জুয়া আর মদ। তার ফলে চৌধুরী পরিবারের অবস্থা কিছুটা পড়ে যায়। বাড়িতে বনোয়ারিলালের কিছু মূল্যবান সম্পত্তি ছিল—সেগুলোর কথায় পরে আসছি—তার কিছু আমার ঠাকুরদাদা বিক্রি করে দেন। ব্যবসা শুরু করেন আমার বাবা, আর তার ফলে বংশের ভিত খানিকটা মজবুত হয়। তারপর আমি।'

'আর আপনার খুড়তুতো ভাই ?'

'জয়ন্ত ব্যবসায় যায়নি। সে আছে এক এনজিনিয়ারিং ফার্মে। ভালই রোজগার করে, তবে ইদানীং শুনছি ক্লাবে গিয়ে পোকার খেলছে। ঠাকুরদাদার একটা গুণ পেয়েছে আর

কী ? জয়ন্ত আমার চেয়ে পাঁচ বছরের ছোট।'

এই ফাঁকে ফেলুদা পকেট থেকে তার মাইক্রোক্যাসেট রেকর্ডারটা বার করে চালু করে দিয়েছে। এটা হংকং থেকে আনা। আজকাল মক্কেলের কথা খাতায় না লিখে রেকর্ডারে তুলে নেয়, তাতে অনেক বেশি সুবিধা হয়।

শঙ্করবাবু বললেন, 'আত্মীয়ের কথা তো হল, এবার অনাত্মীয়ের প্রসঙ্গে আসা যাক।'

'তার আগে একটা প্রশ্ন করে নিই,' বলল ফেলুদা। 'যদিও প্রায় ঘষে উঠে গেছে, তবুও মনে হচ্ছে আপনার কপালে একটা চন্দনের ফোঁটা দেখতে পাচ্ছি। তার মানে—'

'তার মানে আর কিছুই না, আজ হল আমার জন্মতিথি। ফোঁটাটা দিয়েছেন খুড়িমা।'

'জন্মতিথি বলেই কি আজ এখানে অতিথি সমাগম হবে ?'

'অতিথি বলতে মাত্র তিনজন। গত বছর ছিল ফিফ্‌টিয়েথ বার্থডে, সেবারও ডেকেছিলাম এই তিনজনকেই। ভেবেছিলাম ওই একটি বারই তিথি পালন করব। কিন্তু একটা বিশেষ কারণে এবারও করছি। বুঝতেই পারছেন, এ বাড়িতে যাঁরা একবার এসেছেন, তাঁদের দ্বিতীয়বার আসতে কোনও আপত্তি হবে না।'

'এই দ্বিতীয়বারের কারণটা কী ?'

শঙ্করবাবু একটু ভেবে বললেন, 'খুব ভাল হয় আপনারা যদি চা খেয়ে একবারটি দোতলায় আসেন আমার সঙ্গে—আমার খুড়িমার ঘরে। তা হলে বাকি ঘটনাটা বুঝতে সহজ হবে। আর আমিও ব্যাপারটা গুছিয়ে বলতে পারব।'

আমরা মিনিটখানেকের মধ্যেই উঠে পড়লাম।

সিঁড়িতে পৌঁছাতে হলে বৈঠকখানা দিয়ে যেতে হয়। এখানে বলে রাখি—বাহারের আসবাব, কার্পেট, মখমলের পর্দা, ঝাড়লণ্ঠন, শ্বেতপাথরের মূর্তি ইত্যাদি মিলিয়ে এমন জমজমাট বৈঠকখানা আমি বেশি দেখিনি।

সিঁড়ি উঠতে উঠতে ফেলুদা বলল, 'আপনার খুড়িমা ছাড়া দোতলায় আর কে থাকেন ?'

'খুড়িমা থাকেন উত্তর প্রান্তে,' বললেন শঙ্করবাবু, 'আর দক্ষিণে থাকি আমি। জয়ন্ত এলেও দক্ষিণেরই একটা ঘরে থাকে।'

দোতলার ল্যান্ডিং পেরিয়ে আমরা ঢুকলাম খুড়িমার ঘরে। বেশ বড় ঘর, কিন্তু এতে কোনও জাঁকজমক নেই। পশ্চিমে দরজার বাইরে আলো আর বাতাসের বহর দেখে বোঝা যায় ওদিকেই গঙ্গা। দরজার পাশেই বুড়ি মাদুরে বসে মালা জপছেন। তাঁর পাশে একটা হামানদিস্তা, একটা পানের বাটা আর একটা মোটা বই। নির্ঘাত রামায়ণ কি মহাভারত হবে। আসবাব বলতে একটা খাট আর একটা ছোট আলমারি।

আমরা ঘরে ঢুকতেই খুড়িমা মাথা তুলে পুরু চশমার ভিতর দিয়ে আমাদের দিকে চাইলেন।

'কজন অতিথি এসেছেন কলকাতা থেকে', বললেন শঙ্করবাবু।

'তাই এই ঘাটের মড়াকে দেখাতে আনলি ?'

আমরা তিনজনে এগিয়ে গিয়ে প্রণাম করতে বৃদ্ধা বললেন, 'তা বাপু তোমাদের পরিচয় জেনে আর কী হবে, নাম তো মনে থাকবে না। নিজের নামটাই ভুলে যাই মাঝে মাঝে। এখন তো বসে বসে দিন গোনা।'

'আসুন—'

শঙ্করবাবুর ডাকে আমরা ঘুরলাম। বৃদ্ধা আবার বিড়বিড় করে মালা জপতে শুরু করলেন।

এবার দেখলাম ঘরের উলটোদিকে খাটের পাশে একটা প্রকাণ্ড সিন্দুক রয়েছে। শঙ্করবাবু

পকেট থেকে চাবি বার করে সিন্দুকটা খুলতে খুলতে বললেন, 'এবারে আপনাদের যে জিনিস দেখাব সে হল আমার প্রপিতামহের সম্পত্তি। রামপুরে থাকতে বহু নবাব-তালুকদার তাঁর মক্কেল ছিলেন। এগুলো তাঁদের উপঢৌকন। এরই বেশ কিছু আমার ঠাকুরদাদা বিপাকে পড়ে বেচে দিয়েছিলেন। তবে তার পরেও কিছু আছে। যেমন এই যে দেখুন—'

শঙ্করবাবু একটা থলি বার করে তার মুখটা ফাঁক করে হাতের তেলোয় উপুড় করলেন। ঝনঝন করে কিছু গোল চাকতি তেলোয় পড়ল।

'জাহাঙ্গীরের আমলের স্বর্ণমুদ্রা', বললেন শঙ্করবাবু। 'দেখুন, প্রত্যেকটিতে একটি করে রাশির ছবি খোদাই করা। এই জিনিস একেবারেই দুষ্প্রাপ্য।'

'রাশিচক্র হলে এগারোটা কেন?' ফেলুদা জিজ্ঞেস করল। 'বারোটা হওয়া উচিত নয় কি?'

'একটি মিসিং।'

আমরা পরস্পরের দিকে চাইলাম।

'আরও জিনিস আছে', বললেন শঙ্করবাবু, 'সেগুলো এই আইভরির বাক্সটার মধ্যে। সোনার উপর চুনি বসানো ইটালিয়ান নস্যির কৌটো, জেড পাথরে চুনি আর পান্না বসানো মোগল সুরাপাত্র, আংটি, লকেট...কিন্তু সে সব আপনারা দেখবেন আজ সন্ধ্যাবেলা, সর্বসমক্ষে। এখন নয়।'

'এর চাবি তো আপনার কাছেই থাকে?' ফেলুদা জিজ্ঞেস করল।

'হ্যাঁ, আমার কাছেই। একটা ডুপলিকেট আছে, থাকে খুড়িমার আলমারিতে।'

'কিন্তু সিন্দুক আপনার ঘরে নয় কেন?'

'এ ঘরটা অতীতে ছিল আমার প্রপিতামহের ঘর। সিন্দুক তাঁরই আমলের। ওটা আর সরাইনি। আর কড়া পাহারা আছে গেটে, এ ঘরে খুড়িমা প্রায় সর্বক্ষণ থাকেন, তাই এক হিসেবে ওটা এখানে যথেষ্ট সেফ।'

আমরা আবার নীচের বারান্দায় ফিরে এলাম। চেয়ারে বসার পর ফেলুদা টেপরেকর্ডার চালু করে দিয়ে বলল, 'একটি মুদ্রা মিসিং হল কী করে?'

'সে কথাই তো বলছি, বললেন শঙ্করবাবু। 'তিনজনকে উইক এন্ডে নেমন্তন্ন করেছিলাম গত জন্মতিথিতে। একজন হলেন আমার বিজনেস পার্টনার নরেশ কাঞ্জিলাল। আরেকজন এখানকারই ডাক্তার অর্ধেন্দু সরকার। আর তৃতীয় ব্যক্তি হলেন কালীনাথ রায়। ইনি ইস্কুলে আমার সহপাঠী ছিলেন; পঁয়ত্রিশ বছর পর আবার আমার সঙ্গে যোগাযোগ করেন। আমার প্রপিতামহের মহামূল্য সম্পত্তির কথা এঁরা সকলেই শুনেছিলেন, কিন্তু চোখে দেখেননি। আমার পরিকল্পনা অনুযায়ী রাত্তিরে ডিনারের পর জয়ন্ত সিন্দুক থেকে স্বর্ণমুদ্রার থলিটা বার করে নীচে বৈঠকখানায় আনে। কয়েনগুলো টেবিলের উপর ছড়িয়ে রেখেছি, সকলে ঘিরে দেখছে, এমন সময় হল লোডশেডিং। ঘর অন্ধকার। এটা অবিশ্যি অস্বাভাবিক ঘটনা নয়। চাকর দুমিনিটের মধ্যে মোমবাতি নিয়ে আসল, আমি কয়েনগুলো তুলে নিয়ে আবার সিন্দুকে রেখে এলাম। একটা যে কমে গেছে সেটা তখন খেয়াল করিনি। এমন যে হতে পারে কল্পনাও করিনি। পরদিন সকলে চলে যাবার পর মনে একটা খটকা লাগাতে সিন্দুক খুলে দেখি কর্কট রাশির মুদ্রাটি নেই।'

'কয়েনগুলো আপনিই তুলে রেখেছিলেন?'

'হ্যাঁ, আমি। ব্যাপারটা বুঝুন মিঃ মিত্তির। তিনজন নিমন্ত্রিত। একজনকে পঁচিশ বছর চিনি—আমার বিজনেস পার্টনার। অর্ধেন্দু সরকার হলেন ডাক্তার এবং ভালই ডাক্তার। খড়দা টিটাগড় থেকে কল আসে ওঁর। আর কালীনাথ আমার বাল্যবন্ধু।'

'কিন্তু এঁদের সকলকেই কি অনেস্ট লোক বলে জানেন আপনি?'

'সেখানেই অবিশ্যি গণ্ডগোল। কাঞ্জিলালের কথা ধরুন। ব্যবসায় অনেকেই জেনেশুনে অসৎ পন্থা নেয়, কিন্তু কাঞ্জিলালের মতো এমন অম্লান বদনে নিতে আমি আর কাউকে দেখিনি। আমাকে ঠাট্টা করে বলে—তুমি ধর্মযাজক হয়ে যাও, তোমার দ্বারা ব্যবসা হবে না।'

'আর অন্য দুজন?'

'ডাক্তারের কথা আমি জানি না। খুড়িমা মাঝে মাঝে বাতে ভোগেন, ডাক্তার তাঁকে এসে দেখে যান। এর বেশি জানি না। তবে কালীনাথ বোধহয় গভীর জলের মাছ। এক যুগ দেখা নেই, হঠাৎ একদিন টেলিফোন করে আমার কাছে এল। বলল—বয়স যত বাড়ছে ততই পুরনো দিনের কথা মনে পড়ে। তাই একবার ভাবলাম তোমার সঙ্গে দেখা করি।

'আপনি তাঁকে দেখেই চিনেছিলেন?'

'তা চিনেছিলাম। তা ছাড়া ইস্কুলের বহু পুরনো গল্প করল। সে যে আমার সহপাঠী তাতে সন্দেহ নেই। গোলমালটা হচ্ছে, সে যে এখন কী করে তা কিছুতেই ভেঙে বলে না। জিজ্ঞেস করলেই বলে, ধরে নাও তোমারই মতো ব্যবসা করে। এদিকে গুণ যে নেই তা নয়। খুব আমুদে রসিক লোক। ইস্কুলে থাকতে ম্যাজিক দেখাত, এখনও সে অভ্যাসটা রেখেছে। হাত সাফাই রীতিমতো ভাল।'

'আপনার ভাইও তো অন্ধকারের মধ্যে ঘরে ছিলেন।'

'সে ছিল। তবে সে তো এ জিনিস আগে দেখেছে, তাই সে টেবিলের কাছে ছিল না। নিয়ে থাকলে ওই তিনজনের একজনই নিয়েছে।'

'তারপর আপনি কী করলেন ?'

'কী আর করতে পারি বলুন। এমন লোক আছে যারা এই অবস্থায় সোজাসুজি পুলিশ ডেকে তিনজনের বাড়ি সার্চ করাত। কিন্তু আমি পারিনি। ওই তিনজনের সঙ্গে বসে কত ব্রিজ খেলেছি, আর তাদের একজনকে বলব চোর ?'

'তার মানে স্রেফ হজম করে গেলেন ব্যাপারটা ?'

'স্রেফ হজম করে গেলাম। ফলে এখনও কেউ জানেই না যে আমি ব্যাপারটা টের পেয়েছি। সেই ঘটনার পরেও তো এদের সঙ্গে দেখা হয়েছে কতবার, কিন্তু কেউ তো কোনওরকম অসোয়াস্তি বা অপরাধ বোধ করছে বলে মনে হয়নি। অথচ আমি জানি যে এই তিনজনের মধ্যেই একজন দোষী। একজন চোর।'

আমরা তিনজনেই চুপ। ঘটনাটা অদ্ভুত তাতে সন্দেহ নেই। কিন্তু এ অবস্থায় কী করা যায় ?

আমার মনের প্রশ্নটা ফেলুদাই করল। শঙ্করবাবু বললেন, 'এরা জানে যে আমি এদের সন্দেহ করি না। তাই এদের আবার ডেকেছি, এবং আজ রাত্রে আমি আবার এদের সামনে বনোয়ারিলালের কিছু মূল্যবান জিনিস বার করব। মাসখানেক থেকে ঘড়ির কাঁটায় কাঁটায় সন্ধ্যা সাতটায় লোডশেডিং হচ্ছে এখানে। তার ঠিক আগে আমি জিনিসগুলো টেবিলে সাজাব। ঘর আবার অন্ধকার হবে। আশা করছি সেই অন্ধকারে চোরের প্রবৃত্তি আবার মাথা চাড়া দিয়ে উঠবে। সব মিলিয়ে এই সম্পত্তির মূল্য চল্লিশ-পঞ্চাশ লাখের কম নয়। হয়তো আমার ভুল হতে পারে, কিন্তু আমার বিশ্বাস চোর লোভ সামলাতে পারবে না। চুরির পর আপনি আপনার আসল ভূমিকায় অবতীর্ণ হবেন। তখন প্রদোষ মিত্তিরের কাজ হবে চোর ধরা এবং চোরাই মাল বার করা।'

ফেলুদা বলল, 'আপনার ভাই এ সম্বন্ধে কী বলেন ?'

'সেও তো কাল অবধি কিছুই জানত না,' বললেন শঙ্করবাবু, 'কাল আপনাকে ইনভাইট করার পর ওকে বলি।'

'উনি কী বললেন ?'

'খুব চোটপাট করল। বলল—তুমি অ্যাদ্দিন চেপে রেখেছ ব্যাপারটা—তখন তখনই পুলিশে খবর দেওয়া উচিত ছিল। এক বছর পরে কি মিঃ মিত্তির কিছু করতে পারবেন, ইত্যাদি।'

'একটা কথা বলব মিঃ চৌধুরী ?'

'বলুন।'

'আপনি মানুষটা এত নরম বলেই কিন্তু চোর তার সুযোগটা নিয়েছিল। অতিথিকে চুরির অপবাদ দিতে সবাই পেছপা হত না।'

'সেটা জানি। সেই জন্যই তো আপনাকে ডাকা। আমি যেটা পারিনি, সেটা আপনি পারবেন।'

২

সরষে বাটা দিয়ে চমৎকার গঙ্গার ইলিশ সমেত দুপুরের খাওয়াটা হল ফার্স্ট ক্লাস। জয়ন্তবাবুর সঙ্গে আলাপ হল খাবার টেবিলে। ইনি মাঝারি হাইটের চেয়েও কম, বেশ সুস্থ, সবল মানুষ। শঙ্করবাবুর পার্সোনালিটি এঁর নেই, কিন্তু বেশ হাসিখুশি চালাক চতুর লোক।

খাবার পর শঙ্করবাবু বললেন, 'আপনাদের এখন আর ডিস্টার্ব করব না, যা মন চায়

করুন। আমি একটু গড়িয়ে নিই। বিকেলে চায়ের সময় বারান্দায় আবার দেখা হবে।'

আমরা জয়ন্তবাবুর সঙ্গে বাড়ির আশপাশটা ঘুরে দেখব বলে বেরোলাম।

পশ্চিম দিকে একটানা একটা নিচু থামওয়ালা পাঁচিল চলে গেছে নদীর ধার দিয়ে। পাঁচিলের পরেই জমি ঢালু হয়ে নেমে গেছে জল অবধি। এই পাঁচিলই বাকি তিনদিকে হয়ে গেছে দেড় মানুষ উঁচু। জয়ন্তবাবুর ফুলের শখ, তাই তিনি আমাদের বাগানে নিয়ে গিয়ে গোলাপ সম্বন্ধে একটা ছোটখাটো বক্তৃতা দিয়ে দিলেন। গোলাপ যে তিনশো রকমের হয় তা এই প্রথম জানলাম।

বাড়ির উত্তরে গিয়ে দেখলাম সেদিকে আর একটা গেট রয়েছে। শহরে কোথাও যেতে হলে এই গেটটাই নাকি ব্যবহার করা হয়।

আরেকটা সিঁড়িও রয়েছে এদিকে। জয়ন্তবাবু বললেন খুড়িমা, মানে ওঁর মা, গঙ্গাস্নানে যেতে ওটাই ব্যবহার করেন। একতলায় নদীর দিকে আর গঙ্গার দিকে চওড়া বারান্দা, দুদিক দিয়েই সিঁড়ি রয়েছে নীচে নামার জন্য।

দেখা শেষ হলে পর আমরা ঘরে ফিরে এলাম। জয়ন্তবাবু কাচের ঘরে চলে গেলেন অর্কিড দেখার জন্য।

আমাদের থাকার জন্য একতলায় একটা প্যাসেজের এক দিকে পর পর দুটো ঘর দেওয়া হয়েছে। উলটোদিকে আরও তিনটে পাশাপাশি ঘর দেখে মনে হল তাতেই বোধহয় তিনজন অতিথি থাকবেন। ঘরে ঢুকে বাহারে খাটে নরম বিছানা দেখে লালমোহনবাবু বোধহয় দিবানিদ্রার তাল করছিলেন, কিন্তু শেষ পর্যন্ত বললেন, 'পাখির বইগুলোতে একবার চোখ বুলিয়ে নেওয়া দরকার।'

আমি একটা কথা ফেলুদাকে না জিজ্ঞেস করে পারলাম না।

'আচ্ছা, এক বছর আগে যে লোক চুরি করেছে, সে যদি এবার আর চুরি না করে, তা হলে তুমি চোর ধরবে কী করে?'

ফেলুদা বলল, 'সেটা এই তিন ভদ্রলোককে স্টাডি না করে বলা শক্ত। যার মধ্যে চুরির প্রবৃত্তি রয়েছে, তার সঙ্গে আর পাঁচটা অনেস্ট লোকের একটা সূক্ষ্ম তফাত থাকা উচিত। চোখ-কান খোলা রাখলে সে তফাত ধরা পড়তে পারে। ভুলিস না, যে লোক চুরি করে তার বাইরেটা যতই পালিশ করা হোক না কেন তাকে আর ভদ্রলোক বলা চলে না। সত্যি বলতে কী, ভদ্রলোক সাজার জন্য তাকে যথেষ্ট অভিনয় করতে হয়।'

বিকেলে পর পর দুটো গাড়ির আওয়াজ পেয়ে বুঝলাম অতিথিরা এসে গেছেন। বারান্দায় চায়ের আয়োজন হলে পর শঙ্করবাবুই আমাদের ডেকে নিয়ে গেলেন তিন গেস্টের সঙ্গে আলাপ করানোর জন্যে।

ডাঃ সরকার এক মাইলের মধ্যে থাকেন, ইনি হেঁটেই এসেছেন। বছর পঞ্চাশ বয়স, চোখে চশমা, মাথার চুল পাতলা হয়ে এসেছে, গোঁফটা কাঁচা হলেও, কানের পাশের চুলে পাক ধরেছে।

নরেশ কাঞ্জিলাল বিরাট মানুষ, ইনি সুট-টাই পরে সাহেব সেজে এসেছেন। ফেলুদার পরিচয় জেনে বললেন, 'বনোয়ারিলালের জীবনী লেখার কথা আমি শঙ্করকে অনেকবার বলেছি। আপনি এ কাজের ভারটা নিয়েছেন শুনে খুশি হলাম। হি ওয়াজ এ রিমার্কেবল ম্যান।'

মজার লোক হলেন কালীনাথ রায়। এঁর কাঁধে একটা ব্যাগ ঝুলছে, তাতে হয়তো ম্যাজিকের সরঞ্জাম থাকতে পারে। লালমোহনবাবুর সঙ্গে পরিচয় হতেই বললেন, 'পক্ষিবিদ্ যে মুরগির ডিম পকেটে নিয়ে ঘোরে তা তো জানতুম না মশাই।' কথাটা বলেই খপ্ করে

লালমোহনবাবুর পাঞ্জাবির পকেটে হাত ঢুকিয়ে একটা মুরগির ডিমের সাইজের মসৃণ সাদা পাথর বার করে দিয়ে আক্ষেপের সুরে বললেন, 'এ হে হে, এ যে দেখেছি পাথর ! আমি তো ফ্রাই করে খাবার মতলব করেছিলুম ।'

কথা হল রাত্তিরে খাবার পর কালীনাথবাবু তাঁর হাতসাফাই দেখাবেন ।

সূর্য হেলে পড়েছে, গঙ্গার জল চিক্ চিক্ করছে, ঝিরঝিরে হাওয়া, তাই বোধহয় নরেশবাবু আর কালীনাথবাবু নেমে গেলেন বাইরের শোভা উপভোগ করতে । লালমোহনবাবু কিছুক্ষণ থেকেই উস্‌খুস্ করছিলেন, এবার বাইনোকুলার বার করে উঠে পড়ে বললেন, 'দুপুরে যেন একটা প্যারাডাইজ ফ্লাইক্যাচারের ডাক শুনেছিলুম । দেখি তো পাখিটা আশেপাশে আছে কি না ।'

ফেলুদার গম্ভীর মুখ দেখে আমিও হাসিটা কোনওমতে চেপে গেলাম ।

ডাক্তার সরকার চায়ে চুমুক দিয়ে শঙ্করবাবুর দিকে ফিরে বললেন, 'আপনার ভ্রাতাটিকে দেখছি না—সে কি বাগানে ঘুরছে নাকি ?'

‘ওর ফুলের নেশার কথা তো আপনি জানেন।’

‘ওঁকে তো বলেছি মাথায় টুপি না পরে যেন রোদে না ঘোরেন। সে আদেশ তিনি মেনেছেন কি ?’

‘জয়ন্ত কি ডাক্তারের আদেশ মানার লোক ? আপনি তাকে চেনেন না ?’

ফেলুদা যে চারমিনার হাতে আড়চোখে ডাক্তারের কথাবার্তা হাবভাব লক্ষ করে যাচ্ছে সেটা বেশ বুঝতে পারছি।

‘আপনার খুড়িমা কেমন আছেন ?’ শঙ্করবাবুর দিকে ফিরে জিজ্ঞেস করলেন ডাঃ সরকার।

‘এমনিতে তো ভালই’, বললেন শঙ্করবাবু, ‘তবে অরুচির কথা বলছিলেন যেন। আপনি একবার ঢুঁ মেরে আসুন না।’

‘তাই যাই।’

ডাঃ সরকার চলে গেলেন খুড়িমাকে দেখতে। প্রায় একই সঙ্গে জয়ন্তবাবু ফিরে এলেন বাগান থেকে—ঠোঁটের কোণে হাসি।

‘কী ব্যাপার ? হাসির কী হল ?’ জিজ্ঞেস করলেন শঙ্করবাবু।

জয়ন্তবাবু টি পট থেকে কাপে চা ঢেলে নিয়ে ফেলুদার দিকে ফিরে বললেন, ‘আপনার বন্ধু কিন্তু চোখে বাইনোকুলার লাগিয়ে বেদম অভিনয় করে যাচ্ছেন পক্ষিবিদের।’

ফেলুদাও হেসে বলল, ‘অভিনয় তো আজ সকলকেই করতে হবে অল্পবিস্তর। আপনার দাদার পরিকল্পনাটাই তো নাটকীয়।’

জয়ন্তবাবু গম্ভীর হয়ে গেলেন।

‘আপনি কি দাদার পরিকল্পনা অ্যাপ্রুভ করেন ?’

‘আপনি করেন না বলে মনে হচ্ছে ?’ বলল ফেলুদা।

‘মোটেই না,’ বললেন জয়ন্তবাবু। ‘আমার ধারণা চোর অত্যন্ত সেয়ানা লোক। সে কি আর বুঝবে না যে তার জন্য ফাঁদ পাতা হচ্ছে ? সে কি জানে না যে দাদা অ্যাদ্দিনে টের পেয়েছে যে সিন্দুকের একটি মূল্যবান জিনিস গায়েব হয়ে গেছে ?’

‘সবই বুঝি,’ বললেন শঙ্করবাবু, ‘কিন্তু তাও আমি ব্যাপারটা ট্রাই করে দেখতে চাই। ধরে নাও এটা আমার গোয়েন্দা কাহিনী প্রীতির ফল।’

‘তুমি কি সিন্দুকের বাকি সব জিনিসই বার করতে চাও ?’

‘না। শুধু ইটালিয়ান নস্যির কৌটো আর মোগলাই সুরাপাত্র। ডাঃ সরকার খুড়িমাকে দেখতে গেছেন। উনি এলেই তুমি ওপরে গিয়ে জিনিস দুটো বার করে আনবে। আমি পকেটে রেখে দেব। এই নাও চাবি।’

জয়ন্তবাবু অনিচ্ছার ভাব করে চাবিটা নিলেন।

মিনিট পাঁচেকের মধ্যে ডাঃ সরকার ফিরে এলেন। ভদ্রলোক হেসে বললেন, ‘দিব্যি ভাল আছেন আপনার খুড়িমা। বারান্দায় বসে দুধভাত খাচ্ছেন। আপনাদের আরও অনেকদিন জ্বালাবেন।’

জয়ন্তবাবু চুপচাপ উঠে পড়লেন।

‘কী বসে আছেন চেয়ারে ?’ ফেলুদার দিকে ফিরে বললেন ডাঃ সরকার। ‘চলুন একটু হাওয়া খাবেন। এ হাওয়া কলকাতায় পাবেন না।’

শঙ্করবাবু সমেত আমরা চারজনই সিঁড়ি দিয়ে নামলাম। বাঁয়ে চেয়ে দেখি লালমোহনবাবু বাগানের মাঝখানে একটা শ্বেতপাথরের মূর্তির পাশে দাঁড়িয়ে চোখে বাইনোকুলার লাগিয়ে এদিক ওদিক দেখছেন। ‘পেলেন আপনার প্যারাডাইজ ফ্লাইক্যাচারের দেখা ?’ জিজ্ঞেস

করল ফেলুদা।

'না, তবে এইমাত্র একটা জাঙ্গল ব্যাবলার দেখলুম মনে হল।'

'এখন পাখিদের বাসায় ফেরার সময়', বলল ফেলুদা। 'এর পরে প্যাঁচা ছাড়া আর কিছুই দেখতে পাবেন না।'

বাকি দুজনে গেলেন কোথায়? বাড়ির সামনের দিকে কি, না কাচের ঘরের পিছনে ফলবাগানে?

শঙ্করবাবুর বোধহয় একই প্রশ্ন মনে জেগেছিল, কারণ উনি হাঁক দিয়ে উঠলেন—'কই হে, নরেশ? কালীনাথ গেলে কোথায়?'

'একজনকে দেখলুম এদিকের সিঁড়ি দিয়ে বাড়ির ভেতর ঢুকতে,' বললেন লালমোহনবাবু।

'কোনজন?' প্রশ্ন করলেন শঙ্করবাবু।

'বোধহয় সেই ম্যাজিশিয়ান ভদ্রলোক।'

কিন্তু লালমোহনবাবু ভুল দেখেছিলেন। বাড়ি থেকে বেরিয়ে এলেন কালীনাথবাবু নয়, নরেশ কাঞ্জিলাল।

'সন্ধের দিকে ঝপ করে টেমপারেচারটা পড়ে,' বললেন কাঞ্জিলাল, 'তাই আলোয়ানটা চাপিয়ে এলাম।'

'আর কালীনাথ?' প্রশ্ন করলেন শঙ্করবাবু।

'সে তো বাগানে নেমেই আলাদা হয়ে গেল। বলছিল শুকনো ফুলকে টাটকা করে দেবার একটা ম্যাজিক দেখাবে, তাই—'

মিঃ কাঞ্জিলালের কথা আর শেষ হল না, কারণ সেই সময় বুড়ো চাকর অনন্তর চিৎকার শোনা গেল।

'দাদাবাবু!'

অনন্ত গঙ্গার দিকে বারান্দায় সিঁড়ি দিয়ে নেমে অত্যন্ত ব্যস্তভাবে ছুটে এল আমাদের দিকে।

'কী হল অনন্ত?' শঙ্করবাবু উদ্বিগ্নভাবে প্রশ্ন করে এগিয়ে গেলেন।

'ছোট দাদাবাবু অজ্ঞান হয়ে পড়ে আছেন দোতলায়।'

৩

দোতলার সিঁড়ি দিয়ে উঠে ল্যান্ডিং পেরিয়েই খুড়িমার ঘর, সেটা আগেই বলেছি। জয়ন্তবাবু সেই ঘরের চৌকাঠের হাত তিনেক এদিকে চিত হয়ে পড়ে আছেন, তাঁর মাথার পিছনের মেঝেতে খানিকটা রক্ত চুঁইয়ে পড়েছে।

ডাক্তার সরকার দ্রুত সিঁড়ি দিয়ে উঠে সবচেয়ে আগে পৌঁছে জয়ন্তবাবুর নাড়ি টিপে ধরলেন। ফেলুদাও প্রায় একই সঙ্গে পৌঁছে জয়ন্তবাবুর পাশে হাঁটু গেড়ে বসেছে। তার মুখ গম্ভীর, কপালে খাঁজ।

'কী মনে হচ্ছে?' চাপা গলায় প্রশ্ন করলেন শঙ্করবাবু।

'পাল্‌স সামান্য দ্রুত,' বললেন ডাঃ সরকার।

'মাথার জখমটা?'

'মনে হচ্ছে পড়ে গিয়ে হয়েছে। এই সময় খালি মাথায় রোদে ঘোরা ডেনজারাস সেটা অনেকবার বলেছি ওঁকে।'

'কনকাশন— ?'

'সেটা তো পরীক্ষা না করে বলা সম্ভব না। আজ আবার আমি যন্ত্রপাতি কিছুই আনিনি সঙ্গে। একবার হাসপাতালে নিয়ে যেতে পারলে ভাল হত।'

'তাই করুন না। গাড়ি তো রয়েছে।'

ভদ্রলোক বেশ ভাল ভাবেই অজ্ঞান হয়েছেন, কারণ ফেলুদা সমেত চারজন ধরাধরি করে গাড়িতে তোলার সময়ও তাঁর জ্ঞান হল না। সিঁড়ি দিয়ে নামার সময় অবিশ্যি কালীনাথবাবুর সঙ্গেও দেখা হল। বললেন, 'আমি জাস্ট ওষুধটা খাবার জন্য ঘরে গেছি—আর তার মধ্যে এই কাণ্ড!'

'আমি সঙ্গে আসব কি?' শঙ্করবাবু ডাক্তারকে জিজ্ঞেস করলেন।

'কোনও দরকার নেই', বললেন ডাঃ সরকার, 'আমি হাসপাতাল থেকে আপনাকে ফোন করব।'

গাড়ি চলে গেল। এই দুর্ঘটনার জন্য শঙ্করবাবুর প্ল্যান যে ভেস্তে গেল সেটা বুঝতে পারছি। বেচারি ভদ্রলোকের জন্মতিথিতে এমন একটা ঘটনা ঘটার জন্য আমারও খারাপ লাগছিল।

আমরা সবাই এসে বসবার ঘরে বসেছিলাম, প্রায় সঙ্গে সঙ্গেই ফেলুদা কেন যে, 'আমি

আসছি' বলে উঠে গেল তা জানি না। অবিশ্যি মিনিট দুয়েকের মধ্যে আবার ফিরে এল।

শঙ্করবাবু অতিথিদের সামনে যথাসম্ভব স্বাভাবিক হাসিখুশি ব্যবহার করছিলেন। এমনকী তাঁর আশ্চর্য প্রপিতামহ সম্বন্ধে অদ্ভুত সব ঘটনাও বলছিলেন, কিন্তু আমি বুঝতে পারছিলাম যে সেটা করতে তাঁর বেশ বেগ পেতে হচ্ছে।

প্রায় ঘণ্টাখানেক এইভাবে চলার পর হাসপাতাল থেকে ডাঃ সরকারের ফোন এল। জয়ন্তবাবুর জ্ঞান হয়েছে। তিনি অনেকটা ভাল। মনে হচ্ছে কাল সকালেই আসতে পারবেন।

এই সুখবরের পর অবিশ্যি ঘরের আবহাওয়া খানিকটা হালকা হল, কিন্তু আমি জানি যে শঙ্করবাবুর মোটেই ভাল লাগছে না, কারণ চোরের রহস্য রহস্যই থেকে যাবে।

খাওয়া দাওয়ার পর, ভিডিও-ক্যাসেট ছবি দেখতে চাই কি না জিজ্ঞেস করাতে আমরা সকলেই না বললাম। এ অবস্থায় ফুর্তি চলে না। তাই ম্যাজিকও বাদ পড়ল।

সকলকে গুড নাইট জানিয়ে নিজেদের ঘরে আসতেই আমি যে প্রশ্নটা ফেলুদাকে করব ভাবছিলাম, সেটা লালমোহনবাবু করে ফেললেন।

'আপনি তখন ফস্ করে বেরিয়ে কোথায় গেলেন মশাই ?'

'খুড়িমার ঘরে।'

'খুড়িমাকে দেখতে গেসলেন ?' অবিশ্বাসের সুরে প্রশ্নটা করলেন লালমোহনবাবু।

'সেই সঙ্গে অবিশ্যি সিন্দুকের হাতল ধরে একটা টানও দিয়ে এলাম।'

'খোলা নাকি ?'

'বন্ধ। সেটাই স্বাভাবিক। যে ভাবে ঘরের দরজার দিকে পা করে পড়েছিলেন ভদ্রলোক, তাতে মনে হয় ঘরে ঢোকার আগেই পড়েছেন।'

'কিন্তু চাবিটা কোথায়, ফেলুদা ?' আমি জিজ্ঞেস করলাম। প্রশ্নটা কিছুক্ষণ থেকেই আমার মাথায় ঘুরছিল।

ফেলুদা বলল, 'শঙ্করবাবু হয়তো দুর্ঘটনায় ওটার কথা ভুলেই গিয়েছিলেন।'

কথাটা বলতে বলতেই শঙ্করবাবু এসে ঢুকলেন আমাদের ঘরে। 'দেখুন তো কী বিশ্রী ব্যাপার ঘটে গেল !' বললেন ভদ্রলোক। 'জয়ন্তর আর একবার এরকম হয়েছিল। ওর ব্লাড প্রেশারটা একটু বেশি নেমে যায় মাঝে মাঝে।'

'ফোনে আর কী বললেন ডাঃ সরকার ?'

'সেটাই তো বলতে এলাম। তখন লোকজনের সামনে বলিনি। চাবির কথাটা তো গোলমালে ভুলেই গিয়েছিলাম ; এখন কী হয়েছে জানেন তো ? ডাক্তারকে জিজ্ঞেস করতে বললেন জয়ন্তর কাছে চাবি ছিল না। হয়তো অজ্ঞান হবার সময় হাত থেকে পড়ে গেছে।'

'আপনি খুঁজেছেন চাবি ?'

'তন্ন তন্ন করে। সিঁড়ি, ল্যান্ডিং, সদর দরজার বাইরে, কোথাও বাদ দিইনি। সে চাবি হাওয়া।'

'যাকগে, ডুপ্লিকেট আছে তো,' বলল ফেলুদা। 'ও নিয়ে ভাববেন না।'

'তা না হয় ভাবব না', গম্ভীরভাবে বললেন শঙ্করবাবু, 'কিন্তু রহস্য তো দূর হল না ! চোর তো অজ্ঞাতেই রয়ে গেল। আর আপনাকে একটা মাথা খেলানোর সুযোগ দেব ভেবেছিলাম, সেটাও হল না।'

'তাতে কী হল ?' ফেলুদা বলল। 'এখানে এসে লাভ হয়েছে বিস্তর। একে এরকম বাড়ি, তার উপর আপনার আতিথেয়তা।'

শঙ্করবাবু যাবার আগে বলে গেলেন যে সকালে সাড়ে ছটায় চা দেবে, আর আটটায় ব্রেকফাস্ট।

'এটা অ্যাটেমটেড মার্ডার নয়তো মশাই ?' লালমোহনবাবু ফিস্ ফিস্ করে প্রশ্ন করলেন।

'মিঃ কাঞ্জিলাল আর মিঃ ম্যাজিশিয়ান দুজনেই কিন্তু বাড়ির মধ্যে ঢুকেছিলেন।'

'মার্ডারের দরকার কী? কার্যসিদ্ধির জন্য তো শুধু অজ্ঞান করলেই চলে।'

'কার্যসিদ্ধি?'

'জয়ন্তবাবুকে অজ্ঞান করে তাঁর হাত থেকে চাবিটা নিয়ে সিন্দুক খুলে যা বার করার বার করে আবার হাতে চাবি গুঁজে দিয়ে চলে আসা।'

সর্বনাশ! এটা তো খেয়াল হয়নি আমার। আমি বললাম 'তাই যদি হয়ে থাকে তা হলে তো এখন তিনজনের জায়গায় সাসপেক্ট মাত্র দুজন—কাঞ্জিলাল আর কালীনাথ।'

'নারে তোপ্‌সে,' বলল ফেলুদা 'ব্যাপারটা অত সহজ নয়। জয়ন্তবাবুর মাথায় কেউ বাড়ি মারলে তো সেটা তিনি জ্ঞান হলে বলতেন; তা তো বলেননি। আর অজ্ঞান করে যে সিন্দুক খুলবে সেটাই বা কী করে সম্ভব—খুড়িমা তো ঘরে থাকতে পারেন। একজন বাইরের লোক সিন্দুক খুলছে দেখলে কি তিনি চুপ করে থাকতেন?'

একটা আশার আলো জ্বলতে না জ্বলতে নিভে গেল। আমি শুয়ে পড়েছিলাম, কিন্তু অত তাড়াতাড়ি আর ঘুমোনো হল না। ফেলুদা এমনিতেও পায়চারি করছিল, বারোটা নাগাদ লালমোহনবাবু হঠাৎ আমাদের ঘরে এসে নিচু গলায় বললেন, 'বারান্দায় গেসলুম। চাঁদের হাসির বাঁধ ভেঙেছে, মশাই—উপ্‌চে পড়ে আলো!'

'উপ্‌চে নয়, উছলে,' বলল ফেলুদা।

'সরি, উছলে। কিন্তু একবার বাইরে এসে দেখুন। এ দৃশ্য দেখবেন না কখনও।'

'আপনি একা কাব্যি করবেন, এটা হতে দেওয়া যায় না,' বলল ফেলুদা। বিছানা ছেড়ে উঠে পড়লাম।

বাইরে গিয়ে মনে হল এ যেন দিনের বেলার দৃশ্যর চেয়েও ঢের বেশি সুন্দর। একটা পাতলা কুয়াশা নদীর ওপারটাকে প্রায় অদৃশ্য করে ফেলেছে। গঙ্গার আবছা গাঢ় জলের উপর ছড়ানো চাঁদির টুকরোগুলো ধীরে ধীরে দুলছে। তারই মধ্যে ঝিঁঝির ডাক, হাসনুহানার গন্ধ, ফুরফুরে বাতাস, সব মিলিয়ে সত্যিই অমরাবতী।

ফেলুদা ত্রয়োদশীর চাঁদটার দিকে কিছুক্ষণ চেয়ে থেকে বলল, 'চাঁদের মাটিতে মানুষের পা পড়লেও, এর মজা কোনওদিন নষ্ট করতে পারবে না।'

'একটা মারাত্মক পোয়েম আছে চাঁদ নিয়ে', বললেন লালমোহনবাবু।

'আপনার এথিনিয়াম ইন্‌স্টিটিউশনের সেই বাংলার শিক্ষকের লেখা?'

'ইয়েস। বৈকুণ্ঠ মল্লিক। এই পোড়া দেশে লোকটা রেকগনিশন পেলে না, কিন্তু আপনি শুনুন কবিতাটা। শোনো, তপেশ।'

এতক্ষণ আমরা নিচু গলায় কথা বলছিলাম। কিন্তু আবৃত্তির সময় লালমোহনবাবুর গলা আপনা থেকেই চড়ে গেল।

'আহা, দেখ চাঁদের মহিমা
কভু বা সুগোল রৌপ্যথালি
কভু আধা কভু সিকি কভু একফালি
যেন সদ্য কাটা নখ পড়ে আছে নভে—
সেটুকুও নাহি থাকে, যবে
আসে অমাবস্যা—
সেই রাতে তুমি তাই
অচন্দ্রম্‌পশ্যা!

বুঝতেই পারছ, তপেশ, পদ্যটা একজন লেডিকে অ্যাড্রেস করে লেখা।

'একজন লেডিকে তো আপনি আবৃত্তির ঠেলায় ঘর থেকে টেনে বার করেছেন দেখছি।'

ফেলুদার দৃষ্টি দোতলার বারান্দার দিকে। এই যে খুড়িমার ঘর। বৃদ্ধা বারান্দার দরজার মুখটাতে এসে দাঁড়িয়েছেন। মিনিটখানেক এদিক ওদিক দেখে আবার ভিতরে ঢুকে গেলেন।

এর পরে আমরা ঘাটের সিঁড়িতে গিয়ে বসেছিলাম আধ ঘণ্টা। মনমেজাজ তাজা, রাতের খাওয়া হজম। তারপর এক সময় ফেলুদা তার হাতঘড়ির রেডিয়াম ডায়াল চোখের সামনে ধরে বলল, 'পৌনে এক।'

আমরা তিনজনেই উঠে পড়লাম, আর তিনজনেই একসঙ্গে শুনলাম শব্দটা।

সেটা যেন আসছে বাড়ির দোতলা থেকেই।

খট্ খট্ খট্ খট্ ঠং খট্ খট্...

আমরা ঘাটের সিঁড়ি দিয়ে উপরে উঠে এলাম।

'সিঁদ কাটছে নাকি মশাই?' লালমোহনবাবু ফিস্‌ফিস্ করে জিজ্ঞেস করলেন। আলো জ্বলছে। আওয়াজটা আসছে ওই ঘর থেকে।

খট্ খট্ খট্ খট্ ঠং ঠং...

কিন্তু এই ঘর ছাড়াও আরেকটা ঘরে আলো জ্বলছে। দক্ষিণ দিকের ঘরটা। খোলা জানালা দিয়ে দেখা যাচ্ছে একজন লোক দাঁড়িয়ে হাত পা নেড়ে উত্তেজিত ভাবে কথা বলছে।

এবার লোকটা ঘর থেকে বেরিয়ে গেল।

'মিঃ কাঞ্জিলাল', বলল ফেলুদা। 'ওটাই শঙ্করবাবুর ঘর।'

'এই মাঝরাত্তিরে কী আলোচনা মশাই?' লালমোহনবাবু প্রশ্ন করলেন।

'জানি না', বলল ফেলুদা। 'ব্যবসা সংক্রান্ত কিছু হবে।'

'আপনাদেরও ঘুম আসছে না?'

নতুন গলা পেয়ে চমকে উঠে দেখি ম্যাজিশিয়ান কালীনাথবাবু।

ভদ্রলোক সিঁড়ি দিয়ে নেমে এলেন। খট্ খট্ শব্দটা এখনও হয়ে চলেছে। কালীনাথবাবুর ঘাড় ঘুরে গেল সেই দিকে।

'কীসের শব্দ বুঝতে পারছেন তো?' প্রশ্ন করলেন ভদ্রলোক।

'হামানদিস্তা কি?' ফেলুদা বলল।

'ঠিক বলেছেন। এই মাঝরাত্তিরে বুড়ি পান ছাঁচতে বসেন। এ শব্দ আগেও পেয়েছি।'

কথাটা বলে হাতের তেলোর আড়ালে দেশলাই জ্বালিয়ে সিগারেট ধরিয়ে ফেলুদার দিকে একটা সেয়ানা দৃষ্টি দিয়ে বললেন, 'বনোয়ারিলালের জীবনী লেখার জন্য গোয়েন্দার দরকার হল কেন?'

আমি তো থ'! লালমোহনবাবুর মুখ হাঁ হয়ে গেছে। ফেলুদা একটু হালকা হেসে বলল, 'যাক্, অন্তত একজন আমার আসল পরিচয়টা জানে দেখে ভালই লাগল।'

'তা জানবে না কেন মিঃ মিত্তির? এ শর্মা অনেক ঘাটের জল খেয়েছে। অনেক কিছু দেখে শুনে চোখ কান দুইই খুলে গেছে।'

ফেলুদা একদৃষ্টে চেয়ে আছে ভদ্রলোকের দিকে। তারপর বলল, 'আপনি কি রহস্যই

করবেন, না খুলে বলবেন ?'

'খুলে আর কজনে বলতে পারে মিঃ মিত্তির ? স্পষ্টবক্তা আর কজনে হয় ? বেশির ভাগই তো মুখচোরা। আর দুঃখের বিষয়, আমিও যে সেই দলেই পড়ি। আপনি গোয়েন্দা, খুলে বলার কাজ হল আপনার। তবে আপনাকে আমি একটা কথা বলতে চাই। এখানে এসে আপনার পেশাটাকে কাজে লাগানোর কথা ভুলে যান। অমরাবতীতে এসেছেন, দুদিন ফুর্তি করে গঙ্গার হাওয়া খেয়ে ফিরে যান। নইলে বিপদে পড়তে পারেন।'

'আপনার উপদেশের জন্য ধন্যবাদ।'

কালীনাথবাবু নিজের ঘরে ফিরে গেলেন।

'লোকটা অনেক কিছু জানে বলে মনে হচ্ছে ?' চাপা গলায় বললেন লালমোহনবাবু।

'একটা জিনিস তো জানতেই পারে,' বলল ফেলুদা।

'কী ?' আমরা দুজনে একসঙ্গে জিজ্ঞেস করলাম।

'চুরিটা কে করেছিল। যে করেছিল সে তো ওঁর পাশেই দাঁড়িয়ে ছিল।'

আমি বললাম, 'কিন্তু সেটা তো উনি নিজেও করে থাকতে পারেন। উনি তো হাত সাফাই জানেন।'

'এগজ্যাক্টলি,' বলল ফেলুদা।

৪

সাড়ে ছটায় বেড টি না দিলে হয়তো ঘুম ভাঙতে আরও দেরি হত, কিন্তু ফেলুদাকে দেখে মনে হল সে অনেকক্ষণ আগেই উঠেছে। জিজ্ঞেস করাতে বলল, 'শুধু উঠেছি নয়, এর মধ্যে একটা চক্করও মেরে এসেছি।'

'কোথায় ?'

'শহরের দিকে।'

'কী দেখলে ?'

'কী দেখলাম না সেটাই বড় কথা।'

'কিছু বুঝতে পারলে ?'

'পানিহাটিতে আসা বৃথা হয়নি এটা বুঝেছি।'

লালমোহনবাবু এসে বললেন এমন সলিড ঘুম নাকি ওঁর অনেকদিন হয়নি।

'খুড়িমার উঠতে দেরি দেখে তিনিও খুব সলিড ঘুমিয়েছেন বলে মনে হচ্ছে', বলল ফেলুদা।

আমি বললাম, 'সেটা আবার কী করে জানলে ?'

'অনন্তকে জিজ্ঞেস করেছিলাম। সে বলল মা-ঠাকরুণ এখনও গঙ্গাস্নানে যাননি এমনিতে ছটার মধ্যে নাকি ওঁর স্নান সারা হয়ে যায়।'

আমরা তিনজন বারান্দায় গিয়ে বসেছিলাম, মিনিট দশেকের মধ্যে শঙ্করবাবু এসে পড়লেন। স্নান-টান সেরে ফিটফাট।

'আমি কিন্তু ধরা পড়ে গেছি, মিঃ চৌধুরী', বলল ফেলুদা। 'আপনার বাল্যবন্ধু আমায় চিনে ফেলেছেন।'

'সে কী !'

'আপনি ঠিকই বলেছিলেন। ভদ্রলোক গভীর জলের মাছ।'

'তা হলে কি বলছেন আপনার পরিচয়টা দিয়েই দেব ?'

'তা হলে কিন্তু সেই সঙ্গে আপনার জানিয়ে দিতে হবে আপনি কেন আমাকে ডেকেছেন। অর্থাৎ এতদিন যে কথাটা চেপে রেখেছিলেন সেটা প্রকাশ করতে হবে।'

শঙ্করবাবুর কপালে আবার দুশ্চিন্তার রেখা দেখা দিল।

পাঁচ মিনিটের মধ্যেই কাঞ্জিলাল আর কালীনাথবাবু বারান্দায় এসে পড়লেন, আর তার প্রায় সঙ্গে সঙ্গেই বাইরে একটা গাড়ির আওয়াজ পাওয়া গেল। কাঞ্জিলাল আর কালীনাথ বারান্দায় রয়ে গেলেন, আমরা চারজন সদর দরজায় গিয়ে হাজির হলাম।

লাল ক্রস-মারা একটা কালো অ্যামবাসাডর থেকে নামলেন জয়ন্তবাবু আর ডাঃ সরকার। জয়ন্তবাবুর মাথার পিছনের চুল খানিকটা কামিয়ে সেখানে প্লাস্টার লাগানো হয়েছে।

জয়ন্তবাবু নেমেই তাঁর দাদার কাছে ক্ষমা চাইলেন। —'ভেরি সরি। তোমার জন্মতিথিতে এমন একটা অঘটন ঘটিয়ে ফেললাম। আসলে প্রেশারটা...'

'কোনও চিন্তা নেই', বললেন ডাঃ সরকার। 'আমি ওষুধ দিয়ে দিয়েছি। তবে রোদে বেশি ঘোরাঘুরি চলবে না।'

'আপনারা চা খাবেন তো ?' বললেন শঙ্করবাবু।

'তা হলে মন্দ হত না। চা-পানের সময় পাইনি এখনও।'

'এরা সব কোথায় ?' জয়ন্তবাবু জিজ্ঞেস করলেন।

'বারান্দায়', বললেন শঙ্করবাবু।

জয়ন্তবাবু আর ডাঃ সরকার বারান্দার দিকে চলে গেলেন।

'চলুন, সকলে একসঙ্গেই বসা যাক্,' ফেলুদার দিকে ফিরে বললেন শঙ্করবাবু।

'দাঁড়ান, আগে একটা কাজ সেরে নেওয়া দরকার।'

ফেলুদা কথাটা বেশ জোরের সঙ্গেই বলল। কী কাজের কথা বলছে ও ?

'কাজ ?' শঙ্করবাবু একটু যেন অবাক হয়েই জিজ্ঞেস করলেন।

'আপনার খুড়িমার কাছে সিন্দুকের যে ডুপ্লিকেট চাবিটা আছে সেটা চাইলে পাওয়া যাবে নিশ্চয়ই।'

'তা নিশ্চয়ই যাবে, কিন্তু—'

'একবার সিন্দুকটা খুলে দেখতে চাই।'

খুড়িমার ঘরে গিয়ে দেখি বুড়ি গামছা নিয়ে স্নানে বেরোচ্ছেন।

'আজ তোমার এত দেরি ?' শঙ্করবাবু প্রশ্ন করলেন।

'আর বলিস না। চোখ মেলে দেখি ঝাঁ ঝাঁ রোদ। একেকদিন কী যে হয় !'

'তোমার চাবিগোছাটা একবার দিতে হবে খুড়িমা। সিন্দুকটা খুলব।'

'কিন্তু তোর কাছে যে— ?'

'আমারটা খুঁজে পাচ্ছি না।'

খুড়িমা আলমারি খুলে চাবির গোছা বার করে দিয়ে চলে গেলেন।

শঙ্করবাবু সিন্দুকের দিকে এগিয়ে গেলেন, আর সেই ফাঁকে কেন জানি ফেলুদা হামানদিস্তাটা হাতে নিয়ে একবার নেচেচেড়ে দেখল।

'সর্বনাশ !'

শঙ্করবাবুর চিৎকারে চমকে লালমোহনবাবু সেলিম আলির বইটা তাঁর হাত থেকে ফেলেই দিলেন।

'থলি বাক্স কিছুই নেই', বলল ফেলুদা।

শঙ্করবাবুর ফ্যাকাসে মুখ দিয়ে কথাই বেরোচ্ছে না।

'ওটা বন্ধ করুন', বলল ফেলুদা। 'তারপর চলুন নীচে যাওয়া যাক। সত্য উদ্‌ঘাটনের

সময় এসেছে। আমার আসল পরিচয়টা সকলকে জানিয়ে দিন এবং কতকগুলো প্রশ্ন করব সেটাও জানিয়ে দিন।'

বুঝতে পারছি শঙ্করবাবুকে অনেকখানি মনের জোর প্রয়োগ করতে হচ্ছে, কিন্তু তিনি গত বছরের চুরির ব্যাপারটা আর আজ এইমাত্র সিন্দুক খুলে যা দেখলেন সেটা মোটামুটি গুছিয়ে সকলকে বলে বললেন, 'আমার বাড়িতে আমারই অতিথি হয়ে এসে আমার এত কাছের লোক যে এমন একটা কাজ করতে পারে সেটা স্বপ্নেও ভাবিনি। কিন্তু ঘটনা যে ঘটেছে তাতে কোনও ভুল নেই, আর সেই কারণেই আমি কলকাতার স্বনামধন্য ইনভেসটিগেটর প্রদোষ মিত্রকে ডেকেছি এর কিনারা করার জন্য। ইনি তোমাদের কয়েকটা প্রশ্ন করবেন। আশা করি তোমরা তার ঠিক জবাব দেবে।'

সকলে চুপ। কার মনে কী প্রতিক্রিয়া হচ্ছে দেখে বোঝার উপায় নেই।

ফেলুদা শুরু করল। প্রথম প্রশ্নটা ডাঃ সরকারকে, আর সেটা যাকে বলে অপ্রত্যাশিত।

'ডাঃ সরকার, আপনাদের এই পানিহাটিতে কটা হাসপাতাল আছে?'

'একটাই,' বললেন ডাঃ সরকার।

'তার মানে সেখানেই আপনি নিয়ে গিয়েছিলেন জয়ন্তবাবুকে, আর সেখান থেকেই কাল রাত্রে ফোন করেছিলেন?'

'হঠাৎ এ প্রশ্ন কেন জানতে পারি কি?'

'কারণ আজ সকালে আমি সে হাসপাতালে গিয়েছিলাম, জয়ন্তবাবু সেখানে যাননি।'

ডাঃ সরকার হাসলেন।

'কাল রাত্রে যে আমি হাসপাতাল থেকে ফোন করেছিলাম সে কথা তো আমি শঙ্করবাবুকে বলিনি।'

'তবে কোত্থেকে করছিলেন?'

'আমার বাড়ি থেকে। কাল যাবার পথেই জয়ন্তবাবুর জ্ঞান হয়। তখন বুঝতে পারি আঘাত গুরুতর নয়, কনকাশন হয়নি। তবু একবার দেখব বলে আমার বাড়িতেই নিয়ে যাই। তখনই ঠিক করি রাত্তিরটা ওখানে রেখে সকালে পৌঁছে দিয়ে যাব।'

'এবার জয়ন্তবাবুকে একটা প্রশ্ন,' বলল ফেলুদা। 'আপনি কাল যে সিন্দুক খোলার জন্য চাবিটা নিলেন, সেটা তো আপনার হাতেই ছিল?'

'হ্যাঁ, কিন্তু মাথা ঘুরে পড়ার পর আর হাতে নাও থাকতে পারে।'

'হাতে না থাকলেও, কাছাকাছিই পড়ে থাকার কথা। কিন্তু তা তো ছিল না।'

'সেটার আমি কী জানি? চাবি আপনারা খুঁজে পেলেন কি না পেলেন তার আমি কী করতে পারি? আপনি কী বলতে চাইছেন সেটা সরাসরি বলুন না।'

'আর একটা প্রশ্ন আছে, সেটা ডাক্তারকে। তার পরেই সরাসরি বলছি। ডাঃ সরকার, হিমোগ্লোবিন বলে একটা পদার্থ আছে সেটা আপনি জানেন নিশ্চয়ই।'

'কেন জানব না?'

'সাধারণ লোকের চোখে সেটার রঙের সঙ্গে রক্তের কোনও তফাত ধরা পড়ে না সেটাও নিশ্চয়ই জানেন।'

ডাক্তার সরকার গলা খাক্‌রানি দিয়ে মাথা নেড়ে হ্যাঁ জানিয়ে দিলেন।

'আমার বিশ্বাসটা কী তা হলে এবার বলি?' বলল ফেলুদা। সকলে একদৃষ্টে চেয়ে আছে ফেলুদার দিকে। 'আমার বিশ্বাস জয়ন্তবাবু অজ্ঞান হননি, অজ্ঞান হবার ভান করেছিলেন—ডাক্তার সরকারের সঙ্গে একজোট হয়ে। কারণ তাঁদের দুজনের এই বাড়ি থেকে চলে যাওয়ার দরকার ছিল।'

'ননসেন্স !' চেঁচিয়ে উঠলেন জয়ন্তবাবু । 'কেন, চলে যাব কেন ?'

'কারণ মাঝরাত্তিরে গোপনে আবার ফিরে আসবেন বলে ।'

'ফিরে আসব ?'

'হ্যাঁ । উত্তরের ফটক দিয়ে ঢুকে, পিছনের সিঁড়ি দিয়ে উঠে আপনার মার ঘরে যাবেন বলে ।'

'আপনি একটু বাড়াবাড়ি করছেন মিঃ মিত্তির । মাঝ রাত্তিরে মা-র ঘরে যাব, আর মা টের পাবেন না ? মা রাত্তিরে তিনঘণ্টার বেশি ঘুমোন না সেটা আপনি জানেন ?'

'এমনিতে ঘুমোন না—কিন্তু ঘুমের ওষুধ খাওয়ালে ? ধরুন যদি ডাক্তারবাবু গতকাল তাঁকে দেখার সময় তাঁর দুধভাতে কিছু মিশিয়ে দিয়ে থাকেন ?'

জয়ন্তবাবু আর ডাঃ সরকার দুজনেরই ডোন্ট-কেয়ার ভাবটা মিনিটে মিনিটে কমে আসছে সেটা বুঝতে পারছি । ফেলুদা বলে চলল, 'আপনার ফিরে আসতে হয়েছিল কারণ এক বছর আগে যে কাঁচা কাজটা করেছিলেন, এবার আর সেরকম করলে চলত না । শঙ্করবাবুর পুরো

প্ল্যানটাই ভেস্তে দিয়ে মাঝরাত্তিরে এসে চুরিটা সারার দরকার ছিল। সে চুরি ধরা পড়ত কবে তার কোনও ঠিক নেই। অবিশ্যি চাবি আপনার কাছে ছিল না, তাই আপনার মা-র আলমারি থেকে ডুপলিকেট বার করে নিতে হয়েছিল। সেই সময় আমার এই বন্ধুর আবৃত্তি শুনে আপনি কিঞ্চিৎ বিচলিত হয়ে পড়েন। তাই গায়ে একটা থান জড়িয়ে দরজার মুখে এসে প্রমাণ করতে হয়েছিল যে আপনার মা জেগেই আছেন, এভরিথিং ইজ অল রাইট। তার পরে আমাদের মনে এই ধারণা বদ্ধমূল করার জন্য হামানদিস্তা পিটতে শুরু করেন। এতেও আমার সন্দেহ হয়েছিল, কারণ হামানদিস্তায় পান থাকলে শব্দটা হয় একটু অন্যরকম ; এটা ছিল ফাঁকা শব্দ।'

'সবই বুঝলাম, মিঃ মিত্তির', বললেন জয়ন্তবাবু, 'কিন্তু তারপর ?'

'তারপর চাবি দিয়ে সিন্দুক খোলা।'

'আপনি কোন্ অপরাধে আমাদের অভিযুক্ত করছেন, মিঃ মিত্তির ? অজ্ঞান হবার ভান করা ? আমার মাকে ঘুমের ওষুধ দেওয়া ? রাত্তিরে ফিরে এসে ডুপলিকেট চাবি বার করে সিন্দুক খোলা ?'

'তার মানে এর সবগুলোই করেছেন স্বীকার করছেন তো ?'

'এর কোনওটার জন্য শাস্তি হয় না সেটা আপনি জানেন ? আসল ব্যাপারটায় আসছেন না কেন আপনি ?'

'ঘটনা যে দুটো জয়ন্তবাবু, একটা তো নয়। আগে প্রথম ঘটনাটা সেরে নিই—এক বছর আগের চুরি।'

'সেটা আপনি সারবেন কী করে, মিঃ মিত্তির ? আপনি কি অন্তর্যামী ? আপনি তখন কোথায় ?'

'আমি ছিলাম না ঠিকই, কিন্তু অন্য লোক তো ছিল। যিনি চুরি করেছিলেন তাঁর ঠিক পাশেই লোক ছিল। তাদের মধ্যে অন্তত একজন কি টের পেয়ে থাকতে পারেন না ?'

এবারে শঙ্করবাবু কথা বললেন। তিনি বেশ উত্তেজিত।

'এটা আপনি কী বলছেন, মিঃ মিত্তির ? চুরি হয়েছে সেটা জানবে অথচ আমায় বলবে না, আমার এত কাছের লোক হয়ে ?'

ফেলুদা এবার ম্যাজিশিয়ান কালীনাথবাবুর দিকে ঘুরল।

'আপনি কাল রাত্তিরে কী বিপদের কথা ভেবে আমাকে তদন্ত বন্ধ করতে বলছিলেন সেটা বলবেন, কালীনাথবাবু ?'

কালীনাথবাবু হেসে বললেন, 'অপ্রিয় সত্য প্রকাশ করায় বিপদ নেই ? শঙ্করের মনের অবস্থাটা ভেবে দেখুন তো !'

'না, নেই বিপদ,' দৃঢ়স্বরে বললেন শঙ্করবাবু ! 'অনেকদিন ব্যাপারটা ধামা চাপা রয়েছে। এবার প্রকাশ হওয়াই ভাল। তুমি যদি কিছু জেনে থাক তো বলে ফেলো, কালীনাথ।'

'সেটা বোধহয় ওঁর পক্ষে সহজে নয়, মিঃ চৌধুরী', বলল ফেলুদা, 'কারণ তদন্তে চোর ধরা পড়লে যে ওঁরও বিপদ হত। এই একটা বছর যে উনি চোরকে নিংড়ে শেষ করেছেন !'

'ব্ল্যাকমেল !'

'ব্ল্যাকমেল, শঙ্করবাবু। সেটা উনিও স্বীকার করবেন না, চোরও স্বীকার করবেন না। অবিশ্যি চোরের যে দোসর আছে সেটা সম্ভবত কালীনাথবাবু জানতেন না, উনি একজনকেই লক্ষ্য করেছিলেন। কিন্তু আমার ধারণা এই অনবরত ব্ল্যাকমেলিং-এর ঠেলায় দ্বিতীয় চুরিটার প্রয়োজন হয়ে পড়েছিল। আর তাই—'

'ভুল ! ভুল !' তারস্বরে চেঁচিয়ে উঠলেন জয়ন্তবাবু। 'সিন্দুক থেকে যা নেবার তা আগেই

নেওয়া হয়ে গেছে। বনোয়ারিলালের আর একটি জিনিসও তাতে নেই ! সিন্দুক খালি !'

'তার মানে আমার বাকি অভিযোগ সবই সত্যিই ?'

'কিন্তু..কাল রাত্তিরে কুকীর্তিটা কে করেছে সেটা বলছেন না কেন ?'

'সেটাও বলছি, কিন্তু তার আগে আপনার স্পষ্ট স্বীকারোক্তিটা চাই। আপনি বলুন জয়ন্তবাবু—ডাঃ সরকার আর আপনি মিলে গতবছর বারোটার মধ্যে থেকে একটি স্বর্ণমুদ্রা সরিয়েছিলেন কি না।'

জয়ন্তবাবুর মাথা হেঁট হয়ে গেছে ; ডাঃ সরকার দুহাতে রগ টিপে বসে আছেন।

'আমি স্বীকার করছি,' বললেন জয়ন্তবাবু। ফেলুদা পকেট থেকে টেপ রেকর্ডারটা বার করে চালু করে আমার হাতে দিয়ে দিল।

'আমি দাদার কাছে ক্ষমা চাইছি। সে স্বর্ণমুদ্রা ডাঃ সরকারের কাছেই আছে, সেটা ফেরত দেওয়া হবে। আমাদের দুজনেরই অর্থাভাব হয়েছিল। একটার জায়গায় বারোটার পুরো সেটটা বিক্রি করলে প্রায় একশো গুণ বেশি দাম পাওয়া যাচ্ছিল, তাই...'

'তাই বাকি এগারোটা নেবার কথা ভাবছিলেন।'

'স্বীকার করছি, কিন্তু চোর আরও আছে, মিঃ মিত্তির। যে লোক ব্ল্যাকমেল করতে পারে—'

'—সে লোক চুরি করতে পারে' বলল ফেলুদা। 'কিন্তু তিনি চুরি করেননি।'

'তা হলে ?' প্রশ্ন করলেন শঙ্করবাবু।

'ওগুলো সরিয়েছেন প্রদোষ মিত্র।'

ফেলুদা ঘর থেকে বাকি মাল এনে টেবিলের উপর রাখল। সকলের মুখ হাঁ হয়ে গেছে।

'এই হল বনোয়ারিলালের বাকি সম্পত্তি, বলল ফেলুদা, 'মেঝেতে চাবি না পেয়ে, এবং রক্তের বদলে হিমোগ্লোবিন দেখে মনে ঘোর সন্দেহ উপস্থিত হয়। তাই যখন আপনাকে ধরাধরি করে নীচে নিয়ে যাচ্ছিলাম, তখন বাধ্য হয়েই আমাকে পিকপকেটের ভূমিকা অবলম্বন করতে হয়েছিল। ভাগ্য ভাল যে চাবিটা ছিল আপনার প্যান্টের ডান পকেটে। বাঁ পকেটে থাকলে পেতাম না। আপনাকে নিয়ে যাবার পর বৈঠকখানায় এসে বসি। তখনই এক ফাঁকে বেরিয়ে গিয়ে আমি সিন্দুক খুলে জিনিসগুলো বার করে আমার ঘরে রেখে দিই। আমি জানতাম যে বিপদের আশঙ্কা আছে। —এই নিন আপনার চাবি, মিঃ চৌধুরী। এরপর কী করা হবে সেটা আপনিই স্থির করুন ; আমার কাজ এখানেই শেষ।'

ফেরার পথে লালমোহনবাবুর মুখে আর একটা আবৃত্তি শুনতে হল। এটাও বৈকুণ্ঠ মল্লিকের লেখা। নাম হল 'জিনিয়াস'—

'অবাক প্রতিভা কিছু জন্মেছে এ ভবে
এদের মগজে কী যে ছিল তা কে কবে ?
দ্য ভিঞ্চি আইনস্টাইন খনা লীলাবতী
সবারেই স্মরি আমি, সবারে প্রণতি।'

এবার কাণ্ড কেদারনাথে

১

'কী ভাবছেন, ফেলুবাবু ?'

প্রশ্নটা করলেন রহস্য-রোমাঞ্চ ঔপন্যাসিক লালমোহন গাঙ্গুলী ওরফে জটায়ু। আমরা তিনজনে রবিবারের সকালে আমাদের বালিগঞ্জের বৈঠকখানায় বসে আছি, লালমোহনবাবু যথারীতি তার গড়পারের বাড়ি থেকে চলে এসেছেন গল্পগুজবের জন্য। কিছুক্ষণ হল এক পশলা বৃষ্টি হয়ে গেছে, কিন্তু এখন গন্‌গনে রোদ। রবিবার লোডশেডিং নেই বলে আমাদের পাখাটা খুব দাপটের সঙ্গে ঘুরছে।

ফেলুদা বলল, 'ভাবছি আপনার সদ্যপ্রকাশিত উপন্যাসটার কথা।'

পয়লা বৈশাখ জটায়ুর 'অতলান্তিক আতঙ্ক' বেরিয়েছে, আর আজ পাঁচই বৈশাখের মধ্যেই নাকি সাড়ে চার হাজার কপি বিক্রি হয়ে গেছে।

লালমোহনবাবু বললেন, 'ও বইতে যে আপনার মতো লোকের ভাবনার খোরাক ছিল, তা তো জানতুম না মশাই।'

'ঠিক সে রকম ভাবনা নয়।'

'তবে ?'

'ভাবছিলাম আপনার গল্প যতই গাঁজাখুরি হোক না কেন, স্রেফ মশলা আর পরিপাকের জোরে শুধু যে উতরে যায় তা নয়, রীতিমতো উপাদেয় হয়।'

লালমোহনবাবু গদগদ ভাব করে কিছু বলার আগেই ফেলুদা বলল, 'তাই ভাবছিলাম আপনার পূর্বপুরুষদের মধ্যে কোনও গল্প লিখিয়ে-টিখিয়ে ছিলেন কি না।'

সত্যি বলতে কী, আমরা লালমোহনবাবুর পূর্বপুরুষদের সম্বন্ধে প্রায় কিছুই জানি না। উনি বিয়ে করেননি এবং ওঁর বাপ-মা আগেই মারা গেছেন সেটা জানি, কিন্তু তার বেশি উনিও বলেননি, আর আমরাও কিছু জিজ্ঞেস করিনি।

লালমোহনবাবু বললেন, 'পাঁচ-সাত পুরুষ আগের কথা তো আর বিশেষ জানা যায় না, তাঁদের মধ্যে হয়তো কোনও কথক ঠাকুর-টাকুর থেকে থাকতে পারেন। তবে গত দু-তিন জেনারেশনের মধ্যে ছিল না সেটা বলতে পারি।'

'আপনার বাবার আর ভাই ছিল না ?'

'থ্রি ব্রাদার্স। উনি ছিলেন মিড্‌ল। জ্যাঠা মোহিনীমোহন হোমিওপ্যাথিক ডাক্তার ছিলেন। ছেলেবেলায় আরনিকা রাসটকস বেলাডোনা পালসেটিলা যে কত খেয়েছি তার ইয়ত্তা নেই। গ্রেট গ্র্যান্ডফাদার ললিতমোহন ছিলেন পেপার মার্চেন্ট। এল এম গাঙ্গুলী অ্যান্ড সন্‌সের দোকান এই সেদিন অবধি ছিল। ভাল ব্যবসা ছিল। গড়পারের বাড়িটা এল-এমই তৈরি করেন। ঠাকুরদাদা, বাবা দুজনেই ব্যবসায় যোগ দেন। বাবা যদ্দিন বেঁচে ছিলেন তদ্দিন ব্যবসা চালান। ফিফটি-টু-তে চলে গেলেন। তার পর যা হয় আর কী। এল এম গাঙ্গুলী অ্যান্ড সন্‌স-এর নামটা ব্যবহার হয়েছিল কিছু দিন, কিন্তু মালিক বদল হয়ে গেছিল।'

'আপনার ছোটকাকা ? তিনি ব্যবসায় যোগ দেননি ?'

'নো স্যার। ছোটকাকা দুর্গামোহনকে দেখি আমার জন্মের অনেক পরে। আমার জন্ম থার্টি সিক্সে। দুর্গামোহন টোয়েন্টি নাইনে সন্ত্রাসবাদীদের দলে যোগ দিয়ে খুলনার অ্যাসিস্ট্যান্ট কমিশনার টার্নবুল সাহেবকে গুলি মেরে তাঁর থুতনি উড়িয়ে দেন।'

'তার পর?'

'তারপর হাওয়া। বেপাত্তা। পুলিশ ধরতে পারেনি ছোটকাকাকে। আমরা ধারণা আমার অ্যাডভেঞ্চার প্রীতিটা ছোটকাকার কাছ থেকেই পাওয়া।'

'উনি আর আসেননি?'

'এসেছিলেন। একবার। স্বাধীনতার পর ফর্টি নাইনে। তখন আমি থার্ড ক্লাসে পড়ি। সেই প্রথম আর সেই শেষ দেখা ছোটকাকার সঙ্গে। তবে যাঁকে দেখলাম, তিনি সেই অগ্নিযুগের ছোটকাকা দুর্গামোহন গাঙ্গুলী নন। কমপ্লিট চেঞ্জ। কোথায় সন্ত্রাস, কোথায় পিস্তল। একেবারে নিরীহ, সাত্ত্বিক পুরুষ। মাসখানেক ছিলেন, তার পর আবার চলে যান।'

'কোথায়?'

'যদ্দূর মনে পড়ে কোনও জঙ্গলে কাঠের ব্যবসা করতে যান।'

'বিয়ে করেননি?'

'নাঃ।'

'কিন্তু আপনার আপন বা জ্যাঠতুতো ভাইবোন আছে নিশ্চয়ই।'

'আপন বোন একটি আছেন, দিদি। স্বামী রেলওয়েতে চাকরি করেন; ধানবাদে পোস্টেড। জ্যাঠার ছেলে নেই, তিন মেয়ে, তিনজনের স্বামীই ভারতবর্ষের বিভিন্ন অঞ্চলে ছড়িয়ে ছিটিয়ে আছেন। বিজয়া দশমীতে একটি করে পোস্টকার্ড—ব্যস্। আসলে রক্তের সম্পর্কটা কিছুই নয়, ফেলুবাবু। এই যে আপনার আর তপেশের সঙ্গে আমার ইয়ে, তার সঙ্গে কি ব্লাড রিলেশনের কোনও— ?'

লালমোহনবাবুর কথা থামাতে হল, কারণ দরজায় টোকা পড়েছে। এটা যাকে বলে প্রত্যাশিত, কারণ টেলিফোনে অ্যাপেয়ন্টমেন্ট করা ছিল। সাড়ে ন'টার জন্য, এখন বেজেছে ন'টা তেত্রিশ।

ভদ্রলোকের নামটা জানা ছিল টেলিফোনে—উমাশঙ্কর পুরী—এবার চেহারাটা দেখা গেল। মাঝারি হাইট, দোহারা গড়ন, পরনে ঘি রঙের হ্যান্ডলুমের সুট। দাড়ি-গোঁফ কামানো। মাথার চুল কাঁচা-পাকা মেশানো, ডান দিকে সিঁথি। এই শেষের ব্যাপারটা দেখলেই কেন যেন আমার অসোয়াস্তি হয়; মনে হয় মুখটা যেন আয়নায় দেখছি। পুরুষদের মধ্যে শতকরা একজনের বেশি ডান দিকে সিঁথি করে কিনা সন্দেহ, যদিও কারণটা জিজ্ঞেস করলে বলতে পারব না।

'আপনাকে খুব তাড়াহুড়ো করে চলে আসতে হয়েছে বলে মনে হচ্ছে?' ফেলুদা মন্তব্য করল আলাপ পর্বের পর ভদ্রলোক চেয়ারে বসতেই।

'হ্যাঁ, তা—' উমাশঙ্করের ভুরু কপালে উঠে গেল—'কিন্তু সেটা আপনি জানলেন কী করে?'

'আপনার বাঁ হাতের সব নখই পরিষ্কার করে ক্লিপ দিয়ে কাটা, তার একটি নখ এখনও কোটের পকেটের ধারে লেগে আছে, অথচ ডান হাতে দুটো নখের পরে আর বাকিগুলো...'

'আর বলবেন না!' বললেন মিঃ পুরী, 'ঠিক সেই সময় একটা ট্রাঙ্ক কল এসে গেল; কথা শেষ হতে দেখি, আপনার সঙ্গে অ্যাপয়েন্টমেন্টের সময় হয়ে গেছে।'

'যাক্ গে—এবার বলুন আপনাকে কীভাবে সাহায্য করতে পারি।'

মিঃ পুরী গম্ভীর হয়ে নিজেকে সংযত করে নিলেন। তার পর বললেন, 'মিঃ মিটার, আমি থাকি ভারতবর্ষের আরেক প্রান্তে। আপনার নাম আমি শুনেছি ভগওয়ানগড়ের রাজার কাছ থেকে। শুধু নাম নয়, প্রশংসা। তাই আমি আপনার কাছে এসেছি।'

'আমি তাতে গর্ব বোধ করছি।'

'এখন কথা হচ্ছে কি—' মিঃ পুরী থামলেন। তাঁর মধ্যে একটা ইতস্তত ভাব লক্ষ করছিলাম। তিনি আবার বললেন, 'ব্যাপারটা হচ্ছে কি—একটা দুর্ঘটনা ঘটতে পারে ; সেইটে যাতে না ঘটে তাই আমি আপনার সাহায্য চাইছি। সেটা পাওয়া যাবে কি ?'

ফেলুদা বলল, 'আপনি কী ঘটনা বা দুর্ঘটনার কথা বলছেন, সেটা না জানা পর্যন্ত আমি মতামত দিতে পারছি না।'

শ্রীনাথ এই সময় চা-চানাচুর-বিস্কুট এনে রাখাতে কথায় একটু বিরতি পড়ল। তারপর মিঃ পুরী একটা বিস্কুট তুলে নিয়ে বললেন, 'আপনি রূপনারায়ণগড় স্টেটের নাম শুনেছেন ?'

'নামটা চেনা-চেনা লাগছে', বলল ফেলুদা, 'উত্তরপ্রদেশে কি ?'

'ঠিকই বলেছেন,' বললেন মিঃ পুরী। 'আলিগড় থেকে ৯০ কিলোমিটার পশ্চিমে। আমি যখনকার কথা বলতে যাচ্ছি সেটা আজ থেকে ত্রিশ বছর আগে। তখন রাজা ছিলেন চন্দ্রদেও সিং। আমি ছিলাম এস্টেটের ম্যানেজার। ভারত স্বাধীন হয়ে গেলেও তখনও এসব নেটিভ স্টেটের উপর তত চাপ পড়েনি ; রাজারা রাজাই ছিলেন। চন্দ্রদেও-এর বছর চুয়ান্ন বয়স, কিন্তু তখনও সিংহের মতো চেহারা। শিকার করেন, টেনিস খেলেন, পোলো খেলেন, প্রৌঢ়ত্বের কোনও লক্ষণ নেই। একটি ব্যারাম তাঁকে মাঝে মাঝে বিব্রত করত, কিন্তু সেটা যে হঠাৎ এমন আকার ধারণ করবে, সেটা কেউ স্বপ্নেও ভাবেনি। হাঁপানি। সে যে কী হাঁপানি সে আমি আপনাকে বলে বোঝাতে পারব না। একটা জলজ্যান্ত জোয়ান

মানুষকে ছ' মাসের মধ্যে কঙ্কালে পরিণত হতে এই প্রথম দেখলাম। কোনও ওষুধে কোনও কাজ দিল না। হয়তো দু দিন দেয়, আবার যেই কে সেই।

'সেই সময় খবর এল, হরিদ্বারে নাকি এক ভদ্রলোক থাকেন, নাম ভবানী উপাধ্যায়, তিনি নাকি হাঁপানির অব্যর্থ ওষুধ জানেন। বহু রুগি তাঁর ওষুধে সম্পূর্ণ আরোগ্যলাভ করেছে।

'আমি নিজেই চলে গেলাম হরিদ্বার। ঠিকানা জানা ছিল না ভদ্রলোকের, কিন্তু খোঁজ পেতে অসুবিধা হল না, কারণ ওঁকে অনেকেই চেনে। সাদাসিধা মানুষ, ছোট্ট একটা বাড়িতে থাকেন, আমাকে যথেষ্ট খাতির করে তাঁর তক্তপোশে বসালেন। তার পর সব শুনেটুনে বললেন, 'আমি যাব আপনার সঙ্গে, রাজাকে ওষুধ দেব ; সারবার হলে দশ দিনের মধ্যে সারবে, না হলে নয়। সেই দশ দিন আমি ওখানে থাকব। ওষুধে কাজ না দিলে আমি কোনও পয়সা নেব না।

'বললে বিশ্বাস করবেন না মিঃ মিটার, দশ দিন নয়, সাত দিন নয়, তিন দিনের মধ্যে রাজার হাঁপানি উধাও। এমন যে ঘটতে পারে সেটা না দেখলে বিশ্বাস করা যায় না। উপাধ্যায় বললেন তাঁর ওষুধের দাম পঞ্চাশ টাকা। রাজাকে বলতে তিনি তো কথাটা কানেই তুললেন না। বললেন, 'আমি মরতে বসেছিলাম, উনি এসে আমাকে নতুন জীবন দান করলেন, আর তার দাম হল কিনা পঞ্চাশ টাকা ?

'এখানে বলে রাখি যে রাজা চন্দ্রদেও মানুষটা একটু খামখেয়ালি ছিলেন। তা ছাড়া তাঁর শোক, তাঁর আনন্দ, তাঁর ক্রোধ, তাঁর দয়া-দাক্ষিণ্য—সবই সাধারণ মানুষের চেয়ে মাত্রায় অনেকটা বেশি ছিল। পঞ্চাশ টাকার বদলে উনি উপাধ্যায়কে যেটা দিলেন, সেটা একটা মণিমুক্তাখচিত সোনার বালগোপাল। জিনিসটা আসলে একটা পেনডেন্ট বা লকেট—লম্বায় ইঞ্চি তিনেক। তখনকার দিনে সেটার দাম পাঁচ-সাত লাখ টাকা।'

একটু ফাঁক পেয়ে ফেলুদা প্রশ্ন করল, 'উপাধ্যায় নিলেন সেই লকেট ?'

'সেই কথাই তো বলছি', বললেন উমাশঙ্কর পুরী। উপাধ্যায় বললেন, 'আমি সাদাসিধে মানুষ, আমাকে এমন বিপাকে ফেলছেন কেন ? এত দামি একটা জিনিস আমার কাছে থাকবে, সেটা লোকে আমার বলে বিশ্বাস করবে কেন ? সবাই ভাববে আমি চুরি করেছি।'

রাজা বললেন—'কারুর তো জানার দরকার নেই। আমরা তো আর খবরটা ঢাক পিটিয়ে জাহির করতে যাচ্ছি না। আর নেহাতই যদি কেউ জেনে ফেলে, তার জন্য আমি আমার নিজের সিলমোহর দিয়ে লিখে দিচ্ছি যে, এটা আমি তোমাকে পারিতোষিক হিসেবে দিলাম। এর পরে তো আর কারুর কিছু বলার নেই।

'উপাধ্যায় বলল, তাই যদি হয়, তা হলে আমি মাথা পেতে নেব আপনার এ পারিতোষিক।'

ফেলুদা বলল, 'আপনি, রাজা, এবং উপাধ্যায়—এই তিনজন ছাড়া আর কেউ কি ঘটনাটা জানত ?'

'আমি সত্যি কথা বলব', বললেন উমাশঙ্কর পুরী, 'রাজা নিজে যদি খেয়ালবশে কাউকে বলে থাকেন তো সে আমি জানি না ; ব্যাপারটা জানত রাজা, রানি এবং দুই রাজকুমার—সূরয ও পবন। বড় কুমার সূরয অতি চমৎকার ছেলে, রাজপরিবারে এমন দেখা যায় না। তার বয়স তখন বাইশ-তেইশ। ছোট কুমারের বয়স পনেরো। এ ছাড়া জানতাম আমি, আমার স্ত্রী আর আমার ছেলে দেবীশঙ্কর—তার বয়স তখন পাঁচ কি ছয়। ব্যস্, আর কেউ না। আর এটাও আপনি খেয়াল করে দেখুন মিঃ মিটার—এ খবর কিন্তু গত ত্রিশ বছরে কোনও কাগজে বেরোয়নি। আপনি তো সাংবাদিকদের জানেন ; তারা এর গন্ধ পেলে কি ছেড়ে দিত ?'

'সে কথা ঠিক', বলল ফেলুদা, 'ব্যাপারটার গোপনীয়তা রক্ষিত হয়েছে তাতে কোনও সন্দেহ নেই।'

'যাই হোক, এবার আমি এগিয়ে আসছি বর্তমানের দিকে। রাজা চন্দ্রদেও সিং বেঁচেছিলেন আর বছর বারো। তার পর সূরযদেও রাজা হলেন। রাজা মানে, তখন তো আর রাজা কথাটা ব্যবহার করা চলে না ; বলতে পারেন উনিই হলেন কর্তা।'

'আপনি তখনও ম্যানেজার ?'

'আজ্ঞে হ্যাঁ ; এবং আমি প্রাণপণে চেষ্টা করছি যাতে ব্যবসা ইত্যাদির সাহায্যে রূপনারায়ণগড়ের ভবিষ্যৎকে আরও মজবুত করা যায়। কিন্তু মুশকিল হয়েছে কী, সূরযদেও-এর এসব দিকে কোনও উৎসাহ নেই। তার নেশা হচ্ছে বই। সে দিনের মধ্যে ষোলো ঘণ্টা তার লাইব্রেরিতে পড়ে থাকে। সেখানে আমার একার চেষ্টায় আমি কী করতে পারি ? ফলে আর্থিক দিক দিয়ে স্টেটের অবস্থা ক্রমেই খারাপ হয়ে আসতে থাকে।'

'আপনার নিজের ছেলেও তো তত দিনে বড় হয়েছে ?'

'হ্যাঁ। দেবীকে অবশ্য আমি আগেই আলিগড়ে স্কুলে পাঠিয়ে দিই। সে আর রূপনারায়ণগড়ে ফেরেনি। দিল্লী গিয়ে নিজেই ব্যবসা শুরু করেছে।'

'আপনার কি ওই একই ছেলে ?'

'আজ্ঞে হ্যাঁ। যাই হোক্, আমার নিজের অনেকবার মনে হয়েছে যে ম্যানেজারি ছেড়ে দিয়ে আমার নিজের দেশ মোরাদাবাদে গিয়ে একটা কিছু করি, কিন্তু মায়া কাটাতে পারছিলাম না।'

মিঃ পুরী এবার পকেট থেকে একটা চুরুট বার করে ধরিয়ে নিয়ে বললেন, 'এবার আমি আসল ঘটনায় আসছি ; আপনার ধৈর্যচ্যুতি হয়ে থাকলে আমায় মাপ করবেন।'

'সাত দিন আগে, অর্থাৎ উনত্রিশে এপ্রিল, শনিবার রূপনারায়ণগড়ের ছোটকুমার পবনদেও সিং হঠাৎ আমার কাছে এসে হাজির হন। তার প্রথম কথাই হল, "আমার বাবার হাঁপানি যিনি সারিয়েছিলেন, তাঁর নাম ও তাঁর হরিদ্বারের ঠিকানাটা আমার চাই।'

'স্বভাবতই আমি প্রথমে জিজ্ঞেস করলাম, কারুর কোনও অসুখ করেছে কি না। পবন বলল, না, তা নয় ; সে একটা টেলিভিশনের ছবি করছে, তার জন্য তার এই ভদ্রলোককে দরকার।

'পবন যে ক্যামেরা নিয়ে ঘাঁটাঘাঁটি করে সেটা আমি জানতাম, কিন্তু সে যে টেলিভিশন নিয়ে মেতে উঠেছে, সে খবর জানতাম না। আমি বললাম, "তুমি কি তোমার ছবিতে সে ভদ্রলোককে দেখাতে চাও ?" সে বললে, "অবশ্যই। শুধু তাই না। বাবা তাকে যে লকেটটা দিয়েছিলেন সেটাও দেখাব। একটা অসুখ সারিয়ে এ রকম বকশিস আর কেউ কোথাও পেয়েছে বলে আমার মনে হয় না।"

'তখন আমার পবনকে বলতেই হল যে, উপাধ্যায় তাঁর এই পারিতোষিকের ব্যাপারটা একেবারেই প্রচার করতে চাননি। পবন বলল, "ত্রিশ বছর আগে একটা লোক যে কথা বলেছে, আজও যে সে তাই বলবে এমন কোনও কথা নেই। সমস্ত পৃথিবীর কাছে নানা রকম তথ্য পরিবেশন করা টেলিভিশনের একটা প্রধান কাজ। আপনি আমাকে নাম ঠিকানা দিন। ওঁকে রাজি করাবার ভার আমার।"

'কী আর করি ; বাধ্য হয়ে উপাধ্যায়ের নাম ঠিকানা দিয়ে দিলাম ; সে ধন্যবাদ দিয়ে চলে গেল।'

'উপাধ্যায়ের বয়স এখন আন্দাজ কত হবে ?' ফেলুদা জিজ্ঞেস করল।

'তা সত্তর-বাহাত্তর তো হবেই। রূপনারায়ণগড়ে যখন এসেছিল, তখন তার যৌবন

পেরিয়ে গেছে।'

ফেলুদা উমাশঙ্করের দিকে কিছুক্ষণ তীক্ষ্ণ দৃষ্টিতে চেয়ে থেকে বলল, 'আপনি কি শুধু এই ব্যাপারটার গোপনীয়তা রক্ষা হবে না বলেই চিন্তিত হচ্ছেন ?'

মিঃ পুরী মাথা নাড়লেন।

'না মিঃ মিটার। আপনি ঠিকই আন্দাজ করেছেন। শুধু যদি তাই হত, তা হলে আমি আপনার কাছে আসতাম না। আমার ভয় হচ্ছে ওই লকেটটাকে নিয়ে। পবনের নতুন শখ হয়েছে টেলিভিশনের ছবি তোলার। আপনি নিশ্চয় জানেন যে কাজটা খরচসাপেক্ষ। পবনের নিজের কোনও অর্থ সংগ্রহের রাস্তা আছে কিনা জানি না, কিন্তু এটা জানি যে ওই একটি লকেট ওর সমস্ত অর্থসমস্যা দূর করে দিতে পারে।'

'কিন্তু ওই লকেটটি হাত করতে হলে তো তাকে অসদুপায় অবলম্বন করতে হতে পারে।'

'তা তো বটেই।'

'পবনদেও ছেলে কেমন ?'

'সে বাপের কিছু দোষ-গুণ দুটোই পেয়েছে। পবনের মধ্যেও একটা বেপরোয়া দিক আছে। ভাল খেলোয়াড়। ছবি ভাল তোলে। আবার জুয়ার নেশাও আছে। অথচ তার দরাজ মনের পরিচয় পেয়েছি। ওকে চেনা ভারী শক্ত। যেমন ছিল ওর বাপকে।'

'তা হলে আপনি আমার কাছে কী চাইছেন ?'

'আমি চাইছি, আপনি দেখুন যাতে এই অসদুপায়টি অবলম্বন না করা হয়।'

'পবনদেও কি হরিদ্বার যাচ্ছেন ?'

'আজ্ঞে হ্যাঁ, তবে তাঁর যেতে একটু দেরি হবে—অন্তত পাঁচ-সাত দিন, কারণ এখন উনি প্যালেসের ছবি তুলছেন।'

'আমাদেরও যেতে গেলে সময় লাগবে, কারণ তার আগে তো ট্রেনে বুকিং পাওয়া যাবে না।'

'তা বটে।'

'কিন্তু ধরুন যদি আমি কেসটা নিই, আমি আপনাদের ছোট কুমারকে চিনছি কী করে ?'

'সে ব্যবস্থাও আমি করে এনেছি। দিল্লির একটি সাপ্তাহিক কাগজে কুমারের এই রঙিন ছবিটা বেরিয়েছিল গত মাসে। একটা বিলিয়ার্ড চ্যাম্পিয়নশিপে জিতেছিল। এটা আপনি রাখুন। আর ইয়ে, আপনাকে আগাম কিছু... ?'

'আমি হাজার টাকা অ্যাডভান্স নিই', বলল ফেলুদা। 'কেস সফল না হলেও সেটা ফেরত দিই না, কারণ সফল না হওয়াটা অনেক সময় গোয়েন্দার অক্ষমতার উপর নির্ভর করে না। সফল হলে আমি আরও এক হাজার টাকা নিই।'

'বেশ। আপনাকে এখনই কিছু বলতে হবে না। আমি পার্ক হোটেলে আছি। আপনি কী স্থির করেন, বিকেল চারটে নাগাত ফোন করে জানিয়ে দেবেন। হ্যাঁ হলে আমি নিজে এসে আপনাকে আগাম টাকা দিয়ে যাব।'

২

ফেলুদা যে কেসটা নেবে, সেটা আমি আগে থেকেই জানতাম। আজকাল আমরা মক্কেলের কথাবার্তা হংকং থেকে কেনা একটা মাইক্রোক্যাসেট রেকর্ডারে তুলে রাখি। মিঃ পুরীর বেলাতে ওঁর অনুমতি নিয়ে তাই করেছিলাম। ফেলুদা দুপুরে সেই সব কথাবার্তা প্লে ব্যাক করে খুব মন দিয়ে শুনে বলল, 'কেসটা নেবার সপক্ষে দুটো যুক্তি রয়েছে ; একটা হল এর

অভিনবত্ব, আর দুই হল—গোয়েন্দাগিরির প্রথম যুগে দেখা হরিদ্বার-হৃষীকেশটা আর একবার দেখার লোভ।'

বাদশাহী আংটির ক্লাইম্যাক্স্-টা যে হরিদ্বারেই শুরু হয়েছিল, সেটা আমিও কোনও দিন ভুলব না।

পার্ক হোটেলে টেলিফোন করে কেসটা নিচ্ছে বলে ফেলুদা মিঃ পুরীকে জানিয়ে দিয়েছিল। আর মিঃ পুরীও আধ ঘণ্টার মধ্যে এসে আগাম টাকা দিয়ে গিয়েছিলেন। প্রায় সঙ্গে সঙ্গেই পুষ্পক ট্র্যাভেলসে ফোন করে ফেলুদা ডুন এক্সপ্রেসে আমাদের বুকিং-এর জন্য জানিয়ে দিয়েছিল। হঠাৎ দু দিন পরে এক অদ্ভুত ব্যাপার। রূপনারায়ণগড় থেকে মিঃ পুরীর এক টেলিগ্রাম এসে হাজির—

'রিকোয়েস্ট ড্রপ কেস। লেটার ফলোজ।'

ড্রপ কেস! এ তো তাজ্জব ব্যাপার! এমন তো আমাদের অভিজ্ঞতায় কখনও হয়নি।

মিঃ পুরীর চিঠিও এসে গেল দু দিন পরে। মোদ্দা কথা হচ্ছে—ছোটকুমার মত পালটেছে। সে হরিদ্বার-হৃষীকেশ গিয়ে ছবি তুলবে, তাতে উপাধ্যায় থাকবেন, কিন্তু তাতে শুধু দেখানো হবে তিনি কীভাবে নিজের তৈরি ওষুধ দিয়ে স্থানীয় লোকের চিকিৎসা করেন। রূপনারায়ণগড়ের রাজার চিকিৎসাও যে উপাধ্যায় করেছিলেন, সেটা ছবিতে বলা হবে, কিন্তু মহামূল্য পারিতোষিকের কথাটা বলা হবে না।

ফেলুদা টেলিগ্রামে উত্তর দিল—'ড্রপিং কেস, বাট গোইং অ্যাজ পিলগ্রিমস।' অর্থাৎ কেস বাতিল করছি, কিন্তু তীর্থযাত্রী হিসেবে যাচ্ছি।

আমি জানি, ফেলুদা ও কথা লিখলেও ও নিজের গরজেই চোখ-কান খোলা রাখবে, আর তদন্তের কোনও কারণ দেখলে তদন্ত করবে। সত্যি বলতে কী, ভবানী উপাধ্যায় আর ছোটকুমার পবনদেও সিং—এই দুটি লোককেই আমার খুব ইন্টারেস্টিং বলে মনে হচ্ছিল।

আমরা তিনজন এখন ডুন এক্সপ্রেসের একটা থ্রি টিয়ার কম্পার্টমেন্টে বসে আছি। ফৈজাবাদ স্টেশনে মিনিট দু-এক হল গাড়ি থেমেছে, আমরা ভাঁড়ের চা কিনে খাচ্ছি।

'আপনি যে বলছিলেন হরিদ্বার গেসলেন, সেটা কবে?' ফেলুদা তার সামনের সিটে বসা লালমোহনবাবুকে জিজ্ঞেস করল।

'আমার ঠাকুরদা একবার সপরিবারে তীর্থভ্রমণে যান', বললেন লালমোহনবাবু, 'ইনক্লুডিং হরিদ্বার। তখন আমার বয়সে দেড়; কাজেই নো মেমারি।'

এবার অন্য দিক থেকে একটা প্রশ্ন এল।

'আপনারা কি শুধু হরিদ্বারই যাচ্ছেন, না ওখান থেকে এ দিকে ও দিকেও ঘুরবেন?'

এ-প্রশ্ন করলেন লালমোহনবাবুর পাশে বসা এক বৃদ্ধ। মাথায় সামান্য চুল যা আছে তা সবই পাকা, কিন্তু চামড়া টান, দাঁত সব ওরিজিন্যাল, আর চোখের দুপাশে যে খাঁজগুলো রয়েছে, সেগুলো যেন হাসবার জন্য তৈরিই হয়ে আছে।

'হরিদ্বারে একটু কাজ ছিল', বলল ফেলুদা। 'সেটা হয়ে গেলে পর...দেখা যাক্—'

'কী বলছেন মশাই!' বৃদ্ধের চোখ কপালে উঠে গেছে—'অ্যাদ্দূর এসে কেদার-বদ্রীটা দেখে যাবেন না? বদ্রীনাথ তো সোজা বাসে করেই যাওয়া যায়। কেদারের শেষের ক'টা মাইল অবিশ্যি এখনও বাস-রুট হয়নি। তবে এও ঠিক যে কেদারের কাছে বদ্রী কিছুই নয়। যদি পারেন তো একবার কেদারটা ঘুরে আসবেন। শেষের হাঁটা পথটুকু আর—' ফেলুদা আর আমার দিকে তাকিয়ে—'আপনাদের বয়সে কী! আর—' লালমোহনবাবুর দিকে তাকিয়ে— 'এনার জন্য তো ডাণ্ডি আর টাট্টু ঘোড়াই আছে। টাট্টু ঘোড়ায় চড়েছেন

কখনও ?’

শেষের প্রশ্নটা অবিশ্যি লালমোহনবাবুকেই করা হল। লালমোহনবাবু হাতের ভাঁড়টায় একটা শেষ চুমুক দিয়ে জানালা দিয়ে বাইরে ফেলে দিয়ে গম্ভীরভাবে অন্য দিকে চেয়ে বললেন, ‘আজ্ঞে না, তবে থর ডেজার্টে একবার উটের পিঠে চড়ে দৌড়ের অভিজ্ঞতা হয়েছে। সেটা আপনার হয়েছে কি ?’

বৃদ্ধ মাথা নাড়লেন।—‘তা হয়নি। আমার চরবার ক্ষেত্র হল হিমালয়ের এই বিশেষ অংশ। তেইশবার এসেছি কেদার-বদ্রী। ভক্তি-টক্তি আমার যে তেমন আছে তা নয়, তবে এখানকার প্রাকৃতিক দৃশ্য থেকেই আমি সব আধ্যাত্মিক শক্তি আহরণ করি। কোনও বিগ্রহের দরকার হয় না।’

ভদ্রলোকের নাম পরে জেনেছিলাম মাখনলাল মজুমদার। শুধু কেদার-বদ্রী নয়, যমুনোত্রী, গঙ্গোত্রী, গোমুখ, পঞ্চকেদার, বাসুকিতাল—এ সবও এঁর দেখা আছে। নেহাত একটা সংসার আছে, না হলে হিমালয়েই থেকে যেতেন। অবিশ্যি এটাও বললেন যে, আজকের বাস-ট্যাক্সিতে করে যাওয়া আর আগেকার দিনের পায়ে হেঁটে যাওয়া এক জিনিস নয়। বললেন, ‘আজকাল তো আর কেউ পিলগ্রিম নয়, সব পিকনিকারস। তবে হ্যাঁ, গাড়ির রাস্তা তৈরি করে তো আর হিমালয়ের দৃশ্য পালটানো যায় না। নয়নাভিরাম বলতে যা বোঝায়, সে রকম দৃশ্য এখনও অফুরন্ত আছে।’

ভোর ছ'টায় ডুন এক্সপ্রেস পৌঁছাল হরিদ্বার।

সেই বাদশাহী আংটির সময় যেমন দেখেছিলাম, পাণ্ডার উপদ্রবটা যেন তার চেয়ে একটু কম বলে মনে হল। স্টেশনেই একটা রেস্টোরান্টে চা-বিস্কুট খেয়ে নিলাম। উপাধ্যায়ের নাম এখানে অনেকেই জানে আন্দাজ করেই বোধহয় ফেলুদা রেস্টোরান্টের ম্যানেজারকে তাঁর হদিস জিজ্ঞেস করল।

উত্তর শুনে বেশ ভালরকম একটা হোঁচট খেলাম।

ভবানী উপাধ্যায় তিন-চার মাস হল হরিদ্বার ছেড়ে রুদ্রপ্রয়াগ চলে গেছেন।

‘তাঁর বিষয়ে আরও খবর কে দিতে পারে, বলতে পারেন ?’ জিজ্ঞেস করল ফেলুদা। উত্তর এল—‘এখনকার খবর পেতে হলে রুদ্রপ্রয়াগ যেতে হবে, আর যদি আগেকার খবর চান তো কান্তিভাই পণ্ডিতের কাছে যান। উনি ছিলেন উপাধ্যায়জীর বাড়িওয়ালা। তিনি সব খবর জানবেন।’

‘তিনিও কি লক্ষ্মণ মহল্লাতেই থাকেন ?’

‘হ্যাঁ হ্যাঁ। পাশাপাশি বাড়িতে থাকতেন ওঁরা। সবাই ওঁকে চেনে ওখানে। জিজ্ঞেস করলেই বলে দেবে।’

আমরা আর সময় নষ্ট না করে বিল চুকিয়ে দিয়ে বেরিয়ে পড়লাম।

কান্তিভাই পণ্ডিতের বয়স ষাট-পঁয়ষট্টি, বেঁটেখাটো চোখাচাখা ফরসা চেহারা, খোঁচা খোঁচা গোঁফ, কপালে চন্দনের ফোঁটা আর চোখে বাইফোকাল চশমা। আমরা ভবানী উপাধ্যায়ের খোঁজ করছি জেনে উনি রীতিমতো অবাক হয়ে বললেন, ‘কী ব্যাপার বলুন তো ? আর একজন তো ওঁর খোঁজ করে গেলেন এই তিন-চার দিন আগে।’

‘তাঁর চেহারা মনে আছে আপনার ?’

‘তা আছে বইকী।’

‘দেখুন তো এই চেহারার সঙ্গে মেলে কিনা।’

ফেলুদা পকেট থেকে ছোটকুমার পবনদেও-এর ছবিটা বার করে দেখাল।

‘হ্যাঁ হ্যাঁ, এই তো সেই লোক’, বললেন কান্তিভাই পণ্ডিত। ‘আমি রুদ্রপ্রয়াগের ঠিকানা

দিয়ে দিলাম তাঁকে।'

'সে ঠিকানা অবিশ্যি আমরাও চাই', বলে ফেলুদা তার একটা কার্ড বার করে দিল মিঃ পণ্ডিতের হাতে।

কার্ডটা পাওয়ামাত্র মিঃ পণ্ডিতের হাবভাব একদম বদলে গেল। এতক্ষণ আমরা দাঁড়িয়ে কথা বলছিলাম, এবার আমাদের সকলকে চেয়ার, মোড়া আর তক্তপোশে ভাগাভাগি করে বসতে দেওয়া হল।

'কেয়া, কুছ গড়বড় হুয়া মিঃ মিত্তর ?'

'যত দূর জানি, এখনও হয়নি,' বলল ফেলুদা। 'তবে হবার একটা সম্ভাবনা আছে। এবার আমি আপনাকে একটা প্রশ্ন করতে চাই, মিঃ পণ্ডিত ; আপনি সঠিক উত্তর দিতে পারলে খুব উপকার হবে।'

'আই উইল ট্রাই মাই বেস্ট।'

'মিঃ উপাধ্যায়ের ব্যক্তিগত সংগ্রহে কি কোনও একটা মূল্যবান জিনিস ছিল ?'

মিঃ পণ্ডিত একটু হেসে বললেন, 'এ প্রশ্নটাও আমাকে দ্বিতীয়বার করা হচ্ছে। আমি মিঃ সিংকে যা বলেছি, আপনাকেও তাই বলছি। মিঃ উপাধ্যায়ের একটা থলি উনি আমার সিন্দুকে রাখতে দিয়েছিলেন। কিন্তু তাতে যে কী ছিল, সেটা আমি কোনও দিন দেখিনি বা জিজ্ঞেসও করিনি।'

'সেটা উনি রুদ্রপ্রয়াগ নিয়ে গেছেন ?'

'ইয়েস স্যার। অ্যান্ড অ্যানাদ্দার থিং—আপনি ডিটেকটিভ, তাই এ খবর আমি আপনাকে বলছি, আপনার হয়তো কাজে লাগতে পারে—পাঁচ-ছে মহিনে আগে দুজন লোক—তখনও মিঃ উপাধ্যায় ছিলেন এখানে—একজন সিন্ধী কি মাড়োয়ারি হবে—হি লুকড এ রিচ ম্যান—অ্যান্ড অ্যানাদার ম্যান—দুজন উপাধ্যায়ের সঙ্গে দেখা করতে এসেছিল। অনেক কথা হচ্ছিল সেটা আমি বুঝতে পারছিলাম। এক ঘণ্টার উপর ছিল। তারা যাবার পর উপাধ্যায় একটা কথা আমাকে বলে—পণ্ডিতজী, আজ আমি একটি রিপুকে জয় করেছি। মিঃ সিংঘানিয়া আমাকে লোভের মধ্যে ফেলেছিলেন, কিন্তু শেষ পর্যন্ত আমি সে লোভ কাটিয়ে উঠেছি।'

'আপনি উপাধ্যায়ের এই সম্পত্তির কথা আর কাউকে বলেননি ?'

'দেখুন মিঃ মিত্তর, ওঁর যে একটা কিছু লুকোবার জিনিস আছে, সেটা অনেকেই জানত। আর সেই নিয়ে আড়ালে ঠাট্টাও করত। আমার আবার সন্ধ্যাবেলায় একটু নেশা করার অভ্যাস আছে, হয়তো কখনও কিছু বলে ফেলেছি। কিন্তু উপাধ্যায়জীকে সকলে এখানে এত ভক্তি করত যে, সিন্দুকে কী আছে সেই নিয়ে কেউ কোনও দিন মাথা ঘামায়নি।'

'এই যে রুদ্রপ্রয়াগ গেলেন তিনি, এর পিছনে কোনও কারণ আছে ?'

'আমাকে বলেছিলেন, গঙ্গার ঘাটে ওঁর একজন সাধুর সঙ্গে আলাপ হয়। তাঁর সঙ্গে কথা বলে উপাধ্যায়ের মধ্যে একটা মানসিক চেঞ্জ আসে। আমার মনে হয়, চেঞ্জটা বেশ সিরিয়াস ছিল। কথা-টথা সব কমিয়ে দিয়েছিলেন। অনেক সময় চুপচাপ বসে ভাবতেন।'

'ওঁর ওষুধপত্তর কি উনি সঙ্গেই নিয়েছিলেন ?'

'ওষুধ বলতে তো বেশি কিছু ছিল না : কয়েকটা বৈয়াম, কিছু শিকড়-বাকল, কিছু মলম, কিছু বড়ি—এই আর কী। এগুলো সবই উনি নিয়ে গিয়েছিলেন। তবে আমার নিজের ধারণা উনি ক্রমে পুরোপুরি সন্ন্যাসের দিকে চলে যাবেন।'

'উনি বিয়ে করেননি ?'

'না। সংসারের প্রতি ওঁর কোনও টান ছিল না। যাবার দিন আমাকে বলে

গেলেন—ভোগের রাস্তা, ত্যাগের রাস্তা, দুটোই আমার সামনে ছিল। আমি ত্যাগটাই বেছে নিলাম।'

'ভাল কথা,' বলল ফেলুদা, 'আপনি যে বললেন, ওঁর রুদ্রপ্রয়াগের ঠিকানা আপনি দিয়ে দিয়েছেন ওই ভদ্রলোকটিকে—আপনি ঠিকানা পেলেন কী করে?'

'কেন, উপাধ্যায় আমাকে পোস্টকার্ড লিখেছে সেখান থেকে।'

'সে পোস্টকার্ড আছে?'

'আছে বইকী।'

মিঃ পণ্ডিত তাঁর পিছনের একটা তাকে রাখা বাক্সের ভিতর হাত ঢুকিয়ে একটা পোস্টকার্ড বার করে ফেলুদাকে দিলেন। হিন্দিতে লেখা আট-দশ লাইনের চিঠি। সেটা ফেলুদা বার বার পড়ল কেন, আর পড়ে বিড়বিড় করে দু বার 'মোস্ট ইন্টারেস্টিং' বলল কেন, সেটা বলতে পারব না।

মিঃ পণ্ডিত আমাদের একটা ভাল ট্যাক্সির কথা বলে দিলেন। আপাতত রুদ্রপ্রয়াগ, তার পর যেখানেই যাওয়া দরকার—সেখানেই যাবে। গাড়োয়ালি ড্রাইভারের নাম যোগীন্দররাম। লোকটিকে দেখে আমাদের ভাল লাগল। আমরা বললাম, বারোটা নাগাদ খেয়েদেয়ে রওনা দেব হৃষীকেশ থেকে। হৃষীকেশ এখান থেকে মাইল পনেরো। হরিদ্বারে কিছুই দেখবার নেই, গঙ্গার ঘাটটা পর্যন্ত আগের বার যা দেখেছিলাম, তেমন আর নেই। বিশ্রী দেখতে সব নতুন বাড়ি উঠেছে আর তাদের দেওয়াল-জোড়া বিজ্ঞাপন। হৃষীকেশে যাওয়া দরকার, কারণ আমাদের রুদ্রপ্রয়াগে থাকার বন্দোবস্ত করতে হবে। ইচ্ছে করলে ধরমশালায় থাকা যায়; এখানে প্রায় সব শহরেই বহু দিনের পুরনো নাম-করা কালীকমলী ধরমশালা রয়েছে, কিন্তু ফেলুদা জানে যে রূপনারায়ণগড়ের ছোটকুমার ও সব ধরমশালায় থাকবে না।

আমরা হৃষীকেশে গিয়ে গাড়ওয়াল মণ্ডল বিকাশ নিগমের রেস্ট হাউসে একটা ডবল-রুম পেয়ে গেলাম। ওরা বলল যে, তিনজন লোক হলে বাড়তি একটা খাটিয়া পেতে দেবে। বারোটা নাগাদ খেয়ে আমরা রওনা দিলাম রুদ্রপ্রয়াগ। কয়েক মাইল যাবার পর ডাইনে পড়ল লছমনঝুলা। এখানেও দুদিকে বিশ্রী বিশ্রী নতুন বাড়ি আর হোটেল হয়ে জায়গাটার মজাই নষ্ট করে দিয়েছে। তাও বাদশাহী আংটির শেষ পর্বের ঘটনা মনে করে গা-টা বেশ ছমছম করছিল।

রুদ্রপ্রয়াগ জরুরি দুটো কারণে। এক হল জিম করবেট। 'দ্য ম্যান-ইটিং লেপার্ড অফ রুদ্রপ্রয়াগ' যে পড়েছে, সে কোনও দিন ভুলতে পারবে না কী আশ্চর্য ধৈর্য, অধ্যবসায়, আর সাহসের সঙ্গে করবেট মেরেছিল এই মানুষখেকোকে আজ থেকে পঞ্চান্ন বছর আগে। আমাদের ড্রাইভার যোগীন্দর বলল, সে ছেলেবেলায় তার বাপ-ঠাকুর্দার কাছে শুনেছে এই বাঘ মারার গল্প। করবেট যেমন ভালবাসত এই গাড়োয়ালিদের, গাড়োয়ালিরাও ঠিক তেমনই ভক্তি করত করবেটকে।

রুদ্রপ্রয়াগের আর একটা ব্যাপার হচ্ছে—এখান থেকে বদ্রী ও কেদার দু জায়গাতেই যাওয়া যায়। দুটো নদী এসে মিশেছে রুদ্রপ্রয়াগে—মন্দাকিনী আর অলকানন্দা। অলকানন্দা ধরে গেলে বদ্রীনাথ আর মন্দাকিনী ধরে গেলে কেদারনাথ। বদ্রীনাথের শেষ পর্যন্ত বাস যায়; কেদারনাথ যেতে বাস থেমে যায় ১৪ কিলোমিটার আগে গৌরীকুণ্ডে। সেখান থেকে হয় হেঁটে, না হয় ডাণ্ডি বা টাট্টু ঘোড়া ভাড়া করে যাওয়া যায়।

হৃষীকেশ থেকে বেরিয়েই বনের মধ্য দিয়ে পাহাড়ের পথ আরম্ভ হয়ে গেল। পাশ দিয়ে বয়ে চলছে স্থানীয় লোকেরা যাকে বলে গঙ্গা মাঈ। হৃষীকেশ থেকে রুদ্রপ্রয়াগ ১৪০

কিলোমিটার ; পাহাড়ে রাস্তায় ঘণ্টায় ৩০ কিলোমিটার করে গেলেও সেই সন্ধ্যার আগে পৌঁছানো যাবে না। তা ছাড়া পথে তিনটে জায়গা পড়ে—দেবপ্রয়াগ, কীর্তিনগর, আর শ্রীনগর। এই শ্রীনগর কাশ্মীরের রাজধানী নয়, গাড়ওয়াল জেলার রাজধানী।

পাহাড় ভেদ করে বনের মধ্য দিয়ে কেটে তৈরি করা রাস্তা ঘুরে ঘুরে উঠছে, আবার ঘুরে ঘুরে নামছে। মাঝে মাঝে গাছপালা সরে গিয়ে খোলা সবুজ পাহাড় বেরিয়ে পড়ছে, তারই কোলে ছবির মতো ছোট ছোট গ্রাম দেখা যাচ্ছে।

দৃশ্য সুন্দর ঠিকই, কিন্তু আমার মন কেবলই বলছে ভবানী উপাধ্যায়ের কাছে একটা মহামূল্য লকেট রয়েছে। একজন সন্ন্যাসীর কাছে এমন একটা জিনিস থাকবে, আর তাই নিয়ে কোনও গোলমাল হবে না, এটা যেন ভাবাই যায় না। তা ছাড়া মিঃ পুরীর একবার ফেলুদাকে কাজের ভার দিয়ে, তার পরই টেলিগ্রাম করে বারণ করাটাও কেমন যেন গণ্ডগোল

লাগছে। অবশ্য তিনি চিঠিতে কারণ দিয়েছেন ঠিকই, কিন্তু এ জিনিস এর আগে কক্ষনও হয়নি বলেই বোধহয় একটা খট্‌কা মন থেকে যাচ্ছে না।

লালমোহনবাবু কিছুক্ষণ থেকেই উস্‌খুস্ করছিলেন, এবার বললেন, 'আমি ভূ-গণ্ডগোল আর ইতিহাস-ফাঁসে চিরকালই কাঁচা ছিলাম ফেলুবাবু—সেটা তো আপনি আমার লেখা পড়েও অনেক বার বলেছেন। তাই, মানে, আমরা ভারতবর্ষের এখন ঠিক কোনখানে আছি, সেটা একটু বলে দিলে নিশ্চিন্ত বোধ করব।'

ফেলুদা তার বার্থোলোমিউ কোম্পানির বড় ম্যাপটা খুলে বুঝিয়ে দিল—'এই যে দেখুন হরিদ্বার। আমরা এখন যাচ্ছি এই দিকে। এই যে রুদ্রপ্রয়াগ। অর্থাৎ পুবে নেপাল, পশ্চিমে কাশ্মীর, আমরা তার মধ্যিখানে, বুঝেছেন?'

'হ্যাঁ। এই বারে ক্লিয়ার।'

৩

পথে শ্রীনগরে থেমে চা খেয়ে রুদ্রপ্রয়াগ পৌঁছতে পৌঁছতে হয়ে গেল প্রায় পাঁচটা। ইস্কুল কলেজ হাসপাতাল পোস্টাপিস থানা সব মিলিয়ে রুদ্রপ্রয়াগ বেশ বড় শহর। করবেট যেখানে লেপার্ডটা মেরেছিল, সেখানে অনেক দিন পর্যন্ত নাকি সাইনবোর্ড ছিল, কিন্তু যোগীন্দর বলল, সেটা নাকি কয়েক বছর হল ভেঙে গেছে।

আমরা সোজা চলে গেলাম গাড়ওয়াল নিগম রেস্ট হাউসে। শহরের একটু বাইরে সুন্দর নিরিবিলি জায়গায় তৈরি রেস্ট হাউসে গিয়ে যে খবরটা প্রথমেই শুনলাম, সেটা হল: কেদারনাথের রাস্তায় এক জায়গায় ধস নামাতে নাকি বাস চলাচল বেশ কয়েক দিন বন্ধ ছিল, আজই আবার নতুন করে শুরু হয়েছে। এতে যে আমাদের একটা বড় রকম সুবিধে হয়েছিল, সেটা পরে বুঝেছিলাম।

ম্যানেজার মিঃ গিরিধারী ফেলুদাকে না চিনলেও আমাদের খুব খাতির করলেন। উনি নাকি হিন্দি অনুবাদে বহু বাংলা উপন্যাস পড়ে খুব বাঙালি-ভক্ত হয়ে পড়েছেন। ওঁর ফেভারিট অথরস হচ্ছেন বিমল মিত্র আর শংকর।

মিঃ গিরিধারী ছাড়াও আরেকজন ভদ্রলোক ছিলেন রেস্ট হাউসে, তিনি কেদারের পথ বন্ধ বলে আটকা পড়ে গিয়েছিলেন। ইনি কিন্তু ফেলুদাকে দেখে চিনে ফেললেন। বললেন, 'আমি একজন সাংবাদিক, আমি আপনার অনেক কেসের খবর জানি; সেভেনটি নাইনে এলাহাবাদে সুখতঙ্কর মার্ডার কেসে আপনার ছবি বেরিয়েছিল নর্দার্ন ইন্ডিয়া পত্রিকায়। সেই থেকেই আমি আপনাকে চিনেছি। আমার নাম কৃষ্ণকান্ত ভার্গব। আই অ্যাম ভেরি প্রাউড টু মিট ইউ, স্যার।'

ভদ্রলোকের বছর চল্লিশেক বয়স, চাপদাড়ি, মাঝারি গড়ন। মিঃ গিরিধারী স্বভাবতই ফেলুদার পরিচয় পেয়ে ভারী উত্তেজিত হয়ে পড়লেন—'দেয়ার ইজ নো ট্রাবল হিয়ার আই হোপ?'

'ট্রাব্‌ল সর্বত্রই হতে পারে, মিঃ গিরিধারী। তবে আমরা এসেছি একটা অন্য ব্যাপারে। আপনাদের এখানে ভবানী উপাধ্যায় নামে একজন ভদ্রলোক—'

'উপাধ্যায় তো এখানে নেই', বলে উঠলেন সাংবাদিক মিঃ ভার্গব। 'আমি তো ওঁকে নিয়েই একটা স্টোরি করব বলে এখানে এসেছি। হরিদ্বারে গিয়ে শুনলাম, উনি রুদ্রপ্রয়াগ গেছেন; এখন এখানে এসে শুনছি তিনি খুব সম্ভবত কেদারনাথ গেছেন। আমি তাই কাল সকালে কেদার যাচ্ছি ওঁর খোঁজে। হি ইজ এ মোস্ট ইন্টারেস্টিং ক্যারেকটার, মিঃ মিটার।'

‘আমি অবিশ্যি ওঁর অসুখ সারানোর কথা শুনেছি’, বলল ফেলুদা। তারপর লালমোহনবাবুর দিকে দেখিয়ে চাপা গলায় বলল, ‘আমার এই বন্ধুটির মাঝে মাঝে একটা মস্তিষ্কের ব্যারামের মতো হয়। ভুল বকেন, সামান্য ভায়োলেন্সও প্রকাশ পায়। তাই একবার ওঁকে দেখাব ভাবছিলাম। কলকাতার অ্যালোপ্যাথি হোমিওপ্যাথিতে কোনও কাজ দেয়নি।’

লালমোহনবাবু প্রথমে কেমন থতমত খেয়ে, তার পর ফেলুদার কথা সত্যি প্রমাণ করার জন্য মুখে একটা হিংস্র ভাব আনার চেষ্টা করলেন, যেটা আমাদের একটা নেপালি মুখোশ আছে, সেটার মতো দেখাল।

‘তা হলে আপনাদের এই কেদার-বদ্রী যাওয়া ছাড়া গতি নেই’, বললেন মিঃ ভার্গব। ‘আমি বদ্রী গিয়ে ওঁকে পাইনি। অবিশ্যি উনি নাকি সন্ন্যাসী হয়ে গেছেন, তাই নামও হয়তো বদলে নিয়েছেন।’

এই সময় রেস্ট হাউসের গেটের বাইরে একটা আমেরিকান গাড়ি থামল, আর তার থেকে তিনজন ভদ্রলোক নেমে আমাদের দিকে এগিয়ে এলেন। এদের যিনি দলপতি, তাঁকে চিনতে মোটেই অসুবিধা হল না, কারণ তাঁরই রঙিন ছবি রয়েছে ফেলুদার কাছে। ইনি হলেন রূপনারায়ণগড়ের ছোটকুমার বিলিয়ার্ড চ্যাম্পিয়ন পবনদেও সিং। অন্য দুজন নির্ঘাত এঁর চামচা।

আমরা পাঁচজন এতক্ষণ বাংলোর সামনের বারান্দায় বসে চা খাচ্ছিলাম, এবার আরও তিনজন লোক বাড়ল। পবনদেও একটা বেতের চেয়ার দখল করে বললেন, ‘আমরা বদ্রীনাথ থেকে আসছি। নো লাক্। উপাধ্যায় ওখানে নেই।’

মিঃ গিরিধারী বললেন, ‘আশ্চর্য ব্যাপার এই যে, আমার এখানে যতজন অতিথি এসেছেন, সকলেই উপাধ্যায়ের খোঁজ করছেন, এবং প্রত্যেকে বিভিন্ন কারণে। আপনি ওঁর ছবি তুলবেন, মিঃ ভার্গব ওঁকে ইন্টারভিউ করবেন, আর মিঃ মিটার তাঁর বন্ধুর চিকিৎসা করাবেন।’

পবনদেওর দলের সঙ্গে টেলিভিশনের যন্ত্রপাতি রয়েছে। ক্যামেরাটা পবনদেওর নিজের হাতে, আর তাতে লাগানো একটা পেল্লায় লেন্স।

‘ওটা তো আপনার টেলি-লেন্স দেখছি’, ফেলুদা মন্তব্য করল।

পবনদেও ক্যামেরাটা টেবিলের উপর রেখে বলল, ‘হ্যাঁ। সকালের রোদে বদ্রীনাথের চুড়ো থেকে বরফ গলে গলে পড়তে দেখা যায়। অ্যাকচুয়েলি আমার পুরো সরঞ্জাম একজনেই হ্যান্ডল করতে পারে। ক্যামেরা, সাউন্ড, সব কিছু। আমার এই দুই বন্ধু থাকবেন গৌরীকুণ্ড পর্যন্ত। বাকিটা আমি একাই তুলব।’

‘তার মানে আপনিও কেদারনাথ যাচ্ছেন?’

‘হ্যাঁ। কাল ভোরেই বেরিয়ে পড়ছি।’

‘আপনি ভবানী উপাধ্যায়কে নিয়ে ফিল্ম তুলছেন?’

‘হ্যাঁ। অস্ট্রেলিয়ান টেলিভিশনের জন্য। উপাধ্যায় মানে, তার সঙ্গে হরিদ্বার-হৃষীকেশ-কেদার-বদ্রীও কিছু থাকবে। তবে সেন্ট্রাল ক্যারেকটার হবেন ভবানী উপাধ্যায়। আশ্চর্য চরিত্র। উনি আমার বাবার হাঁপানি যেভাবে সারিয়েছিলেন, সেটা একটা মিরাক্‌ল।’

আমি আড়চোখে পবনদেওকে লক্ষ করে যাচ্ছিলাম। মিঃ উমাশঙ্কর পুরী যে চরিত্র বর্ণনা করেছিলেন, তার সঙ্গে কোনও মিল পাচ্ছিলাম না। ফেলুদা দেখলাম উমাশঙ্কর পুরীর কোনও উল্লেখ করল না।

রুদ্রপ্রয়াগে পৌঁছানোর সময় একটা হোটেল দেখে রেখেছিলাম, সেইখানেই আমরা

তিনজন গিয়ে ডিনার সারলাম। বয় যখন অর্ডার নিতে এল, তখন লালমোহনবাবু হঠাৎ ভীষণ তেজের সঙ্গে টেবিলের উপর একটা ঘুঁষি মেরে একটা গোলমরিচদান উলটে দিয়ে বললেন, তিনি আরমাডিলোর ডিমের ডালনা খাবেন। তখন ফেলুদার তাঁকে বুঝিয়ে বলতে হল যে, যাদের কাছে ওঁর অসুখের কথাটা বলা হয়েছে, শুধু তাদের সামনেই এই ধরনের ব্যবহার চলতে পারে, অন্য সময় নয়। বিশেষ করে ভায়োলেন্সটা যার-তার সামনে দেখাতে গেলে হয়তো লালমোহনবাবুকেই প্যাদানি খেতে হবে।

'তা বটে' ; বললেন লালমোহনবাবু। 'তবে অপরচুনিটি পেলে কিন্তু ছাড়ব না।'

পরদিন ভোরে উঠতে হবে বলে আমরা খাওয়ার পর্ব শেষ করেই রেস্ট হাউসে চলে এলাম। কেউ কোনও হুমকি চিঠি দিয়ে যায়নি তো এই ফাঁকে ? আমাদের আবার এই জিনিসটার একটা ট্র্যাডিশন আছে। কিন্তু না ; এদিক ওদিক দেখেও তেমন কিছু পেলাম না।

আমাদের দুটো ঘর পরেই যে পবনদেও তার দুই বন্ধু আর মিঃ গিরিধারীকে নিয়ে পানীয়ের সদ্ব্যবহার করছেন, সেটা গেলাসের টুং টাং আর দমকে দমকে হাসি থেকেই বুঝতে পারছিলাম।

লালমোহনবাবু তাঁর বালিশে মাথা দিয়ে বললেন, 'একটা কথা কিন্তু বলতেই হবে ফেলুবাবু—সে দিন আপনার ঘরে বসে পুরী সাহেব ছোটকুমার সম্বন্ধে যাই বলে থাকুন না কেন, আমার কিন্তু ভদ্রলোককে বেশ মাই ডিয়ার বলেই মনে হচ্ছে।'

ফেলুদা বলল, 'প্রকৃতি কিন্তু অনেক হিংস্র প্রাণীকেই সুন্দর করে সৃষ্টি করেছে। বাংলার বাঘের চেয়ে সুন্দর কোনও প্রাণী আছে কি ? ময়ূরের ঠোকরানিতে যে কী তেজ আছে, তা তো আপনি জানেন। জানেন না ?'

লালমোহনবাবু তাঁর অ্যালার্ম ক্লকের চাবিটায় একটা মোচড় দিয়ে, চোখে একটা হিংস্র উন্মাদ ভাব এনে বললেন—'পোপোক্যাটাপেটাপোটোপুলটিশ !'

৪

আমরা ঠিক সাড়ে পাঁচটার সময় ট্যাক্সির সামনে গিয়ে হাজির হলাম। যোগীন্দররাম তার আগেই রেডি। আমাদের গাড়ির কাছেই পবনদেওর আমেরিকান গাড়িতে মাল তোলা হচ্ছে। ও গাড়ি আধ ঘণ্টার আগে বেরোতে পারবে বলে মনে হয় না। তবে এও ঠিক যে, মাঝপথে ও আমাদের ছাড়িয়ে যাবে।

ট্যাক্সিতে যখন উঠতে যাব, তখন ছোটকুমার হঠাৎ আমাদের দিকে এগিয়ে এলেন। বোঝাই যাচ্ছে কিছু বলার আছে।

ভদ্রলোক ফেলুদাকে উদ্দেশ করে বললেন, 'কাল রাত্রে মিঃ গিরিধারী নেশার ঝোঁকে আপনার আসল পরিচয়টা আমাদের দিয়ে দিয়েছেন। আমি আপনাকে একটা সোজা প্রশ্ন করতে চাই।'

'বলুন।'

'উমাশঙ্কর কাকা কি আমার উপর চোখ রাখার জন্য আপনাকে এ কাজে বহাল করেছেন ?'

'তিনি যদি সেটা করেও থাকতেন,' বলল ফেলুদা, 'সেটা আমি নিশ্চয়ই আপনার কাছে প্রকাশ করতাম না, কারণ সেটা নীতিবিরুদ্ধ এবং বোকামি হত। তবে আমি আপনাকে বলেই দিচ্ছি—আসলে আমি মিঃ পুরীর হয়ে কিছু করছি না। আমাদের এখানে আসার প্রধান

উদ্দেশ্য ভ্রমণ। তবে যদি কোনও গণ্ডগোল দেখি, তা হলে গোয়েন্দা হয়ে আমার নিজেকে সংযত রাখা খুবই মুশকিল হবে। ভবানী উপাধ্যায় সম্পর্কে আমার নিজেরও একটা প্রবল কৌতূহল জেগে উঠেছে। তার একটা বিশেষ কারণ আছে, যদিও এখনও সেটা প্রকাশ করতে পারছি না।'

'আই সি।'

'এবার আমি আপনাকে একটা প্রশ্ন করতে পারি?'

'করুন।'

'আপনি কি আপনার ফিল্মে সেই বিখ্যাত লকেটটি দেখাতে চান?'

'নিশ্চয়ই। অবিশ্যি সেটা যদি এখনও উপাধ্যায়ের কাছে থেকে থাকে।'

'কিন্তু উপাধ্যায়ের কাছে যে ও-রকম একটা জিনিস আছে, সেটা জানাজানি হয়ে গেলে তো ওঁর জীবন বিপন্ন হয়ে উঠবে। এত দিন যে-ব্যাপারটা গোপন ছিল, সেটা আপনি প্রচার করে দেবেন ?'

'মিঃ মিত্তির, তিনি যদি সত্যিই সন্ন্যাসী হয়ে থাকেন, তা হলে তো তাঁর আর ও জিনিসের কোনও প্রয়োজনই থাকতে পারে না। আমি ওঁকে বলব, একটা কোনও বড় মিউজিয়ামে ওটা দান করে দিতে। জিনিসটা চারশো বছর আগে ত্রিবাঙ্কুরের রাজার ছিল। কারিগরির দিক দিয়ে অতুলনীয়। উনি ওটা ডোনেট করলে চিরকাল ওঁর নাম ওই লকেটের সঙ্গে জড়িত থাকবে। মোটকথা, ওই লকেট আমি ছবিতে দেখাচ্ছি, এবং সেখানে আপনি আশা করি কোনও বাধা দিতে চেষ্টা করবেন না।'

শেষের কথাটা বেশ দাপটের সঙ্গেই বলে ছোটকুমার তাঁর গাড়িতে ফিরে গেলেন। এবার তাঁর জায়গায় সাংবাদিক মিঃ ভার্গব এসে বললেন, 'আপনারা তিনজন আছেন জানলে তো আপনাদের সঙ্গেই যাওয়া যেত। উপাধ্যায় সম্বন্ধে আমি যে-সব তথ্য আবিষ্কার করেছি, সেগুলো আপনাকে বলতে পারতাম।'

'আপনার এই তথ্যের সোর্স কী ?' ফেলুদা জিজ্ঞেস করল।

'কিছু দিয়েছেন রূপনারায়ণগড়ের বড় কুমার সূরযদেও, কিন্তু আসল তথ্য দিয়েছে রাজবাড়ির এক আশি বছরের বুড়ো বেয়ারা। আপনি কি জানেন যে, রূপনারায়ণগড়ের রাজা চন্দ্রদেও সিং-এর হাঁপানি উপাধ্যায় সারিয়ে দিয়েছিলেন ?'

'তাই বুঝি ?'

'আর তার জন্য রাজা তাঁকে ইনাম দিয়েছিলেন ওয়ান অফ হিজ মোস্ট প্রেশাস অর্নামেন্টস। এ খবর এত দিন ওদের ফ্যামিলির বাইরে কেউ জানত না। আপনি ভাবতে পারেন, খবরের কাগজের কাছে এই ঘটনার কী দাম !'

'আপনি তো তা হলে রাজা হয়ে যাবেন, মিঃ ভার্গব !'

'অমি আপনাকে বলছি মিঃ মিত্তর, এই লকেট উপাধ্যায়ের কাছে বেশি দিন থাকবে না। আপনি কি ছোটকুমারের কথায় বিশ্বাস করেন যে, ও শুধু টি. ভি-র ছবি তুলতে এসেছে ? আমি বলছি আপনাকে, এখানে শিগগিরই আপনার নিজের পেশার আশ্রয় নিতে হবে।'

'তার জন্য আমি সদা প্রস্তুত', বলল ফেলুদা।

মিঃ ভার্গব চলে গেলেন।

'লোকটা তো ঘোড়েল আছে, মশাই', বললেন লালমোহনবাবু।

'সাংবাদিক মাত্রেই ঘোড়েল', বলল ফেলুদা। 'গোয়েন্দাগিরিতে ওরাও কম যায় না। রাজবাড়ির পুরনো বেয়ারাকে জেরা করায় ও খুব বুদ্ধির পরিচয় দিয়েছে। চাকররা অনেক সময় এমন খবর রাখে, যা মনিবেরা জানতেই পারে না। কিন্তু তাও—'

'তাও কী ?' আমি জিজ্ঞেস করলাম। আমি বুঝতে পারছিলাম, ফেলুদার মনটা খচখচ করছে।

'তাও যে কেন লোকটাকে দেখে অসোয়াস্তি লাগছে, তা বুঝতে পারছি না।'

আমাদের গাড়ি রুদ্রপ্রয়াগ থেকে রওনা হয়ে অলকানন্দার পাশ দিয়ে কিছু দূর গিয়ে হঠাৎ একটা টানেলে ঢুকে পড়ল। সেই টানেল থেকে যখন আবার আলোয় বেরোলাম, তখন নদী পালটে গিয়ে হয়ে গেছে 'মন্দাকিনী'। এটাই এখন চলবে আমাদের সঙ্গে কেদার পর্যন্ত। কেদার থেকেই নাকি মন্দাকিনীর উৎপত্তি।

ফেলুদার ভ্রূকুটি থেকেই বুঝতে পারছিলাম, কোনও একটা কারণে ওর বিরক্ত লাগছে।

এবারে ওর কথায় সেটা বুঝতে পারলাম—

'আমার সমস্ত রাগটা গিয়ে পড়ছে ওই গিরিধারী লোকটার উপর। ও যে এত ইরেসপনসিব্‌ল তা ভাবতে পারিনি। ছোটকুমার এখন যে কথাগুলো বললেন, সেগুলো অবিশ্যি ওঁর পক্ষে স্বাভাবিক। তবে আশ্চর্য লাগছে জেনে যে, মিঃ পুরীর সঙ্গে ওঁর আর দ্বিতীয়বার কোনও কথাই হয়নি। সেক্ষেত্রে মিঃ পুরীর চিঠি, টেলিগ্রাম দুটোই রহস্যজনক হয়ে উঠছে। অবিশ্যি সবই নির্ভর করছে, কে সত্যি বলছে কে মিথ্যে বলছে তার উপর। মোটকথা, কেস ড্রপ করলেও, এখানে আসার সিদ্ধান্ত যে ড্রপ করিনি, সেটা খুব ভাগ্যের কথা।'

গৌরীকুণ্ড রুদ্রপ্রয়াগ থেকে আশি কিলোমিটার হলেও এত চড়াই-উতরাই আর এত ঘোরপ্যাঁচের রাস্তা, যেতে বেশ সময় লাগে। পথে তিনটে শহর পড়ে। ৩০ কিলোমিটারের মাথায় অগস্ত্যমুনি, হাইট আন্দাজ ৯০০ মিটার; সেখান থেকে ৯ কিলোমিটার দূরে গুপ্তকাশী—যদিও হাইট এইটুকুর মধ্যে বেড়ে যাচ্ছে ডবল। গুপ্তকাশী থেকে শোনপ্রয়াগ, যেখানে শোনগঙ্গা মন্দাকিনীর সঙ্গে এসে মিশেছে। এই শোনপ্রয়াগ থেকে ৮ কিলোমিটার দূরে হল গৌরীকুণ্ড—যদিও সেখানে গিয়ে হাইট হয়ে যাচ্ছে সোয়া দু হাজার মিটার।

আমাদের গরম জামা যাতে প্রয়োজন হলে সহজেই বার করে নেওয়া যায়, তার ব্যবস্থা আমরা করে নিয়েছিলাম। বড় সুটকেস জাতীয় মাল আমাদের সঙ্গে যা ছিল, তা সবই গাড়ওয়াল নিগম রেস্ট হাউসের লকারে রেখে দিয়ে এসেছি, ফেরার সময় আবার নিয়ে যাব। লালমোহনবাবুর টাকের জন্য উনি এর মধ্যেই টুপি পরে নিয়েছেন, যদিও আমাদের বাঙালি মাঙ্কি ক্যাপ না; রাজস্থান থেকে কেনা কান-ঢাকা পশমের লাইনিং দেওয়া স্মার্ট চামড়ার টুপি।

অগস্ত্যমুনি পৌঁছে গাড়ি থামিয়ে যখন আমরা গরম জামা পরছি, তখন আমাদের পাশ দিয়ে বেরিয়ে গেল পবনদেওর আমেরিকান টুরার। ছোটকুমার জানালা দিয়ে হাত বাড়িয়ে ওয়েভ করাতে ফেলুদাকে হাত নাড়াতে হল।

আমরা শীতের সঙ্গে লড়াই করবার জন্য তৈরি হয়ে আবার রওনা দিলাম। বাঁয়ে মন্দাকিনী একবার আমাদের পাশে চলে আসছে, আবার পরক্ষণেই নেমে যাচ্ছে সেই খাদের একেবারে নীচে। নদীর শব্দ ছাপিয়ে শোনা যাচ্ছে লালমোহনবাবুর সুর করে বলা, 'ওরে তোরা কি জানিস কেউ, জলে কেন এত ওঠে ঢেউ'। আমার দৃঢ় বিশ্বাস উনি পুরো কবিতাটার কেবলমাত্র ওই দুটো লাইনই জানেন।

শেষে ফেলুদা আর থাকতে না পেরে লাইন যোগ করতে শুরু করে দিল—ওরে তোরা কি জানিস কেউ, কেন বাঘ এলে ডাকে ফেউ...ওরে তোরা কি শুনিস কেউ, কুকুরের ঘেউ ঘেউ, খোকা কাঁদে ভেউ ভেউ...

গুপ্তকাশী যখন পৌঁছলাম, তখন বেজেছে দশটা। এখানে একটা চায়ের দোকান দেখে থামতে হল। যাকে ব্রেকফাস্ট বলে সেটা সকালে হয়নি, কাজেই খিদেটা ভালই হয়েছিল। গরম জিলিপি, কচুরি আর চা দিয়ে দিব্যি ব্রেকফাস্ট হয়ে গেল।

যোগীন্দরের এক ভাই কাছেই থাকে, সে বলল তার সঙ্গে পাঁচ মিনিটের জন্য দেখা করে আসছে। সেই ফাঁকে লালমোহনবাবু চন্দ্রশেখর মহাদেব আর অর্ধনারীশ্বরের মন্দিরগুলো দেখতে গেলেন।

গুপ্তকাশী থেকে পাহাড়ের উপর দেখা যায় উখীমঠ। নভেম্বর থেকে এপ্রিল পর্যন্ত কেদারের পথ যখন বরফের জন্য বন্ধ থাকে, তখন কেদারেশ্বরের পুজো এই উখীমঠেই হয়ে থাকে।

লালমোহনবাবু মন্দির দেখে ফিরে এলেন, কিন্তু যোগীন্দরের ফেরার নাম নেই। ফেলুদা আর আমি ব্যস্তভাবে এদিক-ওদিক দেখছি। এমন সময় দেখি, ছোটকুমারের গাড়ি আসছে। ওরা আমাদের পেরিয়ে গিয়ে আবার পিছিয়ে পড়ল কেন ?

আমাদের দেখে গাড়ি থামিয়ে কুমার নেমে এলেন। বললেন, গুপ্তকাশী থেকে নাকি কেদার ও বদ্রী দুটো চুড়োরই ভিউ পাওয়া যায়, তাই ওঁরা এখানে কিছুটা সময় দিলেন। তবে আর দেরি করলে চলবে না, কারণ তা হলে যাত্রীদের রওনা দেবার দৃশ্য তোলার জন্য আর আলো থাকবে না।

কিন্তু তাও যোগীন্দরের দেখা নেই। তার বদলে দেখা দিলেন সাংবাদিক মিঃ ভার্গব। তাঁর গাড়িটা আগে দেখেছিলাম, আর ভাবছিলাম তিনি এখানে এতক্ষণ কী করছেন। ভদ্রলোক বললেন যে, কেদারনাথের সেবায়েতের একজন নাকি এখানে রয়েছেন। এরা সকলেই রাওয়াল পরিবারের লোক ; এই বিশেষ রাওয়ালটির সঙ্গে নাকি একটা ইন্টারভিউ নিতে গিয়েছিলেন মিঃ ভার্গব। এখনই আবার তাঁকে ছুটতে হবে শোনপ্রয়াগ হয়ে গৌরীকুণ্ড।

মিঃ ভার্গব চলে যাবার সঙ্গে সঙ্গে একটা বছর পনেরোর ছেলে এসে হঠাৎ 'ফোর-থার্টি-ফোর ট্যাক্সি কি কোই পাসিঞ্জর হ্যায় ইঁহা ?' বলে হাঁক দিতেই ফেলুদা ব্যস্তভাবে তার দিকে এগিয়ে গেল।

'ফোর-থ্রি-জিরো-ফোর কি পাসিঞ্জর ?'

'হ্যাঁ। কেন, কী হয়েছে ?'

ব্যাপার আর কিছুই না, আমাদের গাড়ির ড্রাইভার জখম হয়ে পড়ে আছে কিছু দূরে। ছেলেটি তাকে চেনে বলে সে খবর দিতে এসেছে।

লালমোহনবাবুকে আমাদের জিনিসপত্র পাহারা দেবার জন্য রেখে, আমরা দুজন ছেলেটাকে অনুসরণ করে গেলাম।

পাঁচ-সাতটা বাড়ি নিয়ে একটা নিরিবিলি পাড়ায় একটা কলাগাছের ধারে যোগীন্দররাম মাটিতে মুখ থুবড়ে পড়ে আছে। তার মাথার পিছন দিকের ঘন কালো চুলে রক্তের ছোপ। শরীরের ওঠা-নামা থেকে বোঝা যাচ্ছে সে মরেনি, কিন্তু ফেলুদা তাও দৌড়ে গিয়ে তার নাড়ি পরীক্ষা করল।

কে এই কুকীর্তি করেছে, এ নিয়ে চিন্তা করার সময় নেই ; এখন দরকার ওর চিকিৎসা। ছোকরাটি বলল, এখানে হাসপাতাল দাওয়াখানা দুইই আছে। সে আবার গাড়িও চালাতে জানে। শেষ পর্যন্ত সে-ই নিজে ট্যাক্সি চালিয়ে যোগীন্দরকে হাসপাতালে নিয়ে গেল।

সব মিলিয়ে ঘণ্টা দেড়েক দেরি হয়ে গেল। যোগীন্দরের মাথায় ব্যান্ডেজ, ব্যথাও আছে ; তাকে বলা হল যে এখান থেকে অন্য ট্যাক্সির ব্যবস্থা করে দিলে, আমরা তাতেই যাব। কিন্তু সে রাজি হল না। সে নিজেই যাবে আমাদের নিয়ে।

'কে মেরেছিল, কিছু বুঝতে পেরেছিলে ?' ফেলুদা জিজ্ঞেস করল।

'নেহি', বলল যোগীন্দর, 'পিছে সে আ কর মারা।'

'এখানে তোমার কোনও দুশমন আছে ?'

'কোই ভি নেহী।'

ফেলুদা কী ভাবছে সেটা আমি জানি। দুশমন যদি থাকে তো সে আমাদের দুশমন। আমাদের দেরি করিয়ে দেবার জন্য ব্যাপারটা করা হয়েছে। শত্রু কে আমরা বুঝতে না পারলেও, শত্রু যে রয়েছে তাতে সন্দেহ নেই।

আমরা রওনা হবার পর আমি ফেলুদাকে বললাম, 'আচ্ছা, মিঃ পুরী যে তোমার কাছে

এসেছিলেন, সেটা জানতে পেরে ছোটকুমার তাঁকে দিয়ে টেলিগ্রামটা করিয়ে চিঠিটা লেখায়নি তো ?—যাতে তার কাজে ফেলু মিত্তির কোনও বাধার সৃষ্টি না করতে পারে ?'

'এটা তুই খুব ভাল ভেবেছিস তোপ্‌সে। কথাটা আমারও মনে হয়েছে। অবিশ্যি তার মানে এটাও বোঝা যায় যে, মিঃ পুরীর উপর এতটা কর্তৃত্ব করার ক্ষমতা ছোটকুমারের আছে।'

'তা থাকবে না কেন', বললেন লালমোহনবাবু, 'ছোটকুমার ইজ এ প্রিন্স, অ্যান্ড পুরী ইজ ওনলি এ কর্মচারী।'

'ঠিক বলেছেন আপনি', বলল ফেলুদা, 'এখানে বয়সের তফাতটা কিছু ম্যাটার করে না।

তবে হ্যাঁ—এটাও ঠিক যে টেলিগ্রাম আর চিঠি সত্ত্বেও যে আমি চলে আসব, সেটা বোধহয় ছোটকুমার ভাবতেই পারেনি।'

'তার মানে যোগীন্দরকে জখম ওরাই করিয়েছে ?'

'যোগীন্দর যখন বলছে এখানে ওর কোনও শত্রু নেই, তখন আর কী হতে পারে ?'

'এক্সকিউজ মি স্যার', বললেন লালমোহনবাবু, 'আমার কিন্তু ওই সাংবাদিক লোকটিকেও বিশেষ সুবিধের লাগছে না।'

'কেন বলুন তো ? আমার নিজেরও যে ভদ্রলোককে একেবারে আদর্শ চরিত্র বলে মনে হচ্ছে তা নয়। কিন্তু আপনার ভাল না-লাগার কারণটা জানার কৌতূহল হচ্ছে।'

'সাংবাদিক হলে পকেটে কলম থাকবে না ?' বললেন লালমোহনবাবু। 'বাইরের পকেটে তো নেই-ই, কাল যখন কোট পরছিল তখন দেখলাম বুক পকেটেও নেই, শার্টের পকেটেও নেই।'

'আমার মতো যদি একটা মাইক্রোক্যাসেট রেকর্ডার থাকে ?'

লালমোহনবাবু যেন কথাটা শুনে একটু দমে গেলেন। বললেন, 'তা যদি হয়, তা হলে অবশ্য আলাদা কথা। আসলে আমার চাপ-দাড়ি দেখলেই কেমন যেন একটা সন্দেহ হয়।'

'যাক্‌গে—এবার একটু কাজের কথায় আসা যাক।'

'কী ?'

'আপনি কোনটা প্রেফার করবেন—ঘোড়া না ডাণ্ডি ?'

'ন্যাচারেলি আপনারা যেটা প্রেফার করবেন, সেটাই। এক যাত্রায় তো আর পৃথক ফল হতে পারে না।'

'কেদারের পথ সম্বন্ধে আপনার কিঞ্চিৎ ধারণা আছে, আশা করি ?'

'হ্যাঃ হ্যাঃ হ্যাঃ হ্যাঃ !'

'হাসছেন কেন ?'

'আমার ধারণাটা বোধহয় আপনার চেয়েও ভিভিড, কারণ কেদার-যাত্রা সম্বন্ধে এথিনিয়ামের বাংলা শিক্ষক বৈকুণ্ঠ মল্লিক যা লিখে গেছেন, তার তুলনা লিটারেচরে বেশি পাবেন না। তপেশ, জানো পোয়েমটা ?'

'না তো !'

'শুনুন ফেলুবাবু।'

'দাঁড়ান, সামনে দুটো ইউ-টার্ন আসছে, সেগুলো পেরিয়ে যাক। সোজা রাস্তা না পেলে আবৃত্তি করাও যায় না, শোনাও যায় না।'

মিনিট দশেক পরে একটা সোজা রাস্তা পেয়ে লালমোহনবাবু তাঁর আবৃত্তি আরম্ভ করলেন—

"শহরের যত ক্লেদ, যত কোলাহল
ফেলি পিছে সহস্র যোজন
দেখ চলে কত ভক্তজন
হিমগিরি বেষ্টিত এই তীর্থপথে
শুধু আজ নয়, সেই পুরাকাল হতে—
সাথে চলে মন্দাকিনী
অটল গাম্ভীর্য মাঝে ক্ষিপ্রা প্রবাহিনী"—

এইবার হচ্ছে আসল ব্যাপার। শুনুন, যাত্রীদের কীভাবে ওয়ার্নিং দিচ্ছেন ভদ্রলোক—

“তবে শুন এবে অভিজ্ঞের বাণী—
দেবদর্শন হয় জেনো বহু কষ্ট মানি’
গিরিগাত্রে শীর্ণপথে যাত্রী অগণন
প্রাণ যায় যদি হয় পদস্খলন,
তাও চলে অশ্বারোহী, চলে ডাণ্ডিবাহী,
যষ্টিধারী বৃদ্ধ দেখ তাঁরও ক্লান্তি নাহি
আছে শুধু অটল বিশ্বাস
সব ক্লান্তি হবে দূর, পূর্ণ হবে আশ
যাত্রা অন্তে বিরাজেন কেদারেশ্বর
সর্বগুণ সর্বশক্তিধর
মহাতীর্থে মহাপুণ্য হবে নিশ্চয়
উচ্চকণ্ঠে বল সবে—কেদারের জয় !”

‘হুঁ,’ বলল ফেলুদা, ‘বোঝাই যাচ্ছে, মল্লিক মশাই এ কবিতা লিখেছিলেন বাস-ট্যাক্সির যুগের অনেক আগে।’

‘সার্টেনলি,’ বললেন লালমোহনবাবু, ‘তাঁকে তীর্থযাত্রীর পুরো ধকল ভোগ করতে হয়েছিল।’

‘কিন্তু আমার প্রশ্ন হচ্ছে—আপনি কি অশ্বারোহী হতে চান, না ডাণ্ডির দ্বারা বাহিত হতে চান, না পয়দল যেতে চান।’

‘সেটা সব ডিপেন্ড করছে আপনাদের উপর। দলচ্যুত হবার প্রশ্ন তো আর উঠতে পারে না।’

‘আমি আর তোপ্‌সে তো হেঁটেই যাব স্থির করেছি। আপনার পক্ষে ডাণ্ডিটা সবচেয়ে নিরাপদ, কারণ ঘোড়াগুলোর টেন্ডেন্সি হচ্ছে পথের যে দিকটায় খাদ, তার কানা ধরে চলা। সে টেনশন আপনার সহ্য হবে না।’

লালমোহনবাবু ভয়ঙ্কর রকম গম্ভীর হয়ে বললেন, ‘শুনুন ফেলুবাবু, আপনি কিন্তু আমার ক্ষমতাকে ক্রমান্বয়ে আন্ডার এস্টিমেট করে চলেছেন। আমি গেলে হেঁটে যাব, আর নয়তো যাব না। এই আমার সোজা কথা।’

‘যাক্, তা হলে এটা সেট্‌লড’, বলল ফেলুদা।

‘একটা প্রশ্ন আমি করতে পারি কি ?’ বললেন লালমোহনবাবু—‘অবিশ্যি এটা জার্নি সম্বন্ধে নয়।’

‘নিশ্চয় পারেন।’

‘এরা তো মশাই আমাদের চিনে ফেলেছে ; এখন কেদার গিয়ে আমরা করছিটা কী ?’

‘সেটা সব নির্ভর করছে—কে আগে উপাধ্যায়ের সন্ধান পায় তার উপর।’

‘ধরুন যদি আমরাই পাই।’

‘তা হলে তাঁকে সবিস্তারে ব্যাপারটা বলতে হবে। সন্ন্যাসী হয়ে তাঁর মনোভাব যদি বদলে গিয়ে থাকে, তা হলে হয়তো লকেটটা উনি আর নিজের কাছে রাখতে চাইবেন না। আমাদের কর্তব্য হবে—তিনি সেটা কাকে দিয়ে যেতে চান, তাঁর অনুসন্ধান করা—অবশ্য সে রকম লোক যদি কেউ থেকে থাকে। এর মধ্যে যদি ছোটকুমারও উপাধ্যায়ের সন্ধান পেয়ে যান, তা হলে তিনি হয়তো লকেটটার ছবি তুলতে চাইবেন। চন্দ্রদেওর ছেলে বলে উপাধ্যায় হয়তো স্নেহবশত তাতে রাজিও হয়ে যেতে পারেন। কিন্তু উপাধ্যায়ের অমতে পবনদেওকে

কোনও মতেই লকেটটা হস্তগত করতে দেওয়া যায় না। অবিশ্যি সে যে সেটা হাত করতে চাইছে, এমন বিশ্বাস করার কোনও কারণ এখনও ঘটেনি। আমরা শুধু অনুমান করছি যে, সে-ই হুম্‌কি দিয়ে মিঃ পুরীকে চিঠি ও টেলিগ্রামটা পাঠাতে বাধ্য করেছিল। কিন্তু তারও এখনও কোনও প্রমাণ নেই। টেলিভিশনের ছবি তোলা ছাড়া তার আর কোনও উদ্দেশ্য নাও থাকতে পারে।'

আমি বললাম, 'কিন্তু সাংবাদিক মিঃ ভার্গবও যে উপাধ্যায়ের খোঁজ করছেন।'

ফেলুদা বলল, 'আমার বিশ্বাস ভার্গব যখন আসল ঘটনা জেনে গেছে, তখন তার শুধু দুটো ছবি পেলেই কাজ হয়ে যাবে—একটি উপাধ্যায়ের, একটি লকেটের। কারণ এই কাহিনী খবরের কাগজে প্রকাশিত হলে ভার্গবের অন্তত কিছু দিন আর অন্নচিন্তা থাকবে না।'

ইতিমধ্যে আমাদের গাড়িটা কিন্তু অত্যন্ত বেয়াড়া রকম চড়াই উঠে দশ হাজার ফুট বা সাড়ে তিন হাজার মিটারের উপরে পৌঁছে গেল। অন্তত যোগীন্দর তাই বলল, আর সেই সঙ্গে বাইরের কনকনে শীতেও তার প্রমাণ পেলাম। এখন মাঝে মাঝে বরফের পাহাড়ের চুড়ো দেখা যাচ্ছে, কিন্তু কোনটা যে কোন শৃঙ্গ তা বুঝতে পারছি না। মিনিট পনেরোর মধ্যেই গৌরীকুণ্ড পৌঁছে যাওয়া উচিত। ঘড়ি বলছে পাঁচটা পনেরো। দূরে পাহাড়ের চুড়োয় উজ্জ্বল রোদ থাকলেও আশেপাশের পাহাড়ে পাইন আর রডোডেনড্রনের বনে অন্ধকার ঘনিয়ে এসেছে।

একটা মোড় ঘুরে সামনে ঘর বাড়ি গাড়ি ঘোড়া ইত্যাদি দেখে বুঝলাম যে, আমরা গৌরীকুণ্ডে এসে গেছি। এটাও বুঝলাম যে, আজ রাতটা এখানেই থাকতে হবে। আমদের কেদার-যাত্রা শুরু হবে কাল ভোরে। আর ভোরে রওনা হলেও চোদ্দ কিলোমিটার চড়াই পথ যেতে সন্ধে হয়ে যাবে। অর্থাৎ আসল ঘটনা যা ঘটবার, তা পরশুর আগে নয়।

বাস টারমিনাস হবার ফলে ছোট জায়গা হওয়া সত্ত্বেও গৌরীকুণ্ডে ব্যস্ততার শেষ নেই। ঘোড়া, ডাণ্ডি, কাণ্ডি, কুলি—এদের সঙ্গে দর-দস্তুরি চলছে। কাণ্ডি জিনিসটা ঝুড়ি টাইপের। এতে করেও মানুষ যায়, যদিও দেখে মোটেই ভরসা হয় না।

এখানে রাত্রে থাকতে হবে জেনেও আগে কোনও বন্দোবস্ত করিনি। কারণ, জানি অন্তত একটা ধরমশালা কি চটি পেয়ে যাব। সত্যিই দেখা গেল, জায়গার কোনও অভাব নেই। এখানে পাণ্ডারা ঘর ভাড়া দেয়। বিছানা বালিশ লেপ কম্বল সবই দেয়। পাণ্ডারা বাঙালি না হলেও বাঙালি যাত্রী এত আসে যে, এরা দিব্যি বাংলা শিখে গেছে। এদের থাকার ঘরগুলো হয় দোতলায়। বেঁটে বেঁটে ঘর, যার সিলিং-এ ফেলুদার প্রায় মাথা ঠেকে যায়। এই ঘরের নীচে থাকে সেই রকমই বেঁটে বেঁটে সার বাঁধা দোকান। সস্তার ব্যাপার, তবে আমাদের কথা হচ্ছে, রাত্তিরে ঘুমোনো। সেই কাজটায় কোনও ব্যাঘাত হবে বলে মনে হল না।

আমরা এখানে এসেই ছোটকুমারের হলদে আমেরিকান গাড়িটা দেখেছিলাম। ওরা আমাদের চেয়ে ঘণ্টা চারেক আগে পৌঁছেছে নিশ্চয়। অর্থাৎ দুপুরে ঘোড়া নিয়ে রওনা হয়ে রাত্তিরের মধ্যে পৌঁছে যাবে। তার মানে কেদারে একটা পুরো দিনেরও বেশি সময় পাচ্ছে ছোটকুমার।

আমার ধারণা, মিঃ ভার্গবও আজ রাত্তিরের মধ্যে পৌঁছে যাবেন।

আশ্চর্য এই যে, সকলেরই উদ্দেশ্য এক—উপাধ্যায় মশাইয়ের সন্ধান করা।

৫

পাণ্ডাদের ঘরে গভীর ঘুমে রাত কাটিয়ে ভোর পাঁচটার মধ্যে অ্যালার্ম বাজিয়ে উঠে আমরা তিনজনে বাইরে বেরিয়ে এলাম।

এত ভোরে বিভিন্ন দেশীয় এত যাত্রীর ভিড় এখানে জমায়েত হয়েছে, সেটা ভাবতেই পারিনি। এদের মধ্যে বাঙালি আছে প্রচুর, আর তাদের প্রায় সবাই দলে এসেছে। দল বলতে অবিশ্যি পরিবারও বোঝায়। সত্তর বছরের দাদু থেকে নিয়ে পাঁচ বছরের নাতনি পর্যন্ত, তার মধ্যে মাসি-পিসিও যে নেই, তা নয়।

ভিড়ের মধ্যে হঠাৎ ক্যামেরা হাতে পবনদেওকে দেখে বেশ অবাক হলাম। তিনি ঘোড়া ভাড়া করেছেন দুটো—একটা নিজের জন্য, আর একটার পিঠে থাকবে সরঞ্জাম। আমাদের দেখে বললেন, শোনপ্রয়াগে নাকি অনেক ইন্টারেস্টিং ছবি তোলার ছিল, তাই কাল এসে পৌঁছাতে পৌঁছাতে বেশ রাত হয়েছে। আমাদের সঙ্গেই অবিশ্যি রওনা হচ্ছেন, তবে উনি থেমে থেমে ছবি তুলতে তুলতে যাবেন ; ক্যামেরা ও সাউন্ডের সরঞ্জাম থাকবে নিজের সঙ্গে—ফিল্ম, অর্থাৎ কাঁচামাল থাকবে অন্য ঘোড়ার পিঠে।

ফেলুদা ছোটকুমারের কাছ থেকে সরে এসে বলল, 'রহস্যের শেষ নেই। উনি কি তা হলে কেদারে লোক লাগিয়েছেন উপাধ্যায়কে খুঁজে বার করার জন্য ?'

যাই হোক, এ সব ভাববার সময় এখন নয়, কারণ আমাদের রওনা দেবার সময় এসে গেছে।

'আপনি তা হলে দৃঢ়সংকল্প যে হেঁটেই যাবেন ?' ফেলুদা লালমোহনবাবুকে আবার জিজ্ঞেস করল।

'ইয়েস স্যার', বললেন জটায়ু, 'তবে হ্যাঁ, আপনাদের সঙ্গে তাল রেখে হাঁটতে পারব কিনা সে বিষয়ে—'

'সে বিষয়ে আপনি আদৌ চিন্তা করবেন না। আপনি আপনার নিজের ক্ষমতা অনুযায়ী হাঁটবেন। গন্তব্য যখন এক, রাস্তা যখন এক, তখন পিছিয়ে পড়লেও চিন্তার কারণ কিছু নেই। এই নিন, এইটে হাতে নিন।'

আমরা তিনজনের জন্য তিনটে লাঠি কিনে নিয়েছি, যার নীচের অংশটা ছুঁচোলো লোহা লাগানো। এ লাঠি এখন প্রত্যেক পদযাত্রীর হাতে। এর দাম দু টাকা, ফিরে এসে আবার ফেরত দিলে এক টাকা ফেরত পাওয়া যায়। তারই একটা ফেলুদা লালমোহনবাবুকে দিয়ে দিল।

আমরা ঘড়ি ধরে ছ'টায় রওনা দিলাম। লালমোহনবাবু যে রকম হাঁক দিয়ে 'জয় কেদার' বলে তাঁর প্রথম পদক্ষেপ নিলেন—আমার তো মনে হল, তাতেই তাঁর অর্ধেক এনার্জি চলে গেল।

পাহাড়ের গা দিয়ে পাথরে বাঁধানো রাস্তা। শুধু যে শীর্ণ তা নয়, এক-এক জায়গায় একজনের বেশি একসঙ্গে পাশাপাশি যেতে পারে না। এক দিকে পাহাড়, এক দিকে খাদ, খাদের নীচ দিয়ে বেগে বয়ে চলেছে মন্দাকিনী। দু দিকেই মাঝে মাঝে বড় বড় গাছ থাকার ফলে যাত্রীদের মাথার উপর একটা চাঁদোয়ার সৃষ্টি হয়েছে। তবে বেশির ভাগ অংশেই গাছপালা নেই, খালি শুক্‌নো ঘাস আর পাথর। পায়ে যারা হাঁটছে, তাদের মুশকিল হচ্ছে, অশ্বারোহী আর ডাণ্ডিবাহীদের জন্য প্রায়ই তাদের পাশ দিতে হচ্ছে। এখানে নিয়মটা হচ্ছে কি, সব সময়ই পাহাড়ের গা ঘেঁষে পাশ দেওয়া। খাদের দিকটায় গিয়ে পাশ দিতে গেলে পদস্খলনের সমূহ সম্ভাবনা।

যোগব্যায়াম করি বলে বোধহয় আমাদের দুজনের খুব একটা কষ্ট হচ্ছিল না। লালমোহনবাবুর পক্ষে ব্যাপারটা খুব শ্রমসাপেক্ষ হলেও উনি প্রাণপণে চেষ্টা করছিলেন সেটা যেন বাইরে প্রকাশ না পায়। চড়াই ওঠার সময় তো কথা বলা যায় না ; এর পর খানিকটা সমতল রাস্তায় আমাদের কাছাকাছি পেয়ে বললেন, 'তেনজিং নোরকের মাহাত্ম্যটা কোথায়, সেটা এখন বুঝতে পারছি।'

মিনিট কুড়ি চলার পর একটা ঘটনা ঘটল, যেটা আমাদের কেদার পৌঁছানোটা আরও আধ ঘণ্টা পিছিয়ে দিল।

একটা বেশ বড় পাথরের খণ্ড পাহাড়ের গা দিয়ে হঠাৎ গড়িয়ে এল সোজা ফেলুদার দিকে। ব্যাপারটা সম্বন্ধে সচেতন হতে যে কয়েকটা মুহূর্ত গেল, তাতেই কিছুটা ড্যামেজ হয়ে গেল। পাথরের ঘষা খেয়ে ফেলুদার হাতের এইচ এম টি ঘড়িটা চুরমার হয়ে গেল, আর আমাদের পাশের এক প্রৌঢ় যাত্রীর লাঠিটা হস্তচ্যুত হয়ে পাশের খাদ দিয়ে পাথরের সঙ্গে ঝড়ের বেগে গড়িয়ে নেমে গেল মন্দাকিনী লক্ষ্য করে।

ফেলুদা একটু হকচকিয়ে গেলেও সেটা মুহূর্তের জন্য। ওর শরীর যে কত মজবুত আর স্ট্যামিনা যে কী সাংঘাতিক, সেটা বুঝলাম এই এতখানি খাড়াই পথ হাঁটার পর সোজা পাহাড়ের গা বেয়ে উপরে উঠে গেল। আমিও ওর পিছন পিছন গিয়েছিলাম, কিন্তু যতক্ষণে ওর কাছে পৌঁছালাম, তার মধ্যেই ও একটা লোকের কলার চেপে তাকে একটা গাছে ঠেসে ধরেছে। লোকটার বয়স বছর পঁচিশের বেশি না। তার মুখ ফ্যাকাসে হয়ে গেছে এবং সে স্বীকার করেছে যে, পাথর ফেলার ব্যাপারে সে আর একজনের আদেশ পালন করছিল। পকেট থেকে দশখানা কড়কড়ে দশ টাকার নোট বার করে সে দেখিয়ে দিল, কেন তাকে এমন একটা কাজ করতে রাজি হতে হয়েছে।

কে তাকে এই টাকা দিয়েছে জিজ্ঞেস করাতে সে বলল, তারই এক অচেনা জাতভাই। বোঝা গেল আসল লোক সে নয়, সে শুধু দালালের কাজ করেছে।

আপাতত ফেলুদা লোকটার গা থেকে একটা পশমের চাদর খুলে, সেটা দিয়ে তাকে দু হাত সমেত পিছমোড়া করে গাছের সঙ্গে বেঁধে দিল। বলল, যাত্রীদের ফাঁকে ফাঁকে কনস্টেবল থাকে, তাদের একজনকে পেলে তার কাছে পাঠিয়ে দেবে।

লালমোহনবাবুর ভাষায় পাথর ফেলার অন্তর্নিহিত মানেটা সত্যি করে ভাবিয়ে তোলে। ভদ্রলোক বললেন, 'বোঝাই যাচ্ছে, কেউ বা কাহারা কেদারে আপনার উপস্থিতিটা প্রিভেন্ট করার জন্য উঠে-পড়ে লেগেছে।'

গৌরীকুণ্ড আর কেদারের মাঝামাঝি একটা জায়গা আছে, যেটার নাম রামওয়াড়া। সকলেই এখানে থামে বিশ্রামের জন্য। চটি আছে, ধরমশালা আছে, চায়ের দোকান আছে। লালমোহনবাবুকে আমরা এখানে আধঘণ্টা বিশ্রাম দেওয়া স্থির করলাম। এখানকার এলিভেশনে আড়াই হাজার মিটার, অর্থাৎ প্রায় আট হাজার ফুট। চারিদিকের দৃশ্য ক্রমেই ফ্যানট্যাস্টিক হয়ে আসছে। লালমোহনবাবু একেবারে মহাভারতের মুডে চলে গেছেন ; এমন কী এও বলছেন যে যাত্রাপথে যদি তাঁর পতনও হয়, তা হলেও কোনও আক্ষেপ নেই, কারণ এমন গ্লোরিয়াস ডেথ নাকি হয় না।

ফেলুদা বলল, 'আপনি কিন্তু পাবলিকের উপর যে পরিমাণে গাঁজাখুরি মাল চাপিয়েছেন, আপনার নরকভোগ না হয়ে যায় না।'

'হেঃ', বললেন লালমোহনবাবু, 'যুধিষ্ঠির পার পাননি মশাই নরকভোগের হাত থেকে, আর লালমোহন গাঙ্গুলী!'

বাকি সাড়ে তিন মাইলের মধ্যে একটা উল্লেখযোগ্য ঘটনা ঘটল। একটা জায়গা থেকে

হঠাৎ কেদারের মন্দিরের চুড়ো দেখতে পেয়ে সব যাত্রীরা 'জয় কেদার !' বলে কেউ মাথা নত করে, কেউ হাত জোড় করে, কেউ বা সাষ্টাঙ্গ হয়ে তাদের ভক্তি জানালেন। কিন্তু আবার হাঁটা শুরু করার সঙ্গে সঙ্গেই মন্দিরের চুড়ো লুকিয়ে গেল পাহাড়ের পিছনে, আর বেরোল একেবারে কেদার পৌঁছানোর পর। পরে জানলাম যে, এই বিশেষ জায়গা থেকেই এই বিশেষ দর্শনটাকে এরা বলে 'দেও-দেখ্নী'।

৬

কেদার পৌঁছাতে পৌঁছাতে আমাদের হয়ে গেল বিকেল সাড়ে পাঁচটা। তখনও যথেষ্ট আলো রয়েছে, চার দিকের পাহাড়ের চুড়োগুলোয় রোদ ঝলমল করছে।

এতক্ষণ চড়াই-এর পর হঠাৎ সামনে সমতল জমি দেখতে পেলে যে কেমন লাগে, তা লিখে বোঝাতে পারব না। এটুকু বলতে পারি যে, অবিশ্বাস আশ্বাস আনন্দ—সব যেন এক সঙ্গে মনের মধ্যে জেগে ওঠে, আর তার সঙ্গে কৃতজ্ঞতা মেশানো একটা অদ্ভুত শান্ত ভাব। সেটাই বোধহয় যাত্রীদের মনে আরও বেশি ভক্তি জাগিয়ে তোলে।

চারিদিকে সবাই পাথর-বাঁধানো জমিতে শুয়ে বসে দাঁড়িয়ে 'জয় কেদার' 'জয় কেদার' করছে, মন্দিরটা দাঁড়িয়ে রয়েছে তিন দিকে ঘেরা বরফের পাহাড়ের মধ্যে, আমরা তিনজন তারই মধ্যে এগিয়ে গেলাম একটা বাসস্থানের ব্যবস্থা করতে।

এখানে হোটেল আছে—হোটেল হিমলোক—কিন্তু তাতে জায়গা নেই, বিড়লা রেস্ট হাউসেও জায়গা নেই। এক রাত্রের ব্যাপার যখন, মোটামুটি একটা ব্যবস্থা হলেই হল। তাই শেষ পর্যন্ত কালীকমলীওয়ালির ধরমশালায় উঠলাম আমরা। সামান্য ভাড়ায় গরম লেপ তোশক কম্বল সবই পাওয়া যায়।

কেদারনাথের মন্দির এই কিছুক্ষণ আগে সন্ধ্যা ছ'টায় বন্ধ হয়ে গেছে, আবার খুলবে সেই কাল সকাল আটটায়। তাই লালমোহনবাবুর পুজো দেবার কাজটা আজ স্থগিত থাকবে। আপাতত ঠিক এই মুহূর্তে যেটা দরকার, সেটা হল গরম চা। আমাদের থাকার ঘর থেকে নীচে নেমেই চায়ের দোকান পেয়ে গেলাম। এটা হল কাশীর বিশ্বনাথের গলির মতোই কেদারনাথের গলি। দোকানগুলো সবই অস্থায়ী, কারণ নভেম্বর থেকে এপ্রিল পর্যন্ত বরফের জন্য কেদারনাথে জনপ্রাণী থাকবে না।

আমি ভেবেছিলাম, এই ধকলের পর লালমোহনবাবু হয়তো একটু বিশ্রাম নিতে চাইবেন। কিন্তু তিনি বললেন যে, তাঁর দেহের রন্ধ্রে রন্ধ্রে নাকি নতুন এনার্জি পাচ্ছেন—'তপেশ, এই হল কেদারের মহিমা !'

বিশ্বনাথের মতোই এখানেও কেদারের গলির দোকানগুলোতে বেশির ভাগই পুজোর সামগ্রী বিক্রি হয়। এমন কী, বেনারসের সেই অতি-চেনা গন্ধটাও যেন এখানে পাওয়া যায়।

আমরা তিনজনে এলাচ-দেওয়া গরম চা খাচ্ছি, এমন সময় হঠাৎ চেনা গলায় প্রশ্ন এল—'উপাধ্যায়ের সন্ধান পেলেন ?'

ছোটকুমার পবনদেও সিং। এখনও তার হাতে ক্যামেরা আর বেল্টের সঙ্গে লাগানো সাউন্ড রেকর্ডিং যন্ত্র।

'আমরা তো এই মিনিট কুড়ি হল এলাম', বলল ফেলুদা।

'আমি এসেছি আড়াইটেয়,' বলল পবনদেও। 'যেটুকু জেনেছি, তিনি এখন পুরোপুরি সাধুই হয়ে গেছেন। চেহারাও সাধুরই মতো। বুঝে দেখুন, এখানে এত সাধুর মধ্যে তাকে

খুঁজে বার করা কত কঠিন। একটা ব্যাপার সম্বন্ধে আমি শিওর। তিনি নাম বদলেছেন। উপাধ্যায় বলে কাউকে এখানে কেউ চেনে না।'

'দেখুন চেষ্টা করে', বলল ফেলুদা, 'আমরাও খুঁজছি।'

পবনদেও চলে গেলেন। লোকটা আমার কাছে এখনও রহস্য রয়ে গেল।

আমরা চা শেষ করে উঠে কয়েক পা এগিয়েছি, এমন সময় আর-একটা চেনা কণ্ঠে বাংলায় একটা প্রশ্ন এল।

'এই যে—এসে পড়েছেন ? কেমন, আসা সার্থক কিনা বলুন।'

আমাদের ট্রেনের আলাপী মাখনলাল মজুমদার।

'ষোল আনা সার্থক', বলল ফেলুদা, 'আমাদের ঘোর এখনও কাটেনি।'

'হরিদ্বারের কাজ হল ?'

'হয়নি বলেই তো এখানে এলাম। একজনের সন্ধান করে বেড়াচ্ছি। আগে ছিলেন হরিদ্বারে। সেখানে গিয়ে শুনি, তিনি চলে গেছেন রুদ্রপ্রয়াগ। আবার রুদ্রপ্রয়াগে গিয়ে শুনি কেদারনাথ।'

'কার কথা বলছেন, বলুন তো ?'

'ভবানী উপাধ্যায় বলে এক ভদ্রলোক।'

মাখনবাবুর চোখ কপালে উঠে গেল।

'ভবানী ? ভবানীর খোঁজ করছেন আপনারা ? আর সে কথা অ্যাদ্দিন আমাকে বলেননি ?'

'আপনি তাঁকে চেনেন নাকি ?'

'চিনি মানে ? সাত বচ্ছর থেকে চিনি। আমার পেটের আলসার সারিয়ে দিয়েছিল এক বড়িতে। তার পর হরিদ্বার ছাড়ার কিছু দিন আগেও আমার সঙ্গে দেখা করেছে। একটা বৈরাগ্য লক্ষ করেছিলাম ওর মধ্যে। বললে, রুদ্রপ্রয়াগে যাবে। আমি বললাম, বাসরুট হয়ে প্রয়াগ আর এখন সে জিনিস নেই। তুমি জপতপ করতে চাও তো সোজা কেদার চলে যাও। বোধহয় একটা দোটানার মধ্যে পড়েছিল, তাই কিছু দিন রুদ্রপ্রয়াগে থেকে যায়। কিন্তু এখন সে এখানেই।'

'সে তো বুঝলাম, কিন্তু কোথায় ?'

'শহরের মধ্যে তাকে পাবেন না ভাই। সে এখন গুহাবাসী। চোরাবালিতাল নাম শুনেছেন ? যাকে এখন গান্ধী সরোবর বলা হয় ?'

'হ্যাঁ, হ্যাঁ, শুনেছি বটে।'

'ওই চোরাবালিতাল থেকে মন্দাকিনী নদীর উৎপত্তি। কেদারনাথের পিছন দিয়ে পাথর আর বরফের উপর দিয়ে মাইল তিনেক যেতে হবে। হ্রদের ধারে একটা গুহায় বাস করে ভবানী। উপাধ্যায় অংশটা তার নাম থেকে উবে গেছে ; এখন সে ভবানীবাবা। একা থাকে, কাছেপিঠে আর কেউ থাকে না। কাল সকালে আপনারা চেষ্টা করে দেখতে পারেন।'

'আপনার সঙ্গে এবার দেখা হয়েছে ?'

'না, তবে স্থানীয় লোকের কাছে খবর পেয়েছি। ফলমূলের জন্য তাকে বাজারে আসতে হয় মাঝে মাঝে।'

'আপনি আমাদের অশেষ উপকার করলেন, মিঃ মজুমদার। কিন্তু তাঁর অতীতের ইতিহাস কি এখানে কেউ জানে ?'

'তা তো জানতেই পারে,' বললেন মাখনবাবু, 'কারণ সে তো চিকিৎসা এখনও সম্পূর্ণ

ছাড়েনি। এই কেদারনাথের মোহান্তই তো বলছিলেন যে, ভবানী সম্প্রতি নাকি একটি ছেলের পোলিও সারিয়ে দিয়েছে। তবে আমার ধারণা, সে কিছু দিনের মধ্যে আর চিকিৎসা করবে না—পুরোপুরি সন্ন্যাসী বনে যাবে।'

'একটা শেষ প্রশ্ন', বলল ফেলুদা, 'ভদ্রলোক কোন্ দেশি তা আপনি জানেন?'

'এ বিষয় তো তাকে কোনও দিন জিজ্ঞেস করিনি। তবে সে আমার সঙ্গে সব সময় হিন্দিতেই কথা বলেছে। ভাল হিন্দি। তাতে অন্য কোনও প্রদেশের ছাপ পাইনি কখনও।'

মাখনবাবু চলে গেলেন।

লালমোহনবাবু ইতিমধ্যে আমাদের দল থেকে একটু দূরে সরে গিয়ে কার সঙ্গে যেন কথা বলছিলেন। এবার এগিয়ে এসে বললেন, 'বিড়লা গেস্ট হাউস থেকে আমাদের তলব পড়েছে।'

'কে ডাকছে ?' প্রশ্ন করল ফেলুদা।

একজন বেঁটে ভদ্রলোক এগিয়ে এসে বললেন, 'মিঃ সিংঘানিয়া।'

ফেলুদার ভুরুটা কুঁচকে গেল। আমাদের দিকে ফিরে চাপা গলায় বলল, 'মনে হচ্ছে এই সিংঘানিয়াই এক ভদ্রলোককে সঙ্গে নিয়ে হরিদ্বার গিয়েছিলেন উপাধ্যায়ের সঙ্গে দেখা করতে। আমার মনে হয়, এঁকে খানিকটা সময় দেওয়া যেতে পারে—চলিয়ে।'

যদিও চারিদিকে অনেকগুলো বরফের পাহাড়ের চুড়োতে এখনও রোদ রয়েছে—তার কোনওটা সোনালি, কোনওটা লাল, কোনওটা গোলাপি—কেদার শহরের উপর অন্ধকার নেমে এসেছে।

বিড়লা গেস্ট হাউস কেদারনাথের মন্দিরের পাশেই, কাজেই আমরা তিন মিনিটের মধ্যেই পৌঁছে গেলাম। দেখে মনে হল, এখানে হয়তো এটাই থাকবার সবচেয়ে ভাল জায়গা। অন্তত পরিচ্ছন্নতার দিক দিয়ে তো বটেই ; খাবারের কথা জানি না। খাবারের ব্যাপারে এমনিতেও শুনছি, এখানে আলু ছাড়া আর বিশেষ কিছুই পাওয়া যায় না।

বেঁটে লোকটা আমাদের আগে আগে পথ দেখিয়ে বিড়লা গেস্ট হাউসের দোতলার একটা ঘরে নিয়ে গিয়ে হাজির করল। বেশ বড় ঘর, চারিদিকে চারটে গদি পাতা। মাথার উপর একটা ঝুলন্ত লোহার ডাণ্ডা থেকে বেরোনো তিনটি হুকে টিমটিম করে তিনটে বাল্‌ব জ্বলছে। কেদারনাথে ইলেকট্রিসিটি আছে বটে, কিন্তু আলোর কোনও তেজ নেই।

আমরা মিনিটখানেক অপেক্ষা করতেই, যিনি আমাদের আহ্বান করেছিলেন, তাঁর আবির্ভাব হল।

৭

যা ভাবা যায়, সেটা যখন না হয়—তখন মনের অবস্থাটা আবার স্বাভাবিক হতে বেশ কিছুটা সময় লাগে। সিংঘানিয়ার নামটার সঙ্গে সিংহের মিল আছে বলে বোধহয় ব্যক্তিত্বসম্পন্ন কাউকে আশা করেছিলাম। যিনি এলেন তাঁর মাঝারি গড়ন, মেজাজে মাঝারি গাম্ভীর্য, গলার স্বর সরুও নয় মোটাও নয়। শুধু একটা মোটা পাকানো গোঁফে বলা যায় কিছুটা ভারিক্কি ভাব এসেছে।

'মাই নেম ইজ সিংঘানিয়া' বললেন ভদ্রলোক—'প্লিজ সিট ডাউন।'

আমরা তিনজনে দুটো গদিতে ভাগাভাগি করে বসলাম, সিংঘানিয়া বসলেন তৃতীয় গদিতে সোজা আমাদের দিকে মুখ করে। কথা হল ইংরেজি-হিন্দি মিশিয়ে।

সিংঘানিয়া বললেন, 'আপনার খ্যাতির সঙ্গে আমি পরিচিত মিঃ মিটার, কিন্তু আলাপ হবার সৌভাগ্য হয়নি।'

ফেলুদা বলল, 'বিপদে না পড়লে তো আর আমার ডাক পড়ে না, তাই আলাপ হবার সুযোগও হয় না।'

'আমি অবিশ্যি আপনাকে বিপদে পড়ে ডাকিনি।'

'তা জানি', বলল ফেলুদা। 'আপনার নামও কিন্তু আমি শুনেছি। অবিশ্যি সিংঘানিয়া তো অনেক আছে, কাজেই যাঁর নাম শুনেছি, তিনিই আপনি কিনা বলতে পারব না।'

'আই অ্যাম ভেরি ইন্টারেস্টেড টু নো, আপনি কী ভাবে আমার নাম শুনলেন।'

'আপনি হরিদ্বার গিয়েছিলেন কখনও ?'

'সার্টেনলি।'

'সেখানে ভবানী উপাধ্যায় বলে একজনের সঙ্গে দেখা করেছিলেন ?'

'করেছিলাম বইকী ; কিন্তু আপনি সেটা জানলেন কী করে ?'

'উপাধ্যায়ের বাড়িওয়ালা আমাকে বলেছিলেন যে, মিঃ সিংঘানিয়া এবং আর একজন ভদ্রলোক উপাধ্যায়ের সঙ্গে দেখা করতে এসেছিলেন।'

'আর কিছু বলেননি ?'

'বলেছিলেন যে উপাধ্যায়কে নাকি আপনি লোভে ফেলে দিয়েছিলেন, কিন্তু উপাধ্যায় সেটা কাটিয়ে ওঠে।'

'হোয়াট এ স্ট্রেঞ্জ ম্যান, দিস উপাধ্যায় ! আমি এমন লোক আর দ্বিতীয় দেখিনি। ভেবে দেখুন মিঃ মিটার—লোকটার রোজগার মাসে পাঁচশো টাকার বেশি নয়, কারণ গরিবদের সে বিনা পয়সায় চিকিৎসা করে। সেই লোককে আমি পাঁচ লাখ টাকা অফার করলাম। আপনি জানেন বোধহয় যে, ওঁর কাছে একটা অত্যন্ত ভ্যালুয়েব্‌ল লকেট আছে—খুব সম্ভবত এককালে সেটা ট্র্যাভাঙ্কোরের মহারাজার ছিল।'

'সে তো জানি, কিন্তু আমার জানার কৌতূহল হচ্ছে, আপনি এই লকেটের খবরটা জানলেন কী করে। ওটা তো রাজার পাঁচ-ছ' জন খুব কাছের লোক ছাড়া আর কারও কাছে প্রচার হয়নি।'

'আমি খবরটা জেনেছিলাম সেই কাছের লোকেদের একজনের কাছ থেকেই। আমার জুয়েলারির ব্যবসা আছে দিল্লিতে। আমার কাছে এই লকেটের খবর আনে রূপনারায়ণগড়ের ম্যানেজার মিঃ পুরীর ছেলে দেবীশঙ্কর পুরী। সে আমাকে লকেটা কিনতে বলে। ন্যাচারেলি হি এক্সপেক্টেড এ পারসেনটেজ। আমরা গেলাম হরিদ্বার। উপাধ্যায় রিফিউজ করলেন। পুরীর উৎসাহ চলে গেল। কিন্তু আমি ওটা কেনার লোভ ছাড়তে পারছি না। আমার মনে হয়, এখনও চেষ্টা করলে হয়তো পাওয়া যাবে। তখন তিনি ডাক্তারি করছিলেন, লোকের সেবা করছিলেন, এখন হি ইজ এ সন্ন্যাসী। একজন গৃহত্যাগী সন্ন্যাসীর ওই রকম একটা পার্থিব সম্পদের উপর কোনও আসক্তি থাকবে, এটা ভাবতে একটু অদ্ভুত লাগছে না ? আমি চাই, ওঁকে আর একবার অ্যাপ্রোচ করতে।'

'বেশ তো, করুন না।'

'দ্যাট ইজ ইমপসিব্‌ল, মিঃ মিটার।'

'কেন ?'

'উনি এমন জায়গায় থাকেন, সেখানে আমার পক্ষে যাওয়া অসম্ভব। আমি আপনাকে একটা কথা জিজ্ঞেস করতে পারি ?'

'করুন।'

'হোয়াই আর ইউ হিয়ার ?'

'প্রধানত ভ্রমণের উদ্দেশ্যে। তবে উপাধ্যায় লোকটার উপর আমার একটা শ্রদ্ধা রয়েছে। তার যদি কোনও অনিষ্ট হচ্ছে দেখি, তা হলে কিন্তু আমি বাধা দেব।'

'ইউ আর অ্যাকটিং অ্যাজ এ ফ্রি এজেন্ট ? আপনাকে কেউ এমপ্লয় করেনি ?'

'না।'

'আপনি আমার হয়ে কাজ করবেন ?'

'কী কাজ ?'

'আপনি উপাধ্যায়ের সঙ্গে দেখা করে তাকে বুঝিয়ে বলে লকেটটা এনে দিন। আমি

আপনাকে পাঁচ লাখের টেন পার্সেন্ট দেব। উনি যদি নিজে টাকা না নেন, তা হলে ওঁর যদি কোনও উত্তরাধিকারী থাকে, তাকে আমি টাকাটা দেব।'

'কিন্তু এই লকেট সম্বন্ধে ইন্টারেস্টেড আরও কয়েকজন এখানে রয়েছে, আপনি জানেন সেটা?'

'রূপনারায়ণগড়ের ছোটকুমার তো?'

'আপনি জানেন?'

'জানতাম না। আজ বিকেলেই ভার্গব বলে এক সাংবাদিক এসেছিল। কেদারে এসেও যে সাংবাদিকদের উৎপাত সহ্য করতে হবে, সেটা ভাবিনি। যাই হোক্, সে-ই খবরটা দিল। কিন্তু ছোটকুমার তো ফিল্ম তুলতে এসেছে।'

'জানি। কিন্তু তাতে উপাধ্যায় আর লকেটের একটা বড় ভূমিকা আছে।'

সিংঘানিয়ার চেহারাটা এবার একটা ইঁদুরের মতো হয়ে গেল। সে হাতজোড় করে বলল—

'দোহাই মিঃ মিটার—প্লিজ হেল্‌প মি!'

'আপনি ভার্গবকে এ সব নিয়ে কিছু বলেননি তো?'

'পাগল! আমি বলেছি তীর্থ করতে এসেছি। কেদারে আসার আর কোনও কারণ থাকার দরকার আছে কি?'

'ভার্গব লোকটাও উপাধ্যায় সম্বন্ধে ইন্টারেস্টেড। তবে খবরের কাগজের খোরাক হিসেবে।'

'আপনি কিন্তু এখনও আমার কথার উত্তর দেননি।'

'মিঃ সিংঘানিয়া—আমি এইটুকু বলতে পারি যে, আপনার প্রস্তাব আমি উপাধ্যায়কে জানাব। তবে আমার ধারণা যে তিনি যদি লকেটটা নিজে না রাখেন, তবে সেটা হয়তো অন্য কাউকে দিয়ে যেতে চাইবেন। কাজেই এখন কোনও পাকাপাকি কথা বলার দরকার নেই; তখন অবস্থা বুঝে ব্যবস্থা হবে, কেমন?'

'ভেরি গুড।'

*

বাইরে রাত। কেদার শহর ঝিমিয়ে পড়েছে। বাড়ির বাতি, রাস্তার বাতি, দোকানের বাতি—সবই যেন ধুঁকছে। তারই মধ্যে এক জায়গায় বেশ একটা উজ্জ্বল আলো দেখে অবাক হয়ে এগিয়ে গিয়ে দেখি, ছোটকুমার পবনদেও একটা ব্যাটারির আলো জ্বালিয়ে কেদারের গলির ফিল্ম তুলছে। আমাদের দেখে শুটিং থামিয়ে ফেলুদাকে উদ্দেশ করে প্রশ্ন করল, 'উপাধ্যায়ের কোনও খবর পেলেন?'

ফেলুদা উত্তর না দিয়ে একটা পালটা প্রশ্ন করল—

'আপনি উঠেছেন কোথায়?'

'এখানে পাণ্ডারা ঘর ভাড়া দেয়, জানেন তো? তারই একটাতে রয়েছি—এই বাঁয়ের রাস্তা দিয়ে দুটো বাড়ির পরে ডান দিকের বাড়ি।'

'ঠিক আছে—আমি আপনার সঙ্গে যোগাযোগ করছি', বলল ফেলুদা। আমরা এগিয়ে গেলাম আমাদের ধরমশালার দিকে।

লালমোহনবাবু হঠাৎ মন্তব্য করলেন, 'ছোটকুমার কেমন লোক জানি না মশাই, কিন্তু সিংঘানিয়া লোকটা ধড়িবাজ আছে।'

'কী করে জানলেন?' ফেলুদা প্রশ্ন করল।

'আপনি যেখানে বসেছিলেন, সেখান থেকে বোধ হয় দেখতে পাননি, কিন্তু আমি

দেখলাম, লোকটার কোটের বাঁ পকেটে একটা ক্যাসেট রেকর্ডার। কথা শুরু হবার আগে সেটা টুক করে চালু করে দিল।'

'ধড়িবাজের উপর আবার ধড়িবাজতর হয় জানেন তো?'

ফেলুদাও তার পকেট থেকে মাইক্রোক্যাসেট রেকর্ডারটা বার করে দেখিয়ে দিল।

'আপনি কি ভাবছেন যে, এটা আমি—'

ফেলুদার কথা শেষ হল না, কারণ কাঁধে একটা ঘা খেয়ে ততক্ষণে সে মাটিতে পড়ে গেছে। গলির এই অংশটা নিরিবিলি, সেই সুযোগে পাশের কোনও গলি থেকে একটা লোক আচমকা বেরিয়ে এসে ওই কাণ্ডটি করেছে।

মুহূর্তের মধ্যে একটা তুলকালাম কাণ্ড হয়ে গেল।

লোকটা মেরেই পালাচ্ছিল; আমি তার উপর ঝাঁপ দিয়ে পড়ে তার কোমরটা দু হাতে জাপটে ধরে তাকে দেয়ালে চেপে ধরলাম। সেও পালটা চাপ দিয়ে আমাকে ঠেলে সরিয়ে পালাতে যাচ্ছিল, এমন সময় লালমোহনবাবু তার হাতের অস্ত্রটা দিয়ে তাকে এক ঘায়ে ধরাশায়ী করে দিলেন।

অস্ত্রটা আর কিছুই না, গৌরীকুণ্ডে দু টাকা দিয়ে কেনা সেই লোহা-লাগানো লাঠি। স্পষ্ট দেখতে পাচ্ছি, লোকটার মাথা ফেটে গলগল করে রক্ত বেরোচ্ছে কিন্তু সেই অবস্থাতেই সে আবার উঠে, এক দৌড়ে অন্ধকারে মিলিয়ে গেল।

এদিকে ফেলুদা উঠে বসেছে। বোঝাই যাচ্ছে সে বেশ কাবু। আমরা দু জন দু দিক থেকে তাকে ধরে তুললাম। আমাদের ধরমশালায় প্রায় পৌঁছে গেছি। শেষ পথটুকু ফেলুদা শুধু একটা কথাই বলল, 'কেদারেও তাহলে গুণ্ডা এসে পৌঁছে গেছে!'

কপাল-জোরে আমাদের পাশের ঘরেই একজন বাঙালি ডাক্তার পাওয়া গেল, নাম অধীর সেন। অধীরবাবু আবার ফেলুদাকে চিনে ফেললেন, কাজেই যত না জখম, তার তুলনায় শুশ্রূষাটা একটু বেশিই হল। ডান কাঁধে একটা জায়গায় কেটে গিয়েছিল, সেখানে ওষুধ দিয়ে ব্যান্ড-এড দিয়ে দিলেন। বললেন, 'ফ্র্যাকচার হয়েছে কি না, সেটা তো এক্স-রে না করলে বোঝা যাবে না।'

ফেলুদা বলল, 'ফ্র্যাকচারই হোক আর যাই হোক, আমাকে বিছানায় শুইয়ে রাখতে পারবেন না, এটা আগে থেকেই বলে দিলাম।'

ফি-এর কথা জিজ্ঞেস করাতে ভদ্রলোক জিভ-টিভ কেটে একাকার—'তবে ব্যাপারটা কী জানেন, মিঃ মিত্তির। এই নিয়ে আমার তিনবার হল কেদার। প্রাকৃতিক সৌন্দর্য যেমন ছিল তেমনই আছে, কিন্তু ক্রমে অ্যান্টি-সোশ্যাল এলিমেন্টস ঢুকে পড়ছে শহরে। এর জন্য দায়ী কী জানেন তো? আমাদের যানবাহনের সুব্যবস্থা। এক দিকে ভাল করেন তো অন্য দিক দিয়ে খারাপ ঢুকে পড়ে—এই তো দেখে আসছি জগতের নিয়ম।'

কালীকমলীর ম্যানেজার নিজের বুদ্ধি খাটিয়েই এখানকার পুলিশকে খবর দিয়ে আনিয়ে নিয়েছিলেন। ফেলুদা তার সঙ্গে বেশ কিছুক্ষণ ধরে কথা বলল। বুঝতে পারলাম যে, নানা রকম নির্দেশ দেওয়া হল, এবং সবই দারোগা সাহেব অতি মনোযোগের সঙ্গে শুনে নিলেন।

পুলিশ চলে যাবার পর সাংবাদিক মিঃ ভার্গব এসে হাজির—'শুনলাম আপনার লাইফের উপর একটা অ্যাটেম্প্ট হয়ে গেছে?'

'গোয়েন্দার জীবনে এ তো দৈনন্দিন ঘটনা, মিঃ ভার্গব। এখানকারই কোনও গুণ্ডা হয়তো পকেট মারতে চেয়েছিল, কিন্তু বিশেষ সুবিধা করতে পারেনি।'

'আপনি বলতে চান, আপনার কোনও তদন্তের সঙ্গে এর কোনও কানেকশন নেই?'

'তদন্ত আবার কোথায়? আমি তো এখানে এসেছি উপাধ্যায়ের সঙ্গে দেখা করতে।

'ভাল কথা, তিনি কোথায় থাকেন সে খবর পেয়েছেন ?'

'আপনি পেয়েছেন ?'

'উপাধ্যায় বলে এখানে কেউ কাউকে চেনে না ।'

'তা হলে ভদ্রলোক হয়তো নাম বদলেছেন ।'

'তাই হবে ।'

ফেলুদা আসল ব্যাপারটা বেমালুম চেপে গেল । ভার্গব কিছুটা নিরাশ হয়েই যেন চলে গেলেন ।

কাল সকাল সকাল উঠতে হবে বলে আমরা সাড়ে আটটার মধ্যে পুরি-তরকারি খেয়ে নিয়ে শুয়ে পড়ার আয়োজন করতে লাগলাম। এই সময় ফেলুদা যে ব্যাপারটা করল, সেটা কিন্তু আমি আর লালমোহনবাবু মোটেই অ্যাপ্রুভ করতে পারলাম না। ও বলল, 'তোরা দুজনে শুয়ে পড়, আমি একটু ঘুরে আসছি।'

'ঘুরে আসছ মানে ?' আমি অবাক এবং কিছুটা বিরক্ত হয়ে প্রশ্ন করলাম। আমি জানি, ওর কাঁধে এখনও বেশ ব্যথা। 'কোত্থেকে ঘুরে আসছ ?'

'একবার ছোটকুমারের সঙ্গে দেখা করা দরকার।'

'সে কী, তুমি সোজা এনিমি ক্যাম্পে চলে যাবে ?'

'আমার এ রকম অনেক বার হয়েছে রে তোপ্‌সে। একটা চোট খেয়ে বুদ্ধিটা খুলে গেছে। এবারও তাই। পবনদেও আমাদের শত্রু না।'

'তবে ?'

'আসল শত্রু কে, সেটা জানতে পারবি খুব শিগ্‌গিরই।'

'কিন্তু তুমি বেরোবে, আর শত্রু যদি এখন ওঁত পেতে থাকে ?'

'আমার সঙ্গে অস্ত্র আছে। তোরা শুয়ে পড়। আমি যখনই ফিরি না কেন, কালকের প্রোগ্রামে কোনও চেঞ্জ নেই। গান্ধী সরোবর। ভোর সাড়ে চারটায় রওনা হচ্ছি।'

সঙ্গে রিভলভার আর একটা বড় টর্চ নিয়ে ফেলুদা চলে গেল।

'তোমার দাদার সাহসের জবাব নেই', বললেন জটায়ু।

৮

ফেলুদা কাল রাত্তিরে কখন ফিরেছে জানি না। সেটা ওকে আর জিজ্ঞেস করলাম না, কারণ ও দেখলাম সাড়ে চারটার মধ্যে রেডি হয়ে আছে।

আমরা দুজনও দশ মিনিটের মধ্যে তৈরি হয়ে নেওয়ার পর তিনজনে এক সঙ্গে বেরিয়ে পড়লাম। বাইরে এখন ফিকে ভোরের আলো, রাস্তার বাতিগুলো এখনও টিমটিম করে জ্বলছে।

কেদারনাথের মন্দির ছাড়িয়ে খোলা জায়গায় পড়ে ফেলুদা হঠাৎ জিজ্ঞেস করল, 'তুই যে জিভ আর দাঁতের ফাঁক দিয়ে খুব জোরে শিস দিতিস, সেটা এখনও পারিস ?'

আমি একটু অবাক হয়েই বললাম, 'হ্যাঁ, তা পারি বইকী।'

ফেলুদা বলল, 'আমি যখন বলব, তখন দিবি।'

আমরা তিনজনেই সঙ্গে লোহার স্পাইক-দেওয়া লাঠি এনেছিলাম, তা না হলে মাঝে মাঝে বরফে ঢাকা এই পাথুরে পথ দিয়ে হাঁটা অসম্ভব হত। গোড়াতেই মন্দাকিনীর উপর দিয়ে একটা তক্তা-ফেলা সেতু পার হতে হয়েছে আমাদের। নদী এখানে সরু নালার মতো। তিন দিকে ঘিরে যে সব তুষার-শৃঙ্গ রয়েছে, তার কোনওটার নাম এখনও জানা হয়নি। তাদের মধ্যে যেগুলো সবচেয়ে উঁচু, তার চুড়োয় গোলাপি আভা লক্ষ করা যাচ্ছে। শীত প্রচণ্ড, তারই মধ্যে কাঁপা গলায় লালমোহনবাবু হঠাৎ প্রশ্ন করলেন, 'তো-হো-হোপ্‌সে তো শি-হিস দেবে ; আমার ভূ-হূ-হূমিকাটা— ?'

ফেলুদা বলল, 'আপনি আপনার ওই হাতের লাঠিটা প্রয়োজনে পাগ্‌লা জগাই-এর মতো মাথার ওপর ঘোরাবেন, তাতে আপনার বীরত্ব আর ব্যারাম দুটোই একসঙ্গে প্রমাণ হবে।'

'বু-হু-ঝেছি।'

আরও আধঘণ্টা চলার পরে দেখতে পেলাম, দূরে একটা ছাই রঙের মসৃণ সমতল প্রান্তর

রয়েছে। চারিদিকের পাথরের মধ্যে সেটাই যে চোরাবালিতাল বা গান্ধী সরোবর, সেটা বুঝতে অসুবিধা হল না। তবু আমি ফেলুদার দিকে ঘাড় ফিরিয়ে জিজ্ঞেস করলাম, 'ওটাই কি— ?' ফেলুদা ঘাড় নাড়িয়ে বুঝিয়ে দিল, হ্যাঁ।

হ্রদের পশ্চিম ধারে একটা পাথরের ঢিবি রয়েছে, সেটার মধ্যে অনায়াসে একটা গুহা থাকতে পারে। পুরো ব্যাপারটা এখনও আমাদের থেকে অন্তত আড়াইশো গজ দূরে।

আমরা যেখান দিয়ে যাচ্ছি সেখানে জমিতে আলগা পাথর ছাড়াও বেশ বড় বড় শিলাখণ্ড রয়েছে। তা ছাড়া বরফ জমে রয়েছে চতুর্দিকে।

কিছুক্ষণ থেকেই লক্ষ করছি যে ফেলুদার দৃষ্টিটা এদিক ওদিক ঘুরছে, ও যেন কিছু একটা খুঁজছে। এবারে দৃষ্টিটা এক জায়গায় স্থির হল।

তার দৃষ্টি অনুসরণ করে দেখলাম আমাদের ডান দিকে একটা পাথরের আড়াল থেকে বেরিয়ে আছে ক্যামেরার তেপায়ার একটা ঠ্যাং।

ফেলুদা প্রায় নিঃশব্দে সেই দিকে এগিয়ে গেল, আমরা তার পিছনে।

পাথরটা পেরোতেই দেখা গেল ছোটকুমার পবনদেও ক্যামেরায় চোখ লাগিয়ে দাঁড়িয়ে আছে। লেন্সটা দেখেই বোঝা যাচ্ছে, সেটা টেলি-ফোটো, অর্থাৎ—টেলিস্কোপের কাজ করবে।

ছোটকুমারের পাশে পৌঁছতেই তিনি বললেন, 'স্পষ্ট দেখা যাচ্ছে গুহাটা, কিন্তু এখনও উনি বেরোননি।'

এবার পর পর ফেলুদা আর আমি দুজনেই চোখ লাগালাম।

লেকের জলটা স্থির, তাতে আকাশের আবছা গোলাপি রং প্রতিফলিত হয়েছে। তারপর বাঁ দিকে ক্যামেরা ঘুরিয়ে দেখা গেল গুহাটা। পাথরের ফাঁকে গোঁজা একটা গৈরিক পতাকা রয়েছে গুহাটার ঠিক পাশে।

আমাদের চারপাশের যে শৃঙ্গগুলো সবচেয়ে উঁচু, তাতে এখনই গোলাপি রোদ লেগেছে। পুবে একটা উঁচু শৃঙ্গ, তার পিছনে আকাশের লাল রং দেখে মনে হচ্ছে সূর্যটা ওখান দিয়েই উঠবে।

মিনিটখানেকের মধ্যেই পুবের পাহাড়ের চুড়োর পিছন দিয়ে চোখ-ঝলসানো সূর্যটা উঁকি দিতেই গান্ধী সরোবরটা রোদে ধুয়ে গেল।

সেই সঙ্গে লক্ষ করলাম, গুহার গায়ে রোদ পড়েছে আর এক আশ্চর্য প্রাকৃতিক পরিবেশে এক আশ্চর্য নাটক হচ্ছে এইভাবে এক সন্ন্যাসী বেরিয়ে এলেন গুহা থেকে। তাঁর দৃষ্টি সোজা পুব দিকে। যেন নতুন-ওঠা সূর্যকে স্বাগত জানাচ্ছেন।

'তোপ্‌সে, এগিয়ে চল !' ফিস্‌ফিসিয়ে আদেশ এল ফেলুদার কাছ থেকে।

'আমি ক্যামেরায় আছি', বললেন ছোটকুমার।

আমরা তিনজন দ্রুত এগিয়ে গেলাম গুহার দিকে এ-পাথর ও-পাথরের আড়াল দিয়ে।

আলো পড়ছে, কিন্তু কোনও শব্দ নেই। প্রকৃতি যেন রুদ্ধশ্বাসে কোনও একটা বিশেষ ঘটনার জন্য অপেক্ষা করছে।

এবার গুহা, সন্ন্যাসী, পতাকা সবই স্পষ্ট দেখতে পাচ্ছি। আমরা উত্তর-মুখে এগিয়ে চলেছি। সন্ন্যাসী আমাদের দিকে পাশ করে পুব দিকে চেয়ে আছেন, তাঁর গেরুয়া বসনের উপর একটা খয়েরি রঙের পট্টুর চাদর।

এবার একটা আশ্চর্য জিনিস লক্ষ করলাম। গুহার পুব দিকের পাথরের ঢিবির গায়ে একটা আলো নড়া চড়া করছে। সেটা যে কোনও ধাতব জিনিস থেকে প্রতিফলিত, তাতে কোনও সন্দেহ নেই।

এবার গুহার ঢিবির পিছন দিয়ে একটা লোক বেরিয়ে এল। তার ওভারকোটের কলার তোলা, তাই মুখটা বোঝা যাচ্ছে না। লোকটার মাথায় একটা পশমের টুপি, আর হাতে যে জিনিসটা রোদ পড়ে চক্চক্ করছে, সেটা রিভলভার ছাড়া আর কিছুই না।

সন্ন্যাসী সেই একই ভাবে সামনের দিকে চেয়ে আছেন, সূর্যের আলো পড়ছে তার মুখে।

ফেলুদা এবার চাপা গলায় বলল, 'আমি এগোচ্ছি। তোরা এই পাথরের আড়াল থেকে দ্যাখ। রিভলভারের আওয়াজ শুনলেই তোর সেই শিসটা দিবি।'

ফেলুদা নিঃশব্দে এগিয়ে গেল গুহাটার দিকে। খানিক দূর গিয়ে সে একটা পাথরের

পাশে এমনভাবে দাঁড়াল যে সমস্ত ঘটনাটা দেখতে পায়। আমরা আছি তার বিশ গজ পিছনে, কিন্তু আমরা দেখতে পাচ্ছি নাটকের সব চরিত্রকে।

ফেলুদার পকেট থেকেও এবার রিভলভার বেরিয়ে এল।

এবার সন্ন্যাসী তাঁর দৃষ্টি ঘুরিয়েছেন বাঁ দিকে, অর্থাৎ ওভারকোটে মুখ-ঢাকা লোকটার দিকে।

পরমুহূর্তেই এই অপার্থিব নৈঃশব্দ্য চুরমার করে একটা রিভলভারের শব্দের সঙ্গে সঙ্গে ওভারকোট পরা লোকটা বাঁ হাত দিয়ে ডান হাতের কবজি টিপে বরফের উপর বসে পড়ল, আর তার হাতের রিভলভারটাও ছিট্‌কে গিয়ে পড়ল বরফের উপর।

সঙ্গে সঙ্গে আমার মনে পড়ল ফেলুদার নির্দেশ।

শিসের শব্দ হওয়া মাত্র এ-পাথর সে-পাথরের আড়াল থেকে বেরিয়ে এল পুলিশ।

'তোপ্‌সে, তোরা আয়!'

আমরা দুজনে দৌড়ে এগিয়ে গেলাম ঘটনাস্থলের দিকে।

এক মিনিটের মধ্যে পৌঁছে গেলাম সাধুর গুহার সামনে।

সৌম্যমূর্তি গেরুয়াধারী সন্ন্যাসী এখনও যেন পুরো ব্যাপারটা অনুধাবন করতে পারেননি। আমাদের সকলের দিকেই ঘুরে ঘুরে অবাক হয়ে দেখছেন।

আর যিনি মাটিতে বসে আছেন তাঁর কবজি টিপে? এবারে তো তাঁর মুখ দেখা যাচ্ছে।

সে কী, ইনি যে সাংবাদিক মিঃ ভার্গব!

একজন কনস্টেবল যেন ফেলুদারই কাছ থেকে নির্দেশ পাবার অপেক্ষায় দাঁড়িয়ে আছেন। ফেলুদা বলল, 'আগে ওঁর দাড়িটা টেনে খুলুন তো!'

ভার্গবের দাড়িটা টেনে খুলতে যে মুখটা বেরোল, সেই মুখটাই ম্যাজিকের মতো আশ্চর্য রকম চেনা চেনা হয়ে গেল—যখন ফেলুদা নিজেই গিয়ে এক টানে মাথার টুপিটা খুলে ফেলল।

'আশ্চর্য জিনিস রে হেরেডিটি', বলল ফেলুদা—'শুধু যে এর কানের লতি এর বাপের মতো, তা নয়, ইনি সিঁথিও করেন ডান দিকে—আর তাই এঁকে দেখে আমার এত অসোয়াস্তি হত।'

তার মানে কী দাঁড়াল?

ইনি উমাশঙ্কর পুরীর ছেলে দেবীশঙ্কর পুরী।

৯

এবার আমাদের সকলের দৃষ্টি গেল সন্ন্যাসীর দিকে। তাঁর এখনও কেমন যেন মুহ্যমান ভাব। হিন্দিতে বললেন, 'পিস্তলের শব্দ শুনে মনটা কেমন যেন হয়ে গিয়েছিল—কিছু মনে করবেন না।'

ফেলুদাও হিন্দিতে বলল, 'যদি কিছু মনে না করেন, আপনার কাছে যে থলিটি আছে, সেটি একবার বার করা দরকার। আমরা আপনার বন্ধু, সেটা বোধহয় বুঝতেই পারছেন। ওটা আপনার গুহার মধ্যেই আছে তো?'

'আর কোথায় থাকবে? ওই তো আমার একমাত্র সম্পত্তি!'

একজন কনস্টেবল গিয়ে গুহার ভিতর থেকে একটা লাল থলি বার করে নিয়ে এল। সেটা খুলতে প্রথমে বেরোল একটা পাকানো কাগজ। এটা রাজা চন্দ্রদেও সিং-এর সিলমোহর সমেত ভবানী উপাধ্যায়কে লকেট-দানের স্বীকৃতি।

তারপর বেরোল আরেকটা ছোট থলি থেকে সেই বিখ্যাত সোনার লকেট—বালগোপাল—যার অপরূপ সৌন্দর্য এই পরিবেশে, এই সকালের রোদে আরও শতগুণ বেড়ে গেছে।

এইবার ফেলুদা মুখ খুলল। তার বেস্ট হিন্দিতে সে বলল, 'এবার আপনার আসল পরিচয়টা দিলে কিন্তু আমাদের সকলের খুব সুবিধে হত।'

'আমার আসল পরিচয় ?'

'আপনার নিজের নামটা বাংলাতেই বলুন না। অ্যাদ্দিন পরে বাংলা বলতে আপনার নিশ্চয়ই ভাল লাগবে।'

উপাধ্যায় ফেলুদার দিকে অবাক হয়ে গিয়ে বাংলায় বললেন, 'আপনি বুঝে ফেলেছেন আমি বাঙালি ?'

'কেন বুঝব না ?' বলল ফেলুদা, 'আপনি দেবনাগরী অক্ষরে হিন্দিতে চিঠি লিখেছেন, কিন্তু আপনার "ল" আর বর্গীয় "জ" বাংলার মতো। তা ছাড়া আপনার হরিদ্বারের ঘরের তাকে একটা বইয়ের পাতার টুকরো পেয়েছি, সেটাও বাংলা।'

'আপনার বুদ্ধি তো আশ্চর্য তীক্ষ্ণ !'

'এবার আর একটা প্রশ্নের জবাব দেবেন কি ?'

'কী ?'

'উপাধ্যায় কি সত্যিই আপনার পদবি, আর ভবানী কি সত্যিই আপনার নাম ?'

'আপনি কী বলছেন আমি—'

'উপাধ্যায় কি গঙ্গোপাধ্যায়ের অংশ নয়, আর ভবানী কি দুর্গার আরেকটা নাম নয় ? আমি যদি বলি, আপনার আসল নাম দুর্গামোহন গঙ্গোপাধ্যায়—তা হলে কি খুব মিথ্যে বলা হবে ?'

'ছো—ছো—ছো—ছো—'

'আপনি কাকে ধিক্কার দিচ্ছেন লালমোহনবাবু ?' ফেলুদা বলে উঠল।

'ছো-ছোটকাকা !'

দুর্গামোহন গঙ্গোপাধ্যায় অবাক হয়ে চাইলেন লালমোহনবাবুর দিকে।

'আমি যে লালু !' বললেন জটায়ু।

লালমোহনবাবু গিয়ে দুর্গামোহনকে ঢিপ করে প্রণাম করায় সাধুবাবা তাঁর ভাইপোকে বুকে জড়িয়ে ধরে বললেন, 'তা হলে তো আমার সমস্যার সমাধান হয়েই গেল। ওই লকেট তো তোরই প্রাপ্য ! ও জিনিস আমার কাছে রাখা এক বিরাট বিড়ম্বনা।'

'তা তো বটেই। তা, আমাকে দিলে আমি একটা ব্যাঙ্কের ভল্টে রেখে দিতে পারি। আপনি তো জানেন না ছোটকাকা, আজকাল আমি ছোটদের উপন্যাস লিখে বেশ টু পাইস করছি ; তবে রুচির তো কিছু বলা যায় না, একদিন দেখব ঝপ্ করে সেল পড়ে গেছে ! তখন লকেটটা থাকলে তবু একটা...'

*

নিজের ছেলে লকেটটা হাত করার তাল করছে জেনে উমাশঙ্করকে বাধ্য হয়ে ফেলুদাকে টেলিগ্রাম ও চিঠি পাঠাতে হয়েছিল। বাপকে হাতের মুঠোর মধ্যে রাখার ক্ষমতা দেবীশঙ্করের নিশ্চয়ই আছে। দুর্গামোহন খুন হলে লকেট বেহাত হয়ে যেত এটাও ঠিক, কিন্তু বাঁচিয়ে দিয়েছিল ওই ধস্। দেবীশঙ্কর আটকা পড়ে গিয়েছিল রুদ্রপ্রয়াগে। সিংঘানিয়া যে এসেছিল কেদারে, সে একেবারে নিজের গরজে, লকেটটাকে কেনার জন্য।

দেবীশঙ্করই লোক লাগিয়ে ফেলুদার দিকে পাথর গড়িয়ে দিয়েছিল, সে-ই আবার কেদারে রাত্তিরবেলা গুণ্ডা লাগিয়ে ফেলুদাকে জখম করার চেষ্টা করেছিল।

ছোটকুমার পবনদেও সিং অবিশ্যি তার ক্যামেরা দিয়ে পুরো ঘটনাই টেলি-ফোটো লেন্‌স-এর জোরে বেশ কাছ থেকেই তুলে রেখেছিল। দেবীশঙ্কর যে রিভলভার বার করে দুর্গামোহনের দিকে তাগ করেছিল, সেটা স্পষ্ট বোঝা যাবার কথা। আপাতত ছোটকুমারের আর ফিল্ম নেই, কিন্তু দিল্লি থেকে স্টক এলে পরে দুর্গামোহনের একটা সাক্ষাৎকার নেবার ইচ্ছা প্রকাশ করল। দুর্গামোহন আপত্তি করলেন না ; বরং বললেন, 'একজন রাজার আশ্চর্য দরাজ মনের কথাটা বিশ্বের লোকের কাছে গোপন থাকে কেন ? আমি টেলিভিশন ক্যামেরায় নিশ্চয়ই বলব আমার সোনার বালগোপাল পাবার কথা।'

পবনদেও বললেন, 'কিন্তু বালগোপাল তো আর আপনার কাছে থাকছে না।'

'না', বললেন দুর্গামোহন। 'সেটার ছবি যদি তুলতে চাও তো আমার ভাইপোকে বলো।'

পবনদেও লালমোহনবাবুর দিকে ফিরে বললেন, 'আপনার বাড়ি গিয়ে আমি লকেটটার ছবি তুলে আনতে পারি কি ?'

জটায়ু তাঁর সবচেয়ে বেশি সাহেবি উচ্চারণে বললেন, 'ইউ আর মোউস্ট ওয়েলখাম !'

বোসপুকুরে খুনখারাপি

১

আমাদের বন্ধু রহস্য-রোমাঞ্চ ঔপন্যাসিক লালমোহন গাঙ্গুলী ওরফে জটায়ুর পাল্লায় পড়ে শেষটায় যাত্রা দেখতে হল। এখনকার সবচেয়ে নামকরা যাত্রার দল ভারত অপেরার হিট নাটক সূর্যতোরণ। এটা বলতেই হবে যে যতক্ষণ দেখা যায় ততক্ষণ জমে যেতে হয়। কোথাও কোনও ঢিলেঢালা ব্যাপার নেই; অ্যাকটিং একটু রং চড়া হলেও কাউকেই কাঁচা বলা যায় না। লালমোহনবাবু ফেরার পথে বললেন, 'আমার গল্পের যা গুণ, এরও তাই। মনকে টানবার শক্তি আছে পুরোপুরি। অথচ তলিয়ে দেখুন, দেখবেন অনেক ফাঁক, অনেক ফাঁকি।'

কথাটা বড়াই-এর মতো শোনালেও, অস্বীকার করা যায় না। লালমোহনবাবুর লেখাও তলিয়ে দেখলে তাতে তেমন কিছু পাওয়া যাবে না। অথচ ভদ্রলোকের পপুলারিটি কিন্তু একটা চমক লাগার মতো ব্যাপার। নতুন বই বেরোনোর পরদিন থেকে একটানা তিন মাস বেস্ট সেলর লিস্টে নাম থাকে। অথচ উনি বেশি লেখেন না; বছরে দুটো উপন্যাস—একটা বৈশাখে, একটা পুজোয়। আজকাল তথ্যের ভুল আগের চেয়ে অনেক কম থাকে। কারণ শুধু যে ফেলুদাকে পাণ্ডুলিপি দেখিয়ে নেন তা নয়, সম্প্রতি নিজেও অনেক রকম এনসাইক্লোপিডিয়া ইত্যাদি কিনেছেন। সেগুলোর যে সদ্ব্যবহার হচ্ছে সেটা বইগুলো পড়লেই বোঝা যায়।

সূর্যতোরণ যাত্রা নামটা প্রথমেই করার কারণ হল, এই যাত্রার সঙ্গে যুক্ত এক ভদ্রলোককে নিয়েই আমাদের এবারের তদন্ত। ভদ্রলোকের নাম ইন্দ্রনারায়ণ আচার্য। এঁরই লেখা নাটক, গানও এঁর লেখা, অর্থাৎ নিজেই গীতিকার—আর ইনি নিজেই অর্কেস্ট্রায় বেহালা বাজান। মোট কথা গুণী লোক। তাঁকে নিয়ে যে গোলমালটা হল সেটা অবিশ্যি খুবই প্যাঁচালো ব্যাপার, আর ফেলুদাকে তার বুদ্ধির শেষ কণাটুকু খরচ করে এই রহস্যের সমাধান করতে হয়েছিল।

আমরা যাত্রা দেখবার দিন দশেক পরেই একদিন টেলিফোনে অ্যাপয়েন্টমেন্ট করে

ইন্দ্রনারায়ণবাবু নিজেই আমাদের বাড়িতে এলেন তাঁর সমস্যাটা নিয়ে। দিনটা রবিবার। লালমোহনবাবু যথারীতি ন'টার মধ্যেই আড্ডা মারতে চলে এসেছেন, দশটা নাগাত ভদ্রলোক এসে হাজির হলেন। যাকে বলে ক্লিন শেভ্‌ন চেহারা, বয়স আন্দাজ চল্লিশ-বেয়াল্লিশ, রং ফরসা। হাইট মাঝারির চেয়ে একটু বেশি, মাথার চুল প্রায় সবই কাঁচা। ফেলুদা প্রথমেই সূর্যতোরণের প্রশংসা করে বলল, 'আপনি তো মশাই ম্যান অফ মেনি পার্টস; এত রকম শিখলেন কী করে?'

ভদ্রলোক হালকা হেসে বললেন, 'আমার লাইফ হিস্ট্রিটা একটু বেয়াড়া ধরনের। আমার ফ্যামিলির কথা জানলে পরে বুঝবেন যে আমার যাত্রার সঙ্গে কানেকশনটা কত অস্বাভাবিক। আপনি কি বোসপুকুরের আচার্য পরিবারের কথা জানেন?'

'হ্যাঁ হ্যাঁ,' ফেলুদা বলল, 'সে তো অতি নামকরা ফ্যামিলি মশাই। আপনাদেরই এক পূর্বপুরুষ ছিলেন না কন্দর্পনারায়ণ আচার্য? যিনি বিলেত গিয়ে প্রিন্স দ্বারকানাথের মতো নবাবি মেজাজে থাকতেন?'

'আপনি ঠিকই বলেছেন,' বললেন ইন্দ্রনারায়ণবাবু। 'কন্দর্পনারায়ণ ছিলেন আমার ঠাকুরদার বাবা। আঠারো শো পঁচাত্তরে বিলেত যান। অত্যন্ত শৌখিন লোক ছিলেন। গান-বাজনার শখ ছিল। তাঁর কিনে আনা বেহালাই আমি বাজাই। আমাদের পরিবারে এক আমার মেজো দাদা হরিনারায়ণ ছাড়া গান-বাজনার দিকে আর কেউ যায়নি। সে অবিশ্যি কিছু বাজায়-টাজায় না; তার উচ্চাঙ্গ সংগীতের শখ। সে রেকর্ড আর ক্যাসেট শোনে। যাই হোক, পরিবার যে খানদানি সে তো বুঝতেই পারছেন। আমরা তিন ভাই—আমি, হরিনারায়ণ আর দেবনারায়ণ। আমি ছোট, দেবনারায়ণ বড়। দেব ব্যবসায়ী আর হরি চার্টার্ড অ্যাকাউন্ট্যান্ট। আমাদের বাবা বেঁচে আছেন। নাম কীর্তিনারায়ণ, বয়স উনআশি। উনি ব্যারিস্টার, যদিও এখন আর কোর্ট-কাছারি করার সামর্থ্য

নেই। বুঝতেই পারছেন, এই অবস্থায় আমার যাত্রার সঙ্গে যোগটা কত অস্বাভাবিক। কিন্তু আমার ছেলেবেলা থেকেই ওই দিকে শখ। আই. এ. পাশ করে আর পড়িনি। বেহালা শিখেছি মাস্টার রেখে, গান করতাম, গান লিখতাম খুব কম বয়স থেকেই। বাবাকে সোজাসুজি বলি যে আমি যাত্রায় জয়েন করব। বাবার আবার কেন জানি আমার উপর একটা দুর্বলতা ছিল, তাই আমার আবদারটা মেনে নিলেন। এখন অবিশ্যি আমি আমার অন্য দু ভাইয়ের চেয়ে কম কিছু রোজগার করি না। যাত্রার আর্থিক সচ্ছলতার কথাটা জানেন তো?'

'তা আর জানি না,' বললেন লালমোহনবাবু। 'হিরো-হিরোইন মাইনে পায় পঁচিশ-ত্রিশ হাজার টাকা করে।'

'আমার নিজের কথাটা নিজেই বলছি বলে কিছু মনে করবেন না,' বললেন ইন্দ্রনারায়ণবাবু, 'কিন্তু আজ ভারত অপেরার যে এত নাম-ডাক সেটা প্রায় অনেকটাই আমার জন্য। আমার নাটক, আমার গান, আমার বাজনা—এগুলো ভারত অপেরার বড় অ্যাট্রাকশন, এবং আমার গোলমালটাও এর থেকেই।'

কথাটা বলে ভদ্রলোক থামলেন। তার একটা কারণ অবিশ্যি শ্রীনাথ চা এনেছে তাই। ফেলুদা বলল, 'আপনি কি অন্য দলের সঙ্গে প্রতিদ্বন্দ্বিতার কথা বলছেন?'

'আজ্ঞে হ্যাঁ, আপনি ঠিক ধরেছেন। আমাকে বেশি টাকার প্রলোভন দেখিয়ে ভাঙিয়ে নেবার চেষ্টা তো অনেক দিন থেকেই চলছে। টাকা জিনিসটাকে তো আর অগ্রাহ্য করা চলে না, তবে ভারত অপেরার সঙ্গে আমি আছি আজ সতেরো বছর ধরে। এরা আমাকে যথেষ্ট যত্ন-আত্তি করে, আমার গুণের মর্যাদা দেয়। কাজেই এ দল ছেড়ে অন্য দলে যাবার আগে অনেকবার ভাবতে হয়। আমি তাই এদের সবাইকে ঠেকিয়ে রেখেছি। কিন্তু সেদিন যেটা হল এবং যেটার জন্য আমি আপনার কাছে আসতে বাধ্য হলাম—সেটা হল আমাকে হটিয়ে ভারত অপেরাকে পঙ্গু করার চেষ্টা।'

'হটিয়ে মানে?'

'সোজা কথায় খুন করে।'

'এটার প্রমাণ কী?'

'প্রমাণ একেবারে শারীরিক আক্রমণ। তিন দিন আগের ঘটনা। এখনও কাঁধে ব্যথা রয়েছে।

'কোথায় হল আক্রমণটা?'

'বিডন স্ট্রিট থেকে বেরিয়েছে মহম্মদ শফি লেন। সেখানে একটা বাড়িতে আমাদের আপিস আর রিহার্সালের ঘর। গলিটা অন্ধকার এবং নিরিবিলি। সেদিন আবার ছিল লোডশেডিং। ডিসি অফ। আমি যাচ্ছি আপিসে, এমন সময় পিছন থেকে এসে মারল রড জাতীয় একটা কিছু দিয়ে। মাথায় মারতে চেয়েছিল বোধহয়; অল্পের জন্য পারেনি। সৌভাগ্যক্রমে ঠিক সেইসময় আমাদের দলের দুজন অভিনেতা আসছিল গলি দিয়ে আপিসেই। আমি তখন মাটিতে পড়ে যন্ত্রণায় কাতরাচ্ছি। তারা আমাকে তুলে আপিসে নিয়ে গিয়ে সব ব্যবস্থা করে। আমার হাতে বাক্সে বেহালা ছিল, সেটা পড়ে যায় রাস্তায়। আমার সবচেয়ে ভয় ছিল সেটার বুঝি কোনও ক্ষতি হয়েছে—কিন্তু দেখলাম তা হয়নি। এখন, আমি আপনার কাছে এসেছি আমার কী করা উচিত সে বিষয়ে পরামর্শ নিতে।'

ফেলুদা একটা চারমিনার ধরিয়ে বলল, 'এই অবস্থায় তো আমার পক্ষে কিছু করা সম্ভব নয়। আর যে লোক আপনাকে আক্রমণ করেছে সে যে বিরুদ্ধ পার্টির লোক এমনও ভাবার কোনও কারণ দেখছি না। সে সাধারণ চোর ছ্যাঁচড় হতে পারে—হয়তো আপনার মানিব্যাগ হাতানোর তালে ছিল। আপনি বরং পুলিশে খবর দিতে পারেন। এর বেশি আর আমার দিকে থেকে কিছু বলা সম্ভব নয়, মিঃ আচার্য। তবে আর যদি কোনও ঘটনা ঘটে তা হলে আপনি আমাকে

জানাবেন। কিন্তু এ ব্যাপারে পুলিশ আপনাকে আরও বেশি সাহায্য করতে পারবে বলে আমার বিশ্বাস। এটুকু বলতে পারি যে আপনার পারিবারিক ইতিহাস আমার খুব ইন্টারেস্টিং লাগল। এ রকম পরিবার থেকে কেউ কোনওদিন যাত্রায় যোগ দিয়েছে বলে আমার জানা নেই।'

'আমাকে বলা হত আচার্য ফ্যামিলির ব্ল্যাক শিপ', বললেন ইন্দ্রনারায়ণবাবু, 'অন্তত আমার ভাইরা তাই বলতেন।'

ইন্দ্রনারায়ণবাবু আর বসলেন না। উনি চলে যাবার পর ফেলুদা দুটো ধোঁয়ার রিং ছেড়ে বলল, 'ভাবতে অবাক লাগে যে মাত্র একশো বছর আগে এই আচার্য ফ্যামিলির কন্দর্পনারায়ণ বিলেত গিয়ে চুটিয়ে নবাবি করেছে, আর আজ সেই ফ্যামিলিরই ছেলে মহম্মদ শফি লেনে যাত্রার রিহার্সাল দিতে গিয়ে গুণ্ডার হাতে রডের বাড়ি খাচ্ছে। মাত্র তিন জেনারেশনে এই

পরিবর্তন কল্পনা করা যায় না।'

'অবিশ্যি পরিবর্তনটা হয়েছে শুধু এঁরই ক্ষেত্রে,' বললেন লালমোহনবাবু। 'অন্য ভাইদের কথা যা শুনলুম তাতে তো মনে হয় তাঁরা দিব্যি আচার্য ফ্যামিলির ট্র্যাডিশন চালিয়ে যাচ্ছেন।'

'যাই হোক', বলল ফেলুদা, 'ফ্যামিলিটাকে ইন্টারেস্টিং লাগছে। বোসপুকুরে একবার গিয়ে পড়তে পারলে মন্দ হত না।'

সেই বোসপুকুরের আচার্য বাড়িতে যাবার সুযোগ যে কয়েকদিনের মধ্যেই এসে পড়বে তা কে জানত?

২

ইন্দ্রনারায়ণের কথা

'সম্রাট অশোক' আর দুদিনে শেষ হয়ে যাবে। সেদিক দিয়ে ইন্দ্রনারায়ণের চিন্তা করার কিছু নেই। সত্যি বলতে কী, নাটক আরও চারখানা আগেই তৈরি হয়ে আছে, যদিও সে কথা ইন্দ্রনারায়ণ তাঁর যাত্রা দলের মালিককে এখনও বলেননি। সব নাটক সব সময় চলে না; দর্শকের রুচি আশ্চর্যরকম বদলায় বছরে বছরে। হাওয়া বুঝে নাটক লিখতে হয়, না হলে ভাল নাটকও অনেক সময় মার খেয়ে যায়। সে বিচারে সম্রাট অশোক এখন খুবই যুগোপযোগী নাটক।

আসলে দুশ্চিন্তার কারণ অন্য। এখন বেজেছে রাত দশটা। আর কিছুক্ষণ পরেই বীণাপাণি অপেরার ম্যানেজার অশ্বিনী ভড় আসবেন ইন্দ্রনারায়ণের কাছে। এই নিয়ে পাঁচবার হবে তাঁর আসা। এ ছাড়া নব নট্ট কোম্পানির লোকও এসেছে তাঁর কাছে; কিন্তু বীণাপাণির মতো জোর তাদের নেই। আসার কারণ একটাই; ভারত অপেরা থেকে ভাঙিয়ে নিতে চায় তারা ইন্দ্রনারায়ণকে। সতেরো বছর যাত্রার সঙ্গে যুক্ত রয়েছেন ইন্দ্রনারায়ণ। এখন তাঁর বয়স বেয়াল্লিশ। এই খাওয়া-খাওয়ির ব্যাপারটা সম্পর্কে এতদিন তিনি ওয়াকিবহাল ছিলেন না; এখন হয়েছেন। অবিশ্যি এর জন্য তাঁর খ্যাতিই দায়ী। ঈশ্বরদত্ত ক্ষমতা নিয়ে জন্মেছিলেন ইন্দ্রনারায়ণ। তাই আজ সব দল তাঁকে হাত করতে চায়। বিশেষ করে বীণাপাণি অপেরা।

সেদিনের আক্রমণটা অবিশ্যি এই রেষারেষির সঙ্গে যুক্ত নাও হতে পারে। প্রদোষবাবু ঠিকই বলেছিলেন। এটা খুব সম্ভবত চোর-ছ্যাঁচড়ের ব্যাপার। মাথায় বাড়ি মারতে চাইলে কি মারতে পারত না? আসলে সে উদ্দেশ্য ছিল না; ছিল অজ্ঞান করে পকেট থেকে মানিব্যাগটি নিয়ে পালানো। সেদিন সঙ্গে টাকাও ছিল দেড়শোর উপর। ভাগ্যিস মলয় আর ইন্দ্রজিৎ এসে পড়ল! খুব বাঁচন বেঁচেছেন ইন্দ্রনারায়ণ।

সন্তোষ বেয়ারা এসে স্লিপ দিল। অশ্বিনী ভড়।

'যাও, ডেকে আনো', বললেন ইন্দ্রনারাণ আচার্য।

অশ্বিনী ভড় এসে চেয়ার টেনে নিয়ে পাশেই বসে বললেন, 'বলুন।'

'আপনি বলুন', বললেন ইন্দ্রনারায়ণ।

'আমি আর নতুন কথা কী বলব ইন্দ্রবাবু। আমি তো এই নিয়ে পাঁচবার এলুম। এবার তো একটা এস্‌পার ওস্‌পার না করলেই নয়।'

'সে তো বুঝতেই পারছি। কিন্তু আমি যে মনস্থির করে উঠতে পারছি না অশ্বিনীবাবু। এতদিনের একটা সম্পর্ক চুকিয়ে দেওয়া তো মুখের কথা নয়।'

'সবই বুঝলুম, কিন্তু আর্টিস্টরা তো ঘর বদল করছে। নিউ অপেরায় দশ বছর থাকার পর ভারতে চলে গেলেন সঞ্জয়কুমার। এ তো হামেশাই হচ্ছে। আর টাকার অঙ্কটা অগ্রাহ্য করছেন কী করে? আপনি কত পাচ্ছেন ভারত অপেরায় সে তো আমরা জানি। পনেরো হাজার। আমরা

সেখানে বলছি বিশ। এক বছরে আপনার ইনকাম হবে আড়াই লাখ। আর খাতির যত্ন আপনাকে আমরা ওদের চেয়ে কিছু কম করব না। গুণের কদর আমরাও করি। বিজ্ঞাপনে আপনার নাম থাকবে মোটা হরফে। আপনি যা বলবেন তাই আমরা মেনে নেব—নেহাত যদি সাধ্যের বাইরে না হয়।'

'শুনুন অশ্বিনীবাবু। আমার আর দু-তিনদিন লাগবে এই নাটকটা শেষ করতে। আমি এখন আর কিচ্ছু ভাবতে পারছি না। আপনি সামনের সপ্তাহে আর একটিবার আসুন।'

'ভরসা দিচ্ছেন কিছুটা?'

'একেবারে নিরাশ করার ইচ্ছে থাকলে আর আপনাকে আসতে বলব কেন? তবে আমার দিকটাও আপনার চিন্তা করে দেখতে হবে। টাকাটাই যে সব সময় সব থেকে বড় জিনিস তা তো নয়। ভারত অপেরা যদি জানে যে আপনারা আমাকে বিশ অফার করছেন, তা হলে আমার বিশ্বাস তারাও আমাকে ওই টাকাই দিতে চাইবে। আর সবচেয়ে বড় কথা হচ্ছে—এত বছরের সম্পর্ক কি চট করে ভোলা যায়?'

'ঠিক আছে। তা হলে তো এখন আর কথা বলে লাভ নেই। দিন সাতেক পরে এলে আশা করি ফল হবে। এভাবে ঝুলিয়ে রাখাটাও কোনও কাজের কথা নয়, ইন্দ্রবাবু। আসি। নমস্কার।'

'নমস্কার।'

ইন্দ্রনারায়ণ ঘর থেকে বেরিয়ে সামনের দরজার দিকে কিছুদূর এগিয়ে দিলেন অশ্বিনীবাবুকে। তারপর নিজের কাজের ঘরে ফিরে এসে আবার চেয়ারে বসলেন। শেষ দৃশ্যটা ভালই যাচ্ছে। এভাবে একেবারে শেষ পর্যন্ত গেলে এ নাটককে কেউ রুখতে পারবে না। এটা হবে ইন্দ্রনারায়ণ আচার্যের জীবনের শ্রেষ্ঠ কাজ।

ইন্দ্রনারায়ণ এক মনে কাজ করে চলেছেন। মাঝে মাঝে দু-একটা শ্যামা পোকা আসছে। সামনে পুজো। এই পোকাই তাঁর কাজে সবচেয়ে বেশি ব্যাঘাতের সৃষ্টি করে। আর লোডশেডিং। তবে আজ কদিন থেকে লোডশেডিং হচ্ছে না। আশা করি সামনের দুটো দিনও হবে না।

ইন্দ্রনারায়ণ তাঁর পুরো মনোযোগটা লেখায় দিলেন। তাঁর জীবনের শ্রেষ্ঠ নাটক। সম্রাট অশোক।

কিন্তু কাজ বেশি দূর এগোতে পারল না। ইন্দ্রনারায়ণ টেরও পেলেন না যে একটি লোক ঘরে ঢুকে অতি সন্তর্পণে তাঁর পিছনে এসে দাঁড়িয়েছে।

তারপর হামানদিস্তার একটি মোক্ষম বাড়ি। আর ইন্দ্রনারায়ণের চোখের সামনে সব কিছু চিরতরে অন্ধকার হয়ে গেল।

৩

খবরের কাগজ খুলে চমকে উঠলাম।

ইন্দ্রনারায়ণ আচার্য তাঁর বাড়িতে খুন হয়েছেন। গত পরশু রাত্রে হয়েছে ঘটনাটা। খবরে যাত্রায় ইন্দ্রনারায়ণের ভূমিকা সম্বন্ধেও কয়েক লাইন লিখেছে। আশ্চর্য দশ দিনও হয়নি ভদ্রলোক আমাদের বাড়ি এসেছিলেন ফেলুদার সঙ্গে দেখা করতে।

ফেলুদা অবিশ্যি আমার আগেই খবরটা পড়েছে। আক্ষেপের ভঙ্গিতে মাথা নেড়ে বলল, 'লোকটা এল আমার কাছে, অথচ কিছু করতে পারলাম না ওর জন্য। অবিশ্যি করার কোনও উপায়ও ছিল না।'

আমার একটা ব্যাপারে খটকা লাগছিল। বললাম, 'প্রথমবার ভদ্রলোককে গলিতে অ্যাটাক

করেছিল, আর এবার একেবারে বাড়ির ভিতর এসে খুন করল। খুব ডেয়ারিং খুনি বলতে হবে।'

ফেলুদা বলল, 'সেটা ওঁর বাড়ির প্ল্যান, ভদ্রলোক কোন ঘরে থাকতেন, ইত্যাদি না দেখে বলা যাবে না। আর খুন করার তেমন তাগিদ থাকলে বাড়িতে এসে করবে না কেন?'

'কিন্তু এবার তো আর তোমাকে তদন্তর জন্য ডাকল না।'

'এবারে পুলিশকেই ডেকেছে বোঝা যাচ্ছে। তবে ও পাড়ার থানার দারোগা মণিলাল পোদ্দারকে তো বেশ ভাল করে চিনি। এক তিনি যদি কোনও খবর দেন।'

মণিলাল পোদ্দারকে আমিও একবার দেখেছি। মোটাসোটা গুঁফো ভদ্রলোক, ফেলুদাকে যেমন ঠাট্টাও করেন তেমনি শ্রদ্ধাও করেন।

তবে শেষ পর্যন্ত খবরটা এল দারোগার কাছ থেকে নয়; স্বয়ং আচার্য বাড়ির কর্তা উনআশি বছরের বুড়ো কীর্তিনারায়ণ ফেলুদাকে ডেকে পাঠালেন। খুনটা হবার তিন দিন পরে সকালে নটা নাগাত এক ভদ্রলোক এলেন আমাদের বাড়িতে। বয়স চল্লিশের কাছাকাছি, বেশ শার্প চেহারা, চোখে সোনার চশমা। অক্টোবর মাস হলেও বেশ গরম, ভদ্রলোক সোফায় বসে রুমাল বার করে ঘাম মুছে বললেন, 'কিছু মনে করবেন না, মিঃ মিত্তির; বহুবার চেষ্টা করেও আপনার লাইন পেলাম না। আমি আসছি বোসপুকুরের আচার্য বাড়ি থেকে। আমায় পাঠিয়েছেন বাড়ির কর্তা কীর্তিনারায়ণবাবু। আমাদের বাড়িতে একটা খুন হয়েছে জানেন বোধহয়। সেই ব্যাপারে যদি আপনার সাহায্য পাওয়া যায়।'

'আপনার পরিচয়টা...?'

'এই দেখুন, আসল কথাটাই বলা হয়নি। আমার নাম প্রদ্যুম্ন মল্লিক। আমি ও বাড়িতে থেকে বংশের আদিপুরুষ কন্দর্পনারায়ণের একটা জীবনী লিখছি। লেখাই আমার পেশা। একটা খবরের কাগজে চাকরি করতাম, এখন ছেড়ে দিয়েছি। আপাতত জীবনীর জন্য তথ্য সংগ্রহের সঙ্গে সঙ্গে কীর্তিনারায়ণের সেক্রেটারির কাজ করছি। উনি ব্যারিস্টার ছিলেন; রিটায়ার করেছেন বছর চারেক হল। ওঁর শরীরটা বিশেষ ভাল নেই।'

'আমাকে ডাকতে এসেছেন—পুলিশে খবর দেওয়া হয়নি?'

'পুলিশ যা করার করছে, কিন্তু কীর্তিনারায়ণের পছন্দ-অপছন্দ একটু গতানুগতিকের বাইরে। পুলিশকে ডেকেছে ওঁর ছেলেরা। উনি নিজে আপনার কথা বললেন। বললেন পুলিশের চেয়ে একজন ভাল প্রাইভেট ডিটেকটিভ নিয়োগ করলে কাজ হবে বেশি। উনি আবার গোয়েন্দা কাহিনীর বিশেষ ভক্ত। আপনার যা পারিশ্রমিক তাও উনি দিতে রাজি আছেন অবশ্যই।'

'ইতিমধ্যে খুন সম্বন্ধে আর কোনও তথ্য পাওয়া গেছে?'

'বিশেষ কিছুই না। খুনটা মাথার পিছন দিকে বাড়ি মেরে করা হয়। ইন্দ্রনারায়ণ তখন টেবিলে বসে কাজ করছিলেন। পুলিশের ডাক্তার পরীক্ষা করে বলেন যে খুনটা হয় রাত বারোটা থেকে সাড়ে বারোটার মধ্যে। ইন্দ্রনারায়ণের ঘর ছিল বাড়ির এক তলায়। একটা শোবার ঘর আর তার পাশে একটা কাজের ঘর। উনি অনেক রাত পর্যন্ত কাজ করতেন। উনি যে যাত্রার সঙ্গে যুক্ত ছিলেন সে খবর জানেন বোধহয়?'

ফেলুদা এবার মিঃ মল্লিককে বলে দিল যে ইন্দ্রনারায়ণ আচার্য তার কাছে এসেছিলেন, তাই আচার্য পরিবার সম্বন্ধে অনেক তথ্যই সে জানে।

'তা হলে তো ভালই হল,' বললেন প্রদ্যুম্ন মল্লিক। 'খুনের রাত্রে দশটার সময় ইন্দ্রনারায়ণের কাছে বীণাপাণি অপেরার ম্যানেজার আসেন দেখা করতে। পুলিশ অবিশ্যি তাঁকে জেরা করছে, কারণ বাড়ির চাকর সন্তোষ বেয়ারা তার জবানিতে বলে যে, ইন্দ্রনারায়ণ আর ওই ভদ্রলোকের মধ্যে বচসা হচ্ছিল সেটা সে শুনতে পায়। কিন্তু বীণাপাণি অপেরার ভদ্রলোক—নাম বোধহয় অশ্বিনীবাবু—এগারোটার মধ্যে চলে যান। তারপর আবার আসেন কি না জানা যায়নি,

কারণ বাড়ির পিছন দিকে একটা দরজা আছে সেটা চাকররা বন্ধ করে অনেক রাত্রে। রাতের কাজের পর চাকরগুলো পাড়ায় আড্ডা দিতে বেরোয়, ফেরে একটার কাছাকাছি। কাজেই বারোটা নাগাত যদি অশ্বিনীবাবু আবার ফিরে এসে থাকেন তা হলে সে খবর কেউ নাও জানতে পারে। যাই হোক, সে তো আপনি গিয়ে তদন্ত করবেনই। অবিশ্যি যদি আপনি তদন্তের ভার নিতে রাজি থাকেন। যদি তাই হয় তা হলে আজ সকালেই এগারোটা নাগাত আপনি আসতে পারেন। তখন কীর্তিনারায়ণ ফ্রি থাকেন।'

ফেলুদা রাজি হবে জানতাম, কারণ আচার্য পরিবার সম্বন্ধে ওর একটা কৌতূহল আগে থেকেই ছিল। তা ছাড়া ইন্দ্রনারায়ণবাবুর সঙ্গে কথা বলেও ওর বেশ ভাল লেগেছিল। ঠিক হল আমরা এগারোটার সময় বোসপুকুরে গিয়ে হাজির হব। প্রদ্যুম্নবাবু আরেকবার ঘাম মুছে বিদায় নিলেন।

'ওই কাগজটা কী বেরিয়ে পড়ল দেখ তো,' ফেলুদা বলল ভদ্রলোক চলে যাবার পর।

একটা ভাঁজ করা সাদা কাগজ সোফার কোণে পড়ে আছে, আমি সেটা তুলে ফেলুদাকে দিলাম। ভাঁজ খুলতে দেখা গেল ডট পেনে দুলাইন ইংরিজি লেখা—

HAPPY BIRTHDAY
HUKUM CHAND

ফেলুদা ভুরু কুঁচকে লেখাটার দিকে কিছুক্ষণ চেয়ে দেখে বলল, 'হুকুম চাঁদ নামটা চেনা চেনা মনে হচ্ছে। কথাটা বোধহয় জন্মদিনের কেকের উপর লেখা হবে। হুকুম চাঁদ সম্ভবত কীর্তিনারায়ণের বন্ধু। কিম্বা হয়তো টেলিগ্রাম পাঠানো হবে; মল্লিকের উপর ভার ছিল কাজটা করবার।'

ফেলুদা কাগজটাকে আবার ভাঁজ করে নিজের শার্টের বুক পকেটে রেখে দিল।

'এবার কর্তব্য হচ্ছে তৃতীয় মাস্কেটিয়ারকে ফোন করা। তাঁর যান ছাড়া তো আমাদের গতি নেই, এবং তাঁকে বাদ দিলে তিনি সন্তুষ্ট হবেন বলে মনে হয় না।'

লালমোহনবাবুকে ফোন করার এক ঘণ্টার মধ্যেই ভদ্রলোক স্নান করে ফিটফাট হয়ে নিজের সবুজ অ্যাম্বাসাডর নিয়ে চলে এলেন। সব শুনেটুনে বললেন, 'এবারে পুজোটা তার মানে রহস্যের জট ছাড়াতেই কেটে যাবে। তা এক হিসেবে ভাল। উপন্যাসটা লেখা হয়ে গেলে পর হাতটা বড্ড খালি খালি লাগে। এতে সময়টা দিব্যি কেটে যাবে। ভাল কথা, আমার পড়শি রোহিণীবাবু সেদিন বলছিলেন ওঁর নাকি বোসপুকুরে আচার্যদের সঙ্গে চেনাশুনা আছে। বললেন, "এমন পরিবার দেখবেন না মশাই; বাপ-ছেলেয় মিল নেই, ভাইয়ে-ভাইয়ে মিল নেই, তাও একান্নবর্তী হয়ে বসে আছে। সে বাড়িতে যে খুন হবে সেটা আশ্চর্যের কিছুই নয়।"'

আমরা রওনা দিয়ে দিলাম। লালমোহনবাবুর ড্রাইভার হরিপদবাবু যে গাড়িটার যত্ন নেন সেটা গাড়ির কন্ডিশন দেখলেই বোঝা যায়। ভদ্রলোক ফেলুদার ভীষণ ভক্ত।

এগারোটা বেজে পাঁচ মিনিটে বোসপুকুর রোডে আচার্যদের বাড়ির পোর্টিকোর নীচে দরজার সামনে গিয়ে দাঁড়াল আমাদের অ্যাম্বাসাডর। কলিং বেল টিপতে চাকর এসে দরজা খুলে দিতেই দেখি পিছনে দাঁড়িয়ে আছেন প্রদ্যুম্ন মল্লিক। বললেন, 'গাড়ির আওয়াজ শুনেই বুঝেছি আপনি এসেছেন। আমিও থাকি একতলাতেই। আসুন দোতলায় একেবারে বড় কর্তার কাছে।'

পেল্লায় বাড়ি, নিশ্চয়ই সেই কন্দর্পনারায়ণের তৈরি, কিম্বা তারও আগে হতে পারে, কারণ দেখে মনে হয় বয়স হবে অন্তত দেড়শো বছর। চওড়া কাঠের সিঁড়িতে শব্দ তুলে আমরা দোতলায় গিয়ে পৌঁছলাম। সিঁড়ির পাশের দেয়ালে আচার্যদের পূর্বপুরুষদের বিশাল বিশাল অয়েল পেন্টিং; সিঁড়ি দিয়ে উঠেই সামনে একটা প্রকাণ্ড শ্বেতপাথরের মূর্তি, এদিকে ওদিকে ছড়ানো নানান সাইজের ফুলদানি তার বেশির ভাগই চিনে বলে মনে হল। একটা বিশাল

দাঁড়ানো ঘড়িও রয়েছে সিঁড়ির সামনের বারান্দায়। বারান্দার এক পাশে দাঁড়ালে নীচে নাটমন্দির দেখা যায়, অন্য পাশে সারবাঁধা ঘর। এরই একটা ঘরে আমাদের নিয়ে গিয়ে ঢোকালেন প্রদ্যুম্ন মল্লিক। দেখলাম এটা একটা মাঝারি সাইজের বৈঠকখানা; চারিদিকে সোফা বিছানো, মাটিতে কার্পেট, মাথার উপর দুদিকে দুটো ঝাড় লণ্ঠন। আমি আর লালমোহনবাবু একটা সোফায় বসলাম। ফেলুদা কিছুক্ষণ পায়চারি করে জিনিসপত্র দেখা আর একটা ছোট সোফায় বসল। মল্লিক মশাই গেছেন কীর্তিনারায়ণকে ডাকতে।

দু মিনিটের মধ্যেই এসে পড়লেন বাড়ির কর্তা কীর্তিনারায়ণ আচার্য। ধপধপে ফরসা রং, দাড়ি গোঁফ কামানো, চুল অধিকাংশই পাকা। তবে উনআশিতেও যে কিছু কাঁচা অবশিষ্ট রয়েছে সেটাই আশ্চর্য। ছোটখাটো মানুষ কিন্তু এমন একটা পার্সোনালিটি আছে যে তাঁর দিকে চোখ যাবেই, এবং গিয়ে থেমে থাকবে। দেখে মনে হয় ব্যারিস্টার হিসেবে ইনি নিশ্চয়ই খুব পাকা ছিলেন। ভদ্রলোকের পরনে সিল্কের পায়জামা, পাঞ্জাবি আর বেগুনি রঙের ড্রেসিং গাউন। চোখে যে চশমাটা রয়েছে সেটা হল যাকে বলে হাফ গ্লাস, অর্থাৎ নীচের দিকে পড়ার জন্য অর্ধেক লেন্স আর উপর দিকটা ফাঁকা।

'কই, কিনি গোয়েন্দা মশাই?'

ফেলুদা নিজের, এবং সেই সঙ্গে আমাদের দুজনের পরিচয় দিয়ে দিল। লালমোহনবাবুর

পরিচয় পেয়ে কীর্তিনারায়ণ চোখ কপালে তুললেন। 'কই, আপনার লেখা কোনও রহস্য গল্প তো কোনওদিন পড়িনি!'

লালমোহনবাবু ভীষণ বিনয় করে বললেন, 'আজ্ঞে সে সব আপনার পড়ার মতো কিছুই না।'

'তবু, রহস্য গল্প যখন লেখেন তখন আপনার মধ্যেও একটি গোয়েন্দা নিশ্চয়ই বর্তমান। দেখুন, আপনারা দুজনে মিলে এই রহস্যের কোনও কিনারা করতে পারেন কিনা। ইন্দ্র ছিল আমার ছোট ছেলে। যা হয়, কনিষ্ঠ সন্তান অনেক সময়ই একটু নেগলেকটেড হয়। ওর ক্ষেত্রেও তাই হয়েছিল, কিন্তু তার জন্য ও কোনওদিন অভিযোগ করেনি বা কুপথে যায়নি। গান-বাজনা ভালবাসত, পড়াশুনা যখন হল না তখন ভাবলুম ওদিকেই যাক। ছোট বয়স থেকেই গান লিখত, নাটক লিখত, বেহালা বাজাত। বাড়িতে বেহালা ছিল ঠাকুরদাদার আনা বিলেত থেকে, "আম আঁটির ভেঁপু"—'

'আম আঁটির ভেঁপু?' ফেলুদা অবাক হয়ে প্রশ্ন করল।

'ওই রকমই রসিকতা ছিল ঠাকুরদার,' বললেন কীর্তিনারায়ণ, 'বেহালাকে বলতেন আম আঁটির ভেঁপু, প্রথম ল্যাগন্ডা মোটর গাড়ি যখন কিনলেন তখন সেটাকে বলতেন পুষ্পক রথ, গ্রামোফোন রেকর্ডকে বলতেন সুদর্শন চক্র—এই আর কী। ঠাকুরদাদার কথা বলতে গেলে রাত কাবার হয়ে যাবে। আসল কথা হচ্ছে কী, ইন্দ্রর এই ভাবে জীবন শেষ হয়ে যাওয়াতে আমি প্রচণ্ড আঘাত পেয়েছি। যাত্রায় যোগ দেওয়াটা আচার্য বাড়ির ছেলের পক্ষে কিছু গৌরবের নয় ঠিকই, কিন্তু শেষের দিকে সে মাইনে পেত পনেরো হাজার টাকা; এটাও তো দেখতে হবে! তার মধ্যে গুণ না থাকলে এটা কি হয়? আমি নিজে যাত্রা থিয়েটারের খুব ভক্ত ছিলাম। এক রকম নেশা ছিল বলতে পার। সেখানে আমার নিজের ছেলে সে লাইনে গেলে নাক সিঁটকোলে চলবে কেন? না, ইন্দ্রকে আমি সম্পূর্ণ স্বাধীনতা দিয়েছিলাম। আর সে সেটার সদ্ব্যবহার করে পুরোপুরি। যাত্রার কাজ করেও তার মধ্যে কোনও বদ খেয়াল দেখা দেয়নি। কাজ-পাগলা মানুষ ছিল সে। বেহালায় হাত ছিল চমৎকার, গান লিখত রীতিমতো ভাল। আমার মতে আচার্য বংশের সে কোনও রকম অসম্মান করেনি; বরং একদিক দিয়ে দেখলে মুখ উজ্জ্বলই করেছে।'

ফেলুদা বলল, 'আপনি কি জানেন যে দিন পনেরো আগে মহম্মদ শফি লেনে তাঁকে একজন এসে পিছন থেকে আঘাত করে, এবং সে আঘাত কাঁধে না পড়ে মাথায় পড়লে তিনি হয়তো তখনই মারা যেতেন?'

'তা জানি বইকী,' বললেন কীর্তিনারায়ণ। 'আমিই তো তাকে তোমার পরামর্শ নিতে বলি।'

'এবার যে ঘটনাটা ঘটল, আপনার মতে কি তার জন্যও এই যাত্রার দলগুলির মধ্যে রেষারেষিই দায়ী?'

'সে তো আমি বলতে পারব না। সেটা বার করার দায়িত্ব তোমার। তবে এটা বলতে পারি যে ইন্দ্রর শত্রু যদি থেকে থাকে তো সে যাত্রার দলেই হয়তো থাকবে। এমনিতে সে বিশেষ কারুর সঙ্গে মিশত না, আর সম্পূর্ণ নির্বিবাদী লোক ছিল। বললাম না, সে যে জিনিসটা জানত সেটা হল কাজ। কাজের বাইরে তার আর কোনও ইন্টারেস্ট ছিল না।'

'পুলিশ তো বোধহয় বাড়ির সকলকে জেরা করেছে?'

'তা তো করবেই। সেটা তো তাদের রুটিনের মধ্যেই পড়ে। কিন্তু তারা করেছে বলে তুমি করতে পারবে না এমন কোনও কথা নেই। এখন অবিশ্যি তুমি আমার অন্য ছেলেদের পাবে না। সন্ধ্যায় এলে পাবে। প্রদ্যুম্ন এখন আছে, তাকে কিছু জিজ্ঞেস করতে চাইলে করতে পারো। চাকর-বেয়ারারা আছে। আমার এক বউমা আছেন, হরিনারায়ণের স্ত্রী। বড় ছেলে দেবনারায়ণ বিপত্নীক। হরিনারায়ণের মেয়ে লীনা আছে। সে খুব চালাক-চতুর। ইন্দ্রর খুব ন্যাওটা ছিল। ভাল কথা, তোমার ফি কত?'

'আমি আগাম হাজার টাকা নিই; তারপর তদন্ত ঠিক মতো শেষ হলে পর আরও হাজার নিই।'

'রহস্যের সমাধান না হলে আগামটা ফেরত দেওয়া হয়?'

'আজ্ঞে না, তা হয় না।'

'ভেরি গুড। আমি তোমাকে হাজার টাকার চেক লিখে পাঠিয়ে দিচ্ছি। দোহাই বাপু—আমি কোনদিন ফস করে চলে যাব—একে ডায়বেটিস, তার উপর একটা স্ট্রোক হয়ে গেছে—যাবার আগে ইন্দ্রের খুনির শাস্তি হয় এটা আমি দেখে যেতে চাই।'

'শুধু একটা প্রশ্ন করার বাকি আছে।'

'বলো।'

'হুকুম চাঁদ বলে কি আপনার বন্ধুস্থানীয় কেউ আছে?'

'হুকুম সিং বলে একজনকে চিনতাম, তা সে অনেকদিন আগে।'

'থ্যাঙ্ক ইউ।'

ফেলুদা প্রদ্যুম্নবাবুর সঙ্গেই আগে কথা বলা স্থির করল। কীর্তিনারায়ণবাবু উঠে চলে যেতেই প্রদ্যুম্নবাবু এসে ঘরে ঢুকলেন। ভদ্রলোক প্রথম কথাই বললেন, 'দারোগা সাহেব একবার আপনার সঙ্গে দেখা করতে চান।'

'কে, মিস্টার পোদ্দার?'

'হ্যাঁ, উনি নীচে আছেন।'

আমরা তিনজন নীচে রওনা দিলাম। লালমোহনবাবু এতক্ষণ চুপচাপ ছিলেন, তবে বুঝতে পারছিলাম যে উনি সব কথা মনোযোগ দিয়ে শুনছিলেন। বিভিন্ন লোকে কী ভাবে কথা বলে সেদিকে নাকি লেখকদের দৃষ্টি রাখতে হয়, তা না হলে গল্পে ভাল ডায়ালগ লেখা যায় না। তা ছাড়া কিছুদিন আগেই লালমোহনবাবু একদিন আমাদের বাড়িতে আড্ডা মারতে মারতে বলেছিলেন, 'শোনো ভাই তপেশ, তোমার দাদাকে কিন্তু আমরা তদন্তের ব্যাপারে যতটা সাহায্য করতে পারি ততটা করি না। এবার থেকে আমরাও চোখ-কান খোলা রাখব। শুধু দর্শকের ভূমিকা নেওয়াটা কোনও কাজের কথা নয়—বিশেষ করে আমি নিজেই যখন গোয়েন্দা কাহিনী লিখি।'

মণিলাল পোদ্দার ফেলুদাকে দেখে একগাল হেসে বললেন, 'গন্ধে গন্ধে ঠিক এসে হাজির হয়েছেন দেখছি।'

ফেলুদা বলল, 'আমি তো ভাবলাম এসে দেখব আপনি বুঝি কেস খতম করে ফেলেছেন।'

'ব্যাপারটা তো মোটামুটি বোঝাই যাচ্ছে', বললেন মণিলালবাবু, 'যাত্রা পার্টিদের মধ্যে রেষারেষি। ভিকটিম ভারত অপেরার স্তম্ভ বিশেষ, ওঁর জোরেই প্রায় নাটক চলত, অন্য দল তাঁকে ভাঙিয়ে নিতে চেষ্টা করছিল, পারেনি, তাই তাঁকে খুন করে ভারত অপেরাকে খোঁড়া করে দিয়েছে। অবিশ্যি চুরিরও একটা মোটিভ ছিল, কারণ ঘরে কিছু কাগজপত্র ঘাঁটাঘাঁটি করা হয়েছিল। হয়তো ওঁর লেখা কোনও নতুন নাটক খুঁজছিল।'

'আপনি ভারত অপেরার মালিকের সঙ্গে কথা বলেছেন?'

'শুধু ভারত অপেরা কেন? যেদিন খুনটা হয় সেদিন রাইভ্যাল কোম্পানি বীণাপাণি অপেরার ম্যানেজার এসেছিলেন ভিকটিমের সঙ্গে দেখা করতে। ভদ্রলোকের নাম অশ্বিনী ভড়। অনেক প্রলোভন দেখান। বিশ হাজার টাকা মাইনে অফার করেন; কিন্তু ইন্দ্রনারায়ণ কোনও কমিট করেননি। ভারত অপেরার প্রতি ন্যাচারেলি ওঁর একটা লয়েলটি ছিল। অশ্বিনী ভড় চলে যান পৌনে এগারোটায়। খুনটা হয় বারোটা থেকে সাড়ে বারোটার মধ্যে। বাড়ির পিছনের দরজা খোলা ছিল। চাকর বলে ইন্দ্রনারায়ণ তখনও কাজ করছিলেন, আর মাঝে মাঝে বেহালা

বাজাচ্ছিলেন। হয়তো গান লিখছিলেন। সেই সময় মার্ডারটা হয়। পিছন দিক থেকে এসে কোনও ভোঁতা ভারী অস্ত্র দিয়ে মাথায় মারে। তৎক্ষণাৎ মৃত্যু। টেবিলে ঝুঁকে কাজ করছিলেন, এমনিতেই মারার সুবিধে।'

'অস্ত্রটা পাওয়া গেছে?'

'না। যেদিকটা ইন্দ্রনারায়ণ থাকতেন সেদিকটা নিরিবিলি। এক তলার ঘর। চাকর-বাকর খেয়ে দেয়ে আড্ডা মারতে গিয়েছিল। খাস বেয়ারা সন্তোষের আবার মদের নেশা, সে খাবার পরে মাল খেতে যায়, সাড়ে বারোটা একটায় এসে পিছনের দরজা বন্ধ করে। সদর দরজা অবিশ্যি সব সময়ই বন্ধ থাকে, আর বাইরে দারোয়ান আছে। বারোটার পর যদি কেউ পিছনের দরজা দিয়ে ঢোকে তা হলে কেউ টের পাবে না। কারণ বাড়ির পিছনে গলি—যদু নস্কর লেন।'

'আমি যদি একবার ইন্দ্রনারায়ণের শোবার ঘর আর কাজের ঘরটা দেখি তা হলে আপনাদের আপত্তি নেই তো?'

'মোটেই না। ইউ আর মোস্ট ওয়েলকাম। তবে আমি যেমন আপনাকে ইনফরমেশন দিলাম, সেটা আপনার তরফ থেকেও পেলে দুপক্ষেরই সুবিধা—বুঝতেই তো পারছেন, হেঁ হেঁ।'

৪

মণিলালবাবুর সঙ্গে কথা সেরে আমরা প্রদ্যুম্নবাবুর সঙ্গে গেলাম ইন্দ্রনারায়ণ আচার্যের ঘরে। ঘরটা এক তলার উত্তর-পশ্চিম কোণে। বাড়ির উত্তর দিকটা হচ্ছে সামনের দিক। মাঝখানে নাটমন্দির আর তাকে ঘিরে তিনদিকে বারান্দা আর সারি সারি ঘর। বাড়ির পিছনের দরজাটা দক্ষিণ-পশ্চিম দিকে, পশ্চিমের বারান্দার শেষ মাথায়। তার মানে কেউ দরজা দিয়ে ঢুকে বারান্দা পেরোলেই ইন্দ্রনারায়ণবাবুর শোবার ঘর পাবে সামনে। তারপর উত্তরের বারান্দা ধরে দশ পা গেলে ডাইনে পাবে ইন্দ্রনারায়ণবাবুর কাজের ঘরের দরজা। অর্থাৎ বাইরে থেকে একজন লোক এসে খুন করাটা খুবই সহজ ব্যাপার।

শোবার ঘরে খাট, একটা আলমারি, দুটো তাক আর কিছু ট্রাঙ্ক সুটকেস ছাড়া জিনিস বেশি নেই। আমরা কাজের ঘরে গিয়ে হাজির হলাম।

এখানে বড় বড় দুটো তাক বোঝাই কাগজপত্র খাতা ইত্যাদিতে। বুঝলাম এগুলোতে নাটক আর গানের খসড়া রয়েছে। সতেরো বছরের যত কাগজ সবই মনে হল এই দুটো তাকে রয়েছে। বারান্দার দিকে যে দরজাটা রয়েছে সেটার ঠিক ডান পাশে একটা টেবিল আর চেয়ার। বোঝাই গেল এইখানেই খুনটা হয়েছিল। টেবিলের উপর ফাউনটেন পেন, ডট পেন, পেনসিল, পেপার ওয়েট, কালি, টেবিল ল্যাম্প ইত্যাদি রয়েছে। আর যেটা রয়েছে সেটা হল একটা বেহালার কেস। ফেলুদা বলল, 'একবার আম আঁটির ভেঁপুর চেহারাটা দেখা যাক।'

বাক্স খুলে বেহালাটা দেখে বুঝলাম ইন্দ্রনারায়ণবাবু সেটার খুব যত্ন নিতেন। একশো বছরের পুরনো বেহালা এখনও প্রায় নতুনের মতো রয়েছে।

ফেলুদা কেসটা বন্ধ করে দিল।

এ ছাড়া ঘরে রয়েছে এক পাশে একটা সোফা, একটা চেয়ার আর শ্বেত পাথরের একটা ছোট তেপায়া টেবিল। দেয়ালে ছবির মধ্যে রয়েছে দুটো বাঁধানো মানপত্র—ইন্দ্রনারায়ণের পাওয়া—একটা বিলিতি ল্যান্ডস্কেপ আর একটা রামকৃষ্ণ পরমহংসের মার্কামারা ছবি।

ঘর দেখা হলে সোফা আর চেয়ারে ভাগাভাগি করে বসলাম আমরা চারজন। প্রদ্যুম্নবাবু ইতিমধ্যে ঘোলের সরবতের জন্য বলেছিলেন, সেটা এনে চাকর শ্বেতপাথরের টেবিলের উপর রাখল। সরবত খেতে খেতে কথা হল।

'আপনার ঘরটা কোথায়?' ফেলুদা প্রশ্ন করল প্রদ্যুম্নবাবুকে।

'টেরচা ভাবে এই ঘরের বিপরীত দিকে,' বললেন প্রদ্যুম্নবাবু, 'অর্থাৎ দক্ষিণ-পূর্ব কোণে। একেবারে কোণের ঘরটা হল লাইব্রেরি, আর আমারটা হল তার পাশেই।'

'আপনি রাত্রে ঘুমোন কখন?'

'তা বেশ রাত হয়। এক-আধ দিন তো একটা দেড়টাও হয়ে যায়। আমার কাজটা—অর্থাৎ কন্দর্পনারায়ণ সম্বন্ধে তথ্য সংগ্রহের ব্যাপারটা—আমি সাধারণত রাত্রেই করি। প্রথম দিকে আমার কাজ ছিল কীর্তিনারায়ণকে ইন্টারভিউ করা। তিনি বাইশ বছর বয়স পর্যন্ত তাঁর ঠাকুরদাদাকে দেখেছেন। তাঁর কাছ থেকে সব তথ্য নেওয়া হলে পর আমি চিঠিপত্র দলিল

ডায়রি ইত্যাদি স্টাডি করা শুরু করি।'

'তা হলে সেদিন যখন খুনটা হয় তখন আপনি জেগে ছিলেন?'

'তা তো বটেই। তবে নাটমন্দিরটা এত বড় যে আমার কাজের ঘর থেকে এ ঘরটা দেখাও যায় না, এখানকার কোনও শব্দ শোনাও যায় না।'

'বীণাপাণি অপেরা থেকে লোক এসেছিল ইন্দ্রনারায়ণবাবুর কাছে সে খবর জানা গেল কী ভাবে?'

'সেটা বলেছে সন্তোষ বেয়ারা। অশ্বিনী ভড় যে স্লিপটা পাঠিয়েছিলেন সেটাও টেবিলের উপর পাওয়া যায়। ভদ্রলোক কখন যান সে খবরও বেয়ারাই দেয়।'

'আপনি বেহালা শুনতে পাননি?'

'তা হয়তো এক-আধবার শুনেছি, কিন্তু সেটা প্রায় রোজই শুনতাম বলে বিশেষ করে সেই দিন শুনেছিলাম কিনা বলতে পারব না।'

'কন্দর্পনারায়ণ কি নিয়মিত ডায়রি লিখতেন?'

'পরের দিকে লেখেননি, কিন্তু পঁচিশ বছর থেকে চল্লিশ বছর পর্যন্ত লিখেছিলেন।'

'তার মানে বিলেত ভ্রমণের ডায়রিও আছে?'

'আছে বইকী, আর সে এক আশ্চর্য জিনিস। কত লর্ড আর ডিউক আর ব্যারনের সঙ্গে যে তিনি খানাপিনা করেছেন তা পড়লে আশ্চর্য হয়ে যেতে হয়। লন্ডন থেকে কন্দর্পনারায়ণ ফ্রান্সে যান। সেখানে প্যারিসে কিছুদিন কাটিয়ে তিনি চলে যান ভূমধ্যসাগরের উপকূলে দক্ষিণ ফ্রান্সের রিভিয়েরাতে। আপনি তো জানেন এই অঞ্চলের কয়েকটি শহরের ক্যাসিনো হল জুয়াড়িদের তীর্থস্থান। কন্দর্পনারায়ণ মন্টি কার্লোর ক্যাসিনোতে রুলেট থেকে লাখ লাখ টাকা জেতেন। খুব কম বাঙালিই সে যুগে বিলেত গিয়ে এরকম কীর্তি রেখে এসেছেন।'

'আচার্যদের জমিদারি কোথায় ছিল?'

'পূর্ববঙ্গে কান্তিপুরে। বিরাট জমিদারি।'

ফেলুদা একটা চারমিনার ধরাল। দুটো টান দিয়ে তারপর বলল, 'মৃতদেহ আবিষ্কার করে কে?'

'সেও সন্তোষ বেয়ারা। সে নিজে ফেরে প্রায় পৌনে একটায়। তারপর ইন্দ্রনারায়ণবাবুর কাজের ঘরে বাতি জ্বলছে দেখে একবার উঁকি দিতে এসে দেখে এই ব্যাপার। সঙ্গে সঙ্গে আমাকে খবর দেয়। তারপর আমি দোতলায় গিয়ে অন্যদের জানাই।'

'পুলিশে খবর দেবার সিদ্ধান্ত কার?'

'দেবনারায়ণবাবুর। বড় কর্তা না করেছিলেন, কিন্তু দেবনারায়ণবাবু বাপের কথায় কান দেননি।'

'আপনার সঙ্গে ইন্দ্রনারায়ণবাবুর সম্পর্ক কীরকম ছিল?'

'দিব্যি ভাল। আমি ভদ্রলোককেও কিছু প্রশ্ন করেছিলাম। বিশেষ করে তাঁর বেহালা সম্পর্কে। উনি বলেন যন্ত্রটা খুব ভাল এবং আওয়াজ অতি মিষ্টি। প্রায় সত্তর বছর ওটা না বাজানো অবস্থায় পড়ে ছিল, কিন্তু ইন্দ্রনারায়ণ ওটা বার করে বাজাতে আরম্ভ করার সঙ্গে সঙ্গেই ওটার আওয়াজ খুলে যায়।'

'ভদ্রলোক সম্পর্কে আপনার ধারণা কী?'

'একেবারে কাজ-পাগলা মানুষ ছিলেন। কাজে ডুবে থাকতেন যতক্ষণ বাড়িতে থাকতেন। লাইব্রেরি থেকে বই নিতে আসতেন মাঝে মাঝে। বিশেষ করে ঐতিহাসিক নাটক লেখার সময় বই দেখার দরকার হতই। কন্দর্পনারায়ণের ছেলে, কীর্তিনারায়ণের বাবা দর্পনারায়ণ ইতিহাসে এম. এ. ছিলেন। তাই লাইব্রেরিতে ইতিহাসের বই খুব ভালই আছে।'

'এবার অন্য দু ভাই সম্বন্ধে একটু জানতে চাই।'

'বেশ তো।'

'সবচেয়ে বড় তো দেবনারায়ণ। তারপর হরিনারায়ণ, তারপর ইন্দ্রনারায়ণ।'

'হ্যাঁ।'

'ইন্দ্রনারায়ণ তো বিয়েই করেননি। আর দেবনারায়ণ শুনলাম বিপত্নীক?'

'আজ্ঞে হ্যাঁ। বছর সাতেক আগে ওঁর স্ত্রীর মৃত্যু হয়।'

'ওঁর ছেলেপিলে নেই?'

'একটি মেয়ে আছে, তার বিয়ে হয়ে গেছে। স্বামী পুনায় কাজ করে। ছেলে একটি আছে সে আমেরিকায় ইঞ্জিনিয়ারিং পড়ে।'

'আপনার মতে দেবনারায়ণ লোক কেমন?'

'অত্যন্ত চাপা, গম্ভীর প্রকৃতির মানুষ।'

'উনি কি চাকরি করেন?'

'উনি স্টকওয়েল টি কোম্পানিতে উঁচু পোস্টে আছেন।'

'অফিস থেকে বাড়ি ফেরেন কখন?'

'তা রাত সাড়ে নটার আগে তো নয়ই, কারণ অফিস থেকে ক্লাবে যান। সন্ধ্যাটা সেখানেই কাটান।'

'ভাইয়ের মৃত্যুতে কি উনি খুব শোক পেয়েছিলেন বলে মনে হয়?'

'তিন ভাইয়ের মধ্যে বিশেষ সদ্ভাব ছিল না। বিশেষ করে ইন্দ্রনারায়ণ যাত্রার কাজ করেন বলে আমার ধারণা অন্য দুভাই ওঁকে বেশ হেয় জ্ঞান করতেন।'

'কিন্তু কীর্তিনারায়ণ তো ছোট ছেলেকে বেশ ভালই বাসতেন।'

'শুধু ভালবাসতেন না, তিন ছেলের মধ্যে ছোটকেই সবচেয়ে বেশি ভালবাসতেন। এ-বিষয়ে আমার কোনও সন্দেহ নেই, কারণ অনেক কথাতেই এই পক্ষপাতিত্ব প্রকাশ পেত।'

'কীর্তিনারায়ণ কি উইল করেছেন?'

'করেছেন বলেই তো আমার ধারণা।'

'সেই উইলেও তো এই পক্ষপাতিত্ব প্রকাশ পেতে পারে।'

'তা তো পারেই।'

ফেলুদা একটা চারমিনার ধরাল। লালমোহনবাবু তাঁর ছোট্ট লাল খাতাটা বার করে কী যে নোট লিখছেন তা উনি জানেন। হয়তো ভবিষ্যতের একটা গল্পের প্লট ওঁর মাথায় আসছে।

'এবার দ্বিতীয় ভাই সম্বন্ধে একটু জানা দরকার।'

'কী জানতে চান বলুন,' বললেন প্রদ্যুম্নবাবু।

'উনি তো চার্টার্ড অ্যাকাউন্ট্যান্ট?'

'হ্যাঁ। স্কিনার অ্যান্ড হার্ডউইক কোম্পানিতে আছেন।'

'কেমন লোক?'

'ওঁর তো ফ্যামিলি আছে, কাজেই সেখানেই বড় ভাইয়ের সঙ্গে একটা তফাত হয়ে যাচ্ছে। ভদ্রলোক মোটামুটি ফুর্তিবাজ, বিলিতি গান বাজনার খুব ভক্ত।'

'রেকর্ড আর ক্যাসেট শোনেন?'

'হ্যাঁ, তবে সেটা রবিবারে। অন্যদিন সন্ধ্যায় ইনিও ক্লাবে যান, ফেরেন সেই সাড়ে ন'টা দশটায়।'

'কোন ক্লাব?'

'স্যাটারডে ক্লাব।'

'বড় ভাইও কি একই ক্লাবের মেম্বার নাকি?'

'না, উনি বেঙ্গল ক্লাবে।'

'হরিনারায়ণের তো একটি মেয়ে আছে।'

'হ্যাঁ—লীনা। বুদ্ধিমতী। বছর চোদ্দো বয়স, পিয়ানো শিখছে। ক্যালকাটা গার্লস স্কুলে পড়ে। সে বেচারি কাকার মৃত্যুতে খুব আঘাত পেয়েছে, কারণ সে কাকার খুব ভক্ত ছিল।'

'আর হরিনারায়ণবাবু? তিনি আঘাত পাননি?'

'বড় দু ভাইয়ের কেউই ছোটকে বিশেষ আমল দিতেন না।'

'আর হয়তো ইন্দ্রনারায়ণ যাত্রা থেকে এত রোজগার করছে সেটাও তারা বিশেষ সুনজরে দেখত না।'

'তাও হতে পারে।'

'আমার অবিশ্যি এই দুই ভাইয়ের সঙ্গে কথা বলতে হবে। সেটা বোধহয় শনি কি রবিবার করলে ভাল হয়, তাই না?'

'শনিবার সকালে এলে দু ভাইকেই পাবেন।'

'আপনি যে কন্দর্পনারায়ণের জীবনীর উপর কাজ করছেন, সেটা কতদিন থেকে?'

'তা প্রায় ছ'মাস হল।'

'হঠাৎ এই মতি হল কেন?'

'আমি ঊনবিংশ শতাব্দী নিয়ে একটা উপন্যাস লিখব বলে ন্যাশনাল লাইব্রেরিতে গিয়ে পড়াশুনা করছিলাম। সেই সময় কন্দর্পনারায়ণের নাম পাই। খোঁজখবর নিয়ে জানি তাঁর বংশধরেরা এখনও আছেন বোসপুকুরে। সোজা এসে কীর্তিনারায়ণের সঙ্গে দেখা করি। কীর্তিনারায়ণ বলেন—তুমি আমার বাড়িতে থেকে রিসার্চ করতে পারো, কিন্তু সেই সঙ্গে আমার কিছু কাজও করে দিতে হবে। তার জন্য আমি তোমাকে পারিশ্রমিক দেব। আমি তখন খবরের কাগজের কাজ ছেড়ে এখানে চলে আসি। এখানে অনেক ঘর খালি পড়ে আছে, তারই একটা ঘরে আমাকে এক তলায় থাকতে দেন কীর্তিনারায়ণ। গত ছ'মাসে আমি এবাড়ির সঙ্গে বেশ মিশে গেছি। আমার কারবার অবিশ্যি শুধু কীর্তিনারায়ণকে নিয়েই, তবে অন্যরাও আমার ব্যাপারে কোনও আপত্তি করছেন বলে শুনিনি।'

'ভাল কথা—'

ফেলুদা তার পার্স থেকে এক টুকরো সাদা কাগজ বার করল।

'এটা বোধহয় সেদিন আপনার পকেট থেকে পড়ে গিয়েছিল—আপনি যখন ঘাম মুছতে রুমাল বার করেন। জন্মদিনের জন্য কেকের অর্ডার কি, নাকি টেলিগ্রাম?'

ফেলুদা 'হ্যাপি বাথর্ডে হুকুম চাঁদ' লেখা কাগজটা প্রদ্যুম্নবাবুর হাতে দিল। প্রদ্যুম্নবাবু ভুরু কপালে তুলে বললেন, 'কই, এমন তো কোনও কাগজ আমার পকেটে ছিল না। আর এই হুকুম চাঁদ যে কে সে তো আমি বুঝতেই পারছি না।'

'আপনি সেদিন কীসে করে আমার বাড়িতে এসেছিলেন?'

'বাস।'

'বাসে ভিড় ছিল? তার মধ্যে কেউ এটা পকেটে ফেলে দিতে পারে?'

'তা পারে, কিন্তু এটার তো কোনও মানেই আমি বুঝতে পারছি না।'

'এটা যদি আপনার না হয় তো আমার কাছেই থাকুক।'

ফেলুদা কাগজটা আবার পার্সে রেখে দিল। এই কাগজ যে একটা রহস্যের মধ্যে পড়ে তাতে কোনও সন্দেহ নেই।

আমরা বোসপুকুর গিয়েছিলাম বিষ্যুদবার, আবার যেতে হবে শনিবার, কাজেই মাঝে শুক্কুরবারটা ফাঁক। সেই ফাঁকে দেখি লালমোহনবাবু আমাদের বাড়িতে এসে হাজির। আসলে একটা তদন্ত যখন শুরু হয়ে যায় তখন আর নিয়ম মানা যায় না।

ভদ্রলোক এসেই ধপ করে সোফায় বসে বললেন, 'আপনার তো শুধু বোসপুকুর গেলে চলবে না মশাই—যাত্রা পার্টিগুলোতেও তো একবার যাওয়া দরকার।'

'সে আর বলতে,' বলল ফেলুদা। 'মৃত ব্যক্তির সমস্ত জীবনটাই তো যাত্রার সঙ্গে জড়িয়ে রয়েছে। আপনি যখন এসেই পড়েছেন তখন বাড়িতে বসে না গেঁজিয়ে চলুন মহম্মদ শফি লেনটা ঘুরে আসা যাক।'

'তারপর বীণাবাণি অপেরার ম্যানেজার সেই ঈশানবাবু না কি—'

'অশ্বিনীবাবু।'

'হ্যাঁ। অশ্বিনীবাবুর সঙ্গে তো কথা বলতে হবে। তাই না?'

'নিশ্চয়ই। তোপ্‌সে, একবার ডিরেকটরিতে দ্যাখ তো বীণাপাণি অপেরার ঠিকানাটা কী।'

ডিরেকটরি দেখতে বেরোল বীণাপাণি অপেরা সুরেশ মল্লিক স্ট্রিটে। লালমোহনবাবু বললেন যে রাস্তাটা ওঁর জানা আছে। ওখানের একটা ব্যায়ামাগারে নাকি উনি কলেজে থাকতে রেগুলারলি যেতেন।

'বলেন কী!' বলল ফেলুদা।

'বিশ্বাস করুন। ডন বৈঠক বারবেল চেস্ট-এক্সপ্যান্ডার কোনওটা বাদ দিইনি। বডির ডেভেলপমেন্টও হয়েছিল ভালই; আমার হাইটে বেয়াল্লিশ ইঞ্চি ছাতি নেহাত নিন্দের নয়।'

'তা সে সব মাংসপেশি গেল কোথায়?'

'আর মশাই, লেখক হলে কি আর মাস্‌ল থাকে শরীরে? তখন সব মাস্‌ল গিয়ে জমা হয় ব্রেনে। তবে ভোরে হাঁটার অভ্যেসটা রেখেছি। ডেইলি টু মাইলস্‌। তাই তো আপনার সঙ্গে পাল্লা দিয়ে চলতে পারি।'

চা খেয়ে আমরা বেরিয়ে পড়লাম। লালমোহনবাবুর ড্রাইভার হরিপদবাবুর খুব উৎসাহ। খুনের ব্যাপারটা কাগজে পড়েছেন, তা ছাড়া ভারত অপেরার অনেক যাত্রা ওঁর দেখা। আমরা সেই খুনেরই তদন্ত করছি জেনে বললেন, 'ইন্দ্র আচায্যি একা ভারত অপেরাকে দাঁড় করিয়ে দিয়েছিলেন। ওঁর খুনিকে কাঠগড়ায় দাঁড় করাতে পারলে একটা কাজের কাজ হবে।'

শুক্রবার ট্র্যাফিক প্রচুর, তাই ভারত অপেরার আপিসে পৌঁছাতে লাগল প্রায় পঁয়তাল্লিশ মিনিট। নম্বরটা ডিরেকটরিতে দেখে নিয়েছিলাম, তা ছাড়া দরজার উপরে সাইন বোর্ডে লেখাই রয়েছে কোম্পানির নাম।

দরজা দিয়ে ঢুকে একটা টেবিলের পিছনে একজন কালো মতন মাঝবয়সী লোক বসে আছেন; বললেন, 'কাকে চাই?'

ফেলুদা তার কার্ডটা বার করে দেখাতে ভদ্রলোকের চোখের অলস চাহনিতে কিছুটা জৌলুস এল। বললেন, 'আপনারা কি শরৎবাবুর সঙ্গে দেখা করতে চাইছেন—আমাদের প্রোপাইটার?'

'আজ্ঞে হ্যাঁ,' বলল ফেলুদা।

'একটু বসুন।'

একটা বেঞ্চি আর আরও একটা চেয়ার ছিল ঘরটায়, আমরা তাতেই ভাগাভাগি করে বসলাম। ভদ্রলোক উঠে পিছনের একটা দরজা দিয়ে বেরিয়ে গেলেন। লালমোহনবাবু বললেন, 'এই কোম্পানির যে এত রমরমা সেটা কিন্তু এঘর থেকে বোঝার কোনও উপায় নেই।'

মিনিট খানেকের মধ্যেই ভদ্রলোক ফিরে এসে বললেন, 'আসুন আমার সঙ্গে। শরৎবাবু দোতলায় বসেন।'

একটা সরু সিঁড়ি দিয়ে দোতলায় ওঠার সময় হারমোনিয়ামের শব্দ পেলাম। রিহার্সালের তোড়জোড় চলছে নাকি? খুঁটি চলে গেলেও যাত্রা তো চালিয়েই যেতে হবে।

প্রোপাইটার শরৎ ভট্টাচার্যির আপিস দেখে কিন্তু ধারণা পালটে গেল। বেশ বড় ঘর, বড় টেবিল, চারপাশে মজবুত চেয়ার, দেয়ালে একটা বিরাট বারোমাসি ক্যালেন্ডার, আর্টিস্টদের বাঁধানো ছবি, দুটো আলমারিতে মোটা মোটা খাতাপত্র ছাড়া একটা গোদরেজের আলমারি রয়েছে, মাথার উপর বাঁই বাঁই করে ঘুরছে পাখা।

টেবিলের পিছনে যিনি বসা তিনিই অবিশ্যি শরৎবাবু। তাঁর মাথায় টাক, কানের পাশে পাকা চুল, ঘন কালো ভুরু, মুখের চামড়া টান। বয়স বোঝা যায় না, শুধু বলা যায় পঞ্চান্ন থেকে পঁয়ষট্টির মধ্যে।

'আপনিই প্রদোষ মিত্তির?' ফেলুদার দিকে তাকিয়ে ভদ্রলোক প্রশ্ন করলেন।

'আর ইনি হচ্ছেন আমার বন্ধু রহস্য রোমাঞ্চ ঔপন্যাসিক লালমোহন গাঙ্গুলী,' বলল ফেলুদা।

'ওরে বাবা, আপনি তো স্বনামধন্য ব্যক্তি মশাই। আমার বাড়িতে আপনার অনেক ভক্ত আছে।'

লালমোহনবাবু বার চারেক হেঁ হেঁ করলেন, তারপর ভদ্রলোক বলাতে আমরা চেয়ারে বসলাম।। ফেলুদাই কথা শুরু করল।

'ইন্দ্রনারায়ণবাবুর বাবা আমাকে তাঁর ছেলের খুনের তদন্ত করতে বলেছেন, সেই জন্যেই আসা।'

শরৎবাবু মাথা নেড়ে বললেন, 'আমি আর কী বলতে পারি বলুন, শুধু এইটুকুই জানি যে আমাদের একেবারে পথে বসিয়ে দিয়ে গেছেন ভদ্রলোক। নাটক লিখিয়ে হয়তো পাওয়া যায়, কিন্তু অমন গান কেউ লিখত না, আর কেউ লিখবেও না। আহা—আকাশে হাসিছে চাঁদ, তুমি কেন আনমনা—কী গান! শুধু গান শুনতেই লোকে বার বার ফিরে ফিরে আসে।'

'আমরা শুনেছি অন্য দল থেকে তাঁকে প্রলোভন দেখানো হচ্ছিল।'

'সে তো বটেই। তবে প্রলোভনে কোনও কাজ হয়নি। আমার সঙ্গে তার সম্পর্ক এত ঘনিষ্ঠ ছিল যে আমাকে ছাড়বার কথা সে কল্পনাও করতে পারত না। যখন প্রথম এল তখন তার বয়স পঁচিশ। আমিই যে তাকে প্রথম সুযোগ দিয়েছিলাম সেটা সে কোনওদিন ভুলতে পারেনি। শেষটায় তার জীবননাশ করে আমায় খোঁড়া করে দিল।'

শরৎবাবু ধুতির খুঁট দিয়ে চোখের জল মুছলেন। তারপর বললেন, 'আগে একবার ওর মাথায় বাড়ি মারার চেষ্টা করেছিল রাস্তায়। অবিশ্যি সেটা খুনের চেষ্টা কিনা, আর সেটার সঙ্গে আসল খুনের কোনও সম্পর্ক আছে কিনা, সেটা বলতে পারব না। এই গলিটায় গুণ্ডা বদমায়েশের অভাব নেই। সেদিন ওরা দুজন এসে না পড়লে অন্তত ওর মানিব্যাগটি হাওয়া হয়ে যেত বলে আমার বিশ্বাস। সেটা আর হয়নি। তবে আসল খুনটা যে আমাকেও এক রকম খুন করা সে বিষয় আমার কোনও সন্দেহ নেই। আপনি তদন্ত করতে চান তো বীণাপাণি অপেরায় গিয়ে করুন; আমার নিজের আর কিছু বলার নেই।'

আমরা উঠে পড়লাম। ইতিমধ্যে চা খাওয়া হয়ে গেছে সেটা বলে নিই। এর পরের স্টপ হল সুরেশ মল্লিক স্ট্রিট।

আমহার্স্ট স্ট্রিট ধরে উত্তরে যেতে গিয়ে বাঁয়ে একটা মোড় নিয়ে তার পরের ডাইনের রাস্তাটাই হল সুরেশ মল্লিক স্ট্রিট। চোদ্দ নম্বরে বীণাপাণির আপিস বার করতে কোনও অসুবিধা হল না।

এখানে বাড়িতে ঢুকেই যাকে বলে উদাত্ত কণ্ঠস্বর শুনতে পেয়ে বুঝলাম পুরোদমে মহড়া চলছে। ম্যানেজার অশ্বিনীবাবুকে বার করতে সময় লাগল না। বদমেজাজি চেহারা, টুথ ব্রাশ গোঁফ, বছর পঞ্চাশেক বয়স। বাইরের একটা ঘরে আমাদের বসতে দেওয়া হয়েছিল, ভদ্রলোক ঢুকে এসে ফেলুদার কার্ড দেখেই খাপ্পা হয়ে উঠলেন।

'এ কি বোসপুকুরের খুনের ব্যাপার নাকি?'

ফেলুদা বলল, 'আজ্ঞে হ্যাঁ। আমার উপর তদন্তের ভার পড়েছে। আপনি ইন্দ্রনারায়ণবাবুর সঙ্গে খুনের রাত্রে দেখা করেছিলেন, তাই আপনাকে দু-একটা প্রশ্ন করার ছিল।'

'পুলিশ তো এক দফা জেরা করে গেছে, আবার আপনি কেন? তা যাই হোক, আমি বলেই দিচ্ছি, আমি খুনের বিষয় কিছুই জানি না। আমি গেসলুম তাঁকে একটা অফার দিতে আমাদের তরফ থেকে। এর আগেও কয়েকবার গেছি। ওঁকে নিমরাজি করিয়ে এনেছিলাম, কারণ ভারত অপেরা ওঁকে যে টাকা দিত আমরা তার চেয়ে ঢের বেশি অফার করি। আমাদের সে জোর আছে বলেই করি। কাজেই এ অবস্থায় আমরা যেটা চেয়েছিলাম সেটা হল উনি যাতে আমাদের দলে যোগ দেন। উনি যদি মরেই যান তা হলে আমাদের লাভটা হচ্ছে কোত্থেকে?'

'অন্য দলের ক্ষতি হলে তাতেও তো আপনাদের লাভ।'

'না। ওসব ছ্যাঁচড়ামোর মধ্যে আমরা নেই। এ দল সে দল থেকে আর্টিস্ট ভাঙিয়ে নেবার চেষ্টা আমরা সব সময়ই করি, কিন্তু তাতে সফল না হলে কি আমরা সে আর্টিস্টকে প্রাণে মেরে অন্য দলের ক্ষতি করব?'

'আপনি বলছিলেন উনি নিমরাজি হয়েছিলেন। তার কোনও প্রমাণ আছে কি?'

'গোড়ায় যখন চিঠি লিখে অফার দিই, তার একটা পোস্টকার্ডের উত্তর আছে, দেখতে চান দেখাতে পারি।'

ফেলুদা বলতে ভদ্রলোক ফাইল থেকে পোস্টকার্ডটা বার করে দেখালেন। তাতে দেখলাম

ইন্দ্রনারায়ণবাবু সত্যিই বলেছেন, 'আপনাদের প্রস্তাব আমি ভেবে দেখছি। আপনি মাস খানেক বাদে অনুগ্রহ করে আরেকবার অনুসন্ধান করবেন।' অর্থাৎ ইন্দ্রনারায়ণবাবু বীণাপাণি অপেরার প্রস্তাবে পুরোপুরি না করেননি। তাঁর মনে একটা দ্বিধার ভাব এসেছিল।

ফেলুদা বলল, 'সেদিন রাত্রে যে আপনি গেলেন, তখন আপনাদের মধ্যে কোনও কথা কাটাকাটি হয়েছিল?'

'আমি ওঁকে নানান ভাবে বোঝানোর চেষ্টা করছিলাম সেটা ঠিক আর তাতে হয়তো গলা এক-আধবার চড়ে যেতে পারে। কিন্তু ইন্দ্রনারায়ণবাবু মাথাঠাণ্ডা লোক ছিলেন; সেই কারণেই তাঁর কাজটা এত ভাল হত। উনি বললেন, "ভারত অপেরার সঙ্গে এতদিনের সম্পর্ক। সেটা ভাঙা তো সহজ কথা নয়। কিন্তু তাও বলছি আপনারা পারলে আমাকে আর কিছুটা সময় দিন। একটা নতুন নাটক আমি লিখছি ভারত অপেরার জন্য। সেটা দেব বলে কথা দিয়েছি; সে কথার তো আর নড়চড় করতে পারি না। এই বছরের শেষে আমি আবার আপনাদের সঙ্গে যোগাযোগ করব"—এই হল শেষ কথা। তারপর আমি চলে আসি। তখন পৌনে এগারোটা।'...

'গোলমেলে ব্যাপার', ফেলুদা মন্তব্য করল চৌরঙ্গিতে একটা রেস্টোরেন্টে বসে কফি খেতে খেতে।

'বীণাপাণি অপেরাই যে গুণ্ডা লাগিয়ে খুন করেছে সেটা এখন আর মনে হচ্ছে না—তাই না?' বললেন লালমোহনবাবু।

'তা হচ্ছে না', বলল ফেলুদা, 'তবে প্রশ্ন হচ্ছে শত্রুবিহীন এই ব্যক্তিটির উপর কার এত আক্রোশ ছিল? ভাড়াটে গুণ্ডাই যদি মেরে থাকে তা হলে ফেলু মিত্তিরের বিশেষ কিছু করবার নেই। সেখানে পোদ্দারমশাই টেক্কা মেরে বেরিয়ে যাবেন।'

'কিন্তু অশ্বিনীবাবুর কথা শুনে—'

'অশ্বিনীবাবু যে সত্যি কথা বলছেন সেটাই বা মেনে নিই কী করে? সেদিন ওঁর কথায় যে ইন্দ্রনারায়ণ সরাসরি না করে দেননি সেটাই বা কে বলতে পারে? সাক্ষী কই?'

'আচ্ছা, বাড়ির লোক যদি খুন করে থাকে?'

'সেটার সম্ভাবনা একেবারে বাদ দেওয়া যায় না। কীর্তিনারায়ণ তাঁর ছোট ছেলেকে সবচেয়ে বেশি ভালবাসতেন। তিনি যদি তাঁর উইলে ইন্দ্রনারায়ণকে বেশি টাকা দিয়ে থাকেন, তাতে বড় ভাইদের কি মনে হতে পারে না ছোটভাইকে হটিয়ে তাদের শেয়ার কিছুটা বাড়িয়ে নেওয়া?'

'এটা আপনি মোক্ষম বলেছেন', বললেন লালমোহনবাবু।

'কিন্তু ব্যাপার কী জানেন? খুন জিনিসটা করা অত্যন্ত কঠিন। প্রচণ্ড তাগিদ না থাকলে সাধারণ মানুষের পক্ষে খুনের সাহস সঞ্চয় করা সম্ভব নয়। আগে অন্য ভাই দুটোকে একটু বাজিয়ে নিই, তারপর তেমন বুঝলে ওটা নিয়ে ভাবা যাবে।'

ফেলুদার কপালে ভ্রূকুটি তাও যাচ্ছে না দেখে জিজ্ঞেস করলাম সে কী ভাবছে। ফেলুদা বলল, 'সেকেন্ড ব্রাদার হরিনারায়ণের কথা।'

'কেন?'

'লোকটা আবার ওয়েস্টার্ন মিউজিকের ভক্ত—ক্ল্যাসিক্যাল মিউজিক। এই নিয়ে যে দুটো প্রশ্ন করব তারও জো নেই। কারণ ফেলু মিত্তির ও ব্যাপারে একেবারেই কাঁচা।'

লালমোহনবাবু বললেন, 'আমার কাছে একটা পাশ্চাত্য সংগীতের এনসাইক্লোপিডিয়া আছে—এক ভল্যুম, সাড়ে সাতশো পাতা। তাতে আপনি যা জানতে চান সব পাবেন।'

'আপনি ও বই নিয়ে কী করছেন?'

'ওটা একটা সেটের মধ্যে পড়ে গিয়েছিল—তাতে হিস্ট্রি, জিওগ্রাফি, মেডিসিন, সায়েন্স, অ্যানিম্যালস—সবই আছে। আমি নিজে উলটে পালটে দেখেছি মিউজিকের বইটা হেডন,

মোজার্ট, বিথোভেন সব বড় বড় সুরকারদের জীবনী রয়েছে।'

'আমি এসব সুরকারদের রচনা শুনিনি বটে, কিন্তু এদের নামের উচ্চারণগুলো অন্তত আমার জানা আছে, কিন্তু আপনার নেই।'

'কী রকম?'

'হাইড্‌ন, মোৎসার্ট, বেটোফেন—এই হল আসল উচ্চারণ।'

'হাইড্‌ন, মোৎসার্ট, বেটোফেন—থ্যাঙ্ক ইউ স্যার, আর ভুল হবে না।'

'এখনই দিতে পারেন বইটা?'

'আলবত! আপনার জন্য এনি টাইম।'

আমরা রেস্টোরান্ট থেকে গড়পার গিয়ে লালমোহনবাবুর বইটা তুলে নিয়ে ভদ্রলোককে বাড়িতে রেখে একটা ট্যাক্সি নিয়ে বাড়ি ফিরলাম।

বাকি দিনটা ফেলুদার সঙ্গে আর কথা বলা সম্ভব হয়নি, কারণ সে ঘর বন্ধ করে এনসাইক্লোপিডিয়া অফ ওয়েস্টার্ন মিউজিক পড়ল।

৬

শনিবার সকাল দশটায় বোসপুকুর গিয়ে প্রথমেই যার সঙ্গে কথা হল, সে হল হরিনারায়ণবাবুর মেয়ে লীনা। লীনার আজ ইস্কুল ছুটি, সে ক'দিন থেকেই শুনেছে বাড়িতে ডিটেকটিভ এসেছে। তাই উদ্‌গ্রীব হয়ে আছে। ফেলুদার ভক্ত হওয়াতে তার সঙ্গে কথা বলতে আরও সুবিধা হল।

'তোমার ছোটকাকা তোমাকে খুব ভালবাসতেন, তাই না?' ফেলুদা জিজ্ঞেস করল।

'শুধু ভালবাসতেন না', বলল লীনা, 'আমরা দুজনে বন্ধু ছিলাম। কাকার সব লেখা আগে আমাকে পড়ে শোনাতেন। আমার যদি কোনও জায়গা গোলমাল লাগত তা হলে কাকা সেটা বদলে দিতেন।'

'আর গান?'

'আমাকে প্রথম শোনাতেন।'

'তুমি নিজে গান ভালবাস?'

'আমি পিয়ানো শিখছি।'

'তার মানে তো বিলিতি বাজনা।'

'হ্যাঁ, কিন্তু আমার রবীন্দ্রসংগীতও ভাল লাগে, আর কাকার গানও ভাল লাগত। আমি নিজেও গান করি একটু একটু।'

'তোমার কাকা কোনওদিন ভারত অপেরা ছেড়ে দেবার কথা বলেছিলেন তোমাকে?'

'বীণাপাণি অপেরা কাকাকে অনেক টাকা দিতে রাজি হয়েছিল, কিন্তু আমার মনে হয় না কাকা কোনওদিন ভারত অপেরা ছাড়তেন। আমায় বলতেন, আমার শেকড় ভারত অপেরায়; শেকড় তুলে অন্য জায়গায় গেলে কি আর আমি বাঁচব?'

'কাকা একটা নতুন নাটক লিখছিলেন সেটা তুমি জান?'

'একটা কেন; সম্রাট অশোক তো শেষ হয়নি। তা ছাড়া কাকার চারটে নাটক লেখা ছিল। এছাড়া ওঁর প্রায় পনেরো-কুড়িটা খুব ভাল ভাল গান লেখা ছিল যেগুলো এখনও যাত্রায় ব্যবহার হয়নি। আর নাটকের খসড়া যেগুলো ছিল—সেও প্রায় আট-দশটা হবে—সেগুলো তো খসড়াই রয়ে গেল!'

লীনার সঙ্গে কথা বললাম প্রদ্যুম্নবাবুর ঘরে। খুব সাদাসিধে ঘর, লাইব্রেরির ঠিক পাশেই। ভদ্রলোক বললেন যে ওঁর রিসার্চের কাজ প্রায় শেষ হয়ে গেছে, এর পর কাগজপত্র সব নিয়ে

উনি বইটা লেখার জন্য শ্রীরামপুরে ওঁর বাড়িতে চলে যাবেন। ওঁর আন্দাজ এক বছর লাগবে বইটা লিখতে।

'অবিশ্যি রহস্যের সমাধান না হওয়া পর্যন্ত আপনাকে এখানে থাকতেই হবে সেটা বোধ হয় বুঝতেই পারছেন।'

'সে কথা পুলিশ আগেই বলে দিয়েছে।'

'আপনি চলে গেলে কীর্তিনারায়ণবাবুর সেক্রেটারির কী হবে?'

'সে আমি অন্য একটি ছেলেকে বদলি দিয়ে যাব। জীবনী একবার লিখতে আরম্ভ করলে অন্য কোনও দিকে মন দিতে পারব না।'

ফেলুদা ঘুরে ঘুরে ঘরটা দেখছিল, আর ঘরের দরজা দিয়ে বাইরের কী অংশ দেখা যায় সেটাও দেখছিল। দেখলাম প্রদ্যুম্নবাবুর শোবার ঘর থেকে ইন্দ্রনারায়ণবাবুর কাজের ঘরের দরজাটা দেখা যায়, কিন্তু লাইব্রেরি থেকে দুটোর একটা ঘরও দেখা যায় না। ঘরের পিছনের জানালা দিয়ে বাইরে গলি দেখা যায়—যদু নস্কর লেন। বোসপুকুর রোডটা হল বাড়ির সামনে, অর্থাৎ দক্ষিণ দিকের বাগানের পরে।

লীনা ইতিমধ্যে তার বাবা হরিনারায়ণবাবুকে আমাদের কথা বলে রেখেছে; আমরা দোতলায়

দক্ষিণ দিকের বারান্দার পাশে একটা বৈঠকখানায় গিয়ে হাজির হলাম। বেশ সুন্দর সাজানো ঘর, তাতে কিছু দামি পুরনো জিনিসও রয়েছে বলে মনে হল। যে সব জিনিস মানুষ কিউরিওর দোকান থেকে কেনে। ঘরের এক পাশে একটা বড় তাকে হাই-ফাই যন্ত্র রেকর্ড আর ক্যাসেট চালনার জন্য, আর তাকের উপরে দুদিকে দুটো স্টিরিও স্পিকার।

হরিনারায়ণবাবুকে দেখেই লীনার বাবা বলে বোঝা যায়। বেশ সুপুরুষ চেহারা, রং এ বাড়ির আর সকলের মতোই ফরসা, খালি শরীরে মাংসটা একটু বেশি।

ভদ্রলোক ফেলুদা আর লালমোহনবাবুকে বললেন, 'আপনাদের দুজনের নামই শোনা বলে মনে হচ্ছে। এখন বলুন কীভাবে আপনাদের সাহায্য করতে পারি।'

ফেলুদা প্রথমেই কাজের কথায় গেল না। বলল, 'আপনার তো দেখছি বিরাট গান-বাজনার কালেকশন।'

'হ্যাঁ, তা বিশ বছর হল শুনছি ওয়েস্টার্ন মিউজিক। ওটাতেই কান বসে গেছে, দিশি আর ভাল লাগে না।'

'আপনার কোনও ফেভারিট কম্পোজার আছে নাকি?'

'চাইকোভস্কি খুব ভাল লাগে; সুমান, ব্রাম্‌স, শোপ্যাঁ।'

'অর্থাৎ রোম্যান্টিক যুগটাই আপনার বেশি প্রিয়?'

'হ্যাঁ।'

'আপনার ছোট ভাই বেহালা বাজালেও বিলিতি সংগীতের দিকে ঝোঁকেননি বোধহয়।'

'না। ওর ব্যাপারটা ছিল একেবারে উলটো। শুনেছি ওর নাকি ট্যালেন্ট ছিল, কিন্তু যাত্রা দেখার কোনও তাগিদ কোনওদিন অনুভব করিনি। আমার স্ত্রী আর মেয়ে গেছে কয়েকবার।'

'ইন্দ্রনারায়ণের মৃত্যু সম্বন্ধে আপনার নিজের কোনও থিওরি আছে?'

'ব্যাপার কী জানেন, ও যে ক্লাসের লোকেদের সঙ্গে মেলামেশা করত তাদের তো আর ঠিক ভদ্রলোক বলা চলে না। যাত্রার পরিবেশটাই খারাপ। কোথায় কার সঙ্গে কী গোলমাল পাকিয়ে রেখেছিল কে জানে? তারই একজন এসে বদলা নিয়েছে—এ ছাড়া আর কী? জিনিসপত্র যখন কিছুই চুরি যায়নি তখন আর কী কারণ থাকতে পারে তা তো আমি জানি না। ওর সঙ্গই ওর কাল হয়েছিল। আপনি এনকোয়ারি করতে চাইলে ওই যাত্রা পার্টিগুলোতে গিয়েই করুন। এখানে বিশেষ সুবিধে করতে পারবেন না।'

'পুলিশে খবর কি আপনার দাদা দেন?'

'আমি, দাদা দুজনেই দিই। বাড়িতে খুন হলে সেটাই তো স্বাভাবিক। চট্ করে কেউ প্রাইভেট ডিটেকটিভ ডাকে কি? বাবার তাই ইচ্ছা ছিল, কিন্তু বাবা চিরকালই ছিটগ্রস্ত। কী করে যে ব্যারিস্টারি করেছেন এতদিন তা জানি না!'

'আপনার বাবা বোধহয় আপনার ছোট ভাইকে খুব ভালবাসতেন!'

'সেটাও ওই ছিটেরই উদাহরণ। বাবা গতানুগতিকতা পছন্দ করেন না। এই ব্যাপারে বাবার সঙ্গে আমাদের পূর্বপুরুষ কন্দর্পনারায়ণের মিল আছে।'

ফেলুদা উঠে পড়ল। আমিও বুঝতে পারছিলাম যে এই ভদ্রলোকের সঙ্গে আর কথা বলে কোনও ফল হবে না।

বড় ভাই দেবনারায়ণ ছিলেন বাড়ির পশ্চিম দিকের বারান্দায়, বেতের চেয়ারে বসে। সামনে বেতের টেবিল, তার উপর কোল্ড বিয়ার রাখা। আমাদের অভিবাদন জানিয়ে ভদ্রলোক বিয়ার অফার করলেন, আমরা স্বভাবতই মাথা নেড়ে না জানালাম।

'প্রাইভেট ডিটেকটিভ এমপ্লয় করা বুঝি বাবার প্ল্যান?'

ফেলুদা হেসে বলল, 'বোধহয় তাই, কারণ আর কারুরই শখের গোয়েন্দার উপর আস্থা

নেই।'

'এ জিনিস উপন্যাসে চলে, রিয়েল লাইফে চলে না।'

ভদ্রলোক কথাগুলো বলছেন একেবারে শুকনো মুখে। সত্যি বলতে কী, এত গম্ভীর লোক কমই দেখেছি।

দেবনারায়ণবাবু বললেন, 'আমার ভাইয়ের সম্বন্ধে জিজ্ঞেস করবেন তো? সেটা অনুমান করেই বলছি, ইন্দ্রনারায়ণ ছিল আমাদের পরিবারের কলঙ্ক। আমাকে ক্লাবে অনেক সময়ই লোকে তার কথা জিজ্ঞেস করেছে; তার যাত্রা কেমন চলছে, গান পপুলার হচ্ছে কিনা, সে বেহালা কেমন বাজায়—ইত্যাদি। আমি মাথা হেঁট না করে কোনও কথার জবাব দিতে পারিনি। আমাদের আপন ভাইয়ের এই দশা হবে এ আমি স্বপ্নেও ভাবতে পারিনি। তার মৃত্যুর জন্যেও সে নিজেই দায়ী। তার উপর আমার কোনও সহানুভূতি নেই। আর আপনিও যে তদন্তের ভার নিয়েছেন, আপনার ওপরেও আমার কোনও সিমপ্যাথি নেই। ওকে খুন করেছে যাত্রা দলের গুণ্ডা। দে আর অল পোটেনশিয়াল ক্রিমিন্যালস। আপনি কাকে ছেড়ে কাকে ধরবেন?'

দেবনারায়ণবাবুর সঙ্গে কথাও এইখানেই শেষ হয়ে গেল।

নীচে আসার সময় ফেলুদা প্রদ্যুম্নবাবুকে বলল, 'একটা জিনিস দেখার বড় কৌতূহল হচ্ছে আমার; কন্দর্পনারায়ণের বিলেতের ডায়রি। ক'টা খণ্ড আছে সবসুদ্ধ?'

'দুটো। উনি বিলেতে ছিলেন এক বছরের কিছু বেশি।'

'ওটা দিন-তিনেকের জন্য ধার পাওয়া যাবে?'

'নিশ্চয়ই।'

ফেলুদা তার থলিতে বই দুটো নিয়ে নিল, আমরা আবার বাড়িমুখো রওনা দিলাম।

৭

'কীরকম মনে হচ্ছে বলুন তো?' লালমোহনবাবু প্রশ্ন করলেন একমুঠো ডালমুট মুখে পুরে।

আমরা বোসপুকুর থেকে ফিরেছি মিনিট পনেরো হল, শ্রীনাথ সবেমাত্র চা-ডালমুট দিয়ে গেছে।

ফেলুদা একটা চারমিনার ধরিয়ে বলল, 'শুধু অপেরা-অপেরায় খাওয়া-খাওয়ি হলে ব্যাপারটা অনেক সহজ হত। কিন্তু এখানে তা হচ্ছে না। বাড়ির লোকদের একেবারে বাদ দেওয়া যাচ্ছে না। অবিশ্যি দুভাইয়ের মেজাজ ছাড়া এখনও তাদের বিষয় আর বিশেষ কিছু জানা যায়নি। দুজনের মধ্যে কারুর যদি টাকার টানাটানি দেখা দিয়ে থাকে, তা হলে ছোট ভাই যাতে বাপের টাকা না পায় সেদিকে সে দৃষ্টি দিতে পারে। কীর্তিনারায়ণ যদি তাঁর ছোট ছেলেকে বেশি টাকা দিয়ে থাকেন তা হলে তো তাঁকে সে উইল চেঞ্জ করতে হবে। তার ফলে অবশিষ্ট দুভাইয়ের ভাগে নিশ্চয়ই বেশি করে পড়বে।'

'আমার কিন্তু মশাই দেবনারায়ণকে ভাল লাগল না। ওরকম একটা কাঠখোট্টা লোক সচরাচর দেখা যায় না।'

'বাড়িতে দেখে এদের পুরোপুরি বিচার করা যাবে না। আমার জানার ইচ্ছে সন্ধেবেলা ওঁরা ক্লাবে গিয়ে কী করেন।'

'সেটা জানছেন কী করে?'

'দুই ক্লাবেই আমার চেনা লোক মেম্বর আছে', বলল ফেলুদা। 'দুজনেই আমার সহপাঠী ছিল। বেঙ্গল ক্লাবে অনিমেষ সোম, আর স্যাটার্ডে ক্লাবে ভাস্কর দেব। দুজনেই বড় চাকুরে। তাদের জিজ্ঞেস করলেই বলে দেবে।'

'এই ক্লাবগুলির খালি নামই শুনেছি; ভেতরে যে কী বস্তু জানিও না।''

'আপনার ফুর্তি হবার মতো তেমন কিছুই নেই। আপনি মদ্য পান করেন না, তাস খেলেন না, বিলিয়ার্ড খেলেন না—আপনি ক্লাবে গিয়ে কী করবেন?'

'তা বটে।'

ফেলুদা আর সময় নষ্ট করল না। প্রথমে বেঙ্গল ক্লাবের মেম্বর অনিমেষ সোমকে ফোন করল। অবিশ্যি সাতবার ডায়াল করার পর নম্বর পাওয়া গেল। একতরফা কথা শুনে পুরো ব্যাপারটা আঁচ করতে পারলাম না; তাই ফেলুদা খুলে বলে দিল।

'দেবনারায়ণবাবু ক্লাবে যান নিয়মিত এবং অধিকাংশ সময় মদ খেয়ে চুর হয়ে থাকেন। খেলাধুলার মধ্যে নেই, লোকজনের সঙ্গে আড্ডা প্রায় মারেন না বললেই চলে, লন্ডনের খবরের কাগজ নিয়মিত পড়েন। আরেকটা ব্যাপার, ভদ্রলোকের আপিসে গণ্ডগোল যাচ্ছে, স্ট্রাইক হবার সম্ভাবনা আছে।'

এরপর ফেলুদা ভাস্কর দেবকে ফোন করে একবারে পেয়ে গেল। এখানে শুধু ফেলুদার দিকটা শুনেই মোটামুটি পুরো ব্যাপারটা আঁচ করে নিলাম।

'কে, ভাস্কর কথা বলছিস? আমি ফেলু, প্রদোষ মিত্তির।'

'—'

'তুই তো স্যাটারডে ক্লাবের মেম্বর, তাই না?'

'—'

'তোদের একজন মেম্বর সম্বন্ধে একটু ইনফরমেশন দরকার ছিল। হরিনারায়ণ আচার্য।'

'—'

'হ্যাঁ হ্যাঁ, যার ভাই খুন হয়েছে। এ লোকটা মানুষ কেমন? তোর সঙ্গে আলাপ আছে নিশ্চয়ই?'

'—'

'ও বাবা, জুয়াড়ি? হেভি স্টেকসে পোকার খেলে? তার মানে গ্রেট গ্র্যান্ড ফাদারের বাতিকটা পেয়েছে আর কী?'

'—'

'তুইও খেলেছিস ওর সঙ্গে?'

'—'

'দেনা বেড়ে যাচ্ছে তাও খেলা থামায়নি? তার মানে তো খুবই নেশা বলতে হবে!'

'—'

'এনিওয়ে, অনেক ধন্যবাদ ভাই। আমার উপর আবার তদন্তের ভার পড়েছে, তাই এদিক সেদিক থেকে তথ্য সংগ্রহ করছি। ঠিক আছে—আসি!'

ফেলুদা ফোন রেখে বলল, 'বোঝো! লোকটা খুন করবে কী; বরং তহবিল তছরুপ করলে বুঝতে পারতাম। দেদার দেনা হয়ে গেছে তাসের জুয়াতে, অথচ দেখে বোঝবার কোনও উপায় নেই!'

লালমোহনবাবু হঠাৎ ভীষণ একসাইটেড হয়ে পড়লেন।

'ও মশাই—এ যে সাংঘাতিক ব্যাপার! বাপ না মরলে তো আর উইল থেকে কোনও টাকা আসছে না। টাকার যদি দরকারই হয় ছেলের তা হলে তো এবার কীর্তিনারায়ণের খুন হওয়া উচিত!'

'আপনার গোয়েন্দাগিরিতে মাথা খুলে যাচ্ছে, লালমোহনবাবু। আপনি খুব ভুল বলেননি।'

'তা হলে তো এ-ব্যাপারে সতর্কতা অবলম্বন করতে হয়।'

'শুনুন।' ফেলুদা চায়ের কাপটা নামিয়ে চেয়ারে একটু এগিয়ে বসে বলল, 'আপনাকে আগেও বলেছি, খুন জিনিসটা অত সহজ নয়। ও বাড়িতে পুলিশ মোতায়েন আছে। একটা খুন ইতিমধ্যে হয়ে গেছে। ছোট ভাই যে বাবার প্রিয় ছিল একথাও অজানা নেই। সেখানে ছোট ভাই খুন হবার পর যদি বাবাও খুন হন, তাতে দু-ভাইয়ের উপর যে পরিমাণ সন্দেহ বর্তাবে, তাতে তারা কোনওমতেই পার পাবে না। এক তো পুলিশ, তার উপর ফেলু মিত্তির। তাদের নিজেদের কি প্রাণের ভয় নেই? উইলের জন্য যদি ইন্দ্রনারায়ণকে খুনও করা হয়ে থাকে, বাপকে মারার কোনও তাড়া নেই, কারণ ভদ্রলোকের উনআশি বছর বয়স, ডায়াবেটিসের রুগি, একটা স্ট্রোক ইতিমধ্যে হয়ে গেছে। ওঁর আর কদিন? তবে হ্যাঁ—হরিনারায়ণের সম্বন্ধে তথ্যটা জরুরি তথ্য। বাড়িতে মানুষটাকে চেনা যায়নি। আমি জানতাম যারা গান-বাজনার ভক্ত তারা সাধারণত কোমল প্রবৃত্তির লোক হয়। এ দেখছি একেবারে অদ্ভুত কম্বিনেশন।'

'ওই পুরো ফ্যামিলিটাই তো তাই মশাই!'

কথাটা বলে সামনে পড়ে থাকা শনিবারের স্টেটস্‌ম্যানটা হাতে তুলে নিলেন লালমোহনবাবু। ফেলুদাও চোখ ঘুরিয়েছিল কাগজটার দিকে, হঠাৎ কী জানি দেখে সে কাগজটা লালমোহনবাবুর হাত থেকে ছিনিয়ে নিল। তারপর মিনিট খানেক ধরে পিছনের পাতায় চোখ বুলাল। তারপর কাগজটা হাত থেকে নামিয়ে রেখে বলল, 'আই সি।'

মিনিট খানেক পর আবার বলল, 'বুঝলাম।'

তারপর আরও আধ মিনিট পরে বলল, 'এই ব্যাপার!'

লালমোহনবাবু আর থাকতে না পেরে বললেন, 'কী বুঝলেন মশাই?'

তাতে ফেলুদা বলল, 'বুঝলাম গোয়েন্দা হলেও আমার জ্ঞান কত সীমিত। বুঝলাম এখনও আমার অনেক কিছু শেখার আছে।'

ফেলুদা যখন রহস্য করতে চায় তখন তার জাল ভেদ করে এমন সাধ্য কারুর নেই। কাজেই ও যখন মিনিট খানেক পরে বলল, 'আজ একটা নতুন অভিজ্ঞতা হবে', তখন বুঝলাম এটাও

রহস্যেরই একটা অঙ্গ।

'কী ব্যাপার?' লালমোহনবাবু যথারীতি জিজ্ঞেস করলেন।

'আজ আমরা তিনজনেই রেসের মাঠে যাচ্ছি।'

'সে কী? রেসের মাঠে? কেন মশাই?'

'এটা আমার অনেকদিনের একটা শখ। আজ বিকেলটা আমরা ফ্রি আছি। কলকাতায় এমন একটা আশ্চর্য ঘটনা ঘটে চলেছে প্রতি শনিবার সেই কত কাল থেকে, কিন্তু আমরা তার ধারে-পাশেও যাব না এটা মোটেই ঠিক নয়। অন্তত একবারের জন্য সব রকম অভিজ্ঞতা হয়ে থাকা ভাল।'

'এ কথাটা আমারও অনেকদিন মনে হয়েছে মশাই', চাপা উত্তেজনার সঙ্গে বললেন লালমোহনবাবু। 'আসলে ব্যাপারটা কী জানেন, চেনা কেউ যদি দেখে ফেলে জুয়াড়ি ভাবে, এইখানেই আমাদের সঙ্কোচ।'

'এবারে সেটার কোনও সম্ভাবনা নেই।'

'কেন?'

'কারণ আমরা তিনজনেই যাব ছদ্মবেশে।'

লালমোহনবাবু লাফিয়ে উঠলেন।

'ওঃ, দুর্দান্ত ব্যাপার মশাই! আমাকে একটা ফ্রেঞ্চকাট দাড়ি দিতে পারবেন?'

'আমি মনে মনে তাই ভাবছিলাম।'

'গ্রেট!'

মেক-আপে ফেলুদার জুড়ি নেই সেটা আগেও বলেছি, কিন্তু এতদিন শুধু ওর নিজের মেক-আপই দেখেছি, এবার ও আমাকে আর লালমোহনবাবুকে যেভাবে মেক-আপ করল তাতে আয়নায় নিজের চেহারা দেখে নিজেরাই হকচকিয়ে গেলাম। লালমোহনবাবুকে ফ্রেঞ্চ-কাট দাড়ি আর ঢেউ খেলানো চুল, আর আমার গোঁফ দাড়ি আর পার্ক স্ট্রিট-মার্কা ঝাঁকড়া চুলের কোনও তুলনা নেই।

ফেলুদা নিজে একটা চাড়া দেওয়া মিলিটারি গোঁফ লাগিয়েছে, আর একটা পরচুলা পরেছে যাতে মনে হয় চুলটা ছোট করে ছাঁটা। এই সামান্য ব্যাপারেই ওর চেহারায় আকাশ পাতাল তফাত হয়ে গেছে।

রেসের মাঠে যে কোনওদিন যাব সেটা ভাবতে পারিনি। রাস্তার ভিখিরি থেকে রাজা মহারাজা অবধি সবাই যদি কোথাও একই উদ্দেশ্য নিয়ে একই জায়গায় জমায়েত হয় তো সেটা হল রেসের মাঠ। এমন দৃশ্য কলকাতা শহরে আর কোথাও দেখা যায় না, কোথাও দেখার সম্ভাবনাও নেই। একমাত্র রেসের মাঠেই মুড়ি মিছরি এক দর।

ঘোড় দৌড় এখনও শুরু হয়নি, আমরা এদিক সেদিক ঘুরে বেড়াচ্ছি। এক জায়গায় একটা বেড়ায় ঘেরা মাঠের মধ্যে যে সব ঘোড়া রেসে দৌড়বে তাদের ঘুরিয়ে দেখানো হচ্ছে। ফেলুদা বলল জায়গাটাকে বলে প্যাডক। আরেকটা জায়গা—যেখানে একটা একতলা বাড়ির গায়ে সার সার জানালা, সেখানে বেটিং প্লেস করা হচ্ছে। সকলের মতো আমরাও একটা করে রেসের বই কিনে নিয়েছি। অভিনয় ভাল হবে বলে লালমোহনবাবু সেটা ভয়ংকর মনোযোগের সঙ্গে পাতা উলটে দেখছেন।

আমরা ছিলাম সব সুদ্ধ আধ ঘণ্টা। প্রথম রেসটা দেখলাম, লোকদের মরিয়া হয়ে ঘোড়ার নাম ধরে চিৎকার করা শুনলাম, তারপর ফেলুদা হঠাৎ এক সময় বলল, 'যে প্রয়োজনে আসা সেটা যখন মিটে গেছে তখন আর বৃথা মেক-আপের বোঝা বয়ে কী লাভ?'

কী প্রয়োজনের কথা বলছে জানি না, জিজ্ঞেস করলেও উত্তর পাব এমন ভরসা নেই, তাই

আমরা তিনজন বাইরে বেরিয়ে এসে লালমোহনবাবুর গাড়ি খুঁজে বার করে তাতে চেপে বসলাম।

৮

রবিবার সকালে দারোগা মণিলাল পোদ্দারের ফোন এল। বললেন, 'কিছু এগোলেন?' ফেলুদা বলল, 'আগে মানুষগুলোকে চেনার চেষ্টা করছি, নইলে এগোতে পারব না। বেশ জটিল কেস বলে মনে হচ্ছে।'

মণিলালবাবুর কথা থেকে জানা গেল যে আরেকবার আচার্য বাড়িতে ডাকাত পড়লে উনি

আশ্চর্য হবেন না। প্রথমবার তো খুনই করেছে, কোনও জিনিস তো নেয়নি; ওঁর ধারণা যাত্রার যে দলটা খুন করিয়েছে তারা ইন্দ্রনারায়ণবাবুর অন্য নাটক আর গানগুলোও হাতাবার চেষ্টা করবে। বোসপুকুরের কাছেই একটা গলি আছে, রাম পরামানিক লেন, সেটা নাকি নটোরিয়াস গুণ্ডাদের আড্ডা। তা ছাড়া এটাও মণিলালবাবু সন্দেহ করছেন যে আচার্য বাড়ির বেয়ারা সন্তোষের সঙ্গে হয়তো এই গুণ্ডাদলের যোগসাজশ আছে।

ফেলুদা প্রশ্ন করল, 'আপনারা কি বাড়ির পিছনের যদু নস্করের গলিতে পুলিশ পাহারা রাখছেন?'

'তা রাখা হচ্ছে বইকী,' বললেন পোদ্দারমশাই।

'তেমন দরকার হলে একবার অন্তত একরাতের জন্য তুলে নেওয়া যেতে পারে কি?'

'আপনি কি গুণ্ডাদের প্রলোভন দেখাতে চান?'

'ঠিক তাই।'

'তা বেশ। আপনার প্রয়োজন হলে বলবেন, আমরা পাহারা সরিয়ে নেব।'

পোদ্দার মশাই-এর ফোনটা এসেছিল সাড়ে সাতটার সময়। তার পনেরো মিনিট পরেই ফোন করলেন প্রদ্যুম্নবাবু, বললেন আধ ঘণ্টা থেকে নাকি চেষ্টা করছেন। ব্যাপার গুরুতর। গতকাল রাত্রে বারোটার সময় নাকি চোর এসেছিল আচার্যবাড়িতে। ইন্দ্রনারায়ণবাবুর ঘরে ঢুকেছিল নিশ্চয়ই কোনও চাকরের সাহায্যে, কারণ পিছনের গলিতে পুলিশ পাহারা আছে। একটা শব্দ পেয়ে প্রদ্যুম্নবাবু নাকি তাঁর কাজের ঘর থেকে বেরিয়ে আসেন বারান্দায়। তাতে চোরটা পালায়। প্রদ্যুম্নবাবু দৌড়ে গিয়ে লোকটাকে ধরবার চেষ্টা করেছিলেন, কিন্তু সে ধাক্কা দিয়ে প্রদ্যুম্নবাবুকে মাটিতে ফেলে দেয়। ফলে ভদ্রলোকের হাঁটুতে চোট লেগেছে, উনি নাকি খুঁড়িয়ে হাঁটছেন।

ফোন রাখার পর ফেলুদা বলল, 'এখন সত্যিই মনে হচ্ছে ওঁর কাগজপত্র সরাবার উদ্দেশ্যেই ইন্দ্রনারায়ণবাবুকে খুন করা হয়েছিল। যে লেখকের নাটক আর গানের এত চাহিদা, সে পাঁচ-পাঁচ খানা নাটক আর পনের-বিশ খানা গান লিখে রেখে যাবে, আর তার উপরে চোখ পড়বে না অন্য যাত্রা দলের? অবিশ্যি নিয়মমতো এই সব গান আর নাটক ভারত অপেরারই প্রাপ্য। তারা যাতে না পায় সেইজন্যেই এগুলো হাতাবার এত উদ্যোগ।'

আমি বললাম, 'অন্য যাত্রার দল যদি ইন্দ্রনারায়ণের এই সব গান আর নাটকের কথা জেনে থাকে, তা হলে সে কথা নিশ্চয়ই ইন্দ্রনারায়ণ নিজেই বলেছেন। তার মানে তিনি ভারত অপেরার প্রতি যতটা লয়েল ছিলেন ভাবছিলাম, আসলে হয়তো ততটা ছিলেন না। সত্যিই হয়তো তিনি অন্য দলে যাবার কথা ভাবছিলেন।'

'কিন্তু তা হলে খুনটা করল কে এবং কেন?'

'হয়তো বীণাপাণি অপেরাকে ইন্দ্রনারায়ণ কথা দিয়েছিলেন, তাই আরেকটা দল সে পথ বন্ধ করেছে।'

ফেলুদা গম্ভীরভাবে মাথা নেড়ে আমার কথায় সায় দিল। সত্যি, এখনও পর্যন্ত রহস্যের কোনওই কিনারা হল না।

ফেলুদা তার বিখ্যাত সবুজ খাতা খুলে কী যেন লিখতে শুরু করল। আজ সকাল থেকেই তাকে ভীষণ সিরিয়াস দেখছি। কী যেন একটা নতুন চিন্তা তার মাথায় এসেছে সেটা বুঝতে পারছি না।

নটার সময় যথারীতি লালমোহনবাবু এসে হাজির হলেন। ফেলুদা বলল, 'আপনার মিউজিক এনসাইক্লোপিডিয়াটা আরও দু-চার দিন রাখছি।'

'দু-চার দিন কেন, দু-চার মাস রাখলেও কোনও আপত্তি নেই।'

'অনেক কিছু নতুন জ্ঞান অর্জন করছি বইটা থেকে। মেলডি, হারমনি, পলিফনি, কাউন্টার-পয়েন্ট—অনেক কিছু জানা গেল। মিউজিকের ইতিহাসেও দেখছি রহস্য রয়েছে—পৃথিবীর অন্যতম শ্রেষ্ঠ কম্পোজার মোৎসার্টকে নাকি আরেক কম্পোজার সালিয়েরি বিষ খাইয়ে হত্যা করেন। অথচ এই ক্রাইমের কোনও কিনারা হয়নি।'

'সে তো বুঝলাম, কিন্তু আজ আমাদের প্ল্যানটা কী?'

'আচার্য বাড়িতে নাকি কাল আবার ডাকাত পড়েছিল, কিন্তু প্রদ্যুম্নবাবুর তৎপরতার জন্য সে কিছু করতে পারেনি। আমার বিশ্বাস রাত্তিরে ও বাড়িটাকে একটু চোখে চোখে রাখা ভাল।'

'রাত্তিরে?'

'হ্যাঁ। এই ধরুন সাড়ে এগারোটা থেকে শুরু করে একটা দেড়টা পর্যন্ত।'

'সেটা কী করে সম্ভব হচ্ছে?'

'বাড়ির উত্তর গা ঘেঁষে গলি গেছে। উত্তর দিকেই পিছনের দরজা। ধরুন যদি সেই গলির ফুটপাথে বসে থাকা যায় বাড়ির দিকে চোখ রেখে।'

'ফুটপাথে বসে থাকা? তিনজন ভদ্রলোক ফুটপাথে বসে থাকবেন আর রাস্তার লোক সন্দেহ করবে না?'

'তা করবে না যদি তাদের আর ভদ্দরলোক বলে না মনে হয়।'

ফেলুদার প্ল্যানটা শুনে মাথা ঘুরে গেল। বোঝাই যাচ্ছে ও আবার ছদ্মবেশের কথা বলছে। কিন্তু কী ছদ্মবেশ? উত্তরটা ফেলুদাই দিল।

'আপনি কি তাস একেবারেই খেলেননি?' লালমোহনবাবুকে জিজ্ঞেস করল ফেলুদা।

'স্ক্রু খেলতুম এক কালে, আর গোলাম চোর...।'

'যাই হোক, তাস চেনেন তো গোলাম দেখলে সাহেব বলে ভুল হবে না তো, আর চিড়িতন দেখলে ইস্কাপন?'

'পাগল!'

'তা হলে তিনজন প্লাস হরিপদবাবু মিলে টোয়েন্টি-নাইন খেলব। উৎকলবাসী চারজন চাকর হয়ে যাব আমরা। মেক-আপের ভার অবিশ্যি আমার উপর। নেহাতই কথা বলার দরকার হলে বলা হবে, আর তখন অকারান্ত শব্দ হসন্ত দিয়ে শেষ করা চলবে না। অর্থাৎ তাস হবে 'তাসঅ', সাহেব হবে 'সাহেবঅ'। বুঝেছেন?'

'বুঝেছি মিস্টারঅ মিত্তিরঅ।'

লালমোহনবাবুর চোখে একটা ভাসা ভাসা চাহনি দেখে বুঝতে পারলাম তিনি বেশ একটা অ্যাডভেঞ্চারের গন্ধ পাচ্ছেন। আমি অবাক ভাবটা এখনও কাটিয়ে উঠতে পারিনি, তবে এটা বুঝেছি যে তদন্তটা বেশ জমে উঠেছে।

লালমোহনবাবু বারোটা নাগাত যাবার সময় বলে গেলেন আবার সন্ধ্যা সাতটায় আসবেন, আমাদের বাড়িতেই খাবেন। তারপর আমরা এখান থেকেই মেক-আপ নিয়ে এগারোটা নাগাত চলে যাব যদু নস্কর লেনে। গলিটা দেখে নিরিবিলি বলেই মনে হয়েছে, একটা ল্যাম্প পোস্ট দেখে তার নীচে চাদর বিছিয়ে বসে খেললেই চলবে। হরিপদবাবু তাঁর বাড়ি থেকে এক প্যাকেট পুরনো তাস এনে দেবেন বলেছেন। খেলাটা সন্ধ্যাবেলাই লালমোহনবাবুকে মোটামুটি শিখিয়ে নেওয়া হবে।

ফেলুদার উত্তেজনা থাকলেও বোঝার উপায় নেই; সে সারাদিন মিউজিক এনসাইক্লোপিডিয়া পড়েছে। আর আমি পত্রিকার পাতা উলটেছি।

এই মেক-আপটা সহজ ছিল, তাই আমরা অনায়াসেই সাড়ে দশটার মধ্যে তৈরি হয়ে নিলাম। ধুতিগুলোকে চায়ের জলে ভিজিয়ে একটু ময়লা করে নিয়েছিলাম, চাদর আর তাস—দুটোই

মোক্ষম এনেছিলেন হরিপদবাবু। লালমোহনবাবুকে টোয়েন্টি-নাইন শিখিয়ে দুহাত খেলে নেওয়া হয়েছে, ভদ্রলোক খালি মনে মনে বিড়বিড় করে চলেছেন—গোলাম নহলা টেক্কা দশ সাহেব বিবি আট সাত।

গাড়িটাকে বড় রাস্তায় অন্ধকারে একটা জায়গায় পার্ক করে আমরা চারজন চাদর বগলে নিয়ে যদু নস্করের লেনে গিয়ে হাজির হলাম। অন্যদিন এ রাস্তায় পুলিশ থাকে, আজ ফেলুদার অনুরোধে নেই। রাস্তার এক পাশে একটা বিরাট জায়গা জুড়ে দাঁড়িয়ে আছে আচার্যদের বাড়ি। উত্তর দিকের ঘরগুলোর পিছন দিকটা রাস্তার উপর পড়েছে, তার মধ্যে বাঁ দিকে, অর্থাৎ উত্তর-পূর্ব কোণে, প্রথম হল লাইব্রেরি, আর তার পরেই হল প্রদ্যুম্নবাবুর শোবার ঘর। ঘরের সারির শেষে হল বাড়ির পিছনের দরজা, সেটা এখন বন্ধ। লাইব্রেরি আর প্রদ্যুম্নবাবুর ঘর দুটোতেই বাতি জ্বলছে, তবে ভদ্রলোক যে কোন ঘরে রয়েছেন সেটা রাস্তা থেকে বোঝার কোনও উপায় নেই।

আমরা চারজনে ল্যাম্প পোস্টের তলায় চাদর পেতে বসে গেলাম। ফেলুদা তার গায়ের চাদরের তলা থেকে একটা পানের ডিবে বার করে তার থেকে চারজনকে চারটে পান দিয়ে লালমোহনবাবুকে বলল, 'গালে গুজে রেখে দিন; আর বার বার পিক ফেলবেন না।'

আচার্য বাড়ি থেকে বোধহয় গ্র্যান্ডফাদার ক্লকে এগারোটা বাজতে শোনা গেল।

'উনিশঅ।'

লালমোহনবাবু ফেলুদার পার্টনার হয়েছেন, এখন ডাকাডাকি চলছে। ফেলুদা সঙ্গে এক প্যাকেট বিড়ি এনেছে। তার থেকে একটা হরিপদবাবুকে দিয়ে নিজে একটা ধরিয়ে নিল। বিশ ফুটের বেশি চওড়া গলি নয়, আর তাতে লোক চলাচল প্রায় নেই বললেই চলে! ওপাশে কিছু দূরে একটা রিকশা দাঁড় করানো রয়েছে, তার চালকটা ঘুমিয়ে কাদা। আজ বোধ হয় অমাবস্যা, কারণ আকাশে মেঘ না থাকলেও বেশ ঘুটঘুটে। মাথার উপর কালপুরুষ দেখা যাচ্ছে।

'তুরুপঅ মারুচি কাঁই?'

লালমোহনবাবু উড়িয়া ভাষা বলতে চেষ্টা করে একটু বাড়াবাড়ি করছেন, তাই ফেলুদা একটা 'উঁঃ' শব্দ করে ওঁকে সতর্ক করে দিল। আশ্চর্য এই যে যদিও আমাদের প্রধান উদ্দেশ্য সময় কাটানো, টোয়েন্টি-নাইন খেলাটা এমনই যে এরই মধ্যে বেশ জমে উঠেছে। সময় কোথা দিয়ে চলে যাচ্ছে টেরই পাচ্ছি না। আচার্য বাড়িতে একটা ঢং শব্দ পেয়ে সাড়ে এগারোটা বেজেছে বুঝে বেশ অবাক লাগল। ইতিমধ্যে লালমোহনবাবু একবার একটা বিড়ি ধরাবার চেষ্টা করে বিশেষ জুৎ করতে না পেরে সেটা আবার ফেলে দিয়েছেন।

একটা কুকুরের ডাকে আরেকটা সাড়া দিয়েছে এমন সময় ফেলুদা হঠাৎ আমার হাঁটুতে একটা হাত রাখল।

একটা লোক আসছে গলির পশ্চিম দিক থেকে। পরনে ধুতি পাঞ্জাবি, তার উপর একটা ছেয়ে রঙের চাদর জড়ানো। চাদর আমাদের গায়েও আছে, কারণ অক্টোবর মাসের রাত্তিরে বেশ চিনচিনে ঠাণ্ডা।

লোকটা আমাদের ছাড়িয়ে চলে গেল অন্য ফুটপাথ দিয়ে। সে হাঁটছে আচার্য বাড়ির গা ঘেঁষে।

এবার সে দরজার কাছাকাছি পৌঁছে হাঁটার গতি কমাল।

তারপর দরজার সামনে এসে থামল।

ঠক্ ঠক্ ঠক্...

তিনটে মৃদু টোকা দরজার উপর। কান পেতেছিলাম বলে শব্দটা শুনতে পেলাম। দরজা খুলে গেল। অল্প ফাঁক, ঠিক যাতে একটা মানুষ ঢুকতে পারে। মানুষটা ঢুকে গেল। যে ঢুকল তাকে

আমরা তিনজনেই চিনি।

ইনি হলেন বীণাপাণি অপেরার ম্যানেজার অশ্বিনী ভড়।

ঘড়িতে ঢং ঢং করে বারোটা বাজল।

অর্থাৎ অশ্বিনীবাবু ঢোকার পর পনেরো মিনিট হয়ে গেছে।

এবার ভদ্রলোক বেরোলেন। তাঁর সঙ্গে যদি কিছু থেকে থাকে তো সেটা বোঝার কোনও উপায় নেই, কারণ হাত দুটো চাদরের নীচে।

ভদ্রলোক যেদিক দিয়ে এসেছিলেন সেদিক দিয়েই আবার চলে গেলেন।

আমাদের পাহারা সার্থক এবং শেষ। 'এই দানটা খেলে উঠব', ফেলুদা ফিস ফিস করে বলল।

৯

পরদিন সকালে ফেলুদা বোসপুকুরে ফোন করল প্রদ্যুম্নবাবুকে। আমি বসবার ঘরে মেন টেলিফোনে কান লাগিয়ে কথা শুনলাম।

'কে, মিস্টার মল্লিক?'

'হ্যাঁ, কী খবর?'

'কাল রাত্রে কিছু হয়নি তো?'

'কই, না তো।'

'এক কাজ করুন; আমি ফোনটা ধরছি, আপনি একবার ইন্দ্রনারায়ণবাবুর কাজের ঘরে গিয়ে দেখে আসুন তো সব ঠিক আছে কিনা।'

আধ মিনিটের বেশি ধরতে হল না। এবারে প্রদ্যুম্নবাবুর গলার স্বর একেবারে বদলে গেছে।

'ও মশাই, সর্বনাশ হয়ে গেছে!'

'কী হল?'

'সব নতুন নাটক আর গান হাওয়া!'

'আমি আন্দাজ করেছিলাম বলেই ফোন করলাম।'

'এর মানেটা কী?'

'অন্য রহস্যগুলোর সঙ্গে আরেকটা যোগ হল।'

'আপনি কি আজ একবার আসছেন?'

'প্রয়োজন হলে যাব। তার আগে দারোগা সাহেবের সঙ্গে একবার কথা বলতে হবে।'

ফোনটা রেখে ফেলুদা মণিলাল পোদ্দারের নম্বর ডায়াল করল।

'শুনুন মিঃ পোদ্দার, গলি থেকে আপনার লোক সরিয়ে নেবার জন্য ধন্যবাদ। কাল সত্যিই কাজ হয়েছে। আপনি অশ্বিনীবাবুর দিকে দৃষ্টি রাখছেন তো? উনি কিন্তু কাল রাত বারোটায় আচার্য বাড়িতে গিয়ে ইন্দ্রনারায়ণবাবুর বহুমূল্য সব কাগজপত্র সরিয়ে নিয়ে গেছেন।'

'লোকটা খুব গোলমেলে', বললেন মিঃ পোদ্দার। 'খুনের টাইমের জন্য ওর কোনও অ্যালিবাই নেই। সেদিন রাত্রে আচার্য বাড়ি থেকে নিজের বাড়িতে ফেরেনি। বলছে পথে ট্যাক্সি বিগড়ে যায় বলে আটকে পড়েছিল, কিন্তু সেটা বিশ্বাসযোগ্য নয়। আপনার প্রোগ্রেস কেমন?'

'মোটামুটি ভালই। অবিশ্যি আমরা তো ঠিক এক রাস্তায় চলছি না, তাই আমার সিদ্ধান্তগুলো আপনার সঙ্গে মিলবে না।'

'তা না মিলুক। যে কোনও রকমে রহস্যের সমাধান হলেই হল।'

ফেলুদা কোন রাস্তায় চলছে সেটা জানতে চাইলে উত্তর পাওয়া যাবে না, তাই আর আমি ওদিকে গেলাম না। ফেলুদা ফোন রেখে বলল, 'আমি একটু বেরোচ্ছি। স্টেটসম্যানের পার্সোনাল কলামে একটা জরুরি বিজ্ঞাপন দিতে হবে। একটা ভাল বেহালার দরকার।'

স্টেটস্‌ম্যানে পরদিনই বেরোল যে একটা উৎকৃষ্ট বিদেশি বেহালার প্রয়োজন, অমুক বক্স নাম্বারে লিখে খবর জানানো হোক।

এই বিজ্ঞাপনের উত্তর এসে গেল দুদিনের মধ্যে। চিঠিটা পড়ে ফেলুদা বলল, 'আমাকে একটু লাউডন স্ট্রিটে যেতে হচ্ছে, বিশেষ দরকার।'

আধ ঘণ্টার মধ্যেই ফিরে এসে ফেলুদা বলল, 'বেজায় দাম চাইছে।'

আমি বললাম, 'এনসাইক্লোপিডিয়া পড়ে তোমার কি এই বয়সে বেহালা শেখার শখ হল?'

ফেলুদা গম্ভীরভাবে বলল, 'ইট ইজ নেভার টু লেট টু লার্ন।'

অর্থাৎ আরও রহস্য।

এদিকে লালমোহনবাবুও ঘন ঘন আসছেন আর ছটফট করছেন। একবার আমায় একা পেয়ে বললেন, 'তোমার দাদার সব ভাল শুধু এক এক সময় চুপ মেরে যাওয়ার ব্যাপারটা মোটে বরদাস্ত করা যায় না।'

বুধবার পার্সোনাল কলামে বিজ্ঞাপন বেরিয়েছিল, শুক্রবার উত্তর পেয়ে ফেলুদা লাউডন স্ট্রিটে গিয়েছিল, শনিবার সকালে দেখি ওর চেহারা একদম পালটে গেছে। গুন গুন করে গান গাইতে গাইতে বলল, 'আজ আচার্য বাড়ি যেতে হবে, কীর্তিনারায়ণকে এখুনি ফোন করা দরকার।'

কীর্তিনারায়ণ ফোন পেয়ে বললেন, 'আপনার কাজ কি মিটে গেছে!'

'তাই তো মনে হচ্ছে', বলল ফেলুদা, 'তবে সেটা সম্পূর্ণ মিটবে একটা মিটিং করে পুরো ব্যাপারটা পরিষ্কার করে বললে পরে। আর সেই বলাটা বলতে হবে সকলের সামনে। অন্তত আপনি, আপনার দুই ছেলে, আর প্রদ্যুম্নবাবুকে সেখানে উপস্থিত থাকতে হবে।'

'সেটা আর এমন কঠিন কী? এরা তো সবাই বাড়িতেই আছে। সে ব্যবস্থা আমি করছি; আপনি চিন্তা করবেন না। কটায় আসছেন?'

'এই ধরুন দশটা।'

কীর্তিনারায়ণের পর মণিলাল পোদ্দারকে ফোন করে ফেলুদা দশটায় বোসপুকুরে আসতে বলল।

লালমোহনবাবু এলেন নটায়, আমরা সাড়ে নটায় চা খেয়ে বেরিয়ে পড়লাম।

আচার্য বাড়িতে পৌঁছে দেখি দারোগা সাহেব এসে গেছেন। ফেলুদা বলল, 'আজই ঘটনার ক্লাইম্যাক্স, অতএব আপনার থাকার প্রয়োজন।'

দোতলায় যে বৈঠকখানায় প্রথম দিন কীর্তিনারায়ণের সঙ্গে কথা হয়েছিল, আজও সেখানেই ব্যবস্থা হয়েছে।

আমরা আসার প্রায় সঙ্গে সঙ্গেই কীর্তিনারায়ণ এসে গেলেন।

'কই, এদের সব ডাকো, প্রদ্যুম্ন।'

প্রদ্যুম্নবাবু বেরিয়ে গেলেন দুই ছেলেকে ডাকতে।

প্রথমে এলেন দেবনারায়ণবাবু, আর এসেই বললেন, 'পুলিশ তো অনেক দূর এগিয়েছে বলে শুনেছি, তা হলে আবার এই ভদ্রলোকের বক্তৃতা শুনতে হচ্ছে কেন?'

ফেলুদা বলল, 'পুলিশের সঙ্গে সঙ্গে আমিও এগিয়েছি, কিন্তু সেটা একটু অন্য পথে। আর মার্ডার ইজ নট দ্য ওনলি ক্রাইম কমিটেড ইন দিস কেস—সেটাও আপনাকে জানানো দরকার। আমি পুরো ব্যাপারটাই পরিষ্কার করে বলতে চেষ্টা করব।'

ইংরেজিতে যাকে বলে 'গ্রান্ট', সেইরকম একটা শব্দ করে দেবনারায়ণবাবু চুপ করে গেলেন। আসলে ভদ্রলোকের মুখে অষ্টপ্রহর পাইপ থাকে, বাপের সামনে সেটা সম্ভব হচ্ছে না বলে বোধ হয় উনি আরও খাপ্পা হয়েছেন।

হরিনারায়ণবাবু এসে কোনও তম্বি করলেন না, কিন্তু তাঁর ভ্রূকুটি দেখে বুঝলাম যে তিনিও ব্যাপারটা পছন্দ করছেন না।

সকলে উপস্থিত দেখে ফেলুদা আরম্ভ করল।

'সাতই অক্টোবর রাত বারোটা থেকে সাড়ে বারোটার মধ্যে ইন্দ্রনারায়ণ আচার্য খুন হন। তাঁকে খুন করে কী লাভ হতে পারে এইটে বিচার করার সময় আমরা জানতে পারি যে তিনি ছিলেন তাঁর বাপের প্রিয় পুত্র। অনুমান করা যায় যে কীর্তিনারায়ণের উইলে তাঁর ছেলের প্রতি এই পক্ষপাতিত্ব প্রকাশ পাবে, এবং সেই ছেলে না থাকায় সে উইল বদল হবে। এই বদলানো উইলে তাঁর অন্য দুই ছেলের প্রাপ্তি বেড়ে গেলেও, যতদিন কীর্তিনারায়ণ বেঁচে আছেন ততদিন

তাঁরা এই টাকা পাচ্ছেন না। অর্থাৎ ভাইকে খুন করে তাঁদের ইমিডিয়েট কোনও লাভ নেই।

'আরেকটা তথ্য আমরা জানতে পারি সেটা এই যে বীণাপাণি অপেরা ইন্দ্রনারায়ণকে ভারত অপেরা ছেড়ে তাদের দলে যোগ দেবার জন্য প্রলোভন দেখাচ্ছিল, কিন্তু ইন্দ্রনারায়ণ তাতে রাজি হননি। এই অবস্থায় ভারত অপেরাকে পঙ্গু করার জন্য ইন্দ্রনারায়ণকে খুন করার একটা কারণ থাকতে পারে। এ কাজটা বীণাপাণি অপেরা গুণ্ডা লাগিয়ে করতে পারে। খুনের দিন রাত এগারোটা পর্যন্ত ইন্দ্রনারায়ণের সঙ্গে কথা বলেন বীণাপাণি অপেরার ম্যানেজার অশ্বিনী ভড়। তিনি চলে যাবার ঘণ্টাখানেক পরে খুনটা হয়।

'এখানে আরেকটা তথ্য আমাদের খুব কাজে লাগে। আমরা লীনার কাছ থেকে জানতে পারি যে, ইন্দ্রনারায়ণের কাছে তাঁর লেখা পাঁচটি নতুন নাটক ও খান কুড়ি গান ছিল। যাত্রার বাজারে যে এ জিনিসের দাম অনেক সেটা আর বলে দিতে হবে না। আমরা জানি যিনি ইন্দ্রনারায়ণকে খুন করেছিলেন তিনি ইন্দ্রনারায়ণের কাগজপত্র ঘাঁটাঘাঁটি করেছিলেন, কিন্তু সময়ের অভাবেই হোক বা অন্য কোনও কারণেই হোক, তার কিছুই সরাতে পারেননি। গত কাল রাত্রে বীণাপাণি অপেরার ম্যানেজার এসে নাটক আর গানগুলো নিয়ে গেছেন।

'তা হলে অনুমান করা যায় যে খুনের একটা উদ্দেশ্য হতে পারে এই নাটক আর গানগুলি হাত করা। এ কাজ কিন্তু বাইরের লোকের পক্ষে সহজ নয়। কারণ ইন্দ্রনারায়ণের কাগজপত্রের সঙ্গে তাদের পরিচয় থাকার সম্ভাবনা কম। ঘরের লোকের পক্ষে এ খবর জানা অনেক বেশি স্বাভাবিক। ঘরের লোক যদি খুনের সঙ্গে সঙ্গে কাগজগুলো নাও নিতে পারেন, তার জন্য পরে সময় পেতে কোনও অসুবিধা নেই, কারণ কাগজগুলো থেকেই যাচ্ছে। এখানে আমাদের দেখা দরকার বাড়ির কোনও লোকের টাকার টানাটানি যাচ্ছিল কিনা।

'এ-ব্যাপারে খোঁজ নিয়ে জানতে পারি যে হরিনারায়ণবাবু সম্প্রতি তাঁর ক্লাবে বেশি টাকায় জুয়া খেলে অনেক লোকসান দিয়েছেন। কিন্তু তা হলেও হরিনারায়ণবাবুর পক্ষে ইন্দ্রনারায়ণের নাটক আর গান চুরি করে সেগুলো অন্য যাত্রা দলে বিক্রি করাটা আমার কাছে বিশ্বাসযোগ্য বলে মনে হচ্ছিল না। তা হলে আর কে অভাবী ব্যক্তি আছেন বাড়িতে?

'এখানে অকস্মাৎ একটি তথ্য আবিষ্কার করার ঘটনা আমি আপনাদের কাছে বলতে চাই।

'প্রদ্যুম্নবাবু যেদিন আমার বাড়িতে আসেন সেদিন তাঁর পকেট থেকে এক টুকরো কাগজ আমাদের সোফাতে পড়ে যায়। এই কাগজে ডট পেন দিয়ে দুলাইন কথা লেখা ছিল—"হ্যাপি বার্থডে" আর "হুকুম চাঁদ"। প্রদ্যুম্নবাবুকে জিজ্ঞেস করাতে উনি বলেন কাগজটা ওঁর না। এর কিছুদিন পরে হঠাৎ শনিবারের কাগজের শেষ পাতায় একটি নামের তালিকা থেকে জানতে পারি যে হ্যাপি বার্থডে আর হুকুম চাঁদ দুটোই হল রেসের ঘোড়ার নাম। তখন আমার ধারণা হয় যে, প্রদ্যুম্নবাবু রেস খেলেন, কিন্তু সে তথ্য আমাদের কাছে গোপন রাখতে চান। আমরা সেদিনই রেসের মাঠে যাই। সেখানে আমি প্রদ্যুম্নবাবুকে দেখি ভিড়ের মধ্যে জানালার সামনে দাঁড়িয়ে বেটিং করতে। অর্থাৎ প্রদ্যুম্নবাবু যে জুয়াড়ি সেটা প্রমাণ হয়ে যায়। আমার ধারণা যারা নিয়মিত রেস খেলে এবং যাদের রোজগার খুব বেশি নয়, তাদের সব সময়ই টাকার টানাটানি হয়। সুতরাং রেসে যদি বড় রকম হার হয়ে থাকে তা হলে খুনের মোটিভ প্রদ্যুম্নবাবুর ছিল, এবং সেই সঙ্গে সুযোগও ছিল। সত্যি বলতে কী, তার চেয়ে বেশি সুযোগ এ বাড়ির কারুর ছিল না। খুনের সময় প্রদ্যুম্নবাবু কাজ করছিলেন, তাঁর পক্ষে নাটমন্দিরের বারান্দা দিয়ে এসে ইন্দ্রনারায়ণের মাথায় বাড়ি মেরে কাজটা করা ছিল অত্যন্ত সহজ ব্যাপার।

'প্রদ্যুম্ন মল্লিকের অবস্থাটা আরও ঢিলে হয়ে যায় এই কারণেই যে তিনি হলেন মিথ্যেবাদী। তিনি শুধু রেসের ব্যাপারেই মিথ্যে বলেননি; তাঁর মতে ক'দিন আগে এ বাড়িতে আবার চোর আসে এবং সে চোরকে বাধা দিতে গিয়ে তিনি ধাক্কা খেয়ে মাটিতে পড়ে হাঁটুতে চোট পান—

যার ফলে তাঁকে নাকি খোঁড়াতে হচ্ছে। কিন্তু আজ সকালে তিনি অন্তত দুবার হাঁটার সময় খোঁড়াতে ভুলে গেছেন সেটা বোধহয় তিনি নিজে খেয়াল করেননি।

'গত রবিবার রাত্তিরে ইন্দ্রনারায়ণের ঘর থেকে নাটক ও গানগুলি চুরি যায়। সেগুলো কার হাতে গেছে আমরা জানি, কারণ আমরা তখন বাড়ির পিছনের গলিতে ল্যাম্প পোস্টের আলোয় বসে তাস খেলছিলাম। বীণাপাণি অপেরার ম্যানেজার আসেন পৌনে বারোটায়। তাঁকে বাড়ির পিছনের দরজা খুলে দেওয়া হয়। প্রদ্যুম্নবাবুর ঘরের বাতি জ্বলছিল। আমাদের ধারণা তাঁর সঙ্গেই হয় লেনদেনটা। অশ্বিনী ভড় টাকা দেন, প্রদ্যুম্নবাবু তার বিনিময়ে তাঁকে নাটক ও গানগুলো দেন। যদি আমি ভুল বলে থাকি তা হলে প্রদ্যুম্নবাবু আমাকে শুধরে দিতে পারেন।'

প্রদ্যুম্নবাবুর মুখ ফ্যাকাসে, মাথা হেঁট, শরীরে কাঁপুনি। দারোগা সাহেব এগিয়ে গিয়ে তাঁর ঠিক পিছনেই দাঁড়িয়েছেন, ঘরে রয়েছে আরও দুজন কনস্টেবল।

'এই হল ইন্দ্রনারায়ণ আচার্য খুনের ইতিহাস', বলল ফেলুদা। 'কিন্তু এখানেই অপরাধের শেষ নয়। এবার আমি দ্বিতীয় অপরাধে আসছি।

'আমি প্রথম দিন যখন এ বাড়িতে আসি তখন একটা ব্যাপার দেখে আমার একটু খটকা লেগেছিল। সেটা হল ইন্দ্রনারায়ণবাবুর বেহালা। একশো বছরের পুরনো বেহালা এত ঝক্‌ঝকে হয় কী করে? অবিশ্যি আমার বেহালার অভিজ্ঞতা কম, কত বছরে তার কীরকম চেহারা হয় সেটা আমার জানা নেই, তাই ব্যাপারটা নিয়ে তখন আর মাথা ঘামাইনি। সেদিনই অবিশ্যি শুনেছিলাম যে কন্দর্পনারায়ণ রসিকতা করে তাঁর বেহালাকে বলতেন 'আম আঁটির ভেঁপু'। সম্প্রতি দুটো জিনিস পড়ার সুযোগ হয়েছে আমার। এক হল পাশ্চাত্য সংগীত সম্পর্কে এক এনসাইক্লোপিডিয়া আর দুই হল কন্দর্পনারায়ণের বিলেতের ডায়রি। প্রথম বই থেকে আমি জেনেছি যে ষোড়শ ও সপ্তদশ শতাব্দীতে বেহালা বা যন্ত্রের সংস্কার হয় ইতালিতে। তখন থেকে বেহালার চেহারা এবং আওয়াজ পালটে আরও সুন্দর ও আরও জোরালো হয়। ইতালির বেহালা প্রস্তুতকারকদের মধ্যে তিনজনের নাম সবচেয়ে বিখ্যাত। এরা তিনজনেই সপ্তদশ শতাব্দীর লোক। প্রথম হল আনটন স্ট্রাডিভারি, দ্বিতীয় আন্দ্রেয়াস গুয়ারনেরি, আর তৃতীয় নিকোলো আমাটি। এর মধ্যে আমাটিই প্রথম বেহালার সংস্কার করেন ইতালির ক্রেমোনা শহরে।

'তখনও আমার মাথায় আসেনি যে এই আমাটি আর কন্দর্পনারায়ণের "আম আঁটি" একই জিনিস। এটা পরিষ্কার হয় কন্দর্পনারায়ণের ডায়রি পড়ে। তাতে এক জায়গায় তিনি লিখেছেন', ফেলুদা পকেট থেকে একটা কাগজ বার করে পড়ল—"আই বট অ্যান আমাটি টুডে ফ্রম এ মিউজিশিয়ান হু ওয়জ সাঙ্ক ইন ডেট অ্যান্ড সোল্ড ইট টু মি ফর টু থাউজ্যান্ড পাউন্ডস। ইট হ্যাজ এ গ্লোরিয়াস টোন।" অর্থাৎ আমি আজ একটি দেনায় জর্জরিত বাজিয়ের কাছ থেকে একটি আমাটি বেহালা কিনলাম দুহাজার পাউন্ডে। যন্ত্রটির আওয়াজ আশ্চর্য সুন্দর।—তখনকার দিনে দুহাজার পাউন্ড মানে বিশ হাজার টাকা। আজকে একটি আমাটি বেহালার দাম দেড়-দুলাখ টাকা।

'এমন একটি বেহালা এই বাড়িতে এতকাল পড়েছিল, আর এই বেহালা যাত্রার কনসার্টে বাজাতেন ইন্দ্রনারায়ণ আচার্য। বেহালার আসল খবর কেউ জানতেন কি? আমার মনে হয় না কীর্তিনারায়ণবাবু বা দেবনারায়ণবাবু জানতেন, কিন্তু দুজনের জানার কথা। এক হল প্রদ্যুম্ন মল্লিক, যিনি দর্পনারায়ণের ডায়রি পড়েছিলেন, আরেক হল হরিনারায়ণবাবু। তিনি বিদেশি সংগীত সম্বন্ধে জানেন, ভাল বেহালার দাম জানেন, এবং এটাও নিশ্চয়ই জানেন যে বেহালার গায়ে দুদিকে যে ইংরিজি এস-এর মতো ফাঁক থাকে, তার একটায় চোখ লাগালে ভিতরে বেহালা প্রস্তুতকারকের নাম সমেত লেবেল দেখা যায়।

'এই আমাটির কথা জানার পরেই আমার সন্দেহ বদ্ধমূল হয় যে ইন্দ্রনারায়ণের খুনের পর তাঁর বেহালাটি সরানো হয়েছে এবং তার জায়গায় একটি সস্তা নতুন বেহালা কিনে এনে রাখা হয়েছে। কিন্তু এই বেহালা সরিয়েছে কে, এবং যে সরিয়েছে সে তো টাকার জন্যই সরিয়েছে?

'আমার সন্দেহটা স্বভাবতই হরিনারায়ণবাবুর উপর পড়ে এবং এটাও বুঝতে পারি যে বেহালা পাচার হয়ে ঘরে টাকা এসে গেছে। তখন আমি ভাল বিদেশি বেহালা কিনতে চাই বলে কাগজে একটা বিজ্ঞাপন দিই। তার উত্তরে আমায় চিঠি লেখেন জনৈক মিঃ রেবেলো। এই রেবেলোর বাড়ি গিয়ে দেখি তিনি একজন বিরাট প্রাচীন দ্রব্য বিক্রেতা—যাকে বলে অ্যানটিক ডিলার। তিনি বলেন তাঁর কাছে একটি আমাটি বেহালা আছে যেটা তিনি দেড় লাখ টাকায় বিক্রি করতে রাজি আছেন। আমি ওঁকে জিজ্ঞেস করি বেহালাটা তিনি মিঃ আচার্যর কাছ থেকে কিনেছেন কিনা। তাতে তিনি হ্যাঁ বলেন এবং বলেন "ইট ইজ দ্য ওনলি আমাটি ইন ইন্ডিয়া।"

'এই হল হরিনারায়ণবাবুর অপরাধের কাহিনী, এবং আমার বক্তৃতারও এখানেই শেষ।'

আশ্চর্য এই যে ফেলুদার একটা কথাতেও কোনও প্রতিবাদ শোনা গেল না। প্রদ্যুম্নবাবু এখন মিঃ পোদ্দারের জিম্মায়। হরিনারায়ণবাবু রগ টিপে বসে আছেন মাথা হেঁট করে। দেবনারায়ণবাবু লজ্জায় লাল হয়ে ঘর থেকে চলে গেছেন। কীর্তিনারায়ণ দীর্ঘশ্বাস ফেলে বললেন, 'হরি যদি আমার বলত তা হলে আমি ওকে জুয়োর দেনা শোধ করার টাকা দিয়ে দিতাম। মিছিমিছি আমাদের পরিবারের একটা আশ্চর্য সম্পত্তি সে বেহাত করল। কিন্তু প্রদ্যুম্ন যে এত অসৎ তা আমি ভাবতে পারিনি। তাকে এইটুকুই বলতে পারি যে সে আমার পূর্বপুরুষের জীবনী লেখার পক্ষে সম্পূর্ণ অযোগ্য। তার উপযুক্ত শাস্তি হলে আমি সবচেয়ে বেশি খুশি হব।'

* * *

কীর্তিনারায়ণের বোধহয় খুবই শখ ছিল যে কন্দর্পনারায়ণের একটা জীবনী লেখা হোক। না হলে আর লালমোহনবাবুকে তিনি অফারটা করেন?

'আপনি তো লিখিয়ে মানুষ—রহস্য রোমাঞ্চ ঔপন্যাসিক—তা কন্দর্পনরায়ণের চেয়ে বড় রহস্য আর রোমাঞ্চ একই লোকের জীবনে কিন্তু আর পাবেন না।'

লালমোহনবাবু অত্যন্ত বিনয়ের সঙ্গে ঘাড় কাত করে বললেন, 'আমাকে আর লজ্জা দেবেন না, আমি অতি নগণ্য ব্যক্তি, আমার লেখার কোনও মূল্যই নেই।'

পরে অবিশ্যি উনি ফেলুদাকে বলেছিলেন, 'রক্ষে করুন মশাই—ওই খুন হওয়া বাড়িতে বসে আমি কন্দর্পনারায়ণের জীবনী নিয়ে রিসার্চ করব!—বেঁচে থাকুক আমার রহস্য-রোমাঞ্চ, বেঁচে থাকুক প্রখর রুদ্র—অ্যান্ড লং লিভ দ্য থ্রি মাস্‌কেটিয়ারস!'

দার্জিলিং জমজমাট

১

'সুখবর বলে মনে হচ্ছে ?'

লালমোহনবাবু ঘরে ঢুকতেই ফেলুদা তাঁকে প্রশ্নটা করল। আমি নিজে অবিশ্যি সুখবরের কোনও লক্ষণ দেখতে পাইনি। ফেলুদা বলে চলল, 'দু বার পর পর বেল টেপা শুনেই বুঝেছিলাম, আপনি কোনও সংবাদ দিতে ব্যগ্র, তবে সেটা সুসংবাদ না দুঃসংবাদ বুঝতে পারিনি। এখন স্পষ্ট বুঝছি সুসংবাদ।'

'কী করে বুঝলেন ?' বললেন লালমোহনবাবু, 'আমি তো হাসিনি।'

'এক নম্বর, আপনার মাঞ্জা দেওয়া চেহারা। হলদে পাঞ্জাবিটা নতুন, দাড়ি কামিয়েছেন নতুন ব্লেড দিয়ে, আফটার-শেভ লোশনের গন্ধে ঘর মাতোয়ারা, তারপর আপনি সচরাচর নটার আগে আসেন না ; এখন নটা বাজতে সতেরো।'

লালমোহনবাবু হেসে ফেললেন। 'ঠিকই ধরেছেন মশাই ! আপনাকে ব্যাপারটা না বলা অবধি সোয়াস্তি পাচ্ছিলাম না। সেই পুলক ঘোষালকে মনে আছে তো ?'

'চিত্র পরিচালক ? যিনি আপনার বোম্বাইয়ের বোম্বেটে থেকে হিন্দি ছবি করেছিলেন ?'

'শুধু ছবি নয়, হিট ছবি। তখন থেকেই বলে রেখেছিল ভবিষ্যতে আবার আমার গল্প থেকে ছবি করবে। অ্যাদ্দিনে সেটা ফলেছে।'

'এটা কোনটা ?'

'সেই কারাকোরামের গল্পটা। অবিশ্যি কারাকোরাম আর নেই ; সেখানে হয়ে গেছে দার্জিলিং।'

'কোথায় কারাকোরাম, আর কোথায় দার্জিলিং !'

'তবু নেই মামার চেয়ে তো কানা মামা ভাল মশাই। আর আমার রেটও তো বেড়ে গেছে অনেক। ফর্টি থাউজ্যান্ড !'

'বলেন কী ? আমার দু বছরের রোজগার।'

'তা, যেখানে ছাপ্পান্ন লাখ টাকা বাজেট—সেখানে রাইটারকে ফর্টি থাউজ্যান্ড দেবে না ? ওখানে টপ অভিনেতারা কত পায় জানেন ?'

'তা মোটামুটি জানি বইকী !'

'তবে ? আমার এ ছবিতে হিরো করছে রাজেন রায়না। সে নিচ্ছে বারো লাখ। আর ভিলেন করছে মহাদেব ভার্মা। এর রেট আরও বেশি। সবে পাঁচখানা ছবি করেছে, কিন্তু পাঁচখানাই সিলভার জুবিলি হিট।'

'তা, পুলক ঘোষাল আপনার এত পেয়ারের, আপনাকে দার্জিলিং-এ ডাকল না ?'

'সেইটে বলতেই তো আসা ! ডাকবে না মানে ? ওর গ্র্যান্ডফাদার ডাকবে। আর আমাকে একা নয়, আমাদের তিনজনকেই ডেকেছে। অবিশ্যি আমি বলিচি ইনভিটেশনের দরকার নেই—আমরা এমনিই যাব। কী—ঠিক বলিনি ?'

শেষ কবে গেছি দার্জিলিং ? মনেই নেই ; শুধু এইটুকু মনে আছে যে ফেলুদার গোয়েন্দাগিরির শুরু দার্জিলিং-এ। আমি ছিলাম খুব ছোট, আর ওর নরম-গরম ধমক প্রায়ই শুনতে হত। এখন ফেলুদা আমাকে ওর অ্যাসিস্ট্যান্ট বলে পরিচয় দেয়। তখন সেটা

করতে গেলে লোকে হাসত। বেশ কিছু দিন থেকেই মনে হয়েছে যে আবার দার্জিলিং গেলে বেশ হয়, কিন্তু গত পাঁচ-ছ বছরে ফেলুদার পসার বেড়েছে অনেক। সেই সঙ্গে অবিশ্যি রেটও বেড়েছে। আজকাল ওর দিব্যি চলে যায়। গত ছ মাসে পাঁচটা তদন্ত করতে হয়েছে ওকে। তার মধ্যে চন্দননগরের একটা জোড়া খুনের কেস ছাড়া সব কটাতেই ও সফল হয়েছে, তারিফ পেয়েছে, পয়সা কামিয়েছে। তিন মাস আগে একটা কালার টি ভি কিনেছে ও। তা ছাড়া ওর পুরনো বইয়ের শখ, সেই সব বই বিস্তর কিনে ও তাক ভরিয়েছে। এটা আমি বুঝেছি যে ফেলুদা খরুচে লোক। টাকা জমানোর দিকে ততটা আগ্রহ নেই। যা ঘরে আসে তার বেশির ভাগই খরচ হয়ে যায়, আর সেটা যে শুধু নিজের পিছনে, তা নয়। লালমোহনবাবু আমাদের জন্য এত করেন বলে ফেলুদা সুযোগ পেলেই তাঁকে কিছু না কিছু দেয়। আফটার-শেভ লোশনটা ওরই দেওয়া। সেটা 'স্পেশাল অকেশনে' লালমোহনবাবু ব্যবহার করেন। বোঝাই যাচ্ছে আজকে সে রকমই একটা দিন।

সামনে পুজো, ফেলুদা ঠিকই করেছিল মাস কয়েক আর কোনও কাজ নেবে না। কাজেই দার্জিলিং যাওয়ায় তার আপত্তির কোনও কারণ থাকতে পারে না। এমনিতেই দার্জিলিং ওর খুব প্রিয় জায়গা। ও বলে, বাংলা দেশটা ভারতবর্ষের কটিদেশে হওয়াতে এখানে একটা আশ্চর্য ব্যাপার ঘটেছে—বাংলার উত্তরে হিমালয় আর দক্ষিণে বঙ্গোপসাগর। এটা ভারতবর্ষের আর কোনও প্রদেশে নেই। এটা নাকি একটা 'অ্যাক্সিডেন্ট অফ জিয়োগ্রাফি'। 'এত বৈচিত্র্য আর কোনও একটা প্রদেশে পাবি না', বলে ফেলুদা। 'শস্য-শ্যামলাও পাবি, রুক্ষতাও পাবি, সুন্দরবনের মতো জঙ্গল পাবি, গঙ্গা পদ্মা মেঘনার মতো নদী পাবি, সমুদ্র পাবি, আবার উত্তরে হিমালয় আর কাঞ্চনজঙ্ঘাও পাবি।'

'বলুন মশাই, যাবেন কি না', শ্রীনাথের আনা গরম চায়ে চুমুক দিয়ে এক মুঠো চানাচুর মুখে পুরে বললেন লালমোহনবাবু।

'দাঁড়ান, আর একটা ডিটেল জেনে নিই।'

'বলুন কী জানতে চান।'

'গেলে কবে যাওয়া?'

'ওদের একটা দল অলরেডি দার্জিলিং পৌঁছে গেছে। তবে আগামী শুক্রবারের আগে কাজ আরম্ভ হচ্ছে না। আজ হল রবি।'

'শুটিং দেখার ব্যাপারে আমার তেমন কোনও উৎসাহ নেই। কাজটা কি মাঠে-ঘাটে হচ্ছে, না বাড়ির ভিতর?'

'বিরূপাক্ষ মজুমদারের নাম শুনেছেন?'

'বেঙ্গল ব্যাঙ্কের ম্যানেজিং ডিরেক্টর?'

'ছিলেন, এখন আর নেই। একটা মাইল্ড সেরিব্রাল স্ট্রোকের পর বাহান্ন বছর বয়সে রিটায়ার করেন।'

'তা ছাড়া ওঁর তো আরও অনেক গুণপনা আছে না? ভদ্রলোক স্পোর্টসম্যান ছিলেন তো?'

'এককালে ভারতবর্ষের বিলিয়ার্ড চ্যাম্পিয়ন ছিলেন। শিকারও বোধহয় করতেন।'

'ওঁর একটা শিকারকাহিনী একটা পত্রিকায় পড়েছি।'

'খুব বড় ফ্যামিলির ছেলে। এঁর পূর্বপুরুষ পূর্ববঙ্গে নয়নপুরের জমিদার ছিলেন। দার্জিলিং-এ ওঁদের একটা পুরনো বাড়ি আছে। একতলা বাংলো টাইপের ছড়ানো বাড়ি, ষোলটা ঘর। বিরূপাক্ষ মজুমদার রিটায়ার করার পর সেখানে গিয়েই থাকেন। ওঁদের বাড়ির দুখানা ঘরে কিছু শুটিং হবে। পারমিশন হয়ে গেছে। বাকি শুটিং বাইরে নানান

জায়গায় ছড়িয়ে। এরা মাউন্ট এভারেস্ট হোটেলে রয়েছে। আমরা অন্য কোনও হোটেলে থাকতে পারি।'

'সেই ভাল। ফিল্ম পার্টির সঙ্গে অতিরিক্ত মাখামাখিটা আমার পছন্দ হয় না। দার্জিলিং-এ ইদানীং অনেক নতুন হোটেল হয়েছে। তার একটাতে থাকলেই হল।'

আমি বললাম, 'হোটেল কাঞ্চনজঙ্ঘার একটা বিজ্ঞাপন দেখেছি কাগজে।'

'ঠিক বলেছিস', বলল ফেলুদা। 'আমিও দেখেছি।'

'তা হলে আর কী', বললেন লালমোহনবাবু, 'ব্যবস্থা করে ফেললেই হয়।'

ব্যবস্থা তিন দিনের মধ্যেই হয়ে গেল।

বিষ্যুদবার ত্রিশে সেপ্টেম্বর দুপুরে এয়ারপোর্টে গিয়ে দেখি, আমাদের সঙ্গে পুলক ঘোষালও চলেছেন। আর সে-সঙ্গে চলেছে ছবির হিরো, হিরোইন আর ভিলেন। লালমোহনবাবুর গল্পে কোনও হিরোইন ছিল না ; সেটা বুঝলাম এঁরা ঢুকিয়েছেন। পুলক ঘোষাল ফেলুদাকে দেখে এক গাল হেসে বললেন, 'লালুদার গল্প হওয়াতে আবার আপনার সঙ্গে দেখা হয়ে গেল। ভেরি লাকি। তবে আশা করি, আগের বারের মতো এবারও আপনাকে তদন্তে জড়িয়ে পড়তে হবে না।'

পুলক ঘোষাল হিরো রাজেন্দ্র রায়না, হিরোইন সুচন্দ্রা আর ভিলেন মহাদেব ভার্মার সঙ্গে আলাপ করিয়ে দিলেন। সুচন্দ্রাকে দেখতে ভাল, তবে রং একটু বেশি মেখেছেন, রাজেন রায়নার ছবি আমি আগেই দেখেছি—বেশ স্মার্ট, হাসিখুশি ভদ্রলোক, একটু দাড়ি আছে বেশ ছোট করে আর যত্ন করে ছাঁটা, লম্বায় ফেলুদারই মতো, আর শরীরটাকেও বেশ ফিট বলেই মনে হল। ইনি নবাগত হলেও বয়স অন্তত চল্লিশ তো হবেই ; তবে সেটা মেক-আপ নিলে ক্যামেরায় আর ধরা পড়বে বলে মনে হয় না। লালমোহনবাবু ওঁর হিরো প্রখর রুদ্রের যে বর্ণনা দিয়েছেন—লম্বায় সাড়ে ছ ফুট, পঞ্চাশ ইঞ্চি ছাতি, খাঁড়ার মতো নাক, আর চোখ দেখলে মনে হয় যেন আগুন জ্বলছে—সে-রকম চেহারার কোনও অভিনেতা কোনও দেশে আছে বলে আমার জানা নেই।

আমার সবচেয়ে ইন্টারেস্টিং লাগল মহাদেব ভার্মাকে। ইনি হলেন যাকে ইংরিজিতে বলে পালিশ করা ভিলেন। চোখ দুটো ঢুলু ঢুলু, ঠোঁটের কোণে মৃদু হাসি, নাকের নীচে সরু চাঁড়া-দেওয়া গোঁফ, দেখে মনে হয় প্রয়োজনে খুন করতে কিছুমাত্র দ্বিধা করবেন না। তার উপর দেখলাম ভদ্রলোক পারফিউম ব্যবহার করেছেন, তাতে বোঝা যায় ইনি শৌখিনও বটে। পারফিউম অবিশ্যি রাজেন্দ্র রায়নাও মেখেছেন, তবে তার গন্ধ অন্য। ফেলুদা পরে বলেছিল যে মহাদেব ভার্মার সেন্টটা হচ্ছে ডেনিম, আর রায়নারটা হল ইয়ার্ডলি ল্যাভেন্ডার।

এয়ারপোর্টেই লাউড স্পিকারে বলল যে বাগডোগরার প্লেন এক ঘণ্টা লেট আছে। তাই আমরা সকলেই রেস্টোরান্টে চা-কফি খেতে চলে গেলাম। এ ব্যবস্থাটা অবিশ্যি পুলক ঘোষালই করলেন, আর আমরা তাঁর অতিথি হয়েই গেলাম।

রেস্টোরান্টে মহাদেব ভার্মার সঙ্গে ফেলুদার কথা হল। আমি ফেলুদার পাশেই বসেছিলাম, তাই সব কথাই শুনতে পেলাম।

ফেলুদাই প্রথম শুরু করল, বলল, 'আপনি তো বোধহয় কয়েক বছর হল এ লাইনে এসেছেন?'

ভার্মা বললেন, 'হ্যাঁ, সবে তিন বছর হয়েছে। তার আগে আমার ছিল ভ্রমণের নেশা। ভারতবর্ষের বহু জায়গায় ঘুরেছি ; এমনকী বছর পাঁচেক আগে লে-লাদাক পর্যন্ত ঘুরে

এসেছি। সেখান থেকে যাই কাশ্মীর। শ্রীনগরে একটা শুটিং হচ্ছিল, সেই ছবির পরিচালকের সঙ্গে ঘটনাচক্রে পরিচয় হয় ; তিনিই আমাকে ছবিতে অফার দেন। এখন অবিশ্যি আর ফিল্ম ছাড়ার কথা ভাবাই যায় না।'

লালমোহনবাবু কিছুক্ষণ থেকেই উসখুস করছিলেন, এবার তাঁর প্রশ্নটা করে ফেললেন। 'আপনি যে চরিত্রটা করছেন, সেটা আপনার কেমন লাগল ?'

'খুব জোরদার চরিত্র', বললেন মহাদেব ভার্মা। 'বিশেষ করে আমি যেখানে হিরোইনকে আমার সামনে ধরে হিরোর প্রতি বাক্যবাণ নিক্ষেপ করছি, আর হিরো হাতে রিভলভার নিয়েও কিছু করতে পারছে না, সে দৃশ্যটা সত্যি নাটকীয়।'

অবিশ্যি এমন কোনও দৃশ্য বইয়ে নেই। লালমোহনবাবুর মুখের হাসিটা তাই কেমন যেন শুকিয়ে গেল।

এবার মহাদেব ভার্মা ফেলুদাকে একটা প্রশ্ন করলেন।

'আপনি তো গোয়েন্দা বলে শুনলাম। তা গোয়েন্দারা তো শুনেছি, একজন মানুষকে দেখেই তার বিষয়ে অনেক কিছু বলে দিতে পারেন। আপনি আমাকে দেখে কিছু বলুন তো দেখি।'

ফেলুদা হেসে বলল, 'গোয়েন্দারা অবশ্যই জাদুকর নন। তাঁরা যেটুকু বোঝেন তার কিছুটা পর্যবেক্ষণের জোরে, আর কিছুটা মনস্তত্ত্বের সাহায্যে। এ দুটোর ভিত্তিতে এটুকু বলতে পারি যে আপনি কিছুটা নিরাশ বোধ করছেন।'

'কেন ?'

'কারণ আপনি প্রায়ই কথা বলতে বলতে এদিক-ওদিক দেখছেন আর বেশ বুঝতে পারছেন যে, এই লোক-ভর্তি রেস্টোরান্টে আপনাকে অনেকেই চিনতে পারছে না। একটু আগেই লক্ষ করলাম যে, আপনি চারপাশে চোখ বুলিয়ে একটা দীর্ঘশ্বাস ফেললেন। অথচ হিরো রাজেন্দ্র রায়নাকে অনেকেই চিনেছে, অনেকেই এগিয়ে এসে তার অটোগ্রাফ নিয়েছে। শেষে দেখলাম, আপনি আপনার কালো চশমাটা খুলে টেবিলের উপর রাখলেন, যদি তার

ফলে কেউ চেনে ; কিন্তু তাতেও কোনও ফল হল না দেখে আপনি আবার চশমাটা পরে নিলেন।'

মহাদেব ভার্মা এবার আর একটা দীর্ঘশ্বাস ফেলে বললেন, 'আপনি হান্ড্রেড পারসেন্ট ঠিক বলেছেন। বম্বেতে আমাকে পাবলিক প্লেসে দেখলে রীতিমতো হই-চই পড়ে যায়। আপনাদের বাঙালিরা বোধহয় বেশি হিন্দি ছবি দেখেন না।'

'যথেষ্ট দেখেন', বললেন লালমোহনবাবু, 'কিন্তু আপনার তিনখানা ছবি এখনও এখানে রিলিজ হয়নি। অবিশ্যি আমি যে সিনেমার খুব খবর রাখি তা নয়, তবে আমার গল্পে যিনি ভিলেনের পার্ট করছেন, তাঁর বিষয়ে গত ক দিনে কিছু খোঁজ-খবর নিচ্ছিলাম ফিল্ম পত্রিকাগুলো থেকে।'

'আই সি', খানিকটা আশ্বস্ত হয়ে বললেন মিঃ ভার্মা। 'যাই হোক, মিঃ মিত্তিরের অবজারভেশন যে দারুণ শার্প, তাতে কোনও সন্দেহ নেই।'

ফেলুদার পর্যবেক্ষণ শক্তির পরীক্ষা অবিশ্যি দার্জিলিং-এ খুব ভালভাবেই হয়েছিল, কিন্তু সে কথা, যাকে বলে, 'যথাস্থানে' বলব। আপাতত প্লেন এসে গেছে, আমাদের ডাক পড়ে গেছে, তাই উঠে পড়তে হল। এখন সিকিউরিটি খুব কড়া, আমি জানি ফেলুদা তাই তার কোল্ট রিভলভারটা সুটকেসে চালান দিয়েছে, সেটা ইতিমধ্যে আমাদের অন্য মালের সঙ্গে প্লেনে উঠে গেছে। আজকাল ফেলুদা আর কোনও রিস্‌ক নেয় না ; স্রেফ ছুটি ভোগ করতে গিয়েও তাকে এত বার তদন্তে জড়িয়ে পড়তে হয়েছে যে, ও রিভলভার ছাড়া কোথাও যায় না।

সিকিওরিটি থেকে লাউঞ্জে গিয়ে বসার দশ মিনিটের মধ্যেই ডাক পড়ল—'দ্য ফ্লাইট টু বাগডোগরা ইজ রেডি ফর ডিপারচার'। আমরা তিনজন আর সেই সঙ্গে শুটিং-এর দল, প্লেনে গিয়ে উঠলাম। এখন আমরা সমতল ভূমিতে, কিন্তু আর মিনিট পাঁচেকের মধ্যেই উঠে যাব ৬০০০ ফুট উঁচুতে। অক্টোবরে দার্জিলিং-এ বেশ ঠাণ্ডা, ভাবতেই মনটা নেচে উঠছে। আমি যেন দেখতে পাচ্ছি যে সামনে অ্যাডভেঞ্চার আছে, যদিও সেটা ফেলুদাকে বলায় ও দাবড়ানি দিয়ে বলে দিল, 'তার কোনও ইঙ্গিত এখনও পর্যন্ত পাওয়া যায়নি, কাজেই তোর আশা সম্পূর্ণ ভিত্তিহীন।'

এর পরে আর আমি ভবিষ্যৎ নিয়ে কিছু বলতে যাইনি।

২

কাঞ্চনজঙ্ঘা হোটেলটা দিব্যি ছিমছাম। ঘরে ঘরে টেলিফোন, হিটার, স্নানের ঘরে ঠাণ্ডা-গরম জলের ব্যবস্থা, বিছানার চাদর, বালিশ পরিষ্কার—মোট কথা সব কিছু দেখে মনটা যাকে বলে বেশ প্রসন্ন হয়ে গেল। দিন দশেকের জন্য এসেছি, তাই থাকার ব্যবস্থাটা মোটামুটি ভাল না হলে মনটা খুঁতখুঁত করে।

পথে কোনও উল্লেখযোগ্য ঘটনা ঘটেনি। সোনাদা এলে পর লালমোহনবাবু তাঁর রাজস্থান থেকে কেনা কান-ঢাকা চামড়া আর পশমের টুপিটা মাথায় চাপিয়ে নিলেন। পথের দুধারে পাহাড়ের দৃশ্য দেখে উনি কতবার যে 'বাঃ' বলেছেন, তার হিসেব নেই। শেষটায় কার্সিয়ং রেলওয়ে রেস্টোরান্টে চা খাবার সময় ভদ্রলোক সত্যি কথাটা বলে ফেললেন। সেটা হল এই যে, তিনি এই প্রথম দার্জিলিং-এ চলেছেন।

ফেলুদার চোখ কপালে উঠে গেল।

'সে কী আপনি এখনও কাঞ্চনজঙ্ঘাই দেখেননি ?'

‘নো স্যার।’ একগাল হেসে জিভ কেটে বললেন লালমোহনবাবু।

‘ইস্‌—আপনাকে প্রচণ্ড হিংসে হচ্ছে।’

‘কেন?’

‘প্রথমবার কাঞ্চনজঙ্ঘা দেখার যে কী অদ্ভুত অনুভূতি, সেটা তো আমাদের মধ্যে একমাত্র আপনিই বুঝবেন! ইউ আর ভেরি লাকি, মিস্টার গাঙ্গুলী।’

আকাশ পরিষ্কার থাকলে কার্সিয়ং থেকেও কাঞ্চনজঙ্ঘা দেখা যায়, কিন্তু আজ মেঘলা। ঘুম যখন পৌঁছলাম তখন আলো পড়ে আসছে, আর তখনও মেঘ কাটেনি। মোট কথা লালমোহনবাবুর ভাগ্যে ব্যাপারটা এখনও ঘটেনি। এটা অবিশ্যি দার্জিলিং-এর বিখ্যাত ঘটনা। এমনও হতে পারে যে এই দশ দিনের এক দিনও কাঞ্চনজঙ্ঘা দেখা যাবে না। তা হলে অবিশ্যি খুবই খারাপ হবে। আমি নিজে এর আগে কাঞ্চনজঙ্ঘা দেখে থাকলেও আবার নতুন করে দেখার জন্য উদ্‌গ্রীব হয়ে আছি। এই একটা দৃশ্য, যা কোনও দিনও পুরনো হবার নয়।

হোটেলে জিনিসপত্র গুছিয়ে রেখে আমরা তিনজনে বেরিয়ে পড়লাম। আমাদের হোটেল থেকে মিনিট পাঁচেক খাড়াই উঠেই ম্যাল। যখন পৌঁছলাম, তখন দোকানের আর রাস্তার আলোগুলো জ্বলে উঠেছে। লালমোহনবাবু বললেন, ‘কী ব্যাপার মশাই, গাড়িটাড়ি দেখছি না কেন?’ ফেলুদাকে বুঝিয়ে দিতে হল, দার্জিলিং-এর বেশ খানিকটা অংশে গাড়ি চলা নিষিদ্ধ। ম্যালটা হল সে রকম একটা জায়গা। এখানে শুধু হাঁটা চলে আর ঘোড়ায় চড়া চলে।

‘আপনি ঘোড়ায় চড়েছেন কখনও?’ জিজ্ঞেস করল ফেলুদা।

‘নাঃ’, বললেন লালমোহনবাবু। ‘তবে উটেই যখন চড়া আছে, তখন ঘোড়া তো তার কাছে নস্যি।’

আগেই বলেছি যে বিরূপাক্ষ মজুমদার বলে একজনের বাড়িতে শুটিং হবার কথা আছে।

আশ্চর্য এই যে, প্রথম দিনই ম্যালে এসে ভদ্রলোকের সঙ্গে আলাপ হয়ে গেল। সেটা হল পুলক ঘোষালের মারফত। শুটিং পার্টি ম্যালে বেড়াতে বেরিয়েছে, পুলক ঘোষাল একবার আগেই দার্জিলিং এসে বিরূপাক্ষ মজুমদারের বাড়ি দেখে পছন্দ করে গেছেন, ভদ্রলোকও কোনও আপত্তি করেননি। ফেলুদাকে দেখেই পুলকবাবু এগিয়ে এলেন, তাঁর সঙ্গে একজন ফেল্ট হ্যাট আর সুট পরা ভদ্রলোক।

'এঁর বাড়িতেই আমরা শুটিং করছি', বললেন পুলকবাবু, 'ইনি হলেন মিস্টার বিরূপাক্ষ মজুমদার।'

তার পর পুলকবাবু আমাদের তিন জনের পরিচয় দিয়ে দিলেন ভদ্রলোককে।

'আপনার সঙ্গে শুটিং-এর কী সম্পর্ক ?' ফেলুদাকে জিজ্ঞেস করলেন মিঃ মজুমদার।

ফেলুদা বলল, 'আমার কোনও সম্পর্ক নেই, তবে আমার এই বন্ধুটি একজন বিখ্যাত রহস্য-রোমাঞ্চ ঔপন্যাসিক। এঁরই একটি গল্প থেকে ছবিটা হচ্ছে।'

'বাঃ, ভেরি গুড ! ইনি ক্রাইম রাইটার, আর আপনি গোয়েন্দা—ভেরি গুড ! প্রদোষ মিত্র নামটা তো জানা বলে মনে হচ্ছে। আপনার নাম তো কাগজে বেরিয়েছে কয়েকবার, তাই না ?'

'আজ্ঞে হ্যাঁ', বলল ফেলুদা। 'গত বছর বোসপুকুরে একটা খুনের ব্যাপারে আমি কিছুটা সাহায্য করেছিলাম।'

'দ্যাট্‌স রাইট', বলে উঠলেন ভদ্রলোক, 'তাই চেনা চেনা লাগছিল। আমার আবার একটা বাতিক আছে ; আমি খবরের কাগজের খবর সংগ্রহ করি। আমার সতের বছর বয়স থেকে এই হবি। সব খবর নয়, যাকে বলা যায় একটু গরম খবর। একত্রিশটা খণ্ড হয়েছে সেই খবরের খাতার। এখন তো রিটায়ার করেছি ; মাঝে মাঝে সেই সমস্ত পুরনো খাতার পাতা উলটে উলটে দেখি। লোকে গল্পের বই পড়ে, আর আমি পুরনো খবর পড়ি। এখন অবিশ্যি আমার একজন হেল্‌পার হয়েছে। রজত—আমার সেক্রেটারি—আমার কাটিংগুলো খাতায় সেঁটে দেয়। আপনার কাটিংও আছে তার মধ্যে।'

আমরা কথা বলতে বলতে এগিয়ে গিয়েছিলাম ম্যালের মুখে ফোয়ারাটা ছাড়িয়ে মেন রোডের দিকে। মিঃ মজুমদার বললেন, 'আমার একটা ওষুধ ফুরিয়ে গেছে, কেনা দরকার। চলুন না ওই কেমিস্টের দোকানে।'

আমরা গিয়ে দোকানে ঢুকলাম। ভদ্রলোক টফ্রানিল নামে রাংতায় মোড়া একত্রিশটা বড়ি কিনলেন। বললেন, 'এ হল অ্যান্টি-ডিপ্রেসান্ট পিলস্‌—আমার এক মাসের স্টক। রোজ একটি করে না খেলে আমার ঘুম হয় না।'

দোকান থেকে বেরিয়ে এসে ফেলুদা বলল, 'একদিন গিয়ে আপনার খাতাগুলো একটু দেখব।'

'একশোবার !' বললেন ভদ্রলোক। 'ইউ আর মোস্ট ওয়েলকাম। এও আপনাকে দেখিয়ে দেব যে, এখনও কিনারা হয়নি এমন পুরনো তদন্তের খবরও আমার খাতায় সাঁটা আছে। আমি বলছি প্রায় বিশ বছর আগের কথা।'

'খুব ইন্টারেস্টিং ব্যাপার তো।' বলল ফেলুদা।

'অবিশ্যি আমার নিজের জীবনটাও কম ইন্টারেস্টিং নয়,' বললেন ভদ্রলোক। 'এক এক সময় ইচ্ছে করে আত্মজীবনী লিখি, কিন্তু তার পরেই মনে হয়—সবগুলো সত্যি কথা তো লিখতে পারব না। আত্মজীবনী লিখতে গেলে কোনও কিছুই গোপন রাখা উচিত নয়। অন্তত আমার তাই বিশ্বাস। যাক গে—একদিন আসবেন।'

'কোন সময় গেলে আপনার ব্যাঘাত হবে না ?'

'দ্য বেস্ট টাইম ইজ ইন দ্য মর্নিং। আমি বিকেলে একটু ঘুরতে বেরোই। মাউন্ট এভারেস্ট হোটেল ছাড়িয়ে একটু গেলে বাঁয়ে একটা রাস্তা পাবেন যেটা পাহাড়ের গা বেয়ে ওপরে উঠে গেছে। সেটা দিয়ে কিছু দূর গেলেই দেখবেন, গেটে "নয়নপুর ভিলা" লেখা একটা বাগানে ঘেরা বাংলো। সেটাই আমার বাড়ি।'

ভদ্রলোক হাত তুলে গুড বাই করে এগিয়ে গিয়ে একটা ঘোড়ায় চাপলেন, সঙ্গে একজন সহিস। ফেলুদা বলল, 'রুগি মানুষ, খাড়াই ওঠা বারণ, তাই নিশ্চয়ই ঘোড়া ব্যবহার করেন। তবে বেশ লোক, তাতে সন্দেহ নেই।'

শুটিং পার্টির সকলে এ-দোকান সে-দোকান ঘুরে দেখছে, পুলকবাবু এগিয়ে এসে বললেন, 'মজুমদার মশাইকে কেমন লাগল?'

'খুব ভাল', বলল ফেলুদা। 'অসুখ হলে কী হবে, এখনও বেশ তাজা আছেন।'

'আর সব ব্যাপারে ইন্টারেস্ট। শুটিং-এর বিষয় খুঁটিয়ে খুঁটিয়ে জিজ্ঞেস করছিলেন।'

'উনি ছাড়া আর কে থাকেন ওঁর বাড়িতে?'

'ওর সেক্রেটারি আছেন, রজত বোস। এ ছাড়া জনা তিনেক চাকর, মালী আর সহিস আছে। ভদ্রলোক বিপত্নীক। ওঁর ছেলে আসছেন কলকাতা থেকে। অন্তত আসার তো কথা। একটিই ছেলে। মেয়ে আছে দুটি, তাদের বিয়ে হয়ে গেছে। তারা কলকাতায় থাকে না।'

'ভদ্রলোকের হবিটা কিন্তু খুব চিত্তাকর্ষক।'

'কাটিং জমানোর কথা বলছেন?'

'হ্যাঁ। অনেকটা আমাদের সিধু জ্যাঠার কথা মনে পড়ছে।'

আমারও যে তা মনে হয়নি তা নয়, তবে সিধু জ্যাঠা শুধু খুনখারাপির খবরই জমান না; ইন্টারেস্টিং খবর হলেই সেটা সেঁটে রাখেন।

কথা আর বেশি দূর এগোল না। পুলকবাবু বললেন শুটিং-এর অনেক তোড়জোড় আছে, এবার হোটেলে ফিরতে হবে। আগামীকাল নাকি খুব হালকা আউটডোরের কাজ রাখা হয়েছে; তার পরদিন থেকে আর্টিস্ট নিয়ে কাজ শুরু হবে, আর প্রথমেই বিরূপাক্ষ মজুমদারের বাড়িতে কাজ।

পুলক ঘোষাল সমেত ফিল্মের দল চলে যাবার পর আমরা ম্যালের কাছেই কেভেনটারের দোকানের খোলা ছাতে বসে হট চকোলেট খেলাম। লালমোহনবাবু খুব তৃপ্তি সহকারে চকোলেটে চুমুক দিয়ে বললেন, 'মশাই, আমার মন কিন্তু একটা কথা বলছে।'

'কী বলছে?'

'বলছে এ যাত্রা বৃথা যাবে না।'

'বৃথা কেন যাবে? দার্জিলিং-এ এসেছি চেঞ্জে, এমন চমৎকার ক্লাইমেট, বৃথা কখনও যেতে পারে? পলিউশন-ফ্রি আবহাওয়া—শরীর সারতে বাধ্য।'

'আমি সেদিক দিয়ে বলছি না', একটা বিজ্ঞ হাসি হেসে বললেন জটায়ু।

'তবে কোন দিকে দিয়ে বলছেন?'

'আমি আপনার পেশার কথা ভাবছি।'

'আমার পেশা?'

'আমার মন কেন জানি বলছে যে, আপনাকে কাজে লেগে পড়তে হবে।'

ফেলুদা একটা চারমিনার ধরিয়ে বলল, 'আসলে মুশকিলটা করছে আমার পেশা নয়, আপনার পেশা। আপনার স্বভাবই হল অলিতে-গলিতে রহস্যের গন্ধ পাওয়া। অবিশ্যি যদি তেমন কিছু ঘটেই বসে, গড ফরবিড, তা হলে ফেলু মিত্তির হাত গুটিয়ে বসে থাকবে না এটা

জোর দিয়ে বলতে পারি।'

'এই তো চাই! এই তো এ. বি. সি. ডি.-র পক্ষে সবচেয়ে উপযুক্ত মনোভাব!'

এইখানে বলে রাখি, এ. বি. সি. ডি. হল ফেলুদাকে দেওয়া লালমোহনবাবুর খেতাব। এর মানে হল এশিয়াজ ব্রাইটেস্ট ক্রাইম ডিটেক্টর। কাজেই উনি ফেলুদাকে মাঝে মাঝে এ. বি. সি. ডি. বলে সম্বোধনও করে বসেন।

আমি জানি না, কিন্তু বিরূপাক্ষ মজুমদারের সঙ্গে যেটুকু আলাপ হল, তাতে আমারও ভদ্রলোককে বেশ রহস্যজনক চরিত্র বলে মনে হল। বছরের পর বছর প্রায় একাই দার্জিলিং-এ পড়ে আছেন, খাতায় গরম গরম খবর সাঁটছেন, আর পুরনো খবর পড়ে দেখছেন। অবিশ্যি তার মানেই যে তাকে ঘিরে কোনও ক্রাইম ঘটবে, সেটা ভাবার কোনও যুক্তি নেই। আসল কথাটা হচ্ছে কী—ফেলুদা চেঞ্জে গেলেও সেখানে শেষ পর্যন্ত তাকে গোয়েন্দার ভূমিকা নিতে হয়, এটা এতবার দেখেছি যে, মন বলছে এবারও সেটা না হয়ে যায় না।

দেখা যাক, কপালে কী আছে!

৩

'সাব্লাইম' কথাটা লালমোহনবাবুকে এই প্রথম ব্যবহার করতে শুনলাম। অবিশ্যি শুধু সাব্লাইম নয়, তার সঙ্গে স্বর্গীয়, হেভেন্‌লি, অপার্থিব অনির্বচনীয় ইত্যাদি বিশেষণ ব্যবহার করে এথিনিয়াম ইস্কুলের কবি মাস্টার বৈকুণ্ঠ মল্লিকের লেখা একটি ছ লাইনের কবিতা আবৃত্তি করে ফেললেন ভদ্রলোক। ঘটনা আর কিছুই না, দ্বিতীয় দিন ভোরে উঠে ভদ্রলোক তাঁর ঘরের জানালায় দাঁড়িয়েই দেখেন যে সামনে কাঞ্চনজঙ্ঘা দেখা যাচ্ছে, আর তাতে সবে সূর্যের গোলাপি রঙের ছোপ পড়তে শুরু করেছে। সঙ্গে সঙ্গে ভদ্রলোক আমাকে ঘুম থেকে তুলে এনে তাঁর পাশে দাঁড় করালেন। বললেন, 'এ জিনিস কারুর সঙ্গে শেয়ার না করলে মজাই নেই।' আর তার পরেই বিশেষণের তোড়, আর সব শেষে উদাত্ত কণ্ঠে আবৃত্তি করা কবিতা—

'অয়ি কাঞ্চনজঙ্ঘে!
দেখেছি তোমার রূপ উত্তরবঙ্গে
মুগ্ধ নেত্রে দেখি মোরা তোমারে প্রভাতে
সাঁঝেতে আরেক রূপ, ভুল নেই তাতে—
তুষার ভাস্কর্য তুমি, মোদের গৌরব
সবে মিলে তোমারেই করি মোরা স্তব।'

আবৃত্তি শেষ করে দম নিয়ে বললেন, 'সম্বোধনে আ-কারটা এ-কার হয়ে যায়—সেটাকে কীভাবে কাজে লাগিয়েছেন কবি, দেখছ তপেশ?'

আমি মাথা নেড়ে বললাম, 'দেখেছি', যদিও সংস্কৃত ব্যাকরণটা ভাল জানা নেই বলে ভদ্রলোক ঠিক বলছেন না ভুল বলছেন, সেটা বুঝতে পারলাম না।

'এটাই গ্রেট পোয়েটের লক্ষণ', বললেন লালমোহনবাবু।

ফেলুদাও অবিশ্যি কাঞ্চনজঙ্ঘা দেখেছিল, তবে সেটা হোটেলের বাইরে থেকে। ও ভোরে উঠে যোগব্যায়াম সেরে আমি ওঠার আগেই বেরিয়ে পড়েছিল। তার পর ম্যাল থেকে অবজারভেটারি হিলের চারিদিকে চক্কর মেরে চায়ের ঠিক আগে ফিরে এসেছিল। বলল, 'যতবার কাঞ্চনজঙ্ঘা দেখি, ততবার বয়সটা যেন কিছুটা কমে যায়। আর সবচেয়ে ভাল

কথা—যেখানে-সেখানে বাড়ি উঠে শহরটার অনেক ক্ষতি করলেও অবজারভেটারি হিলের রাস্তাটার কোনও পরিবর্তন হয়নি।'

'আমারও আজ প্রথম মনে হল যেন জন্ম সার্থক', বললেন লালমোহনবাবু।

'যাক!' বলল ফেলুদা। 'এত গাঁজাখুরি গল্প লিখেও যে আপনার সূক্ষ্ম অনুভূতিগুলো টিকে আছে, সেটা জেনে খুব ভাল লাগল।'

'আজ তা হলে আমরা কী করছি?'

আমরা হোটেলের ডাইনিং রুমে ব্রেকফাস্ট করছিলাম; ফেলুদা কাঁটা দিয়ে ওমলেটের খানিকটা অংশ মুখে পুরে বলল, 'আজ সকালে একবার মজুমদার মশাইয়ের ওখানে যাবার ইচ্ছে আছে। কাল থেকে ওঁর বাড়িতে শুটিং আরম্ভ হয়ে যাবে, তখন বড্ড ভিড়। আজ মনে হয় নিরিবিলি বসে একটু কথা বলা যাবে। এমন লোককে কালটিভেট করাটা আমি কর্তব্যের মধ্যে ধরি।'

'তথাস্তু', বললেন লালমোহনবাবু।

আমরা সাড়ে আটটায় বেরিয়ে পড়লাম। ম্যাল থেকে নেমে দাশ স্টুডিয়ো আর কেভেনটারের পাশ দিয়ে নেহরু রোড ধরে সোজা তিন কোয়ার্টার মাইল গেলে মাউন্ট এভারেস্ট হোটেল। সেটা ছাড়িয়ে গেলেই পাব আমরা মিঃ মজুমদারের বাড়ির রাস্তা।

সেই রাস্তা ধরে কিছু দূর উঠতেই একজন বাঙালি ভদ্রলোককে জিজ্ঞেস করতে উনি বলে দিলেন যে, আর মিনিট খানেক হাঁটলেই আমরা নয়নপুর ভিলাতে পৌঁছে যাব।

বাড়ি খুঁজে পেতে কোনওই অসুবিধা হল না। লাল টালির ছাদওয়ালা কাঠের বাংলো বাড়ি, বেশ ছড়ানো, তিন দিক ঘিরে রয়েছে সুন্দর বাগান, আর পিছনে পুব দিকে ঘন ঝাউবনের পরেই উঠেছে খাড়াই পাহাড়।

বাগানে একটা মালী কাজ করছিল, সে আমাদের দেখেই এগিয়ে এল।

'মিঃ মজুমদার আছেন?' জিজ্ঞেস করল ফেলুদা।

'কী নাম বলব?'

'বলো যে, কাল যাঁর সঙ্গে সন্ধ্যায় আলাপ হয়েছিল, সেই মিত্তিরবাবু দেখা করতে এসেছেন।'

মালী খবর দিতে চলে গেল। আমি অবাক হয়ে বাড়িটার শোভা দেখছিলাম। উত্তরে চাইলেই সোজা কাঞ্চনজঙ্ঘা দেখা যাচ্ছে। এখন ঝলমলে রুপোলি। যিনিই বাড়িটা বানিয়ে থাকুন, তাঁর রুচির তারিফ করতে হয়।

মালীর পিছন পিছন দেখি, মিঃ মজুমদার নিজে বেরিয়ে এসেছেন।

'গুড মর্নিং! আসুন আসুন, ভিতরে আসুন!'

আমরা তিনজন বাড়ির নাম লেখা সাদা কাঠের গেট খুলে ভিতরে এগিয়ে গেলাম। ভদ্রলোক এককালে বেশ সুপুরুষ ছিলেন, সেটা দিনের আলোতে দেখে বুঝতে পারছি। দেখে অসুস্থ বলে মনেই হয় না। মিঃ মজুমদারের সঙ্গে আর একজন ভদ্রলোক বেরিয়ে এসেছিলেন, জানলাম তিনিই হলেই সেক্রেটারি রজত বসু। খয়েরি ট্রাউজারের উপর গাঢ় নীল পোলো-নেক পুলোভার পরেছেন, মাঝারি হাইট, রং বেশ পরিষ্কার।

আমাদের বৈঠকখানায় নিয়ে গেলেন মিঃ মজুমদার। আমরা ভাগাভাগি করে দুটো সোফায় বসলাম। ঘরের এক পাশে একটা কাচের আলামারিতে গুচ্ছের ছোট-বড় রুপোর কাপ সাজানো রয়েছে। বোঝা যায় সেগুলো মিঃ মজুমদার নানান সময়ে নানান স্পোর্টস প্রতিযোগিতাতে পেয়েছেন। মাটিতে একটা লেপার্ডের ছাল, আর দেয়ালে দুটো হরিণ আর একটা বাইসনের মাথাও দেখলাম।

'আজ সন্ধ্যায় আমার ছেলে সমীরণ আসবে', বললেন বিরূপাক্ষ মজুমদার। 'বাপ-ছেলের মধ্যে কোনও মিল খুঁজে পাবেন বলে মনে হয় না। সে ব্যবসাদার, শেয়ার মার্কেটে ঘোরাঘুরি করে।'

'তিনি কি ছুটিতে আসছেন, না কোনও কাজে?'

'সাতদিনের ছুটিতে। অন্তত বলছে তো তাই, তবে ও চুপচাপ বসে ছুটি ভোগ করার ছেলে নয়। ভয়ানক ছটফটে। ত্রিশ হতে চলল, এখনও বিয়ে করেনি। আর কবে করবে জানি না। যাকগে—এখন আপনাদের কথা বলুন।'

'আমরা বরং আপনার কথা শুনতে এসেছি', বলল ফেলুদা।

'আমার কথার তো শেষ নেই,' বললেন মিঃ মজুমদার। 'আই হ্যাভ লেড এ ভেরি কালারফুল লাইফ। অবিশ্যি পরের দিকে সেটল করে গিয়েছিলাম। একটা ব্যাঙ্কের পুরো দায়িত্ব এসে পড়ে আমার ঘাড়ে। স্বভাবতই তখন অনেকটা সামলে নিতে হয়। তরুণ বয়সটা—শুধু তরুণ কেন, প্রায় চল্লিশ বছর বয়স পর্যন্ত—খুব হই-হুল্লোড় করেছি। খেলাধুলো, আউটডোর-ইনডোর, শিকার, কিছুই বাদ দিইনি।'

'আর তার সঙ্গে আপনার কাটিং জমানোর হবি।'

'হ্যাঁ, সেটা কখনও বাদ পড়েনি। রজত আপনাকে একটা নমুনা দেখিয়ে দেবে।'

ভদ্রলোক সেক্রেটারির দিকে ইঙ্গিত করাতে তিনি উঠে গিয়ে ভিতরের ঘর থেকে একটা মোটা বড় খাতা এনে ফেলুদার হাতে দিলেন। আমি আর লালমোহনবাবু উঠে গিয়ে ওর

পাশে দাঁড়ালাম।

বিচিত্র খাতা, তাতে সন্দেহ নেই।

'আপনি দেখছি লন্ডনের কাগজ থেকেও কাটিং রেখেছেন,' বলল ফেলুদা।

'হ্যাঁ', বললেন বিরূপাক্ষ মজুমদার। 'লন্ডনে আমার এক ডাক্তার বন্ধু আছে। তাকে বলাই আছে—কোনও সেনসেশন্যাল খবর পেলেই যেন আমাকে কেটে পাঠিয়ে দেয়।'

'খুন রাহাজানি অ্যাক্সিডেন্ট অগ্নিকাণ্ড আত্মহত্যা—কিছুই বাদ নেই দেখছি।'

'তা নেই', বললেন মিঃ মজুমদার।

'কিন্তু আপনি কী একটা ক্রাইমের কথা বলেছিলেন, যেটার কোনও কিনারা হয়নি ?'

'হ্যাঁ—তেমন একটা ক্রাইম আছে বটে। সেটার খবর আপনি খাতায় পাবেন ; আরেকটি আছে যেটা খাতায় পাওয়া যাবে না, কারণ সেটা খবরের কাগজের কানে পৌঁছায়নি।'

'সেটা কী ব্যাপার ?'

'সেটা আমায় জিজ্ঞেস করবেন না, কারণ তার উত্তর আমি দিতে পারব না। আমায় মাপ করবেন। যাই হোক, রজত—একবার যাও তো সিক্সটি নাইনের ভলুমটা নিয়ে এসো।'

রজতবাবু এবার আর একটা খাতা নিয়ে এসে ফেলুদাকে দিলেন।

'খাতার মাঝামাঝি পাবেন খবরটা', বললেন মিঃ মজুমদার। 'জুন মাসে ঘটে ঘটনাটা। স্টেটস্‌ম্যানের খবর, হেডিং হচ্ছে, যত দূর মনে পড়ে—"এমবেজ্‌লার আনট্রেসড"।'

'পেয়েছি' বলল ফেলুদা। তার পর কিছুটা পড়েই বলল, 'এ যে দেখছি আপনাদেরই ব্যাঙ্কের ঘটনা !'

'সেই জন্যেই তো ওটা ভুলতে পারি না', বললেন মিঃ মজুমদার। 'পড়লেই বুঝতে পারবেন, আমাদেরই ব্যাঙ্কের অ্যাকাউন্টস ডিপার্টমেন্টের একটি ছেলে, নাম ভি. বালাপোরিয়া, প্রায় দেড় লাখ টাকা ব্যাঙ্ক থেকে হাতিয়ে উধাও হয়ে যায়। পুলিশ বিস্তর চেষ্টা করেও তার আর সন্ধান পায়নি। আমি তখন ছিলাম ডেপুটি জেনারেল ম্যানেজার।'

ফেলুদা বলল, 'যদিও অনেকদিনের ঘটনা, তাও আমার ব্যাপারটা আবছা আবছা মনে আছে। গোয়েন্দা হবার আগে এই ধরনের ক্রাইমের খবর আমিও খুঁটিয়ে পড়তাম।'

ইতিমধ্যে লালমোহনবাবু আর আমিও খবরটা পড়ে ফেলেছি।

বিরূপাক্ষবাবু বললেন, 'তখনই আমার একবার মনে হয়েছিল যে, শার্লক হোম্‌স বা এরক্যুল পোয়ারোর মতো একজন প্রাইভেট গোয়েন্দা থাকলে হয়তো ব্যাপারটার একটা সুরাহা হত। পুলিশের উপর আমার নিজের যে খুব একটা আস্থা আছে, তা নয়।'

ফেলুদা কিছুক্ষণ খাতাটা উলটে পালটে দেখে ধন্যবাদ দিয়ে ফেরত দিয়ে দিল।

ইতিমধ্যে কফি এসে গেছে। বেয়ারাটির বেশ ভদ্র চেহারা, হঠাৎ দেখলে চাকর বলে মনে হয় না। আমরা ট্রে থেকে কফি তুলে নিলাম।

ফেলুদা বলল, 'বাইরে আপনার ঘোড়াটা দেখলাম ; আপনি বুঝি ওটাতেই চলা-ফেরা করেন ?'

মিঃ মজুমদার বললেন, 'চলা-ফেরা মানে আমি শুধু বিকেলে একবার বেরোই। বাকি সময়টা আমি বাড়িতেই থাকি। আমার অভ্যাসগুলো ঠিক সাধারণ মানুষের মতো নয়। রিটায়ার করার পর থেকে আমার রুটিনটা একটা অদ্ভুত চেহারা নিয়েছে। আমার ইনসম্‌নিয়া আছে, সে কথা আগেই বলেছি। আমি ঘুমোই দুপুরবেলা, তাও এক গেলাস দুধের সঙ্গে একটা করে বড়ি খেয়ে। ঘড়িতে অ্যালার্ম দিয়ে শুই, উঠি ঠিক পাঁচটায়। তারপর চা খেয়ে বেরোই। রাত্তিরটা আমি বই পড়ি।'

'একদমই ঘুমোন না রাত্রে ?' ফেলুদা অবাক হয়ে জিজ্ঞেস করল।

'একদমই না', বললেন ভদ্রলোক। 'অবিশ্যি, এককালে আমার ঠাকুরদাদারও শুনেছি এই বাতিক ছিল। তিনি ছিলেন ডাকসাইটে জমিদার। তাঁর রাতটা ছিল দিন, আর দিনটা রাত। জমিদারির কাজকর্ম তিনি রাত্রেই দেখতেন, আর সারা দুপুর আফিং খেয়ে ঘুমোতেন। ভাল কথা, আপনার ধূমপানের প্রয়োজন হলে আমার সামনেই করতে পারেন; আই ডোন্ট মাইন্ড।'

'থ্যাঙ্ক ইউ', বলে ফেলুদা একটা চারমিনার ধরাল। বিরূপাক্ষবাবুর ষাটের কাছে বয়স হলেও তাঁকে বৃদ্ধ বলে মোটেই মনে হয় না।

'কাল থেকে তো আপনার বাড়িতে শুটিং শুরু হবে', বলল ফেলুদা। 'আপনার উপর দিয়ে অনেক ধকল যাবে।'

'আই ডোন্ট মাইন্ড', বললেন ভদ্রলোক। আমি থাকব বাড়ির উত্তর প্রান্তে, কাজ হবে দক্ষিণ দিকটায়। পরিচালক ভদ্রলোকটিকে বেশ ভাল লাগল, তাই আর না করলাম না।'

এই কথা বলতে বলতেই একটা জিপের আওয়াজ পেয়ে ঘুরে দেখি ফিল্মের দল এসে গেছে। বাগান পেরিয়ে দরজার মুখে এসে টোকা মারলেন পুলক ঘোষাল।

'কাম ইন স্যার', বলে উঠলেন বিরূপাক্ষ মজুমদার।

পুলক ঘোষাল ঢুকে এলেন, তাঁর পিছনে মহাদেব ভার্মা আর রাজেন রায়না।

'আমরা শুটিং-এ বেরোচ্ছি', বলল পুলক ঘোষাল, 'তাই ভাবলাম একবার আপনার সঙ্গে দেখা করে যাই। কাল থেকে তো আপনার এখানেই কাজ, তা ছাড়া এই দুটি অভিনেতার সঙ্গে আপনার আলাপও হয়নি। ইনি হলেন ছবির নায়ক রাজেন রায়না, আর ইনি হলেন ভিলেন মহাদেব ভার্মা।'

'বসুন, বসুন', বললেন মিঃ মজুমদার। 'যখন এলেন, তখন একটু কফি খেয়ে যান।'

'না স্যার! আজ আর বসব না। কাল থেকে তো প্রায় সারাটা দিনই এখানে থাকতে হবে। ভাল কথা, আপনার সেক্রেটারি বলছিলেন আপনি নাকি দুপুরটা ঘুমোন। তা, দুপুরে তো আমাদের কাজ হবে, এ বাড়ি থেকে একটু দূরে আমাদের জেনারেটর চলবে। তাতে আপনার ব্যাঘাত হবে না তো?'

'মোটেই না', বললেন মিঃ মজুমদার। 'আমি দরজা-জানলা ভেজিয়ে পরদা টেনে শুই। বাইরের কোনও আওয়াজ ঘরে ঢোকেই না।'

লক্ষ করছিলাম ভদ্রলোক কথা বলার সময় রায়না আর ভার্মার দিকে তীক্ষ্ণ দৃষ্টি দিয়ে দেখছেন। বললেন, 'যাক, এবার তা হলে বলতে পারব যে, ফিল্মস্টারের সঙ্গে আলাপ হয়েছে। অ্যাদ্দিন এ সৌভাগ্যটা হয়নি।'

এবার পুলক ঘোষাল লালমোহনবাবুর দিকে ফিরলেন।

'লালুদা, আপনাকে একটা রিকোয়েস্ট ছিল।'

'কী ভাই?'

'আমার মেমরি খুব শার্প, লালুদা। আমার স্পষ্ট মনে আছে, নাইনটিন সেভেনটিতে গড়পারে ফ্রেন্ডস ক্লাবে "ভূশণ্ডীর মাঠে" প্লে হয়েছিল। সরস্বতী পুজোয়। আপনার মনে পড়ছে?'

'বিলক্ষণ!'

'আপনি তাতে নদু মল্লিকের পার্ট করেছিলেন, মনে আছে?'

'বাবা, সে কি ভুলতে পারি! পাখোয়াজের বোলটা পর্যন্ত এখনও মনে আছে—ধা ধা ধিন্‌তা কত্তা গে, গিন্নী ঘা দেন কর্তাকে!—ওঃ! সে কি ভোলা যায়? জীবনে আমার প্রথম এবং শেষ অভিনয়।'

'না না, শেষ নয়।'

'মানে?'

'এখানকার বেঙ্গলি ক্লাব আমাদের ডুবিয়েছে। বলেছিল দু-একটা ছোট পার্টের জন্য লোক দেবে, এখন বলছে তারা কলকাতায় চলে গেছে ছুটিতে। বিশেষ করে একটি পার্ট—বুঝেছেন লালুদা, ভিলেনের রাইট হ্যান্ড ম্যান—'

'কে—অঘোরচাঁদ বাটলিওয়ালা?'

'হ্যাঁ দাদা!'

'কিন্তু তার তো বেশি কিছু করার নেই ; শুধু দুটো সিন।'

'সেই দুটো সিন আমাদের একটু উদ্ধার করে দিতে হবে দাদা! কথা খুব কম। আজ বিকেলে গিয়ে আপনাকে ডায়ালগ দিয়ে আসবে। এ কাজটা কাইন্ডলি আপনি করে দিন। সবসুদ্ধ তিন দিনের কাজ।'

'আমরা কিন্তু আর দশ দিন মাত্র আছি।'

'এক উইকের মধ্যে আপনার কাজ শেষ করে দেব।'

'কিন্তু এই চেহারা নিয়ে—'

'আপনাকে মেক-আপ দেব। ফ্রেঞ্চকাট দাড়ি আর একটা পরচুলা। ফার্স্টক্লাস মানাবে। কেয়া ভাই মহাদেব, মেরা চয়েস মে কুছ গলতি হ্যায়?'

'নেহি নেহি ভাই', বললেন মহাদেব ভার্মা।

'আপনার সিগার খাওয়ার অভ্যেস আছে?' লালমোহনবাবুকে জিজ্ঞেস করলেন পুলক ঘোষাল।

'ধূমপান করতুম এককালে', হাত কচলাতে কচলাতে বললেন লালমোহনবাবু, 'কিন্তু সিগারেট ছেড়েছি দশ বছর হল।'

'তাতে কী হল? আর হ্যাঁ, চোখে একটা কালো চশমা।'

বেশ বুঝতে পারছিলাম যে, লালমোহনবাবু ব্যাপারটাতে ক্রমেই মেতে উঠছিলেন। এবার বললেন, 'ওক্কে! যখন এত করে বলছ, তখন "না" করব না। আমার নিজের গল্পে একটা গেস্ট অ্যাপিয়ারেন্স থাকলে মন্দ কী? কিন্তু একটা কথা।'

'কী?'

'আমার নামের পাশে যেন একটা "অ্যাঃ" থাকে। পেশাদারি অভিনেতা হতে আমি নারাজ। হলে অ্যামেচার, আর না হলে নয়। ঠিক তো?'

'ওক্কে!' বললেন পুলক ঘোষাল।

এই সুযোগে আমিও একটা ব্যাপার সেরে নিলাম। পুলক ঘোষালকে জিজ্ঞেস করলাম, 'আমি শুটিং দেখতে আসতে পারি তো?'

'একশোবার, ভাই, একশোবার', বললেন পুলক ঘোষাল।

৪

পুলক ঘোষালের দল তাদের কথা সেরে শুটিং-এর তোড়জোড় করতে চলে গেল। আমাদের কফি খাওয়া শেষ, তাই আমরাও আর বসলাম না। ফেলুদাই প্রথমে উঠে পড়ে বলল, 'আজ তা হলে আসি?'

'অ্যাঁ?'

ভদ্রলোক যেভাবে প্রশ্নটা করলেন তাতে বুঝতেই পারলাম, তিনি কোনও একটা কারণে

অন্যমনস্ক হয়ে পড়েছিলেন। পরমুহূর্তেই অবিশ্যি নিজেকে সামলে নিয়ে অত্যন্ত স্বাভাবিকভাবেই বললেন, 'উঠবেন ? ঠিক আছে। রয়েছেন যখন কদিন, তখন দেখা হবে নিশ্চয়ই।'

আমরা তিনজনে নয়নপুর ভিলা থেকে বেরিয়ে উতরাই দিয়ে হোটেলমুখো রওনা দিলাম।

ফেলুদা পথে কিছুই বলল না। কেন জানি, ও-ও একটু অন্যমনস্ক হয়ে পড়েছে। দুপুরে লাঞ্চ খাবার সময় লালমোহনবাবুর দিকে ফিরে বলল, 'কী মশাই, আমাদের অ্যাদ্দিনের আলাপ, আর এমন একটা খবর আপনি বেমালুম চেপে গেস্‌লেন ? ভূশণ্ডীর মাঠেতে নদু মল্লিক ? বাংলা সাহিত্যে এমন একটি চরিত্র খুঁজে পাওয়া ভার, আর আপনি সেই চরিত্রে অভিনয় করেছিলেন ?'

লালমোহনবাবু একটা ফিশ ফ্রাইয়ের টুকরো মুখে পুরে দিয়ে বললেন, 'আরে মশাই, সে-রকম বলতে গেলে তো অনেক কিছুই বলতে হয়। নর্থ ক্যালকাটায় ক্যারম চ্যাম্পিয়ন ছিলুম ফিফটি নাইনে—এ খবর জানতেন ? এনডিওরেন্স সাইক্লিং-এ আমার কত কীর্তি আছে, সে সব আপনি জানেন ? আবৃত্তি প্রতিযোগিতায় মেডেল পেয়েছি—একবার নয়, থ্রি টাইমস্‌। দেবতার গ্রাস পুরো মুখস্থ ছিল। ফিল্মে অফার বিশ বছর আগেও পেয়েছি—তখন আমার মাথা ভর্তি কোঁকড়া চুল—ভাবতে পারেন ? কিন্তু সে অফার নিইনি। তখন থেকেই মাইন্ড মেক আপ করেছি যে লেখক হব। শখের লেখক নয়, পেশাদারি লেখক। স্রেফ লিখে পয়সা করা যায় কিনা দেখব। তার পরের ইতিহাস অবিশ্যি খুব সহজ। খগেন জ্যোতিষী বলেছিল—তোমার কলমে জাদু আছে, তুমি লেখো। তবে এতটা যে সাকসেস হবে, তা অবিশ্যি ভাবতে পারিনি।'

'একটা কথা কিন্তু বলে রাখছি', বলল ফেলুদা।

'কী ?'

'এরা আপনাকে দিয়ে চুরুট খাওয়াবে। আপনি দশ বছর হল স্মোকিং ছেড়েছেন। সুতরাং একটা বিপর্যয়ের সম্ভাবনা আছে।'

'বলছেন ?'

'বলছি। এক কাজ করবেন। আজই একটা চুরুট কিনে ধোঁয়াটা পেটে না নিয়ে খাওয়া অভ্যাস করুন। পেটে গেলেই কিন্তু কাশির দমকের চোটে শট একেবারে মাটিংচকার হয়ে যাবে।'

'থ্যাঙ্ক ইউ ফর দি অ্যাডভাইস, স্যার।'

দুপুরে একটু বিশ্রাম করে চারটে নাগাত আমরা বেরিয়ে পড়লাম। আজ অবজারভেটরি হিলটায় একটা চক্কর মারার ইচ্ছে আছে। পাহাড়ের উত্তর দিক থেকে কাঞ্চনজঙ্ঘার একটা চমৎকার ভিউ পাওয়া যায়।

লালমোহনবাবু প্রথম যে সিগারেটের দোকানটা পেলেন, সেখান থেকেই একটা চুরুট কিনে নিলেন। প্রথম টানে ধোঁয়া পেটে চলে গিয়ে সত্যিই একটা বিপর্যয় হতে যাচ্ছিল, কিন্তু ভদ্রলোক সেটা কোনও-মতে সামলে নিয়ে তারপর থেকে খুব সাবধানে ধোঁয়া টানামাত্র সেটা ছেড়ে দিতে লাগলেন। চুরুট হাতে নেবার সঙ্গে সঙ্গে ভদ্রলোকের পার্সোনালটির একটা বদল লক্ষ করছিলাম। বেশ একটা মিলিটারি মেজাজ, জুতোর গোড়ালি দিয়ে শব্দ তুলে হাঁটা, ঠোঁটের কোণে একটা মৃদু হাসি নিয়ে এদিক-ওদিক চাওয়া। বুঝলাম, ভদ্রলোক অঘোরচাঁদ বাটলিওয়ালার চরিত্রে অভিনয় করতে করতে চলেছেন।

অবজারভেটরি হিলের পুবের রাস্তাটা দিয়ে গিয়ে যেই বাঁয়ে মোড় নিয়েছি, অমনি সামনে

দেখি বিকেলের পড়ন্ত রোদে কাঞ্চনজঙ্ঘায় সোনার রং ধরতে শুরু করেছে। লালমোহনবাবুর আবার কাব্যের মেজাজ এসে পড়ল, 'অয়ি কাঞ্চনজঙ্ঘে' বলে আর বাকি কবিতাটা বললেন না। আমরা পুরো পাহাড়টা চক্কর দিয়ে আবার যখন ম্যালে ফিরে এলাম তখন পাঁচটা বেজে গেছে, সূর্য পাহাড়ের পিছনে চলে গেছে। পুবে জালাপাহাড় রোডের দিকে চেয়ে দেখি ঘোড়ার স্ট্যান্ডের সামনে দিয়ে শুটিং-এর দল মালপত্তর কাঁধে নিয়ে ফিরছে, তার পিছনে লোকের ভিড়। তবে এ ভিড় মোটামুটি ভদ্র, বেশি উৎপাত করবে বলে মনে হল না। রায়না আর ভার্মা দুজনকেই কিছু অটোগ্রাফে সই দিতে হল সেটা দেখলাম। তার পর দলটা বাঁয়ে নেহরু রোড ধরে বোধহয় সোজা হোটেলের দিকে চলে গেল।

'গুড ইভনিং!'

ঘোড়ার পিঠে বিরূপাক্ষ মজুমদার। আমাদের দেখে নেমে এলেন।

'একটা কথা আজ সকালে আপনাকে বলা হয়নি', মিঃ মজুমদার ফেলুদাকে উদ্দেশ করে গলা নামিয়ে কথাটা বললেন। তারপর আরও কাছে এগিয়ে এসে বললেন, 'এ খবরটা আমার মালীর কাছ থেকে শোনা। কত দূর রিলায়েব্‌ল তা বলতে পারব না।'

'কী খবর?' ফেলুদা জিজ্ঞেস করল।

'ক দিন থেকেই নাকি একটি লোককে আমাদের গেটের বাইরে বাড়ির আশেপাশে ঘোরাফেরা করতে দেখা যাচ্ছে।'

'বলেন কী।'

'মালীও তাই বলে। লোকটা পুরনো, তার কথা অবিশ্বাস করার কোনও কারণ নেই।'

'লোকটার কোনও বর্ণনা দিয়েছে?'

'বলছে মাঝারি হাইট, রং মাঝারি, খোঁচা খোঁচা দাড়ি আছে। মুখ ভাল করে দেখেনি, কারণ চোখে চোখ পড়তেই লোকটা গাছের আড়ালে চলে যায়। তবে সিগারেট বা বিড়ি খায় এটা মালী বলল, কারণ গাছের পিছন থেকে ধোঁয়া বেরোতে দেখেছে।'

'এইভাবে দৃষ্টি রাখার কোনও কারণ খুঁজে বার করতে পারেন আপনি?'

'তা পারি। আমার বাড়িতে একটা মূল্যবান জিনিস আছে। অষ্টধাতুর তৈরি একটা বালগোপাল। আমাদের পৈতৃক বাড়ির মন্দিরের মধ্যে ছিল এটা। নয়নপুরে। জিনিসটা খুবই ভ্যালুয়েব্‌ল। আর সেটা এখানে অনেকেই দেখেছে।'

'সেটা কোথায় থাকে?'

'আমার শোবার ঘরে তাকের উপর।'

'খোলা অবস্থায়?'

'আমি তো রাত্রে জেগে থাকি, আর আমার সঙ্গে রিভলভার থাকে, কাজেই চোর বিশেষ কিছু করতে পারবে না।'

'আর কোনও কারণে লোক হানা দিতে পারে?'

'আমি এটুকু বলতে পারি যে আমার অনিষ্ট করতে চাইবে এমন লোক থাকা অসম্ভব নয়। এটা কেন বলছি তার কারণ জিজ্ঞেস করবেন না। আমি শুধু এইটুকু জানতে চাই যে এর মধ্যে যদি কিছু ঘটে তা হলে আপনার সাহায্য আশা করতে পারি তো?'

'দ্যাট গোজ উইদাউট সেইং', বলল ফেলুদা।

'তা হলেই নিশ্চিন্ত,' বললেন ভদ্রলোক।

এমন সময় একটি বছর ত্রিশের ভদ্রলোক আমাদের দিকে এগিয়ে এলেন। 'এসো সমীরণ, তোমার সঙ্গে আলাপ করিয়ে দিই,' বললেন মিঃ মজুমদার। 'ইনি হচ্ছেন আমার একমাত্র পুত্র সমীরণ, আর ইনি প্রদোষ মিত্র, আর ইনি লালচাঁদ—স্যরি, লালমোহন...গাঙ্গুলী তো?'

'আজ্ঞে হ্যাঁ।'

'আর ইনি প্রদোষবাবুর কাজিন।'

সমীরণ মজুমদার বেশ স্মার্ট দেখতে, তার উপর একটা গাঢ় লাল জার্কিন পরাতে আরও স্মার্ট দেখাচ্ছে। বললেন, 'আপনি তো বিখ্যাত ডিটেকটিভ?'

'বিখ্যাত কিনা জানি না', বলল ফেলুদা, 'তবে ডিটেকশন আমার পেশা বটে।'

'আমি আবার খুব গোয়েন্দাকাহিনীর ভক্ত। আপনার সঙ্গে একদিন বসে কথা বলার ইচ্ছা রইল।'

'নিশ্চয়ই।'

'আজ একটু শপিং-এ বেরিয়েছি। এক্সকিউজ মি।'

সমীরণবাবু চলে গেলেন।

'আমিও আসি।' ঘোড়ার পিঠে চড়ে বললেন মিঃ মজুমদার। 'আবার দেখা হবে নিশ্চয়ই।'

'প্রয়োজনে টেলিফোন করতে দ্বিধা করবেন না,' বলল ফেলুদা। 'আমরা উঠেছি কাঞ্চনজঙ্ঘা হোটেলে।'

ইতিমধ্যে একটি অচেনা ছেলে এসে লালমোহনবাবুর হাতে একটা কাগজ ধরিয়ে দিয়ে গেছে। সেটা নাকি ওঁর আগামীকালের ডায়ালগ। 'হিন্দি ডায়ালগ বাংলা অক্ষরে লিখে দিয়েছে, সুবিধাই হল।'

'অনেক কথা আছে?' ফেলুদা জিজ্ঞেস করল।

'সাড়ে তিন লাইন,' শুকনো গলায় বললেন লালমোহনবাবু।

'হোটেলে ফিরে গিয়ে একবার দেবেন তো আমাকে ডায়ালগটা', বলল ফেলুদা। 'আপনাকে একটু তালিম দিয়ে দেব। আপনার হিন্দিতে বড্ড বেশি শ্যামবাজারের টান এসে পড়ে।'

আমরা গতকালের মতো আজকেও ফেরার আগে একবার কেভেনটারসের ছাতে গিয়ে বসলাম হট চকোলেট খাবার জন্য। ঠাণ্ডা বেশ কনকনে, তার উপর মেঘ নেই বলে শীত আরও বেশি। এর মধ্যেই অনেক তারা বেরিয়ে পড়েছে আকাশে, আর তার সঙ্গে আবছাভাবে দেখা যাচ্ছে ছায়াপথটা।

'এখানে বসতে পারি?'

আমরা তিনজন একটা টেবিলে বসেছিলাম। আমাদের পাশে একটা চেয়ার খালি ছিল; এবার দেখলাম একজন বছর ষাটেকের বাঙালি ভদ্রলোক সেটার পিছনে এসে দাঁড়িয়ে আমাদের দিকে হাসি-হাসি মুখ করে চেয়ে আছেন। চোখে চশমা, কাঁচা-পাকা মেশানো গোঁফ আর মাথার চুল।

'বসুন', বলল ফেলুদা।

'আপনার পরিচয় আমার জানা আছে,' ভদ্রলোক ফেলুদার দিকে চেয়ে বললেন, 'আপনার একটা ছবি সমেত সাক্ষাৎকার বোধহয় একটা বাংলা পত্রিকায় বেরিয়েছিল। বছর খানেক আগে।'

'আজ্ঞে হ্যাঁ।'

'কিন্তু এঁকে তো—?'

'ইনি ঔপন্যাসিক লালমোহন গঙ্গোপাধ্যায়।'

'কিছু মনে করবেন না—এভাবে উড়ে এসে জুড়ে বসলাম—কিন্তু আজ আপনাদের দেখলাম আমার পাশের বাড়িতে ঢুকতে। আমি নয়নপুর ভিলার উত্তরের বাড়িটায় থাকি।

বাড়িটার নাম দ্য রিট্রিট, আর আমার নাম হরিনারায়ণ মুখার্জি ।'

'নমস্কার ।'

'নমস্কার—ইয়ে, আপনি কি কোনও তদন্তের ব্যাপারে এখানে এসেছেন ?'

'আজ্ঞে না । এসেছি ছুটি কাটাতে ।'

'না, মানে, বিরূপাক্ষ মজুমদারের বাড়িতে একজন গোয়েন্দা ঢুকছে দেখলে মনে হয়...'

'কেন ? উনি কি কোনও গোলমালে জড়িয়ে আছেন নাকি ?'

'ইয়ে, ওঁর সম্বন্ধে পাঁচ রকম গুজব শোনা যায় তো !'

'ওঃ, তাই বলুন। না, উনি কোনও গোলমালে জড়িয়ে আছেন বলে মনে হল না। আর গুজবে কান দেওয়াটা আমি বাঞ্ছনীয় বলে মনে করি না।'

'তা তো বটেই। তা তো বটেই।'

আমার মনে হল, ফেলুদা ইচ্ছে করেই মিঃ মজুমদারের লেটেস্ট ব্যাপারটা চেপে গেল। ইনি কোথাকার কে তা কে বলতে পারে ? আর ভদ্রলোক সত্যিই তো উড়ে এসে জুড়ে বসেছেন।

কেভেনটারসের ছাতে আলো অল্পই, কিন্তু তার মধ্যেই দেখছিলাম লালমোহনবাবু পকেট থেকে তাঁর কাগজটা বার করে ডায়লগটা আউড়ে দেখছেন।

'তা হলে উঠি ? আলাপ করে খুব ভাল লাগল।'

হরিনারায়ণ মুখার্জি চলে গেলেন।

'মনে হল ভদ্রলোক এখানকার অনেক দিনের বাসিন্দা', ফেলুদা মন্তব্য করল।

'সেটা আবার কী করে বুঝলেন মশাই ?'

'আমাদের চেয়ে শীতটা বেশি সহ্য করতে পারেন। সুতির শার্টের উপর একটা গরম চাদর জড়িয়ে বেরিয়ে পড়েছেন। পায়ে মোজাও পরেননি। ভদ্রলোককে একটু কালটিভেট করতে পারলে মন্দ হত না।'

'কেন ?'

'আজ জানান দিয়ে গেলেন যে ওঁর কাছে খবর আছে।'

কেন জানি না, হট চকোলেটটা খেতে খেতে মনে হচ্ছিল যে ঘটনা যেভাবে এগোচ্ছে, যে-সব লোকের সঙ্গে আলাপ করে যে-সব খবর জানতে পারছি, তার থেকে একটা বিস্ফোরণ ঘটা খুব আশ্চর্য নয়। কিন্তু সেটা যে এত তাড়াতাড়ি ঘটবে সেটা ভাবতেই পারিনি।

৫

পরদিন ব্রেকফাস্ট শেষ করতে না করতে পুলক ঘোষালের কাছ থেকে গাড়ি নিয়ে লোক এসে গেল লালমোহনবাবুর জন্য। আগের দিন রাত্রে ফেলুদার কাছ থেকে তালিম নিয়ে লালমোহনববাবু তাঁর সাড়ে তিন লাইন ডায়ালগটা তৈরি করে নিয়েছিলেন। যে লোকটি তাঁকে নিতে এল সে বাঙালি, নাম নীতিশ সোম। সে বলল আজ প্রথম দিন, তাই শুটিং আরম্ভ হতে হতে বারোটা হবে। কিন্তু লালমোহনবাবুর মেক-আপ আছে। তাই তাঁকে আগে প্রয়োজন। জামাকাপড়ের কথা পুলকবাবু আগেই বলে দিয়েছিলেন ফোন করে ; লালমোহনবাবু নিজের কোট-প্যান্টই পরবেন, তবে কী রঙের সেটা এখনও ঠিক হয়নি, তাই তিনি সঙ্গে যা এনেছেন সবই নিয়ে যেতে হবে। আমিও যেতে চাই শুনে নীতিশবাবু বললেন, 'আপনি বরং এগারোটা নাগাত আসবেন। ততক্ষণে আমাদের তোড়জোড় প্রায় শেষ হয়ে যাবে। তা ছাড়া আজ তো মহরত, তাই একটা ছোট অনুষ্ঠান আছে। সেটা এগারোটায় এলে দেখতে পাবেন। আপনি দুপুরের লাঞ্চটাও না হয় আমাদের সঙ্গেই করবেন ; হোটেল থেকে প্যাক্‌ড লাঞ্চ আসবে।'

সাড়ে আটটার মধ্যেই একটা সুটকেস নিয়ে 'দুগ্‌গা' বলে লালমোহনবাবু বেরিয়ে পড়লেন।

আমি আর ফেলুদা নটা নাগাত হোটেল থেকে বেরিয়ে পড়লাম। আজ আমরা একটু জালাপাহাড় রোড দিয়ে হাঁটব। ফেলুদা বলল, 'দার্জিলিং-এ এসে সকালটা হোটেলে বসে থাকার কোনও মানে হয় না।'

আজকের দিনটাও রোদ-ঝলমল, উত্তরে কাঞ্চনজঙ্ঘা মাথা তুলে দাঁড়িয়ে আছে। ম্যালের বেঞ্চিতে লোক ভর্তি, কারণ পুজোয় অনেক চেঞ্জার এসেছে। আমরা ঘোড়ার স্ট্যান্ড ছাড়িয়ে জালাপাহাড় রোড দিয়ে হাঁটতে লাগলাম। ফেলুদা সিগারেট খাওয়া অনেক কমিয়ে দিলেও ব্রেকফাস্টের পর একটা না খেয়ে পারে না। একটা চারমিনার ধরিয়ে দৃশ্য দেখতে দেখতেই আমাকে প্রশ্ন করল, 'হালচাল কীরকম বুঝছিস ?'

আমি বললাম, 'এখন পর্যন্ত বিরূপাক্ষ মজুমদারকেই সবচেয়ে ইন্টারেস্টিং লোক বলে মনে হচ্ছে।'

'সেটা ঠিক। অবিশ্যি তার একটা কারণ হচ্ছে যে, একমাত্র এই ভদ্রলোক সম্বন্ধেই আমরা বেশ কিছু তথ্য জেনেছি, আর সেগুলো খুবই ইন্টারেস্টিং। যে লোক দিনে ঘুমোয় আর রাতে জাগে, যে লোক গরম গরম খবর কাগজ থেকে কেটে খাতায় সেঁটে রাখে, যে বলে যে তার জীবনে একটা রহস্য আছে কিন্তু সেটা সে প্রকাশ করতে চায় না, আর যে একটা মহামূল্য জিনিস সিন্দুকে না রেখে তার ঘরের তাকে রাখে, তাকে কোনও মতেই স্বাভাবিক মানুষের পর্যায়ে ফেলা চলে না।'

'ওঁর ছেলে তো প্রায় কথাই বললেন না।'

'হ্যাঁ। আমার কাছে ভদ্রলোককে বেশ রহস্যজনক বলে মনে হল। ভাবটা যেন বেশি কথা বললে কোনও রহস্য প্রকাশ পেয়ে যাবে, তাই সামলে চলছে।'

'আর রজতবাবু ?'

'তোর কী মনে হল ?'

'মনে হল যে লোকটার চোখ খারাপ কিন্তু চশমা নেয়নি। একটা মোড়ায় ধাক্কা খেলেন দেখলে না ?'

'একসেলেন্ট ! একদম ঠিক বলেছিস। চশমাটা হয়তো ভেঙেছে ; আর মাইনাস পাওয়ার তাতে সন্দেহ নেই—অর্থাৎ দূরের জিনিস দেখতে পায় না, কাছের জিনিস পায়—তা না হলে ঠিকঠিক খাতাগুলো আনতে পারত না।'

'আর বম্বের হিরো আর ভিলেন ?'

'তোর কী মনে হয় ? আজকে তোর পরীক্ষাই হোক।'

'কাল একটা অদ্ভুত জিনিস লক্ষ করলাম।'

'কী ?'

'লালমোহনবাবু যখন নদু মল্লিকের পাখোয়াজের বোলটা বলছিলেন, তখন রায়না আর ভার্মা দুজনের ঠোঁটের কোণেই হাসি দেখা দিল।'

'এটাও দুর্দান্ত বলেছিস।'

'তার মানে কি ওরা বাংলা জানে ?'

'আসলে বম্বের ফিল্ম-জগতে এত বাঙালি কাজ করে যে, বাংলাটা অল্পবিস্তর অনেকেই বুঝতে পারে, বলতে না পারলেও।'

'ওদের দুজনকে দেখে মিঃ মজুমদার একটু অন্যমনস্ক হয়ে পড়েছিলেন, সেটা লক্ষ করেছিলে নিশ্চয়ই।'

'তা তো বটেই।'

'অবিশ্যি মিঃ মজুমদারের মনটা যেন মাঝে মাঝেই অন্য দিকে চলে যায়, তাই না ?'

'হ্যাঁ, লোকটা সব সময় যেন কিছু একটা ভাবছে। সেটা হয়তো বোঝা যাবে ওঁর সম্বন্ধে গুজবটা কী সেটা জানলে।'

আমরা প্রায় দেড় ঘণ্টা ঘোরার পর হোটেলে ফিরলাম। ফেলুদা বলল, 'তুই আজ মনের

আনন্দে শুটিং দেখিস ; আমার কথা চিন্তা করিস না। আমি ভাবছি, একবার অবজারভেটরি হিলের মাথায় গুম্ফাটা দেখে আসব।'

আমি ঠিক সময়ে সাড়ে এগারোটায় বেরিয়ে কুড়ি-পঁচিশ মিনিটে নয়নপুর ভিলায় পৌঁছে গেলাম। ফট ফট শব্দ শুনে বুঝলাম যে জেনারেটর চালু হয়ে গেছে। কিন্তু সেটা যে কোথায় রাখা হয়েছে, তা বুঝতে পারলাম না। আমাকে দেখে ওদের দলের একজন এগিয়ে এসে ভিতরে ডেকে নিয়ে গেল। এ দিকটা বাড়ির দক্ষিণ দিক, এ দিকে কাল আসিনি। একটা ঘরের মধ্যে কাজ হচ্ছে, সেখানে জোরালো স্টুডিয়োর আলো জ্বলছে। জানালা বন্ধ করে বাইরে থেকে দিনের আলো আসার পথ বন্ধ করে দিয়েছে। বুঝলাম দৃশ্যটা বোধহয় রাত্রের দৃশ্য, যদিও তোলা হচ্ছে দিনের বেলা।

কিন্তু আমাদের জটায়ু কোথায় ?

ও মা—ওই তো ভদ্রলোক ! কিন্তু প্রথম দেখে একেবারেই চিনতে পারিনি—দাড়ি আর পরচুলায় চেহারা এত বদলে গেছে। দিব্যি ভিলেন-ভিলেন লাগছে ভদ্রলোককে। আমায় দেখতে পেয়ে চেয়ার থেকে উঠে এগিয়ে এসে বেশ ভারিক্কি চালে জিজ্ঞেস করলেন, 'কী মনে হচ্ছে ? চলবে ?'

আমি ভদ্রলোকের চেহারার তারিফ করে বললাম, 'আপনার কথাগুলো মনে আছে তো ?'

'আলবৎ !' ভীষণ কনফিডেন্সের সঙ্গে বললেন ভদ্রলোক।

অন্য একটা সোফায় বসে মহাদেব ভার্মা তাঁর গোঁফে চাড়া দিচ্ছিলেন। এবার পুলক ঘোষালের গলা পেলাম।

'লালুদা !'

লালমোহনবাবু তাড়াতাড়ি গিয়ে তাঁর চেয়ারে বসলেন। আমি একটা সুবিধের জায়গা বেছে নিয়ে সেখান থেকে দাঁড়িয়ে দেখতে লাগলাম।

পুলক ঘোষাল এবার লালমোহনবাবুর সামনে দাঁড়িয়ে হাত-পা নেড়ে ব্যাপারটা বুঝিয়ে দিলেন।

'লালুদা, আপনি প্রথমে বুক পকেট থেকে একটা চুরুট বার করে মুখে পুরবেন ; সেই সঙ্গে মহাদেবও একটা সিগারেট মুখে পুরবে। তারপর আপনি পকেট থেকে দেশলাই বার করে মহাদেবের সিগারেটটা ধরিয়ে দেবেন, তারপর নিজের চুরুটটা ধরাবেন। তার পরে চেয়ারে হেলান দিয়ে বসবেন। তখন আমি "ইয়েস" বলব। তাতে আপনি চুরুটের ধোঁয়া ছেড়ে আপনার প্রথম কথাটা বলবেন। এর পরেই শট্ শেষ। এই শট্টা কিন্তু প্রধানত আপনারই শট। ক্যামেরা আপনারই মুখ দেখছে, আর মহাদেবের দেখছে পিঠ। বুঝেছেন ?'

'ইয়েস,' বললেন লালমোহনবাবু। 'তবে একটা কথা।'

'বলুন।'

'এ দেশলাইটা জ্বলবে তো ?'

'হ্যাঁ হ্যাঁ। একেবারে টাট্কা। আজই সকালে কেনা।'

'ভেরি গুড।'

মিনিটখানেক আরও আমড়াগাছির পর শট্ আরম্ভ হল। ক্যামেরা আর সাউন্ড চালু হল, আর পুলকবাবু বলে উঠলেন, 'অ্যাকশন !'

লালমোহনবাবু মুখে চুরুট পুরলেন ঠিকই, কিন্তু দেশলাইটা ধরাতে গিয়ে বারুদের দিকটা হাতে ধরে উলটো দিকটা ঘষতে লাগলেন দেশলাইয়ের গায়ে। খচ্ খচ্ খচ্ খচ্—দেশলাই আর জ্বলে না, এ দিকে ক্যামেরা চলেছে ঘড়ঘড় শব্দ করে।

'কাট, কাট !' চেঁচিয়ে উঠলেন পুলক ঘোষাল। 'লালুদা, আপনার বোধহয়—'

'সরি ভাই, ভেরি সরি। এবার আর ভুল হবে না।'

দ্বিতীয়বার অবিশ্যি চুরুট আর সিগারেট ঠিকই জ্বলল, কিন্তু চুরুটে টানটা একটু বেশি মাত্রায় হওয়ায় লালমোহনবাবুর বিষম লেগে শট্‌টা নষ্ট হয়ে গেল, আর পুলক ঘোষালকে আবার চেঁচিয়ে বলতে হল, 'কাট, কাট!'

তিনবারের বার আর কোনও ভুল হল না। 'ও কে!' বলে চেঁচিয়ে উঠলেন পুলক ঘোষাল, আর সকলে লালমোহনবাবুকে তারিফ করে হাততালি দিয়ে উঠল।

আশ্চর্য এই যে, আরও পাঁচ ঘণ্টা লালমোহনবাবুকে নিয়ে কাজ হল আর তার মধ্যে ভদ্রলোক একটাও ভুল করলেন না। এর মধ্যে অবিশ্যি ভদ্রলোককে দুবার বাথরুমে যেতে হয়েছিল; সেটা শীতের জন্যও হতে পারে আবার নার্ভাসনেসের জন্যও হতে পারে। মোট কথা, পুলক ঘোষাল স্যাটিসফাইড।

'কাল আবার সেম টাইমে লোক যাবে কিন্তু,' বললেন পুলকবাবু।

'লোক যাবার কোনও দরকার ছিল না ভাই,' বললেন লালমোহনবাবু। আমি এমনিই চলে আসতে পারতাম।'

'না না, তা কি হয় ?' বললেন পুলকবাবু। 'আমরা সকলের জন্যই লোক পাঠাই। ওটা আমাদের একটা নিয়ম।'

লালমোহনবাবুর মেক-আপ তুলতে লাগল দশ মিনিট, তারপর প্রোডাকশনের একটা জিপে করে আমরা আমাদের হোটেলে ফিরে এলাম।

নিজের ঘরে না গিয়ে আমাদের ডাবল রুমে এসে লালমোহনবাবু বিছানায় চিৎপটাং হয়ে শুয়ে পড়লেন। আমি ফেলুদাকে বলে দিলাম লালমোহনবাবুর কাজ খুব ভাল হয়েছে আর সকলে খুব তারিফ করেছে।

'বাঃ, তা হলে আর কী,' বলল ফেলুদা, 'তা হলে তো বাজিমাৎ। একটা নতুন দিক খুলে গেল। এবার আর শুধু রহস্য-রোমাঞ্চ ঔপন্যাসিক নয়, চলচ্চিত্রাভিনেতাও বটে।'

লালমোহনবাবু এতক্ষণ চোখ বুজে পড়ে ছিলেন, হঠাৎ চোখ খুলে উঠে বসে ফেলুদার দিকে চেয়ে বললেন, 'দেখছেন, আরেকটু হলে ভুলেই যাচ্ছিলাম। আপনাকে যে একটা অত্যন্ত জরুরি কথা বলার আছে।'

'কী ব্যাপার ?'

'শুনুন মন দিয়ে। আজ দেড়টায় লাঞ্চ ব্রেক হয়েছে। আমি সেই ফাঁকে টুক্ করে একবার স্মল ওয়র্ক সারতে গিয়েছিলাম বাথরুমে। বাড়ির দক্ষিণে আমাদের কাজ হচ্ছে ; সে দিকে বাথরুম আছে, কিন্তু তার ভেতর এরা শুটিং-এর যাবতীয় মালপত্তর রেখেছে ; তাই আমাকে যেতে হল উত্তর দিকে—অর্থাৎ যে দিকে মিঃ মজুমদার থাকেন। প্রোডাকশনের একজন ছোকরাই আমাকে বাথরুমটা দেখিয়ে দিল। আমি গেলুম। এটা একটা আলাদা বাথরুম, বেডরুমের সঙ্গে অ্যাটাচড় নয়। আমি কাজ সেরে হাত ধুয়ে চোখে-মুখে জলের ঝাপটা দিয়ে, বাইরে এসেই কাছের কোনও একটা ঘর থেকে শুনি মিঃ মজুমদারের গলা। ভদ্রলোক কাকে যেন কড়া গলায় শাসনের সুরে বলছেন, "ইউ আর এ লায়ার ; তোমার একটা কথাও আমি বিশ্বাস করি না।" যদিও গলার স্বর চাপা, কিন্তু তাতে যে ঘোর বিরক্তি প্রকাশ পাচ্ছিল, তাতে কোনও সন্দেহ নেই।'

'বাংলায় বললেন কথাটা ?'

'ঠিক আমি যেমন বললাম। প্রথম অংশ ইংরিজি, বাকিটা বাংলা।'

'তার মানে ভদ্রলোক তখনও ঘুমোননি ?'

'না ; কারণ কাল যখন লাঞ্চ ব্রেক হয়, তখনও ভদ্রলোককে দক্ষিণের বারান্দায় দেখেছি। উনি শুটিং দেখতে এসেছিলেন। সকালে আমার সঙ্গে কথা হয়েছে। উনি দেড়টায় বড়িটা খান, তার পর ঘুমোন। আমি যখনকার কথা বলছি, তখন দেড়টা বেজে মিনিট সাতেক হয়ে গেছে।'

'ভদ্রলোকের কথার উত্তরে অন্য লোকটি কিছু বললেন না ?'

'বলে থাকলেও সেটা এত চাপা গলায় যে, আমি শুনতে পাইনি। আমার আবার তখন তাড়া—লাঞ্চ রেডি—তাই আর অপেক্ষা না করে চলে এলাম। কিন্তু মিঃ মজুমদারই যে কথাটা বলেছেন, সে বিষয়ে কোনও সন্দেহ নেই।'

'তার মানে হয় রজত বোস, না হয় নিজের ছেলে সমীরণ মজুমদারকে বলেছেন কথাটা।'

লালমোহনবাবু হঠাৎ প্রসঙ্গ বদলে বললেন, 'তবে একটা কথা কিন্তু বলতেই হবে মশাই। এই সব বোম্বাই-অভিনেতাদের বিষয়ে যত কিছু শোনা যায়, আসলে তত কিছু নয়।'

'এটা কেন বলছেন ?'

'লাঞ্চের পর রায়নার সঙ্গে একটা শট ছিল, সেটা ছোকরার ভুলের জন্য পাঁচবার করে নিতে হল। সামান্য ডায়ালগ, তবু বার বার ভুল করছে।'

'ও রকম হয়েই থাকে,' বলল ফেলুদা, 'সেরা অভিনেতারও হঠাৎ হঠাৎ নার্ভ ফেল করতে পারে।'

সব শেষে জটায়ু বললেন, 'যেটুকু নার্ভাসনেস ছিল, আজ সম্পূর্ণ কেটে গেছে। আর কোনও ভাবনা নেই।'

৬

বজ্রপাতটা হল পরের দিন, তবে আসল ঘটনাটা সরাসরি না বলে আগে দিনটা কীভাবে গেল বলি।

দিনটা মেঘলা, তাই কাঞ্চনজঙ্ঘা রয়েছে আড়ালে। আমি ফেলুদার সঙ্গে সকালে বেরিয়ে একটু কেনাকাটা সেরে, বার্চ হিল রোড দিয়ে খানিকদূর বেড়িয়ে এগারোটা নাগাত রওনা দিলাম নয়নপুর ভিলায়। গতকাল রাত্রেও ফেলুদা লালমোহনবাবুকে তালিম দিয়েছে। এবারে সাড়ে তিনের জায়গায় সবসুদ্ধ পাঁচ লাইন ডায়ালগ। আজ আর চুরুট-সিগারেট ধরানোর ব্যাপার নেই, তাই সেদিক থেকে বাঁচোয়া।

লালমোহনবাবুর সাতটা শট ছিল। সাড়ে নটায় কাজ আরম্ভ হয়েছে। আড়াইটেয় লাঞ্চ ব্রেক হয়েছে। লাঞ্চের আগে চারটে, পরে তিনটে শট হয়ে সাড়ে চারটের সময় লালমোহনবাবু ফ্রি হয়ে গেলেন। পুলক ঘোষাল বলল, 'জিপের ব্যবস্থা আছে লালুদা, আপনি এনি টাইম যেতে চাইলে যেতে পারেন।'

লালমোহনবাবু বললেন, 'আজ যখন তাড়াতাড়ি শেষ হল, তখন ভাবছি হেঁটেই বাড়ি ফিরব ; গাড়ির দরকার নেই।'

'জাস্ট অ্যাজ ইউ লাইক,' বলল পুলক ঘোষাল।

পুলক ঘোষাল চলে গেলে পর লালমোহনবাবু বললেন, 'এদের চা-টা বেশ ভাল ; এক্ষুনি চা দেবে, সেটা খেয়ে বেরিয়ে পড়ব।'

দেড় মাইলের উপর রাস্তা, তাই চা খেয়ে পাঁচটা নাগাত বেরিয়ে হোটেল পৌঁছতে পৌঁছতে সাড়ে পাঁচটা হয়ে গেল।

ঘরে ঢুকেই দেখি ফেলুদা গায়ে জ্যাকেট চাপাচ্ছে।

'বেরোচ্ছ নাকি ?' আমি জিজ্ঞেস করলাম।

ফেলুদা আমাদের দিকে অবাক হয়ে তাকিয়ে বলল, 'তোরা ছিলি না ওখানে ? তোরা শুনিসনি ?'

'আমরা তো আধ ঘণ্টা হল বেরিয়েছি, তখন পর্যন্ত তো কিছু শুনিনি। কী ব্যাপার ?'

'মিঃ মজুমদার খুন হয়েছেন।'

'অ্যাঁ !'

আমরা দুজনেই সমস্বরে চেঁচিয়ে উঠলাম।

'ভদ্রলোক সাড়ে বারোটা নাগাত আমায় ফোন করেছিলেন। বললেন আমার সঙ্গে জরুরি কথা আছে, সেটা সন্ধ্যায় আমার এখানে এসে বলবেন। আর তার পর এই ব্যাপার।'

'তুমি খবর পেলে কী করে ?'

'ওঁর ছেলে ফোন করেছিলেন এই পাঁচ মিনিট আগে। পুলিশে খবর দিয়েছেন, কিন্তু আমাকেও যেতে বললেন। পাঁচটার পরেও ভদ্রলোকের ঘুম ভাঙছে না দেখে সমীরণবাবু ওঁর ঘরে ঢোকেন ; বাবাকে কী যেন একটা বলার ছিল। দরজাটা কেবল ভেজানো ছিল ; মিঃ মজুমদার ছিটকিনি লাগাতেন না কখনও। ঢুকে দেখেন রক্তাক্ত কাণ্ড। বুকে ছোরা মেরেছে ঘুমন্ত অবস্থায়। ওঁর বাড়ির ডাক্তার এসে বলে গেছেন ছুরির আঘাতেই মৃত্যু

হয়েছে। শুটিং অবশ্যই বন্ধ হয়ে গেছে, এবং স্বভাবতই কিছু দিন বন্ধ রাখতে হবে। কারণ পুলিশ তদন্ত করবে। যাই হোক—আমি তো চললাম। তোরা কি থাকবি, না আমার সঙ্গে যাবি ?'

'থাকব কী !' বললেন লালমোহনবাবু। 'এর পরে কি আর থাকা যায় ? চলুন বেরিয়ে পড়ি।'

আমরা তিনজন যখন নয়নপুর ভিলা পৌঁছলাম, তখন সোয়া ছটা। চারিদিক অন্ধকার হয়ে গেছে, আকাশে মেঘ, টিপ টিপ করে বৃষ্টি পড়ছে। শুটিং-এর দলের সকলেই রয়েছে। পুলক ঘোষাল কাছেই ছিলেন, আমাদের দেখে এগিয়ে এসে বললেন, 'কী বিশ্রী ব্যাপার বলুন তো ! ভারী মাই ডিয়ার লোক ছিলেন মিঃ মজুমদার। এক কথায় কাজ করার অনুমতি দিয়ে দিয়েছিলেন।'

বাড়ির বাইরে পুলিশের জিপ দাঁড়িয়ে আছে সেটা আগেই লক্ষ করেছি।

আমরা বাড়ির দিকে এগিয়ে গেলাম। সামনের বারান্দায় একজন ইনস্পেক্টর দাঁড়িয়ে আছেন। বছর চল্লিশেক বয়স, ফেলুদার দিকে হাত বাড়িয়ে বললেন, 'আপনার নাম অনেক শুনেছি। আমি ইনস্পেক্টর যতীশ সাহা।'

করমর্দন শেষ হবার পর ফেলুদা বলল, 'কী ব্যাপার ? কী বুঝলেন ?'

'ঘুমের মধ্যেই খুনটা হয়েছে, যত দূর মনে হয়।'

'কী দিয়ে মেরেছে ?'

'একটা ভুজালি। সেটা বুকেই ঢোকানো রয়েছে। ওটা নাকি মিঃ মজুমদারের ঘরেই থাকত।'

'আপনাদের ডাক্তার এসেছেন কি ?'

'এই এলেন বলে। আসুন না ভিতরে।'

মিঃ মজুমদারের শোবার ঘরটা বেশ বড়। আমি আর লালমোহনবাবু দরজার মুখেই দাঁড়িয়ে রইলাম, ফেলুদা ভিতরে গেল। মৃতদেহ সাদা চাদর দিয়ে ঢেকে ফেলা হয়েছে।

'একটা কথা আপনাকে বলে দিই,' ফেলুদাকে এক পাশে ডেকে নিয়ে বললেন যতীশ সাহা, 'আমরা তো যথারীতি আমাদের ইনভেসটিগেশন চালিয়ে যাব, তবে আপনি যখন এখানে রয়েছেন, তখন আপনিও আপনার নিজের তরফ থেকে যা করতে চান, করতে পারেন। কেবল আমাদের যা কিছু ফাইন্ডিংস পরস্পরকে জানালে বোধহয় কাজের দিক দিয়ে সুবিধা হবে।'

'সে বিষয়ে আপনি নিশ্চিন্ত থাকুন,' বলল ফেলুদা। 'আর আপনাদের সাহায্য ছাড়া আমি এগোতেই পারব না।'

সমীরণবাবু এসেছেন ঘরে, তাঁর মুখ ফ্যাকাসে, চুল উসকোখুসকো।

ফেলুদা তাঁর দিকে ফিরে বললেন, 'ব্যাপারটা তো আপনিই ডিসকাভার করেন ?

'আজ্ঞে হ্যাঁ', বললেন সমীরণবাবু। 'বাবা ঘড়িতে অ্যালার্ম দিয়ে ঠিক পাঁচটায় উঠে গিয়ে বারান্দায় বসতেন। তার পর লোকনাথ চা এনে দিত। আজ সোয়া পাঁচটায় বাবাকে জায়গায় না দেখে ভাবলাম ব্যাপার কী। খট্‌কা লাগল, তার পর বাবার শোবার ঘরে গেলাম। ঘরে ঢুকেই দেখি এই কাণ্ড।'

'এই খুন সম্বন্ধে আপনার কিছু বলার আছে ? আপনার নিজের কোনও ধারণা হয়েছে এ সম্বন্ধে ?'

ফেলুদা প্রশ্ন করতে করতে ঘরটা পায়চারি করে দেখছে, কোনও কিছুই তার তীক্ষ্ণ দৃষ্টি এড়াচ্ছে না।

'কেবল একটা কথা বলার আছে,' বললেন সমীরণবাবু।

'কী ?'

'ঘরে একটা জিনিস মিসিং।'

'কী জিনিস ?'

আমরা সকলেই কৌতূহলী দৃষ্টি দিলাম ভদ্রলোকের দিকে।

'অষ্টধাতুর একটা বালগোপাল,' বললেন সমীরণবাবু। 'এটা ছিল আমাদের নয়নপুরের বাড়ির মন্দিরে। অনেক দিনের সম্পত্তি, এবং অত্যন্ত মূল্যবান জিনিস।'

'কোথায় থাকত এটা ?'

'ওই তাকের উপর। ভুজালিটার পাশেই।'

সমীরণবাবু ঘরের একটা সেল্‌ফের দিকে ইঙ্গিত করলেন।

যতীশ সাহা বললেন, 'এমন একটা জিনিস সিন্দুকে না রেখে বাইরে রাখা হত কেন ?'

'তার কারণ বাবা তো রাত্রে ঘুমোতেন না, আর সঙ্গে রিভলবার থাকত, তাই কোনও বিপদ আছে বলে মনে করেননি।'

'তা হলে তো রবারিই মোটিভই বলে মনে হচ্ছে', বললেন সাহা। 'জিনিসটার দাম কত হবে ?'

'তা ষাট-পঁয়ষট্টি হাজার তো হবেই। সোনার অংশ বেশ বেশি ছিল।'

ফেলুদা খাটের পাশের টেবিল থেকে একটা পেনসিল তুলে নিয়ে বলল, 'শিসটা ভাঙা, এবং ভাঙা টুকরোটা পাশেই পড়ে আছে।'

আমি দেখলাম পেনসিলের পাশে একটা ছোট্ট প্যাডও রয়েছে।

ফেলুদা নিচু হয়ে প্যাডের উপরের কাগজটা দেখছিল। তারপর বিড়বিড় করে বলল, 'ওপরের কাগজটা ছিঁড়েছে বলে মনে হচ্ছে...'

এবারে ও আরও নিচু হয়ে টেবিলের চার পাশের মেঝেটা দেখতে লাগল। তারপর মেঝে থেকে একটা কাগজ তুলে নিয়ে বলল, 'পেয়েছি।'

আমি দূর থেকেই বুঝলাম প্যাডের কাগজের উপর কী যেন একটা লেখা রয়েছে।

কাগজটা নিজে ভাল করে দেখে ফেলুদা সেটা সাহার দিকে এগিয়ে দিল। সাহা কাগজটা হাতে নিয়ে লেখাটা পড়ে চোখ কপালে তুলে বললেন, 'বিষ ?'

'তাই তো লিখছেন ভদ্রলোক', বলল ফেলুদা। 'আর যে ভাবে "ষ"-এর পেট কাটা হয়েছে, মনে হয় তার পরেই মৃত্যুটা হয়, এবং শিস ভেঙে পেনসিলটা হাত থেকে পড়ে যায়, আর কাগজটাও প্যাড থেকে আলগা হয়ে মাটিতে পড়ে।'

'কিন্তু বিষ কথাটা লিখবার অর্থ কী ?' বললেন সাহা, 'যেখানে স্পষ্ট দেখা যাচ্ছে ছুরি দিয়ে মারা হয়েছে ?'

'সেটাই তো ভাবছি,' ভ্রূকুটি করে বলল ফেলুদা। তারপর সমীরণবাবুর দিকে ফিরে বলল, 'মিঃ মজুমদারের ঘুমের ওষুধ কোথায় থাকত, জানেন ?'

'ডাইনিং রুমে একটা বোতলের মধ্যে', বললেন সমীরণবাবু। 'দোকান থেকে এলেই লোকনাথ টিন-ফয়েল ছিঁড়ে বড়িগুলো বার করে বোতলে রেখে দিত।'

'সেই বোতলটা একবার আনতে পারেন ?'

সমীরণবাবুর ফিরে আসতে যেন একটু বেশি সময় লাগল। আর যখন এলেন তখন ভদ্রলোকের মুখ আরও ফ্যাকাসে হয়ে গেছে।

'বোতল নেই', ধরা গলায় বললেন ভদ্রলোক।

ফেলুদার ভাব দেখে মনে হল সে যেন এটাই আশা করছিল। বলল, 'গত পরশু সন্ধ্যায়

আমাদের সামনেই ভদ্রলোক একমাসের স্টক কিনলেন ওই ওষুধের।' তারপর সাহার দিকে ফিরে বলল, 'এই বড়ির খান ত্রিশেক একসঙ্গে একজন মানুষকে খাওয়ালে তার মৃত্যু হতে পারে না ?'

'এটা কী বড়ি ?'

'টফ্রানিল। অ্যান্টি-ডিপ্রেসান্ট পিল্স।'

'তা নিশ্চয়ই হতে পারে', বললেন সাহা।

'এবং তখন সে বড়িকে বিষ বলা যেতে পারে না ?'

'নিশ্চয়ই।'

'তা হলে বিষ কথাটার একটা মানে পাওয়া যাচ্ছে, যদিও...।' ফেলুদার যেন খট্‌কা লাগছে। একটু ভেবে বলল, 'যে লোককে খুন করা হচ্ছে সে যদি মরার পূর্বমুহূর্তে কিছু লিখে যায় তা হলে কী ভাবে তাকে মারা হচ্ছে সেটা না লিখে সে যাকে আততায়ী বলে সন্দেহ করছে তার নামটাই লিখে যাবে না কি ?'

'কথাটা আপনি ঠিকই বলেছেন', বললেন সাহা, 'কিন্তু এক্ষেত্রে ভদ্রলোক সেটা করেননি সেটা স্পষ্টই দেখা যাচ্ছে।...ভাল কথা, একবার বেয়ারা লোকনাথকে ডাকলে হত না ?'

ফেলুদা প্রস্তাবটা সমর্থন করে সমীরণবাবুর দিকে চাইল। সমীরণবাবু ইঙ্গিতটা বুঝে নিয়ে লোকনাথের খোঁজে বেরিয়ে গেলেন।

ফেলুদার চোখ থেকে যে ভ্রূকুটি যাচ্ছে না সেটা আমি লক্ষ করছিলাম। লালমোহনবাবু বললেন, 'লোকনাথ দেড়টা নাগাত একবার দক্ষিণের বারান্দায় এসেছিল মিঃ মজুমদারকে ডাকতে। কিন্তু মিঃ মজুমদার তৎক্ষণাৎ যাননি।'

'তার মানে আজকে তাঁর নিয়মের কিছু ব্যতিক্রম হয়েছিল,' বলল ফেলুদা।

'হ্যাঁ', বললেন লালমোহনবাবু। 'মনে হচ্ছিল ভদ্রলোক শুটিং-এর ব্যাপারটাতে বেশ ইন্টারেস্ট পাচ্ছিলেন। রায়না আর ভার্মাকে সুযোগ পেলেই নানা রকম প্রশ্ন করছিলেন।'

সমীরণবাবু ঘরে ফিরলেন। তাঁর মুখ দেখেই বুঝলাম, খবর ভাল না। কিন্তু যা শুনলাম, ততটা তাজ্জব খবর আমি আশা করিনি।

'লোকনাথকে পাওয়া যাচ্ছে না', বললেন সমীরণবাবু।

'পাওয়া যাচ্ছে না?' অবাক হয়ে জিজ্ঞেস করল ফেলুদা।

'না', বললেন সমীরণবাবু। 'সে দেড়টার কিছু পর থেকেই মিসিং। চাকররা দুটো নাগাত খেত—লোকনাথ খায়ওনি। কোথায় গেছে, কখন গেছে, কেউ বলতে পারছে না।'

'রজতবাবু তাকে কোথাও পাঠাননি তো?'

'না। উনি কিছু জানেনই না। বললেন, দুপুরের খাবার পর আধ ঘণ্টা বিশ্রাম করেই উনি ঝাউবনে বেড়াতে যান। এটা ওঁর একটা বাতিক আছে। উনি দুপুরে ঘুমোন না।'

কথাটা যে সত্যি সেটা জানি। কারণ শুটিং-এ লাঞ্চ ব্রেকের সময় আমি একবার ঝাউবনে গিয়েছিলাম ছোট কাজ সারতে। তখন রজতবাবু ঝাউবন থেকে ফিরছিলেন।

'এই লোকনাথ বেয়ারা কতদিনের?' জিজ্ঞেস করলেন সাহা।

'বছর চারেক', বললেন সমীরণবাবু। 'আগের বেয়ারা রঙ্গলাল খুব পুরনো লোক ছিল। সে হঠাৎ হেপাটাইটিসে মারা যায়। লোকনাথ খুব ভাল রেফারেন্স নিয়ে এসেছিল। একটু লিখতে-পড়তেও পারত। বাবার হবির ব্যাপারে রজতবাবুকে ও সাহায্য করত।'

'তা হলে তো মনে হচ্ছে ওকে খুঁজে বের করলেই আমাদের সমস্যার সমাধান হবে', বললেন সাহা। 'আপনাদের টেলিফোনটা একটু ব্যবহার করতে পারি?'

'নিশ্চয়ই', বলে সমীরণবাবু সাহাকে নিয়ে ঘর থেকে বেরিয়ে গেলেন।

'কিন্তু মড়ার উপর খাঁড়ার ঘা-টা কেন দেওয়া হল, সেটা তো বুঝতে পারছি না ফেলুবাবু', বললেন লালমোহনাবু। 'চুরিই যদি উদ্দেশ্য হয়ে থাকে, তা হলে তো সে কাজটা ত্রিশটা বড়ি খাইয়ে বেহুঁশ করেই হয়ে যায়। আবার ছোরা কেন?'

ফেলুদা বলল, 'মনে হয় শুধু বড়িতে আততায়ী নিশ্চিন্ত হতে পারেনি। হয়তো যে সময় মূর্তিটা চুরি করতে এসেছিল, সেই সময় মজুমদার একটু নড়াচড়া করেছিলেন। বড়ির অ্যাকশন হতে তো সময় লাগে! এই নড়াচড়া দেখেই ঘাবড়ে গিয়ে ছোরাটা মারা হয়েছে। এবং তারপর মূর্তিটা সরানো হয়েছে।'

'কিন্তু তা হলে "বিষ"টা কখন লেখা হল?'

'সেটা অবিশ্যি ছোরা মারার আগেই হয়েছে—যখন মজুমদার প্রথম বুঝেছেন যে, তাঁকে কিছু একটা খাইয়ে বেহুঁশ করার চেষ্টা হয়েছে। লেখাটা লিখেই উনি অন্তত সাময়িকভাবে সংজ্ঞা হারান। এ ছাড়া আর কোনও সমাধান আপাতত খুঁজে পাওয়া যাচ্ছে না।'

ফেলুদা যে খুশি নয় সেটা আমি বুঝতে পারছিলাম।

সাহা ইতিমধ্যে ঘরে ফিরে এসেছিলেন; বললেন, 'আমার কাছে ইট সার্টেনলি মেক্স সেন্স। ...যাক্ যে, আমি লোক লাগিয়ে দিয়েছি। ইতিমধ্যে অবিশ্যি আমার অন্য কাজ চালিয়ে যেতে হবে। আমি এ বাড়ির এবং ফিল্মের দলের সকলকে জেরা করতে চাই।'

'একটা কথা', বললেন লালমোহনবাবু। 'ফিল্মের দলের মধ্যে সকলের কিন্তু বাড়ির উত্তর দিকের বাথরুম ব্যবহার করার অধিকার ছিল না। সে অধিকার ছিল পরিচালক পুলক ঘোষালের, ক্যামেরাম্যান সুদেব ঘোষ, রায়না, ভার্মা, আর আমার।'

'তা হলে শুধু তাদেরই জেরা করা হবে', বললেন সাহা।

'মানে, আমাকেও ?' ধরা গলায় প্রশ্ন করলেন লালমোহনবাবু।

'তা তো বটেই', বলল ফেলুদা। 'সুযোগ যাদের ছিল, তাদের মধ্যে আপনি তো একজন বটেই।'

সাহা বললেন, 'এ ছাড়া আছে বাড়ির লোক। অর্থাৎ—' ভদ্রলোক সমীরণবাবুর দিকে জিজ্ঞাসু দৃষ্টি দিলেন।

সমীরণবাবু বললেন, 'অর্থাৎ আমি, রজতবাবু, চাকর বাহাদুর, আর রান্নার লোক জগদীশ।'

'ভেরি গুড।'

৭

পরদিন সকালে সাড়ে নটায় পুলক ঘোষাল আমাদের হোটেলে এলেন। 'আপনাদের জেরা শেষ ?' ফেলুদা জিজ্ঞেস করল ভদ্রলোককে।

'তা শেষ', বললেন পুলক ঘোষাল। 'কাল রাত সাড়ে নটায় ছাড়া পেয়েছি। কিন্তু কী ঝঞ্ঝাটে পড়া গেল দেখুন তো ! যদ্দিন না তদন্ত শেষ হচ্ছে, তদ্দিন তো ও-বাড়িতে শুটিং বন্ধ। অবিশ্যি সমীরণবাবু বলেছেন যে সব মিটে গেলে ওঁদের বাড়িতে আবার কাজ করতে দেবেন, কিন্তু সেটা কবে তা কে বলতে পারে ? কত টাকা লস্ হল আমাদের ভাবতে পারেন ?'

লালমোহনবাবু চুকচুক করে সহানুভূতি জানালেন।

'তবে এটা ঠিক', বললেন পুলকবাবু, 'একটা প্রোডাকশনে বাধা পড়লে সচরাচর সে ছবি হিট হয়। আর, একটা কথা আপনি জানবেন লালুদা—আপনার গপ্পের মার নেই।'

পুলকবাবু চলে যাবার আধ ঘণ্টার মধ্যেই ইন্স্পেক্টর যতীশ সাহা এলেন। বললেন, 'নো পাত্তা অফ লোকনাথ বেয়ারা। আমরা শিলিগুড়িতে পর্যন্ত লোক লাগিয়ে দিয়েছি। তবে আমার মনে হয় ইট্‌স এ ম্যাটার অফ টাইম। এখন হয়তো কোনও ভুটিয়া বস্তিতে গা ঢাকা দিয়ে রয়েছে ; সুনার অর লেটার ধরা পড়তে বাধ্য। আমার দৃঢ় বিশ্বাস লোকটা কলকাতায় যাবার তাল করেছে ; সেইখানে ও মূর্তিটা পাচার করবে। আশ্চর্য—সিধে মানুষও লোভে পড়লে কী রকম বেঁকে যায় !'

'আপনার জেরা তো হয়ে গেছে শুনলাম,' বলল ফেলুদা।

'তা হয়েছে', বললেন সাহা। 'এতে একটা জিনিস প্রমাণ হল যে, ফিল্ম শুটিং-এর ব্যাপারে মানুষের কৌতূহলের সীমা নেই। বাড়ির প্রত্যেকটি লোক বেশ কিছুটা করে সময় কাটিয়েছে শুটিং দেখে। মিঃ মজুমদার তাঁর রুটিন ব্রেক করলেন—ভাবতে পারেন ? অথচ ওঁর জীবনটা চলত ঘড়ির কাঁটার মতো !'

ফেলুদা বলল, 'সুযোগের ব্যাপারটা কী মনে হল ? মোটিভটা এখন থাক।'

'এখানে অবিশ্যি দুটো ব্যাপার দেখতে হবে', বললেন সাহা। 'এক, দুধে বড়ি মেশানো, আর দুই, ছোরা মেরে মূর্তি চুরি। দেড়টা নাগাত লোকনাথ দুধ রেডি করে মজুমদারকে খবর দিতে গেস্‌ল। সে নিজেই ত্রিশটা বড়ি মেশাতে পারে। অথবা সে যখন ছিল না, তখন অন্য লোক কাজটা করতে পারে। রজতবাবু বললেন তখন উনি নিজের ঘরে শুয়ে বই পড়ছিলেন। সমীরণবাবুও বললেন তিনি নিজের ঘরে ছিলেন। এ সবের অবিশ্যি কোনও প্রমাণ নেই। চাকর বাহাদুর আর রান্নার লোক জগদীশ শুটিং দেখছিল। দিস ইজ এ ফ্যাক্ট।'

'আপনাদের ডাক্তার খুনের টাইম সম্বন্ধে কী বলেন ?'

'বলছেন আড়াইটা থেকে সাড়ে চারটার মধ্যে স্ট্যাবিংটা হয়েছে। ছুরিকাঘাতেই যে মৃত্যু হয়েছে তাতে কোনও সন্দেহ নেই, তা না হলে এত ব্লিডিং হত না।'

'লোকনাথ সম্বন্ধে কেউ কিছু বলতে পারল ?'

'কেউ না। আসলে সকলের মনই শুটিং-এর দিকে পড়ে ছিল।'

লালমোহনবাবু কিছুক্ষণ থেকেই উসখুস করছিলেন ; এবার বললেন, 'আমার জেরাটা এখন সেরে নিলেই ভাল হত না ?'

'নিয়মমতো কালকেই সেরে নেওয়া উচিত ছিল।' বললেন ইনস্পেক্টর সাহা, 'কিন্তু আপনি মিঃ মিত্তিরের বন্ধু বলে আর ইনসিস্ট করিনি। যাই হোক, এবার আপনি বলুন গতকালের ঘটনাগুলো।'

'আমি পৌঁছেছি নটায়', বললেন লালমোহনবাবু। 'তারপর মেক-আপ করতে লেগেছে এক ঘণ্টা। যে ঘরে শুটিং, তার পাশেই দক্ষিণের বারান্দা ; আমরা অভিনেতারা আমাদের ডাকের অপেক্ষায় সেখানেই বসেছিলাম। সেখানে একটা ব্যাপার হয়। মিঃ মজুমদার সাড়ে দশটা নাগাত একবার এসে রায়না আর ভার্মাকে ডেকে ভিতরে নিয়ে যান মিনিট পাঁচেকের জন্য। পরে রায়না আমাকে বলে যে, মজুমদার তাঁদের একটা মূল্যবান পৈতৃক সম্পত্তি দেখাতে নিয়ে গিয়েছিলেন। এখন বুঝতে পারছি সেটা ছিল ওই বালগোপালটা।'

'তারপর ?' প্রশ্ন করলেন সাহা।

'তারপর এগারোটার সময় আমার আর ভার্মার ডাক পড়ে। আমরা দুজনে শুটিং-এর ঘরে গিয়ে হাজির হই। দশ মিনিটের মধ্যে শট্ আরম্ভ হয়। লাঞ্চের আগে চারটে শট্ হয়। তার মধ্যে দ্বিতীয় শটের পর সাড়ে বারোটা নাগাত আমি একবার বাথরুমে যাই।'

'তখন আর কাউকে দেখেছিলেন কি ?'

'না। বাথরুম থেকে ফেরার কয়েক মিনিটের মধ্যেই আমাকে রিহার্সালের জন্য ডাকা হয়। আধ ঘণ্টার মধ্যেই তিন নম্বর শট্ হয়। তারপর আমার বেশ কিছুক্ষণ বিশ্রাম ছিল। সেই সময়টা আমি দক্ষিণের বারান্দায় বসেছিলাম।'

'একা ?'

'আমার সঙ্গে রায়না আর ভার্মা ছিল, আর মিঃ মজুমদার এসেছিলেন কিছুক্ষণের জন্য। ওঁকে লোকনাথ খবর দিতে আসে ওঁর দুধ রেডি আছে বলে। তার পাঁচ-সাত মিনিট পরে মজুমদার চলে যান। পৌনে দুটোর সময় আমার ডাক পড়ে চার নম্বর শটের জন্য। এটা ছিল শুধু আমার একার শট। এর পরেই আড়াইটায় লাঞ্চ ব্রেক হয়। তখন আমি একবার বাথরুম যাই হাত ধুতে। আমার সঙ্গে রায়না আর ভার্মাও গিয়েছিল।'

'কে প্রথমে হাত ধোয় ?'

'আমি। তারপর আমি চলে আসি। খেতে সবসুদ্ধ মিনিট কুড়ি লাগে। তারপর আমি বারান্দাতেই বসেছিলাম। তপেশ ছিল আমার সঙ্গে।'

আমি মাথা নেড়ে সায় দিলাম।

লালমোহনবাবু বলে চললেন, 'এই সময়টা রায়না আর ভার্মা কোথায় ছিল লক্ষ করিনি। তিনটের সময় আবার কাজ শুরু হয়। আমার পাঁচ নম্বর শট শেষ হয় সাড়ে তিনটেয়। তার পর আলো চেঞ্জ করার জন্য প্রায় পঁয়ত্রিশ মিনিটের একটা বিরতি ছিল।'

'তখন আপনি কী করছিলেন ?'

'আমি, রায়না আর ভার্মা দক্ষিণের বারান্দায় বসে গল্প করছিলাম। তপেশও ছিল কাছাকাছি বসে।'

আমি আবার সায় দিলাম।

'ভার্মা ভারতবর্ষের অনেক জায়গায় ঘুরেছে। ওঁর অভিজ্ঞতা বলছিলেন আমাদের।'

'এই পুরো সময়টাই কি আপনারা তিনজনে একসঙ্গে ছিলেন?'

লালমোহনবাবু একটু ভুরু কুঁচকে ভাবলেন। তারপর বললেন, 'ভার্মা বোধহয় একবার উঠে গিয়েছিল মিনিট পাঁচেকের জন্য। তখন রায়না বোম্বাই ফিল্ম জগতের গসিপ্ শোনাচ্ছিলেন। তারপর—'

'আর দরকার নেই, এতেই হবে', বললেন ইনস্পেক্টর। 'তবে লোকনাথকে যে বিকেলের দিকে আর দেখেননি, সেটা আপনার মনে আছে?'

'লোকনাথ...লোকনাথ...উঁহু, লোকনাথকে আর দেখিনি।'

'থ্যাঙ্ক ইউ স্যার', বলে সাহা উঠে পড়লেন। তার পর আমার দিকে ফিরে বললেন, 'তুমিও তো ছিলে ওখানে?'

আমি মাথা নেড়ে হ্যাঁ বললাম।

'তোমার কিছু বলার আছে?'

'লালমোহনবাবু যা বলেছেন, সবই ঠিক বলেছেন। আমি শুধু একবার আড়াইটের সময় পিছনে ঝাউবনে যাই বাথরুম সারতে। তখন রজতবাবুকে দেখি, উনি বাড়ির দিকে ফিরছেন। দেখে মনে হল যেন একটু হাঁপাচ্ছেন।

সাহা বললেন, 'ভদ্রলোক জেরাতেও বলেছিলেন যে, মাঝে মাঝে দুপুরে খেয়ে একটু বিশ্রাম করে উনি ঝাউবনে বেড়িয়ে আসেন। গতকালও গেছেন বলে বলছিলেন। ভাল কথা, দুপুরে যে লাঞ্চটা হত, তাতে কি শুধু ফিল্মে যারা কাজ করছে তারাই অংশগ্রহণ করত?'

'আজ্ঞে হ্যাঁ,' বললেন লালমোহনবাবু। 'সমীরণবাবু আর রজতবাবুকেও অফার করেছিল পুলক, কিন্তু ওঁরা রাজি হননি।'

'ভাল কথা', বললেন সাহা। 'ভুজালির হাতলে কোনও আঙুলের ছাপ পাওয়া যায়নি।'

ফেলুদা বলল, 'সেটা বোধহয় আশাও করা যায়নি। কিন্তু আমার একটা প্রশ্ন ছিল আপনাকে।'

'কী প্রশ্ন?'

'খুনের টাইমটা সাড়ে চারটে হওয়ার চেয়ে আড়াইটা হওয়াই বেশি স্বাভাবিক বলে মনে হয় না কি?'

'কেন বলুন তো?'

'ধরুন যদি লোকনাথই অপরাধী হয়, সে স্বভাবতই যত তাড়াতাড়ি পারে তার কাজ সেরে ফেলবে। দেড়টায় সে বড়ি মিশিয়েছে দুধে—আটাশখানা—তারপর তিন ঘণ্টা পর্যন্ত সে অপেক্ষা করবে কেন? যদি মূর্তিটা নেবার সময় সে ছোরা মেরে থাকে—যেটা স্বাভাবিক—তা হলে সেটা এত পরে করবে কেন?'

'গুড পয়েন্ট', বললেন সাহা। 'অবিশ্যি আড়াইটায় খুনটা হলে সেটা ডাক্তারের রিপোর্টের বিরুদ্ধে যায় না।'

ইনস্পেক্টর সাহা উঠে পড়লেন। বললেন, তাঁকে একবার নয়নপুর ভিলায় যেতে হবে। ঘর থেকে বেরোবার সময় ফেলুদার দিকে ফিরে বললেন, 'আপনার চোখ থেকে ভ্রূকুটি যাচ্ছে না কেন বলুন তো?'

ফেলুদা বলল, 'ওটা কিছু না। আসলে আমি খুব জটিল কেস হ্যান্ডেল করে অভ্যস্ত। এটা কেমন যেন বেশি সরল বলে মনে হচ্ছে। এটা আমার কাছে একটা নতুন অভিজ্ঞতা,

তাই সেটাকে সহজে গ্রহণ করতে পারছি না।'

'এ আবার আপনার বাড়াবাড়ি মশাই', বললেন সাহা। 'আমরা সহজ কেস হলে হাঁপ ছেড়ে বাঁচি, আর আপনি দেখছি তার ঠিক উলটো। এইখানেই পুলিশ আর শখের গোয়েন্দার তফাত।'

সাহা চলে গেলেন, কিন্তু ফেলুদার কপালে দুশ্চিন্তার রেখা রয়েই গেল। ও শেষে বলল, 'একটা সামান্য সহজ জিনিস নিয়ে এত ভাবার কোনও মানেই হয় না। লোকনাথকে খুঁজে বার করবে পুলিশ ; সেখানে আমার কিছু করারই নেই। চল, একটু বেড়িয়ে আসি ম্যালে।'

আজকের দিনটা কুয়াশাচ্ছন্ন, তার ফলে শীতটাও একটু বেশি, তাই বোধহয় ম্যালে বেশি লোক নেই। আমরা তিনজন এগিয়ে একটা খালি বেঞ্চিতে বসলাম।

ভারী অদ্ভুত লাগছে কুয়াশার মধ্যে ম্যালটাকে। এতই কুয়াশা যে দশ হাত দূরের লোককে দেখা যায় না। কাছে এলে মনে হয় হঠাৎ যেন শূন্য থেকে বেরিয়ে এল। সেই ভাবেই বেরিয়ে এলেন একজন বৃদ্ধ ভদ্রলোক, আর তিনি এগিয়ে এলেন আমাদের দিকেই। তারপর ফেলুদার দিকে চেয়ে হাত দুটো জোড় করে বললেন, 'নমস্কার!'

৮

ফেলুদাও প্রতিনমস্কার করল। ভদ্রলোক বললেন, 'কাল সন্ধ্যায় কেভেনটারসে সামান্য পরিচয় হয়েছিল আমাদের—আপনার মনে আছে বোধহয়?'

'হ্যাঁ হ্যাঁ—আপনার নাম তো হরিনারায়ণ মুখোপাধ্যায়?'

'বাঃ, আপনার মেমরি তো বেশ শার্প দেখছি। তা, একটু বসতে পারি আপনাদের পাশে?'

'নিশ্চয়ই।'

ফেলুদা ওর নিজের আর লালমোহনবাবুর মাঝখানে একটু জায়গা করে দিল। ভদ্রলোক বসলেন।

'আপনি তো নয়নপুর ভিলার পাশেই থাকেন?'

'আজ্ঞে হ্যাঁ। উত্তর দিকের বাড়িটা আমার। আমি আছি এখানে প্রায় এগারো বছর।'

'আপনার বাড়ির পাশেই তো একটা ট্র্যাজিডি হয়ে গেল।'

'তা তো বটেই', বললেন ভদ্রলোক। 'কিন্তু এর একটা আঁচ তো আগে থেকেই পাওয়া গেস্‌ল, তাই নয় কি?'

'আপনার তাই মনে হয়?'

'এ কথা বলছি, কারণ বিরূপাক্ষ মজুমদারকে আমি অনেক দিন থেকেই চিনি। ঘনিষ্ঠ আলাপ ছিল বলতে পারি না, কারণ মজুমদার যে খুব মিশুকে লোক ছিলেন তা নয়। কিন্তু তাঁর বিষয়ে আমি জানি অনেক দিন থেকেই।'

'কী করে জানলেন?'

'আমি এককালে বছর দশেক ছিলাম মধ্যপ্রদেশের নীলকণ্ঠপুরে। আমার পেশা ছিল জিওলজি। ইট পাথর নিয়ে কারবার ছিল আমার। সেই নীলকণ্ঠপুরে একবার আসেন বিরূপাক্ষ মজুমদার। তখন ওঁর বয়স ছিল হয়তো পঁয়ত্রিশ-ছত্রিশ। শিকারের খুব শখ ছিল ভদ্রলোকের। নীলকণ্ঠপুরের রাজা পৃথ্বী সিং মজুমদারকে আমন্ত্রণ জানান তাঁর জঙ্গলে গিয়ে শিকার করার জন্য। পরস্পর আলাপ ছিল আগে থেকেই। এই দুই শিকারির মধ্যে একটা মিল ছিল। সেটা এই যে, কেউই মাচার উপর থেকে শিকার করতে চাইতেন না। এমনকী

হাতির পিঠ থেকেও না। তাঁদের উদ্দেশ্য ছিল বিটারদের সাহায্য না নিয়ে জঙ্গলের মধ্যে দিয়ে সোজা হেঁটে গিয়ে বাঘ শিকার করা। এই শিকার থেকেই হয় এক চরম দুর্ঘটনা।'

'কী রকম ?'

'বাঘের বদলে মানুষের উপর গুলি চালান বিরূপাক্ষ মজুমদার।'

'সে কী !'

'ঠিকই বলছি।'

'মানে, কোনও স্থানীয় অধিবাসী-টাসী— ?'

'না। তা হলে তো তবু কথা ছিল। যিনি মরেছিলেন, তিনি ছিলেন ভদ্রলোক এবং বাঙালি। নাম সুধীর ব্রহ্ম। বাঙালি হলেও বাপের আমল থেকে মধ্যপ্রদেশবাসী। পেশা ছিল নীলকণ্ঠপুর রাজ কলেজে ইতিহাসের প্রফেসারি, কিন্তু প্রচণ্ড শখ ছিল কবিরাজির। রাজা এবং মজুমদার যে সময় বাঘ খুঁজছিলেন, সেই সময় ব্রহ্ম ঘুরছিলেন জঙ্গলে গাছড়ার অনুসন্ধানে। তাঁর গায়ে একটা গেরুয়া চাদর ছিল। একটা ঝোপের পাতা নড়তে দেখে আর ঝোপের ফাঁক দিয়ে গেরুয়া দেখে বাঘ ভেবে গুলি চালান বিরূপাক্ষ মজুমদার। সে গুলি গিয়ে লাগে সুধীর ব্রহ্মের পেটে। তৎক্ষণাৎ মৃত্যু।

'এ খবর যাতে না ছড়ায়, তার জন্য বিস্তর টাকা খরচ করতে হয়েছিল পৃথ্বী সিং-কে। আমি নিজে জানি, কারণ আমি ছিলাম ব্রহ্মের বন্ধুস্থানীয়। মজুমদার কলঙ্কের হাত থেকে পার পায় ঠিকই, কিন্তু সে যে অপরাধী, সে যে হত্যাকারী, বাঘ মারতে সে যে মানুষ মেরে ফেলেছিল, তাতে তো কোনও সন্দেহ নেই ! এই অপরাধের বোঝা বয়ে মানুষ কত দিন বেঁচে থাকতে পারে ?'

'আপনার কি মনে হয় এবার যে-খুন হয়েছে তার সঙ্গে এই দুর্ঘটনার কোনও যোগ আছে ?'

'একটা ব্যাপার আছে। আপনি গোয়েন্দা, আপনি হয়তো বর্তমানে হত্যা নিয়ে ভাবছেন, তাই আপনাকে বলছি। সুধীর ব্রহ্মর একটি ছেলে ছিল, নাম রমেন ব্রহ্ম। এই দুর্ঘটনা যখন ঘটে তখন ছেলেটির বয়স ষোলো। সে কিন্তু এই ধামা চাপা দেওয়ার ব্যাপারটাকে মোটেই বরদাস্ত করতে পারেনি। আমাকে কাকা বলে সম্বোধন করত রমেন। সেই সময়ই সে বলেছিল যে বড় হয়ে সে এই হত্যার প্রতিশোধ নেবে। এখন তার বয়স হওয়া উচিত আটত্রিশ।'

'আপনার সঙ্গে সে যোগাযোগ রেখেছিল ?'

'না। আমি নীলকণ্ঠপুর ছাড়ি আজ থেকে বিশ বছর আগে। কিছুকাল ছোট নাগপুরে ছিলাম। তারপর রিটায়ার করে চলে আসি দার্জিলিং-এ। আমার বাড়িটা আপনার-চোখে পড়েছে কিনা জানি না। ছোট্ট কটেজ বাড়ি। আমি আর আমার স্ত্রী থাকি। আমার একটি ছেলে, সে কলকাতায় প্লিডার। একটি মেয়ের বিয়ে হয়ে বাইরে রয়েছে।'

'আপনার কি ধারণা, সুধীর ব্রহ্মের সেই ছেলে এখন এখানে রয়েছে ?'

'তা বলতে পারব না ; আর বাইশ বছর পরে তাকে দেখলে হয়তো চিনতেও পারব না। কিন্তু সে বাপের হত্যার প্রতিশোধ নিতে বদ্ধপরিকর ছিল সে কথা আমি জানি।'

ভদ্রলোক যে ঘটনাটা বললেন, সেটা যে খুবই আশ্চর্য তাতে কোনও সন্দেহ নেই। এটা বুঝতে পারছিলাম যে, এ কাহিনী ফেলুদাকে নতুন করে ভাবাবে।

ফেলুদা বলল, 'আপনাকে অশেষ ধন্যবাদ। সে ছেলে যদি এখন এখানে নাও থাকে, মিঃ মজুমদারের জীবনে যে এমন একটা ঘটনা ঘটেছে এটা শুনে খুবই অবাক লাগছে। তাঁর জীবনে যে কোনও একটা গোলমেলে ব্যাপার ঘটেছিল সে রকম ইঙ্গিত দু-একবার পেয়েছি,

এমনকী আপনিও দিয়েছেন, কিন্তু সেটা যে এমন একটা ঘটনা তা ভাবতে পারিনি। আর আপনি নিজেই যখন সে সময় নীলকণ্ঠপুরে উপস্থিত ছিলেন, তখন এটা অবিশ্বাস করার কোনও কারণ থাকতে পারে না।'

হরিনারায়ণবাবুর সঙ্গে আমরাও উঠে পড়লাম। ফেলুদার কপালে নতুন করে ভ্রূকুটি দেখা দিয়েছে। আমার মন বলছে এবার আর কেসটাকে তেমন সহজ বলে মনে হচ্ছে না ফেলুদার। খানিকটা পথ কুয়াশার মধ্যে দিয়ে হেঁটে ও বলল, 'এই কাহিনী আমার চিন্তাকে সাহায্য করবে না ব্যাহত করবে সেটা বুঝতে পারছি না। এখন এই শহরের অবস্থা যেমন, আমার মনের অবস্থাও ঠিক সেই রকম। একরাশ কুয়াশা এসে চিন্তাশক্তিকে আচ্ছন্ন করে ফেলেছে। যদি একটু সূর্যের আলো দেখতে পেতাম!'

আমরা হাঁটতে হাঁটতে অবজারভেটরি হিল রোডের পুব দিকটায় এসে পড়লাম। বুঝতে পারছিলাম ফেলুদার মনের ভিতরটা ছটফট করছে, তাই সে এক জায়গায় চুপ করে দাঁড়িয়ে থাকতে পারছে না।

কুয়াশার মধ্যেই একজন নেপালি একটা ঘোড়া নিয়ে এগিয়ে এল, পিঠে কোনও সওয়ার নেই। 'বাবু ঘোড়া লেগা, ঘোড়া?' বলে উঠল লোকটা, কিন্তু আমরা তাকে অগ্রাহ্য করে এগিয়ে গেলাম। সামনে বাঁয়ে ঘুরে গেছে রাস্তাটা, ডাইনে খাদ, আমরা সে খাদ বাঁচিয়ে রাস্তার বাঁ দিক ঘেঁষে চলেছি। রাস্তার পাশের রেলিংটা প্রায় দেখা যাচ্ছে না কুয়াশায়। পরিষ্কার দিনে এখান থেকে সামনে উত্তরে পুরো কাঞ্চনজঙ্ঘার লাইনটা দেখা যায়; আজ আমাদের চার দিক থেকে ঘিরে রয়েছে একটা দুর্ভেদ্য সাদা দেয়াল।

এবার পাশের রেলিংটা ফুরিয়ে গেছে। এখন ডাইনে রাস্তার ধারেই খাদ। আমরা এখনও পাহাড়ের দিক ঘেঁষে চলেছি, যদিও দেখছি ফেলুদা, মাঝে মাঝে অন্যমনস্ক হয়ে একটু বেশি ডান দিকে চলে যাচ্ছে। লালমোহনবাবু খালি বলছেন, 'মিস্টিরিয়াস, মিস্টিরিয়াস'...। তারপর একবার বললেন, 'মশাই, মিস্ট থেকেই মিস্ত্রি আর মিস্টিরিয়াস এসেছে নাকি?'

হঠাৎ আমাদের পিছনে ফিরতে হল, কারণ দ্রুত পায়ের শব্দ পেয়েছি। কিন্তু কই, এখনও তো কাউকে দেখা যাচ্ছে না! অথচ পায়ের শব্দটা এগিয়ে আসছে। তারপর হঠাৎ কুয়াশার ভিতর থেকে একটা ছায়ামূর্তি বেরিয়ে এল। তার মুখ ভাল করে দেখার আগেই সে মূর্তি ফেলুদাকে সজোরে মারল একটা ধাক্কা খাদের দিকে। ফেলুদা টাল সামলাতে না পেরে পাহাড়ের গা দিয়ে গড়িয়ে মুহূর্তের মধ্যে নীচে অদৃশ্য হয়ে গেল—চারিদিক কুয়াশায় কুয়াশা!

ইতিমধ্যে মূর্তিও আবার কুয়াশায় মিলিয়ে গেছে, সেই সঙ্গে মিলিয়ে গেছে তার দ্রুত পায়ের শব্দ।

লালমোহনবাবুর আর্তনাদের সঙ্গে সঙ্গে বুঝতে পারলাম কী সাংঘাতিক একটা ঘটনা ঘটে গেল।

আর সেই সঙ্গে দুটো নেপালি সামনের কুয়াশা থেকে বেরিয়ে এল, আর আমাদের দেখেই জিজ্ঞেস করল, 'কেয়া হুয়া, বাবু?'

আমরা বললাম কী হয়েছে। আমাদের সঙ্গের লোক খাদে পড়ে গেছে জেনেই তারা দুজন অনায়াসে পাহাড়ের গা দিয়ে নীচে নেমে গেল—'এক মিনিট ঠাহরিয়ে বাবু, হাম্ দেখ্‌তা হ্যায় কেয়া হুয়া।'

লোক দুটোও কুয়াশার মধ্যে অদৃশ্য হয়ে গেল, কিন্তু সেই মুহূর্তেই কুয়াশাও হঠাৎ পাতলা হয়ে চারদিকে সব কিছু যেন আবছা আবছা দেখা যেতে লাগল। কে যেন একটা ফিন্‌ফিনে চাদর টেনে সরিয়ে নিচ্ছে সমস্ত দৃশ্যের উপর থেকে।

নীচে ওটা কী?

একটা গাছ। রডোডেনড্রন বলেই তো মনে হচ্ছে। তার গুঁড়ির সঙ্গে লেগে একটা মানুষ পড়ে আছে। ফেলুদা! ওই যে তার খাকি জার্কিন আর লাল-কালো চেক্ মাফলার।

নেপালি দুটো মুহূর্তের মধ্যে পাহাড়ের গা দিয়ে নেমে গেছে, তার পর ফেলুদাকে দু হাতে ধরে তুলতেই যেন ফেলুদারও হুঁশ ফিরে এসেছে।

'ফেলুদা!'

'ফেলুবাবু!'

আমাদের দুজনের ডাকের উত্তরে ফেলুদা তার ডান হাতটা তুলে আশ্বাস দিল যে সে ঠিকই আছে।

তারপর সে খাড়াই দিয়ে উঠে এল দুই নেপালির সাহায্যে—আমাদের চরম বিপদের সময় দুই আচমকা বন্ধু।

পাঁচ মিনিটের কসরত ও চেষ্টার পর ফেলুদা পৌঁছে গেল আমাদের কাছে—সে হাঁপাচ্ছে, তার কপাল ছড়ে গিয়ে রক্ত বেরোচ্ছে, হাতেও আঁচড় লেগেছে, তাতে রক্তের আভাস।

'বহুৎ সুক্রিয়া!' ফেলুদা বলল তার উদ্ধারকারীদের।

তারা দুজনে চাপড় মেরে ফেলুদার গা থেকে ধুলো ঝেড়ে দিয়ে বলল, ম্যালের মোড়েই ডাক্তারখানা আছে, সেখানে এক্ষুনি গিয়ে যেন ফেলুদা ফার্স্ট এডের ব্যবস্থা করে।

আমাদেরও সে মতলব ছিল। আমরা হাঁটা দিলাম আবার ম্যালের দিকে।

'লোকটা কে ছিল বুঝতে পারলে তপেশ?' লালমোহনবাবু জিজ্ঞেস করলেন। আমি মাথা নাড়লাম। সত্যি বলতে কী, চাপ দাড়ি ছাড়া আর কিছুই দেখিনি আমি। আর দাড়িটাও মনে হচ্ছিল নকল। 'কী রকম বোধ করছেন?' জটায়ু জিজ্ঞেস করলেন ফেলুদাকে।

'বিধ্বস্ত', বলল ফেলুদা। 'ওই গাছটাই আমাকে বাঁচিয়ে দিয়েছে, না হলে হাড়গোড় সব চুরমার হয়ে যেত। কিন্তু মনে হচ্ছে, এবার আস্তে আস্তে মাথা খুলে যাবে। একটা জোরালো ক্লু তো এর মধ্যেই পেয়েছি। আমার এ রকমই হয়, জানেন, এ রকমই হয়। এটার দরকার ছিল। আর এটাও বুঝলাম যে, কেসটা মোটেই সরল নয়।'

৯

ফেলুদার জখম যে তেমন গুরুতর হয়নি সেটা ডাক্তারখানায় গিয়েই বোঝা গেল। ডাক্তার বর্ধন বসেন ডিসপেনসারিতে, তিনিই ফার্স্ট এড দিয়ে দিলেন। ভদ্রলোক স্বভাবতই ঘটনাটা জানতে চাইলেন, আর আমাদেরও বলতে হল।

'কিন্তু আপনার ওপর এ আক্রমণের কারণ কী?' জিজ্ঞেস করলেন বর্ধন।

এর ফলে ফেলুদাকে নিজের পরিচয় দিতে হল। তাতে ভদ্রলোকের চোখ কপালে উঠে গেল। বললেন, 'আপনিই স্বনামধন্য গোয়েন্দা প্রদোষ মিত্র? আমি তো আপনার অনেক কীর্তির বিষয়ে পড়েছি মশাই! চাক্ষুষ পরিচয় যে হবে সেটা কোনওদিন স্বপ্নেও ভাবতে পারিনি।...কিন্তু আপনি কি মিঃ মজুমদারের খুনের তদন্ত করছেন নাকি?'

'ঘটনাচক্রে জড়িয়ে পড়তে হয়েছে', বলল ফেলুদা।

'ভদ্রলোক তো আমারই পেশেন্ট ছিলেন', বললেন ডাঃ বর্ধন।

'তাই বুঝি?'

'ইয়েস। আশ্চর্য মনের জোর ছিল মিঃ মজুমদারের। দেখে বোঝাই যেত না যে ওঁর ওপর দিয়ে এত ঝড় বয়ে গেছে, এবং এখনও যাচ্ছে। নিজের হবি নিয়ে মেতে থাকতেন, আর ঘোড়া চড়ে ঘুরে বেড়াতেন।'

'কিন্তু ঝড়ের কথা কী বলছেন একটু জানতে পারি কি ?'

'একে তো ওঁর নিজের অসুখ ছিল। তারপর স্ত্রীকে হারান বছর সাতেক আগে। ভদ্রমহিলার ক্যানসার হয়েছিল। তার উপর পুত্রের সমস্যা।'

'সমীরণবাবুর কথা বলছেন ?'

'এত গুণ ছিল ছেলেটির, কিন্তু শেয়ার বাজারের খেলা খেলতে গিয়ে সব গেছে। এখন দেনার জালে জড়িয়ে পড়েছে। একটিমাত্র ছেলে, তাই ভাবতে কষ্ট হয়। আমি তো ওঁর ডাক্তার ছিলাম, তাই সুখ-দুঃখের অনেক কথাই আমাকে বলতেন। এবারও যে ছেলে এসেছে, আই অ্যাম শিওর তার কারণ বাপের কাছে হাত পাতা। কিন্তু আমি যতদূর জানি বাবা সম্প্রতি ছেলের উপর রীতিমতো বিরূপ হয়ে উঠেছিলেন। একটা আলটিমেটাম দিয়ে থাকলেও আশ্চর্য হব না। সমস্ত ব্যাপারটা কালিমাময়, আনপ্লেজেন্ট। আমার ভাল লাগছে না। খুনের কথাটা শুনে অবধি আমার মনে একটা আশঙ্কা দেখা দিয়েছে। আমি সেটা কাটিয়ে উঠতে পারছি না।'

'ভদ্রলোক উইল করে গেছেন কি না জানেন ?'

'তা জানি না। তবে করে থাকলে ছেলেকেই নিশ্চয় সব কিছু দিয়ে গেছেন—যদি না ইতিমধ্যে উইল বদলে থাকেন।'

ফেলুদা ডাঃ বর্ধনকে অনেক ধন্যবাদ দিয়ে উঠে পড়ল। অনেক অনুরোধ সত্ত্বেও ভদ্রলোক একটি পয়সাও নিলেন না। আসবার সময় ফেলুদা বলল, 'আপনি যে আমার কত উপকার করেছেন, তা আপনি জানেন না। ফার্স্ট এড নিতে এসেছিলাম, তার সঙ্গে আরও অনেক এড পেয়ে গেলাম।'

বাইরে বেরিয়ে এসে ফেলুদা বলল, 'তোরা যদি বিশ্রাম করতে চাস তো হোটেলে ফিরে যেতে পারিস। আমি কিন্তু এখন একটু নয়নপুর ভিলায় যাব। আজকের জানা সব নতুন তথ্য মাথায় রেখে নতুন করে তদন্ত শুরু করতে হবে। আমার চোখে কেসটা এখন একেবারে নতুন চেহারা নিয়েছে।'

আমরাও দুজনেই অবিশ্যি সঙ্গেই যেতে চাইলাম। ও যদি এত ধকলের পরও বিশ্রাম ছাড়া চলতে পারে তা হলে আমরা তো পারবই। সত্যি, আশ্চর্য শক্ত শরীর ফেলুদার। পাহাড়ের গা গড়িয়ে প্রায় একশো ফুট নীচে চলে গিয়েছিল।

আমরা নয়নপুর ভিলায় যখন পৌঁছলাম তখন কুয়াশা প্রায় কেটে গেছে। সমস্ত বাড়িটায় একটা থমথমে ভাব, যদিও চারিদিকের আশ্চর্য সুন্দর দৃশ্য যেমন ছিল তেমনই আছে। নুড়ির ওপর আমাদের পায়ের শব্দ শুনেই বোধহয় রজতবাবু ঘর থেকে বারান্দায় বেরিয়ে এলেন। ফেলুদা তাঁকে নমস্কার জানিয়ে বলল, 'আপনার যে হাত খালি খালি লাগছে সেটা বেশ বুঝতে পারছি। আমাদের কতকগুলো কাজ ছিল, সেই ব্যাপারে আপনি যদি আমাদের একটু সাহায্য করেন...'

'কী কাজ বলুন।'

'আমরা একবার মিঃ মজুমদারের কাজের ঘরটা দেখতে চাই। তারপর আপনার ঘরটাও একটু দেখব। অবিশ্যি তার সঙ্গে কিছু প্রশ্নও করতে হবে।'

'বেশ তো, চলুন।'

'সমীরণবাবুকে দেখছি না— ?'

'উনি বোধহয় স্নান করতে গেছেন।'

'তা হলে চলুন মিঃ মজুমদারের স্টাডিতেই বসা যাক্।'

আমরা চারজনে বাড়ির উত্তর দিকের পিছনের অংশে একটা ঘরে গিয়ে হাজির হলাম।

বেশ সুসজ্জিত, পরিষ্কার ঘর, পুবের জানালা দিয়ে বাড়ির পিছনের ঝাউবন দেখা যায়। জানালার সামনে একটা বেশ বড় মেহগনি টেবিল, তার পিছনে একটা আর সামনে দুটো ভারী চেয়ার। এ ছাড়া, ঘরের পশ্চিম অংশেও আলাদা বসবার ব্যবস্থা রয়েছে। একটা সোফা আর দুটো মুখোমুখি আর্ম চেয়ার। আমরা সেখানেই বসলাম। ফেলুদার বসবার তাড়া নেই, সে ঘরটা ঘুরে ঘুরে দেখছে। টেবিলের উপর থেকে পেপারকাটার তুলে নিয়ে ঘুরিয়ে ফিরিয়ে দেখল।

'এটায় তো বেশ ধার দেখছি', বলল ফেলুদা, 'এই দিয়েও তো মানুষ খুন করা যায়।'

লালমোহনবাবু বললেন, ওর একটা জোড়া নাকি ওঁদের শুটিং-এ ব্যবহার হচ্ছে। 'এটা দিয়ে ভিলেনকে পিঠ চুলকোতে দেখানো হয়েছে।'

সত্যিই ছুরিটাকে দেখলে বেশ ধারালো মনে হয়। ফেলুদা সেটা আবার টেবিলের উপর রেখে দিল।

ঘরের এক দিকে একটা বুক-শেল্‌ফে সারি সারি বড় খাতা দাঁড় করানো রয়েছে, তার দুটো আমরা এর আগেই দেখেছি। এগুলোতেই সেই সব খুনখারাবির খবর সাঁটা আছে। ফেলুদা তার আরও দু-একটা উলটে-পালটে দেখল। তারপর প্রশ্ন করল, 'আপনি আসার আগে এগুলো কে সাঁটত?'

'মিঃ মজুমদার নিজেই।'

'আপনি আসার পর থেকে তো উনি সে কাজটা আপনার উপরই ছেড়ে দিয়েছিলেন?'

'হ্যাঁ, তবে আমাকে লোকনাথ মাঝে মাঝে সাহায্য করত।'

'লোকনাথ বেয়ারা?'

'হ্যাঁ। লোকনাথ স্কুল ফাইন্যাল পাশ করেছে। সে রীতিমতো লিখতে-পড়তে পারে।'

'এটা একটা অপ্রত্যাশিত খবর। তবে, পড়াশুনা করে সে বেয়ারার কাজ কেন নিল, সেটা বলতে পারেন?'

'মিঃ মজুমদার ওকে খুব ভাল মাইনে দিতেন।'

'আর সে বেয়ারাই শেষকালে এমন একটা কাজ করল?'

ফেলুদা ঘুরে ঘুরে এটা সেটা দেখছে আর প্রশ্ন করে চলেছে।

'আপনি এখানে আসার আগে কী করতেন?'

'একটা দিশি ফার্মে চাকরি করতাম?'

'কোথায়?'

'কলকাতায়।'

'ক' বছর করেছিলেন এই কাজ?'

'সাত বছর।'

'মিঃ মজুমদার কি সেক্রেটারি চেয়ে বিজ্ঞাপন দেন?'

'হ্যাঁ।'

'আপনি কদ্দূর পড়েছেন?'

'আমি বি কম পাশ।'

'আপনার ফ্যামিলি নেই?'

'আমি বিয়ে করিনি। বাবা-মা মারা গেছেন।'

'ভাই-বোন নেই?'

'না।'

'তার মানে আপনি একা মানুষ?'

'হ্যাঁ।'

'এই ছবিটা কী ব্যাপার ?'

একটা শেল্‌ফের উপর একটা বাঁধানো ছবি টাঙানো ছিল। একটা গ্রুপ ছবি ; দেখে মনে হয় আপিসের গ্রুপ, সবসুদ্ধ জনা পঁয়ত্রিশ লোক, কিছু পিছনের সারিতে দাঁড়িয়ে, বাকি সামনের চেয়ারে বসে।

'ও ছবিটা বেঙ্গল ব্যাঙ্কে তোলা', বললেন রজতবাবু। 'একজন ম্যানেজিং ডিরেক্টর চলে যাচ্ছিলেন, তাঁকে ফেয়ারওয়েল দেবার দিন ছবিটা তোলা হয়েছিল। মিঃ মজুমদার তখন ডেপুটি ডিরেক্টর ছিলেন।'

ফেলুদা ছবিটা হাতে নিয়ে মন দিয়ে দেখল।

'কোনজন কে—সেটা লেখা নেই ছবিতে ? মিঃ মজুমদারকে তো চিনতেই পারছি।'

'ছবির তলার দিকে থাকতে পারে। হয়তো বাঁধানোর সময় মাস্কের নীচে ঢাকা পড়ে গেছে।'

'এটা আমার কাছে দু-তিন দিন রাখতে পারি ?'

'নিশ্চয়ই।'

ফেলুদা ছবিটা আমার হাতে চালান দিল। আমি আর লালমোহনবাবু সেটা দেখলাম। আপিসের গ্রুপ যেমন হয় তেমনই ব্যাপার। মিঃ মজুমদার প্রথম সারিতে চেয়ারে বসে আছেন বোধহয় ম্যানেজিং ডিরেক্টরের পাশে।

ফেলুদা বলল, 'খুনের দিন সকালবেলা আপনি কখন কী করছিলেন সেটা জানা দরকার।'

প্রশ্নটা করে ফেলুদা কোটের পকেট থেকে তার খাতাটা বার করে একটা পাতা খুলে তাতে একবার চোখ বুলিয়ে নিল। তারপর বলল, 'সাড়ে এগারোটার সময় মিঃ মজুমদার তাঁর স্টাডিতে আসতেন। তখন আপনার তাঁর সঙ্গে থাকতে হত। সাড়ে বারোটা পর্যন্ত কাজ চলত, তাই না ?'

'হ্যাঁ।'

'সেদিন কী কাজ ছিল ?'

'মিঃ মজুমদারের অনেক চেনা পরিচিত ছিল দেশ-বিদেশে। উনি তাঁদের নিয়মিত চিঠি লিখতেন। তাতেই বেশির ভাগ সময় কেটে গেছিল সেদিন।'

'সাড়ে এগারোটার আগে সকালে আপনি কী করছিলেন ?'

'ব্রেকফাস্টের কিছু পরেই শুটিং-এর দল আসতে শুরু করে। আমি দক্ষিণের বারান্দায় গিয়ে ওঁদের তোড়জোড়ের কাজ দেখছিলাম।'

'কোনও শট নেওয়া দেখছিলেন ?'

'প্রথমটা দেখেছিলাম। মিঃ গাঙ্গুলী আর মিঃ ভার্মাকে নিয়ে শট।'

লালমোহনবাবুর মাথা নাড়া দেখে বুঝলাম, তিনি রজতবাবুর কথাটার সমর্থন করছেন।

'সেটা কটা নাগাত ?'

'আন্দাজ এগারোটা। আমি ঘড়ি দেখিনি। তার কিছু পরেই আমি মিঃ মজুমদারের কাজের ঘরে চলে আসি।'

'কাজের পর তো লাঞ্চ খেতেন আপনারা ?'

'আজ্ঞে হ্যাঁ।'

'আপনারা তিনজনে এক সঙ্গে খেতেন ?'

'হ্যাঁ।'

'খাওয়ার পর কী করেন ?'

'লাঞ্চ শেষ হয় প্রায় একটার সময়। তারপর আমি নিজের ঘরে এসে কিছুক্ষণ বই পড়ি।'

'কী বই ?'

'বই না, পত্রিকা। রিডারস্ ডাইজেস্ট।'

'তারপর ?'

'তারপর দুটো নাগাত একটু ঝাউবনে ঘুরতে বেরোই। ঝাউবনটা খুব সুন্দর। আমি ফাঁক পেলেই ও দিকটা একবার ঘুরে আসি।'

'তারপর ?'

'আড়াইটে নাগাত আমি ফিরে আসি। তারপর বিকেল চারটে অবধি বিশ্রাম করে আর একবার শুটিং দেখতে যাই। তখন মিঃ গাঙ্গুলীর একটা শট হচ্ছিল।'

লালমোহনবাবু আবার মাথা নেড়ে সায় দিলেন।

ফেলুদা বলল, 'মিঃ মজুমদার যখন পাঁচটার পরেও ঘর থেকে বেরোলেন না তখন আপনার কোনও প্রতিক্রিয়া হয়নি?'

'আমি ঘড়ি দেখিনি। বাড়িতে হট্টগোল, জেনারেটর চলছে, আমার সময়ের খেয়াল ছিল না।'

'মিঃ মজুমদার বস্ হিসেবে কী রকম লোক ছিলেন।'

'খুব ভাল।'

'আপনার উপর চোটপাট করেননি কখনও?'

'না।'

'মাইনে যা পেতেন, তাতে আপনি খুশি ছিলেন?'

'হ্যাঁ।'

'খুনের আগের দিন লালমোহনবাবু দুপুরের দিকে বাথরুম থেকে বেরিয়ে এসে মিঃ মজুমদারের গলা শুনতে পান। তিনি কাউকে বলছিলেন, "ইউ আর এ লায়ার। আমি তোমার একটা কথাও বিশ্বাস করি না।"—এই কথাটা উনি কাকে বলতে পারেন, সে ধারণা আছে আপনার?'

'একমাত্র ওঁর ছেলে ছাড়া আর কারুর কথা তো মনে পড়ছে না।'

'ওঁর ছেলের সঙ্গে মিঃ মজুমদারের সদ্ভাব ছিল না?'

'ছেলের সম্বন্ধে কতকগুলো ব্যাপারে ওঁর আক্ষেপ ছিল।'

'সেটা আপনি কী করে জানলেন?'

'আমার সামনে দু-একবার বলেছেন—"সমুটা বড় রেকলেস হয়ে পড়ছে"—বা ওই জাতীয় কথা। উনি ছেলেকে ভালও বাসতেন, আবার সেই সঙ্গে শাসনও করতেন।'

'উনি কোনও উইল করে গেছেন বলে আপনি জানেন?'

'যদ্দূর জানি করেননি।'

'কেন বলছেন এ কথা?'

'কারণ একদিন আমাকে বলেছিলেন—"এখন তো দিব্যি আছি; আরেকটু শরীরটা ভাঙুক, তারপর উইল করব"।'

'তার মানে ওঁর সম্পত্তি ওঁর ছেলেই পাচ্ছেন?'

'তাই তো হয়ে থাকে।'

'এবার আপনার ঘরটা একবার দেখতে পারি কি?'

'আসুন।'

রজতবাবুর শোবার ঘরে আসবাবপত্র খুবই কম। একটা খাট, একটা ছোট আলমারি. একটা তাক, একটা টেবিল আর একটা চেয়ার। দেয়ালে আলনা রয়েছে একটা, তাতে একটা শার্ট, একটা খয়েরি পুলোভার আর একটা তোয়ালে ঝুলছে। ঘরের একপাশে একটা সুটকেস রয়েছে, তাতে আর বি লেখা।

টেবিলের উপর তিন-চারখানা ইংরিজি পেপার ব্যাক আর গোটা পাঁচেক পত্রিকা রয়েছে।

'হিন্দি পত্রিকা দেখছি যে?' ফেলুদা প্রশ্ন করল।

'আমার ছেলেবেলা কানপুরে কেটেছে', বললেন রজতবাবু, 'বাবা ওখানকার ডাক্তার ছিলেন। ইস্কুলে হিন্দি শিখেছিলাম। বাবা মারা যাবার পর কলকাতায় মামা বাড়িতে চলে আসি।'

আমরা চারজন ঘর থেকে বেরিয়ে এলাম। ফেলুদা প্রশ্ন করল, 'মিঃ মজুমদার ঘুমের আগে একটা বড়ি খেতেন, সেটা আপনি জানতেন ?'

'হ্যাঁ। আমি অনেকবার গিয়ে সে বড়ি এনে দিয়েছি। টফ্রানিল। পুরো মাসের স্টক একবারে কিনে নিতেন।'

'হুঁ...এবার একটু সমীরণবাবুর সঙ্গে কথা বলব।'

সমীরণবাবু স্নান সেরে তাঁর ঘরে বসে একটা খবরের কাগজ পড়ছিলেন। অশৌচ অবস্থা, তাই দাড়ি কামাননি ভদ্রলোক। ওঁর সঙ্গে কথা বলে খুব বেশি কিছু জানা গেল না। ভদ্রলোক স্বীকার করলেন যে ওঁর বাপের সঙ্গে মাঝে মাঝে কথা কাটাকাটি হত। 'বাবা আগে এ রকম ছিলেন না', বললেন ভদ্রলোক। 'অসুখের পর থেকে এ রকম হয়ে গিয়েছিলেন।'

'আপনার দিক থেকে কি কোনও পরিবর্তন হয়নি, যাতে আপনার বাবা আপনার উপর অসন্তুষ্ট হতে পারেন ?'

'আমার দু-একটা ভুল স্পেকুলেশন হয়েছে সেটা ঠিকই, কিন্তু সে রকম তো ব্যবসায় হতেই পারে।'

'খুনের আগের দিন দুপুরে দেড়টা নাগাত আপনার সঙ্গে মিঃ মজুমদারের কোনও রকম কথা কাটাকাটি হয়েছিল ?'

'কই, না তো !'

'আপনার বাবার কাছ থেকে কি আপনার মাঝে মাঝে টাকা চাইতে হত ?'

'তা চাইব না কেন ? আমার বাবা অনেক পয়সা করেছিলেন।'

'আপনার বাবা যে উইল করে যাননি, সেটা আপনি জানতেন ?'

'জানতাম। বাবা একদিন আমাকে রাগ করে বলেছিলেন উইল করলে আমাকে এক পয়সাও দেবেন না।'

'কিন্তু এখন তো আপনি সব কিছুই পাচ্ছেন ?'

'তা পাচ্ছি।'

'এতে আপনার অনেক সমস্যা মিটে যাবে—তাই না ?'

'তা যাবে, কিন্তু এটার জন্য তো আমি দায়ী নই। আপনি কি ইঙ্গিত করছেন যে আমি বাবাকে খুন করেছি ?'

'ধরুন যদি তাই করি। সুযোগ ও কারণ—দুটোই তো আপনার ছিল !'

'ঘুমের বড়ি খাওয়ানোর সুযোগ আমার কী করে থাকবে ? সে বড়ি তো দিত লোকনাথ।'

'কিন্তু সেদিন লোকনাথ দুধটা রেখে কিছুক্ষণের জন্য ঘর থেকে চলে গিয়েছিল, এটা ভুলবেন না। আর ছুরি বসানোর সুযোগও আপনার ছিল। আপনার বাবার ঘরেই এ কাজের জন্য একটি উত্তম অস্ত্র ছিল—যেটা সত্যি করেই ওই কাজে লাগানো হয়।'

সমীরণবাবু একটা বাঁকা হাসি হেসে বললেন, 'এ সব কী বলছেন আপনি ? আমার কি মাথা খারাপ হয়েছে ? মূর্তি চুরির কথাটা ভাবছেন না কেন ? বাবা মরলেই তো আমি টাকা পাব, সেখানে আর বালগোপালের দরকার কী ?'

'আপনার হয়তো তাড়া ছিল। বাবার মৃত্যুর সঙ্গে সঙ্গেই তো আর আপনার হাতে টাকা আসবে না ; তার তো একটা লিগ্যাল প্রোসেস আছে !'

'তা হলে লোকনাথ গেল কোথায় ? যে আসল লোক, তার সম্বন্ধে তদন্ত না করে আপনি বৃথা সময় নষ্ট করছেন কেন ?'

'সেটার কারণ আছে নিশ্চয়ই, যদিও সেটা প্রকাশ্য নয়।'

'ঠিক আছে, আপনি আপনার গোপন কারণ নিয়ে থাকুন, কিন্তু জেনে রাখুন যে, আমাকে এ ব্যাপারে জড়িয়ে পড়তে হয়েছে একেবারেই ঘটনাচক্রে। আসল অপরাধীকে পেতে হলে আপনার অন্য জায়গায় খুঁজতে হবে। এর বেশি আর আমি কিছু বলতে চাই না।'

১০

দুপুরে লাঞ্চের পর ফেলুদা বলল যে-গ্রুপ ছবিটা ও মিঃ মজুমদারের স্টাডি থেকে এনেছে, সেটা নিয়ে ওকে একবার ফোটোগ্রাফির দোকান দাশ স্টুডিওতে যেতে হবে। 'তা ছাড়া, একবার থানায় গিয়ে সাহার সঙ্গে দেখা করাও দরকার। কতকগুলো জরুরি ইনফরমেশন চাই, সে কাজটা আমার চেয়ে পুলিশের পক্ষে অনেক বেশি সহজ। তোরা এই ফাঁকে কোথাও ঘুরে আসতে চাস তো আসতে পারিস। আমি বাড়ি ফিরে আর বেরোব না। কারণ আমার অনেক কিছু চিন্তা করার আছে। কেসটা এখনও ঠিক দানা বাঁধেনি।'

ফেলুদা বেরিয়ে গেল। কী আর করি—আমরাও দুজনে বেরিয়ে পড়লাম। বাইরে ঠাণ্ডা বাতাস বইছে, হাঁটতে কোনও অসুবিধা নেই।

হোটেলের বাইরে এসে আমি লালমোহনবাবুকে বললাম, আপনার একটা জিনিস এখনও দেখা হয়নি ; সেটা আমি দেখেছি। সেটা হল মজুমদারের বাড়ির পিছনের ঝাউবন। অবিশ্যি আমিও গেছি মাত্র দু মিনিটের জন্য, কিন্তু তাতেই মনে হয়েছ বনটা দারুণ। যাবেন ?'

'সেটা যেতে হলে মজুমদারের বাড়ির ভিতর দিয়ে যেতে হয় ?'

আমি বললাম, 'তা কেন ? ওদের বাড়িতে পৌঁছবার আগেই মেন রোড থেকে একটা রাস্তা বাঁ দিকে বেরিয়ে বনের দিকে চলে গেছে—দেখেননি ?'

আমরা দুজন রওনা দিয়ে দিলাম। ফেলুদার কথাটা মন থেকে দূর করতে পারছি না। ও যে কয়েকটা ক্লু পেয়েছে তাতে সন্দেহ নেই, কিন্তু সেগুলো যে কী সেটা এখন আমাদের বলবে না। ওর হালচাল আমার খুব ভাল করেই জানা আছে। এখন ওর চিন্তা করা আর ইনফরমেশন জোগাড় করার সময়। সব সূত্র খুঁজে পেয়ে কেসটা মাথায় পরিষ্কার হলে তারপর বম্বশেলটা ছাড়বে।

পথে যেতে যেতে লালমোহনবাবু বললেন, 'এখানে যে রহস্যটা কোথায়, সেটা আমার কাছে ক্লিয়ার হচ্ছে না, তপেশ। লোকনাথ বেয়ারা খুন করে মূর্তি চুরি করে পালিয়েছে—ব্যস, ফুরিয়ে গেল। তোমার দাদা এত যে কী সাতপাঁচ ভাবছেন ! বাকিটা তো পুলিশের ব্যাপার। তারা কালপ্রিটকে খুঁজে পেলেই খেল খতম।'

আমি বললাম, 'আপনি ফেলুদাকে এত দিন চেনেন, আর এটুকু বুঝছেন না যে, কোথাও একটা গণ্ডগোল না থাকলে ফেলুদা মিথ্যে ভাবত না ! এক তো চোখের সামনে দেখতে পেলেন যে, ওঁকে মেরে ফেলার চেষ্টা হল খাদে ফেলে। সেটা নিশ্চয়ই লোকনাথ বেয়ারা করেনি। তা ছাড়া, মিঃ মজুমদারের জীবনে একটা কেলেঙ্কারি রয়েছে। উনি নিজে একজনকে অজান্তে খুন করেছিলেন। তারপর তাঁর ব্যাঙ্ক থেকে একজন টাকা চুরি করে পালিয়েছিল। তাকে ধরা যায়নি। তারপর আপনি নিজে সে দিন শুনলেন মজুমদার একজনকে ধমক দিচ্ছেন, সেটা যে কে সেটা এখনও বোঝা যায়নি। এত রকম জিলিপির প্যাঁচ সত্ত্বেও আপনি বলছেন, কেসটা সহজ ?'

সত্যি বলতে কী, আমার নিজের মনের মধ্যে সব কিছু এমন তালগোল পাকিয়ে গিয়েছিল

যে আমি কোনওটার সঙ্গে কোনওটার যোগ খুঁজে পাচ্ছিলাম না। কাজেই মনে মনে ঠিক করেছিলাম যে, ভাবার কাজটা ফেলুদার উপরেই ছেড়ে দেব।

ঝাউবনটাতে একবার ঢুকেই বুঝেছিলাম যে সেটা একটা আশ্চর্য জায়গা। আজ ভাল করে দেখে আসল ব্যাপারটা বুঝতে পারলাম। এটাকে ঝাউবন বলা ঠিক নয়, কারণ এখানে পাইন, ফার, রডোডেনড্রন ইত্যাদি অনেক রকম চেনা-অচেনা গাছই আছে। গাছের মাঝে মাঝে ঝোপ রয়েছে, তাতে আবার লাল নীল হলদে ফুল। আজ দিনটা মেঘলা, তাই সমস্ত বনটাই আবছা অন্ধকারে ঢাকা। মনে হয়, অজস্র থামওয়ালা একটা বিরাট গির্জার মধ্যে আমরা এসেছি। যেখান দিয়ে এখন হেঁটে চলেছি সেখান থেকে পশ্চিমে চাইলে গাছের ফাঁক দিয়ে নয়নপুর ভিলা দেখা যায়। অবিশ্যি বনের মধ্যে দিয়ে যতই এগোচ্ছি ততই বাড়িটা দূরে সরে গিয়ে গাছপালায় ঢেকে যাচ্ছে। এটা মানতেই হবে যে, এই নিস্তব্ধ দুপুরে এই ঘন বনের মধ্যে দিয়ে হাঁটতে গা-টা বেশ ছমছম করছিল। লালমোহনবাবু তাই বোধহয় একবার বললেন, 'এখানে কাউকে খুন করলে লাশ আবিষ্কার করতে মাসখানেক অন্তত লাগবে।'

আমরা আরও এগিয়ে চললাম। এবার আর নয়নপুর ভিলা দেখা যাচ্ছে না। একটা মাত্র পাখির ডাক কিছুক্ষণ থেকে কানে আসছে, কিন্তু সেটা যে কী পাখি তা জানি না।

উত্তর দিকে চোখ পড়াতে হঠাৎ দেখি মেঘ সরে গিয়ে দুটো পাইন গাছের মধ্যে দিয়ে কাঞ্চনজঙ্ঘার খানিকটা অংশ দেখা যাচ্ছে। আমি লালমোহনবাবুকে সেই দিকে দেখতে বলব বলে ডাইনে ঘুরেই দেখি ভদ্রলোক চোখ বড়-বড় করে থমকে দাঁড়িয়ে গেছেন। কী দেখছেন ভদ্রলোক ?

ওঁর দৃষ্টি অনুসরণ করে পুবে চাইতেই বুঝলাম ব্যাপারটা কী।

একটা গাছের গুঁড়ির পাশে একটা ঝোপ, আর সেই ঝোপের পিছনে এক জোড়া জুতো-পরা পা দেখা যাচ্ছে।

'এগিয়ে গিয়ে দেখবে ?' ফিসফিসে গলায় জিজ্ঞেস করলেন লালমোহনবাবু।

আমি এ প্রশ্নের কোনও উত্তর না দিয়ে এগিয়ে গেলাম। ওই জুতো জোড়া আমি আগে দেখেছি।

ঝোপটা পেরোতেই ব্যাপারটা বুঝলাম।

একটা লাশ পড়ে আছে মাটিতে।

একে আমরা চিনি।

এ হল লোকনাথ বেয়ারা।

একেও বুকে ছুরি মেরে খুন করা হয়েছে, যদিও অস্ত্রটা কাছাকাছির মধ্যে নেই।

তার বদলে আছে একটা পাথরের সামনে একটা ভাঙা বোতল, আর সেই বোতলের চারিদিকে ছড়ানো গোটা ত্রিশেক বড়ি। সেই বড়ি এককালে সাদা ছিল, কিন্তু এখন জল আর মাটি লেগে সেটা আর সাদা নেই।

আমরা আর এক মুহূর্ত অপেক্ষা না করে সোজা ফিরে এলাম হোটেলে। ফেলুদাও বলল সে ফিরেছে মিনিট পাঁচেক আগে। লালমোহনবাবু 'সেনসেশন্যাল ব্যাপার—' বলে নাটক করতে আরম্ভ করেছিলেন। আমি ওঁকে থামিয়ে এক কথায় ব্যাপারটা বলে দিলাম।

ফেলুদা তৎক্ষণাৎ থানায় ফোন করে দিল। পাঁচ মিনিটের মধ্যে সাহাকে নিয়ে দুটো জিপ চলে এল, একটায় চারজন কনস্টেবল।

আমরা আবার ফিরে গেলাম ঝাউবনে যেখানে লাশ পাওয়া গিয়েছিল, সেই জায়গায়।

'ইনিও দেখছি ছুরিকাঘাতে মৃত', বললেন সাহা। 'আসলে আমরা খুঁজছিলাম লোকালয়ে, ভাবছিলাম লোকটা কোনও গোপন ডেরায় লুকিয়ে রয়েছে। এই ডিসকভারির জন্য পুরো

ক্রেডিট পাবেন মিস্টার মিত্তিরের বন্ধু এবং কাজিন। সত্যিই আপনারা কাজের কাজ করেছেন।'

মৃতদেহ চলে গেল পুলিশের জিম্মায়, আমরা ফিরে এলাম হোটেলে।

'এ যে মোড় ঘুরে গেল!' আমাদের ঘরে এসে খাটের উপর ধপ্ করে বসে বললেন লালমোহনবাবু।

'ঘুরেছে ঠিকই', বলল ফেলুদা, 'কিন্তু অন্ধকারের দিকে নয়, আলোর দিকে। এখন শুধু কয়েকটা খবরের অপেক্ষা। তারপর চূড়ান্ত নিষ্পত্তি।'

সন্ধ্যায় এল ফেলুদার টেলিফোন—সাহার কাছ থেকে। একপেশে কথা শুনে, আর ফেলদুার গোটা বিশেক 'হ্যাঁ' 'আই সি' আর 'ভেরি গুড' শুনে আন্দাজ করলাম যে, খবরটা যা আসবার তা এসে গেছে। শেষে ফেলুদা বলল, 'তা হলে কাল সকাল দশটার সময় সকলকে বলুন যেন মিঃ মজুমদারের বৈঠকখানায় জমায়েত হয়। নয়নপুর ভিলার সকলে এবং মাউন্ট এভারেস্টের পুলক ঘোষাল, রাজেন রায়না, মহাদেব ভার্মা আর ক্যামেরাম্যান সুদেব ঘোষ। আপনাদের উপস্থিতি তো অবশ্যই এসেনশিয়াল।'

১১

পরদিন সকাল সাতটায় আমাদের হোটেলের ঘরের ফোনটা বেজে উঠল। আমরা দুজনেই আগেই উঠে পড়েছিলাম, সবে বেড-টি খাওয়া হয়েছে, ফেলুদা বিছানায় বসেই হাত বাড়িয়ে ফোনটা তুলল। ওকে শুধু দুটো কথা বলতে শুনলাম—'বলেন কী!' আর 'আমি পাঁচ মিনিটের মধ্যে তৈরি হয়ে নিচ্ছি।'

ফোনটা রেখে আমার দিকে ফিরে বলল, 'লালমোহনবাবুকে বল তৈরি হয়ে নিতে—এক্ষুনি!'

কী ব্যাপার, কোথায় যাওয়া হচ্ছে? সেটা পুলিশের জিপে উঠে বুঝলাম। আজ সক্কাল সক্কাল পুলিশের জিপ নয়নপুর ভিলায় গিয়েছিল ওদের মিটিং সম্বন্ধে খবর দিতে। গিয়ে শুনল সমীরণবাবু নাকি একটা জরুরি টেলিফোন পেয়ে পনের মিনিট আগে শিলিগুড়ি রওনা হয়ে গেছেন। অথচ ফেলুদার মতে মিটিং-এ তাঁকে ছাড়া চলবে না।

আমাদের জিপ শিলিগুড়ির রাস্তা ধরল।

পাহাড়ি রাস্তা দিয়ে এই স্পিডে কোনও দিন চলেছি বলে মনে পড়ে না। দেখতে দেখতে ঘুম সোনাদা টুং ছাড়িয়ে গেল। তবু ভাগ্যি ভাল এখন অবধি তেমন কুয়াশা পাইনি। নইলে জিপের স্পিড তোলা যেত না। অসম্ভব তুখোড় ড্রাইভার, তাই পঁয়তাল্লিশ মিনিটের রাস্তা আধ ঘণ্টায় পেরিয়ে গেল।

সাহা অবিশ্যি কার্সিয়ং আর শিলিগুড়িতেও খবর পাঠিয়ে দিয়েছিলেন যাতে সমীরণবাবুর গাড়ি তারা আটকায়। কিন্তু ট্যাক্সির নম্বরটা দেওয়া সম্ভব হয়নি। সেটা বার করতে বেশ কিছুটা সময় নষ্ট হয়ে যেত।

কার্সিয়ং পর্যন্ত গিয়েও সমীরণবাবুর ট্যাক্সির কোনও পাত্তা পাওয়া গেল না। সাহা ড্রাইভারকে বললেন, 'এবার পাংখাবাড়ির শর্টকাটটা ধরো।'

আমাদের দুটো জিপ ছিল; একটা সাধারণ রাস্তা দিয়ে গেল, আর অন্যটা—যাতে আমরা রয়েছি—সেটা শর্টকাটটা ধরল।

পাংখাবাড়ির রাস্তা যে কী ভয়ানক প্যাঁচালো, সেটা যে না দেখেছে তাকে বোঝানো অসম্ভব। লালমোহনবাবু তো চোখ বন্ধ করে রইলেন। বললেন, 'অন্য গাড়ির দেখা পেলে

বোলো, তপেশ। আমি তার আগে আর চোখ খুলছি না ; খুললেই গা গুলোবে।'

পনের মিনিট সাপের মতো প্যাঁচানো উতরাই দিয়ে যাবার পর একটা হেয়ারপিন বেন্ড ঘুরেই দেখা গেল একটা ট্যাক্সি দাঁড়িয়ে আছে। রাস্তার প্রায় মাঝামাঝি। বোঝাই যাচ্ছে টায়ার পাংচার। গাড়ির পাশে রাস্তায় দাঁড়িয়ে অসহিষ্ণুভাবে সিগারেট টানছেন সমীরণ মজুমদার।

আমাদের জিপ দেখেই ভদ্রলোক কেমন যেন হকচকিয়ে তটস্থ হয়ে পড়লেন।

আমরা সকলেই গাড়ি থেকে নামলাম। ফেলুদা আর সাহা এগিয়ে গেল সমীরণবাবুর দিকে। ভদ্রলোকের মুখ ফ্যাকাসে হয়ে গেছে।

'কী—কী ব্যাপার ?'

'কিছুই না', বলল ফেলুদা, 'হয়েছে কী, আপনি যে মিটিংটা অ্যাটেন্ড করতে যাচ্ছেন কলকাতা, তার চেয়েও ঢের জরুরি মিটিং রয়েছে আজই, সকাল দশটায় আপনাদের নয়নপুর ভিলাতে। সেখানে আপনার থাকা একান্তই প্রয়োজন। অতএব আর বাক্যব্যয় না করে আপনার ট্যাক্সির ভাড়া মিটিয়ে দিয়ে উঠে পড়ুন আমাদের জিপে। সঙ্গে আপনার সুটকেসটাও অবিশ্যি নেওয়া চাই।'

তিন মিনিটের মধ্যে আমরা আবার রওনা হলাম উলটো মুখে। পথে কোনও কথা হল না। ফেলুদা চুপ, সাহা চুপ, সমীরণবাবুও চুপ।

নয়নপুর ভিলা যখন পৌঁছলাম তখন পৌনে দশটা।

বাড়ির ভিতর ঢুকে ফেলুদা সমীরণবাবুকে বলল, 'আপনার লোকনাথ বেয়ারা যখন আর নেই, তখন আপনার অন্য চাকর বাহাদুরকে বলুন কফি করতে। অন্তত বারো কাপ।'

আমরা বৈঠকখানায় গিয়ে বসলাম। পাশের ঘর থেকে আরও চেয়ার এনে রাখা হয়েছে। সবাই যাতে বসতে পারে।

কফি আসার সঙ্গে সঙ্গেই এভারেস্ট হোটেলের দলও চলে এল। পুলক ঘোষাল একটু অবাক হয়েই জিজ্ঞেস করল, 'ব্যাপার কী লালুদা ?'

লালমোহনবাবু বললেন, 'তুমি যেই তিমিরে, আমিও সেই তিমিরে। তবে যতদূর জানি, রহস্যে আলোকপাতের জন্যেই এই মিটিং-এর ব্যবস্থা। আলোকসম্পাত করবেন শ্রীপ্রদোষ মিত্র।'

'আমাদের শুটিং আবার চালু করতে পারব তো ?'

'সে তো ভাই বলতে পারব না। কিছুক্ষণের মধ্যেই জানতে পারবে।'

'দুগ্‌গা দুগ্‌গা !...বারো বছর এ লাইনে আছি, সতেরোখানা ছবি ডাইরেক্ট করেছি, কিন্তু এ হুজ্জতে পড়িনি কখনও।'

পুলক ঘোষালের কাঁচুমাচু ভাব দেখে আমার মায়া হল। ছাপ্পান্ন লাখ খরচ হবার কথা ছবিটাতে। সেটা এখন বেড়ে গিয়ে কোথায় দাঁড়াবে কে জানে ?

সবাই চেয়ার বেছে নিয়ে বসে পড়ল। সকলেরই অস্বস্তি ভাব। আমি একবার সকলের উপর চোখ বুলিয়ে নিলাম। আমার ডাইনে বসেছেন লালমোহনবাবু, আর বাঁয়ে ফেলুদা। ফেলুদার পরে পর-পর গোল হয়ে বসেছেন ইনস্পেক্টর সাহা, সমীরণবাবু, রজতবাবু, পুলক ঘোষাল, মহাদেব ভার্মা, রাজেন্দ্র রায়না আর ক্যামেরাম্যান সুদেব ঘোষ। এ ছাড়া ঘরে দাঁড়িয়ে আছে নেপালি চাকর বাহাদুর, রান্নার লোক জগদীশ, আর চারজন কনস্টেবল। চারজনই রয়েছেন ঘরের দরজার মুখটাতে।

আমাদের কফি খাওয়া শেষ হল। শেলফে রাখা একটা বাহারের ঘড়িতে টিং টিং করে দশটা বাজল। আর তার সঙ্গে সঙ্গেই ফেলুদা উঠে দাঁড়াল। সমস্ত ঘরে একমাত্র ফেলুদার

মধ্যেই কোনও অস্বস্তির ভাব নেই। ইনস্পেক্টর সাহাকেও একবার আঙুল মটকাতে লক্ষ করেছি।

বোম্বাইয়ের অভিনেতা দুজন রয়েছে বলে ফেলুদা ইংরিজিতে কথা বলল, আমি সেটা বাংলা করে লিখছি।

ফেলুদা আরম্ভ করল—

'গত ক'দিনে এ বাড়িতে কয়েকটা দুর্ঘটনা ঘটে গেছে। সাধারণ অবস্থায় হয়তো ঠিক এইভাবে এগুলো ঘটত না, কিন্তু এ বাড়িতে একটা ফিল্মের শুটিং চলাতে দৈনন্দিন রুটিনে কিছু পরিবর্তন দেখা দিয়েছিল, এবং অনেক লোকের মনই পড়ে ছিল এই শুটিং-এর দিকে—যার ফলে কতকগুলি ঘটনা ঘটা সম্ভব হয়েছিল।

'প্রধান ঘটনা হল—বাড়ির যিনি কর্তা—বিরূপাক্ষ মজুমদার—তিনি খুন হন। আমি নিজে একজন প্রাইভেট ইনভেসটিগেটার ; আমার কাছে হত্যাটা খুব রহস্যজনক বলে মনে হচ্ছিল। খুনের প্রধান উদ্দেশ্য যদি মূল্যবান জিনিস চুরি হয়ে থাকে, তা হলে লোকনাথ বেয়ারার উপর সন্দেহ পড়াটা খুব স্বাভাবিক, কারণ সে খুনের পর থেকেই উধাও হয়ে গিয়েছিল। কিন্তু আমার মন এটা মানতে চাইছিল না—কেন, সেটা ক্রমে প্রকাশ করছি। প্রথমে, যিনি খুন হয়েছিলেন তাঁকে জড়িয়ে দুটো ঘটনা আমি আপনাদের বলতে চাই।

'একটা ঘটে যখন তিনি কলকাতায় বেঙ্গল ব্যাঙ্কের ম্যানেজিং ডিরেক্টর ছিলেন। ব্যাঙ্কের অ্যাকাউন্টস ডিপার্টমেন্টের একটি তরুণ কর্মচারী—নাম ভি. বালাপোরিয়া—তহবিল তছরূপ করে প্রায় দেড় লাখ টাকা হাত করে বেপাত্তা হয়ে যায়। আজ পর্যন্ত তার কোনও সন্ধান পাওয়া যায়নি।

'দ্বিতীয় ঘটনা ঘটে মধ্যপ্রদেশের নীলকণ্ঠপুরে। ওখানকার রাজা পৃথ্বী সিং-এর আমন্ত্রিত হয়ে বিরূপাক্ষ মজুমদার সেখানে যান বাঘ শিকার করতে। সেখানে জঙ্গলে ঝোপের পিছনে বাঘ ভেবে তিনি একটি মানুষের উপর গুলি চালান। তার ফলে সেই মানুষের মৃত্যু হয়। যিনি মরেন তিনি ছিলেন বাঙালি। নাম সুধীর ব্রহ্ম। নীলকণ্ঠপুর রাজ কলেজে ইতিহাসের অধ্যাপক ছিলেন। তাঁর একটি শখ ছিল, সেটা হল কবিরাজি গাছ-গাছড়া সংগ্রহ করা। এই কাজ করতেই তিনি জঙ্গলে গিয়েছিলেন, এবং এই জন্যই তাঁর মৃত্যু হয়। এই হত্যার খবর যাতে সম্পূর্ণ গোপন থাকে, তার জন্য পৃথ্বী সিংকে অনেক টাকা খরচ করতে হয়।

'যিনি মারা গিয়েছিলেন, সেই সুধীর ব্রহ্মের একটি ছেলে ছিল, নাম রমেন ব্রহ্ম। স্বভাবতই রমেন ব্রহ্ম এই ঘটনায় খুবই বিচলিত হয়ে পড়েন। তখন তাঁর বয়স ছিল ষোল। তিনি প্রতিজ্ঞা করেন যে, বড় হয়ে তিনি এই অন্যায়ের প্রতিশোধ নেবেন। এখানে বলে রাখি, এই ঘটনা আমি শুনি দার্জিলিং-এর বাসিন্দা এবং মিঃ মজুমদারের প্রতিবেশী হরিনারায়ণ মুখোপাধ্যায়ের কাছে, যিনি সেই সময় নীলকণ্ঠপুরে থাকতেন এবং সুধীর ব্রহ্মের পরিবারকে চিনতেন। এই ঘটনার অবিশ্যি কোনও প্রমাণ নেই, কিন্তু তাঁর জীবনে যে একটা কলঙ্কময় ঘটনা ঘটেছিল এবং সেটা যে খবরের কাগজ থেকে চেপে রাখা হয়েছিল সে ইঙ্গিত বিরূপাক্ষ মজুমদার নিজেই আমাকে দিয়েছিলেন। সুতরাং এটা অবিশ্বাস করার কোনও কারণ আমি দেখি না।

'এবার বিরূপাক্ষবাবুর হত্যার ঘটনায় আসা যাক। তাঁকে মারবার কারণ ও সুযোগ কার থাকতে পারে এটা ভাবতে গেলে প্রথমেই মনে হয় তাঁর ছেলে সমীরণবাবুর কথা। সমীরণবাবু শেয়ার মার্কেটে অনেক লোকসান দিয়েছেন এ খবর আমরা পেয়েছি। এটা কি সমীরণবাবু অস্বীকার করতে পারেন ?'

সমীরণবাবু মাথা নেড়ে না বললেন, তাঁর দৃষ্টি মেঝের কার্পেটের দিকে।

'আর তিনি যে তাঁর পিতার মৃত্যুতে আর্থিক দিক দিয়ে বিশেষ লাভবান হলেন সেটা কি তিনি অস্বীকার করতে পারেন ?'

সমীরণবাবু এবারও মাথা নেড়ে না বললেন।

'ভেরি গুড', বলল ফেলুদা। 'এবার আমরা খুনের চেহারাটা দেখব।

'বিরূপাক্ষবাবু দুধে মিশিয়ে টফ্রানিল বলে একটা বড়ি খেয়ে দুপুরে ঘুমোতেন। এই দুধ তাঁকে এনে দিত তাঁর বেয়ারা লোকনাথ। এই বড়ি মৃত্যুর দু দিন আগে পুরো এক মাসের স্টক, অর্থাৎ একত্রিশটা, কেনেন বিরূপাক্ষবাবু। তখন আমি সেখানে উপস্থিত ছিলাম। খুনের পর দেখা যায় যে তার একটিও অবশিষ্ট নেই। আমাদের স্বভাবতই মনে হবে যে এই বড়িগুলির সবই তাঁর দুধের সঙ্গে মেশানো হয়েছিল। ত্রিশটা টফ্রানিল একসঙ্গে খেলে একজন মানুষের মৃত্যু হতে পারে। আমাদের ধারণা আরও বদ্ধমূল হয় এই দেখে যে, বিরূপাক্ষবাবু একটা কাগজে কাঁপা হাতে "বিষ" কথাটা লিখে রেখে গিয়েছিলেন। কিন্তু সেই সঙ্গে আরেকটা ব্যাপার দেখা গেল এই যে, তাঁকে যে শুধু বড়ি খাওয়ানো হয়েছিল তা নয়। সেই সঙ্গে তাঁকে ছোরাও মারা হয়েছিল। এটা মনে হওয়া স্বাভাবিক যে, "বিষ" কথাটা লেখার পরে তাঁকে ছোরা মারা হয়েছিল। মনে হয়, বড়িতে কাজ দেবে না মনে করে আততায়ী পরে আরেকবার এসে ছোরা মেরে খুনটাকে আরও নিশ্চিতভাবে সম্পন্ন করে।

'এখানে প্রশ্ন আসে—এই খুনের মোটিভ কী ? এরও উত্তর পেতে কোনও অসুবিধা হয়নি। বিরূপাক্ষবাবুর ঘরে অষ্টধাতুর একটি মহামূল্য মূর্তি ছিল। সেটি এই খুনের সঙ্গে সঙ্গে উধাও হয়ে যায়।

'এখানে আমার মনে খট্‌কা যাই থাকুক না কেন, পুলিশের বিশ্বাস হয় যে বেয়ারা লোকনাথ মূর্তিটা হাত করার জন্য মনিবকে ত্রিশটা বড়ি খাইয়ে তারপর খুনটাকে আরও জোরদার করার জন্য তাঁর বুকে ছুরি মেরে মূর্তিটাকে নিয়ে পালায়। গতকাল কিন্তু জানা যায় যে এ ধারণা সম্পূর্ণ ভুল। আমার বন্ধু মিঃ গাঙ্গুলী ও ভাই তপেশ গতকাল বিকেলে এই বাড়ির পিছনের ঝাউবনে বেড়াতে গিয়ে অকস্মাৎ লোকনাথ বেয়ারার মৃতদেহ আবিষ্কার করে। তাকেও ছুরি মেরে খুন করা হয়েছে। শুধু তাই নয় ; মৃতদেহের পাশে ছড়ানো ছিল খান ত্রিশেক টফ্রানিলের বড়ি। অর্থাৎ লোকনাথ শুধু যে খুন বা চুরি করেনি তা নয়, যাতে তার মনিবকে বড়ি খাইয়ে হত্যা না করা হয়, সেইজন্য সে বড়িগুলো নিয়ে পালাচ্ছিল। সেই সময় কেউ তাকে খুন করে।

'অর্থাৎ এও জানা যাচ্ছে যে বিরূপাক্ষ মজুমদারের মৃত্যু হয় একমাত্র ছুরির আঘাতেই, বড়ি খেয়ে নয়।

'ইতিমধ্যে আমার নিজের কতকগুলো অভিজ্ঞতা হয় যে-সম্বন্ধে আমি আপনাদের বলতে চাই।

'নয়নপুর ভিলার একজন বাসিন্দা হিসাবে রজত বোস সম্বন্ধে আমার একটা কৌতূহল ছিল, যদিও প্রথম দিকে তাঁর উপর সন্দেহ পড়ার কোনও কারণ ছিল না। তাঁকে জেরা করে আমি জানতে পাই যে, তিনি ফিফটি সেভনে বি কম পাশ করেন।

'এ ব্যাপারে আমরা অনুসন্ধান করে জেনেছি যে, রজত বোস নামে কোনও ছাত্র ওই বছর বি কম পাশ করেনি।'

আমি রজতবাবুর দিকে চাইলাম। তিনি হঠাৎ যেন কেমন মুষড়ে পড়েছেন। ফেলুদার দৃষ্টি তখন রজতবাবুর দিকে। সে বলল, 'এই গোলমালটা কেন হল বলতে পারেন ?'

রজতবাবু দু বার গলা খাক্‌রে চুপ করে গেলেন। তারপর যেন নিজের মনকে শক্ত করে একটা বড় রকম নিশ্বাস টেনে নিয়ে বললেন, 'আমি বিরূপাক্ষ মজুমদারকে খুন করিনি, কিন্তু

করতে চেয়েছিলাম—একশোবার চেয়েছিলাম। হি কিল্‌ড মাই ফাদার! তারপর ঘুষ দিয়ে লোকের মুখ বন্ধ করেন। হি ওয়াজ এ ক্রিমিন্যাল!'

ফেলুদা বলল, 'সে ব্যাপারে আপনার উপর আমার সহানুভূতি আছে। কিন্তু এবার আমি আপনাকে কয়েকটা কথা জিজ্ঞেস করতে চাই—সত্যি কি মিথ্যে বলুন।'

'কী কথা?'

রজতবাবু এখনও হাঁপাচ্ছেন।

ফেলুদা বলল, 'সে দিন লোকনাথ রোজকার মতো দুধে বড়ি মিশিয়ে তার মনিবকে খবর দিতে গিয়েছিল। মজুমদার সেই সময় শুটিং দেখছিলেন। তখন দুধের গেলাস আর বড়ির বোতল খাবার ঘরে পড়ে ছিল। আপনি সুযোগ বুঝে দুধে আরও বেশি করে বড়ি মেশাতে গিয়েছিলেন—তাই নয় কি?'

রজতবাবু বললেন, 'আমি তো বলেইছি—আমি আমার বাবার মৃত্যুর প্রতিশোধ নিতে চেয়েছিলাম।'

'কিন্তু আপনি কাজটা করার আগেই ঘরে লোকনাথ ফিরে আসে—ঠিক কি না? এবং সে আপনাকে ওখানে ওইভাবে দেখে সমস্ত ব্যাপারটা আঁচ করে। আপনি তার মুখ বন্ধ করতে বদ্ধপরিকর হন।'

'হি ওয়াজ এ ফুল!' চেঁচিয়ে উঠলেন রজতবাবু। 'আমি ওকে দলে টানতে চেয়েছিলাম, কিন্তু ও রাজি হয়নি।'

'তাই আপনি তাকে আক্রমণ করেন। সে আপনার হাত থেকে মুক্তি পেয়ে বড়ি সমেত বোতল নিয়ে ঝাউবনে পালায়। আপনি তার পিছু নেন; আপনার সঙ্গে অস্ত্র ছিল—মিঃ মজুমদারের পেপার কাটার। আপনি তাকে ধরে ফেলেন, কিন্তু আপনি ছুরি মারার আগে সে তার হাতের বোতল মাটিতে ছুঁড়ে ফেলে দেয়।'

এতক্ষণ দৃঢ়ভাবে থাকলেও রজতবাবু হঠাৎ ভেঙে পড়ে দু হাতে মুখ গুঁজে নিলেন।

দুজন কনস্টেবল তাঁর দিকে এগিয়ে গেল।

'আর একটা ছোট্ট প্রশ্ন', বলল ফেলুদা, 'আপনার সুটকেসে যে আর বি লেখা আছে, সেটা তো আসলে রমেন ব্রহ্ম, এবং সেই জন্যেই পরে রজত বোস নাম নিয়েছিলেন?'

রজতবাবু মাথা নেড়ে হ্যাঁ বললেন।

ফেলুদা আবার তার কথা শুরু করল।

'এর মধ্যে গতকাল আবার একটা ঘটনা ঘটে। একজন লোক কুয়াশার মধ্যে আমাকে খাদে ফেলে মারতে চেষ্টা করে।'

সমস্ত ঘর চুপ। সকলেই ফেলুদার দিকে চেয়ে আছে। ফেলুদা বলে চলল—

'লোকটিকে ভাল করে দেখা যায়নি কুয়াশার জন্য, তবে তার চাপ দাড়িটা যে কৃত্রিম, সেটা সন্দেহ করেছিলাম। সে লোকটি যখন আমাকে ঠেলা মারে তখন আমি একটা সেন্টের গন্ধ পাই। সেটা ছিল ইয়ার্ডলি ল্যাভেন্ডার এবং সে গন্ধ আমি আরেকবার একজনের গায়ে পেয়েছিলাম—দমদম এয়ারপোর্টে রেস্টোরান্টে বসে।'

এখানে হঠাৎ রাজেন রায়না কথা বলে উঠল।

'আমি নিজে ইয়ার্ডলি ল্যাভেন্ডার ব্যবহার করি, কিন্তু মিস্টার মিত্তির যদি বলেন যে আমি ছাড়া সে সেন্ট কেউ ব্যবহার করে না, তা হলে তিনি অত্যন্ত ভুল করবেন।'

ফেলুদার ঠোঁটের কোণে হাসি।

'আপনি যে এ কথা বলবেন তা আমি জানতাম', বলল ফেলুদা। 'কিন্তু আমার কথা বলা তো এখনও শেষ হয়নি, মিঃ রায়না।'

'বলুন কী বলবেন।'

ফেলুদা এবার সাহার কাছ থেকে একটা পোর্টফোলিও নিয়ে তার ভিতর থেকে একটা খাম বার করল। আর সেই সঙ্গে একটা বাঁধানো ছবি। এটা সেই বেঙ্গল ব্যাঙ্কের গ্রুপ ফোটো।

'এই গ্রুপ ছবিটার কথা কি আপনার মনে আছে, মিঃ রায়না ?'

'আই হ্যাভ নেভার সিন ইট বিফোর।'

'কিন্তু এতে যে আপনি নিজে উপস্থিত রয়েছেন !'

'মানে ?'

এইবার ফেলুদা খাম থেকে একটা ছবি বার করল। এটা একটা মুখের এনলার্জমেন্ট।'

'এই ছবিটার উপর আমার একটু কলম চালাতে হয়েছে', বলল ফেলুদা, 'কারণ তখন আপনার দাড়ি ছিল না, এখন হয়েছে। দেখুন তো এঁকে চিনতে পারেন কিনা। এটা বেঙ্গল ব্যাঙ্কের অ্যাকাউন্টস্ ডিপার্টমেন্টের ভি. বালাপোরিয়ার ছবি।'

রায়না আর হাতে নিয়ে ছবিটা দেখল না। সে একটা রুমাল বার করে ঘাম মুছছে। আমি দেখতে পাচ্ছি ছবিটার সঙ্গে রায়নার হুবহু সাদৃশ্য।

'যাঁর বাড়িতে আপনার শুটিং হবে তিনি যে আপনার এককালের বস্, এবং তিনি যে আপনাকে চিনে ফেলবেন এটা আপনি কী করে জানবেন ? আর, একবার যদি সত্য কথা প্রকাশ পেয়ে যায় তা হলে সেই কলঙ্কের চাপে আপনার ফিল্ম কেরিয়ারের কী দশা হবে সেটা তো আপনি বুঝতেই পারছিলেন। মিঃ মজুমদার আপনাকে জানিয়েছিলেন যে তিনি আপনাকে চিনতে পেরেছিলেন। আপনি অস্বীকার করেন। তাতে তিনি বলেন, "ইউ আর এ লায়ার !" আর তারপর বাংলায় বলেন, "আমি তোমার একটা কথাও বিশ্বাস করি না"। আপনি এগারো বছর বেঙ্গল ব্যাঙ্কে চাকরি করেন, কাজেই আপনি বাংলা যথেষ্ট ভাল ভাবেই জানতেন।

'আর খুনের সুযোগের কথাই যদি হয়, তা হলে লাঞ্চের সময় পঁয়তাল্লিশ মিনিট কাজ বন্ধ ছিল ; সেই ফাঁকে মিঃ মজুমদারের ঘরে যাওয়া আপনার সম্ভব ছিল ; আর মিঃ মজুমদার যখন আপনাদের তাঁর বালগোপালকে দেখাতে নিয়ে যান, তখন তার পাশেই যে একটি ভুজালি রয়েছে সেটা নিশ্চয়ই আপনার দৃষ্টি এড়ায়নি।'

সাহা এবার রায়নার দিকে রওনা দিলেন। পুলক ঘোষাল মাথায় হাত দিয়ে বসে আছেন। তাঁর মনের কী অবস্থা সেটা আমি বেশ বুঝতে পারছি। লালমোহনবাবু এবার আমার দিকে ঝুঁকে পড়ে ফিসফিস করে বললেন, 'কিন্তু মজুমদার "বিষ" কথাটা কেন লিখলেন—'

লালমোহনবাবুর কথা শেষ হল না, কারণ ফেলুদা আবার মুখ খুলেছে। সে বলল—

'আমি আরও বলছি, মিঃ রায়না। মিঃ মজুমদারকে যখন আপনি খুন করতে যান, তখন তাঁর ঘুম ভেঙে যায়। তিনি আপনাকে দেখেছিলেন। ছুরির আঘাতের পরও তিনি কয়েক মুহূর্ত বেঁচে ছিলেন। কারণ ছুরি ঠিক মোক্ষম জায়গায় লাগেনি। মিঃ মজুমদার আপনার নামটা লিখে যেতে চেষ্টা করেছিলেন, কিন্তু পুরোটা লিখতে পারেননি। সে নামটা কী আপনি বলবেন ?'—রায়না চুপ।

'আমি বলি ?'

রায়না চুপ।

'আমরা খবর নিয়ে জেনেছি যে, ভি বালাপোরিয়া হচ্ছে বিষ্ণুদাস বালাপোরিয়া। বিষ্ণুদাসের "বিষ"-টুকু মজুমদার লিখতে পেরেছিলেন, আর পারেননি।'

'আই অ্যাম সরি, আই অ্যাম সরি !' বলে ডুক্‌রে কেঁদে উঠলেন বিষ্ণুদাস বালাপোরিয়া

ওরফে রাজেন রায়না।

ফেলুদা এবার সমীরণবাবুর দিকে চাইল। সমীরণবাবু বললেন, 'আমি তো এদের কাছে শিশু!'

'তা বটে', বলল ফেলুদা। 'এবার সুটকেসটা খুলুন তো দেখি; খুলে অষ্টধাতুর বালগোপালটা বার করে দিন।'

বিকেলে কেভেনটারসের ছাতে বসে কথা হচ্ছিল। আমরা তিনজন আর পুলক ঘোষাল।

'দার্জিলিংটা বড় অপয়া জায়গা, লালুদা', বললেন পুলক ঘোষাল। 'তার চেয়ে ভাবছি, সিমলায় করব শুটিং-টা। রাজেন রায়নার জায়গায় অর্জুন মেরহোত্রা। কেমন মানাবে?'

'দুর্দান্ত', বললেন লালমোহনবাবু। 'তবে আমার অংশটা বাদ পড়বে না তো!'

'পাগল!—নভেম্বরেই শুটিং আরম্ভ করে ফেলব, আর ফেব্রুয়ারিতে শেষ। আরও চারখানা ছবি আছে আমার হাতে, সব এইট্টি সেভেনের মধ্যে নামিয়ে দিতে হবে।'

'চারখানা ছবি! পর পর?'

'তা আপনাদের আশীর্বাদে মোটামুটি চলছে ভালই, লালুদা!'

ফেলুদা লালমোহনবাবুর দিকে ফিরে বলল, 'এঁকেও তা হলে এ বি সি ডি বলা চলে, তাই না?'

'কীরকম?' চোখ কপালে তুলে জিজ্ঞেস করলেন জটায়ু।

'এশিয়াজ বিজিয়েস্ট সিনেমা ডাইরেক্টর!'

ভূস্বর্গ ভয়ংকর

১

'এবার কোথায় যাওয়া হচ্ছে?' এক মুঠো চানাচুর মুখে পুরে চায়ে একটা চুমুক দিয়ে জিজ্ঞেস করলেন রহস্য রোমাঞ্চ ঔপন্যাসিক লালমোহন গাঙ্গুলী ওরফে জটায়ু—'যা গন্‌গনে গরম পড়েছে, আর তো এখানে থাকা যায় না।'

'কোথায় যাওয়া যায়, সেটা আপনিই বলুন না', বলল ফেলুদা। 'ভ্রমণের নেশা তো আপনার আরও প্রবল। আমি তো ইচ্ছা করলে বারো মাস কলকাতায় পড়ে থাকতে পারি।'

'আপনার হাতে এখন কোনও কেস নেই তো?'

'তা নেই।'

'তা হলে চলুন বেরিয়ে পড়ি।'

'কোথায় যেতে চাইছে আপনার মন?'

'পাহাড় তো বটেই; আর পাহাড় বলতে আমি হিমালয়ই বুঝি। বিন্ধ্য, ওয়েস্টার্ন ঘাট্‌স—এ সব আমার কাছে পাহাড়ই নয়। আমার মন যেখানে যেতে চাইছে সেখানে না গেলে নাকি জন্মই বৃথা।'

'কোথায়?'

'এত হিন্টস দিলুম তাও বুঝতে পারলেন না?'

'ভূস্বর্গ ?'

'এগজ্যাক্টলি ! কাশ্মীর ! প্যারাডাইজ অন আর্থ। রোজগার তো বলতে নেই, দুজনেরই অনেক হল। সংসার আপনারও নেই, আমারও নেই। এত টাকা জমিয়ে রাখছি কার জন্যে ? চলুন বেরিয়ে পড়ি—ক্যালকাটা টু ডেল্‌হি, ডেল্‌হি টু শ্রীনগর।'

'শ্রীনগরই তো কাশ্মীরের একমাত্র দেখার জায়গা নয়। আরও আছে।'

'সবই দেখা যাবে একে একে।'

'পাহালগাম, গুলমার্গ, খিলেনমার্গ—অনেক কিছু দেখার আছে।'

'তা বেশ তো ; দিন পনেরো হাতে নিয়ে বেরিয়ে পড়ি। একটু ঘোরাঘুরি না করলে আমার মাথায় প্লট আসে না। পুজোর জন্য একটা কিছু লিখতে হবে তো !'

'আপনার অত অনেস্টির প্রয়োজন কী জানি না। আর পাঁচ জন যারা লিখছে, সব বিদেশি থ্রিলার থেকে প্লট সংগ্রহ করছে। ভদ্র ভাষায় বললাম, আসলে স্রেফ চুরি ছাড়া আর কিছুই না। আপনিও এবার লেগে পড়ুন।'

'হ্যাঁ, আমি চুরি করি আর শেষটায় আপনিই গালমন্দ করুন। আপনার কথার শ্লেষ ভুজালির চেয়েও তীক্ষ্ণ।'

'তা হলে যেভাবে চলছে চলুক—থোড় বড়ি খাড়া, খাড়া বড়ি থোড়।'

'তা না হয় হল, কিন্তু কাশ্মীর যাবার ব্যাপারটা কোথায় দাঁড়াচ্ছে ?'

'হাউসবোটে থাকবেন তো ?'

'শ্রীনগরে ?'

'শ্রীনগর ছাড়া আর হাউসবোট নেই। ডাল লেকের উপরে থাকা যাবে।'

'সেই তো ভাল—তাই নয় কি ? বেশ একটা নতুন অভিজ্ঞতা হবে।'

'অনেক খরচ কিন্তু। তার চেয়ে বোধহয় হোটেল সস্তা।'

'ও সব খরচের কথা শুনতে চাই না। ব্যাঙ্কে অনেক জমে আছে—ইনকাম ট্যাক্স দিয়েও। যাব—গিয়ে ম্যাক্সিমাম ফুর্তি যাতে হয়, তাই করব।'

'তা হলে শ্রীনগরে হাউসবোট, পাহালগামে তাঁবু আর গুলমার্গে লগ ক্যাবিন।'

'চমৎকার ! টুরিস্ট অফিস থেকে লিটারেচর নিয়ে আসব, তারপর দিন ক্ষণ দেখে বেরিয়ে পড়া যাবে।'

*

কাশ্মীরের প্রস্তাবটা ফেলুদারও মনে ধরেছিল, সেটা আমি বুঝেছিলাম। লালমোহনবাবু ঘণ্টা দু-এক আড্ডা মেরে চলে যাবার পর ফেলুদা টুরিস্ট অফিসে গিয়ে কাশ্মীর সম্বন্ধে পুস্তিকা ইত্যাদি নিয়ে চলে এল। বলল, 'মনস্থির যখন করেই ফেলা হয়েছে, তখন আর সময় নষ্ট করে লাভ নেই। আজ সোমবার ; শনিবার নাগাত বেরিয়ে পড়া যাবে।'

'ঠাণ্ডা হবে না ওখানে ?'

'তা হবে, এবং তার জন্যে তৈরি হয়ে যেতে হবে।'

'লালমোহনবাবু সেটা জানেন তো ?'

'নিশ্চয়ই জানেন। তবে সাবধানের মার নেই। কাজেই ওঁকে সেটা ফোনে জানিয়ে রাখা দরকার। এমনিতেই তো শীতকাতুরে।'

দু দিনের মধ্যে লন্ড্রি থেকে আমাদের শীতের কাপড় এসে গেল। ঠিক হল প্রথমে শ্রীনগরেই দিন সাতেক থাকা হবে, তারপর অন্য জায়গাগুলো দেখা যাবে। হাউসবোট কাশ্মীর টুরিজ্‌ম থেকে ব্যবস্থা করা হল। একটা হাউসবোটে একটা পুরো ফ্যামিলি থাকতে পারে। তাই তিনজনের পক্ষে যথেষ্ট। আমি না গিয়ে পড়া পর্যন্ত কল্পনাই করতে পারছিলাম

না ব্যাপারটা কী রকম হয়। নৌকোয় থাকা! তাও আবার লাক্সারি নৌকো! বোধহয় জমিদারি আমলের বজরার মতো। পুস্তিকায় ছবি দেখে বুঝলাম যে হাউসবোটগুলো কটেজের মতো দেখতে। সেই সঙ্গে আবার ছোট ছোট নৌকোর ছবিও দেখা যাচ্ছে যাতে করে ডাল লেকে ঘুরে বেড়ানো যায়; কারণ হাউসবোটগুলো নড়েচড়ে বেড়ায় না।

ফেলুদাকে বললাম, 'যা বুঝছি, শ্রীনগর শহরটায় দেখবার জিনিসের মধ্যে আছে কিছু বিখ্যাত মোগল বাগান। তবে পাহাড়ে‍ঘেরা উপত্যকা, সব কিছুর মধ্যে দিয়ে ঝিলাম বয়ে চলেছে, তা ছাড়া দু-তিনটে লেক, পপলার, ইউক্যালিপটাস, চিনার গাছের সারি—মনে হয় জায়গাটা খুব সুন্দর। তবে গুলমার্গ পাহালগামও কিছু কম যায় না। পরে যদি ১১,০০০ ফুট খিলেনমার্গে ওঠা যায়, তা হলে সেখান থেকে নাঙ্গা পর্বতের নাকি একটা অদ্ভুত ভিউ পাওয়া যায়। পনেরো দিনের জন্য খুব জমজমাট টুর, কাজেই চিন্তা করার কিছুই নেই।'

প্ল্যানমাফিক আমরা শনিবারই বেরিয়ে পড়লাম। এবার প্লেনে তিনজনের এক লাইনে সিট পড়েনি বলে লালমোহনবাবুকে আলাদা বসতে হল। ভদ্রলোক দেখলাম তাঁর পাশের একটি বাঙালির সঙ্গে খুব আলাপ জুড়ে দিয়েছেন। দিল্লিতে এয়ারপোর্টে এসে জিজ্ঞেস করলাম, 'আপনার সহযাত্রীটি কে ছিলেন মশাই?'

লালমোহনবাবু বললেন, 'নাম সুশান্ত সোম, এক রিটায়ার্ড জজের সেক্রেটারি। দলেবলে কাশ্মীর চলেছেন। ওঁরাও হাউসবোটে থাকবেন। ভদ্রলোক তোমার দাদাকে দেখেই চিনেছেন। আমাকে জিজ্ঞেস করলেন কোনও তদন্তে যাচ্ছি কি না। একবার মনে হল বলি হ্যাঁ, তারপর মাইন্ড চেঞ্জ করে সত্যি কথাটাই বলে দিলুম।'

চারিদিকে বাঙালির ভিড়, তাদের অনেকের কথাবার্তা শুনেই মনে হল তাঁরাও কাশ্মীর যাচ্ছেন। শ্রীনগরের প্লেন ছাড়তে আরও তিন ঘণ্টা দেরি। তার মধ্যে আমরা আর এক প্রস্ত চা খেয়ে নিলাম। রেস্টোর‍্যান্টে লালমোহনবাবুর আলাপী ভদ্রলোকের সঙ্গে আবার দেখা হয়ে গেল। উনি আমাদের টেবিলের দিকে হাসিমুখে এগিয়ে এলেন।

'আমার নাম সুশান্ত সোম,' ভদ্রলোক ফেলুদাকে নমস্কার করে বললেন—'আপনার বন্ধু মিঃ গাঙ্গুলীর সঙ্গে আলাপ হল, তাই ভাবলাম সুযোগ যখন মিলেছে তখন আপনার সঙ্গেও আলাপটা সেরে নিই। আমি আপনার একজন গুণমুগ্ধ ভক্ত। আপনার তদন্তের কথা অনেক পড়েছি। দাঁড়ান, আমার বস্‌ও হয়তো আপনাকে দেখলে খুশি হবেন।'

রেস্টোর‍্যান্টের দরজা দিয়ে আরও দল ঢুকেছে। সুশান্তবাবু তাদের দিকেই এগিয়ে গেলেন। জনা চারেক ভদ্রলোক, তার মধ্যে একজন বেশ বয়স্ক, প্রায় বৃদ্ধ বললেই চলে। সুশান্তবাবু তাঁকে ফিসফিস করে কী বলতে ভদ্রলোক আমাদের দিকে এগিয়ে এলেন। ফেলুদা উঠে দাঁড়াল।

'বসুন বসুন—উঠছেন কেন?' বললেন ভদ্রলোক। 'আমার নাম সিদ্ধেশ্বর মল্লিক। আমি প্রায় সারা জীবন ক্রাইমের সঙ্গে যুক্ত, কিন্তু এই প্রথম একজন প্রাইভেট ডিটেকটিভকে দেখলাম।'

ফেলুদা বলল, 'ক্রাইমের সঙ্গে যুক্ত মানে— ?'

'আমি একজন রিটায়ার্ড জজ। বহু অপরাধীকে মৃত্যুদণ্ডে দণ্ডিত করেছি। এখন সে কাজ থেকে অবসর নিয়ে বিশ্রাম করছি। শরীরও কিঞ্চিৎ ভেঙে পড়েছে—সঙ্গে ডাক্তার নিয়ে ঘুরতে হয়। ছেলেও আছে, বেয়ারাও আছে। আর আছে প্রাইভেট সেক্রেটারি। এই ইনি। সুশান্ত খুব কাজের ছেলে। একে ছাড়া চলে না আমার।'

'আপনারা শ্রীনগরেই থাকবেন?' জিজ্ঞেস করল ফেলুদা।

'আপাতত। তবে ইচ্ছে আছে কাশ্মীরটা একটু ঘুরে দেখার।'

'আমাদেরও ওই একই প্ল্যান', বলল ফেলুদা। 'শ্রীনগরে নিশ্চয়ই আবার দেখা হবে। আপনারা কি হাউসবোটে থাকবেন?'

'হ্যাঁ। হাউসবোটটা একটা ইউনিক ব্যাপার। আমি সিক্সটি-ফোরে একবার এসে থেকে গেছি। ইয়ে, এনার সঙ্গে তো আলাপ হল না—' ভদ্রলোক লালমোহনবাবুর দিকে ফিরেছেন।

'আমিও ক্রাইম', বলল জটায়ু। 'আমি একজন রহস্য রোমাঞ্চ ঔপন্যাসিক।'

'ওরে বাবা! তা হলে তো ক্রিমিন্যাল ছাড়া সবাই উপস্থিত দেখছি...ঠিক আছে। দেখা হবে শ্রীনগরে। আমরাও একটু চায়ের ব্যবস্থা দেখি গিয়ে।'

২

আকাশ থেকে শ্রীনগর উপত্যকার এক রূপ, আর মাটিতে নেমে আর এক রূপ। চোখ জুড়িয়ে যায় তাতে কোনও সন্দেহ নেই। আর এও ঠিক যে এ জায়গার সঙ্গে দার্জিলিং-সিমলার কোনও মিল নেই। শ্রীনগরের দৃশ্য একেবারে অনন্য। সেটা আরও বেশি করে বুঝতে পারলাম ট্যাক্সিতে করে শহরে আসার সময়। শহর থেকে এয়ারপোর্ট সাত মাইল। একবার মনে হয়েছিল উপত্যকা বলে বুঝি অনেকটা কাঠমাণ্ডুর মতো হবে, কিন্তু তারপর লেক আর ঝিলাম নদী দেখে সে ধারণা একদম পালটে গেল।

আমাদের যেতে হবে ডাল লেকের দক্ষিণে শহরের রাস্তা বুলেভার্ডে। আধ ঘণ্টায় বুলেভার্ডে পৌঁছে গেলাম। লেকের এদিকটা পাকা গাঁথুনি দিয়ে ঘেরা। ঘাট থেকে সিঁড়ি দিয়ে নেমে ছোট নৌকোয় গিয়ে উঠতে হয়। এই নৌকোকে এখানে বলে শিকারা। ভেনিসে যেমন জলপথে যাতায়াতের জন্য গণ্ডোলা, এখানে তেমনি শিকারা। আমাদের হাউসবোটের নাম 'ওয়াটার লিলি'। 'ওয়াটার লিলি'র শিকারাও ঘাটেই আমাদের জন্য অপেক্ষা করছিল। আমরা মালসমেত তাতে গিয়ে উঠলাম। তারপর পঞ্চাশ হাত খানেক গেলেই পাশাপাশি সার বাঁধা হাউসবোট। এই সারি কিছুদূর যাবার পর লেক চওড়া হয়ে গেছে তারপর আর হাউসবোট নেই। যা আছে সবই লেকের পশ্চিম অংশে।

শিকারা থেকে বোটে উঠতে কোনও কসরতের দরকার হয় না, খুবই সহজ ব্যবস্থা। বোটের সামনের দিকে খানিকটা খোলা জায়গা, সেখানে ইচ্ছা করলে বসা যায়, আবার সিঁড়ি দিয়ে উপরের ডেকে ওঠার বন্দোবস্ত আছে, সেখানে চেয়ারে বসে চারিদিকের দৃশ্য উপভোগ করা যায়, চা খাওয়া যায়, আর স্রেফ আড্ডাও মারা যায়।

ভিতরে ঢুকলে প্রথমেই বসবার ঘর, তাতে সোফা, চেয়ার, কার্পেট ইত্যাদি বৈঠকখানার যাবতীয় সরঞ্জাম রয়েছে, দেয়ালে ছবি রয়েছে, ফুলদানিতে ফুল রয়েছে, আবার একটা ছোট লাইব্রেরিও রয়েছে। বসবার ঘরের পরে খাবার ঘর, দুটো বেডরুম, বাথরুম ইত্যাদি। সব মিলিয়ে জলের উপর একটি বাংলো বাড়ি যাতে সব রকম ব্যবস্থা আছে। কিচেনও আছে, তবে সেটা পিছন দিকে একটা ছোট্ট আলাদা নৌকোয়।

লালমোহনবাবুর মুখে হাসি লেগেই আছে, বললেন, 'ভাগ্যিস ডিসিশনটা নিয়েছিলাম। এর ক্রেডিট কিন্তু সবটাই আমার পাওনা। তোমার দাদা ভূস্বর্গের কথা ভাবেননি।'

ফেলুদা বলল, 'আমি তো আপনার মতো লেখক নই। আইডিয়া আসা উচিত আপনার মাথা থেকে। যাকগে, এখন আগে একটু চা খেয়ে শিকারায় করে লেকটা একবার ঘুরে দেখা যাক।'

দুজন চাকর রয়েছে হাউসবোটের সঙ্গে, নাম মাহমুদিয়া আর আবদুল্লা।

চা খেয়ে বেরোতে সূর্য হেলে এল পশ্চিমে। মে মাস হলে কী হবে, বেশ ঠাণ্ডা; আমাদের কলকাতায় শীতের সময় যে পোশাক পরতে হয়, এখন এখানেও তাই পরতে হয়। ফেলুদা বলল, 'আজ শুধু লেকটা ঘুরে দেখা যাবে, কাল থেকে সাইট সিইং আরম্ভ হবে। বুলেভার্ডের পিছনেই দেখতে পাচ্ছেন পাহাড় রয়েছে, এক হাজার ফুট উঁচু। ওর মাথায় রয়েছে শঙ্করাচার্যের মন্দির। সম্রাট অশোকের ছেলে জালুকের তৈরি। তা ছাড়া লেকের পুব দিকে মোগল বাগান রয়েছে—নিশাদবাগ, শালিমার, চশমা শাহি—এগুলোও দেখা চাই। চশমা শাহির স্প্রিং-এর জল নাকি একেবারে অমৃত—যেমনই স্বাদ, তেমনি ক্ষুধাবর্ধক।'

'লেকের মাঝখানে একটা ছোট্ট দ্বীপ দেখা যাচ্ছে, ওটা কী?' আমি জিজ্ঞেস করলাম। আমি জানতাম ফেলুদা কাশ্মীর সম্বন্ধে সব পড়াশুনা করে এসেছে।

ফেলুদা বলল, 'ওটাকে বলে চার মিনার। দ্বীপটার চার কোণে চারটে চিনার গাছ রয়েছে।'

মাহমুদিয়া আর আবদুল্লা শিকারা চালাতে আরম্ভ করল, আমরা বাঁয়ে গোটা দশেক হাউসবোট পেরিয়ে আসল লেকে গিয়ে পড়লাম। দুটো পাশাপাশি হাউসবোট নিয়ে রয়েছেন রিটায়ার্ড জজ সিদ্ধেশ্বর মল্লিক আর তাঁর সাঙ্গোপাঙ্গ। আমরা খোলা লেকে পড়বার আগে একটা বোট থেকে সুশান্ত সোম আমাদের দিকে হাত নেড়ে বললেন, 'ফেরার পথে একবার ঢুঁ মেরে যাবেন। চায়ের নেমন্তন্ন রইল।'

ডাল লেকের সৌন্দর্যের বর্ণনা দেবার ভাষা আমার জানা নেই। স্বচ্ছ কাচের মতো জল, হাওয়া নেই বলে ঢেউ নেই, তাই আয়নার মতো চারিদিকের পাহাড়গুলো প্রতিফলিত হচ্ছে। এখানে-ওখানে পদ্ম শালুক শাপলা ফুটে আছে, শিকারা সেগুলোকে পাশ কাটিয়ে চলেছে। লালমোহনবাবুকে কবিতায় পেয়েছে, বললেন, 'কাশ্মীর সম্পর্কে আমাদের এথিনিয়াম ইস্কুলের মাস্টার বৈকুণ্ঠ মল্লিকের একটা আট লাইনের কবিতা আছে। ভদ্রলোক বহু জায়গায় ঘুরেছিলেন, আর সেই সব জায়গা নিয়ে পদ্য লিখে গেছেন। কাশ্মীরেরটা শুনুন ফেলুবাবু, কী রকম ডিসেন্ট—

করি নত শির
তোমারে প্রণমি কাশ্মীর
কুমারীকার অপর প্রান্তে
অবস্থান তব ভারতের উত্তর সীমান্তে
রাজধানী শ্রীনগর
ঝিলামের জলে ধোয়া অপূর্ব শহর
কত হ্রদ, কত বাগ, কত বাগিচা
অন্য নগরের সাথে তুলনা করিতে যাওয়া মিছা।...'

'বাঃ, দিব্যি', বলল ফেলুদা—যদিও বুঝলাম সেটা জটায়ুর মনে কষ্ট না দেবার জন্য। কবিতায় লালমোহনবাবুর রুচিটা যে একটু গোলমেলে তার পরিচয় এর আগেও অনেকবার পেয়েছি।

শুধু কবিতা নয়, ডাল লেকের দৃশ্যে ভদ্রলোককে গানেও পেয়েছে। গুনগুন করে কী গাইছেন জিজ্ঞেস করাতে বললেন উর্দু গজল।

এদিকে সন্ধ্যার আলো অনেক বেশিক্ষণ থাকে—অন্তত বছরের এই সময়টায়। আমরা সাড়ে সাতটায় যখন ফিরছি তখনও পুরো অন্ধকার হয়নি।

সুশান্ত সোম তাঁদের হাউসবোটের সামনের বারান্দায় দাঁড়িয়েছিলেন, আমাদের দেখে

হাতছানি দিয়ে ডাকলেন।

'আসুন, একটু আড্ডা মারা যাক।'

আমরা এঁদের বোটের সামনে শিকারা দাঁড় করিয়ে ওপরে উঠলাম। এঁদের বোটের নাম 'রোজমেরি'। এঁদের পাশেই রয়েছে এঁদের অন্য বোট, সেটার নাম 'মিরান্ডা'। 'রোজমেরি'-তে থাকেন সুশান্ত সোম আর জজ সাহেবের ছেলে, নাম বিজয় মল্লিক। 'মিরান্ডা'-তে আছেন মিঃ মল্লিক, তাঁর ডাক্তার হরিনাথ মজুমদার আর বেয়ারা প্রয়াগ।

চায়ের অর্ডার দিয়ে উপরের ডেকে উঠে সুশান্ত ফেলুদাকে বললেন, 'আপনার তাস চলে? তিন-তাস?'

'অভ্যেস নেই', বলল ফেলুদা, 'তবে তাসের প্রায় সব খেলাই মোটামুটি জানা আছে। কিন্তু হঠাৎ এ প্রশ্ন কেন?'

'নীচের বৈঠকখানায় তাসের আড্ডা জমেছে।'

'এত লোক পেলেন কোথায়?'

'প্লেনে দুই ভদ্রলোকের সঙ্গে আলাপ হয়েছে বিজয়ের। একজন বাঙালি, নাম সরকার; আর একজন পাঞ্জাবি। তিন জনেই জুয়াড়ি।'

আমরা চারজনে বসলাম। সত্যি, কলকাতা যে কোন সুদূরে চলে গেছে তার কোনও হিসাবই নেই। হাউসবোটের টপ ডেকে বসে চা খাওয়ার আয়োজন—এ এক অভাবনীয় ব্যাপার। আমাদের ডান দিকের হাউসবোটে সাহেবরা এসে উঠেছে—সেখান থেকে বিলিতি বাজনার শব্দ আসছে। জানালা দিয়ে দেখা যাচ্ছে সাহেব-মেম সেই বাজনার সঙ্গে নাচছে সামনের বৈঠকখানায়।

ফেলুদা সুশান্তবাবুকে উদ্দেশ করে প্রশ্ন করল, 'সিদ্ধেশ্বরবাবু কদিন হল রিটায়ার করেছেন?'

'পাঁচ বছর', বললেন সুশান্তবাবু। 'ওঁর তখন ষাট বছর বয়স।'

'কিন্তু জজের তো রিটায়ার করার কোনও বাধ্যবাধকতা নেই।'

'ওর শরীরটা একটু খারাপ হয়ে গিয়েছিল। অ্যানজাইনা। ভদ্রলোকের রিটায়ার করার ইচ্ছা ছিল না, কিন্তু ডাক্তারের কথায় বাধ্য হয়ে করতে হয়। উনি বহু অপরাধীর প্রাণদণ্ড দিয়েছেন। এক-এক সময় বলেন, 'আমার শেষ জীবনে দুঃখ আছে।' এত লোককে ফাঁসিতে পাঠালে তার একটা প্রতিক্রিয়া হবেই। উনি ডায়েরি লিখতেন; সে ডায়েরি সব এখন আমার হাতে কারণ আমি ওঁর একটা জীবনী লিখছি—যদিও সেটা আত্মজীবনী হিসেবেই বেরোবে। সেই ডায়েরিতে উনি যেদিনই কারুর প্রাণদণ্ড দিয়েছেন সেদিনই লাল কালিতে একটা ক্রস দিয়ে রেখেছেন। মাঝে মাঝে ক্রসের সঙ্গে একটা প্রশ্নবোধক চিহ্ন রয়েছে। সেটাতে বুঝতে হবে প্রাণদণ্ড দিয়ে নিজেরই মনে একটা প্রশ্ন জেগেছে এটা ঠিক হল কি না। এখন কী করছেন জানেন? ওঁর যে ডাক্তার—মজুমদার—তিনি ভাল মিডিয়ম—তাঁর সাহায্যে প্ল্যানচেট করছেন, আর ফাঁসির আসামির আত্মাদের ডেকে এনে তাদের জিজ্ঞেস করছেন, তারা সত্যিই খুন করেছিল কিনা। আত্মা যদি বলে যে হ্যাঁ, সে সত্যিই খুন করেছিল, তা হলে উনি খানিকটা নিশ্চিন্তবোধ করেন। এখন পর্যন্ত ওর জাজমেন্টে কোনও ভুল বেরোয়নি।'

'আপনারা কি এখানে এসেও প্ল্যানচেট করবেন নাকি?'

'সেই জন্যেই তো ডাক্তারকে একই হাউসবোটে রেখেছেন। ওর অ্যানজাইনাটা এখন অনেকটা কন্ট্রোলে এসেছে। আসলে ডাক্তার সঙ্গে এসেছেন প্ল্যানচেটের জন্য।'

'আজ রাত্রেও কি আপনাদের প্ল্যানচেট হবে।'

'আজ হয়তো হবে না, কিন্তু দু-এক দিনের মধ্যেই শুরু হয়ে যাবে নিশ্চয়ই।...কেন বলুন তো?'

'আমি ইন্টারেস্টেড', বলল ফেলুদা। 'অবশ্যি উনি আমার উপস্থিতি বরদাস্ত করবেন কিনা সেটা একটা প্রশ্ন।'

'সেটা আমি বলে দেখতে পারি। উনি আপনার প্রতি বেশ প্রসন্ন সেটা আমি এর মধ্যেই বুঝেছি। আর এমনিতে প্ল্যানচেটের ব্যাপারে উনি কোনও গোপনতা অবলম্বন করেন না। যা ফলাফল হয়, সবই তো ওঁর আত্মজীবনীতে যাবে। আমি তো সম্পূর্ণ রেকর্ড রাখছি।'

'তা হলে আপনি একটু জিজ্ঞেস করে জানাবেন।'

'নিশ্চয়ই।'

আমরা চা খাওয়া শেষ করে আরও কিছুক্ষণ গল্প করে নিজেদের বোটে চলে এলাম। বৈঠকখানায় ঢুকে সোফায় ধপ করে বসে পড়ে লালমোহনবাবু বললেন, 'হাইলি ইন্টারেস্টিং ম্যান—দিস্ জজ সাহেব।'

'ইন্টারেস্টিং তো বটেই', বলল ফেলুদা, 'তবে উনিই একমাত্র জজ নন, যাঁর এইরকম প্রতিক্রিয়া হয়েছে। এ রকম ঘটনা দেশে-বিদেশে আগেও শোনা গেছে।'

'ভাল কথা—আপনার সঙ্গে আমার পারমিশনটাও চেয়ে রাখবেন। প্ল্যানচেট দেখার সুযোগ ছাড়া যায় না।'

৩

দেখতে দেখতে চার দিন কেটে গেল। এর মধ্যে একদিন শহরটা ঘুরে দেখলাম। লালমোহনবাবু একটা 'হটশট' ক্যামেরা কিনেছেন, তাই দিয়ে পটাপট ছবি তুলছেন। সেগুলো শহরের মাহাত্তা অ্যান্ড কোম্পানিতে ডেভেলাপ আর প্রিন্ট করে দেখা গেল মন্দ ওঠেনি। যদিও লালমোহনবাবুর নিজের মন্তব্য 'হাইলি প্রোফেশনাল' মোটেই মানা যায় না।

নিশাদবাগ, শালিমার আর চশমা শাহিও এক সকালে বেরিয়ে দেখে এলাম। মনটা চলে গেল সেই জাহাঙ্গির শাজাহানের আমলে। এই ট্রিপটা আমরা করেছিলাম মল্লিক ফ্যামিলির সঙ্গে, ফলে তাদের সঙ্গে আলাপটাও আরও জমে উঠল। সিদ্ধেশ্বরবাবু ফেলুদাকে বললেন, 'আপনি শুনছি আমার প্ল্যানচেট সম্বন্ধে কৌতূহল প্রকাশ করেছেন। আপনি প্ল্যানচেটে বিশ্বাস করেন?'

'আমার মনটা খুব খোলা, জানেন', বলল ফেলুদা। 'প্ল্যানচেট, স্পিরিচুয়ালিজম ইত্যাদি সম্বন্ধে আমি অনেক পড়েছি। পরলোকের সঙ্গে যোগাযোগ করা যে সম্ভব সেটা বহু জ্ঞানী-গুণী ব্যক্তি বলে গেছেন; সেক্ষেত্রে প্ল্যানচেট সম্বন্ধে অবজ্ঞা প্রকাশ করার কোনও মানে হয় না। 'তবে যেমন সব কিছুর মধ্যেও থাকে তেমনই এর মধ্যেও ধাপ্পাবাজি চলে। আসলে মিডিয়ম যদি খাঁটি হয় তা হলেই ব্যাপারটা বিশ্বাসযোগ্য হয়ে ওঠে।'

'ডাঃ মজুমদার ইজ এ ফার্স্ট রেট মিডিয়ম। আপনি একদিন বসে দেখুন না।'

'হ্যাঁ, কিন্তু আমার বন্ধু আর আমার ভাইও আসতে চায়।'

'মনে বিশ্বাস থাকলে কোনও লোকের আসাতেই আমার আপত্তি নেই। আজই আসুন। ভাল কথা, আমি কাদের আত্মা নামাচ্ছি জানেন তো?'

'যে সব লোককে আপনি প্রাণদণ্ড দিয়েছেন তাদের তো?'

'হ্যাঁ। আমি জানতে চাইছি আমার জাজমেন্টে কোনও ভুলে হয়েছে কি না। এখন পর্যন্ত সে রকম ভুল পাইনি।'

'আপনারা রোজ একটি করে আত্মা নামান?'

'হ্যাঁ। একটার বেশিতে ডাক্তারের স্ট্রেন হয়।'

'তা হলে কটায় আসব ?'

'আসুন রাত দশটায়। ডিনারের পর বসা যাবে। তখন চারিদিকটা বেশ নিস্তব্ধ হয়ে যায়।'

ডিনারের পর আমরা মিঃ মল্লিকের হাউসবোটে গিয়ে হাজির হলাম। বসবার ঘরে প্ল্যানচেটের ব্যবস্থা হয়েছে। একটা টেবিলকে ঘিরে পাঁচটা চেয়ার রাখা হয়েছে; বুঝলাম চেয়ারগুলো খাবার ঘর থেকে আনা হয়েছে। আমরা আর সময় নষ্ট না করে কাজে লেগে গেলাম। মিঃ মল্লিক বললেন, 'আজ আমরা রামস্বরূপ রাউত বলে একটি বিহারি ছেলের আত্মাকে নামাব। এই ছেলেটির আজ থেকে দশ বছর আগে ফাঁসি হয়, এবং আমিই সে ফাঁসির জন্য দায়ী ছিলাম। আমার বিশ্বাস এর ফাঁসির দণ্ড হওয়া উচিত ছিল না, কিন্তু জুরির ভার্ডিক্ট ছিল গিল্টি, আর খুনটাও ছিল একটু নৃশংস ধরনের। তাই আমি সাময়িক ভ্রান্তিবশত জেনেশুনেও প্রাণদণ্ডের আদেশ দিই। যদিও আমার মনে এই আদেশের যথার্থতা সম্পর্কে যথেষ্ট সন্দেহ ছিল। কেসটা এমন চতুরভাবে সাজানো হয়েছিল যাতে ছেলেটিকে অপরাধী বলেই মনে হয়।...মজুমদার তুমি তৈরি ?'

'আজ্ঞে হ্যাঁ।'

জানালার সব পরদা টেনে দিয়ে ঘরটাকে একেবারে অন্ধকার করে দেওয়া হয়েছিল। আমরা সকলে যে যার জায়গায় বসেছি। আমার ডান দিকে ফেলুদা, বাঁ দিকে লালমোহনবাবু, ফেলুদার ডান পাশে মিঃ মল্লিক আর তাঁর পাশে—লালমোহনবাবুর বাঁ দিকে—ডাঃ মজুমদার।

মিঃ মল্লিক গম্ভীরভাবে বললেন, 'ছেলেটির বয়স ছিল উনিশ। শার্প চেহারা, নাকের নীচে সরু গোঁফ, গায়ের রং পরিষ্কার। বিহারের ছেলে—নাম রামস্বরূপ রাউত। ছুরি দিয়ে খুনের মামলা, ঘটনাস্থল কলকাতার বাগবাজারের একটা গলি। ছেলেটিকে দেখে কিন্তু খুনি বলে মনে হয়নি। আপনারা নিজেদের কল্পনা অনুযায়ী একটা চেহারা স্থির করে নিয়ে তাতে মনঃসংযোগ করতে চেষ্টা করুন। প্রশ্ন আমিই করব, উত্তর মজুমদারের মুখ দিয়ে আসামির কণ্ঠস্বরে বেরোবে।'

পনেরো মিনিট এইভাবে অন্ধকারে বসে থাকার পরই বুঝলাম টেবিলটা আস্তে আস্তে নড়তে আরম্ভ করেছে। তার পর আরও জোরে দোলানি শুরু হল। আমি রুদ্ধশ্বাসে অপেক্ষা করতে লাগলাম।

মিনিট খানেক পরে, মল্লিকমশাই প্রশ্ন করলেন—হিন্দিতে।

'তুমি কে ?'

'আমার নাম রামস্বরূপ রাউত।'

ডাক্তারের গলা দিয়ে আওয়াজ বেরোল, কিন্তু কণ্ঠস্বর সম্পূর্ণ আলাদা। শুনে বেশ গা শিউরে ওঠে।

মিঃ মল্লিক আবার প্রশ্ন করলেন—

'তোমার ফাঁসি হয়েছিল ১৯৭৭ সালে ?'

'হ্যাঁ।'

'আমি তোমার মৃত্যুদণ্ডের জন্য দায়ী, তা তুমি জানো ?'

'জানি।'

'খুনটা কি তুমিই করেছিলে ?'

'না।'

'তবে কে করেছিল ?'

'ছেদিলাল। সে ভয়ানক ধূর্ত ছিল। তার অপরাধ সে অত্যন্ত চতুরভাবে আমার ঘাড়ে ফেলে। পুলিশ আমাকেই দোষী সাব্যস্ত করে।'

'আমি সেটা জানি। আমি তোমায় দেখেই বুঝেছিলাম যে তোমার দ্বারা এ খুন করা সম্ভব নয়। কিন্তু শেষ পর্যন্ত আমি তোমাকেই মৃত্যুদণ্ডে দণ্ডিত করি।'

'সে নিয়ে এখন আর ভেবে কী হবে ?'

'আমি চাই তুমি আমাকে ক্ষমা করো।'

'সেটা আমি খুব সহজেই করতে পারি। তবে আমার আত্মীয়-বন্ধুদের মধ্যে যাঁরা জীবিত আছেন তারা ক্ষমা করবেন কি না জানি না।'

'তাদের কথা আমি ভাবছি না। তোমার ক্ষমাটাই আমার প্রয়োজন।'

'মৃত্যুর পর আর কারুর ওপর কোনও আক্রোশ থাকে না।'

'তোমাকে অনেক ধন্যবাদ।'

মিঃ মল্লিক উঠে গিয়ে ঘরের বাতিটা জ্বালিয়ে দিলেন। ডাঃ মজুমদারের জ্ঞান আসতে আরও মিনিট দু-এক লাগল।

এ এক বিচিত্র অভিজ্ঞতা হল বটে।

'মনটা অনেকটা হাল্‌কা লাগছে', বললেন মিঃ মল্লিক, 'এই একটি মৃত্যুদণ্ডে যে আমি ভুল করেছিলাম, সে বিষয়ে আমার কোনও সন্দেহ নেই। এবং এখন তো বুঝতেই পারছি যে আমার ধারণাই ঠিক।'

ফেলুদা বলল, 'এই প্ল্যানচেট করে কি আপনি নিজের মনটাকে হালকা করতে চান ?'

'শুধু তাই নয়', বললেন মিঃ মল্লিক, 'আমার মনে মাঝে মাঝে একটা সন্দেহ জাগে যে, আদৌ একজন মানুষ আরেকজনের প্রাণদণ্ড দিতে পারে কি না।'

'কিন্তু তা হলে খুনির শাস্তি হবে না ?'

'হবে—কিন্তু প্রাণদণ্ডের দ্বারা নয়। কারাদণ্ড নিশ্চয়ই চলতে পারে। তা ছাড়া অপরাধীর সংস্কারের জন্য রাস্তা বার করতে হবে।'

ঘড়িতে প্রায় এগারোটা বাজে, তাই আমরা উঠে পড়লাম। মল্লিক বলেন, 'আমরা গুলমার্গ যাচ্ছি পরশু। আপনারা আসুন না আমাদের সঙ্গে।'

ফেলুদা বলল, 'সে তো খুব ভালই হয়। ওখানে কি থাকবেন ?'

'এক রাত', বললেন ভদ্রলোক। 'গুলমার্গ থেকে খিলেনমার্গ যাব—তিন মাইল পথ—হেঁটেও যাওয়া যায়, ঘোড়াতেও যাওয়া যায়। তারপর ফিরে এসে এক রাত থাকা। এখান থেকেই সব ব্যবস্থা হয়ে যাবে ; আমাদের ট্র্যাভেল এজেন্সিই আপনাদেরটাও করে দেবে।'

সেই কথা রইল। আমরা তিনজনে আমাদের হাউসবোটে ফিরে এলাম।

ফেলুদা শুতে যাবার আগে বলল, 'মল্লিকমশাইয়ের ধারণাটাকে সম্পূর্ণ সমর্থন করা চলে না। একজন খুনির প্রাণদণ্ড হবে না সেটা মেনে নেওয়া কঠিন। ভদ্রলোকের আসলে বয়সের সঙ্গে সঙ্গে চিন্তাশক্তির খানিকটা গোলমাল হয়ে গেছে। অবিশ্যি একজন জজের এটা হওয়া অস্বাভাবিক নয়।'

'তবে ভেবে দেখুন', বললেন লালমোহনবাবু, 'এক কথায় একটা লোকের ফাঁসি হয়ে যাচ্ছে। কতখানি ক্ষমতা দেওয়া থাকে একজন জজের হাতে। এই ক্ষমতা সম্পর্কে সচেতন হয়ে পড়লে একজন বিবেকসম্পন্ন মানুষের মনে সংশয় আসতে পারে বইকী!'

'সেটা অবশ্য ঠিক', বলল ফেলুদা।

৪

শ্রীনগরের সঙ্গে গুলমার্গের কোনও মিলই নেই। এখানে হ্রদ, নদী, বাগ-বাগিচা ইত্যাদি কিছুই নেই ; যা আছে, তা হল ঢেউ খেলানো পাহাড়ের গায়ে মসৃণ ঘন সবুজ ঘাস—যা দেখতে একেবারে মখমলের মতো ; আর আছে ঝাউ বন আর পাইন বন আর ইতস্তত ছড়ানো কিছু কাঠের ঘর বাড়ি। সব মিলিয়ে ছবির মতো সুন্দর। এই পাহাড়ের গায়েই গল্‌ফ খেলা হয়। আর শীতকালে যখন ঘাস বরফে ঢেকে যায় তখন স্কিইং হয়।

শ্রীনগর থেকে টাংমার্গ পর্যন্ত আঠাশ মাইল ট্যাক্সি করেই আসতে হয়, তারপর শেষের চড়াই চার মাইল যেতে হয় ঘোড়াতে। কলকাতায় থাকতেই ফেলুদা লালমোহনবাবুকে বলে দিয়েছিল যে কাশ্মীরে ঘোড়ায় চড়তে হবে।—'ভয় নেই, উটের চেয়ে অনেক সহজ।' লালমোহনবাবু একেবারে পাকাপোক্ত রাইডিং ব্রিচেস করিয়ে এনেছিলেন। গুলমার্গে ঘোড়ার পিঠ থেকে নেমে বললেন ঘোড়া চড়ার মতো সহজ ব্যাপার আর নেই।

আমাদের সঙ্গে মল্লিক মশাইরাও এসেছেন। আমরা আজকের রাতটা গুলমার্গে থেকে কাল এখান থেকে তিন মাইল দূরে আর দু হাজার ফুট ওপরে খিলেনমার্গ দেখে বিকেলেই শ্রীনগর ফিরে যাব।

থাকার জন্য আমরা পাশাপাশি দুটো ক্যাবিন নিয়েছি। আমাদেরটা ছোট, ওদেরটা বড়। বিকেলে ক্যাবিনের বারান্দায় বসে চা খাচ্ছি, এমন সময় তিনজন ভদ্রলোক এসে হাজির—সুশান্তবাবু, সিদ্ধেশ্বর মল্লিকের ছেলে বিজয়বাবু আর আরেকজন—যাকে আমরা চিনি না, সুপুরুষ চেহারা, টক্‌টকে রং, বয়স ত্রিশ-বত্রিশ। সত্যি বলতে কী, তিনজনেই মোটামুটি এক বয়সী।

সুশান্তবাবু নতুন ভদ্রলোকের সঙ্গে আলাপ করিয়ে দিয়ে বললেন, 'এঁর নাম অরুণ সরকার। ইনি কলকাতায় ব্যবসা করেন। আমাদের সঙ্গে এখানে এসে আলাপ। জুয়াড়িদের একজন বললে বোধহয় আপনার চিনতে আরও সুবিধে হবে।'

সকলেই হেসে উঠল। সুশান্তবাবু বললেন, 'আমরা এসেছি কেন বোধহয় বুঝতেই পারছেন। প্রাইভেট ইনভেসটিগেটরের সঙ্গে আলাপ করতে এঁরা দুজনেই খুব ব্যগ্র। তা ছাড়া শুনছিলাম আপনার বন্ধু মিঃ গাঙ্গুলীও তো একজন নামী লেখক—ওঁর সব বই-ই নাকি বেস্ট-সেলার।'

লালমোহনবাবু মাথা হেঁট করে হেঁ হেঁ করে একটু বিনয়ের ভাব দেখালেন।

বিজয় মল্লিক আর অরুণ সরকারের খাতিরে ফেলুদাকে তার গোটা দু-তিন বিখ্যাত কেসের বর্ণনা দিতে হল। শেষ হয়ে যাবার পর সরকার ফেলুদাকে জিজ্ঞেস করলেন, 'আপনার কি কাশ্মীরে এই প্রথম ?'

ফেলুদা বলল, 'হ্যাঁ, এই প্রথম। আমি কিন্তু আপনাকে প্রথমে দেখে কাশ্মীরি ভেবেছিলাম। আপনি বোধহয় এখানে আর একবার এসেছেন ?'

'তা এসেছি', বললেন সরকার। 'ইন ফ্যাক্ট, আমার ছেলেবেলার কয়েকটা বছর শ্রীনগরেই কেটেছে। বাবা এখানে একটা হোটেলে ম্যানেজারি করতেন। তারপর বছর কুড়ি আগে আমরা কলকাতা চলে যাই।'

'এখানকার ভাষা আপনার জানা নেই ?'

'তা অল্পবিস্তর আছে বইকী।'

এবার ফেলুদা বিজয় মল্লিকের দিকে ফিরল।

'আপনার বাবার প্ল্যানচেট সম্বন্ধে আপনার কোনও কৌতূহল নেই?'

বিজয়বাবু বেশ জোরের সঙ্গে মাথা নেড়ে না বললেন।

'বাবার ভীমরতি ধরেছে', বললেন বিজয়বাবু। 'একজন খুনি মৃত্যুদণ্ডের হাত থেকে রেহাই পেয়ে যাবে এর চেয়ে অন্যায় আর কিছু হতে পারে না।'

'আপনি সে কথা বাবাকে বলেননি?'

'বাবার সঙ্গে আমার সে রকম সম্পর্ক নয়। উনি আমার বিষয়ে কিছু জিজ্ঞেস করেন না, আমিও ওঁর ব্যাপারে কিছু বলি না।'

'আই সি।'

'তবে বাবা যা করছেন তা করে যদি শান্তি পান, তা হলে আমার বলবার কিছু নেই।'

'আপনার মা নেই?'

'না। মা বছর চারেক হল মারা গেছেন।'

'আর ভাই বোন?'

'এক দাদা ছিল, আমেরিকায় ইঞ্জিনিয়ারিং করত, সে গত বছর মারা যায়। তার মেমসাহেব বউ আর এদেশে আসেনি। এক বোন আছে, তার স্বামী ভূপালে কাজ করে।'

'আমার বিশ্বাস আপনার কাশ্মীরের দৃশ্য সম্পর্কে খুব একটা কৌতূহল নেই।'

'কী করে বুঝলেন?'

'কারণ যে পরিমাণ সময় ঘরে বসে তাস খেলে কাটান!'

'আপনি ঠিকই বলেছেন। আমার মনে কাব্য নেই। আমি কাঠখোট্টা মানুষ। আমার দু-একজন বন্ধু আর দু প্যাকেট তাস হলেই হল।'

সরকার একটু হেসে বলল, 'আমি কিন্তু তাসও খেলি, আবার দৃশ্যও দেখি। সেটা বোধহয় ছেলেবেলায় কাশ্মীরে থাকার জন্য হয়েছে।'

'যাই হোক্'—বিজয়বাবু উঠে পড়লেন—'আমাদের কিন্তু তাসের সময় হয়ে যাচ্ছে। আজ সুশান্তকে দলে টেনেছি। আপনারা কেউ— ?

'আমরা ভাবছিলাম একটু ঘুরতে বেরোব। আপনারা এখন কিছুক্ষণ খেলবেন তো?'

'এগারোটা পর্যন্ত তো বটেই।'

'তা হলে ফিরে এসে একবার ঢুঁ মারব।'

'বেশ। কাল আবার দেখা হবে।'

তিন ভদ্রলোক গুডবাই করে চলে গেলেন। লালমোহনবাবু বললেন, 'এখন না বেরিয়ে আফটার ডিনার ওয়াকে বেরোলে ভাল হত না?'

'তথাস্তু', বলল ফেলুদা।

এখানে ক্যাবিনের সঙ্গে বাবুর্চি রয়েছে, তাকে বলে দিয়েছিলাম রাত্তিরে ভাত আর মুরগির কারি খাব। দেখলাম দিব্যি রান্না করে। সাড়ে আটটার মধ্যে খাওয়া হয়ে গেল। এত তাড়াতাড়ি ঘুম আসবে না, তাই তিনজনেই বেশ উৎসাহের সঙ্গে রাতের গুলমার্গ শহর দেখতে বেরোলাম।

নিরিবিলি শহর, তার মধ্যে দিয়ে তিনজন হেঁটে চলেছি। পথে যে লোক একেবারে নেই, তা নয়। ভারতীয়দের মধ্যে বিদেশি টুরিস্টও মাঝে মাঝে চোখে পড়ে। সত্যি বলতে কী, হিসেব নিলে বোধহয় বিদেশি টুরিস্টই সংখ্যায় বেশি হবে। লালমোহনবাবু এখনও গুনগুন করে গজল গাইছেন, খালি শীতের জন্য গলায় মাঝে মাঝে অযথা গিটকিরি এসে যাচ্ছে।

'শীত লাগছে?' ফেলুদা জিজ্ঞেস করল।

'তা লাগছে, তবে মনে হয় খুব স্বাস্থ্যকর ঠাণ্ডা।'

'তা হতে পারে, কিন্তু আমার মনে হয় এ সব জায়গায় বেশি রাত না করাই ভাল। চ তোপ্‌সে, ফেরা যাক।'

আমরা উলটোমুখে ঘুরলাম। শহর আর আমাদের ক্যাবিনের মধ্যে একটা ব্যবধান আছে। সেখানটা বসতি নেই বললেই চলে। আমরা সেই জায়গাটা দিয়ে হাঁটছি। এমন সময় হঠাৎ একটা ব্যাপার ঘটল। একটা কী জানি জিনিস শন্‌শন্‌ শব্দে আমাদের মাথার পাশ দিয়ে গিয়ে রাস্তার ধারের একটা গাছের গায়ে লেগে মাটিতে পড়ে গেল। 'আমাদের মাথা' বলছি, কিন্তু আসলে সেটা ঠিক ফেলুদার কান ঘেঁষে বেরিয়ে গেল। ফেলুদার কাছে টর্চ ছিল, সেটা জ্বালিয়ে গাছের তলায় ফেলতেই দেখা গেল বেশ বড় একটা পাথর। সেটা ফেলুদার মাথায় লাগলে নির্ঘাত একটা কেলেঙ্কারি কাণ্ড হত।

প্রশ্ন হচ্ছে—কে এই লোকটা, যে এভাবে আক্রমণটা করল ? আর এর কারণই বা কী ? আমরা তো সবে এখানে এসেছি। এখনও গোলমেলে ব্যাপার কিছু ঘটেনি, তদন্তের কোনও প্রশ্নই উঠছে না, তা হলে এই হুম্‌কির মানে কী ?

ক্যাবিনে ফিরে এসে ফেলুদা গম্ভীরভাবে বলল, 'ব্যাপারটা মোটেই ভাল লাগছে না। আমাকে পছন্দ করছে না কেউ ; এবং গোয়েন্দাকে হটানোর চেষ্টার একটাই কারণ হতে পারে—কোনও কুকীর্তি হতে চলেছে। অথচ সেটা যে কী, সেটা আন্দাজ করার কোনও উপায় নেই।'

লালমোহনবাবু বললেন, 'আপনার সেই ·৩২ কোল্ট রিভলভারটা আশা করি এনেছেন।'

ফেলুদা বলল, 'ওটা বাক্সেই রাখা থাকে। কিন্তু রিভলভার ব্যবহার করার সময় এখন এল কই ? কোনও ক্রাইম তো ঘটেনি এখনও !'

'যাই হোক, রাত্তিরে দরজা-জানালা সব ভাল করে বন্ধ করে শুতে হবে। এখানে রিস্‌ক নেওয়া চলবে না। আশ্চর্য ব্যাপার মশাই !—আপনার সঙ্গে ছুটিতে কোথাও বেরোলেই কি গণ্ডগোল শুরু হবে ?'

ফেলুদা একটু ভেবে বলল, 'যাই, ওদের সঙ্গে একটু তাস পিটিয়ে আসি। আমি ঘণ্টা খানেকের মধ্যেই ফিরব। আপনারা শুয়ে পড়ুন।'

৫

আগেই ব[লে]ছি যে খিলেনমার্গ যেতে হলে তিন মাইল পাহাড়ি রাস্তা দিয়ে দু হাজার ফুট উপরে উঠতে হয়। আমরা দুই ক্যাবিনে বাসিন্দারা আগে থেকেই ঠিক করে রেখেছিলাম যে, তাড়াতাড়ি ব্রেকফাস্ট খেয়ে ন'টার মধ্যে বেরিয়ে পড়ব। সেটাই করা হল।

আমাদের মধ্যে এক মিঃ মল্লিকই ঘোড়া নিলেন, আর সকলে হেঁটে যাওয়া স্থির করলাম। শুনেছি, পথের দৃশ্য অতি চমৎকার, আর দু পাশে অনেক ফুল গাছ।

লালমোহনবাবু বললেন, 'এই সাত দিনেই এনার্জি বেড়ে গেছে মশাই। হেঁটে দু হাজার ফুট পাহাড়ে ওঠাটা কোনও ব্যাপারই বলে মনে হচ্ছে না।'

সত্যিই পথের দৃশ্য অপূর্ব। আমরা তিনজনে মোটামুটি একসঙ্গে হাঁটছি, বাকি ওদের দল ভাগ ভাগ হয়ে ছড়িয়ে পড়েছে। আমরা দলে আছি সবসুদ্ধ ন জন—আমরা তিনজন, মিঃ মল্লিক, বিজয় মল্লিক, ডাঃ মজুমদার, সুশান্তবাবু, মিস্টার সরকার আর বেয়ারা প্রয়াগ।

প্রায় দু ঘণ্টা লাগল দু হাজার ফুট উঠতে ; আর উঠেই এক আশ্চর্য দৃশ্য আমাদের হকচকিয়ে দিল। আমরা একটা পাহাড়ের পিঠে এসে উপস্থিত হয়েছি, মাটিতে বরফ, সামনে

বরফের পাহাড় আর উলটো দিকে ছড়িয়ে আছে গাছপালা নদী হ্রদ-সমেত দিগন্ত বিস্তৃত উপত্যকা, আর তারও পিছনে আকাশের গায়ে যেন খোদাই করা রয়েছে নাঙ্গা পর্বত।

ফেলুদা বলল, 'এই বোধহয় ক্লাইম্যাক্স। কাশ্মীরে এর চেয়ে সুন্দর আর কিছু আছে কি?'

লালমোহনবাবু ক্যামেরা নিয়ে ব্যস্ত হয়ে পড়েছেন। বার বার বলছেন, 'আসুন, একটা গ্রুপ তুলি, একটা গ্রুপ তুলি এই বরফের উপর দাঁড়িয়ে।'

হঠাৎ বাকি দল থেকে একটা শোরগোল শোনা গেল। সেটা একটা প্রশ্নের আকার নিয়ে আমাদের কানে এল।

'মণ্টু কই?'

প্রশ্নটা করেছেন মিঃ মল্লিক, অত্যন্ত ব্যস্ত কণ্ঠে। বুঝতে অসুবিধা হল না যে মণ্টু হল বিজয় মল্লিকের ডাকনাম। কারণ দলের মধ্যে একমাত্র তিনিই অনুপস্থিত।

কোথায় গেলেন ভদ্রলোক? এতই পিছিয়ে পড়েছেন কি? না, তা তো হতে পারে না। এঁরা একটু ছাড়াছাড়ি ভাবে হাঁটছিলেন ঠিকই, কিন্তু বিজয়বাবু কি একেবারে দলছুট হয়ে গিয়েছিলেন?'

এবার সুশান্ত সোমের গলা শোনা গেল। 'আপনি এখানেই থাকুন মিঃ মল্লিক। আমরা নীচে খোঁজ করে আসছি।'

যেমন কথা তেমন কাজ, আর এই অনুসন্ধানের পার্টিতে আমরাও যোগ দিলাম।

যে পথ দিয়ে উপরে উঠেছি, এবার সেই পথ দিয়েই নেমে যাওয়া। আমার বুকের ভিতরটা ঢিপ-ঢিপ করছে। লোকটা গেল কোথায়?

সুশান্তবাবু গলা তুলে চিৎকার দিলেন।

'বিজয়বাবু! বিজয়বাবু!'

কোনও উত্তর নেই।

মিনিট পনেরো নামার পরেই হঠাৎ লালমোহনবাবু এক জায়গায় এসে থম্‌কে থেমে গেলেন, তাঁর দৃষ্টি একটা ঝোপের দিকে।

ফেলুদা আর এক মুহূর্ত দ্বিধা না করে দৌড়ে গেল ঝোপটার দিকে, কারণ পাতার ফাঁক দিয়ে একটা জুতো দেখা যাচ্ছে—পাহাড়ে ওঠার বুট।

'মিঃ সোম!' ফেলুদা হাঁক দিল।

মিঃ সোম দৌড়ে পৌঁছে গেল ফেলুদার পাশে, তার পিছনে বাকি চারজন।

ঝোপের পিছনে মাটিতে মুখ থুবড়ে পড়ে আছেন বিজয় মল্লিক।

ফেলুদা নাড়ি টিপেই বলল, 'হি ইজ অ্যালাইভ। মনে হয় মাথায় চোট লেগে অজ্ঞান হয়ে গেছে।'

কাছেই একটা ঝরনা ছিল, তার থেকে আঁজলা করে জল এনে মুখে ঝাপটা দিতে ভদ্রলোক চোখ খুলে এদিক-ওদিক মাথা নাড়লেন। তারপর অস্ফুটস্বরে প্রশ্ন করলেন, 'কোথায়—?'

ফেলুদা এগিয়ে গিয়ে বলল, 'আপনার এ অবস্থা কী করে হল?'

কেউ...ধাক্কা...'

'আপনি যেখানে পড়েছেন, মনে হয় আপনাকে অনেক উপর থেকে গড়িয়ে পড়তে হয়েছে।'

'হ্যাঁ...তাই...একটা ফুল দেখছিলাম ঝুঁকে পড়ে...'

'অজ্ঞানটা হয়েছেন এই গাছের গুঁড়িতে মাথা ঠোকা খেয়ে?'

'তাই হবে।'

'আপনি দেখুন তো উঠতে পারেন কি না।'

ফেলুদা ভদ্রলোকের দু হাত ধরে নিজের কাঁধের উপর রেখে উঠে দাঁড়াল। একটু টলোমলো অবস্থার পর ভদ্রলোক দেখলাম নিজেকে সামলে নিলেন।

ফেলুদা এবার মাথাটা দেখে বলল, 'একটা জায়গায় চোট লেগেছে, রক্ত বেরোয়নি, তবে জায়গাটা ফুলে গেছে। দু-তিন দিন একটু ভোগাবে আপনাকে। এখন আপনি ফিরে চলুন। একটা ঘোড়ার ব্যবস্থা করতে পারলে সবচেয়ে ভাল হয়। তা না হলে আস্তে আস্তে হেঁটে চলুন। পরে এক সময় আপনার সঙ্গে একটু কথা বলার ইচ্ছে রইল।'

বিজয়বাবু এতক্ষণে মোটামুটি চাঙ্গা হয়ে গেছেন, কেবল দু-এক বার মাথার একটা বিশেষ জায়গায় আলতো করে হাত বোলালেন।

আমি মনে মনে ভাবছি—ভদ্রলোকের এ দশা করল কে এবং কেন?

গুলমার্গ ফিরতে ফিরতে বিকেল হয়ে গেল। আমরা যে যার ক্যাবিনে চলে গেলাম। ফেলুদা বলল, 'আগে একটু চা খাওয়া দরকার।'

খানসামাকে চায়ের অর্ডার দেওয়ার পর লক্ষ করলাম ফেলুদার ভুরুটা অস্বাভাবিক রকম কুঁচকে আছে।

চায়ের পর দেখি বিজয়বাবু নিজেই এসে হাজির, সঙ্গে সুশান্তবাবু আর মিঃ সরকার।

'বাধ্য হয়েই আপনার কাছে আসতে হল', বললেন বিজয়বাবু। 'আমি এত হতভম্ব আর কখনও হইনি।'

'আপনার উপর আক্রোশ থাকতে পারে এমন কেউ নেই এখানে?'

'কে থাকতে পারে বলুন! তা হলে তো সুশান্ত বা ডাঃ মজুমদার বা মিঃ সরকারের কথা বলতে হয়। সে তো হাস্যকর ব্যাপার হত!'

'কাশ্মীরে এসে পূর্বপরিচিত কারুর সঙ্গে দেখা হয়নি?'

'না।'

'কলকাতাতে এমন কেউ নেই যার আপনার উপর কোনও আক্রোশ থাকতে পারে।'

'আমি তো সে রকম কারুর কথা জানি না।'

'আপনি তো কলকাতাতেই পড়াশুনা করেছেন?'

'হ্যাঁ।'

'গ্র্যাজুয়েট?'

'হ্যাঁ। স্কটিশ চার্চ কলেজ।'

'মোটামুটি নির্ঝঞ্ঝাট ছাত্রজীবন ছিল?'

'ঠিক তা বলা যায় না।'

'কেন?'

'কলেজে সেকেন্ড ইয়ারে থাকতে কুসঙ্গে পড়ি, নেশা ধরি, ড্রাগস।'

'হার্ড ড্রাগস?'

'হ্যাঁ—কোকেন, মর্ফিন...'

'তারপর?'

'বাবা টের পেয়ে যান।'

'বাবা তো তখনও জজিয়তি করতেন?'

'হ্যাঁ।'

'তারপর?'

'তিনি আমার এই অভ্যাস ছাড়ানোর প্রাণান্ত চেষ্টা করেন, কিন্তু পারেন না। তারপর আশা

ছেড়ে দেন।'

'এই অবস্থাতেও আপনি গ্র্যাজুয়েট হতে পেরেছিলেন ?'

'আমি খুবই ভাল ছাত্র ছিলাম।'

'আপনি বাড়িতেই থাকতেন ?'

'কিছু দিন ছিলাম, তারপরে আর পারিনি। বাড়ি ছেড়ে বেরিয়ে পড়ি। কানপুরে এক আশ্চর্য লোকের সংস্পর্শে আসি। সাধুই বলতে পারেন। নাম আনন্দস্বামী। তখনও আমি নেশায় মত্ত, কিন্তু ভদ্রলোকের সংস্পর্শে এসে আমার নেশা চলে যায়। একে মিরাক্‌ল ছাড়া আর কিছু বলা যায় না। আমি আবার আগের অবস্থায় ফিরে যাই।'

'তারপর বাড় ফেরেন ?'

'হ্যাঁ। বাবা আমার সমস্ত দোষ ক্ষমা করে দেন।'

'তখন আপনার বয়স কত ?'

'সাতাশ-আটাশ হবে।'

'তারপর ? আপনি চাকরি করেন ?'

'বাবাই একটা ফার্মে ঢুকিয়ে দেন। আমি এখনও সেখানেই আছি।'

'আপনার জুয়ার প্রতি একটা আসক্তি আছে না ?'

'তা আছে।'

সেটা কোনও সমস্যার সৃষ্টি করছে না তো ?'

'না।'

'আপনাকে যদি জিজ্ঞেস করা যায় আপনার কোনও শত্রু আছে কি না, আপনি কী বলবেন ?'

'যত দূর জানি, আমাকে খুন করতে চাইবে এমন কোনও শত্রু আমার নেই। ছোটখাটো শত্রু বোধহয় সকলেরই থাকে—তার পিছনে ঈর্ষা থাকতে পারে। এটা যে অস্বাভাবিক নয়, সেটা আপনি নিশ্চয়ই স্বীকার করবেন।'

'একশোবার।...এবার আরও দু-এক জন সম্বন্ধে আপনাকে আরও দু-একটা প্রশ্ন করে নিই। ডাঃ মজুমদারকে আপনি কদ্দিন থেকে চেনেন ?'

'উনি আমাদের ফ্যামিলি ফিজিশিয়ান আজ প্রায় পনেরো বছর হল।'

'বেশ। এবার সুশান্তবাবুকে একটা প্রশ্ন।'

সুশান্তবাবু বললেন, 'বলুন।'

'আপনি কতদিন হল মিঃ মল্লিকের সেক্রেটারির কাজ করছেন ?'

'ওঁর রিটায়ার করার সময় থেকেই। তার মানে পাঁচ বছর।'

'বেয়ারা প্রয়াগ কত দিন আছে ?'

'ও-ও আন্দাজ পাঁচ বছর। মিঃ মল্লিকের পুরনো বেয়ারা মকবুল হঠাৎ মারা যায়। তারপর উনি প্রয়াগকে রাখেন।'

'বেশ, আজ এই পর্যন্তই থাক। তবে পরে দরকার হলে আবার প্রশ্ন করতে পারি তো ?'

'নিশ্চয়ই', বললেন বিজয়বাবু।

৬

'কী মশাই, আবার যেই কে সেই ?'

শ্রীনগর ফিরে এসে আমরা সকালে বোটের উপরের ডেকে বসে চা খাচ্ছিলাম, এমন সময় লালমোহনবাবু মন্তব্যটা করলেন।

'যেই কে সেই', বলল ফেলুদা। 'যা বুঝছি, ছুটি-ভোগ মানেই দুর্ভোগ। ক্রাইম যেন আমাদের পিছনে ওত পেতে থাকে, একটু আরাম করলেই ঘাড়ের উপর ঝাঁপিয়ে পড়ে। তবে এবার যে রকম হতভম্ব হয়েছি, সে রকম কখনও হয়েছি বলে মনে পড়ে না। কোনও খুঁটিই যেন খুঁজে পাচ্ছি না, যেটা ধরে একটু এগোব। সব অন্ধকার।'

তারপর কিছুক্ষণ চুপ থেকে চা-টা শেষ করে একটা চারমিনার ধরিয়ে বলল, 'সুশান্তবাবুকে বলতে হবে একবার যদি মিঃ মল্লিকের ডায়েরিগুলো দেন।'

'ও ডায়েরি দিয়ে আপনার কী লাভ ?' জিজ্ঞেস করলেন লালমোহনবাবু।

'কীসে কী কাজ দেয় তা আগে থেকে কেউ বলতে পারে ? অবশ্য মিঃ মল্লিকের রাজি হওয়া চাই। সেটা সুশান্তবাবুকে একবার জিজ্ঞেস করতে হবে।'

'তা, সে তো এখনই পারেন—ওই তো সুশান্তবাবু।'

সত্যিই দেখি, ভদ্রলোক শিকারা করে বুলেভার্ডের দিক থেকে ফিরছেন, সঙ্গে কিছু খরিদ করা জিনিসপত্র।

ফেলুদা ডেকের রেলিং-এর পাশে ঝুঁকে পড়ে ডাক দিল।

'ও মশাই, এক মিনিট এদিকে আসতে পারেন ?'

শিকারাটা আমাদের বোটের কাছে চলে এল। ফেলুদা বলল, 'মিঃ মল্লিকের ডায়েরিগুলো কি আপনি সঙ্গে এনেছেন ?'

'সবগুলো', বললেন সুশান্তবাবু, 'চব্বিশটা আছে।'

'ওগুলো দু-তিনটে করে ধার নিতে পারি ? মল্লিক ফ্যামিলি সম্বন্ধে আরেকটু জানতে না পারলে আমি এই নতুন পরিস্থিতির ঠিক কিনারা করতে পারছি না। আমার মনে হয় ডায়েরিগুলো পড়লে কিছুটা সুবিধা হতে পারে।'

সুশান্তবাবু বললেন, 'আমি একবার সাহেবকে জিজ্ঞেস করি।'

'নিশ্চয়ই।'

'আমার মনে হয় না উনি কোনও আপত্তি করবেন, কারণ আপনারা তো সবই শুনেছেন ওঁর মুখ থেকে।'

আধ ঘণ্টার মধ্যে সুশান্তবাবু চারটে পুরনো ডায়েরি সঙ্গে নিয়ে আমাদের হাউসবোটে এসে হাজির। বললেন, 'এক কথায় রাজি হয়ে গেলেন। বললেন, "জীবনী যখন বেরোবে, তখন তো সবই জানাজানি হয়ে যাবে কাজেই এখন পড়তে দিতে আর কী আপত্তি থাকতে পারে ? আর ক্রাইমের কথাই যদি হয়, তা হলে সবই তো খবরের কাগজের রিপোর্টে বেরিয়েছে"।'

ফেলুদা বলল, 'এগুলো দেখা হয়ে গেলে আর এক সেট আমি আপনার কাছ থেকে চেয়ে আনব।...তোপ্‌সে—তুই আর লালমোহনবাবু বরং যা, মানসবল লেকটা দেখে আয়। আমি এখন একটু ঘরে বসে কাজ করব।'

'ভাল কথা', বললেন সুশান্তবাবু, 'আপনারা পাহালগাম যাবেন না ?'

'ইচ্ছে তো আছে।'

'কবে যাবেন ? আমার মনে হয় আমাদের সঙ্গে গেলেই ভাল। আমরা পরশু যাচ্ছি।'

'ভেরি গুড।'

মানসবল লেকের মতো স্বচ্ছ জল আমি আর কোনও লেকে দেখিনি। জলের একেবারে তল অবধি উদ্ভিদ দেখা যায়। ভারী অদ্ভুত লাগে দেখতে।

লালমোহনবাবু দৃশ্য উপভোগ করলেন ঠিকই, কিন্তু বুঝতে পারছিলাম, মাঝে মাঝে ওঁর ফেলুদার তদন্তের কথা মনে পড়ে যাচ্ছে। একবার বললেন, 'তোমার দাদা ওই ডায়েরিগুলো পড়ছেন কেন জানি না। যাদের একবার ফাঁসি হয়ে গেছে তারা তো আর খুনখারাপি করতে পারবে না।'

আমি বললাম, 'সেটা ফেলুদাকেই বুঝতে দিন না।'

মানসবল শ্রীনগর থেকে আঠারো মাইল দূরে ; আমাদের ফিরতে ফিরতে হয়ে গেল সন্ধ্যা সাড়ে ছটা। ফেলুদা দেখলাম বৈঠকখানার সোফায় বসে তখনও ডায়েরি নিয়ে পড়ছে। বলল, সারা দিনে বারোটা ডায়েরি পড়ে শেষ করেছে এবং সব কটাই নাকি ইন্টারেস্টিং।

'কোনও কাজ হল কি ?' জিজ্ঞেস করলেন জটায়ু।

ফেলুদা বলল, 'কাজ কীসে হয়, সেটা অনেক সময় আগে থেকে বোঝা যায় না। আপাতত আমার কাজ হচ্ছে তথ্য সংগ্রহ করা। নতুন তথ্য কিছু বেরিয়েছে—শুধু ডায়েরি থেকে নয়। যেমন বিজয়বাবু বলেছেন যে সেদিন যে উনি ঘাড়ে ধাক্কা খেয়েছিলেন তখন একটা ঠাণ্ডা, ধাতব স্পর্শ অনুভব করেছিলেন। আমার মতে সেটা আংটি ছাড়া আর কিছুই হতে পারে না। তবে তাতেও যে খুব সুবিধে হচ্ছে তা নয়, কারণ আংটি এখানে তিনজন পরেন—সুশান্তবাবু, মিঃ সরকার আর প্রয়াগ। আর যদি এ দলের বাইরে কেউ থাকে তা হলে তো চমৎকার। তা হলে আমাদের কোনও তদন্তই কাজ দেবে না।'

'কিন্তু সে রকম দল কি বেশি ছিল ?' জিজ্ঞেস করলেন লালমোহনবাবু।

'তা ছিল না ঠিকই।'

'আমার তো একটিও মনে পড়ছে না।'

'একটি ছিল—পাঞ্জাবি দল—তবে তাদের পাঁচজনের মধ্যে তিনজনই ছিল ঘোড়ার পিঠে।'

'আশা করি আর কোনও গোলমাল হবে না।'

'আপনার মুখে ফুল-চন্দন পড়ুক। ভূস্বর্গে এসে এ সব ঝামেলা ভাল লাগে না—বিশেষ করে যখন বুদ্ধি খাটাবার কোনও স্কোপ পাওয়া যাচ্ছে না।'

*

পাহালগাম যাবার আগে আমরা শ্রীনগরে আর একদিন ছিলাম, তার মধ্যে ফেলুদা মিঃ মল্লিকের বাকি ডায়েরিগুলো পড়া শেষ করে ফেলল।

'কী বুঝলেন ?' জিজ্ঞেস করলেন জটায়ু।

ফেলুদা বলল, 'অন্তত ছটা প্রাণদণ্ড সম্পর্কে উনি নিশ্চিত যে সেগুলো অন্যায়ভাবে দেওয়া হয়েছে এবং সেগুলোতে তিনি ভুল করেছেন। এই ছ'টা কেসেই কারাদণ্ড দেওয়া উচিত ছিল। একটি বিশেষ কেস—সেখানে আবার আসামি হচ্ছেন কাশ্মীরি, নাম সপ্রু—সেখানে ফাঁসির হুকুম দেওয়ার পরে মল্লিকের খুব অনুশোচনা হয়। তারপরেই অবিশ্যি ওঁর অ্যানজাইনার পেইন আরম্ভ হয় এবং উনি কিছু দিনের মধ্যে রিটায়ার করেন।'

পাহালগাম শ্রীনগর থেকে ষাট মাইল। লিদর উপত্যকায় ছোট্ট শহর। এক পাশ দিয়ে খরস্রোতা লিদর নদী বয়ে গেছে। তাতে সাহেবরা ট্রাউট মাছ ধরে। শহরের উত্তর-পূর্ব দিকে বরফের পাহাড় দেখা যায়। আগে এখানে হোটেল-টোটেল ছিল না, এখন অনেক হয়েছে। তবে এখনও ইচ্ছে করলে তাঁবু ভাড়া নিয়ে নদীর ধারে থাকা যায়। আমরা সেভাবেই থাকব বলে ঠিক করলাম।

চারটে ট্যাক্সি করে আমরা সবাই বেরিয়ে পড়লাম। চমৎকার পাহাড়ি রাস্তা দিয়ে বারোটার মধ্যে আমরা পাহালগাম পৌঁছে গেলাম। শহরটা একপেশে ; নদীর পশ্চিম দিকে শুধু পাহাড়, বাড়ি ঘরদোর কিছুই নেই। আর পুব দিকে পাহাড়ের গায়ে ছড়িয়ে আছে হোটেল, রেস্টোর্যান্ট, দোকানপাট নিয়ে ছবির মতো শহর।

আমাদের তাঁবুর জন্য আগেই বলা ছিল, গিয়ে দেখি যে তাঁবু খাটাবার তোড়জোড় শুরু হয়ে গেছে। এ তাঁবু স্পেশ্যাল ধরনের মজবুত তাঁবু, এতে ডাইনিং রুম, বেডরুম, অ্যাটাচ্‌ড বাথরুম সবই আছে। আমাদের একটা তাঁবু আর মল্লিকদের দুটো। সামনে বিশ হাতের মধ্যে দিয়ে তোড়ে বয়ে চলেছে লিদর নদী, তার একটানা শব্দ কখনও থামে না। লালমোহনবাবু হলিউডের ছবির কথায় চলে গেলেন ; বললেন, 'মশাই, একমাত্র ওয়েস্টার্ন ছবিতেই এ রকম আউটডোর লাইফ দেখেছি ; আমাদের আবার কোনও দিন এরকমভাবে থাকতে হবে, ভাবতে পারিনি।'

দুপুরে তাঁবুতে লাঞ্চ খেয়ে (এখানেও সঙ্গে কিচেন রয়েছে) সবে বাইরে বেরিয়েছি এমন সময় দেখি সুশান্ত সোম আমাদের তাঁবুর দিকে আসছেন।

'লাঞ্চ শেষ ?' জিজ্ঞেস করলেন ভদ্রলোক।

'হ্যাঁ', বলল ফেলুদা।

'এখান থেকে আট মাইল দূরে চন্দনওয়াড়ি বলে একটা জায়গা আছে জানেন তো ?'

'যেখানে একটা বরফের ব্রিজ আছে—যেটা সারা বছর থাকে ?'

'হ্যাঁ।'

'সেটা দেখতে যাবার মতলব করছেন নাকি ?'

'গেলে সবাই একসঙ্গে গেলেই তো ভাল হয় ?'

'তবে আজই সবে এলাম, আজ ভাবছিলাম পাহালগামটাই ঘুরে দেখব। চন্দনওয়াড়ি কাল গেলে হয় না ?'

'আমাদেরও সেই আইডিয়া। আমি শুধু আপনাদের ইনভাইট করতে এলাম।'

ফেলুদা বলল, 'অবশ্যই একসঙ্গে যাব। আমাকে ছাড়া বোধহয় আপনাদের আর চলবে না। এর মধ্যেই যা একটা কেলেঙ্কারি কাণ্ড ঘটে গেল। এটাকে তো অ্যাটেম্‌টেড মার্ডার ছাড়া আর কিছুই বলা যায় না। বিজয়বাবুর খুব ভাগ্য ভাল যে, উনি বেঁচে গেলেন।'

'তা হলে কাল দুটো নাগাদ যাওয়া যাক। এখান থেকে আট মাইল ঘোড়া করে যেতে হয়। লাঞ্চ করে বেরিয়ে পড়া যাবে।'

'প্রয়াগ ! প্রয়াগ !' মিঃ মল্লিক ডাকতে ডাকতে তাঁবু থেকে বেরিয়ে এসেছেন। তাঁর চোখে ভ্রূকুটি। এদিকে প্রয়াগ সামনেই নদীর ধারে হাত-মুখ ধুচ্ছে।

'বোধহয় নদীর শব্দের জন্য শুনতে পাচ্ছে না', বলল ফেলুদা।

'না', বললেন মিঃ মল্লিক, 'ও এমনিতেই কানে একটু খাটো, তিনবার না ডাকলে উত্তর দেয় না।'

প্রয়াগ এবার ডাক শুনে মনিবের কাছে দৌড়ে গেল।

'যাও, আমার লাঠিটা নিয়ে এসো।'

'হুজুর', বলে প্রয়াগ তাঁবুর ভিতর চলে গেল।

কিছুক্ষণ থেকেই দেখছিলাম ফেলুদা প্রয়াগকে একদৃষ্টে লক্ষ করছে। কেন সেটা ঠিক বুঝতে পারলাম না।

ইতিমধ্যে অন্য তাঁবুটা থেকে বিজয়বাবু আর মিঃ সরকারও বেরিয়ে এসেছেন। সরকার এঁদের সঙ্গ ছাড়েননি। মনে হয় পুরো টুরটাই এঁদের সঙ্গে ঘুরবেন।

'আমরা কাল চন্দনওয়াড়ি যাচ্ছি', বললেন সুশান্তবাবু।

সকলে প্রস্তাবে সায় দিল।

ফেলুদা বলল, 'তোরা দুজনে ডেক-চেয়ার নিয়ে নদীর ধারে বসে প্রকৃতির সৌন্দর্য উপভোগ কর, আমি একটু পাহাড়ি পথে ঘুরে আসি। মাথাটা একটু পরিষ্কার করা দরকার।'

'কতক্ষণের জন্য যাবে ?' আমি জিজ্ঞেস করলাম।

'এই ঘণ্টাখানেক,' বলল ফেলুদা।

'সঙ্গে আপনার বিশ্বস্ত অস্ত্রটি আছে তো ?'

'তা আছে।'

ফেলুদা চলে গেল।

লালমোহনবাবুর মাথায় একটা নতুন গল্পের প্লট এসেছে, সেটা আমাকে শুনিয়ে পরখ করে দেখে নিলেন। আমি আবার কিছু ইমপ্রুভমেন্ট সাজেস্ট করলাম। এই করতে করতে প্রায় ঘণ্টা দেড়েক বেরিয়ে গেল। নদীর ধারে বসে থাকলে বোরিং লাগে না, তাই সময়টা বেশ কেটে যাচ্ছিল, এমন সময় লালমোহনবাবু বললেন, 'দু ঘণ্টা হতে চলল, তবু তোমার দাদা এলেন না—'

সত্যিই তো ! এটা আমার খেয়ালই হয়নি।

'কী করা যায়, বলো তো ?'

ফেলুদার সঙ্গে থেকে থেকে আমারও অভ্যেস হয়ে গেছে মুহূর্তে ডিসিশন নেবার।

আমি উঠে পড়লাম।

'চলুন, ওকে খুঁজতে বেরোই।'

'চলো।'

ফেলুদা কোন রাস্তা ধরেছে সেটা আমরা জানতাম। আমরা দুজনে সেই পাহাড়ি পথে চড়াই ধরে রওনা দিলাম। পাইন বনের মধ্যে দিয়ে পথ, পরিবেশ চমৎকার, কিন্তু আমাদের সে সব উপভোগ করবার মতো মনের অবস্থা নেই। ফেলুদা বলেছিল এক ঘণ্টায় ফিরবে ; এ বিষয়ে ওর কথার নড়চড় হয় না। কিছু একটা গণ্ডগোল নিশ্চয়ই হয়েছে।

আধ ঘণ্টা হাঁটার পরেই যা খুঁজছিলাম, তা পেয়ে গেলাম। একটা ঝোপের ধারে মাটিতে হাত-পা ছড়িয়ে পড়ে আছে ফেলুদা। আমার গলা মুহূর্তে শুকিয়ে গেল।

লালমোহনবাবু পাল্‌স ধরেই বললেন, 'বেঁচে আছেন—কোনও চিন্তা নেই।'

ফেলুদাও নড়েচড়ে উঠল। তার পরেই উঠে বসে মাথার পিছনে হাতটা দিয়ে মুখটা বিকৃত করে বলল, 'এবার মিস্ করেনি রে। একেবারে মোক্ষমভাবে লক্ষ্যভেদ।'

'উঠতে পারবে ?'

'নিশ্চয়ই। ব্যথা তো মাথায়।'

ফেলুদা উঠে পড়ে আমাদের দুজনের কাঁধে ভর করে কয়েক পা হেঁটে বলল, 'ঠিক হ্যায়, হাঁটতে পারব।'

'কিন্তু কাউকে কি দেখতে পেলেন ?'

'তা হলে তো তদন্ত ফুরিয়ে যেত। সে লোক অত কাঁচা নয়। ক'টা দিন যাক। আর একটু মাথা না খাটালে চলছে না।'

রাত্তিরে মিঃ মল্লিকের তাঁবুতে আবার প্ল্যানচেট হল। বলা হয়নি, এর মধ্যে শ্রীনগরে আর একদিন প্ল্যানচেট হয়েছিল যাতে আমরাও উপস্থিত ছিলাম। শাসমল বলে এক মৃত্যুদণ্ডে দণ্ডিত আত্মা এসে বলল যে, সে সত্যিই খুন করেছিল।

আজকের প্ল্যানচেটে ফেলুদা ডায়েরি পড়ে যার কথা বলেছিল, সেই কাশ্মীরি মিঃ মনোহর

সপ্রুর আত্মা নামানো হল। আশ্চর্য মিডিয়ম ডাঃ মজুমদার—দশ মিনিটের মধ্যেই আত্মা চলে আসে।

সপ্রুর আত্মা প্রশ্ন করল, 'আমাকে কেন ডেকেছ ?'

মিঃ মল্লিক বললেন, 'তোমাকে প্রাণদণ্ডে দণ্ডিত করেছিলাম আমি। যে খুনের মামলার আমি ছিলাম জজ।'

'সেটা আমি জানি।'

'আমার বিশ্বাস হয়েছিল খুনটা তুমি করোনি।'

'খুন করেছিল হরিদাস ভগত। পুলিশ ভুল তদন্ত করেছিল। কিন্তু এখন আর তাতে কিছু এসে যায় না।'

'কিন্তু আমি যে সেই সেভেনটি এইট থেকে দুশ্চিন্তায় ভুগছি।'

'তুমি কি আমার কাছে ক্ষমা চাও ?'

'হ্যাঁ।'

'বেশ, করলাম তোমাকে ক্ষমা। কিন্তু আমার যেসব আত্মীয়বন্ধু জীবিত আছে, তারা তোমায় ক্ষমা করেনি বা করবে না।'

'তাতে কিছু যায় আসে না। আমি তোমার ক্ষমা চাই।'

'বেশ, ক্ষমা করলাম। আমি আসি।'

প্ল্যানচেট শেষ হল।

মিঃ মল্লিক আবার স্বস্তির নিশ্বাস ফেললেন।

আমরা নিজেদের তাঁবুতে ফিরে এলাম।

বালিশে মাথা রাখার দশ মিনিটের মধ্যেই ঘুম এসে গেল।

৭

সকালে কাঁধ ধরে ঝাঁকুনিতে ঘুম ভেঙে গেল। চোখ মেলে দেখি ফেলুদা। তার মুখের ভাব দেখেই বুঝলাম কোনও একটা গুরুতর ব্যাপার ঘটেছে।

'মিঃ মল্লিক খুন হয়েছেন।'

'অ্যাঁ !'

এবার আমার চিৎকারে লালমোহনবাবুরও ঘুম ভেঙে গেল।

'কাল মাঝরাত্তিরে,' বলল ফেলুদা। 'বুকে ছুরি মেরেছে। শুধু তাই না, খুনটাকে আরও পাকা করার জন্য মাথায়ও একটা ভারী কিছু দিয়ে মেরেছে। সব মিলিয়ে বিশ্রী ব্যাপার।'

এক লাফে বিছানা ছেড়ে উঠে পড়লাম। লালমোহনবাবুও উঠলেন। গায়ে দুটো গরম কাপড় চাপিয়ে দুজনেই তাঁবুর বাইরে চলে এলাম। ফেলুদা আমাদের খবরটা দিয়েই আবার বেরিয়ে গেল। মিঃ মল্লিক খুন ! ব্যাপারটা আমার বিশ্বাস হচ্ছিল না। মনের মধ্যে সব তালগোল পাকিয়ে যাচ্ছে।

বাইরে দেখি সকলেই প্রায় তাঁবুর বাইরে দাঁড়িয়ে আছে, সকলেরই মুখ কালো। কথাবার্তায় বুঝলাম বিজয়বাবু পুলিশকে খবর দিতে গেছেন। এখান থেকে শহর বেশি দূর নয়, তাই পুলিশ আসতে বেশি সময় লাগা উচিত না।

ডাঃ মজুমদারই সকালে উঠে প্রথমে ব্যাপারটা দেখেন। বিছানার চাদর রক্তাক্ত। সেটা ছুরির আঘাতের ফলে, কারণ মাথায় বিশেষ রক্তপাত হয়নি। অস্ত্রটা অবশ্য পাওয়া যায়নি। মনে মনে বললাম, এমন চমৎকার লিদর নদী থাকতে অস্ত্র ফেলার জায়গার অভাব কোথায় ?

নদী এখন সে ছুরিকে ভাসিয়ে ভাসিয়ে কোথায় নিয়ে গেছে কে জানে ?

তবে শুধু যে খুন তা নয় ; তার সঙ্গে চুরিও আছে। মিঃ মল্লিকের ডান হাতের অনামিকায় একটা বহুমূল্য হিরের আংটি ছিল—তাঁর এক গুজরাটি মক্কেলের দেওয়া। খুনি সেইটিও খুলে নিয়ে গেছে।

ফেলুদা ডাঃ মজুমদারকে প্রশ্ন করছিল।

'কাল রাত্রে ভদ্রলোক শুয়েছেন কখন ?'

'আমাদের অনেক আগে। উনি নটার মধ্যে খেয়ে শুয়ে পড়তেন।'

'আপনি তো ডাক্তার, দেখে বুঝতে পারছেন না কখন খুনটা হয়েছে ?'

'মনে হয় রাত দুটো-আড়াইটে নাগাদ ; তবে সেটা পুলিশের ডাক্তার এলে আরও সঠিকভাবে বলতে পারবে।'

'রাত্রে কোনও শব্দটব্দ শোনেননি ? ঘুমের কোনও ব্যাঘাত হয়নি ?'

'উঁহু। আমার সচরাচর এক ঘুমে রাত কাবার হয়ে যায়। আমি একটু তাড়াতাড়ি উঠি। সাড়ে ছ'টায় উঠেই দেখি এই কাণ্ড। আমার আগে প্রয়াগ উঠেছিল, কিন্তু ও এই দুর্ঘটনাটা লক্ষ করেনি। ও উঠেই তাঁবুর বাইরে চলে গিয়েছিল।'

'কে খুন করতে পারে, সে সম্বন্ধে আপনার কোনও ধারণা আছে ?'

'একেবারেই না।'

একটা পুলিশের জিপ এসে তাঁবুর কাছে থামল। বিজয়বাবু নামলেন, তাঁর পিছনে একজন ইনস্পেক্টর। বিজয়বাবুর নির্দেশ অনুযায়ী ইনস্পেক্টরটি এগিয়ে গেলেন মিঃ মল্লিকের তাঁবুর দিকে।

'আমার নাম ইনস্পেক্টর সিং', বললেন ভদ্রলোক। 'আমি এই কেসটার চার্জ নিচ্ছি। হোয়্যার ইজ দ্য ডেডবডি ?'

বিজয়বাবু মিঃ সিংকে নিয়ে তাঁবুর ভিতর ঢুকলেন। আমরা বাইরেই রয়ে গেলাম।

ইনস্পেক্টরের পিছন পিছন কয়েকজন কনস্টেবল, ফোটোগ্রাফার ইত্যাদি এসব ব্যাপারে যেমন হয়ে থাকে ঠিক তেমনি ভাবেই কাজ শুরু করে দিল। এ জিনিস অনেকবার দেখেছি, তাই কৌতূহল মিটে গেছে। আর মিঃ মল্লিকের মৃতদেহ দেখবার কোনও ইচ্ছে আমার ছিল না। খালি মনে হচ্ছিল—কী আশ্চর্য, এই মল্লিক কতজনকে মৃত্যুদণ্ড দিয়েছেন, আর হয়তো কিছু দিনের মধ্যেই তাঁর হত্যাকারীরও মৃত্যুদণ্ড হবে।

ফেলুদা একা এক পাশে দাঁড়িয়ে আছে দেখে লালমোহনবাবু তার দিকে এগিয়ে গিয়ে জিজ্ঞেস করলেন, 'কী ব্যাপার বলুন তো ?'

ফেলুদা বলল, 'আমার মনের ভিতরের জটটা আরও বেশ ভাল করে পাকিয়ে গেল—এই তো ব্যাপার ! এখন পুলিশ যদি কিছু করতে পারে।'

'আপনি নিজে কি হাল ছেড়ে দিলেন ?'

'তা কি হয় ? আমি তো প্রথম থেকে সবগুলো ঘটনাই দেখেছি ; পুলিশ তো আর তা দেখেনি। অবিশ্যি ঘটনাগুলোর পরস্পরের সঙ্গে কোনও যোগসূত্র আছে কিনা সেটাই হচ্ছে প্রশ্ন। আমাকে যে পাথর ছুঁড়ে মেরেছিল, আর বিজয়বাবুকে যে ঘাড় ধাক্কা দিয়ে ফেলেছিল, দুজনেই কি এক লোক ? আর সেই লোকই কি এই খুনটা করেছে ? হিরের আংটি চুরি যদি মোটিভ হয়ে থাকে, তা হলে হয়তো বাইরের থেকে খুনটা করে থাকতে পারে। কিন্তু আমার—'

ফেলুদা চুপ করে গেল। তারপর কিছুক্ষণ পরে বলল, 'ডাকাতির আইডিয়াটাকে অবিশ্যি উড়িয়ে দেওয়া যায় না। কিন্তু আমার বিশ্বাস, আমাদের চেনা লোকই কুকীর্তিটা করেছে।'

‘চেনা লোক বলতে— ?’

‘মিঃ মল্লিকের সঙ্গে যারা এসেছেন। ইনক্লুডিং মিঃ সরকার। কারণ তাঁর ডান হাতের আঙুলে ‘S’ লেখা আংটিটার কথা ভুললে চলবে না।’

ইনস্পেক্টর সিং তাঁবু থেকে বাইরে বেরোলেন। ভদ্রলোক তিনটে তাঁবুর দিকে দেখিয়ে বললেন, ‘এই সবগুলোই কি একই পার্টির তাঁবু ?’

বিজয়বাবু বললেন, ‘না ; এই দুটো আমাদের, আর ওইটা মিঃ মিত্তিরদের।’

‘মিঃ মিত্তির ?’

‘হি ইজ এ ওয়েলনোন প্রাইভেট ইনভেসটিগেটর ফ্রম ক্যালকাটা।’

মিঃ সিং ভ্রূ-কুঞ্চিত করে ফেলুদার দিকে এগিয়ে গেলেন। তারপর প্রশ্ন করলেন, ‘আপনি কি রাজগড়ের খুনের কেসটা সল্‌ভ করেছিলেন ?’

‘আজ্ঞে হ্যাঁ।’

মিঃ সিং হাত বাড়ালেন করমর্দনের জন্য।

‘ইনস্পেক্টর বাজপাই ইজ এ ভেরি গুড ফ্রেন্ড অফ মাইন। তার কাছে আপনার খুব প্রশংসা শুনেছি। আপনার সঙ্গে আলাপ করে খুশি হলাম।’

ফেলুদা বলল, ‘আমি কিন্তু এখানে ঘটনাচক্রে এসে পড়েছি। কোনও কেস-টেস সল্‌ভ করতে নয়। আপনি আপনাদের কাজ চালিয়ে যান।’

‘আমি তো চালিয়ে যাবই আমার কাজ, কিন্তু আপনিই বা চুপচাপ বসে থাকবেন কেন, বিশেষ করে এই ফ্যামিলির সঙ্গে যখন আপনার আলাপ হয়েছে। খুনটা তো বাইরের ব্যাপার বলেই মনে হচ্ছে। ছুরি যে বসিয়েছে সে তো লেফট হ্যান্ডেড ; এখানে তো সবাই দেখছি রাইট হ্যান্ডেড। যাই হোক, ইউ আর ফ্রি টু ক্যারি অন ইওর ওন ইনভেস্টিগেশন।’

‘অনেক ধন্যবাদ। আসলে আমার উপরও একটা অ্যাটেম্‌ট হয়েছিল, কাজেই আমি ব্যাপারটাকে খুব ঠাণ্ডা মাথায় নিতে পারছি না।’

‘ভাল কথা’, মিঃ সিং বিজয়বাবুর দিকে ফিরলেন। ‘ডেড বডির কী হবে ? ওটা কি আপনি কলকাতায় নিয়ে যেতে চান ?’

‘তার কোনও প্রয়োজন আছে বলে আমার মনে হয় না। আমি ছাড়া তো বাবার আর কেউ নেই। মা মারা গেছেন, দাদা বিলেতে ছিলেন, দাদাও মারা গেছেন।’

‘ভেরি ওয়েল, তা হলে এখানেই সৎকার হোক। তবে, বুঝতেই পারছেন, আপনাদের এখনও কিছু দিন পাহালগামে থাকতে হবে। অন্তত যত দিন না কেসটার সুরাহা হচ্ছে তত দিন। কারণ ইউ আর অল আন্ডার সাসপিশন। আমি একে একে প্রত্যেককেই জেরা করতে চাই।’

৮

পুলিশ ঘণ্টা তিনেক ধরে জেরা চালাল। জেরা শুরু করার আগে মিঃ সিং ফেলুদাকে দু-একটা প্রশ্ন করে নিলেন। ‘আপনি কাল রাত্রে কোনও সন্দেহজনক শব্দ পাননি ?’—

‘না। তা ছাড়া এখানে নদীর শব্দে অন্য সব শব্দ চাপা পড়ে যায়।’

‘জানি। সেটা ক্রিমিন্যালের পক্ষে একটা অ্যাডভানটেজ। ভাল কথা, আপনার বন্ধুর সঙ্গে তো আলাপ হয়নি।’

‘ইনি মিঃ গাঙ্গুলী। হি ইজ এ রাইটার।’

এর পর আমরা তিনজন শহরের দিকে গিয়ে একটা রেস্টোরান্টে বসে চা আর অমলেট

খেলাম। সকালে গোলমালে আর ব্রেকফাস্ট হয়নি।

খেতে খেতে লালমোহনবাবু বললেন, 'সবচেয়ে আশ্চর্য দেখছি যে প্রথমে ছেলেকে খুন করতে চেষ্টা করে না পেরে শেষটায় বাবাকে খুন করল।'

ফেলুদা বলল, 'সেটা যে একই লোক করেছে, তার কী গ্যারান্টি ? একজনের ছেলের উপর আক্রোশ থাকতে পারে, আরেকজনের বাপের উপর। নট ভেরি সারপ্রাইজিং।'

'আমার কিন্তু একটি লোক সম্বন্ধে কী রকম সন্দেহ হয়।'

'কে ?'

'ডাঃ মজুমদার। এদিকে ডাক্তার, তার উপরে আবার আত্মা নামাচ্ছে। কম্বিনেশনটা অদ্ভুত লাগছে।'

'খুন করার সুযোগ অবশ্য ডাক্তারেরই বেশি ছিল, কারণ পাশের খাটে ঘুমোচ্ছেন। কিন্তু মোটিভ কী ? হিরের আংটি যদি নেওয়া উদ্দেশ্য হয়, তা হলে বলতে হয় ডাক্তারের খুবই আর্থিক দুরবস্থা। কিন্তু সেরকম তো কোনও ইঙ্গিত পাওয়া যাচ্ছে না।'

'আর বিজয়বাবু ?'

'বিজয়বাবু অবশ্য তাঁর বাপের মৃত্যুতে খুবই লাভবান হবেন। অবিশ্যি মিঃ মল্লিক যদি উইল করে থাকেন, এবং সে উইল থেকে যদি ছেলেকে বাদ দিয়ে থাকেন, তা হলে বিজয়বাবুর কোনওই লাভ নেই। তা না হলে বিজয়বাবু মোটা টাকা পাবেন, কারণ মিঃ মল্লিক নিঃসন্দেহে ধনী ব্যক্তি ছিলেন।'

'কিন্তু বিজয়বাবু তো তাঁর অফিস থেকে রোজগার করছেনই। তাঁর হঠাৎ এতটা টাকার দরকার পড়বে কেন যে, সে খুন করবে ? খুন করা তো চাট্টিখানি কথা নয়।'

'দ্যাট ইজ ট্রু।'

'সুশান্ত সোম সম্বন্ধে কী মনে হয় আপনার ?'

'কাজের ছেলে সে বিষয় কোনও সন্দেহ নেই। আর বেশ কোয়ালিফাইড। মিঃ মল্লিক সুশান্তবাবুর উপর সম্পূর্ণ নির্ভর করতেন। আর সুশান্তবাবুর কোনও খুনের মোটিভ খুঁজে পাওয়া মুশকিল।'

'আচ্ছা মিঃ মল্লিকের উপর কি কেউ প্রতিশোধ নিয়ে থাকতে পারে ?'

'তা তো পারেই। আমি তো সেই কথাটাই বার বার ভাবছি। কত জনের প্রাণ নিয়েছেন লোকটা, ভেবে দেখুন।'

'কিন্তু বিজয়বাবুর বেলা তো প্রতিশোধ খাটে না।'

'তা তো খাটেই না, আর সেই ব্যাপারেই বার বার ধাক্কা খেতে হচ্ছে।'

দুপুর বেলা লাঞ্চের পর ফেলুদা বলল, একটু শহরের দিকে ঘুরে আসবে। একটু না হাঁটলে নাকি ওর মাথা খোলে না।

'শহর হোক আর যাই হোক, সঙ্গে আপনার অস্ত্রটি রাখবেন', বললেন লালমোহনবাবু।

আমরা দু জন নদীর ধারে গিয়ে বসলাম।

সুশান্তবাবু তাঁবু থেকে বেরিয়ে আমাদের দিকে এগিয়ে এলেন। 'বিনা মেঘে বজ্রাঘাত', বললেন ভদ্রলোক।

আমরাও সায় দিলাম। সত্যিই, এমন যে হবে তা ভাবতেও পারিনি।

'ইনস্পেক্টর কী বলেন ?' জিজ্ঞেস করলেন লালমোহনবাবু।

সুশান্তবাবু বললেন, 'যদ্দুর মনে হল, ডাকাতের সম্ভাবনাটা একেবারে উড়িয়ে দিচ্ছেন না। আংটিটার বিস্তর দাম ছিল, মাঝখানে হিরে বসানো, তাকে গোল করে পান্না দিয়ে ঘেরা। আর এখানে যে ডাকাতির কেস একেবারে হয় না তা নয়। যত টুরিস্ট বাড়ছে, তত এসবও নাকি

বাড়ছে। বছর ত্রিশেক আগে পাহালগম অনেক নিরাপদ জায়গা ছিল।'

'আপনারা কি তাঁবুতে বন্দি?' আমি জিজ্ঞেস করলাম।'

'না', বললেন সুশান্তবাবু, 'তবে পাহালগাম ছেড়ে কোথাও যাওয়া চলবে না।'

'মৃতদেহের সৎকার হবে কখন?'

'বিকেলের মধ্যেই।'

বিকেলে জানতে পারলাম যে, মল্লিকরা ব্রাহ্ম ছিলেন। তাই বিজয়বাবুকে আর অশৌচ পালন করতে হবে না।

ফেলুদা পাঁচটার মধ্যে ফিরে এল। ও যতক্ষণ না ফিরছিল। ততক্ষণ আমার অসোয়াস্তি লাগছিল, কিন্তু ও বলল, যারা ওর পিছনে লাগতে পারত, তারা সকলেই এখন পুলিশের নজরে রয়েছে। তাই চিন্তা নেই।

'কিন্তু এই যে ঘুরে এলেন, এর কোনও ফল পেলেন?'

'পেয়েছি বইকী', বলল ফেলুদা, 'তবে এখানে বসে থেকে সব ব্যাপারটার নিষ্পত্তি হবে না। আমাকে একবার শ্রীনগর যেতে হবে।'

'কবে যাবেন?'

'কালই সকালে।'

'আর আমরা?'

'আমার দু দিন আন্দাজ লাগবে। সে দু দিন আপনারা এখানেই থাকবেন। চেঞ্জের পক্ষে এর চেয়ে ভাল জায়গা তো আর হয় না।'

'কিছু আলো দেখতে পেলেন?'

'তা পেয়েছি। সত্যিই অন্ধ হয়ে গিয়েছিলাম।'

'কিন্তু এখনও কিছুটা অন্ধকার রয়েছে।'

'সেই জন্যেই তো শ্রীনগর যাওয়া দরকার। তবে যাবার আগে আমার দিক থেকেও কয়েকজনকে একটু জেরা করা দরকার। নিচু স্তর থেকে ওপরে ওঠাই ভাল। আগে প্রয়াগকে কয়েকটা প্রশ্ন আছে।'

সুশান্তবাবুকে দিয়ে খবর পাঠাতেই প্রয়াগ তার তাঁবু থেকে বেরিয়ে এল।

'বোসো এখানে,' বলল ফেলুদা।

প্রয়াগ এখন আমাদের তাঁবুতে।

'শোনো প্রয়াগ', বলল ফেলুদা, 'তোমাকে কয়েকটা প্রশ্ন করব, তুমি তার ঠিক ঠিক জবাব দেবে।'

'পুছিয়ে বাবু।'

কথাবার্তা হিন্দিতেই চলল, আমি বাংলায় লিখছি।

'তুমি মল্লিকসাহেবের বাড়িতে কবে থেকে আছ?'

'পাঁচ বছর হয়েছে।'

'তার আগে কোথায় ছিলে?'

'জেকবসাহেবের বাড়িতে বেয়ারার কাজ করতাম। পার্ক স্ট্রিটে।'

'মল্লিকসাহেব তোমাকে কী করে পেলেন?'

'আমি জেকবসাহেবের কাছ থেকে চিঠি নিয়ে মল্লিকসাহেবের সঙ্গে দেখা করেছিলাম। জেকবসাহেব বিলেত চলে যাচ্ছিলেন, তাই আর আমাকে দরকার লাগছিল না।'

'মল্লিকসাহেব জেকবসাহেবকে চিনতেন?'

‘ওরা দুজনে এক ক্লাবের মেম্বার ছিলেন।’

‘তোমার পুরো নাম কী?’

‘প্রয়াগ মিসির।’

‘তোমার সংসার নেই?’

‘বউ মারা গেছে, মেয়ে দুটোর বিয়ে হয়ে গেছে।’

‘কাল রাত্রে তুমি কোনও রকম শব্দ পাওনি, যার জন্য তোমার ঘুম ভেঙে যেতে পারে?’

‘না বাবু।’

‘বাবুকে কে খুন করতে পারে, তাই নিয়ে তোমার কোনও ধারণা আছে?’

‘না বাবু। এ রকম হবে আমি কল্পনাই করতে পারিনি।’

‘ঠিক আছে, তুমি এখন যেতে পার।’

এবার ফেলুদা সুশান্তবাবুকে বলল ডাঃ মজুমদারকে খবর দিতে।

ডাঃ মজুমদার এলেন আমাদের তাঁবুতে।

ফেলুদা বলল, ‘আমি আপনাকে দু-একটা প্রশ্ন করতে চাই।’

‘করুন।’

‘মিঃ মল্লিক যেভাবে প্ল্যানচেট করেছিলেন, সেটা কি ডাক্তার হিসাবে আপনার কাছে খুব স্বাভাবিক বলে মনে হয়?’

ডাঃ মজুমদার মাথা নাড়লেন।

‘না। আমি ওঁকে অনেকবার বলেছি যে, এই সব পুরনো ব্যাপার নিয়ে বেশি ঘাঁটাঘাঁটি না করাই ভাল। আর জজ যদি এক-আধটা ভুল ভার্ডিক্ট দিয়ে থাকে, তাতেই বা কী এসে গেল। ভুল তো সকলেরই হতে পারে।’

‘আপনার নিজের মধ্যে যে ক্ষমতাটা রয়েছে, সেটা কবে থেকে প্রকাশ পেল?’

‘তা অনেক দিন। পঁচিশ বছর তো বটেই।’

‘ওঁকে কে খুন করতে পারে সে সম্বন্ধে আপনার কোনও ধারণা আছে?’

‘একেবারেই নেই।’

‘ওঁর ছেলে সম্বন্ধে আপনার কী ধারণা?’

‘ছেলে এক কালে ড্রাগসের প্রভাবে খুব গোলমালের মধ্যে পড়েছিল। আমি অনেক চেষ্টা করেও কিছু করতে পারিনি। কিন্তু সেই সাধুর প্রভাবেই হোক, আর অন্য কোনও কারণেই হোক, ও একেবারে স্বাভাবিক হয়ে গেছে।’

‘জুয়ার প্রতি ওর আসক্তি রয়েছে না?’

‘সেটা সম্বন্ধে আমি কিছু বলতে পারব না, কারণ আমি ও রসে একেবারেই বঞ্চিত।’

‘ও কোন অফিসে কাজ করে?’

‘চ্যাটার্জি অ্যান্ড কোং—ইমপোর্ট অ্যান্ড এক্সপোর্ট।’

‘কোথায় অফিস?’

‘গণেশ এভিনিউ। দশ নম্বর।’

‘ঠিক আছে। আপনি যেতে পারেন।’

ডাঃ মজুমদার চলে গেলেন। সুশান্তবাবু জিজ্ঞাসু দৃষ্টি দিলেন ফেলুদার দিকে।

‘এবার মিঃ সরকারের সঙ্গে একটু কথা বলব।’

‘মিঃ সরকার?’

সুশান্তবাবু যেন কথাটা বিশ্বাস করতে পারছিলেন না।’

ফেলুদা বলল, ‘হ্যাঁ। কেন, আপনার অবাক লাগছে?’

'উনি তো ঠিক আমাদের দলের নন ; এক রকম বাইরের লোক।'

'তাঁর যে টাকার দরকার নেই সেটা আপনি কী করে জানলেন সুশান্তবাবু ? টাকার জন্য মানুষে খুন করে না ?'

'ঠিক আছে। আমি ডাকছি ওঁকে।'

মিঃ সরকার এলেন।

'আসুন, বসুন', বলল ফেলুদা।

'কাশ্মীর এসেছিলাম বেড়াতে, আর কীসের থেকে কী হয়ে গেল দেখুন।'

'কী করবেন বলুন—মানুষের কপালই ওই রকম।'

'এখন বলুন, আমাকে কী জিজ্ঞেস করতে চান।'

'আপনি কত বছর পর্যন্ত শ্রীনগরে ছিলেন ?'

'বছর বারো।'

'তারপর কলকাতায় যান ?'

'হ্যাঁ।'

'সেইখানেই পড়াশুনা করেন ?'

'হ্যাঁ।'

'আপনার বাবা কি কলকাতাতেও হোটেল ম্যানেজারি করতেন ?'

'হ্যাঁ।'

'কোন হোটেল ?'

'ক্যালকাটা হোটেল।'

'আপনি গ্র্যাজুয়েট ?'

'বি কম।'

'এখন কী করেন।'

'একটা ইনসিওরেন্স কোম্পানিতে আছি।'

'কোম্পানির নাম ?'

'ইউনিভারসাল ইনসিওরেন্স।'

'আপিস কোথায় ?'

'পাঁচ নম্বর পোলক স্ট্রিট।'

'আপনি জজ মিঃ মল্লিকের কথা জানতেন ?'

'না। এখানে এসে আলাপ। বিজয়ের সঙ্গে অনেক ব্যাপারে মিলে গেল, তাই একটা বন্ধুত্ব গড়ে উঠেছে।'

'আপনি কি জুয়ার ভক্ত ?'

'আই লাইক গ্যাম্বলিং, তবে বিজয়ের মতো নয়।'

'হঠাৎ কাশ্মীর আসার ইচ্ছে হল কেন ?'

'ছেলেবেলার স্মৃতির সঙ্গে মিলিয়ে দেখতে।'

'ক' দিনের জন্য এসেছেন ?'

'দশ দিন—তবে এখন কী হয় জানি না। এরকমভাবে আটকে পড়ব কে জানত !'

'আপনার হাতের আংটিটা একবার দেখতে পারি ?'

'নিশ্চয়ই।'

সরকার তাঁর আংটিটা খুলে ফেলুদার হাতে দিলেন, সোনার আংটি, উপরে একটা ছ কোনা পাতের উপর মিনে করে নীলের উপর সাদা দিয়ে S লেখা।

ফেলুদা ধন্যবাদ দিয়ে আংটিটা ফেরত দিয়ে দিল।

'ঠিক আছে। আপনার জেরা শেষ।'

'থ্যাঙ্ক ইউ।'

৯

পরদিন সকালে ফেলুদা ব্রেকফাস্টের পর ট্যাক্সি নিয়ে শ্রীনগরে চলে গেল। বলল, 'মনে হচ্ছে, পরশু ফিরে আসতে পারব ; তবে দু-এক দিন দেরি হলে চিন্তা করিস না।'

ন'টা নাগাত পুলিশের জিপ এল, ইনস্পেক্টর সিং নামলেন। অন্য তাঁবুতে কাজ শেষ করে ভদ্রলোক আমাদের দিকে এগিয়ে এলেন।

'হোয়্যার ইজ মিঃ হোমস ?' হেসে প্রশ্ন করলেন ভদ্রলোক।

আমি বললাম ফেলুদা একটু শ্রীনগর গেছে।

'এই কেসের ব্যাপারে ?'

'হ্যাঁ।'

'কিন্তু তার প্রয়োজন হচ্ছে কেন ? এই কেস তো জলের মতো সোজা।'

'কী রকম ?'

'বেয়ারাটাই হচ্ছে অপরাধী। তার সুযোগ ছিল। সে একই তাঁবুতে শুত। তা ছাড়া এসব লোকের লোভ হওয়াটা স্বাভাবিক। বেয়ারাগিরি করে আর কত রোজগার হয় ?'

'আপনি কি ওকে অ্যারেস্ট করছেন ?' লালমোহনবাবু জিজ্ঞেস করলেন।

'আপাতত থানায় নিয়ে যাচ্ছি জেরার জন্য। তা ছাড়া, ও যে লেফট হ্যান্ডেড তাও প্রমাণ হয়ে গেছে। ওকে ওর নাম লিখতে বলেছিলাম। ডান হাতে লিখতেই পারল না, কিন্তু বাঁ হাতে বেশ পারল। কিন্তু তা সত্ত্বেও ও অস্বীকার করছে, সুতরাং ওকে বেশ ভাল রকম জেরা করা দরকার।'

'আংটিটাও পেতে হবে', বললেন জটায়ু।

'সেটাও জেরার জোরে বেরিয়ে যাবে। পুলিশের পক্ষে খুঁজে পাওয়া তো মুশকিল। এই পাহাড়ি পরিবেশে কোথায় লুকিয়ে রেখেছে কে জানে ?'

ফেলুদা কি তা হলে বৃথাই গেল শ্রীনগর ? কেসটা এতই সোজা ? আমার কিন্তু তা বিশ্বাস হচ্ছিল না। অত সহজ হলে ফেলুদা অত কাঠখড় পোড়াত না। আমি জানি ও কলকাতায় খোঁজ করবে। ওর লোক আছে যাদের বলে দিলে কয়েক ঘণ্টার মধ্যে ওরা যে কোনও খবর জোগাড় করে দিতে পারে।

কিন্তু তার পরেই আবার মনে হয়ে যাচ্ছে বেয়ারা লেফট-হ্যান্ডেড।

কিন্তু এত সাহস হবে লোকটার ? ও কি জানে না যে ওর ওপরেই প্রথমে সন্দেহ পড়বে ?

ইনস্পেক্টর সিং বিদায় নিয়ে প্রয়াগকে সঙ্গে করে চলে গেলেন। লোকটাকে দেখে আমার কষ্ট হল, কারণ ও কান্নাকাটি আরম্ভ করে দিয়েছে। পুলিশরা স্বীকারোক্তি আদায় করবার জন্য কত কী যে করতে পারে সে আমার জানতে বাকি নেই। ফেলুদাও এ নিয়ে বহুবার আক্ষেপ করে বলেছে। ও বলে পুলিশরা কাজ জানে, ওরা কর্মঠ, কিন্তু দয়ামায়া বলে কিছু নেই ওদের মধ্যে। অবিশ্যি উপায়ও নেই। অনেক সময় জরুরি তথ্য সংগ্রহ করতে কড়া রাস্তা নিতে হয়। সে কাজটা প্রাইভেট গোয়েন্দার চেয়ে পুলিশে অনেক বেশি ভাল পারে।

সুশান্তবাবু এবার দেখি আমাদের দিকে আসছেন। বললেন, 'মিঃ মিত্তির তো বোধহয় শ্রীনগর গেছেন।'

আমি 'হ্যাঁ' বলতে বললেন, 'আমরা কিছু না বলতেই উনি আমাদের জন্য এত করছেন, এটা খুব আশ্চর্য বলতে হবে।'

'আসলে উনি এটাকে একটা চ্যালেঞ্জ হিসাবে নিয়েছেন। রহস্য জিনিসটা ওঁর কাছে অসহ্য। যতক্ষণ না সেটার কিনারা করতে পারছেন, ততক্ষণ ওঁর সোয়াস্তি নেই।'

লালমোহনবাবু বললেন, 'আপনি কি মিঃ মল্লিকের জীবনী লিখতে আরম্ভ করে দিয়েছিলেন ?'

'তা এক রকম দিয়েছিলাম বইকী। খানিকটা করে লিখছিলাম, আর উনি সেটা দেখে দিচ্ছিলেন। খুবই চিত্তাকর্ষক বই হত বলে মনে হয়।'

'এখন তো কাজটা বন্ধ হয়ে গেল।'

'তা তো হলই।'

'আপনিও কি প্রয়াগকে সন্দেহ করেন ?'

'মোটেই করিনি। ওর অত সাহস হবে বলেই আমার মনে হয়নি। কিন্তু পুলিশ যেভাবে চলছে...'

'মিঃ মিত্তিরের উপর আরেকটা অ্যাটেম্প্ট হয়ে গেছে, সেটা বোধহয় জানেন না ?'

'সে কি !'

'হ্যাঁ। এবার মাথায় বাড়ি মেরেছিল পাথর-টাথর কিছু দিয়ে। সৌভাগ্যক্রমে বেঁচে গেছে। কিন্তু কেউ যে ওর উপস্থিতি পছন্দ করছে না, সে বিষয়ে কোনও সন্দেহ নেই।'

'তা, উনি তো পুলিশ প্রোটেকশন নিতে পারেন।'

'সেটা উনি মরে গেলেও নেবেন না, যদিও উনি পুলিশকে সাহায্য করতে সব সময়ই প্রস্তুত।'

'আপনাদের তাস খেলা বন্ধ বোধহয় ?' লালমোহনবাবু প্রশ্ন করলেন।

'মৃত্যুর ছায়া এখনও ঘনিয়ে আছে ; এর মধ্যে কি ও সব চলে ?'

'তা বটে।'

*

ফেলুদার জন্য প্রাণটা ছটফট করছে, অথচ দ্বিতীয় দিনেও ও এল না। দিনটা আমরা সাইট সিইং-এ কাটালাম। টুরিস্ট আপিস থেকে খবর নিয়ে আড়াই মাইল দূরে শিকারগা লেক আর এক মাইল দূরে একটা পুরনো শিবমন্দির দেখে এলাম। তাঁবুতে থাকার চেয়ে দূরে থাকাই ভাল বুঝতে পারছিলাম। কারণ তাঁবুকে ঘিরে এখনও খুনের গন্ধ, ভাবতে গেলেই বুক ধড়ফড় করে।

তৃতীয় দিন সকাল দশটায় ভাবছি কী করা যায়, এমন সময় ফেলুদার ট্যাক্সি এসে হাজির। আমরা দুজনেই উদ্‌গ্রীব হয়ে ওর দিকে এগিয়ে গেলাম। ও হাত তুলে বলল, 'সবুরে মেওয়া ফলে।'

'আপনার মাথা পরিষ্কার কি না সেইটে শুধু বলে দিন', বললেন লালমোহনবাবু।

'পরিষ্কার, তবে অনেক জট ছাড়াতে হয়েছে। এমন একটা কেস সচরাচর পাওয়া যায় না।'

'রহস্য উদ্‌ঘাটনের টাইমটা কী ?'

'সেটা ইনস্পেক্টর সিং-এর সঙ্গে কথা বলে ঠিক করতে হবে।'

'উনি কিন্তু খুনি ধরে ফেলেছেন এর মধ্যেই।'

'মানে ?'

'বেয়ারা প্রয়াগ।'

'সর্বনাশ ! তা হলে তো আর সময় নষ্ট করা চলে না। আমি চললাম থানায়।'

ফেলুদা আর এক মুহূর্ত অপেক্ষা না করে শহরের দিকে চলে গেল।

ও যখন ফিরল তখন আমাদের লাঞ্চ খাবার সময় হয়ে গিয়েছে। এসে বলল, 'আজ তিনটেয় মিটিং। ওঁদের তাঁবুতে।'

আমার বুকটা কেঁপে উঠল। ফেলুদার রহস্যোদ্ঘাটন যে না দেখেছে সে কল্পনা করতে পারে না সেটা কত নাটকীয় হতে পারে।

তিনটের পাঁচ মিনিট পরেই পুলিশের জিপ এসে গেল। ইনস্পেক্টর সিং ফেলুদার দিকে এগিয়ে এসে বললেন, 'আপনি কি বিশ্বাস করতে পারেন যে একজন পুলিশ ইনস্পেক্টর ক্রাইম স্টোরির ভক্ত হতে পারে ?'

'আপনি ওসব বই পড়েন নাকি ?'

'ও ছাড়া আর কিছুই পড়ি না। বিশেষ করে প্রাইভেট ডিটেকটিভের গল্প হলে তো আর কথাই নেই। আজ আপনার রহস্যোদ্ঘাটনের ব্যাপারেও আমার পড়া অনেক গল্পের কথা মনে পড়ছে। অবিশ্যি আপনি যে কী বলতে যাচ্ছেন সে সম্বন্ধে আমার কোনও ধারণা নেই।'

'সেটা তো অল্পক্ষণের মধ্যেই জানতে পারবেন।'

'তাঁবুতে সকলে জমায়েত। দুটো তাঁবু থেকে চেয়ার এনে সকলের বসবার জায়গা করা হয়েছে। বিজয় মল্লিক, মিঃ সরকার, সুশান্ত সোম, ডাঃ মজুমদার—এঁরা সব চেয়ারে বসেছেন, আর তাঁবুর এক কোণে দাঁড়িয়ে আছে বেয়ারা প্রয়াগ। এই শেষের লোকটির চেহারার মধ্যে একটা ক্লিষ্ট ভাব দেখে মনে হয় পুলিশ তাকে বেশ ভালভাবেই জেরা করেছে।

১০

ফেলুদা তার চেয়ার থেকে উঠে দাঁড়িয়ে একবার সকলের দিকে দেখে নিল। তারপর এক গেলাস জল ফ্লাস্ক থেকে ঢেলে নিয়ে খেয়ে তার কথা শুরু করল—

'মিঃ মল্লিক আজ আমাদের মধ্যে নেই, আমি তাঁকে দিয়েই আমার কথা আরম্ভ করছি। সিদ্ধেশ্বর মল্লিক ত্রিশ বছর জজিয়তি করে তারপর কাজ থেকে অবসর গ্রহণ করেন। এই রিটায়ারমেন্টের কারণ ছিল অসুস্থতা। তা ছাড়া হয়তো মিঃ মল্লিক তাঁর পেশায় কিছুটা বিশ্বাস হারিয়েছিলেন। প্রাণদণ্ড নিয়ে হয়তো তাঁর মনে একটা সংশয় দেখা দিয়েছিল। আমি এই সিদ্ধান্তের সত্যতা-অসত্যতার ভিতর যেতে চাইছি না। যা ঘটেছিল শুধু তাই বলছি।

'মিঃ মল্লিক দৈনিক ডায়েরি লিখতেন। এই ডায়েরির একটা বিশেষত্ব ছিল। যে দিন তিনি কাউকে ফাঁসির আদেশ দিতেন, সেই দিন ডায়েরিতে প্রাণদণ্ডে দণ্ডিত ব্যক্তিটির নাম লিখে তার পাশে লাল কালিতে একটা ক্রস দিয়ে দিতেন। আর যে দিন এই দণ্ডের যথার্থতা সম্বন্ধে তাঁর মনে একটা গভীর সন্দেহ দেখা দিত, সেদিন ক্রসের পাশে একটা প্রশ্নবোধক চিহ্ন দিয়ে দিতেন।

'আমি মিঃ মল্লিকের ডায়েরিগুলি দেখেছি। সবসুদ্ধ ছটি প্রশ্নবোধক চিহ্ন রয়েছে। তার মানে ছ'টি প্রাণদণ্ডের সমীচীনতা সম্পর্কে তিনি সন্দিগ্ধ ছিলেন।

'এইবার আমি আরেক দিকে দৃষ্টি আকর্ষণ করতে চাই। মিঃ মল্লিকের মনে দ্বন্দ্ব হচ্ছিল কি না হচ্ছিল সেটা সম্বন্ধে জনসাধারণ কিছুই জানতে পারত না। কিন্তু যারা প্রাণদণ্ডে দণ্ডিত হচ্ছে, তাদের আত্মীয়-স্বজনের প্রতিক্রিয়া নিয়ে কি মিঃ মল্লিক কখনও ভেবেছিলেন ? মনে

তো হয় না, কারণ তাঁর ডায়রিতে এর কোনও উল্লেখ নেই। ছেলের মৃত্যুদণ্ডে বাপ-মা কী ভাবছে, বাপের মৃত্যুদণ্ডে ছেলের বা ভাইয়ের বা স্ত্রীর বা অন্য আত্মীয়-স্বজনের কী মনোভাব হতে পারে, সেটা নিয়ে মিঃ মল্লিক বোধহয় কখনও চিন্তা করেননি। কিন্তু আমরা একটু ভেবে দেখলেই বুঝতে পারব যে, এই সব প্রাণদণ্ডে দণ্ডিত ব্যক্তিদের আত্মীয়-স্বজন বন্ধু-বান্ধব অনেকেই নিশ্চয়ই গভীর বেদনা অনুভব করেছে।

'এইটে উপলব্ধি করার পরেই আমার মনে প্রশ্ন জাগে—এই রকম প্রাণদণ্ডে দণ্ডিত কোনও ব্যক্তির আত্মীয়ই কি প্রতিহিংসা চরিতার্থ করতে মিঃ মল্লিককে হত্যা করে ?

'যত ভাবি, ততই মনে হয় এটা খুবই স্বাভাবিক। বিশেষ করে যেখানে দণ্ড সম্বন্ধে জজের মনেও সন্দেহ আছে, সেখানে তো বটেই।

'এর পরের প্রশ্ন হচ্ছে—এই ঘরে যারা উপস্থিত আছেন, তাদের মধ্যে কি এমন ব্যক্তি কেউ আছেন ?'

'এখানে প্রথমেই যাকে বাদ দেওয়া যায়, তিনি হলেন ডাঃ মজুমদার, কারণ তিনি আজ পনেরো বছর হল মল্লিকদের পারিবারিক চিকিৎসক।

'বাকি থাকেন আর চারজন—বিজয় মল্লিক, সুশান্ত সোম, মিঃ সরকার আর বেয়ারা প্রয়াগ।

'এখানে বিজয় মল্লিককে এই বিশেষ তালিকা থেকে বাদ দেওয়া যেতে পারে। কারণ তাঁর কোনও আত্মীয়ের প্রাণদণ্ড হয়নি।

'সেই রকম সুশান্ত সোমকেও এই একই মর্মে বাদ দেওয়া যেতে পারে। কারণ তাঁরও কোনও নিকট জনের প্রাণদণ্ডের কথা আমরা ডায়েরিতে পাচ্ছি না।

'বাকি রইলেন মিঃ সরকার ও প্রয়াগ বেয়ারা।

'এখানে প্রয়াগকে আমি একটা প্রশ্ন করতে চাই।'

প্রয়াগ চুপ করে দাঁড়িয়ে রইল।

ফেলুদা বলল, 'প্রয়াগ, সে দিন তুমি যখন নদীতে হাত ধুচ্ছিলে, তখন আমি তোমাকে লক্ষ করছিলাম। তোমার ডান হাতে একটি ছোট্ট উল্‌কি আছে—দুটি ইংরেজি অক্ষর—HR। এটার মানে আমি তোমাকে জিজ্ঞেস করতে চাই।'

প্রয়াগ গলা খাকরিয়ে নিয়ে বলল, 'ওর কোনও মানে নেই বাবু। উল্‌কি করাবার ইচ্ছা হয়েছিল তাই করিয়েছিলাম।'

'তুমি বলতে চাও এটা তোমার নাম আর পদবির প্রথম অক্ষর নয় ?'

'নেহি বাবু। মেরা নাম হ্যায় প্রয়াগ মিসির।'

'আমি যদি বলি তোমার নাম প্রয়াগ নয়। কারণ প্রয়াগ বলে ডাকলে তুমি চট্‌ করে উত্তর দাও না—অথচ অন্য ব্যাপারে মোটেই তুমি কালা নও।'

'আমার নাম প্রয়াগ মিসির, বাবু।'

'না !' ফেলুদা চেঁচিয়ে উঠল। 'আমি জানতে চাই ওই R অক্ষরটা কীসের আদ্যক্ষর। কী পদবি তোমার ?'

'আমি আর কী বলব বাবু !'

'সত্যি কথাটা বলবে। এখানে জীবন-মরণ নিয়ে খেলা হচ্ছে, এখানে মিথ্যা চলবে না।'

'তবে আপনিই বলুন।'

'আমি বলছি। ওই R হচ্ছে রাউত। এবার তোমার পুরো নামটা বলো।'

প্রয়াগ হঠাৎ কেমন জানি ভেঙে পড়ল। তারপর কান্নার মধ্যেই বলল, 'ও আমার একমাত্র ছেলে ছিল বাবু। আর ও খুন করেনি। ওর মামলা এমনভাবে সাজানো হয়েছিল,

যাতে ওকে খুনি বলে মনে হয়। আমার একমাত্র ছেলে—ফাঁসি হল !'

'তা হলে তোমার পুরো নামটা কী দাঁড়াচ্ছে ?'

'হনুমান রাউত, বাবু। কিন্তু আমি বাবুকে খুন করিনি, ওঁর আংটি আমি নিইনি !'

'সেটা কি আমি একবারও বলেছি ?'

'তা হলে বাবু আমাকে মাপ করে দিন।'

'পুরোপুরি মাপ করা কি চলে ? সত্যি কথা বলো তো।'

হনুমান রাউত কেমন যেন ফ্যালফ্যাল করে ফেলুদার দিকে চাইল।

ফেলুদা বলল, 'তুমি খুন করনি, কিন্তু খুনের চেষ্টা করেছিলে।'

'না বাবু—'

'আলবৎ !' ফেলুদা গর্জিয়ে উঠল। 'তোমার নিজের ছেলের মৃত্যুর জন্য যিনি দায়ী, তুমি তাঁর ছেলেকে মারতে চেয়েছিলে যাতে তিনিও তোমার মতো পুত্রশোক ভোগ করেন। খিলেনমার্গ যাবার পথে তুমি বিজয়বাবুর ঘাড়ে ধাক্কা মারোনি ? ঠিক করে বলো তো। বাঁ হাতে তোমার আংটি রয়েছে, আর বাঁ হাত দিয়ে তুমি ডান হাতের কাজ কর, তাই না ?'

'কিন্তু উনি তো বেঁচে আছেন বাবু : উনি তো মরেননি।'

'খুনের অভিপ্রায়েরও শাস্তি আছে হনুমান রাউত—সে শাস্তি তোমাকে ভোগ করতে হবে !'

দুজন কনস্টেবল এসে বেয়ারাকে ঘর থেকে নিয়ে গেল।

ফেলুদা আরেক গেলাস জল খেয়ে নিল। তারপর আবার শুরু করল—'এবারে আমরা অন্য প্রসঙ্গে যাচ্ছি। এটা আরও অনেক বড় প্রসঙ্গ। এখানে একজন ব্যক্তির প্রাণ নেওয়া হয়েছে। এ হল হত্যা। আর এর জন্য আমার মতে প্রাণদণ্ডই উচিত দণ্ড।'

সকলে একদৃষ্টে ফেলুদার দিকে চেয়ে আছে। তাঁবুতে পিন পড়লে তার শব্দ শোনা যেত নিশ্চয়ই যদি না বাইরে লিদর নদীর স্রোতের অবিশ্রান্ত শব্দ থাকত।

ফেলুদা বলল, 'আমি একজনকে এর আগেও কয়েকটা প্রশ্ন করেছি—এবার আরেকবার করতে চাই। মিঃ সরকার।'

সরকার নড়েচড়ে বসে বললেন, 'করুন।'

ফেলুদা বলল, 'আপনি কবে শ্রীনগর এলেন ?'

'আপনাদের সঙ্গে একই ফ্লাইটে এলাম।'

'আচ্ছা, আপনার আঙুলের আংটির 'S'টা কীসের আদ্যক্ষর ?'

'আমার পদবির অফকোর্স—সরকার।'

'কিন্তু, মিঃ সরকার, আমি ইন্ডিয়ান এয়ারলাইনসে খোঁজ নিয়ে দেখেছি যে, সেদিন যাত্রীর তালিকায় সরকার বলে কেউ ছিলেন না। সেন ছিলেন, দুজন সেনগুপ্ত ছিলেন, একজন সিং ছিলেন আর একজন সপ্রু ছিলেন।'

বাট—বাট—'

'বাট হোয়াট, মিঃ সরকার ? আপনার নাম বদলানোর দরকার হল কেন জানতে পারি কি ?'

মিঃ সরকার চুপ।

ফেলুদা বলল, 'আমি বলি ? আমার ধারণা আপনি মনোহর সপ্রুর ছেলে। আপনার চেহারার মধ্যে একটা পরিষ্কার কাশ্মীরি ছাপ রয়েছে। মিঃ মল্লিক মনোহর সপ্রুকে প্রাণদণ্ডে দণ্ডিত করেছিলেন। মিঃ মল্লিককে প্লেনে দেখেই আপনি নাম বদল করার সিদ্ধান্ত নেন, কারণ তখন থেকেই আপনার মনে প্রতিশোধের ইচ্ছা জাগে। আপনি ওই ফ্যামিলির সঙ্গে

মিশে যান, এবং সুযোগ খুঁজতে থাকেন—টু স্ট্রাইক। সেই সুযোগ আসে পাহালগামে।'

'কিন্তু...কিন্তু...দিস ক্রাইম ইজ কমিটেড বাই এ লেফ্‌ট-হ্যান্ডেড পার্সন।'

'আপনি ভুলবেন না, মিঃ সপ্রু—আমি আপনাকে তাস বাঁটতে দেখেছি। আর কেউ লক্ষ না করলেও আমি করেছি যে আপনি বাঁ হাতে তাস ডিল করেন।'

মিঃ সপ্রু হঠাৎ কেমন যেন খেপে উঠলেন।

'বেশ, ঠিক কথা—আমি ওঁকে ছুরি মেরেছি, কিন্তু তার জন্য আমার একটুও অনুশোচনা নেই। আমার যখন মাত্র পনেরো বছর বয়স তখন উনি আমার বাবাকে ফাঁসিকাঠে ঝোলান—অ্যান্ড মাই ফাদার ওয়াজ নট গিল্টি! কিন্তু...কিন্তু...'

সপ্রুর যেন হঠাৎ একটা নতুন কথা মনে পড়ল।

'আমি ওঁর আংটি তো নিইনি! আই ওনলি কিলড্ হিম।'

'না', বলল ফেলুদা। 'আপনি ওঁর আংটি নেননি। সেটা নিয়েছেন আরেকজন।'

ঘরে আবার সেই অদ্ভুত নিস্তব্ধতা।

ফেলুদার দৃষ্টি ঘুরে গেল।

'বিজয়বাবু—জুয়াতে আপনার অনেক লোকসান হয়েছে। তাই না? আমি কলকাতায় খবর নিয়েছি। আমার লোক আছে খবর দেবার, পুলিশেও আমার বন্ধু আছে। আপনার বিস্তর দেনা হয়ে গেছে।'

বিজয়বাবু চুপ।

ফেলুদা বলে চলল, 'আর আপনার বোধহয় সন্দেহ হয়েছিল যে, বাবা আপনাকে উইলে কিছু দিয়েছেন কিনা। সেই জন্য তাঁকে মেরে তাঁর আংটিটি আপনি হাত করেছিলেন।'

'মেরে মানে?'

'মেরে মানে কোনও ভারী জিনিস দিয়ে তাঁর মাথায় আঘাত মেরে। আপনার বাবাকে আসলে দুজন খুন করে। কার দ্বারা তিনি হত হয়েছিলেন সেটা বোঝা যায় বিছানায় রক্ত দেখে। ছুরির আঘাতই আগে পড়ে, তারপর আপনি মাথায় বাড়ি মেরে হাত থেকে আংটিটা খুলে নিয়ে যান। আপনি খুনি না চোর সেটা অবশ্য আইন বুঝবে, কিন্তু হাতকড়া বোধহয় তিনজনের হাতেই পড়বে।'

মল্লিকদের তাঁবু থেকে নিজেদের তাঁবুতে ফিরে এসে লালমোহনবাবু বললেন, 'কিন্তু মশাই আপনি একটা ব্যাপারে তো কোনও আলোকপাত করলেন না। আপনাকে দু বার মারার চেষ্টা করল কে?'

'সে ব্যাপারে আলোকপাত করিনি কারণ আমি নিজেই ব্যাপারটা সম্বন্ধে শিওর নই। তিনজন অপরাধীর একজন করেছে তাতে সন্দেহ নেই, এবং সুযোগের দিক দিয়ে বিচার করলে প্রয়াগের কথাই মনে হয়। সপ্রু বা বিজয়বাবু দল থেকে বেরিয়ে এসে এটা করবেন, বিশ্বাস করা কঠিন। যাই হোক, এর জন্য মূল রহস্যোদ্ঘাটনে কোনও এদিক ওদিক হচ্ছে না। ধরে নিন এটা ফেলু মিত্তিরের একটা অক্ষমতার পরিচয়।'

'যাক, বাঁচা গেল। আপনার ভুল হতে পারে এটা জানতে পারলে একটু ভরসা পাওয়া যায়।'

'আপনি অযথা বিনয় করছেন। আমি কিন্তু বহু চেষ্টা করলেও আপনার মতো লিখতে পারতাম না।'

'থ্যাঙ্কস ফর দ্য খোঁচা!'

ইন্দ্রজাল রহস্য

১

অন্য অনেক জিনিসের মতো ম্যাজিক সম্বন্ধেও ফেলুদার যথেষ্ট জ্ঞান আছে। এখনও ফাঁক পেলে তাসের প্যাকেট হাতে নিয়ে আয়নার সামনে দাঁড়িয়ে হাতসাফাই অভ্যাস করতে দেখেছি। সেইজন্যেই কলকাতায় সূর্যকুমারের ম্যাজিক হচ্ছে দেখে, আমরা তিনজনে ঠিক করলাম একদিন গিয়ে দেখে আসব। তৃতীয় ব্যক্তিটি অবশ্য আমাদের বন্ধু রহস্য-রোমাঞ্চ ঔপন্যাসিক লালমোহন গাঙ্গুলী ওরফে জটায়ু। যারা ম্যাজিকের আয়োজন করেছে তারা ফেলুদার খুব চেনা, তাই চাইতেই তিনখানা প্রথম সারির টিকিট পাওয়া গেল।

গিয়ে দেখি হল প্রায় ছ'আনা ফাঁকা। ম্যাজিক যা দেখলাম নেহাত খারাপ নয়, কিন্তু ম্যাজিশিয়ানের ব্যক্তিত্বে কোথায় যেন ঘাটতি আছে। ফ্রেঞ্চ-কাট দাড়ির সঙ্গে একটা চুমকি বসানো সিল্কের পাগড়ি, কিন্তু গলার আওয়াজটা পাতলা। গোলমালটা সেখানেই। অথচ ম্যাজিশিয়ানকে অনর্গল কথা বলে যেতে হয়।

সামনের সারিতে বসার ফলে হল কী, হিপ্‌নোটিজ্‌ম দেখাতে ভদ্রলোক লালমোহনবাবুকে স্টেজে ডেকে নিলেন। এ-জিনিসটা ভদ্রলোক ভালই জানেন। লালমোহনবাবুর হাতে পেনসিল দিয়ে, সেটাকে কামড়াতে বলে জিজ্ঞেস করলেন, 'চকোলেট কেমন লাগছে?'

লালমোহনবাবু সম্মোহিত অবস্থায় বললেন, 'খাসা চমৎকার চকোলেট।'

পাঁচ মিনিট স্টেজে ছিলেন, তার মধ্যে জটায়ু একেবারে নাজেহাল হয়ে গিয়েছিলেন, আর লোকেও উপভোগ করল খুব। লালমোহনবাবু জ্ঞান ফিরে পাবার পরে হাততালি আর থামে না।

পরদিন ছিল রবিবার। লালমোহনবাবু তাঁর সবুজ অ্যামবাসাডারে ঠিক ন'টার সময় চলে এসেছিলেন তাঁর গড়পারের বাড়ি থেকে আড্ডা মারতে। তখনও ম্যাজিকের কথা হচ্ছে।

ফেলুদা বলল, 'ঠিক জমাতে পারছে না লোকটা। কালকেও সিট খালি ছিল দেখেছিলি?'

লালমোহনবাবু বললেন, 'কিন্তু যাই বলুন মশাই, আমাকে যেভাবে বোকা বানানো, তাতে বলতেই হবে কৃতিত্ব আছে। পেনসিল চিবিয়ে চকোলেট, পাথর কামড়ে কড়াপাকের সন্দেশের স্বাদ—এ ভাবা যায় না।'

শ্রীনাথ সবে চা এনেছে, এমন সময় বাইরে গাড়ি থামার শব্দ আর সঙ্গে সঙ্গেই দরজায় টোকা পড়ল। অথচ কারুর আসার কথা নেই। খুলে দেখি, বছর ত্রিশেকের ভদ্রলোক।

'এটাই প্রদোষ মিত্তিরের বাড়ি?'

ফেলুদা বলল, 'আজ্ঞে হ্যাঁ। আপনি ভেতরে আসুন।'

ভদ্রলোক এসে ঢুকলেন। ফরসা, রোগা, চোখে চশমা। বেশ সপ্রতিভ চেহারা।

সোফার একপাশে বসে বললেন, 'টেলিফোনে অনেক চেষ্টা করেও আপনার লাইনটা পেলাম না। তাই এমনিই চলে এলাম।'

'ঠিক আছে।' বলল ফেলুদা, 'আপনার প্রয়োজনটা যদি বলেন।'

'আমার নাম নিখিল বর্মন। আমার বাবার নাম হয়তো আপনি শুনে থাকবেন—সোমেশ্বর বর্মন।'

'যিনি ভারতীয় জাদু দেখাতেন?'

'আজ্ঞে হ্যাঁ।'

'আজকাল তো আর নাম শুনি না। রিটায়ার করেছেন বোধহয়?'

'হ্যাঁ, বছর সাতেক হল আর ম্যাজিক দেখান না।'

'উনি তো স্টেজে ম্যাজিক দেখাতেন না বোধহয়?'

'না। এমনি ফরাসে দেখাতেন। ওঁর চারদিকে লোক ঘিরে বসত। সাধারণত নেটিভ স্টেটগুলোতে ওঁর খুব নাম ছিল। বহু রাজাদের ম্যাজিক দেখিয়েছেন। তা ছাড়া বাবা নানান দেশ ঘুরে ভারতীয় ম্যাজিক সম্বন্ধে নানান তথ্য সংগ্রহ করেছিলেন। সেগুলো একটা বড় খাতায় লেখা আছে। বাবা ইংরিজিতে লিখেছিলেন, নাম দিয়েছিলেন 'ইন্ডিয়ান ম্যাজিক'। ওটা একজন কিনতে চেয়েছেন বাবার কাছে। কুড়ি হাজার টাকা পর্যন্ত অফার করেছেন। বাবা চাচ্ছিলেন আপনাকে একবার লেখাটি দেখাতে। কারণ বাবা ঠিক মনস্থির করতে পারছেন না।'

'কুড়ি হাজার টাকা দিতে চেয়েছে কে জানতে পারি?'

'জাদুকর সূর্যকুমার নন্দী।'

আশ্চর্য! কালই আমরা সূর্যকুমারের ম্যাজিক দেখে এসেছি! একেই ফেলুদা বলে টেলিপ্যাথি।

ফেলুদা বলল, 'বেশ, আমি লেখাটা নিশ্চয়ই দেখব। তা ছাড়া আপনার বাবার সঙ্গে আমার আলাপ করারও যথেষ্ট ইচ্ছে আছে।'

'বাবাও আপনার খুব গুণগ্রাহী। বলেন, অমন শার্প বুদ্ধি বাঙালিদের বড়-একটা দেখা যায় না। আমার মনে হয়, এর মধ্যেই একদিন এসে পড়ুন না। বাবা সন্ধ্যায় রোজই বাড়ি থাকেন।'

'ঠিক আছে। আমরা আজ সন্ধ্যাতেই তা হলে আসি।'

'বেশ তো। এই সাড়ে ছটা নাগাত?'

'তাই কথা রইল।'

২

রামমোহন রায় সরণিতে সোমেশ্বর বর্মনের পেল্লায় বাড়ি। এঁরা আগে পূর্ববঙ্গের জমিদার ছিলেন, অনেকদ্দিন থেকেই কলকাতায় চলে এসেছেন। এখন বাড়িতে অধিকাংশ ঘরই খালি পড়ে আছে। বাড়িতে চাকর বাদে লোক মাত্র পাঁচজন। সোমেশ্বর বর্মন, তাঁর ছেলে নিখিল, মিঃ বর্মনের সেক্রেটারি প্রণবেশ রায়, মিঃ বর্মনের বন্ধু অনিমেষ সেন, আর রণেন তরফদার বলে এক শিল্পী। ইনি নাকি সোমেশ্বরবাবুর একটা পোর্ট্রেট করছেন। এসব খবর আমরা সোমেশ্বরবাবুর কাছ থেকেই পেলাম। ভদ্রলোকের বয়স ধরা যায় না। কারণ চুল এখনও তেমন পাকেনি, চোখ দুটো উজ্জ্বল, যেমন জাদুকরের হওয়া উচিত। আমরা একতলায় সোফায় বসেছিলাম। নিখিলবাবু আমাদের জন্য চায়ের অর্ডার দিলেন।

'আমার বাবা ছিলেন হোমিওপ্যাথিক ডাক্তার।' বললেন সোমেশ্বরবাবু, 'ভাল পসার ছিল। আমি ল' পড়েছিলাম, কিন্তু সেদিকে আর যাইনি। আমার ঠাকুরদাদা ছিলেন তান্ত্রিক। হয়তো তাঁরই কিছুটা প্রভাব আমার চরিত্রে পড়েছিল। আমি ছোটবেলা থেকেই ভারতীয় জাদুবিদ্যায় ঝুঁকি। এলাহাবাদে একটা পার্কে এক বুড়োর ম্যাজিক দেখেছিলাম। তার হাত-সাফাইয়ের কোনো তুলনা নেই। মঞ্চের ম্যাজিকের অর্ধেকই আজ যন্ত্রপাতির সাহায্যে হয়, সেইজন্য তাতে আমার কোনও ইন্টারেস্ট নেই। ভারতীয় ম্যাজিক হল আসল ম্যাজিক, যেখানে মানুষের দক্ষতাই সম্পূর্ণ কাজটা করে। তাই আমি কলেজের পড়া শেষ করে, এইসব ম্যাজিক সংগ্রহ করতে বেরিয়ে পড়ি। সুবিধে ছিল বাবা এসব বিষয়ে খুব উদার ছিলেন। আমি একটা নতুন কিছু করছি, এটাতে তিনি খুশিই হয়েছিলেন। আসলে আমাদের পরিবারে নানান লোকে নানান কাজ

করে এসেছে চিরকালই। ডাক্তার, উকিল, গাইয়ে, অভিনেতা, সাহিত্যিক—সবরকমই পাওয়া যাবে আমাদের এই বর্মন পরিবারে, আর তাদের মধ্যে অনেকেই রীতিমতো সফল হয়েছেন। যেমন আমি হয়েছিলাম জাদুতে। আমার সব রাজা-রাজড়াদের কাছ থেকে ডাক আসত। প্রাসাদের ঘরে ফরাসের উপর বসে ম্যাজিক দেখাতাম—সব লোক হাঁ হয়ে যেত। রোজগারও হয়েছে ভাল। কোনও ধরাবাঁধা ফি ছিল না আমার। কিন্তু যা পেতাম, সেটা প্রত্যাশার অনেক বেশি।'

চা এসে গিয়েছিল। ফেলুদা একটা কাপ তুলে নিয়ে বলল, 'এবার আপনার পাণ্ডুলিপির কথা বলুন। শুনেছি, ভারতীয় জাদু নিয়ে আপনি একটা বড় কাজ করেছেন।'

'তা করেছি,' বললেন সোমেশ্বর বর্মন, 'আমি যা করেছি, তেমন আর-কেউ করেছে বলে আমার জানা নেই। এ-নিয়ে আমি প্রবন্ধ-টবন্ধও লিখেছি, এবং তার ফলেই আমার পাণ্ডুলিপির ব্যাপারটাও জানাজানি হয়ে গেসল। সেই কারণে সূর্যকুমার আমার কাছে আসে। নইলে তার তো জানার কথা নয়। অবিশ্যি জাদুকর হিসেবে সে আমার নাম আগেই শুনেছে।'

'সে কি আপনার পাণ্ডুলিপিটা কিনতে চায়?'

'তাই তো বলে। সে সোজা আমার বাড়িতে চলে এসেছিল। আমার বেশ ভাল লাগে ছেলেটিকে, দেখেছি কেমন একটা স্নেহ পড়ে গিয়েছিল। কিন্তু ওর অফারটায় আমি ঠিক রাজি হতে পারছি না। আমার ধারণা আমার কাজটা খুব জরুরি কাজ, এবং তার মূল্য বিশ হাজারের চেয়ে অনেক বেশি। সেইজন্যেই চাচ্ছিলাম পাণ্ডুলিপিটা আপনি একটু পড়ে দেখুন। আপনার তো নানান বিষয় পড়াশোনা আছে। সেটা আপনার কেসগুলো সম্বন্ধে পড়ে দেখলেই বোঝা যায়।'

'বেশ তো। আমি সাগ্রহে পড়ব আপনার লেখা।'

সোমেশ্বরবাবু তাঁর সেক্রেটারির দিকে ফিরে বললেন, 'প্রণবেশ, যাও তো খাতাটা একবার নিয়ে এসো।'

সেক্রেটারি চলে গেলেন আজ্ঞা পালন করতে।

ফেলুদা বলল, 'আমরা কাল সূর্যকুমারের ম্যাজিক দেখতে গিয়েছিলাম।'

'কেমন লাগল?'

'মোটামুটি।' বলল ফেলুদা, 'তবে ভদ্রলোক হিপ্‌নোটিজ্‌মটা বেশ আয়ত্ত করেছেন। আর যা ম্যাজিক, সবই যন্ত্রের কারসাজি।'

সোমেশ্বরবাবু হঠাৎ সামনের প্লেট থেকে একটা বিস্কুট তুলে নিয়ে, সেটা হাতের মুঠোয় বন্ধ করে, পরমুহূর্তেই হাত খুলে দেখালেন বিস্কুট হাওয়া। তারপর সেটা বেরোল লালমোহনবাবুর পকেট থেকে।

ফেলুদা প্রশংসায় পঞ্চমুখ।

'আপনি ম্যাজিক বন্ধ করে দিলেন কেন? আপনার তো অদ্ভুত হাত!'

ভদ্রলোক মাথা নেড়ে বললেন, 'আমি এখন পাণ্ডুলিপিটা নিয়েই কাজ করব। বইটা ছাপাতে পারলে মনে হয় কাজ দেবে। এ নিয়ে তো বই আর লেখা হয়নি।'

'তা হলে আমি খাতাটা নিলাম।' বলল ফেলুদা, 'আমি পরশু ফেরত দেব। এইরকম সন্ধ্যাবেলা।'

'বেশ, তাই কথা রইল।'

ফেলুদা পরদিন সকালেই বলল, তার নাকি পাণ্ডুলিপি পড়া শেষ হয়ে গেছে। সে সারারাত পড়েছে। 'ভদ্রলোকের হাতের লেখা মুক্তোর মতো—অ্যান্ড ইট্‌স এ গোল্ডমাইন। ছেপে বেরোলে, একটা প্রামাণ্য বই হয়ে থাকবে। বিশ কেন, পঞ্চাশ হাজার দিলেও এ পাণ্ডুলিপি হাত-ছাড়া করা উচিত নয়।'

সন্ধ্যাবেলা সোমেশ্বরবাবুকে গিয়ে আমরা সেই কথাটাই বললাম। ভদ্রলোক শুনে যেন অনেকটা আশ্বস্ত হলেন। বললেন, 'আপনি আমার মন থেকে একটা বিরাট চিন্তা দূর করে দিলেন। আমি দোটানার মধ্যে পড়েছিলাম, কিন্তু আপনি যখন পড়ে এত প্রশংসা করলেন, তখন আবার আমি মনে বল পাচ্ছি। প্রণবেশ পাণ্ডুলিপিটাকে টাইপ করছে—ও-ও অনেকবার বলেছে যে এতে আশ্চর্য সব তথ্য আছে। আমার বন্ধু অনিমেষও সেই একই কথা বলেছে। এবার নিশ্চিন্তে সূর্যকুমারকে না বলে দিতে পারব। ভাল কথা, কাল আমার ঘরে চোর এসেছিল।'

'সে কী!'

'আমার ঘুমটা ভেঙে যায়। আমি কে? বলতেই পালায়।'

'এর আগে কখনও চুরি হয়েছে কি?'

'কক্ষনও না।'

'আপনার ঘরে কোনও ভ্যালুয়েবল জিনিস আছে কি?'

'আছে। কিন্তু সেটা আমার সিন্দুকে থাকে। সিন্দুকের চাবি আমার বালিশের নীচে থাকে। আর সেটা সম্বন্ধে আমার বাড়ির লোকেরা কেউ জানে না।'

'আমি জানতে পারি কি? আমার অদম্য কৌতূহল হচ্ছে।'

'নিশ্চয়ই পারেন।'

ভদ্রলোক উঠে দোতলায় গেলেন। তারপর মিনিট তিনেক পরে এসে একটা ছ'ইঞ্চি লম্বা জিনিস আমাদের সামনে টেবিলের উপর রাখলেন। সেটা একটা বংশীবাদক শ্রীকৃষ্ণের মূর্তি।

'পঞ্চরত্নের তৈরি।' বললেন সোমেশ্বরবাবু, 'তার মানে হিরে, পদ্মরাজ, নীলকান্ত, প্রবাল আর

মুক্তো এর কত দাম জানি না।'

'অমূল্য', বলল ফেলুদা। 'এবং অপূর্ব জিনিস। এ-জিনিস কবে থেকে আছে?'

'এটা পাই রঘুনাথপুরের রাজা দয়াল সিং-এর কাছে। নাইনটিন ফিফটি সিক্সে। আমার ম্যাজিক দেখে খুশি হয়ে দেন আমাকে জিনিসটা।'

'আপনাদের বাড়িতে দারোয়ান নেই?'

'তা আছে বইকী। তা ছাড়া চারজন চাকর আছে। চোরের মনে হয় চাকরের সঙ্গে যোগাযোগ ছিল।'

'যদি না চোর বাড়ির লোক হয়।'

'এ যে আপনি সব্বনেশে কথা বলছেন!'

'আমরা গোয়েন্দারা এরকম কথা বলে থাকি। সেটা সিরিয়াসলি নেবার কোনও দরকার নেই।'

'তাও ভাল।'

'আপনি বোধহয় বিপত্নীক?'

'হ্যাঁ।'

'আপনার ওই একটিই ছেলে?'

'না। নিখিল আমার ছোট ছেলে। বড়টি—অখিল—উনিশ বছর বয়সে বি. এ. পাস করে বিদেশে চলে যায়।'

'কোথায়?'

'সেটা বলে যায়নি। আমাদের ফ্যামিলিতে ভবঘুরেও রয়েছে কিছু কিছু। অখিল ছিল তাদের মধ্যে একজন। অস্থির চরিত্র। বলল, জার্মানি গিয়ে চাকরি করবে। তারপর বেরিয়ে পড়ল। এ হল নাইনটিন সেভেনটির কথা। তারপর আর কোনও যোগাযোগ করেনি। ইউরোপেই কোথাও আছে হয়তো, কিন্তু জানবার কোনও উপায় নেই।'

'আপনার সেক্রেটারি প্রণবেশ এই কৃষ্ণটার কথা জানেন?'

'হ্যাঁ। সে তো আমার ঘরের ছেলের মতোই। আর তাকে তো আমার সব কাগজপত্র, করেসপন্ডেন্স্ ঘাঁটতে হয়।'

'যাই হোক, এবার এটা তুলে রেখে দিন। এমন চমৎকার জিনিস আমি কমই দেখেছি।'

'আমি তা হলে সূর্যকুমারকে না বলে দিই।'

'নির্দ্বিধায়।'

ফেলুদা উঠে পড়ল।

'আমি একবার বাড়ির আশপাশটা ঘুরে দেখতে চাই। চোর কোন কোন জায়গা দিয়ে আসতে পারে, সেটা একবার দেখা দরকার।'

'সবচেয়ে সুবিধে বারান্দা দিয়ে। আসলে আমার দারোয়ান একটু কর্তব্যে ঢিলে দিয়েছে বলে মনে হচ্ছে।'

বাড়ির বারান্দা যে দিকে, সে দিকেই একটা বাগান রয়েছে। তবে সেটাকে খুব যত্ন করা হয় বলে মনে হল না। বাড়ির চারিদিকে বেশ উঁচু কম্পাউন্ড ওয়াল, সেটা টপ্‌কে পেরোনো সহজ নয়। দেয়ালের দুধারে গাছপালাও বিশেষ নেই।

ফেলুদা মিনিট পনেরো ঘোরাঘুরি করে বলল, 'চোর সম্বন্ধে ঠিক শিওর হওয়া গেল না। বাড়ির চোর না বাইরের চোর, সে-বিষয়ে সংশয় রয়ে গেল।'

৩

পরদিন সোমেশ্বরবাবু টেলিফোনে জানালেন যে সূর্যকুমারের সঙ্গে ওঁর কথা হয়ে গেছে। উনি খাতাটা বিক্রি করবেন না বলে দিয়েছেন।

'ভাল কথা।' বললেন লালমোহনবাবু, 'আমার জাদুকর নিয়ে একটা ভাল প্লট মাথায় এসেছে। ভাবছিলাম, সূর্যকুমারের সঙ্গে কী করে একটু কথা বলা যায়।'

'ওকে হোটেলে ফোন করুন।' বলল ফেলুদা, 'কোন হোটেলে আছে সে তো যারা আমাদের টিকিট দিয়েছিল, তারাই বলে দেবে।'

'তা বটে।'

পনেরো মিনিটের মধ্যে লালমোহনবাবু সূর্যকুমারের সঙ্গে কথা বলে, তার সঙ্গে একটা অ্যাপয়েন্টমেন্ট করে নিলেন আমাদের বাড়িতেই। ভদ্রলোক আগামীকাল সকালে সাড়ে ন'টায় আসবেন।

'আপনি কিন্তু আমাকে দেখলেই চিনবেন।' বললেন লালমোহনবাবু, 'আমি সেদিন আপনার দ্বারা হিপ্‌নোটাইজ্‌ড হয়েছিলাম।'

পরদিন একটা মারুতি গাড়িতে ঠিক সাড়ে ন'টার সময় সূর্যকুমার এসে হাজির। লালমোহনবাবু অবিশ্যি মিনিট কুড়ি আগেই চলে এসেছিলেন। সূর্যকুমার ফেলুদাকে দেখে কেমন হক্‌চকিয়ে গেলেন। বললেন, 'আপনার পরিচয়টা পেতে পারি কি? আপনাকে কেমন যেন চেনা চেনা লাগছে।'

ফেলুদা বলল, 'আমার নাম প্রদোষ মিত্র। হয়তো খবরের কাগজে ছবি দেখে থাকবেন।'

'প্রদোষ মিত্র মানে গোয়েন্দা প্রদোষ মিত্র?'

'আজ্ঞে হ্যাঁ।'

'আমার পরম সৌভাগ্য।'

'সৌভাগ্য তো আমারও। আপনার মতো একজন দক্ষ ম্যাজিশিয়ানের পায়ের ধুলো পড়ল আমাদের বাড়িতে, সেও কি কম সৌভাগ্য?'

চায়ের পর লালমোহনবাবু প্রশ্ন আরম্ভ করলেন।

'আপনি কদ্দিন ম্যাজিক দেখাচ্ছেন?'

'তা বারো বছর হল।'

'কারুর কাছে শিখেছেন কি?'

'আমি নক্ষত্র সেন ঐন্দ্রজালিকের সহকারী ছিলাম পাঁচ বছর। তাঁর বয়স হয়েছিল—স্টেজেই ম্যাজিক দেখাতে দেখাতে স্ট্রোক হয়ে মারা যান। তাঁর সব ম্যাজিকের সরঞ্জাম আমার হাতে পড়ে। আমি তাই দিয়েই শুরু করি।'

'আপনাকে কি সারা ভারতবর্ষ ঘুরে খেলা দেখাতে হয়?'

'হ্যাঁ। শুধু ভারতবর্ষ কেন, আমি জাপান আর হংকংও গিয়েছি।'

'বটে?'

'আজ্ঞে হ্যাঁ। আগামী বছর সিঙ্গাপুর থেকে নেমন্তন্ন আছে।'

'আপনার ফ্যামিলি নেই?'

'না। আমি ব্যাচেলার।'

'এখনও ম্যাজিক অভ্যাস করতে হয় আপনাকে, না আর দরকার হয় না?'

'এখনও সকালে দুঘণ্টা হাত-সাফাই প্র্যাক্টিস করি। ওটা থামালে চলে না।'

এবার ফেলুদা একটা প্রশ্ন করল।

'আপনার সঙ্গে সোমেশ্বর বর্মনের বোধহয় আলাপ হয়েছে।'

'আজ্ঞে হ্যাঁ।'

'আপনি তো ভারতীয় জাদুবিদ্যার পাণ্ডুলিপিটা কিনতে চেয়েছিলেন?'

'হ্যাঁ।'

'কেন?'

'আমি ভেবেছিলাম আমার বিলিতি ম্যাজিকের মধ্যে কয়েকটি দিশি আইটেম ঢোকাতে পারলে অ্যাট্রাকটিভ হবে। কিন্তু ভদ্রলোক বই বিক্রি করলেন না। আমি বিশ হাজার অফার করেছিলাম। তবে বিক্রি না করলেও, ওঁর সঙ্গে আমার খুব ভাল সম্পর্ক গড়ে উঠেছে, কারণ আমি ওঁকে সত্যিই শ্রদ্ধা করি। উনি আমার শো শেষ হলে পর ওঁর বাড়িতে গিয়ে আমাকে কয়েকদিন থাকতে বলেছেন।'

'আপনার শো শেষ হচ্ছে কবে?'

'এই রবিবার।'

'এর পর কোথায় যাওয়া?'

'দিন সাতেক বিশ্রামের পর পাটনা যাব।'

লালমোহনবাবুর আরও দু-একটা প্রশ্ন ছিল, তারপরেই ভদ্রলোক বিদায় নিলেন। আমারও ভদ্রলোককে খারাপ লাগল না।

ফেলুদা বলল, 'বিদেশি জামাকাপড় জুতো পরেছে। বোধহয় জাপান কি হংকং-এ কেনা। এমনিতে বেশ শৌখিন লোক, যেমন ম্যাজিশিয়ানরা সাধারণত হয়।'

'সোমেশ্বরবাবুদের সঙ্গে বেশ জমিয়ে নিয়েছেন বলুন?' বললেন লালমোহনবাবু, 'নইলে আর বাড়িতে এসে থাকতে বলে!'

৪

এ সপ্তাহটায় আর কোনও ঘটনা ঘটল না। তারপর যেটা হল, সেটা একেবারে বজ্রপাত! মঙ্গলবার দিন সোমেশ্বরবাবু ফোন করে জানালেন যে তাঁর বাড়িতে খুন হয়েছে তাঁর বহুদিনের বেয়ারা অবিনাশ, আর সেইসঙ্গে সিন্দুক থেকে পঞ্চরত্নের কৃষ্ণ হাওয়া! একসঙ্গে ডবল ট্রাজেডি!

ফেলুদা তৎক্ষণাৎ লালমোহনবাবুকে ফোন করে বলে দিল সোমেশ্বরবাবুর বাড়িতে আসতে, আর আমরা ট্যাক্সি করে চলে গেলাম।

গিয়ে দেখি, পুলিশকেও খবর দেওয়া হয়েছে। ইনস্পেক্টর ঘোষ ফেলুদার চেনা, দেখে বললেন, 'স্রেফ ডাকাতির কেস। খুন করার মতলব ছিল না; সামনে বাধা পেয়ে খুন করেছে। আসল উদ্দেশ্য ছিল সিন্দুক থেকে ওই কৃষ্ণটা নেওয়া। এ বাইরের লোকের কাজ, তাতে কোনও সন্দেহ নেই। এই সেদিন একটা ডাকাতির কেস হয়ে গেছে।'

'ওই কৃষ্ণের কথা কিন্তু এ বাড়ির লোক ছাড়া কেউ জানত না।'

'তা হলে এ বাড়ির ভেতর থেকেই ব্যাপারটা হয়েছে। সোমেশ্বরবাবুর ছেলে আছেন, সেক্রেটারি আছেন, বন্ধু আছেন, আর্টিস্ট রণেন তরফদার আছেন, সূর্যকুমার বলে সেই ম্যাজিশিয়ান কাল থেকে এখানে রয়েছেন; এর মধ্যেই কেউ গিল্‌টি। আর যদি তাই হয়, তা হলে তো আমাদের কাজ অনেক সহজ হয়ে যাচ্ছে।'

'খুনটা কখন হয়েছে?'

'রাত একটা থেকে তিনটের মধ্যে।'

'বেয়ারা কি চোরকে বাধা দিতে গেসল?'

'তাই তো মনে হচ্ছে।'

আমরা বাড়ির ভিতরে ঢুকলাম। একতলার বৈঠকখানায় সোমেশ্বরবাবু মাথায় হাত দিয়ে বসে আছেন। ঘরে আর সকলেই রয়েছে, কেউ দাঁড়িয়ে, কেউ চেয়ারে বসে।

ফেলুদা সোমেশ্বরবাবুকে বলল, 'ঘটনাটা একটু বলবেন? এই বেয়ারা কি আপনার অনেকদিনের বেয়ারা?'

'ত্রিশ বছর। অবিনাশের মতো ভাল লোক পাওয়া খুব দুরূহ।'

'খুনটা কোথায় হয়?'

'একতলায়। চোর সিন্দুক থেকে কৃষ্ণটা নিয়ে পালাচ্ছিল, সেই সময় হয়তো অবিনাশের ঘুম ভেঙে যায়। সে চোরের সামনে পড়ে, হয়তো তাকে ধরতে যায়; সেই সময় চোর তাকে ছুরি মেরে খুন করে।'

'আপনারা কে কোথায় শোন, জানতে পারি?'

'আমার ঘর তো আপনি দেখেইছেন। আমি আর অনিমেষ দোতলায় শুই। বাকি সকলে একতলায় শোয়। কাল সূর্যকুমার এখানে এসেছেন কদিনের জন্য, তাকে একতলায় একটা গেস্ট-রুম দিই।'

'কিন্তু আপনার এই কৃষ্ণর কথা তো বাইরের কেউ জানত না?'

'তা তো না-ই। অথচ বাড়ির কেউ এমন কাজ করে থাকতে পারে, সেটা ভাবা অসম্ভব মনে হচ্ছে।'

'আপনার বালিশের নীচ থেকে চাবি নিল, আর আপনি টের পেলেন না?'

'আমি যে ঘুমের ওযুধ খেয়ে ঘুমোই। সে গভীর ঘুম।'

'সিন্দুকের চাবিটা কি রেখে গেছে?'

'হ্যাঁ। সেটা তালাতেই ঝুলছিল।'

'যে অস্ত্রটা দিয়ে খুন হয়েছিল, সেটা পাওয়া গেছে?'

'না।'

ইনস্পেক্টর ঘোষ এ সময় এসে বললেন, তিনি সকলকে জেরা করতে চান।

ফেলুদা বলল, 'আপনার জেরার পর আমি যদি একটু জেরা করি, তা হলে আপনার আপত্তি নেই তো?'

'মোটেই না। আপনার কীর্তিকলাপের সঙ্গে আমি বিলক্ষণ পরিচিত। নইলে প্রাইভেট ডিটেকটিভকে আমরা বিশেষ পাত্তা দিই না।'

ইনস্পেক্টর ঘোষ সোয়া ঘণ্টা ধরে সকলকে জেরা করলেন। আমরা ততক্ষণ চা-টা খেলাম। সোমেশ্বরবাবু যথেষ্ট আঘাত পেয়েছেন—খুনের ব্যাপারেও, চুরির ব্যাপারেও। কিন্তু তাতে আতিথেয়তার কোনওরকম ত্রুটি হল না।

আমরা চা খেয়ে বাইরে বাগানে বেরিয়ে গিয়েছিলাম। কিছুক্ষণ পরে ইনস্পেক্টর ঘোষ এসে বললেন, 'আমার কাজ শেষ। এবার আপনি টেক-ওভার করুন।'

ফেলুদা ভিতরে গিয়ে প্রথমেই সোমেশ্বরবাবুর ছোট ছেলে নিখিলবাবুকে নিয়ে পড়ল। আমরা নিখিলবাবুর ঘরেই বসলাম।

ফেলুদা প্রথমেই জিজ্ঞেস করল, 'আপনি কী করেন?'

'আমার একটা অকশন-হাউস আছে মিরজা গালিব স্ট্রিটে।'

'কী নাম?'

'মডার্ন সেল্‌স ব্যুরো।'

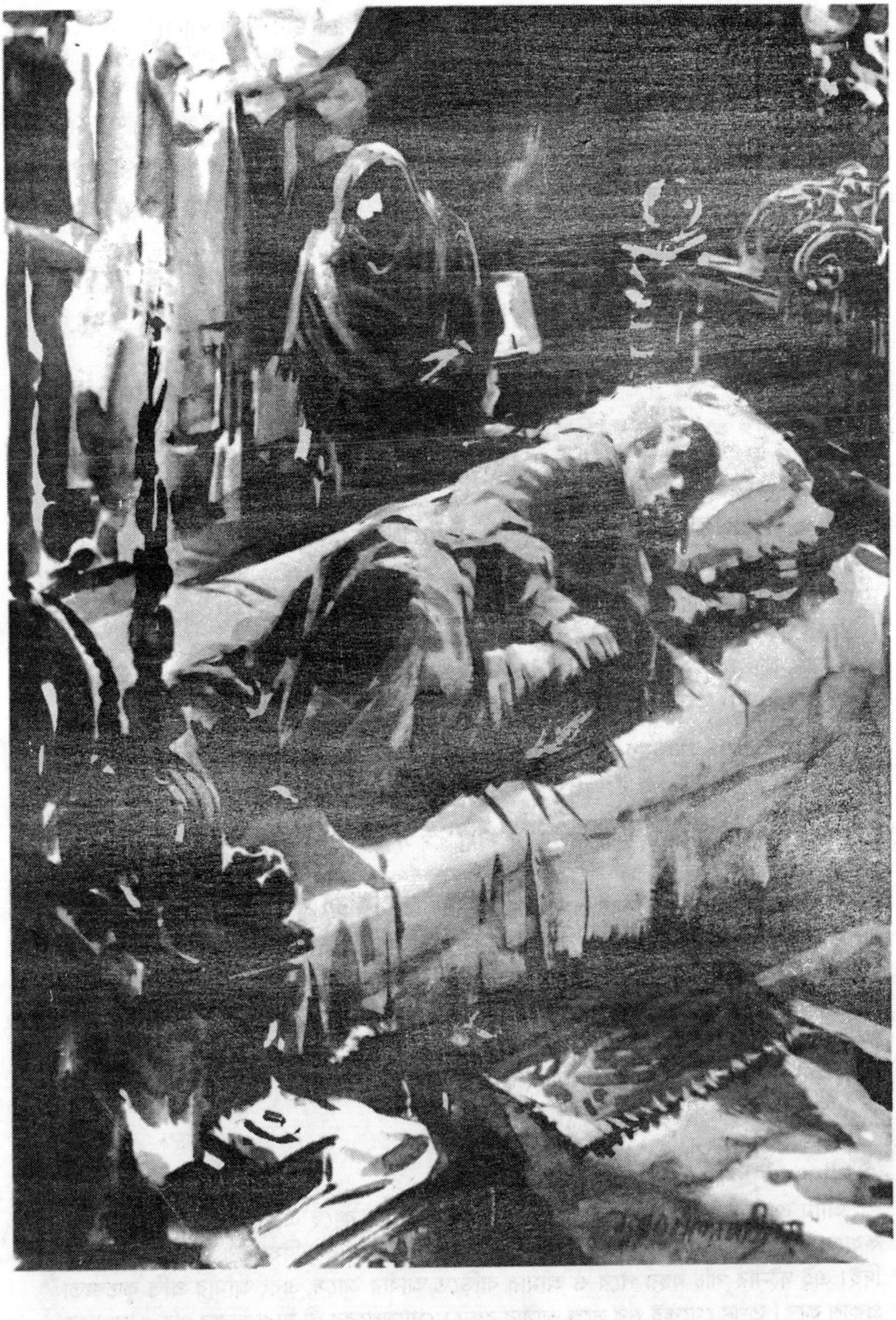

'জানি, দোকানটা দেখেছি।'

'তা দেখে থাকতে পারেন। ওখানে আমি সকাল দশটা থেকে ছটা পর্যন্ত থাকি।'

'ব্যবসা কী রকম চলে?'

'ভালই।'

'আপনি আর্ট সম্বন্ধে ইন্টারেস্টেড?'

'আমার কাজের মধ্যে দিয়ে তো অনেক রকম আর্টের জিনিসপত্র আমাদের ঘাঁটতে হয়। সেই সূত্রে বেশ কিছু জানা হয়ে গেছে।'

'কত বছর হল আপনি এ কাজ করছেন?'

'সাত বছর।'

'আপনার বয়স কত?'

'তেত্রিশ চলছে।'

'আপনার দাদা আপনার চেয়ে কত বড়?'

'তিন বছর।'

'দাদার সঙ্গে আপনার সদ্ভাব ছিল?'

'দাদা মিশুকে ছিলেন না। কথাও বেশি বলতেন না, বন্ধু-বান্ধবও বেশি ছিল না। সত্যি বলতে কী, দাদার কারুর উপরেই টান ছিল না—এমনকী আমার উপরেও না।'

নিখিলবাবুর কথা শুনে আমার কেন যে একটু অদ্ভুত লাগছিল, সেটা কিছুতেই ভেবে বের করতে পারলাম না।

'বিদেশে গিয়ে দাদা আপনাকে চিঠি লেখেননি?' ফেলুদা জিজ্ঞেস করল।

'না। শুধু আমাকে না, কাউকেই লেখেননি।'

'বাবার ম্যাজিকে আপনার কোনও ইন্টারেস্ট ছিল না?'

'নিশ্চয়ই ছিল। তবে বাবা তো বেশির ভাগ ম্যাজিক বাইরে দেখাতেন; সেগুলো আর আমার দেখা হত না।'

'নিজে ম্যাজিক করার শখ হয়নি?'

'তা হয়নি। শুধু দেখতেই ভাল লাগত।'

'এই যে অঘটনটা ঘটল, এটার জন্য কে দায়ী, সে সম্বন্ধে আপনার কোনও ধারণা আছে?'

'না। একেবারেই নেই। তবে বাবাকে আমি অনেকবার বলেছি কৃষ্ণটা বাড়িতে না রেখে ব্যাঙ্কে রাখা উচিত। বাবা আমার কথায় কান দেননি।'

নিখিলবাবুর সঙ্গে কথা শেষ করে, আমরা সোমেশ্বরবাবুর বন্ধু অনিমেষবাবুর কাছে গেলাম। খাট আর চেয়ার ভাগ করে আমরা বসলাম ভদ্রলোকের ঘরে।

ফেলুদা জিজ্ঞেস করল, 'আপনি কী করেন?'

'আমি কিছুই করি না।' বললেন অনিমেষবাবু, 'আমার বাবা ছিলেন উকিল। তিনি অনেক তলার একটা বাড়ি তৈরি করে গেসলেন, সেটার ভাড়া থেকেই আমার চলে যায়।'

'সোমেশ্বরবাবুর সঙ্গে আপনার বন্ধুত্ব কত দিনের?'

'তা প্রায় বিশ বছর।'

'কী করে সূত্রপাত হয়?'

'আমি এককালে জ্যোতিষ করতাম। সোমেশ্বর আমার কাছে এসেছিল তার ভাগ্য গণনা করাতে। ও তখন সবে ম্যাজিক দেখাতে শুরু করেছে। আমি ওর ভবিষ্যতের খ্যাতির কথা বলে দিই। এই ঘটনার পাঁচ বছর পরে ও আমার বাড়িতে আবার আসে, এবং আমার প্রতি কৃতজ্ঞতা প্রকাশ করে। তখন থেকেই ওর সঙ্গে আমার বন্ধুত্ব। সোমেশ্বরের স্ত্রী মারা যাবার পর ও আমাকে

ওর বাড়িতে এসে থাকতে বলে—বোধহয় একাকিত্ব খানিকটা কাটবে বলে। তখনই আমি চলে আসি। সে আজ পনেরো বছর হল।'

'পঞ্চরত্নের কৃষ্ণটা আপনি কবে দেখেন?'

'ওটার কথা তো আমি আমার গণনায় বলি। ওটা পাওয়া মাত্র ও আমাকে দেখায়।'

'এই চুরি এবং খুন কে করতে পারে, সে বিষয়ে আপনার কোনও ধারণা আছে?'

'বাড়ির চাকরের সঙ্গে যোগসাজশ আছে, এমন কোনও চোর বলেই আমার বিশ্বাস। আমার ধারণা, ও সিন্দুক খুলে টাকা নিতে গেসল। তারপর সামনে ওই ঝলমলে কৃষ্ণটা দেখে, সেইটে নিয়ে নেয়। বাড়ির কোনও লোক এ ব্যাপারে জড়িত, এ বিশ্বাস করতে আমার মন চায় না।'

৫

সোমেশ্বরবাবুর সেক্রেটারি প্রণবেশবাবু বললেন, উনি পাঁচ বছর থেকে সেক্রেটারির কাজ করছেন। ওঁর নিজের বাড়ি একটা ছিল ভবানীপুরে, কিন্তু এ-বাড়িতে এত ঘর আছে দেখে, সোমেশ্বরবাবুই প্রস্তাব করেন এই বাড়িতে এসে থাকার জন্য। প্রণবেশবাবুও আপত্তি করেননি।

'মনিব হিসেবে সোমেশ্বরবাবু কেমন লোক?'

'চমৎকার। সেদিক দিয়ে আমার কিছু বলার নেই।'

'কাজটা কেমন লাগে?'

'সোমেশ্বরবাবু যে-সব তথ্য সংগ্রহ করেছেন, সেগুলো আশ্চর্য। টাইপ করতে করতে আমি যে কত কী নতুন জিনিস জানতে পারছি, তা বলতে পারি না।'

'আপনি কটা পর্যন্ত করেন?'

'রাত আটটা, ন'টা...'

'আপনি ত একতলায় শোন।'

'হ্যাঁ।'

'ঘুম কেমন হয়?'

'ভালই।'

'কাল কোনও কারণে—কোনও শব্দে বা ওই জাতীয় কিছুতে আপনার ঘুম ভেঙে যায়নি?'

'না। আমি ঘটনাটা জেনেছি সকালে উঠে।'

'এ-বাড়ির কাউকে আপনার সন্দেহ হয়? কৃষ্ণটার বিষয় যখন শুধু এ-বাড়ির লোকেরাই জানত, তখন হয়তো অপরাধীও এ-বাড়িতেই রয়েছে।'

'সে হতে পারে। আমিও তো সাসপেক্টদের মধ্যে পড়ছি।'

'তা পড়ছেন বইকী।'

'পুলিশ অবিশ্যি পুরো বাড়ি সার্চ করবে, কিন্তু অতটুকু জিনিস লুকোনোর জায়গার তো অভাব নেই। তারপর সুযোগ বুঝে বার করে নিলেই হল।'

সোমেশ্বরবাবুর যিনি অয়েল পেন্টিং করছিলেন, তিনিও এই বাড়িতেই থাকেন। অন্তত যতদিন না ছবি শেষ হচ্ছে, ততদিন থাকবেন। এই ভদ্রলোককে আমার কেন জানি একটু অদ্ভুত লাগে। প্রথমত চেহারাটা অদ্ভুত—চাপ-দাড়ি, চুল কাঁধ অবধি নেমে এসেছে। তারপর ভদ্রলোক কথা অত্যন্ত কম বলেন। কাজ অবিশ্যি ভালই করেন, কারণ সোমেশ্বরবাবুর যেটুকু ছবি আঁকা হয়েছে সেটা আমি দেখেছি, আর সেটা ভালই হয়েছে।

ইনিও একতলায় থাকেন। ফেলুদা তাঁর দরজায় গিয়ে টোকা মারল।

ভদ্রলোক দরজা খুলে ফেলুদার দিকে একটা জিজ্ঞাসু দৃষ্টি দিলেন।

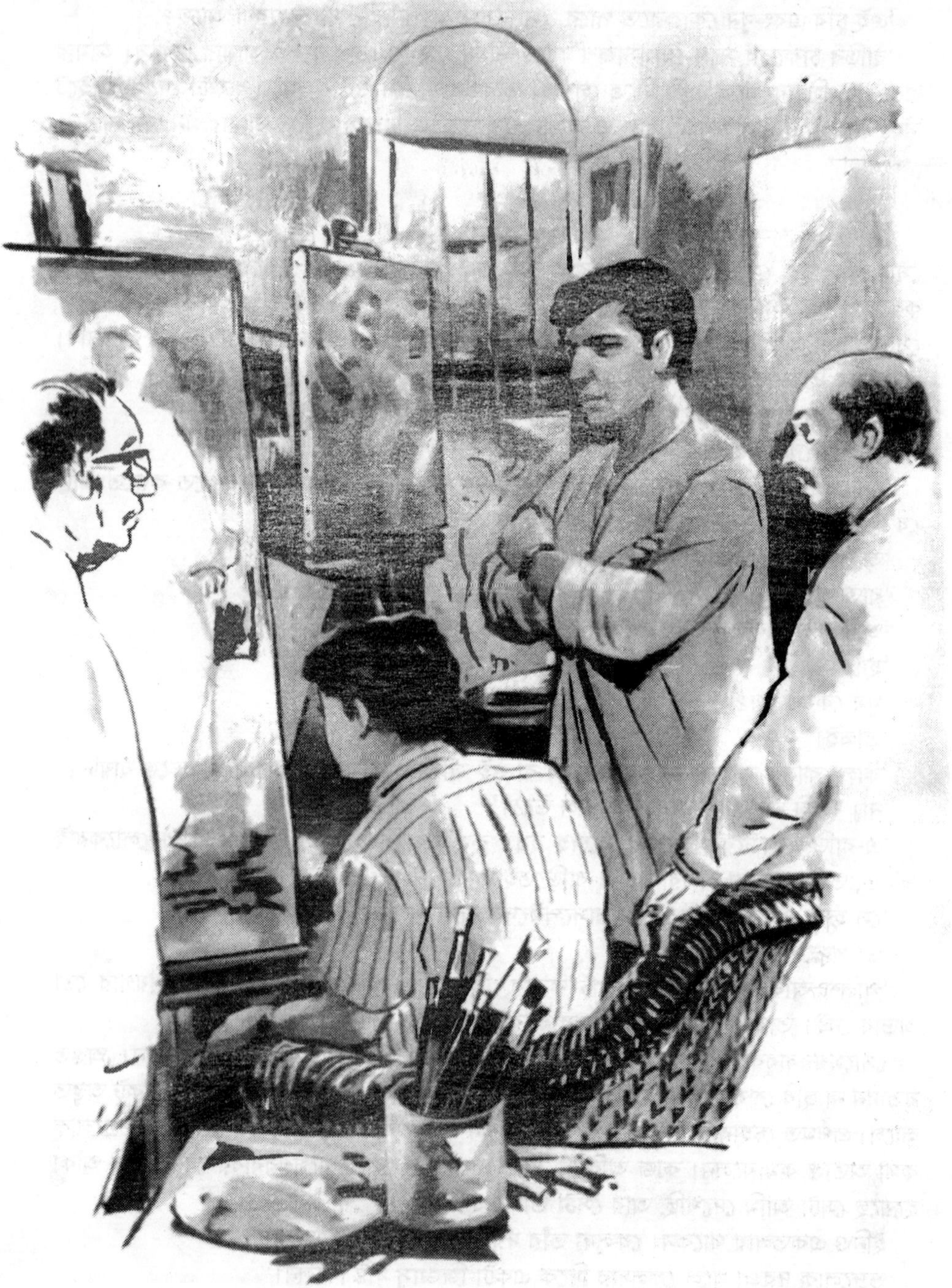

'আপনাকে কয়েকটা প্রশ্ন করার ছিল।' বলল ফেলুদা।

'বেশ তো, ভেতরে আসুন।'

অগোছালো ঘর, যেটা হবে বলে আমি আন্দাজ করেছিলাম। আমরা মোড়া চেয়ার বিছানা মিলিয়ে বসলাম।

'আপনার নাম তো রণেন তরফদার?'

'আজ্ঞে হ্যাঁ।'

'আপনি কদিন হল এ-বাড়িতে আছেন?'

'যেদিন থেকে ছবিটা আঁকা শুরু করেছি। তার মানে দেড় মাস।'

'আপনার একটা পোর্ট্রেট করতে কত সময় লাগে?'

'ফুল ফিগার হলে, এবং দিনে অন্তত দুঘণ্টা সিটিং পেলে, মাস দেড়েক হয়ে যায়।'

'তা হলে এখানে এতদিন লাগছে কেন?'

'এখানে সোমেশ্বরবাবু দিনে এক ঘণ্টার বেশি সিটিং দেন না। তারপর আমাকে ওঁর ভাল লেগেছে বলে, উনি চান আমি এখানেই থাকি। আসলে সোমেশ্বরবাবু বেশ সাঙ্গোপাঙ্গ নিয়ে থাকতে ভালবাসেন। ওঁর এক ছেলে বিলেতে। মেয়ের বিয়ে এবং স্ত্রীর মৃত্যুর পরে, উনি ভয়ানক একা হয়ে গেসলেন। এ-বাড়িটাকে উনি খানিকটা ভরাট করতে চান, এটা আমার ধারণা।'

'আপনি পেন্টিং কোথায় শিখেছিলেন?'

'আমি ফ্রান্সে শিখি তিন বছর। তা ছাড়া প্রথমে কলকাতার গভর্নমেন্ট কলেজ অফ্ আর্টে শিখেছি।'

'পোর্ট্রেট করে রোজগার ভাল হয়?'

'এখন আর হয় না। ফোটোগ্রাফির যুগে আসল-পোর্ট্রেটের কদর অনেক কমে গেছে। আমিও তাই অ্যাবস্ট্র্যাক্ট পেন্টিং-এ চলে যাচ্ছি। সোমেশ্বরবাবুর পৃষ্ঠপোষকতা না-পেলে, আমার অবস্থা খুবই কাহিল হত।'

'আপনি পঞ্চরত্নের কৃষ্ণ সম্বন্ধে জানতেন?'

'হ্যাঁ। ওটা আমাকে সোমেশ্বরবাবু দেখিয়েছিলেন। বলেছিলেন, তুমি আর্টিস্ট, তুমি এর কদর করতে পারবে।'

'কালকের খুন এবং ডাকাতি সম্বন্ধে আপনার নিজের কোনও থিওরি আছে?'

'বাড়ির লোক এ-কাজ করতে পারে না। আমার মনে হয়, চোর সিন্দুক থেকে টাকা নিতে গিয়ে কৃষ্ণটা দেখে সেটা নিয়ে নেয়। তারপর নীচে বেয়ারার সামনাসামনি পড়ে, ওকে খুন করে। আত্মরক্ষা ছাড়া খুনের আর কোনও মোটিভ আছে বলে আমার মনে হয় না।'

'অনেক ধন্যবাদ।'

ফেলুদা উঠে পড়ল।

আর দুজন বাকি রইল—সূর্যকুমার আর সোমেশ্বরবাবু। আমরা সূর্যকুমারের কাছেই আগে গেলাম। ভদ্রলোক কেমন যেন গুম্ মেরে গেছেন। তিনি এ-বাড়িতে আসার দিনই ঘটনাটা ঘটল, এই জন্যই বোধহয়।

ফেলুদা বলল, 'আপনার ভাগ্যটা খুব খারাপ দেখছি।'

'আর বলবেন না!' বললেন ভদ্রলোক, 'সোমেশ্বরবাবু এত আপ্যায়ন করে আমায় থাকতে বললেন, আর প্রথম রাত্রেই কী কাণ্ড! আমি একবারে থ মেরে গেছি।'

'রাত্রে কোনওরকম শব্দ-টব্দ পাননি?'

'একেবারেই না। আমি এমনিতে খুব ভাল ঘুমোই। এক ঘুমে রাত কাবার হয় আমার।

কাজেই আমি কিছুই শুনিনি।'

'এ-বাড়ির সকলের সঙ্গে আলাপ হয়েছে?'

'যা হয়েছে, তাকে আলাপ বলা যায় না। একমাত্র সোমেশ্বরবাবু ছাড়া।'

'যে জিনিসটা চুরি হয়েছে, সেটা আপনি দেখেননি?'

'কী করে দেখব? প্রথমত ঠিক করে জানি না জিনিসটা কী। শুধু কৃষ্ণ শুনেছি, এই পর্যন্ত।'

'কৃষ্ণই বটে, তবে পঞ্চরত্নের তৈরি। যেমন সুন্দর, তেমন ভ্যালুয়েব্‌ল। লাখখানেকের উপর দাম হবে। ...আপনি কি এখনও এখানেই থাকবেন?'

'সোমেশ্বরবাবু তো তাই বলছেন। বলছেন, "আপনাকে ডেকে এনে, চলে যেতে বলার কোনও প্রশ্নই ওঠে না। তবে আপনার থাকাটা আপনার পক্ষে তেমন সুখকর হতে পারল না, এই যা দুঃখ।"'

'আপনি যখন আছেন, তখন প্রয়োজনে আপনাকে আবার প্রশ্ন করা চলবে তো?'

'নিশ্চয়ই। এ নিয়ে তো কোনও কথাই উঠতে পারে না।'

এরপর আমরা সোমেশ্বরবাবুর কাছে গেলাম। ভদ্রলোক এখনো মুহ্যমান অবস্থায় রয়েছেন।

ফেলুদা বলল, 'আপনি কতটা ঘা খেয়েছেন, সেটা বুঝতে পারছি। কিন্তু আমি যখন এখানে উপস্থিত রয়েছি, তখন কৌতূহলবশত আপনাকে দু-একটা প্রশ্ন না-করে পারছি না।'

'তা তো করবেনই। আপনার তো পেশাই এটা।'

'আপনি কোনওরকম টের পাননি, না?'

'টের পাইনি, তবে আঘাত পেয়েছি প্রচণ্ড। প্রথমত আমার অবিনাশ বেয়ারার এই দশা। লোকটা যে কী কাজের ছিল, তা বলতে পারি না। আর আমাকে কতটা মান্য করত, সেও বলে বোঝাতে পারব না। দ্বিতীয়ত, আমার পঞ্চরত্নের কৃষ্ণ। দয়াল সিং নিজে হাতে তুলে দিয়েছিলেন জিনিসটা আমায়। বললেন, "তুমি শিল্পীর সেরা শিল্পী—তোমাকে এর চেয়ে কম পারিশ্রমিক দেওয়া যায় না।" আর সেই পঞ্চরত্নের কৃষ্ণ চলে গেল! আর তা ছাড়া—' সোমেশ্বরবাবু কী যেন বলতে গিয়ে, অন্যমনস্ক হয়ে পড়লেন।

তারপর কয়েক মুহূর্ত পরে প্রায় আপন মনেই বললেন, 'আমি কি ভুল করলাম? আশা করি ভুল করেছি। কারণ জিনিসটা সত্যি হলে, আমার পক্ষে আরও দ্বিগুণ বেদনাদায়ক হবে।'

'আপনি কীসের কথা বলছেন?' ফেলুদা জিজ্ঞেস করল।

'সে আপনি জানতে চাইবেন না, কারণ আপনাকে বলতে পারব না।'

'আপনি কিছু টের পাননি?'

'টের পেয়েছি, কিন্তু পেয়েও কিছু করতে পারিনি।'

'আপনার কথায় একটা রহস্যের সুর রয়েছে, সেটা আপনি উদঘাটন করবেন কি? করলে, আমাদের অনেক সুবিধে হত।'

'সে অনুরোধ আমায় করবেন না, মিঃ মিত্তির। আপনি যদি এবার আমাকে রেহাই দেন, আমি বাধিত হব।'

'নিশ্চয়ই, নিশ্চয়ই—।'

আমরা তিনজন উঠে পড়লাম।

'তবে আমি নিজের স্বার্থে তদন্ত করতে চাই আপনার বাড়ির এই দুর্ঘটনার ব্যাপারে। তাতে আশা করি আপনার আপত্তি হবে না।'

'মোটেই না, অপরাধী যেই হোক না, তাকে ধরা কর্তব্য।'

৬

বাড়ি এসে লালমোহনবাবু বললেন, 'সোমেশ্বরবাবুর কথাগুলো ভারী রহস্যজনক মনে হচ্ছিল, তাই না?'

'ঠিকই বলেছেন।' বলল ফেলুদা।

'আমার মনে হয়, ভদ্রলোক বেশ কিছু কথা লুকিয়ে গেলেন।'

'আমারও সেই রকমই মনে হয়েছে।'

'আপনি নিজে কী বুঝেছেন?'

'একেবারে অন্ধকারে আছি, তা নয়। তবে ম্যাজিকের জগৎ নিয়ে একটু অনুসন্ধান চালাতে হবে। তা ছাড়া অকশন-হাউসও একটা ব্যাপার আছে। আমি বরং একটু ঘুরে আসি। আপনারা দুজনে আড্ডা মারুন।'

আমি একটা কথা এই বেলা ফেলুদাকে না বলে পারলাম না। 'আচ্ছা ফেলুদা, নিখিলবাবুর কথা শুনে কি তোমার কিছু মনে হয়েছিল?'

'সেটা মনে হওয়া অস্বাভাবিক নয়। কেন নয়, সেটা অবিশ্যি তোকে ভেবে বার করতে হবে।'

ফেলুদা বেরিয়ে গেল।

লালমোহনবাবু বললেন, 'আমার কিন্তু এই আর্টিস্ট ভদ্রলোককে মোটেই ভাল লাগছে না। অবিশ্যি চাপ-দাড়ির বিরুদ্ধে আমার একটু প্রেজুডিস আছে এমনিতেই।'

'সূর্যকুমার ভদ্রলোকটিকে আপনার ভাল লাগছে?'

'ও-ও কেমন যেন পিকিউলিয়ার। তবে প্রথম দিন এসেই ও সিন্দুক খুলবে বলে মনে হয় না। ওই বাড়ির সঙ্গে তো ওর বিশেষ পরিচয় নেই। কোনটা কার ঘর, কোথায় সিন্দুক আছে, কোথায় সিন্দুকের চাবি আছে—এসব জানা ওর পক্ষে সম্ভব নয়। তবে এটা ঠিক যে এ চোর খুনি-চোর। ওকে যখন বেয়ারা দেখে ফেলল, তখন তো ও ওকে ঘুঁষি মেরে অজ্ঞান করে দিতে পারত। পালানো নিয়ে তো কথা, আর বেয়ারার বয়সও ষাটের কাছাকাছি। বোঝা যাচ্ছে যে চোর ছুরি হাতে নিয়েই কুকীর্তিটা করতে বেরিয়েছিল।'

'এটা আপনি ঠিকই বলেছেন।'

'সোমেশ্বরবাবুও কী বলতে গিয়ে বললেন না, সেটা জানতে ইচ্ছা করে। আমার মনে হয় ওখানে একটা ইম্পর্ট্যান্ট ক্লু লুকিয়ে আছে।'

ঠিক এই সময় একটা ফোন এল। তুলে 'হ্যালো বলতে ওদিক থেকে প্রশ্ন এল, 'মিঃ মিত্তির আছেন?'

ইনস্পেক্টর ঘোষ। বললাম, 'ফেলুদা একটু বেরিয়েছে।'

ভদ্রলোক বললেন, 'ওঁকে বলে দেবেন যে কালপ্রিট ধরা পড়েছে। গোপচাঁদ বলে এক চোর—রিসেন্টলি জেল থেকে বেরিয়েছে। অবিশ্যি লোকটা স্বীকার করেনি এখনও, কিন্তু সেদিন রাত্রে ও বেরিয়েছিল, সে খবর আমরা পেয়েছি। এটা আপনি জানিয়ে দেবেন। আর স্বীকারোক্তি পেলে, আবার আপনাকে টেলিফোন করব। আপনার দাদাকে নিশ্চিন্ত হতে বলে দেবেন।'

আমি ফোন রেখে দিলাম। মনটা কেমন জানি দমে গেল। এ তো ঠিক জমল না।

ঘণ্টা দেড়েক পরে ফেলুদা আসাতে, আমি প্রথমেই ওকে ইনস্পেক্টরের কথাটা বললাম। ফেলুদা যেন গা-ই করল না। বলল, 'সূর্যকুমারের ম্যাজিক খুব ভাল চলছে না, নিখিলবাবুর দোকানের অবস্থাও ভাল নয়। আর আমাদের আর্টিস্ট রণেন তরফদার গভর্নমেন্ট কলেজ অফ্ আর্টের ছাত্র ছিলেন না। প্যারিসে আঁকা শিখেছিলেন কিনা, সেটা অবিশ্যি জানতে পারিনি।'

'তা হলে এখন কী করণীয়?' লালমোহনবাবু প্রশ্ন করলেন।

'আমার দিক থেকে মোটামুটি কাজ শেষ। এখন রইল শুধু রহস্য উদ্‌ঘাটন। দাঁড়ান, আগে ইনস্পেক্টর ঘোষকে একটা ফোন করি।'

ফেলুদা ফোনে প্রথমেই বলল, 'আপনার সমাধান যে মানতে পারছি না, মিঃ ঘোষ।'

ঘোষের উত্তরের পর ফেলুদা বলল, 'আমার ধারণা খুনি ওই বাড়িরই লোক। আপনি এক কাজ করুন। আমার সমাধান রেডি। আমি আজ বিকেলে সেটা ঘোষণা করতে চাই সোমেশ্বরবাবুর ওখানে। আপনিও আসুন। আমার কথা শুনে আপনার যদি কিছু বলার থাকে বলবেন। আমার এ অনুরোধটা আপনাকে রাখতেই হবে। তা ছাড়া আপনাকে খুনিকে গ্রেপ্তার করার জন্য তৈরি হয়ে আসতে হবে।... থ্যাঙ্ক ইউ।'

ফেলুদা ফোন রেখে বলল, 'ভদ্রলোক রাজি। গোপচাঁদ—হুঁ! এইজন্যই মাঝে মাঝে পুলিশের উপর থেকে ভক্তি চলে যায়।'

এরপর ফেলুদা সোমেশ্বরবাবুকে একটা ফোন করে, বিকেলে ওঁর ওখানে যাবার কথাটা বলে দিল। সেই সঙ্গে এ-ও বলে দিল যে সবাই যেন উপস্থিত থাকে।

বিকেল পাঁচটায় আমরা সোমেশ্বরবাবুর নীচের বৈঠকখানায় জমায়েত হলাম। ইনস্পেক্টর ঘোষ আর দুজন কন্‌স্টেবল এসে গিয়েছিল আগেই।

সকলে যে-যার জায়গায় বসলে পর, ফেলুদা শুরু করল।

'প্রথমেই আমাদের যে প্রশ্নটার সামনে পড়তে হচ্ছে, সেটা হল চোর বাইরের লোক না ভেতরের লোক। এখানে প্রথম যেদিন চোর আসে, তার পরদিন আমি এসেছিলাম। বাড়ির চারদিকে ঘুরে মনে হয়েছিল—এখানে বাইরে থেকে চোর ঢোকা খুব মুশকিল। বারান্দার থাম বেয়ে উঠলেও, জিনিসপত্তর চুরি করে থাম বেয়ে নামার সুবিধে নেই। কাজেই আমার বাড়ির লোকের কথাই বেশি করে মনে হয়েছিল, এবং চোরের দৃষ্টি যে কীসের দিকে, সে সম্বন্ধেও আমার মনে কোনও সন্দেহ ছিল না।

'এবার চুরি এবং খুনের পর আমি সকলকে জেরা করি। সোমেশ্বরবাবুকে জেরা করতে জানতে পারলাম তিনি এটা টের পেয়েছিলেন, কিন্তু বাধা দেবার কোনওরকম চেষ্টা করেননি। এতে মনে হয় তিনি চোরকে দেখে একেবারে হতচকিত হয়ে গিয়েছিলেন। কিন্তু চুরির পর যে খুন হবে, সেটা তাঁর পক্ষে জানা সম্ভব ছিল না। চুরির মোটিভ অবশ্য একটাই হতে পারে; চোরের হঠাৎ বেশ কিছু টাকার দরকার পড়ে গেসল।

'এ-বাড়িতে যাঁরা থাকেন, তাঁদের মধ্যে রণেন তরফদার ছবি এঁকে রোজগার করছিলেন, সাময়িকভাবে তাঁর অবস্থা স্বচ্ছন্দই বলা যেতে পারে। এ অবস্থায় তাঁর পক্ষে চুরি করাটা অস্বাভাবিক। অনিমেষবাবু ভালই আছেন বন্ধুর আতিথেয়তায়, কাজেই তাঁকে বাদ দেওয়া যেতে পারে।

'এবার নিখিলবাবুতে আসা যাক। নিখিলবাবুর একটা অকশন-হাউস আছে। আমি খোঁজ নিয়ে জেনেছি, সে অকশন-হাউসের অবস্থা খুব ভাল না। সুতরাং নিখিলবাবুর পক্ষে পঞ্চরত্নের কৃষ্ণটা পাওয়া খুবই লাভজনক হবে। কারণ তিনি নিজের অবস্থা সামলে নিতে পারবেন। আমার ধারণা, প্রথম দিন নিখিলবাবুই চুরির চেষ্টা করতে গিয়ে ব্যর্থ হন।'

নিখিলবাবু বলে উঠলেন, 'আপনি বিনা প্রমাণে দোষী সাব্যস্ত করছেন?'

ফেলুদা বলল, 'এখানে শেষ তো হয়নি—আপনি তো চুরি করতে পারেননি। কাজেই আপনি উত্তেজিত হচ্ছেন কেন? আমি বলছি না যে আমার যুক্তি অকাট্য। আমি শুধু অনুমান করছি। আপনি আপত্তি করতে চান তো করতে পারেন, কারণ আসল ঘটনা হল দ্বিতীয় দিনের!'

'প্রথম আর দ্বিতীয় দিনের ঘটনার মধ্যে একটি নতুন লোক এসে এ বাড়িতে উঠেছেন, তিনি হলেন জাদুকর সূর্যকুমার। এটাও আমি খোঁজ নিয়ে দেখেছি যে সূর্যকুমার তাঁর প্রদর্শনীতে লোকসান দিচ্ছে। আমরা যেদিন তাঁর ম্যাজিক দেখতে যাই, সেদিনও হলে অনেক সিট খালি ছিল। এই সূর্যকুমার কি চুরি করে থাকতে পারেন? কারণ তাঁর টাকার দরকার ছিল অবশ্যই।'

সূর্যকুমার বলে উঠলেন, 'ভুলে যাচ্ছেন মিঃ মিত্তির, আমি সোমেশ্বর বর্মনের সিন্দুক ও তার মধ্যে পঞ্চরত্নের কৃষ্ণ সম্বন্ধে কিছুই জানতাম না।'

'সূর্যকুমারবাবু,' ফেলুদা বলল, 'এবারে আমি আপনাকে একটা প্রশ্ন করতে চাই। সোমেশ্বরবাবুর আপনাকে খুব ভাল লেগে গিয়েছিল, তাই না?'

'তা লেগেছিল নিশ্চয়ই, তা না হলে আর আমাকে এখানে থাকতে বলবেন কেন?'

'কেন ভাল লেগেছিল, সে বিষয় আপনার কিছু বলার আছে?'

'না।'

'আমি যদি বলি যে আপনি তাঁকে তাঁর প্রথম সন্তানের কথা মনে করিয়ে দিয়েছিলেন। ইন ফ্যাক্ট তিনি বিশ্বাস করেছিলেন আপনিই তাঁর বড় ছেলে? সোমেশ্বরবাবু, আমি কি খুব ভুল বলেছি?'

'কিন্তু আমার ছেলেই আমার শত্রু হল শেষ পর্যন্ত?'

'সূর্যকুমারবাবুর গলার আওয়াজ একটু পাতলা, যার ফলে তাঁর ব্যক্তিত্বের কিছুটা হানি হয়। আমি নিখিলবাবুর কণ্ঠস্বরেও ঠিক একই পাতলা ভাব পেয়েছি। চেহারা দাড়ি-গোঁফ লাগিয়ে যতই পরিবর্তন করা যাক না কেন, কণ্ঠস্বর তো আর বদলানো যায় না। আমার মনে হয় এই কণ্ঠস্বরেই সোমেশ্বরবাবু চিনেছিলেন।'

'ঠিকই বলেছেন মিঃ মিত্তির, অখিলের গলার আওয়াজ আমি চিনেছিলাম।'

'তা হলে সূর্যকুমারও পঞ্চরত্নের কৃষ্ণের কথাটা জানতেন?'

'আমি জানতে পারি,' বললেন সূর্যকুমার ওরফে অখিল বর্মন, 'কিন্তু সে কৃষ্ণ সিন্দুকে ছিল না। আমি কিছুই চুরি করিনি।'

ঘরের মধ্যে একটা শোরগোল পড়ে গেল। আমিও অবাক! কৃষ্ণ ছিল না সিন্দুকের মধ্যে, তবে সেটা কোথায় গেল?

'না, কৃষ্ণ ছিল না ঠিকই।' বলল ফেলুদা, 'আপনি চোর নন, কিন্তু আপনি খুনি।'

'কিন্তু আমার কৃষ্ণ কোথায় গেল?' চেঁচিয়ে উঠলেন সোমেশ্বরবাবু।

'এই যে আপনার কৃষ্ণ।'

ফেলুদা তার কোটের পকেট থেকে জিনিসটা বার করে তার সামনে টেবিলের উপর রেখে দিল।

'আপনাদের বাড়িতে দুবার চোর আসেনি। তিনবার এসেছিল। আমি যখন খবর পাই সূর্যকুমার এ-বাড়িতে এসে থাকছেন, তখনই আমার সাবধানতা অবলম্বন করার ইচ্ছেটা জাগে। নিখিলবাবুর সঙ্গে গলার আওয়াজ আর কথা বলার ঢং-এ মিল পেয়ে, আমার প্রথমেই সন্দেহ হয়েছিল যে সূর্যকুমার আসলে অখিল বর্মন। উনি যখন নিজের পরিচয় গোপন করে রাখলেন, তখনই আমার মনে হল যে ওঁর কোনও এক দুরভিসন্ধি আছে। তারপর জানতে পারলাম ওঁর রোজগার ভাল যাচ্ছে না—উনি দেনা করে বসে আছেন, প্রতিবারই লোকসান দিচ্ছেন। তখনই আমি স্থির করি যে পঞ্চরত্নের কৃষ্ণটা আর সিন্দুকে থাকতে দেওয়া উচিত নয়। দারোয়ানকে মোটা ঘুস দিয়ে আমি বাড়িতে ঢুকি। তারপর বারান্দার থাম বেয়ে ওপরে উঠে, আমার হাত-সাফাইয়ের জোরে সোমেশ্বরবাবুর বালিশের তলা থেকে চাবিটা নিয়ে সিন্দুক খুলে, তার থেকে কৃষ্ণটা বার করে নিই। তারপর আবার একই পথে ফিরে আসি। দুঃখের বিষয়, আমি অবিনাশের

হত্যাটাকে রুখতে পারলাম না।'

ইনস্পেক্টর ঘোষ ততক্ষণে এগিয়ে গেছেন সূর্যকুমারের দিকে। ফেলুদা বলল, 'এই একটা ব্যাপার, যেখানে আপনার ম্যাজিক খাটবে না, অখিলবাবু।'

সোমেশ্বরবাবু উঠে এসে ফেলুদার হাতটা আঁকড়ে ধরলেন। 'আপনার জন্য আমার কৃষ্ণ বেঁচে গেল। আপনাকে ধন্যবাদ দেবার ভাষা আমার নেই।'

বাড়ি ফিরে এসে লালমোহনবাবু ফেলুদাকে বললেন, 'মশাই, এতদিন আপনার ওপর ভক্তির ভাবই ছিল; এবার ভয় ঢুকল। আপনি যে তস্করের শিরোমণি, সেটা তো জানা ছিল না!'

অপ্সরা থিয়েটারের মামলা

১

টিভি-তে শার্লক হোম্‌স দেখে ফেলুদা মুগ্ধ। বলল, 'একেবারে বইয়ের পাতা থেকে উঠে এসেছে হোম্‌স আর ওয়াটসন। জানিস তোপ্‌সে—আমাদের যা কিছু শিক্ষা দীক্ষা ওই শার্লক হোম্‌সের কাছে। সব প্রাইভেট ডিটেকটিভের গুরু হচ্ছে হোম্‌স। তাঁর সৃষ্টিকর্তা কন্যান ডয়েলের জবাব নেই।'

জটায়ু সায় দিয়ে বললেন, 'লোকটা কত গল্প লিখেছে ভাবুন তো! এত প্লট কী করে যে মাথায় আসে সেটা ভেবে পাই না। সাধে কী আমার টাক পড়েছে? প্লট খুঁজতে গিয়ে মাথার চুল ছিঁড়ে!'

বাইরে বৃষ্টি পড়েছে, তার মধ্যে চা আর ডালমুটটা জমেছে ভাল। আসলে লালমোহনবাবুও একচল্লিশটা রহস্য উপন্যাস লিখেছেন, কিন্তু তার বেশির ভাগই ফেলুদার ভাষায় থোড় বড়ি খাড়া, খাড়া বড়ি থোড়। তবে প্লটের জন্য মাথা খুঁড়লেও ভদ্রলোকের উৎসাহের অভাব নেই। আর সত্যি বলতে কী, ফেলুদার সঙ্গে বন্ধুত্ব হবার পর থেকে ওঁর গল্পও অনেক ইমপ্রুভ করে গেছে।

'শ্রীনাথকে একটু বলো না ভাই তপেশ,' বললেন লালমোহনবাবু, 'আর এক কাপ চা হলে মন্দ হত না।'

আমি শ্রীনাথকে চায়ের ফরমাশ দিয়ে আসতেই দরজায় টোকা পড়ল। তার আগে অবশ্য ট্যাক্সি থামার শব্দ পেয়েছি।

দরজা খুলে দেখি ছাতা মাথায় এক ভদ্রলোক, মাঝারি হাইট, ফরসা রং, দাড়ি গোঁফ কামানো, বয়স চল্লিশ-পঁয়তাল্লিশ।

বললাম, 'কাকে চাই?' অবিশ্যি এ প্রশ্নটা না করলেও চলত, কারণ দেখেই বুঝেছি মক্কেল।

'এটা কি প্রদোষ মিত্রের বাড়ি?' প্রশ্ন করলেন ভদ্রলোক।

এবারে ফেলুদাই বলে উঠল, 'আপনি আসুন ভিতরে।'

ভদ্রলোক ছাতাটা বন্ধ করে ঢুকলেন।

'ওটাকে দরজার পাশে রেখে দিন,' বলল ফেলুদা।

ভদ্রলোক তাই করলেন, তারপর সোফার এক পাশে এসে বসলেন। ফেলুদা বলল, 'আমার নাম প্রদোষ মিত্র; আর ইনি আমার বন্ধু লালমোহন গাঙ্গুলী।'

'যাক, তবু আপনাকে বাড়ি পাওয়া গেল,' বললেন ভদ্রলোক, 'টেলিফোন করে কানেকশন

পাইনি। আজকাল যা হয় আর কী।'

'কী ব্যাপার বলুন।'

'বলছি। আগে আমার পরিচয়টা দিই। আমার নাম মহীতোষ রায়। নাম শুনে চিনবেন ততটা আশা করি না, যদিও থিয়েটার লাইনে আমার কিছুটা খ্যাতি আছে।'

'আপনি তো অপ্সরা থিয়েটারে আছেন, তাই না?'

'ঠিকই ধরেছেন। এখন প্রফুল্লতে অভিনয় করছি।'

'হ্যাঁ হ্যাঁ, জানি।'

'আপনার কাছে এসেছি একটা সংকটে পড়ে।'

'কী সংকট?'

'কদিন থেকে আমি হুমকি চিঠি পাচ্ছি। কার কাছ থেকে তা বলতে পারব না।'

'হুমকি চিঠি?'

'তার কিছু নমুনা আমি সঙ্গে করে নিয়ে এসেছি। এই দেখুন।'

ভদ্রলোক পকেট থেকে চারটে কাগজ বার করলেন, তারপর সেগুলো টেবিলের উপর রাখলেন। আমি দেখলাম একটায় লেখা 'সাবধান!' আরেকটায় 'তোমার দিন ফুরিয়ে এল', আরেকটায় 'তোমার দুষ্কৃতির ফল ভোগ কর', আর চার নম্বরটায় 'আর সময় নেই। এবার ইষ্টনাম জপ কর!' গোটা গোটা বড় বড় অক্ষরে লেখা, আর সবই যে এক লোকের লেখা তা বোঝবার উপায় নেই।

'এ সব কি ডাকে এসেছে?' ফেলুদা জিজ্ঞেস করল।

'আজ্ঞে হ্যাঁ।'

'এগুলো কদিনের মধ্যে পেয়েছেন?'

'সাতদিন।'

'কে লিখেছে কিছু অনুমান করতে পেরেছেন?'

'একেবারেই না।'

'আপনার প্রতি বিরূপ এমন কোনও লোকের কথা মনে করতে পারছেন না?'

'দেখুন, আমি থিয়েটারে কাজ করি। আমাদের মধ্যে ছোটখাটো ঝগড়া, মনোমালিন্য—এ লেগেই আছে। আমি দুবছর হল অপ্সরায় আছি, তার আগে রূপমঞ্চে ছিলাম। আমাকে নেওয়া হয় একটি অভিনেতার জায়গায়। স্বভাবতই সে অভিনেতা এতে সন্তুষ্ট হয়নি। সে নিশ্চয়ই ঈর্ষায় ভুগছে।'

'এই অভিনেতার নাম কী?'

'জগন্ময় ভট্টাচার্য। ভয়ানক ড্রিঙ্ক করতে শুরু করেছিল। তাই তাকে আর রাখা যায়নি। তিনি এখন কী করছেন কোথায় আছেন তা জানি না।'

'এই জগন্ময় ভট্টাচার্য ছাড়া আর কারুর কথা মনে পড়ছে?'

'আমার একটি ছোট ভাই আছে, তার সঙ্গে আমার বনে না। সে অবিশ্যি আলাদা থাকে। আমার বাবার মৃত্যুতে সম্পত্তি সব আমি পাই। আমার ছোট ভাই অসৎ সঙ্গে পড়ে নষ্ট হয়ে যায়। বাবা তাই তাকে উইল থেকে বাদ দেন। ছোট ভাই স্বভাবতই খুব অসন্তুষ্ট হয়। এ ছাড়া শত্রু বলতে আর কাউকে মনে পড়ে না।'

'আপনি সাবধানে আছেন তো?'

'তা তো আছি, কিন্তু আপনি যদি একটু পথ বাতলে দেন।'

'এ ব্যাপারে সাবধানে থাকতে বলা ছাড়া তো আর কিছু বাতলাবার নেই। আপনি থাকেন কোথায়?'

‘বালিগঞ্জে। পাঁচ নম্বর পণ্ডিতিয়া প্লেস।’

‘একাই থাকেন?’

‘আজ্ঞে হ্যাঁ। একটি চাকর আর একটি রান্নার লোক আছে। আমি এখনও বিয়ে করিনি।’

‘সত্যি বলতে কী, এ অবস্থায় আমার আর কিছুই করার নেই। এরকম হুমকি কেস আমার কাছে আগেও এসেছে। চিঠিগুলো থেকে কিছু ধরা যায় না। এখানে চারটে চিঠিতে দেখছি চার রকম পোস্টমার্ক, কাজেই কোত্থেকে এসেছে তাও বলা যায় না। অধিকাংশ ক্ষেত্রেই দেখেছি শেষ পর্যন্ত কিছুই হয় না। তবে আপনাকে কেউ উৎকণ্ঠায় ফেলতে চাচ্ছে সে বিষয়ে কোনও সন্দেহ নেই। আমি বলি কী আপনি পুলিশে যান। তারা এসব ব্যাপারে আরও ভাল ব্যবস্থা করতে পারে।’

ভদ্রলোক যেন একটু মুষড়ে পড়লেন, বললেন, ‘পুলিশ?’

‘কেন, পুলিশের বিরুদ্ধে আপনার কোনও অভিযোগ আছে নাকি?’

‘না, তা নেই।’

‘তবে আর কী। আপনি সোজা থানায় গিয়ে রিপোর্ট করুন। আমায় যা বললেন তাই বলুন।’

ভদ্রলোক অগত্যা উঠে পড়লেন। ফেলুদা তাঁকে দরজা অবধি পৌঁছে দিল। তারপর ফিরে এসে বসে পড়ে বলল, ‘ভদ্রলোকের ডান হাতের আঙুলে একটা আংটির দাগ দেখলাম। সেই আংটিটা কোথায় গেছে কে জানে।’

‘বেচে দিয়েছেন বলছেন?’ জটায়ু প্রশ্ন করলেন।

‘দিলে আশ্চর্য হব না। পায়ের জুতো জোড়ার অবস্থাও বেশ খারাপ। প্রফুল্লতে উনি প্রধান ভূমিকায় অভিনয় করছেন না সেটা জানি। সেটা করছেন অপ্সরার স্টার অভিনেতা নেপাল লাহিড়ী।’

‘কিন্তু কে ওঁর পিছনে লেগেছে বলো তো’, আমি প্রশ্ন করলাম।

‘কী করে বলব বল। উনি যে দুজনের কথা বললেন তাদের একজন হতে পারে। মোটকথা এ কেস আমার নেওয়া চলে না। আর অনেক সময় এগুলো স্রেফ ভাঁওতার উপর চলে। আমার কত টেলিফোন এসেছে বল তো হুমকি দিয়ে! সে সব মানতে হলে তো বাড়িতে হাত পা গুটিয়ে বসে থাকতে হয়।’

কিন্তু এই চিঠির ব্যাপারটা যে ভাঁওতা নয় সেটা তিন দিন পরেই জানলাম।

২

খবরটা জানা গেল খবরের কাগজ মারফত। ছোট করে লেখা খবর—অপ্সরা থিয়েটারের অভিনেতা নিখোঁজ। মহীতোষ রায় নাকি সন্ধ্যাবেলা থিয়েটার না থাকলে লেকের ধারে বেড়াতে যেতেন। গত পরশু, অর্থাৎ সোমবার, তিনি যথারীতি বেড়াতে গিয়ে আর বাড়ি ফেরেননি। বাড়ির চাকর থানায় গিয়ে খবর দেয়। পুলিশ এই নিয়ে তদন্ত চালাচ্ছে।

ফেলুদা বিরক্ত হয়ে বলল, ‘লোকটাকে পই পই করে বলেছিলাম সাবধানে থাকতে, তার লেকে বেড়াতে যাবার কী দরকার ছিল? যাই হোক, আমার কাছে যখন এসেছিলেন ভদ্রলোক, তখন একবার ওঁর বাড়িতে যাওয়া দরকার। ঠিকানাটা মনে আছে?’

‘পাঁচ নম্বর পণ্ডিতিয়া প্লেস।’

‘গুড। তোর স্মরণশক্তি পরীক্ষা করছিলাম।’

নটা নাগাদ আমরা বেরিয়ে পড়লাম।

পাঁচ নম্বর পণ্ডিতিয়া প্লেস একটা ছোট্ট দোতলা বাড়ি, তার একতলায় থাকতেন

মহীতোষবাবু। চাকর দরজা খুলে দিলে আমরা নিজেদের পরিচয় দিয়ে ভিতরে ঢুকলাম। ফেলুদা চাকরকে বলল, 'তোমার মনিব আমার কাছে এসেছিলেন সাহায্য চাইতে। উনি মাঝে মাঝে হুমকি চিঠি পাচ্ছিলেন সে খবর তুমি জান?'

'জানি বইকী বাবু। আমি বাইশ বছর ওনার কাজ করছি। আমাকে সব কথাই বলতেন। আমি ওঁকে অনেক করে বলেছিলাম—আপনি বেড়াতে যাবেন না, বাড়িতে থাকুন, সাবধানে থাকুন। তা উনি আমার নিষেধ শুনলেন না। যখন দেখলাম রাত সাড়ে নটা হয়ে গেল তাও আসছেন না, তখন আমি নিজেই গেলাম লেকে। কোনখানটায় উনি বসতেন, কোনখানটায় বেড়াতেন, সেটা আমি জানতাম। কিন্তু কই, তাঁকে তো কোথাও দেখতে পেলাম না। তারপর পুরো একটা দিন কেটে গেল, এখনও কোনও খবর নেই। আমি থানায় গেলাম। তেনারা সব লিখে-টিখে নিলেন, কিন্তু এখনও পর্যন্ত তো কিছুই হল না।'

ফেলুদা বলল, 'তুমি এখন আমাদের সঙ্গে একবার আসতে পারবে? লেকে যে জায়গাটায় বসতেন সেটা যদি একবার দেখিয়ে দাও।'

'চলুন বাবু, যাচ্ছি।'

'তোমার নাম কী?'

'দীনবন্ধু, বাবু।'

আমরা তিনজন ট্যাক্সি করে লেকে গিয়ে হাজির হলাম।

জলের ধারে একটা আমলকী গাছের পাশে একটা বেঞ্চি, তাতেই নাকি হাঁটা সেরে বসতেন ভদ্রলোক। হাঁটার অভ্যাসটা ডাক্তারই বলে বলে করিয়েছিলেন। এখন চতুর্দিকে কোনও লোক নেই, ফেলুদা খুব মন দিয়ে বেঞ্চি আর তার চারপাশটা পরীক্ষা করে দেখল। প্রায় মিনিট পাঁচেক তন্ন তন্ন করে খুঁজে ঘাসের মধ্যে একটা পিতলের কৌটো পেল। দীনবন্ধু সেটা দেখামাত্র বলে উঠল, 'এ কৌটো তো বাবুর ছিল।' কৌটোটা খুলে ভিতরে এলাচ আর সুপুরি পাওয়া গেল। ফেলুদা সেটা পকেটে পুরে নিল। তারপর দীনবন্ধুকে জিজ্ঞেস করল, 'তুমি কি ভবানীপুর থানায় খবর দিয়েছিলে?'

'আজ্ঞে হ্যাঁ বাবু।'

'ঠিক আছে। চলো তোমাকে বাড়িতে নামিয়ে দিয়ে আমরা একটু থানায় খবর দিয়ে আসি।'

মোটামুটি কলকাতার বেশির ভাগ থানার ওসি-র সঙ্গেই ফেলুদার আলাপ আছে। ভবানীপুর থানার ওসি হচ্ছেন সুবোধ অধিকারী। আমরা দীনবন্ধুকে পণ্ডিতিয়া প্লেসে নামিয়ে দিয়ে গেলাম অধিকারীর সঙ্গে দেখা করতে। রাশভারী হলেও বেশ মাইডিয়ার লোক, আর ফেলুদাকে খুব পছন্দ করেন। আমাদের দেখে একটু অবাক হয়েই বললেন, 'কী ব্যাপার, এত সকাল সকাল?'

আমরা দুটো চেয়ারে বসলাম।

ফেলুদা বলল, 'একটা ডিসাপিয়ারেন্সের কেস আপনাদের কাছে রিপোর্টেড হয়েছে। মহীতোষ রায়।'

'হ্যাঁ। এটা বোধহয় সত্যবান দেখছিল। দাঁড়ান, ওকে ডাকি। একটু চা চলবে?'

'তা আপত্তি নেই।'

মিনিট খানেকের মধ্যেই ইনস্পেক্টর সত্যবান ঘোষ এসে গেলেন। ইনিও ফেলুদার যথেষ্ট চেনা; দুজনে হ্যান্ডশেক করার পর সত্যবান বললেন, 'কী ব্যাপার বলুন।'

'মহীতোষ রায় বলে একটি অভিনেতা বোধহয় নিরুদ্দেশ হয়েছেন?'

'নিরুদ্দেশ কেন, আমার তো মনে হয় তাকে মেরে ফেলা হয়েছে। তাঁর বাড়ি থেকে বেশ কয়েকটা হুমকি চিঠি পাওয়া গেছে। আর লেকের ধারে মেরে ফেলে গায়ে কিছু ভারী জিনিস বেঁধে লাশ জলে ফেলে দিলে সে তো আর পাওয়াও যাবে না। আপনি এ ব্যাপারে কী করে

ইন্টারেস্টেড হলেন?'

ফেলুদা মহীতোষবাবুর আসার কথাটা বলল। তারপর প্রশ্ন করল, 'আপনারা কোনওরকম এগোবার রাস্তা খুঁজে পাননি বোধহয়?'

ঘোষ বললেন, 'ভদ্রলোক অপ্সরা থিয়েটারে অভিনয় করতেন। আমরা সেখানে খোঁজ করেছি, কিন্তু কিছু এগোতে পারিনি। থিয়েটারের কারুর সঙ্গে এমন শত্রুতা ছিল না যে খুন হতে পারে। পেটি জেলাসি সব সময়ই থাকতে পারে, কিন্তু সেটা খুনের কারণ হয় না।'

'ভদ্রলোকের আর্থিক অবস্থা কেমন ছিল?'

'মোটামুটি। বারোশো টাকা মাইনে পেতেন। একা মানুষ, তাই চলে যেত। অবিশ্যি খুনই যে হয়েছে একথা জোর দিয়ে বলা যায় না। ভদ্রলোককে কেউ হয়তো ফুসলে নিয়ে গেস্‌ল, কিংবা ভদ্রলোক হয়তো নিজেই কোনও কারণে গা ঢাকা দিয়েছেন।'

আমি আজ লেকের ওখানে গিয়েছিলাম। ভদ্রলোক যে বেঞ্চিতে বসতেন তার পাশেই ঘাসে ওঁর একটা মশলার কৌটো পাই।'

'তাই বুঝি?'

'হ্যাঁ।'

'তা হলে তো খুন বলেই মনে হচ্ছে। আততায়ীর সঙ্গে স্ট্রাগলের সময় পকেট থেকে কৌটোটা পড়ে গেছল।'

'তাই তো মনে হচ্ছে।'

'ঠিক আছে। আমাদের এদিক থেকে কোনও খবর পেলে আপনাকে জানাব।'

'ভেরি গুড। আমিও আপনাদের টাচে থাকব।'

মিঃ ঘোষ চলে গেলেন। চা এসে গিয়েছিল, আমরা চা খেয়ে উঠে পড়লাম।'

বাইরে বেরিয়ে এসে ফেলুদা বলল, 'একবার অপ্সরা থিয়েটারে যাওয়া দরকার। ওই কেমিস্টের দোকান থেকে লালমোহনবাবুকে একটা ফোন করে বলে দে উনিও যেন চলে আসেন।'

ফোন করে আমরা আবার ট্যাক্সি ধরলাম। যেতে হবে সেই শ্যামবাজার।

৩

অপ্সরা থিয়েটারে পৌঁছে দেখি লালমোহনবাবু অপেক্ষা করছেন।

'কী ব্যাপার মশাই?' ভদ্রলোক জিজ্ঞেস করলেন।

'আজ কাগজ দেখেননি?'

'দেখেছি বইকী। মহীতোষ রায় তো হাওয়া।'

'হাওয়া কেন, বোধহয় খতম।'

সংক্ষেপে লালমোহনবাবুকে সকালের ঘটনাটা বলে দিল ফেলুদা।

'তা হলে এখন কি আমরা থিয়েটারে তদন্ত চালাব?'

'একবার অন্তত ম্যানেজারের সঙ্গে কথা বলি।'

আমরা ফুটপাথে দাঁড়িয়ে কথা বলছিলাম, এবার গিয়ে ভিতরে ঢুকলাম। গেটে দারোয়ান বলল ম্যানেজারের নাম কৈলাস বাঁড়ুজ্যে। তিনি তাঁর অফিসেই আছেন।

ম্যানেজারের আপিসে পৌঁছতে গেলে একটা ঘর পেরোতে হয়। সেখানে একজন ভদ্রলোক একটা টেবিলের সামনে বসে কাগজপত্র ঘাঁটছিলেন, জিজ্ঞেস করলেন আমাদের কী দরকার।

ফেলুদা এবার তার একটা কার্ড বের করে ভদ্রলোকের হাতে দিয়ে বলল, 'একবার যদি

কৈলাসবাবুর সঙ্গে দেখা করতে পারি।'

ভদ্রলোক আমাদের অপেক্ষা করতে বলে গেলেন ভিতরের দিকে। মিনিটখানেক পরে বেরিয়ে এসে বললেন, 'আপনারা আসতে পারেন।'

আমরা তিনজনে গিয়ে ম্যানেজারের ঘরে ঢুকলাম। বেঁটে, মোটা, কালো ভদ্রলোক। নাকের নীচে একটা সরু গোঁফ, বয়স আন্দাজ পঞ্চাশ। বললেন, 'আপনার নাম তো শুনেছি, কিন্তু হঠাৎ আমার এখানে আসার প্রয়োজন হল কেন সেইটেই ভাবছি।'

ফেলুদা বলল, 'আপনার একজন অভিনেতা সম্বন্ধে কিছু জানার ছিল—যিনি দুদিন হল নিখোঁজ।'

'মহীতোষের কথা বলছেন? সে ব্যাপারে তো পুলিশ এসে এক দফা এনকোয়ারি করে গেছে।'

'ভদ্রলোক আমার কাছে এসেছিলেন। কতকগুলো হুমকি চিঠি পেয়েছিলেন সেই নিয়ে আমার পরামর্শ নিতে।'

'হুমকি চিঠি? তা হলে কি ও খুন হয়েছে নাকি? আমি তো ভাবলাম পাওনাদারের কাছ থেকে গা ঢাকা দিয়েছে।'

'না। ঠিক সেরকম মনে হচ্ছে না।'

'অবিশ্যি ও গিয়ে যে আমাদের একটা খুব বড় রকম ক্ষতি হয়েছে তা বলতে পারছি না। প্রশান্ত মোটামুটি চালিয়ে নিচ্ছে। পুলিশ কালকেই এসেছিল। আমরা বিশেষ কোনও ইনফরমেশন দিতে পারিনি। মহীতোষ একটু চাপা টাইপের চরিত্র ছিল। ওর কারুর সঙ্গে খুব একটা মাখামাখি ছিল না। অভিনয়টা মোটামুটি ভালই করত। তবে ওর ইচ্ছে ছিল প্রফুল্লতে মেন রোল করবার; সে ক্ষমতা ওর ছিল না।'

'ওঁর কোনও শত্রু ছিল না বলছেন?'

'বলছি তো—শত্রুও না, বন্ধুও না।'

'জগন্ময় ভট্টাচার্য বলে এককালে আপনাদের একজন অভিনেতা ছিলেন?'

'ছিল, কিন্তু তাকে তো অনেকদিন আগেই ছাড়িয়ে দেওয়া হয়েছে।'

'তাঁর জায়গাতেই মহীতোষকে নেওয়া হয়, তাই না?'

'তা বটে। এটা আপনি ঠিক বলেছেন, আমার খেয়াল হয়নি।'

'এই জগন্ময় ভট্টাচার্যের বাড়ির ঠিকানা আপনার কাছে আছে?'

'পুরনো ঠিকানা আছে, সে তো এখন সেখানে নাও থাকতে পারে।'

কৈলাসবাবু একটা ঘণ্টা টিপলেন। পাশের ঘর থেকে একটি বছর পঁচিশ বয়সের ছেলে এসে দাঁড়াল।

'এঁদের জগন্ময়ের ঠিকানাটা দিয়ে দাও তো।'

এক মিনিটের মধ্যেই ঠিকানা এসে গেল। সাতাশ নম্বর নির্মল বোস স্ট্রিট। লালমোহনবাবু বললেন রাস্তাটা ওঁর জানা। আমরা উঠে পড়লাম।

নির্মল বোস স্ট্রিট শ্যামবাজারেরই একটা গলি। জগন্ময়বাবুর বাড়ির ঠিকানায় গিয়ে খোঁজ করে জানলাম ভদ্রলোক এখনও সেখানেই আছেন। ফেলুদা চাকরের হাতে তার কার্ডটা পাঠিয়ে দিল। অল্পক্ষণের মধ্যেই আমাদের ডাক পড়ল। আমরা একটা তক্তপোশ পাতা ঘরে গিয়ে হাজির হলাম। তাতে একটি রোগা-রোগা কেন রুগ্ণ বললেই বোধহয় ঠিক বলা হবে—ভদ্রলোক বসে আছেন। আমরা ঘরে ঢোকাতেও তিনি বসেই রইলেন।

'হঠাৎ আমার সঙ্গে ডিটেকটিভের কী প্রয়োজন পড়ল?'—ভদ্রলোকের প্রথম প্রশ্ন।

ফেলুদা বলল, 'আপনি কি মহীতোষ রায় বলে একজন অভিনেতাকে চিনতেন?'

‘চিনতুম বললে ভুল হবে। সে এল, আর আমি বরবাদ হয়ে গেলুম—এই চেনা। কিন্তু সে তো দেখছি উধাও হয়ে গেছে।’

‘উধাও নয়, খুব সম্ভবত খুন হয়েছেন।’

‘খুন? অবিশ্যি আমার তাতে বুক ফেটে কান্না আসবে তা নয়। সে আমার ভাত মেরেছিল, সেটাই হচ্ছে আমার কাছে সব চেয়ে বড় ট্রুথ।’

‘তার মৃত্যুর আগে মহীতোষবাবু কতকগুলো হুমকি চিঠি পেয়েছিলেন। সেই ব্যাপারে আপনি কোনও আলোকপাত করতে পারেন?’

‘আমি চিঠিগুলো লিখেছিলাম কিনা সেইটাই জানতে চাইছেন তো?’

‘আপনার তার উপরে এখনও যথেষ্ট আক্রোশ আছে দেখছি।’

‘সেটা আপনি কথাটা তুললেন বলে। মহীতোষ রায়ের ব্যাপার অতীতের ব্যাপার। এই নিয়ে আর আমি মাথা ঘামাই না। আমি তারপরে দীপ্তি থিয়েটারে কাজ পেয়ে যাই, এখনও সেখানেই আছি, যা পাচ্ছি তাতে আমার চলে যায়। মদ ছেড়ে দিয়েছি। আমি সাতেও নেই, পাঁচেও নেই। কেবলমাত্র একটা সমস্যা আছে সে হল হাঁপের কষ্ট। এছাড়া আমি দিব্যি আছি। মহীতোষের কথা আপনি মনে করিয়ে দিলেন বলে। নইলে আমি ভুলেই গিয়েছিলাম।’

‘আপনি অপ্সরা ছাড়ার পর মহীতোষবাবুর সঙ্গে আপনার দেখা হয়নি?’

‘নো স্যার। একবারও না। এমনকী মঞ্চে পর্যন্ত ওকে দেখিনি। অপ্সরা থিয়েটারে আমি যাই না।’

৪

এরপর তিন মাস কেটে গেছে; এর মধ্যে মহীতোষবাবুর কোনও খবর পাওয়া যায়নি। তিনি যে আততায়ীর হাতে প্রাণ হারিয়েছেন তাতে সন্দেহ করার কোনও কারণ নেই। অপ্সরা থিয়েটারে আরেকবার যাওয়া হয়েছিল ওখানে যদি কোনও খবর থাকে জানবার জন্য, কিন্তু তাতেও কোনও সুবিধা হয়নি। শুধু এই খবরটা পাওয়া গেছে যে মহীতোষ রায়ের জায়গায় আরেকজন অভিনেতা বহাল হয়েছে। এঁর নাম সুধেন্দু চক্রবর্তী। ইনি প্রফুল্লতে অভিনয় করছেন মহীতোষের জায়গায় এবং বেশ ভাল করছেন।

ফেলুদা এর মধ্যে মহীতোষ রায় সম্পর্কে আরও খবর নিয়েছে। ওঁর ছোট ভাই শিবতোষের সঙ্গে কথা বলে জেনেছে যে সে দাদার সঙ্গে কোনও সম্পর্ক রাখেনি।

ফেলুদা জিজ্ঞেস করল, ‘আপনার দাদার সঙ্গে আপনার বিরোধের কারণ কি শুধু সম্পত্তি?’

শিবতোষবাবু বললেন, ‘তার বেশি আর কারণের দরকার আছে কি? দাদা বাবাকে খোশামোদ করতেন। আমি সে দিকে যাইনি। খোশামোদ আমার ধাতে নেই। ছোট ছেলে বলে আমাকে সব সময় ছোট করে দেখা হয়েছে। বাবাও তাই করেছেন—দাদা তো বটেই। তাই আমি সম্পত্তি থেকে বঞ্চিত হলাম। এতে বিরোধের সৃষ্টি হবে তাতে আর আশ্চর্য কী?’

কথাগুলো শুনে আমার মনে হচ্ছিল শিবতোষবাবুর এখনও পুরোমাত্রায় আক্রোশ রয়েছে দাদার উপর।

ফেলুদা বলল, ‘আপনি মহীতোষবাবুর মৃত্যু সম্বন্ধে কোনও মন্তব্য করতে চান কি? এটা হয়তো আপনি বোঝেন যে তিনি যদি আততায়ীর হাতেই প্রাণ হারান, তা হলে সেই আততায়ী আপনি হওয়া কিছু আশ্চর্য নয়।’

‘আমি গত পাঁচ বছর দাদার মুখ পর্যন্ত দেখিনি। তাঁর সঙ্গে আমার সমস্ত সম্পর্ক চুকে গিয়েছিল। আর তাঁর থিয়েটারের জীবনের সঙ্গে আমার কোনও সম্পর্ক ছিল না।’

‘যেদিন মহীতোষবাবু নিখোঁজ হন সেদিন সন্ধ্যাবেলা ছটা থেকে আটটার মধ্যে আপনি কী করছিলেন মনে পড়ে?’

‘রোজ যা করি তাই করছিলাম; আমার বন্ধুদের সঙ্গে তাস খেলছিলাম।’

‘কোথায়?’

‘সর্দার শঙ্কর রোড। এগারো নম্বর। অনুপ সেনগুপ্তের বাড়ি। আপনি খোঁজ নিয়ে দেখতে পারেন।’

ফেলুদা এটা চেক করার জন্যে সর্দার শঙ্কর রোডে শিবতোষবাবুর বন্ধুর বাড়িতে গিয়েছিল। তিনি বলে দেন যে তাদের বাড়িতে রোজ তাসের আড্ডা হয় এবং শিবতোষবাবু নিয়মিত আসেন।

একটা বড় সাসপেক্টকে তাই ফেলুদাকে নাকচ করে দিতে হল।

পরদিন সকালে লালমোহনবাবু এসে বললেন, ‘মশাই, এ কেসটা কোনও কেসই না। আপনি মিথ্যে এটা নিয়ে মাথা ঘামাচ্ছেন। তার চেয়ে চলুন আমরা দিন চারেকের জন্য কোথাও ঘুরে আসি। আমারও মাথায় একটা প্লট আসছে বলে মনে হচ্ছে, আর আপনিও মাথাটা একটু সাফ করে নিতে পারবেন।’

‘কোথায় যাবেন?’ ফেলুদা প্রশ্ন করল।

‘দিঘা গেলে কেমন হয়? ওটা তো এখনও দেখা হয়নি।’

‘বেশ তাই হোক। আমারও মনে হয় এ কেসটার কোনও নিষ্পত্তি হবে না। মহীতোষের হত্যাকারী আইনের হাত থেকে পার পেয়ে যাবে।’

আমরা পরদিনই দিঘা গিয়ে হাজির হলাম। টুরিস্ট লজে বুকিং ছিল, দিব্যি আরামে থাকা যাবে বলে মনে হল। আর তার উপর সমুদ্রে স্নান। লালমোহনবাবু একটা নতুন লাল সুইমিং কস্ট্যুম কিনে এনেছিলেন।

দিঘাতে কলকাতার খবরের কাগজ আসতে আসতে সন্ধে হয়ে যায়। তিনদিনের দিন আনন্দবাজারটা হাতে নিয়ে প্রথম পাতা দেখেই ফেলুদা প্রায় লাফিয়ে উঠল।

‘সর্বনেশে খবর।’

‘কী ব্যাপার?’ লালমোহনবাবু আর আমি একসঙ্গে বলে উঠলাম।

‘অপ্সরা থিয়েটারের প্রধান অভিনেতা খুন!’ বলল ফেলুদা, ‘এ কি আরম্ভ হয়েছে বল তো দেখি!’

খবরটা পড়ে দেখলাম। বলেছে অপ্সরা থিয়েটারের প্রধান অভিনেতা নেপাল লাহিড়ী দু দিন আগে থিয়েটারের পর ট্যাক্সিতে বাড়ি ফিরছিলেন, পথে এক বন্ধুর বাড়িতে যাবেন বলে ট্যাক্সি থেকে নামেন। বন্ধুর বাড়ি একটা গলির মধ্যে। সেই গলিতেই তাকে ছোরা মেরে খুন করা হয়। পুলিশে খবর দেওয়া হয়েছে, তারা তদন্ত চালাচ্ছে। নেপালবাবুর স্ত্রী ও একটি বারো বছরের ছেলে আছে; তাঁরা এ-বিষয় কোনও আলোকপাত করতে পারেননি।

‘তা হলে কী হবে?’ লালমোহনবাবু প্রশ্ন করলেন।

‘তা হলে একবার আপনাকে যেতে হবে অপ্সরা থিয়েটারে কিছু জিজ্ঞাসাবাদ করতে।’

‘কেন, আমাকে কেন?’

‘কারণ আমার পা-টা আজ মচকেছে সমুদ্রে স্নান করার সময়। কাল ভাল রকম ব্যথা হবে বলে মনে হচ্ছে।’

‘তা হলে চলুন আজই ফেরা যাক। কলকাতায় গিয়ে চুন-হলুদ দিয়ে পা-টা বেঁধে ফেলবেন।’

‘আপনি পারবেন তো আমার ভূমিকা নিতে?’

‘তা অ্যাদ্দিন যখন আপনার সঙ্গে রয়েছি তখন কিছুটা জ্ঞানগম্যি তো হয়েইছে।’

আমরা সেদিনই কলকাতায় ফিরে এলাম। কথা হল পরদিন সকাল নটায় লালমোহনবাবু আমাদের বাড়ি আসবেন, ফেলুদা তাঁকে কিছুটা তালিম দিয়ে দেবে, তারপর দশটা নাগাত আমরা দুজনে যাব অপ্সরা থিয়েটার।

পরদিন সকালে ফেলুদার কাছে তালিম নিয়ে আমরা ঠিক দশটায় পৌঁছে গেলাম অপ্সরা থিয়েটারে। লালমোহনবাবুর গদগদ ভাব, বললেন, 'আমার অনেকদিনের আপশোস ছিল যে তোমার দাদাকে আরেকটু সক্রিয় ভাবে সাহায্য করতে পারি না। এইবারে তার সুযোগ এসেছে।' ভদ্রলোক আজ ধুতি পাঞ্জাবির বদলে প্যান্ট শার্ট পরে এসেছেন; বললেন এতে কাজটা অনেক চটপটে হয়। 'ওভারনাইট কার্ড ছাপিয়ে নিলুম আমার নামে, দেখতে কেমন হয়েছে।'

কার্ড নিয়ে দেখি তাতে ইংরিজিতে লেখা রয়েছে 'লালমোহন গাঙ্গুলী, রাইটার।'

'দিব্যি হয়েছে', আমি বললাম।

দারোয়ানের হাতে একটা কার্ড ম্যানেজারের কাছে পাঠিয়ে দেওয়া হল, তিন মিনিটের মধ্যে আমাদের ডাক পড়ল।

কৈলাসবাবুকে দেখে মনেই হল না আমাদের উনি চিনতে পেরেছেন। বেশ রুক্ষভাবেই বললেন, 'শুনুন, আমার এখানে এখন বিশেষ গোলমাল। আপনি যদি নতুন নাটক নিয়ে এসে থাকেন তো অন্য সময় হবে। এই কটা দিন বাদ দিন।'

লালমোহনবাবু জিভ কেটে বললেন, 'নতুন নাটক নয় স্যার; আমি এসেছি প্রদোষ মিত্র প্রাইভেট ইনভেসটিগেটরের প্রতিভূ হয়ে। উনি অসুস্থ, তাই নিজে আসতে পারলেন না। উনি এর আগে মহীতোষ রায়ের ব্যাপারে একবার আপনার সঙ্গে দেখা করেছিলেন, তখন আমিও এসেছিলাম ওঁর সঙ্গে।'

'হ্যাঁ—মনে পড়েছে। তা আপনি কী জানতে চাইছেন? খবরের কাগজে যা বেরিয়েছে তার বেশি কিছু বলার নেই।'

'একটা প্রশ্ন ছিল—নেপালবাবুও কি মহীতোষবাবুর মতো হুমকি চিঠি পেয়েছিলেন?'

'পেয়েছিল, তবে সে বিষয় প্রথম কদিন চেপে রেখেছিল। কোনও পাত্তা দেয়নি। তারপর তিনদিন আগে প্রথম আমাকে বলে। চিঠি পাচ্ছিল প্রায় দশদিন থেকে।'

'সে চিঠি আপনি দেখেছেন?'

'দু-তিনটে দেখেছি। গোটা গোটা অক্ষরে লেখা। হুমকি চিঠি যেরকম হয় সেরকমই আরকী। আমি ওকে সাবধানে থাকতে বলি, কিন্তু নেপাল মঞ্চে হিরো সাজত বলে নিজেকেও একটা হিরো বলে মনে করত। সে বলে, "এসব হুমকিতে আমি ঘাবড়াই না"।'

'তিনি থাকতেন কোথায়?'

'নকুলেশ্বর ভট্টাচার্য লেনে; সাতাশ নম্বর।'

'উনি কি বিবাহিত ছিলেন?'

'হ্যাঁ।'

'কাগজে লিখেছে উনি ওঁর এক বন্ধুর বাড়ি যাবেন বলে ট্যাক্সি থেকে নেমেছিলেন। এই বন্ধুটি কে আপনি জানেন?'

'গলিতে বাড়ি বলে যখন বলছে তখন শশধর চাটুজ্যে বলে মনে হয়। সেও অভিনেতা, রূপম থিয়েটারে অভিনয় করে।'

'অপ্সরা থিয়েটারে ওঁর কোনও শত্রু ছিল না?'

'সে আর আমি কী করে বলব বলুন। প্রধান অভিনেতাকে সকলেই ঈর্ষা করে। সে অর্থে শুধু আমাদের থিয়েটারে কেন, অন্য থিয়েটারেও নেপালের শত্রু ছিল। তাকে সরাতে পারলে আমার থিয়েটার কানা হয়ে যাবে এটা অনেকেই জানত।'

'আপনাদের থিয়েটার কি তা হলে এখন বন্ধ?'

'আজ প্রফুল্লর লাস্ট শো ছিল—সেটা আর হবে না। আমরা তো নতুন নাটক আলমগীর নামাব বলে তোড়জোড় করছিলাম। নাম ভূমিকায় তো নেপালেরই করার কথা ছিল। এখন অন্য অ্যাকটরকে ট্রাই করা হচ্ছে। একজন নতুন লোক এসেছে।'

'কেমন?'

'মন্দ নয় বোধহয়। দাড়ি গোঁফ নিয়ে আলমগীর সাজবার চেহারা নিয়ে চলে এসেছে। তার মেক-আপ লাগবে না।'

এবার আমার একটা কথা মনে পড়ল। বললাম, 'এখানকার মেন অ্যাকটরদের বাড়ির ঠিকানাগুলো নিয়ে নিন। ফেলুদা হয়তো ওদের কারুর কারুর সঙ্গে কথা বলতে চাইবে।'

'হ্যাঁ, এটা ঠিক বলেছ', বললেন লালমোহনবাবু।

কৈলাসবাবুকে বলতে আবার ঘণ্টা টিপে ওর সেক্রেটারিকে আনিয়ে আমাদের সব নাম ঠিকানাগুলো আনিয়ে দিলেন।

'যেই বন্ধুর বাড়িতে সেদিন নেপালবাবু যাচ্ছিলেন, তিনি কোথায় থাকেন বলতে পারেন?'

'কাগজে দেখেননি? খুনটা হয়েছে মতি মিস্ত্রি লেনে। কাজেই তিনিও সেখানেই থাকতেন।'

আমরা ভদ্রলোককে আর বিরক্ত না করে উঠে পড়লাম। একবার মতি মিস্ত্রি লেনে শশধর চাটুজ্যের বাড়ি যাওয়া দরকার।

৫

মতি মিস্ত্রি লেনে তিনজনের বেশি লোক পাশাপাশি হাঁটতে পারে না। আমরা গাড়ি বড় রাস্তায় দাঁড় করিয়ে গলির দিকে এগোলাম। মোড়ে একটা পান বিড়ির দোকান। মালিককে জিজ্ঞেস করতে বলে দিল শশধর চাটুজ্যে তিন নম্বর বাড়িতে থাকেন।

তিন নম্বরের দরজায় টোকা মারতে একজন ভদ্রলোক দরজাটা খুললেন।

'কাকে চাই?'

'আমরা শশধর চাটুজ্যের খোঁজ করছিলাম।'

'আমিই সেই লোক। আপনাদের প্রয়োজন?'

লালমোহনবাবু একটা কার্ড বার করে দিতে ভদ্রলোকের চোখ জ্বলজ্বল করে উঠল। 'আপনিই কি সেই বিখ্যাত রহস্য রোমাঞ্চ কাহিনীর লেখক?'

লালমোহনবাবু একটু বিনয় করলেন।

'বিখ্যাত কিনা জানি না, তবে আমিই সেই লোক।'

'আরে বাবা! আপনার সব বই যে আমার পড়া। তা হঠাৎ এ-গরিবের বাড়িতে কী মনে করে?'

'আমি এসেছি আমার বন্ধু গোয়েন্দা প্রদোষ মিত্রের তরফ থেকে।'

'তাঁর নামও তো শুনিচি! আপনারা ভেতরে আসুন, ভেতরে আসুন।'

এতক্ষণে ঘরের ভিতর ঢুকলাম আমরা। একটা তক্তপোশেই প্রায় ঘরটা ভরে আছে, তবে তার সঙ্গে দুটো কাঠের চেয়ার রয়েছে।

লালমোহনবাবু চেয়ারে বসে বললেন, 'আপনার বন্ধুর খুনের ব্যাপারে আমরা তদন্ত করছি। সে সম্বন্ধে আপনি যদি কিছু বলেন।'

'আমি আর কী বলব। সে আমার বাড়িতে ঢোকার আগেই খুন হয়। পাড়ার একটি ছেলে আমাকে খবর দেয়। বাইশ বছর হল আমাদের বন্ধুত্ব, যদিও রাইভ্যাল থিয়েটারে আমরা অভিনয় করতাম।'

'ওঁর কোনও শত্রু ছিল বলে জানেন?'

'নেপালের শত্রু থাকবে না? সে এত বড় একটা হিরো—অন্য সব অভিনেতার সে ঈর্ষার পাত্র। তার তো শত্রু থাকবেই।'

'বিশেষ কারুর নাম মনে পড়ছে না?'

'না। তা পড়ছে না। সেরকম কোনও নাম নেপাল করেনি আমার কাছে। সে কাউকে বিশেষ তোয়াক্কা করত না। একটু বেপরোয়া গোছের লোক ছিল। তার পেশায় তার সমকক্ষ খুব কমই ছিল। অন্য বহু থিয়েটার তাকে অনেক টাকার লোভ দেখিয়েছে। কিন্তু অপ্সরায় তার অভিনয় জীবনের শুরু বলে সে আর কোথাও যায়নি।'

'তিনি যে হুমকি চিঠি পাচ্ছিলেন সে কথা আপনাকে বলেছিলেন?'

'বলেছিল বইকী, কিন্তু সে পাত্তাই দেয়নি। এক নাম করা জ্যোতিষী তাকে বলেছিল সে বিরাশি বছর বাঁচবে। সেটা সে বিশ্বাস করত। বলত ওই বয়স অবধি সে অভিনয় চালিয়ে যাবে, আর মঞ্চের উপর শেষ নিশ্বাস ত্যাগ করবে।'

শশধরবাবু একটা দীর্ঘশ্বাস ফেললেন।

'এর বেশি আমার আর কিছু বলার নেই, জানেন। আর আমার মন মেজাজও ভাল নেই। আপনারা বরং আসুন।'

আমরা উঠে পড়লাম।

এক সকালের পক্ষে অনেক কাজ হয়েছে মনে করে আমরা বাড়ির দিকেই রওনা দিলাম। ফেলুদাকে সব রিপোর্ট করতে হবে।

ফেলুদা সব শুনেটুনে লালমোহনবাবুর খুব তারিফ করল। বলল, 'আপনি তো একেবারে পেশাদারি গোয়েন্দার মতো কাজ করেছেন। যেটা বাকি রইল সেটা হচ্ছে অপ্সরা থিয়েটারের অন্য প্রধান অভিনেতাদের জেরা করা। বিশেষ করে টপ অভিনেতা—যাদের সঙ্গে নেপাল লাহিড়ীর হৃদ্যতাও ছিল, রেষারেষিও ছিল।'

'তোমার পা কী বলে?' আমি জিজ্ঞেস করলাম।

'এখনও নট নড়ন-চড়ন। আরও দুদিন অন্তত লাগবে সারতে। ভাল কথা অভিনেতাদের সঙ্গে যখন কথা বলবেন তখন নতুনটিকেও বাদ দেবেন না।'

'না না, তা তো নয়ই।'

লালমোহনবাবু ফেলুদার কাজটা করে খুব খোশমেজাজে ছিলেন। বললেন, 'এ এক নতুন অভিজ্ঞতা হল। আসলে আপনার কাজটা যত কঠিন বলে মনে হয় তত কঠিন নয়।'

'কঠিন কেবল রহস্যোদ্ঘাটন।'

'তা বটে, তা বটে। সেটা এখনও পারব না নিশ্চয়ই। আর সেরকম দাবিও করছি না। তবে একটা কথা বলতে পারি—আজ ওখানে আমাকে দেখলে আপনি চিনতেই পারতেন না।'

'বটে?'

'সেন্ট পারসেন্ট।'

'ওখানে কি মহড়া চলছে?'

আমি বললাম, 'চলছে বোধহয়। কয়েকদিনের মধ্যেই তো আলমগীর শুরু হবে।'

'তা হলে ম্যানেজারকে টেলিফোন করে কোন সময় গেলে সকলের সঙ্গে দেখা হবে আর কথা বলা যাবে সেটা জেনে নিবি।'

'ভেরি গুড।'

'পুলিশ দেখলি?'

'কই না তো।'

'আছে নিশ্চয়ই। কাগজে তো লিখেছে তারা তদন্ত চালাচ্ছে। একবার ইনস্পেক্টর ভৌমিককে ফোন করব। তার আন্ডারেই কেসটা পড়বে বলে মনে হচ্ছে।'

৬

ইনস্পেক্টর ভৌমিকের সঙ্গে কথা বলে ফেলুদা জানল যে পুলিশ একটা গুণ্ডার দলকে সন্দেহ করছে। নেপালবাবুর নাকি একটা সোনার ঘড়ি ছিল সেটা খুনের পর পাওয়া যায়নি। খুবই দামি ঘড়ি, এবং সেটাই হয়তো খুনের কারণ হতে পারে। ফেলুদা বলল, 'তা হলে থিয়েটারের সঙ্গে এ-খুনের কোনও সম্পর্ক নেই বলছেন।' তাতে ভৌমিক বললেন ওঁর তাই ধারণা। একটা গুণ্ডার

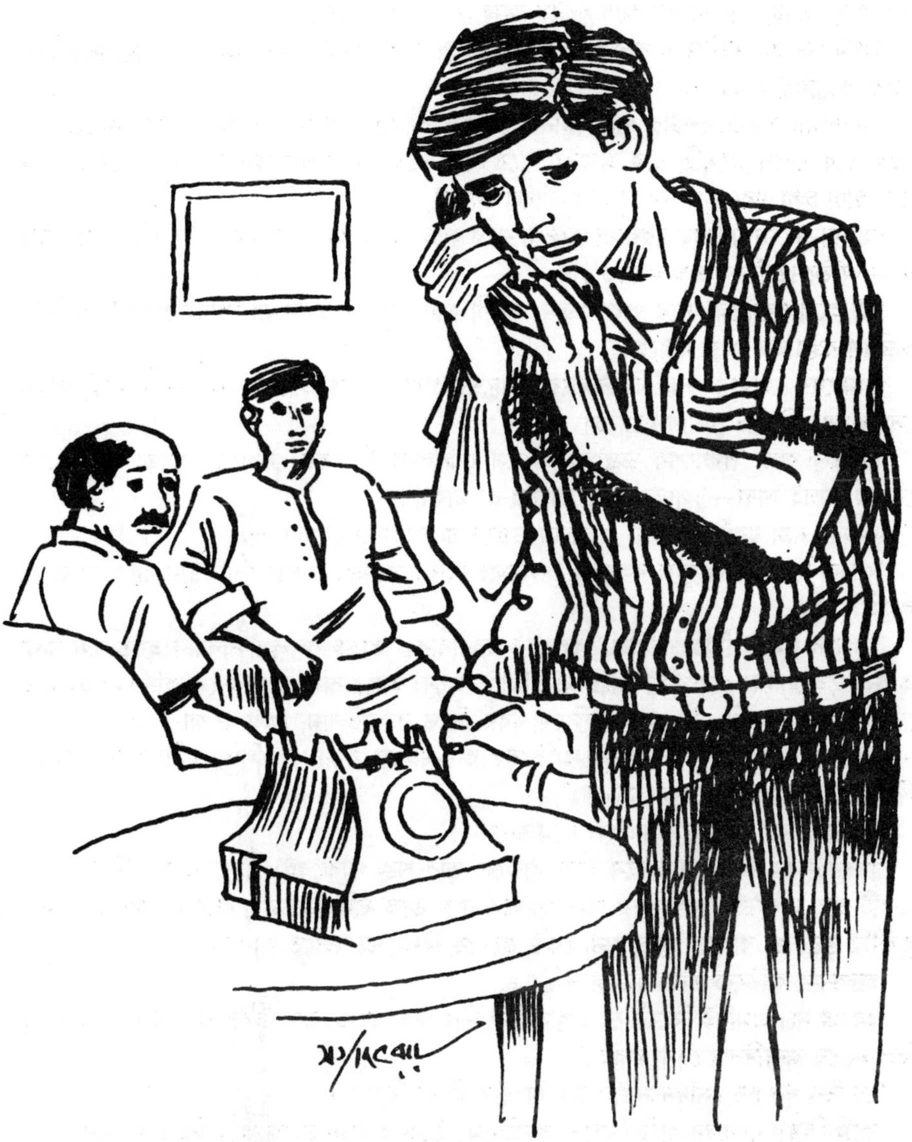

দল কিছুদিন থেকেই নাকি ওই অঞ্চলে উৎপাত করছে। তারা প্রায় সকলেই দাগি আসামি। ছুরিটা নেপালবাবুর গায়েই বিঁধে ছিল, কিন্তু তাতে কোনও আঙুলের ছাপ পাওয়া যায়নি। সব শেষে ভৌমিক বললেন, তিনি আশা করছেন দিন তিনেকের মধ্যেই কেসটার নিষ্পত্তি হয়ে যাবে। 'এবার আর আপনাকে কোনও ভূমিকা নিতে হবে না', বললেন ভদ্রলোক।

ফেলুদা টেলিফোনটা রেখে বলল, 'ম্যানেজারকে ওই ফোনটা করে নে। অভিনেতাদের একবার জেরা করা দরকার।'

আমি তখনই অপ্সরা থিয়েটারে ফোন করলাম। বার তিনেক ডায়াল করবার পর লাইন পেলাম। ম্যানেজার বললেন, 'পুলিশ এক দফা জেরা করে গেছে সকলকে। তবে আপনারা যদি আবার করতে চান তা হলে বিষ্যুদবার সকাল সাড়ে দশটায় আসুন। সেদিন এগারোটায়

রিহার্সাল আছে; আপনাদের আধ ঘণ্টায় কাজ শেষ করতে হবে।'

আমি ফোনটা নামিয়ে রাখার পর ফেলুদা বলল, 'টপ তিনজন আর ওই নতুন অ্যাকটরটিকে জেরা করলেই হবে।'

বিষ্যুদবার সাড়ে দশটার পাঁচ মিনিট আগেই আমরা পৌঁছে গেলাম অপ্সরা থিয়েটারে। ফেলুদাকে দেখে এসেছি তার আজও পায়ে ব্যথা রয়েছে। লালমোহনবাবু আজ আরও স্মার্ট; তার হাঁটা চলা এবং কথা বলার ঢংই বদলে গেছে।

আমরা প্রথমে ম্যানেজারের সঙ্গে দেখা করে বললাম যে আমরা তিনজন টপ অভিনেতা আর নতুন অভিনেতাটিকে প্রশ্ন করতে চাই।

'তা হলে ধরণীকে দিয়ে শুরু করুন। ধরণী সান্যাল। সে এখানের সিনিয়ারমোস্ট আর্টিস্ট; ছাব্বিশ বছর হল কাজ করছে।'

আমাদের জেরার জন্য ম্যানেজারের পাশের ঘরটা খালি করে দেওয়া হল। ঘরে একটা সোফা আর তিনটে চেয়ার রয়েছে।

একজন বছর পঞ্চাশের ভদ্রলোক এসে ঢুকলেন। সিংহের কেশরের মতো চুল—তার বেশির ভাগই সাদা—ঢুলুঢুলু চোখ, গায়ের রং মাঝারি।

'আমার নাম ধরণী সান্যাল,' বললেন ভদ্রলোক, 'আপনারা গোয়েন্দা?'

'আজ্ঞে হ্যাঁ,' সোজাসুজি বললেন লালমোহনবাবু। 'আমরা নেপাল লাহিড়ীর ব্যাপারে তদন্ত করছি।'

'নেপাল হুমকি চিঠি পাচ্ছিল,' বললেন ধরণীবাবু। 'তাকে বললুম সাবধান হতে, সে কথা কানেই তুললে না। এর মধ্যে গেছে মতি মিস্ত্রি লেনে। আরে বাবা, বন্ধুর সঙ্গে কদিন না হয় নাই দেখা করলে। আমি তো ওকে পুলিশে খবর দিতে বলেছিলাম, কিন্তু ও গা-ই করেনি। ঠিক এরকম হয়েছিল আমাদের আরেক অভিনেতার—মহীতোষ রায়। অবিশ্যি মহীতোষের মৃত্যুটা থিয়েটারের পক্ষে তত বড় লস নয়।'

'নেপালবাবুর কোনও শত্রু ছিল বলে জানেন?'

'থিয়েটারের টপ পোজিশনে বসে থাকলে তার শত্রু থাকবেই। মানুষের ছয় রিপুর মধ্যে একটি হল মাৎসর্য। নেপালের শত্রু থাকবে না? তবে যদি জিজ্ঞেস করেন কোন শত্রু এই কুকীর্তি করেছে, বা শত্রু ছাড়া অন্য কেউ করেছে কিনা, তা বলতে পারব না।'

'আপনার বাড়িতে তাঁর যাতায়াত ছিল?'

'আজ্ঞে না। এমনিই থিয়েটারে হপ্তায় তিন দিন দেখা হচ্ছে, তার উপর সে আমার এমন বন্ধু ছিল না যে অন্যদিনও দেখা করব।'

'যে দিন খুন হয় সেদিন সন্ধ্যাবেলা আপনি কী করছিলেন?'

'কালিকিঙ্কর ঘোষের বাড়ি কেত্তন শুনছিলুম। ইচ্ছে করলে যাচাই করে নিতে পারেন।'

'ঠিক আছে; আপনাকে আর কোনও প্রশ্ন করার নেই।'

এবার এলেন দীপেন বোস। বছর পঁয়তাল্লিশ বয়স, মাথা ভর্তি কোঁকড়া চুল, ঠোঁটের কোণে একটা সিগারেট, দাড়ি-গোঁফ নেই।

ভদ্রলোক প্রথমেই বললেন, 'আমি আর নেপাল প্রায় এক সঙ্গেই অপ্সরা থিয়েটারে জয়েন করি। সে ছিল জাত অভিনেতা। আমারও অ্যাম্বিশন ছিল, কিন্তু দেখলাম নেপালের সঙ্গে পেরে উঠব না।'

'তাতে আপনার মনে ঈর্ষা জাগেনি?'

'তা জেগেছে বইকী। বিলক্ষণ জেগেছে। অনেকদিন মনে মনে ভেবেছি—এই লোকটা আমার পথে কাঁটা হয়ে রয়েছে—এটাকে সরানো যায় না?'

'এই চিন্তাকে কার্যে পরিণত করার ইচ্ছা হয়নি কোনওদিন?'

'পাগল! আমরা ছাপোষা লোক। আমাদের দিয়ে কি খুনখারাপি হয়? নাটক করি, তাই নানারকম নাটকীয় চিন্তা মাথায় আসে—ব্যাস্, ওই পর্যন্ত।'

'যেদিন খুনটা হয় সেদিন সন্ধ্যাবেলা আপনি কী করছিলেন?'

'বায়স্কোপ দেখছিলাম। তবে প্রমাণ দিতে পারব না। টিকিটের অর্ধাংশ আমি কখনও রাখি না।'

'কী ছবি দেখলেন?'

'মনের মানুষ।'

'কেমন লাগল?'

'থার্ড ক্লাস।'

'ঠিক আছে, আপনি আসতে পারেন।'

তৃতীয় অভিনেতার নাম ভুজঙ্গ রায়। এঁর বয়স পঞ্চাশের উপর, চোখা নাক, চোখ কোটরে বসা, গাল তোবড়ানো, মাথার চুল পাতলা হয়ে এসেছে।

'আপনার সঙ্গে নেপালবাবুর সদ্ভাব ছিল?'

'এই থিয়েটারে নেপালই ছিল আমার সবচেয়ে বড় বন্ধু।'

'তাঁর মৃত্যু সম্বন্ধে আপনার কিছু বলার আছে?'

'এর চেয়ে বড় ট্র্যাজেডি থিয়েটার-মহলে অনেকদিন হয়নি। নেপাল ছিল আশ্চর্য অভিনেতা। আমার সঙ্গে কোনওদিন ক্ল্যাশ হয়নি, কারণ ও করত নায়কের রোল আর আমি করতুম ক্যারেকটার পার্ট।'

'উনি হুমকি চিঠি পাচ্ছিলেন সেটা আপনাকে বলেছিলেন?'

'প্রথম দিনই। আমি ওকে ওয়ার্নিং দিই—এসব চিঠি উড়িয়ে দিয়ো না, আর বিশেষ করে মতি মিস্ত্রি লেনে কিছুদিন যাওয়া বন্ধ করো। ও পাড়াটা নটোরিয়াস। কে কার কথা শোনে? নেপালের বিশ্বাস ছিল তার আয়ু বিরাশি বছর—সেটা কেউ খণ্ডাতে পারবে না।'

'তা হলে আপনার ধারণা গুণ্ডার হাতেই তাঁর মৃত্যু হয়?'

'তাই তো মনে হয়, কারণ তার দামি ঘড়িটাও তো পাওয়া যায়নি। সোনার ওমেগা ঘড়ি, দাম ছিল সাত হাজার টাকা।'

ভুজঙ্গবাবুকে ছেড়ে দিলাম। উনি আমাদের ধন্যবাদ দিয়ে চলে গেলেন।

এবার এলেন নতুন অভিনেতা, নাম সুধেন্দু চক্রবর্তী। প্রথম দেখে একটু হকচকিয়ে যেতে হয়, কারণ মোগলাই দাড়ি আর গোঁফ দেখে মনে হয় উনি মেক-আপ নিয়ে রয়েছেন। বললেন, অপ্সরা থিয়েটারে আলমগীর হচ্ছে শুনেই তিনি দাড়ি রাখতে আরম্ভ করেন। আগে শুধু গোঁফ ছিল।

'আপনি এর আগে কোথায় অভিনয় করতেন?' লালমোহনবাবু প্রশ্ন করলেন।

'কোথাও না। দু-একটা আপিস ক্লাবে করেছি। আমার প্লাইউডের ব্যবসা ছিল। তবে অভিনয় আমার নেশা। আর কিছু না করার থাকলে আমি নাটকের বই খুলে পার্ট মুখস্থ করে আয়নার সামনে দাঁড়িয়ে অভিনয় করতাম। এখন অবশ্য তার আর দরকার হবে না।'

'আপনি কি আলমগীরে পার্ট পেয়ে গেছেন?'

'সে বিষয়ে সন্দেহ নেই, তবে কোন পার্ট সেটা এখনও স্থির হয়নি। মেন পার্টও হতে পারে।'

'আপনি থাকেন কোথায়?'

'অ্যামহার্স্ট রো।'

'ব্যবসা কি এখন ছেড়ে দেবেন?'

'হ্যাঁ। অ্যাকটিংই আমার ধ্যান ছিল; সুযোগ পাইনি বলে ব্যবসা চালাচ্ছিলাম।'

ফেলুদাকে যাতে ঠিকভাবে রিপোর্ট দিতে পারি তাই আমি কথোপকথনটা টেপ রেকর্ডারে রেকর্ড করে নিচ্ছিলাম। বুঝতে পারছিলাম লালমোহনবাবু প্রশ্নগুলো করছিলেন নিজেকে ফেলুদা হিসেবে কল্পনা করেই। এটা আমাদের কাছে একেবারে নতুন অভিজ্ঞতা।

সুধেন্দুবাবুকে আর একটাই প্রশ্ন করার ছিল।

'আপনার সঙ্গে নেপালবাবুর আলাপ হয়েছিল?'

'সামান্যই। তবে ওঁর অভিনয় আমি আগে অনেক দেখেছি। খুব ভাল লাগত।'

৭

ফেলুদা খুব মন দিয়ে আমাদের রিপোর্ট শুনল। তারপর বলল, 'আমার অ্যাবসেন্সে তো তোরা বেশ চালিয়ে নিতে পারছিস।'

লালমোহনবাবু বললেন, 'প্রশ্ন করাটাতে খুব একটা বুদ্ধি লাগে না, আসল কথা হচ্ছে উত্তরগুলো থেকে কী বোঝা গেল। আমি তো মশাই এখনও যেই তিমিরে সেই তিমিরে। আর গুণ্ডা যদি মেরে থাকে লাহিড়ীকে তাহলে তো পুলিশ তার কিনারা করবেই।'

'গুণ্ডারা হুমকি চিঠি দিয়ে খুন করে না।'

'তা বটে। তা আপনার কি মনে হয় নেপাল লাহিড়ী আর মহীতোষ রায়কে একজন লোকই খুন করেছে?'

'একজন বা একই দল। সেটাই তো স্বাভাবিক।'

'কিন্তু মোটিভটা—?'

'ধরুন যদি অন্য থিয়েটারের লোক খুনটা করে থাকে, সেখানে তো স্পষ্ট মোটিভ রয়েছে। অপ্সরা থিয়েটারে এখন টপ দুজন অভিনেতাই চলে গেল। ওদের আবার মাথা তুলে দাঁড়াতে কি কম সময় লাগবে?'

ফেলুদার পায়ে এখনও বেশ ব্যথা। বোধ হয় এক্স-রে করাতে হবে। ব্যান্ডেজ-বাঁধা পা কফি টেবিলের উপর তুলে ও সোফায় হেলান দিয়ে বসেছিল। বলল, 'তোরা তো অনেক কাজ করলি, এবার আমায় একটু নিরিবিলি কাজ করতে দে!'

'কী কাজ করবে তুমি?'

'চিন্তা করব। একটা আলোর আভাস দেখতে পাচ্ছি অন্ধকারের মধ্যে। সেইটে আরও উজ্জ্বল হওয়া দরকার।'

লালমোহনবাবু বললেন, 'আপনি ভাবুন; আমি আপনাকে কোনওরকম ডিসটার্ব না করে এক কাপ চা খাব। তপেশ ভাই, ভেতরে একটু বলে দিয়ে এসো না!'

ফেলুদা দেখলাম ভ্রূকুটি করে চোখ বুজে ফেলেছে। শেষটায় কি ও ঘরে বসেই রহস্যের সমাধান করে ফেলবে নাকি?

কিছুক্ষণ চুপ থেকে ও একটা প্রশ্ন করল।

'এইসব অভিনেতাদের সঙ্গে যে কথা বললি, এদের কারুর মধ্যে কোনও বাতিক লক্ষ করলি?'

আমি বললাম, 'ভুজঙ্গ রায় নস্যি নেন; ধরণী সান্যাল বিড়ি খান আর সুধেন্দু চক্রবর্তী মশলা খান।'

'গুড।'

আবার কিছুক্ষণ নিস্তব্ধতা। ইতিমধ্যে শ্রীনাথ লালমোহনবাবুকে চা এনে দিয়েছে, ভদ্রলোক

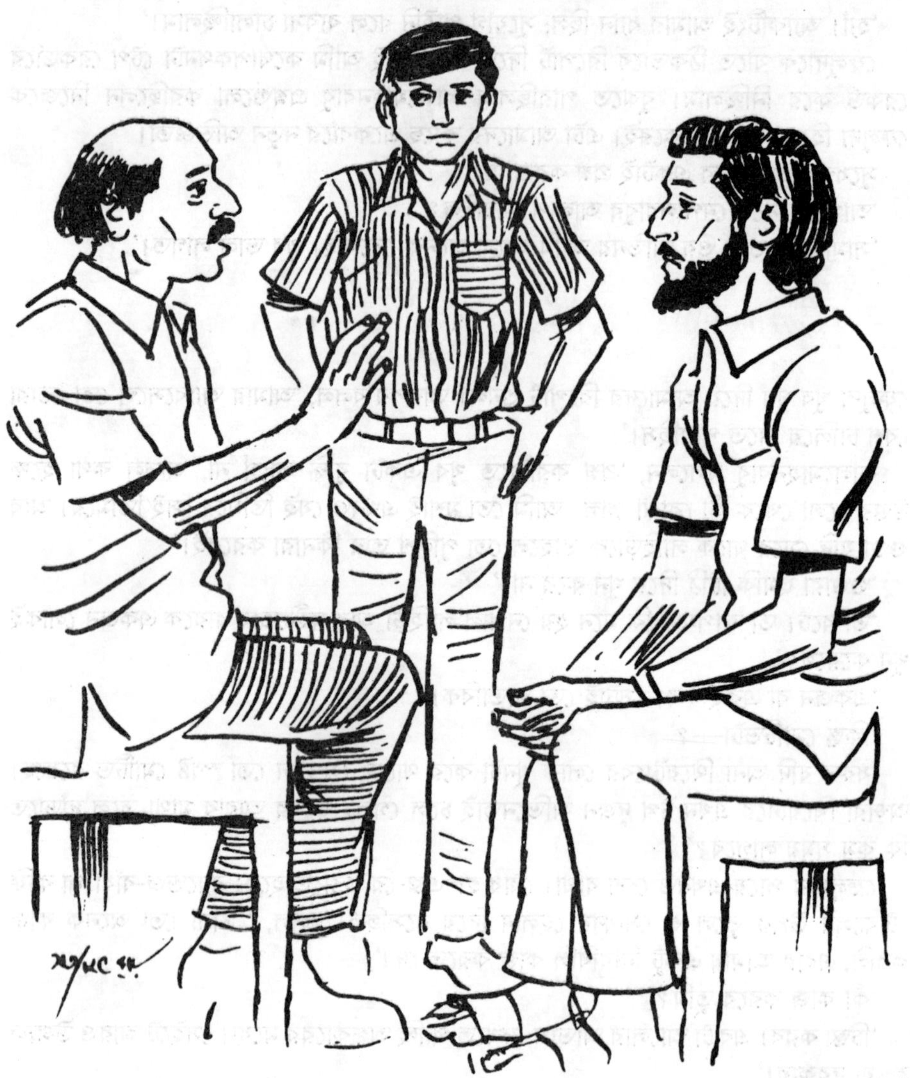

বেশ তৃপ্তিসহকারে পান করছেন। আমি একটা পত্রিকার পাতা উলটে যেতে লাগলাম। ফেলুদার কাছে নানারকম পত্রিকা আসে, তার বেশির ভাগই অবিশ্যি ওয়েস্ট পেপার বাস্কেটে চলে যায়।

মিনিট পাঁচেক নিস্তব্ধতার পর ফেলুদার দিকে চেয়ে দেখি ও চোখ খুলেছে, আর সেই চোখ জ্বলজ্বল করছে।

'লালমোহনবাবু', চাপা স্বরে বলল ফেলুদা।

'আজ্ঞে?'

'এই যে সুধেন্দু চক্রবর্তী—ইনি কি মাঝারি হাইটের ভদ্রলোক?'

'হ্যাঁ।'

'ফরসা রং?'

'হ্যাঁ।'

'বছর চল্লিশ-পঁয়তাল্লিশ বয়স?'

'হ্যাঁ—কিন্তু আপনি এঁকে চেনেন নাকি?'

'শুধু আমি নয়, আপনারাও চেনেন।'

'বলেন কী?'

'এবার বোধহয় ঘরে বসেই রহস্যোদ্‌ঘাটন হয়ে গেল।'

'অ্যাঁ!'

'দাঁড়ান, আগে ইনস্পেক্টর ভৌমিককে একটা ফোন করি।'

আমি ফেলুদার হয়ে নম্বরটা ডায়াল করে ফোনটা ওর দিকে এগিয়ে দিলাম। ফেলুদা বলল, 'কে, হরিদাসবাবু? আমি প্রদোষ মিত্র কথা বলছি।—শুনুন, ওই অপ্সরা থিয়েটারের মামলাটা—আমার মনে হয় গুণ্ডাদের পিছনে সময় নষ্ট না করাই ভাল, কারণ আমি জেনে গেছি কে খুনটা করেছে। আমি তো চলৎশক্তিরহিত। কাজেই আপনাকেই আসতে হবে আমার কাছে। আমি নাইনটি নাইন পার্সেন্ট সিওর...ঘণ্টা খানেকের মধ্যে এলেই হবে।'

ফেলুদা ফোন রেখে দিল। আমরা ওর মুখের দিকে চেয়ে রয়েছি।

'খুব জানতে ইচ্ছে করছে, তাই না? ঠিক আছে। তোদের আর সাসপেন্সে রাখব না। ব্যাপারটা জলের মতো সোজা, অথচ জিলিপির মতো প্যাঁচালো। একটা কথা বলতেই হবে—হ্যাটস অফ টু দ্য মার্ডারার। আশ্চর্য ফন্দি এঁটেছিল। ফেলু মিত্তিরের পর্যন্ত ধোঁকা লেগে গিয়েছিল। আসলে এটা স্রেফ ঈর্ষার ব্যাপার। নেপাল লাহিড়ীকে সরিয়ে প্রধান অভিনেতার স্থান দখল করার চেষ্টা; তার জন্যেই খুন।'

'কিন্তু মহীতোষ রায়?'

'তিনি খুন হননি।'

'অ্যাঁ!'

'না। তিনি এমনভাবে ঘটনাটাকে সাজিয়েছিলেন—হুমকি চিঠি থেকে আরম্ভ করে—যাতে মনে হয় তিনি খুন হয়েছেন। আসলে তিনি এখনও জীবিত এবং বহাল তবিয়তে রয়েছেন ছদ্মবেশে এবং নতুন ঠিকানায়। লেকে গিয়েছিলেন তিনি শুধু মশলার কৌটোটা ফেলে আসতে। তারপর গা ঢাকা দিলেই লোকের সন্দেহ হবে যে তিনি খুন হয়েছেন এবং তাঁর মৃতদেহ লেকের জলে ডুবে রয়েছে।'

'আশ্চর্য মাথা বটে লোকটার।'

'তারপর তিন মাসে দাড়ি গোঁফ গজিয়ে অপ্সরা থিয়েটারে আগমন। দাড়ি-গোঁফে মানুষের চেহারা একদম বদলে যায়। তাই আপনারা চিনতে পারেননি। অপ্সরাতে অভিনেতা দরকার—সুতরাং ওঁকে না নেওয়ার কোনও কারণ নেই, বিশেষত যখন সুপুরুষ চেহারা আর কণ্ঠস্বর ভাল।'

'সুধেন্দু চক্রবর্তী!'

'ইয়েস স্যার। মশলার অভ্যাস এখনও যায়নি—যদিও আপনাদের সামনে খেয়ে লোকটা কাঁচা কাজ করেছে। যাই হোক, তাঁর প্ল্যান একেবারে ষোলো আনা সফল হত, যদি না আপনারা আমাকে সাহায্য করতেন। লোকটা একটা পাকা খুনি বনে গিয়েছিল স্রেফ উচ্চাভিলাষের বশে। আংটি চুরিটা অবশ্য স্রেফ ভাঁওতা। কিন্তু ফেলু মিত্তিরকে তো সে চেনে না। আমার কাছে এসে যে কত বড় ভুল করেছে এবার সে বুঝতে পারবে।'

ফেলুদা যে ব্যাপারটা ঠিকই ধরেছিল সেটা অবিশ্যি পরদিনই ইনস্পেক্টর ভৌমিকের টেলিফোনে জানা গেল।

লালমোহনবাবু আমাকে আলাদা পেয়ে বললেন, 'তোমার দাদার সঙ্গে আমাদের তফাতটা কোথায় সেটা হাড়ে হাড়ে টের পেয়েছি।'

'কোথায় তফাত?'

লালমোহনবাবু তাঁর টাকের উপর ডান হাতের তর্জনীর ডগা দিয়ে টোকা মেরে বললেন—'মাথায়!'

শকুন্তলার কণ্ঠহার

১

শেষ পর্যন্ত লালমোহনবাবুর কথাই রইল। ভদ্রলোক অনেকদিন থেকে বলছেন, 'মশাই, সেই সোনার কেল্লার অ্যাডভেঞ্চার থেকে আমি আপনাদের সঙ্গে রইচি, কিন্তু তার আগে লখ্‌নৌ আর গ্যাংটকে আপনাদের যে দুটো অ্যাডভেঞ্চার হয়ে গেছে তখন তো আর আমি ছিলাম না। কাজেই সে দুটো জায়গাও আমার দেখা হয়নি। বিশেষ করে লখ্‌নৌ-এর মতো একটা ঐতিহাসিক শহর। আপনারা তো গেছেন সেই কবে, চলুন না এবার পুজোয় আরেকবার যাওয়া যাক।'

ফেলুদার লখ্‌নৌ ভীষণ ভাল লাগে জানি, আর সেই সঙ্গে আমারও। আইডিয়াটা মন্দ

না। প্রথমবার যখন যাই, আর আমাদের বাদশাহী আংটির অ্যাডভেঞ্চারটা হয়, তখন আমি খুব ছোট। এখন গেলে লখ্‌নৌ আরও ভাল লাগবে সেটা আমি জানি।

ফেলুদা বলল, 'আমারও লখ্‌নৌ-এর কথা হলেই মনটা চনমন করে ওঠে। আর অত সুন্দর শহর ভারতবর্ষে কমই আছে। শহরের মাঝখান দিয়ে নদী বয়ে গেছে এ রকম কটা জায়গা পাবেন আপনি ? ব্রিজের একদিকে শহরের অর্ধেক, বাকি অর্ধেক অন্য দিকে। তা ছাড়া নবাবি আমলের গন্ধটা এখনও যায়নি। চারিদিকে তাদের কীর্তির চিহ্ন ছড়ানো। তার উপর সেপাই বিদ্রোহের চিহ্ন। নাঃ—আপনার কথাই শিরোধার্য। কদিন থেকে ভাবছি কোথায় যাওয়া যায় এবার পুজোয়। লখ্‌নৌই চলুন।'

ফেলুদা আজকাল ভাল রোজগার করে। প্রাইভেট গোয়েন্দাদের মধ্যে ওর নামডাকই সবচেয়ে বেশি। মাসে অন্তত সাত-আটটা কেস আসে, আর প্রতি তদন্তের জন্য দু হাজার করে পায়। অবিশ্যি রোজগারের দিক দিয়ে লালমোহনবাবুকে টেক্কা দেওয়া মুশকিল। একবার বলেছিলেন ওঁর বইয়ের থেকে বার্ষিক আয় নাকি প্রায় তিন লাখ টাকা। তার উপরে নতুন নতুন বই প্রতি বছরই বেরোচ্ছে।

আমরা আর দ্বিধা না করে লখ্‌নৌ যাবার ব্যবস্থা করে ফেললাম। দুন এক্সপ্রেসে তিনটি প্রথম শ্রেণীর টিকিট—রাত নটায় বেরোনো, পরদিন সন্ধ্যা সাড়ে ছটায় পৌঁছানো। সেই সঙ্গে অবিশ্যি হোটেল বুকিংও টেলিগ্রাম করে ফেলা হল। ফেলুদা বলল, 'যাবই যখন তখন আরামে থাকব, নইলে ক্লান্তি যাবে না।'

'কোন হোটেলে উঠবেন ?' জিজ্ঞেস করলেন জটায়ু।

'হোটেল ক্লার্কস-আওয়ধ।'

'আওয়ধ ? আওয়ধ ব্যাপারটা কী ?'

'আওয়ধ হল অযোধ্যার উর্দু নাম।'

'লখ্‌নৌ বুঝি অযোধ্যায় ?'

'সেটাও জানেন না ? লখ্‌নৌ নামটাও এসেছে লক্ষ্মণ থেকে।'

'রামের ভাই লক্ষ্মণ ?'

'ইয়েস স্যার। আওয়ধ হল লখ্‌নৌ-এর সেরা হোটেল। একেবারে গুম্‌তীর উপরে। হোটেলের পাশ দিয়ে নদী বয়ে গেছে।'

'বাঃ—আইডিয়াল। আওয়ধ অন দি গুম্‌তী। ঠাণ্ডা কেমন হবে ?'

'সন্ধের জন্য একটা পুলোভার নিয়ে নেবেন। অথবা আপনার গরম জহর কোট। আপনি সাহেব সাজবেন না বাঙালি সাজবেন তার উপর নির্ভর করছে।'

'দুটোই নেব।'

'ভেরি গুড।'

'ওখানে তো বাঙালি অনেক ?'

'বিস্তর। ছ-সাত পুরুষ থেকে লখ্‌নৌতে প্রবাসী এমন বাঙালিও আছে। বেঙ্গলি ক্লাব আছে—সেখানে পুজো হয়। বলা যায় না—আপনার অনুরাগী পাঠকও সেখানে কিছু পেয়ে যেতে পারেন।'

'তা হলে আমার লেটেস্ট বই "সাংঘাইয়ে সংঘাত" কয়েক কপি সঙ্গে নিলে বোধহয় মন্দ হয় না।'

'কয়েক কপি কেন—এক ডজন নিয়ে নিন।'

৫ই অক্টোবর শনিবার আমরা বেরিয়ে পড়লাম। স্টেশনে প্রচুর ভিড়। রিজার্ভেশন ক্লার্ক দেখলাম ফেলুদাকে দেখে চিনলেন—বললেন, 'চলুন স্যার, আপনাদের বোগি দেখিয়ে

দিচ্ছি। একটা ফোর্থ-বার্থ কম্পার্টমেন্টে তিনটে বার্থ—এই তো ? এই যে আপনাদের বোগি। তিন নম্বর কামরা আপনাদের জায়গা—একটা লোয়ার, দুটো আপার বার্থ।'

আমরা গিয়ে আমাদের জায়গা দখল করলাম। বাড়ি থেকে তাড়াতাড়ি ডিনার খেয়ে এসেছি, তাই ট্রেনে খাবার ঝামেলা নেই। একটা লোয়ার বার্থে আরেকজন ভদ্রলোক বসে আছেন, বছর পঞ্চাশ বয়স, মাঝারি হাইট, ঠোঁটের উপর একটা সরু গোঁফ। আমাদের দেখে একটু সরে বসে পাশে জায়গা করে দিলেন। ফেলুদা সেখানে বসল, আমরা দুজন উলটো দিকের বার্থে। দশ দিন থাকব আমরা লখ্‌নৌ। মালপত্র বেশি নিইনি ; আমার আর ফেলুদার জিনিস একটা বড় সুটকেসে আর লালমোহনবাবুর জিনিস তাঁর বিখ্যাত লাল জাপানি সুটকেসে। বলেন ওটা নাকি ওঁর পাড়ার এক ধনী ব্যবসাদার বন্ধু হৃষীকেশ চৌধুরী জাপান থেকে স্পেশালি লালমোহনবাবুর জন্য এনে দিয়েছেন।

আমাদের সহযাত্রীটি বাঙালি কি না সে বিষয় একটু সন্দেহ ছিল। সেটা দূর হল ভদ্রলোক যখন নিজে আলাপ করলেন।

'আপনারা কদ্দূর যাবেন ?' জিজ্ঞেস করলেন ভদ্রলোক।

'লখ্‌নৌ', বললেন লালমোহনবাবু। 'আপনি ?'

'আমিও লখ্‌নৌ যাচ্ছি। ওখানেই থাকি। আমরা তিন পুরুষ ধরে ওখানেই আছি। আপনারা কি বেড়াতে যাচ্ছেন ?'

'আজ্ঞে হ্যাঁ', বললেন লালমোহনবাবু।

এবার ফেলুদা বলল, 'আপনার সুটকেসে দেখছি তিনটি ইংরিজি হরফ লেখা রয়েছে—এইচ. জে. বি.। এরকম অদ্ভুত ইনিশিয়ালস তো বড় একটা দেখা যায় না। আপনার নামটা জিজ্ঞেস করলে আশা করি আপনি বিরক্ত হবেন না।'

'মোটেই না। আমার নাম জয়ন্ত বিশ্বাস। এইচ-টা হল হেক্টর। আমি ক্রিশ্চান। আমাদের পরিবারের সকলেরই একটা করে ক্রিশ্চান নাম আছে।'

'ধন্যবাদ', বলল ফেলুদা। 'আপনার নামটা যখন বললেন তখন আমাদের নামও বলা সমীচীন। আমি প্রদোষ মিত্র, এটি আমার খুড়তুতো ভাই তপেশ, আর ইনি আমাদের বন্ধু লালমোহন গাঙ্গুলী।'

ভদ্রলোক বললেন, 'আমার শাশুড়ির নাম হয়তো আপনারা শুনে থাকবেন। উনি সাইলেন্ট যুগে ফিল্মে অ্যাকটিং করতেন। খুব পপুলার ছিলেন।'

'কী নাম বলুন তো ?' জিজ্ঞেস করলেন লালমোহনবাবু।

'শকুন্তলা দেবী।'

'আরেব্বাস', বললেন লালমোহনবাবু, 'তিনি তো যাকে বলে তখনকার দিনে একজন বিখ্যাত স্টার ! আমার এক প্রতিবেশী আছেন, নরেশ বোস—এখন বয়স হয়েছে, তবে যুবা বয়সে তিনি ফিল্মের পোকা ছিলেন। তাঁর কাছে বাঁধানো "বায়োস্কোপ" পত্রিকা দেখেছি। তাতে শকুন্তলা দেবীর বিস্তর ছবি রয়েছে। তাঁর সম্বন্ধে লেখাও রয়েছে অনেক। তিনি বোধহয় বাঙালি ছিলেন না।'

'না। অ্যাংলো ইন্ডিয়ান বলতে পারেন। আসল নাম ছিল ভার্জিনিয়া রেনল্ড্‌স। তাঁর বাবা টমাস রেনল্ড্‌স ছিলেন আর্মিতে। তিনি লখ্‌নৌতেই পোস্টেড ছিলেন। চোস্ত উর্দু বলতে পারতেন। তিনি একজন মুসলমান বাঈজিকে বিয়ে করেন। তাঁরই মেয়ে হলেন ভার্জিনিয়া।'

'হাইলি ইন্টারেস্টিং', বললেন লালমোহনবাবু। 'কিন্তু তিনি তো বোধহয় টকিতে অভিনয় করেননি।'

'না। এদেশে টকি আসার আগেই তিনি বিয়ে করে ফেলেন একজন বাঙালি ক্রিশ্চানকে। তারপর প্রথম সন্তান হবার পরই শকুন্তলা দেবী ছবির কাজ থেকে অবসর গ্রহণ করেন। তাঁর প্রথম দুটি সন্তান ছিল মেয়ে, তৃতীয়টি ছেলে। আমি দ্বিতীয় মেয়েকে বিয়ে করি ১৯৬০-এ। আমার বড় শালি বিয়ে করেন একটি গোয়ানকে। আমার ছোট শালা বিয়ে করেননি।'

এতদিন লখ্‌নৌতে থাকবার জন্যই বোধহয় ভদ্রলোকের বাংলায় একটা পশ্চিমা টান এসে গেছে। যদিও ভাষায় কোনও গণ্ডগোল নেই।

এবার ফেলুদা একটা প্রশ্ন করল।

'কোনও এক মহারাজা শকুন্তলা দেবীকে একটা মূল্যবান উপহার দিয়েছিলেন, তাই না ?'

'আপনি ঠিকই বলেছেন,' বললেন জয়ন্তবাবু। 'মাইসোরের মহারাজা। শকুন্তলার অভিনয়ে মুগ্ধ হয়ে তিনি তাঁকে একটি বহুমূল্য কণ্ঠহার উপহার দেন। তখনকার দিনেই দাম ছিল লাখ খানেকের মতো। কিন্তু এটা আপনি কী করে জানলেন ? যদ্দূর মনে হয় শকুন্তলা অভিনয় করতেন আপনার জন্মের আগে।'

'তা তো বটেই', বলল ফেলুদা। 'কিন্তু বছর পনেরো আগে আমি খবরের কাগজে একটা খবর পড়ি। এই হার চুরি হয়েছিল, তারপর পুলিশ সেটা উদ্ধার করে।'

'ঠিক কথা। তখনও শকুন্তলা দেবী বেঁচে। তিনি মারা গেছেন তিন বছর আগে আটাত্তর বছর বয়সে। মারা যাবার পরেও এই হারটার কথা কাগজে বেরিয়েছিল। কিন্তু আপনার সেই পনেরো বছর আগের খবরের কথা মনে আছে—আপনার মেমরি তো খুব শার্প দেখছি।'

'ক্রাইমের খবর আমি বহুদিন থেকেই খুব উৎসাহ নিয়ে পড়ি। আর পড়লে আমার মনেও থাকে। আসল কথাটা আপনাকে বলেই ফেলি। আমার পেশাটিও হচ্ছে ক্রাইমের সঙ্গে জড়িত।'

ফেলুদা পকেট থেকে তার একটা কার্ড বার করে জয়ন্তবাবুর হাতে দিল। ভদ্রলোকের চোখ কপালে উঠে গেল।

'প্রাইভেট ইনভেস্টিগেটর ! তাই বলুন। আপনার নামটা চেনা চেনা লাগছিল। আপনার তো একটা ডাকনামও আছে।'

'হ্যাঁ। ফেলু।'

'ফেলু। ইয়েস—ফেলুদা। আমার মেয়ে আপনার বিশেষ ভক্ত। আপনার সব অ্যাডভেঞ্চার কাহিনী তার পড়া। বাংলা সে এমনিতে একেবারেই পড়ে না, কিন্তু আপনার বইগুলো পড়ে। যাক, আপনার সঙ্গে আলাপ হয়ে খুব ভাল লাগল।'

এবার ফেলুদা লালমোহনবাবুর পরিচয়টাও দিয়ে দিল। বলল, 'এঁর নাম লখ্‌নৌ অবধি পৌঁছেছে কি না জানি না, তবে ইনি বাংলার একজন বিশেষ জনপ্রিয় থ্রিলার রাইটার। জটায়ু ছদ্মনামে এঁর উপন্যাস বেরোয়।'

'বাঃ দুজন বিখ্যাত লোকের সঙ্গে ট্রেনের কামরায় আলাপ হয়ে গেল এ তো আশ্চর্য ব্যাপার। লখ্‌নৌতে আপনারা উঠছেন কোথায় ?'

'ক্লার্কস-আওয়ধ।'

'আমি থাকি নদীর ওদিকে—বাদশাবাগে। আমি আপনার সঙ্গে যোগাযোগ করব। একদিন আমাদের বাড়িতে খেতে আসতে হবে আপনাদের। আমার স্ত্রী খুব ভাল মোগলাই রান্না রাঁধেন। তা ছাড়া আমার মেয়ে তো ফেলুদাকে দেখে থ্রিল্‌ড হয়ে যাবে। আপনাদের তিনজনেরই আসা চাই কিন্তু।'

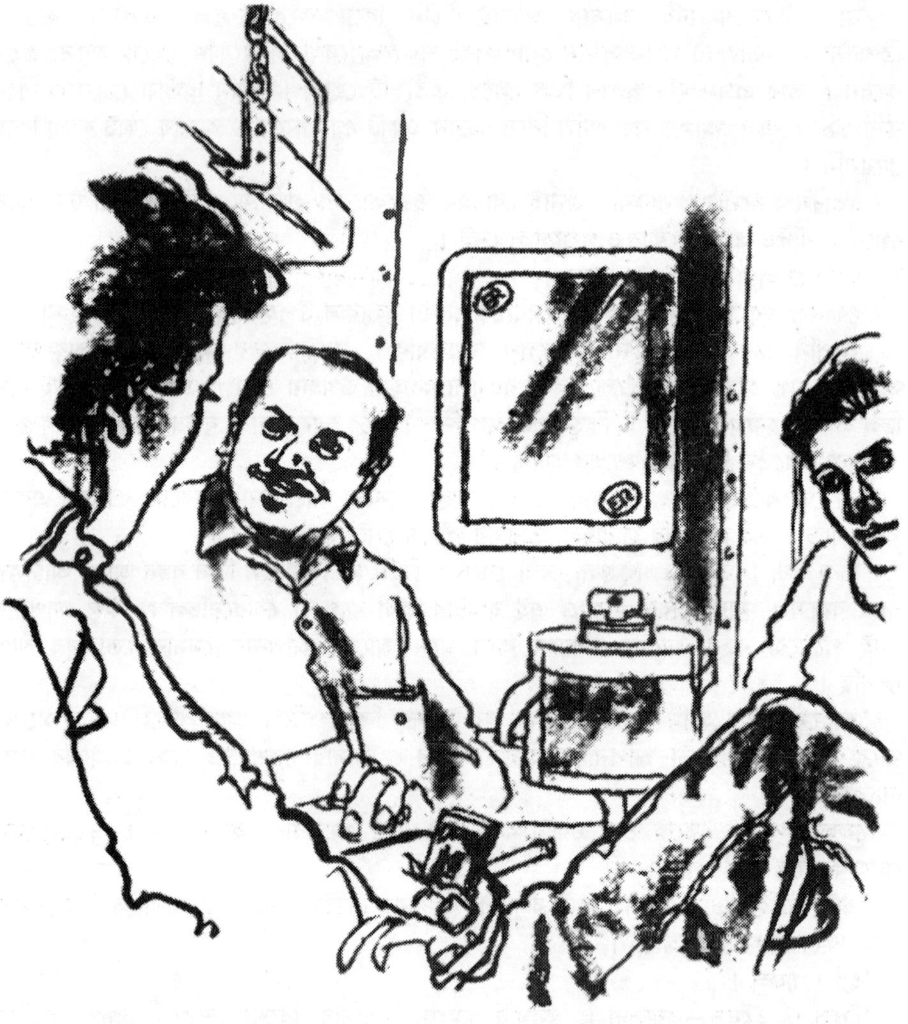

'নিশ্চয়ই, নিশ্চয়ই', বলল ফেলুদা। 'আর সেই সঙ্গে আশা করি বিখ্যাত কণ্ঠহারটাও একবার দেখা যাবে।'

'সে তো খুব সহজ ব্যাপার। কারণ হারটা আমার কাছেই আছে। অর্থাৎ আমার স্ত্রীর কাছে।'

'কেন ? ছোট মেয়ের কাছে কেন ? বড় মেয়ের কাছে নয় কেন ?'

'কারণ ভার্জিনিয়ার তাঁর ছোট মেয়ের উপর বেশি টান ছিল। আর অনেক গুণ ছিল এই ছোট মেয়ের—অর্থাৎ আমার স্ত্রী সুনীলার। অবিশ্যি সে সব গুণের সদ্ব্যবহার সে করেনি। বিয়ের পর পুরো গৃহিণী বনে গিয়েছিল। বিয়ে না করলে হয়তো ফিল্মে চান্স নিত, কারণ তার অভিনয় দক্ষতা ছিল যথেষ্ট।'

'আপনার স্ত্রীর নাম সুনীলা বললেন। ওঁনার কোনও ক্রিশ্চান নাম নেই ?'

'হ্যাঁ। ওর পুরো নাম প্যামেলা সুনীলা।'

২

রাত্রে দশটার মধ্যেই ঘুমিয়ে পড়ে সকালে সাড়ে ছটায় উঠে মুখ-টুখ ধুয়ে বক্সারে ব্রেকফাস্ট খেলাম। মোগলসরাই আসবে পৌনে নটায়। লাঞ্চ খাব প্রতাপগড়ে সাড়ে বারোটার সময়।

জয়ন্তবাবু দেখলাম খুব সকালেই ওঠেন। ব্রেকফাস্ট খেয়ে বললেন, 'কাছেই কুপেতে আমার এক চেনা ভদ্রলোক রয়েছেন, তাঁর সঙ্গে একবার দেখা করে আসি।'

লালমোহনবাবুও স্নানটান করে দাড়ি কামিয়ে একেবারে ফিটফাট। উনি 'বিক' রেজার দিয়ে দাড়ি কামান। এগুলো বার তিন-চার ব্যবহার করে ফেলে দিতে হয়। কলকাতায় পাওয়া যায় না। লালমোহনবাবুর এক বন্ধু কাঠমাণ্ডু থেকে ওঁর জন্য চার প্যাকেট অর্থাৎ কুড়িটা এনে দিয়েছেন। বললেন, 'ভারী আরামে শেভ করা যায় মশাই।'

ফেলুদা বলল, 'দু মাস পরে তো আবার দিশি ব্লেডে ফিরে যেতে হবে।'

ভদ্রলোক একগাল হেসে বললেন, 'নো স্যার। দাড়ি কামানোর ব্যাপারে আমি একটু লাক্সারি পছন্দ করি। আমি নিউ মার্কেট থেকে উইলকিনসন ব্লেড কিনি।'

'সে তো অনেক দাম।'

'সংসার করিনি, টাকা কার জন্যে জমাব বলুন তো ? তাই নিজের পেছনেই খরচ করি।'

'আমাদের পেছনেও কম খরচ হয় না আপনার। আপনার গাড়ি আমরা প্রায়ই ব্যবহার করি।'

'মশাই, তিনজনের একজন মাস্কেটিয়ারের গাড়ি আর দুজন চড়বে না—এ কেউ শুনেছে কখনও ?'

ফেলুদা একটা চারমিনার ধরিয়ে বাইরের প্যাসেজে পায়চারি করতে গেল। মিনিট পাঁচেক পরে ফিরে এসে বলল, 'এক নম্বর কুপেতে জয়ন্তবাবু তাঁর আলাপীর সঙ্গে দিব্যি গপ্পে মেতে আছেন। ইংরিজিতে কথা হচ্ছে, অর্থাৎ ভদ্রলোক অবাঙালি। দেখে অ্যাংলো ইন্ডিয়ান বলে মনে হল, যদিও রং আমাদেরই মতো।'

'কী কথা হচ্ছে শুনতে পেলেন নাকি ?' জিজ্ঞেস করলেন জটায়ু।

'আলাপী বললেন, "আই গিভ ইউ জাস্ট থ্রি ডেজ।" এর বেশি আর কিছু শুনিনি।'

'কথাটা কি হুমকি বলে মনে হল ?'

'ট্রেনের শব্দের জন্য গলা তুলতে হয় বলে সব কথাই হুমকির মতো শোনায়।'

একটু পরেই জয়ন্তবাবু তাঁর আলাপীকে সঙ্গে নিয়ে আমাদের কামরায় এসে ফেলুদাকে বললেন, 'আপনার সঙ্গে আলাপ করিয়ে দিই। দিস ইজ মিঃ সুকিয়াস—এ ওয়েলনোন বিজনেসম্যান অফ লাক্‌নাউ। তা ছাড়া আর্টের সমঝদারও বটে।'

সুকিয়াস ইংরিজিতে বললেন, 'আশা করি আমাদের আবার লখ্‌নৌতে দেখা হবে। মিঃ বিসওয়াস আমার অনেকদিনের পুরনো বন্ধু।'

সুকিয়াস চলে গেলেন। জয়ন্তবাবু তাঁর বার্থের আধখানা দখল করে বসলেন। বাকি আধখানায় যথারীতি ফেলুদা বসেছে।

ফেলুদা জয়ন্তবাবুকে উদ্দেশ করে বলল, 'আপনার শাশুড়ির আসল নাম বলছিলেন ভার্জিনিয়া রেনল্ড্‌স। এই রেনল্ড্‌স পরিবার কবে থেকে আছে ভারতবর্ষে ?'

জয়ন্তবাবু বললেন, 'ভার্জিনিয়ার ঠাকুরদাদা জন রেনল্ড্‌স ভারতবর্ষে আসেন ১৮২৭ খ্রিস্টাব্দে। তখন তাঁর বয়স উনিশ। তিনি বেঙ্গল রেজিমেন্টে যোগ দেন। ১৮৫৭-র সেপাই বিদ্রোহের সময় তিনি লখ্‌নৌতে পোস্টেড ছিলেন। যুদ্ধে যথেষ্ট বীরত্বের পরিচয়

দিয়ে একেবারে শেষদিকে সেপাইদের কামানের গোলায় প্রাণ দেন। তাঁর ছেলে টমাসও বেঙ্গল রেজিমেন্টে ছিলেন। তিনি উর্দু শিখে একদম ভারতীয় বনে গিয়েছিলেন। রাজার হালে থাকতেন। নিজের বাড়িতে রেগুলার বাঈনাচের আয়োজন করতেন। ফরসিতে তামাক খেতেন, পান খেতেন, আতর মাখতেন। এমনকী মাঝে মাঝে দিশি পোশাকও পরতেন। অবশেষে তিনি ফরিদা বেগম নামে এক কথক নাচিয়েকে ভালবেসে ফেলে তাকে বিয়ে করেন। বাড়িতে মুলসমান কেতা চালু ছিল। লোকে টমাসকে বলত "টমাস বাহাদুর"। টমাসের প্রথমে দুটি ছেলে হয়, নাম এডওয়ার্ড আর চার্লস। এরাও ছেলেবেলা থেকেই উর্দু বলত। এরা কেউই আর্মিতে যোগ দেয়নি। এডওয়ার্ড উকিল হয়, আর চার্লস আসামের চা-বাগানে ম্যানেজারি করতে চলে যায়। সে আর লখ্‌নৌতে ফেরেনি। টমাসের তৃতীয় সন্তান অবশ্য ছিল ভার্জিনিয়া। উনি ছেলেবেলা থেকেই উর্দু আর ইংরিজি একসঙ্গে শিখেছিলেন। গায়ের রংটা ছিল সাহেবের মতো ফরসা, কিন্তু চুল আর চোখ ছিল কালো। তাই যখন ছবিতে দিশি চরিত্রে অভিনয় করতেন, তাঁকে বেমানান লাগত না।

'আগেই বলেছি ভার্জিনিয়া একজন বাঙালি ক্রিশ্চানকে বিয়ে করেন। এঁর নাম ছিল

পার্সিভ্যাল মতিলাল ব্যানার্জি। আসলে ইনি ছিলেন শকুন্তলার ছবির প্রোডিউসর। ইনিই আমার শাশুড়িকে ছবিতে নামান। স্ত্রীর ছবি থেকে উনি অনেক টাকা করেন। সত্যি বলতে কী, ভার্জিনিয়ার বাবা টমাস নবাবি করে শেষ জীবনে বেশ অর্থকষ্ট ভোগ করেন। তখন ভার্জিনিয়া তাঁর ফিল্মের রোজগার থেকে বাবাকে সাহায্য করেন।

'পার্সিভ্যাল আর ভার্জিনিয়ার তিনটি সন্তান জন্মায়। বড় এবং মেজো হল মেয়ে, ছোটটি ছেলে। বড়টির নাম মার্গারেট সুশীলা। ইনি যে একজন গোয়ার অধিবাসীকে বিয়ে করেন সে কথা আগেই বলেছি। এঁর নাম স্যামুয়েল সাল্‌ডান্‌হা। এনার একটি বাদ্যযন্ত্রের দোকান রয়েছে।

'দ্বিতীয়া মেয়ে প্যামেলা সুনীলাকে আমি বিয়ে করি ১৯৬০-এ। আমার ইমপোর্ট-এক্সপোর্টের ব্যবসা আছে। আমার মেয়ের কথা তো আগেই বলেছি। এ ছাড়া আমার একটি ছেলেও আছে। তার নাম ভিক্টর প্রসেনজিৎ। মেয়েটির নাম মেরি শীলা। ছেলেটিকে আমার আপিসে ঢোকাতে চেয়েছিলাম, কিন্তু সে রাজি হয়নি। সে নিজের পথে নিজের মর্জিমতো চলে। শীলা দুবছর হল ইজাবেলা থোবার্ন কলেজ থেকে বি এ পাশ করেছে। ভাল অভিনয় করতে পারে—বাংলা ইংরিজি দুইই। তবে ওর আসল ইন্টারেস্ট হল জার্নালিজমে। দু-একটা ইংরিজি লেখা কাগজে বেরিয়েছে—বেশ ভাল লেখা।'

ভদ্রলোক ফেলুদাকে একটা সিগারেট অফার করে নিজে একটা ধরালেন। লালমোহনবাবু যে সিগারেট খান না সেটা উনি জানেন।

ফেলুদা বলল, 'অদ্ভুত ইতিহাস।'

'হাইলি রোম্যান্টিক', বললেন লালমোহনবাবু।

'শকুন্তলা দেবীর কণ্ঠহারটা কি আপনার স্ত্রী কখনও পরেছেন?' ফেলুদা প্রশ্ন করল।

'দু-একটা পার্টিতে পরেছেন। তবে সচরাচর ওটা সিন্দুকেই তোলা থাকে। দেখলে বুঝবেন জিনিসটার কী মহিমা।'

'আমি তো না দেখে থাকতে পারছি না', বললেন লালমোহনবাবু।

'আর দিন চারেক ধৈর্য ধরুন', বললেন জয়ন্তবাবু।

৩

আমরা তিন দিন হল লখ্‌নৌতে এসেছি। প্রথমবারের কথা বার বার মনে পড়ছে। সেই বাদশাহী আংটি, মিঃ শ্রীবাস্তব, বনবিহারীবাবুর আশ্চর্য চিড়িয়াখানা, হরিদ্বার, আর লছমনঝুলার পথে আমাদের অ্যাডভেঞ্চারের শিহরন-জাগানো ক্লাইম্যাকস।

সেবার অবিশ্যি আমরা হোটেলে থাকিনি। খুব সম্ভবত ক্লার্কস-আওয়ধ হোটেল তখনও তৈরিই হয়নি। হোটেলটা সত্যিই ভাল। আমরা পাশাপাশি একটা ডাবল আর একটা সিঙ্গল রুমে আছি। দু ঘরের জানালা দিয়েই গুমতী নদী দেখা যায়। নদীর ওপারে পশ্চিমে যখন সূর্য অস্ত যায়, সে দৃশ্য দেখবার মতো। হোটেলের খাওয়াও দুর্দান্ত ভাল। আমরা অনেক জায়গায় অনেক হোটেলে থেকেছি, কিন্তু এত ভাল খাওয়া কোনও হোটেলে খাইনি।

এই তিন দিনে লালমোহনবাবু লখ্‌নৌ-এর প্রায় বেশির ভাগ দ্রষ্টব্যই দেখে নিয়েছেন। আমরা প্রথম গেলাম বড়া ইমামবড়ায়। এর থাম-ছাড়া বিশাল হলঘর দেখে এবারও মাথা ঘুরে গেল। লালমোহনবাবুর মুখ হাঁ হয়ে গেছে, কথা বেরোচ্ছে না, শুধু একবার বললেন, 'ব্রাভো নওয়াবস অফ লখ্‌নৌ।'

তারপর ভুলভুলাইয়া দেখে ভদ্রলোকের ভির্মি খাবার জোগাড়। এই গোলোকধাঁধায়

নবাবরা তাঁদের বেগমদের সঙ্গে লুকোচুরি খেলতেন শুনে ওঁর চোখ ছানাবড়া হয়ে গেল।

আরও চমক এল রেসিডেন্সিতে। 'এ যে ইতিহাস চোখের সামনে ভেসে উঠছে মশাই। গোলাগুলির শব্দ পাচ্ছি, বারুদের গন্ধ পাচ্ছি। সেপাইদের এত এলেম ছিল যে এরকম একটা বিল্ডিংকে একেবারে ঝাঁঝরা করে দিয়েছিল?'

চতুর্থ দিনে সকালে একটু বাজারে গিয়েছিলাম এখানকার বিখ্যাত মিষ্টি ভুনা পেঁড়া কিনতে, হোটেলে ফিরে এসে দেখি ঘরে ছাপানো নেমন্তন্ন চিঠি রয়েছে। পাঠিয়েছেন হেক্টর জয়ন্ত বিশ্বাস। আগামী শুক্রবার, অর্থাৎ পরশু, তাঁদের বিয়ের রৌপ্য জয়ন্তী উপলক্ষে মিঃ অ্যান্ড মিসেস বিশ্বাস আমাদের ডিনারে ডেকেছেন। নেমন্তন্ন চিঠির সঙ্গে একটা আলাদা কাগজে রাস্তার প্ল্যান আর কোনখানে বাড়ি সেটা ছাপা রয়েছে। বাড়িটা যে নদীর ওদিকে সেটা ভদ্রলোক আগেই বলেছিলেন। প্ল্যান দেখে বাড়ি খুঁজে বার করায় কোনওই অসুবিধা হবার কথা নয়।

বিকেলবেলা জয়ন্তবাবু নিজে ফোন করলেন। ফোনের পর ফেলুদাকে জিজ্ঞেস করাতে বলল ভদ্রলোক বলে দিলেন যেন আমরা অবশ্যই যাই। ওখানে অনেকের সঙ্গে আলাপ হবে, তা ছাড়া শকুন্তলার হারটাও দেখা যাবে। ফেলুদা আরও বলল যে ভদ্রলোক বলে দিয়েছেন যে একেবারে ইনফরম্যাল ব্যাপার, কোনও বিশেষ পোশাক পরবার দরকার নেই।

'এইটেই আমার ভয় ছিল', বলল ফেলুদা। 'নেমন্তন্নে আপত্তি নেই, কিন্তু তার জন্য যদি সাহেব কিংবা বাবু সাজতে হয় তা হলেই গোলমাল।'

আমাদের হাতে একদিন সময় ছিল, তার মধ্যে ছোটা ইমামবড়া, ছত্তর মঞ্জিল আর চিড়িয়াখানা দেখে নিলাম। খাঁচার বাইরে বাঘ সিংহ দেখে লালমোহনবাবু ভয়ানক ইমপ্রেস্‌ড। বললেন কলকাতাতে এরকম হওয়া উচিত।

শুক্রবার একটা ট্যাক্সি নিয়ে আমরা পৌনে আটটায় বেরিয়ে পড়লাম। প্ল্যান দেখে বাড়ি বার করতে কোনও অসুবিধা হল না। একতলা ছড়ানো বাড়ি, সামনে বেশ বড় ফুলের বাগান। তার মধ্য দিয়ে নুড়ি ঢালা পথ চলে গেছে বাড়ির দরজা পর্যন্ত। আমরা দরজায় বেল টিপলাম, কয়েক সেকেন্ডের মধ্যেই একজন উর্দি পরা বেয়ারা এসে দরজা খুলে দিল। বাড়ির ভিতর থেকে লোকজনের গলার শব্দ পাচ্ছিলাম, বেয়ারা ভিতরে গিয়ে বলতেই জয়ন্তবাবু চটপট বেরিয়ে এসে আমাদের দিকে এগিয়ে এলেন।

'আসুন, আসুন, মিঃ মিত্র, আই অ্যাম সো গ্ল্যাড ইউ হ্যাভ কাম।'

আমরা তিনজন জয়ন্তবাবুর পিছন পিছন বৈঠকখানায় গিয়ে ঢুকলাম। দেখলাম পাঁচ-সাত জনের বেশি লোক নেই। হয়তো পরে আরও আসবে।

এর পর আলাপ পর্ব। প্রথমে জয়ন্তবাবুর স্ত্রী। দেখে বুঝলাম মহিলা এককালে সুন্দরী ছিলেন। তারপর তাঁর দুই ছেলেমেয়ে। মেয়েটি—নাম মেরি শীলা দেখতে সুশ্রী। চোখে মুখে বুদ্ধির ছাপ; ছেলেটির একেবারে পার্ক স্ট্রিট মার্কা চেহারা—দাড়ি, গোঁফ, ঝাঁকড়া ঝাঁকড়া চুল, তাতে চিরুনি পড়েনি। এরই নাম ভিক্টর প্রসেনজিৎ। তারপর জয়ন্তবাবু বললেন, 'মিঃ অ্যান্ড মিসেস সাল্‌ডান্‌হা।' অর্থাৎ জয়ন্তবাবুর বড় শালি এবং তাঁর স্বামী। ভদ্রমহিলা মোটা হয়ে গেছেন, ভদ্রলোক আবার তেমনই রোগা, দাড়ি গোঁফ কামানো, ষাটের কাছাকাছি বয়স। এই সাল্‌ডান্‌হারই বাজনার দোকান আছে—ইনি গোয়ার অধিবাসী। আপাতত এই কজনই রয়েছেন ঘরে।

ঘরটা বেশ বড়, আর সবচেয়ে আশ্চর্য লাগল দেখে যে ঘরের একদিকে একটা সিনেমা স্ক্রিন টাঙানো রয়েছে আর অন্যদিকে রয়েছে একটা প্রোজেক্টর। জয়ন্তবাবুকে জিজ্ঞেস করাতে বললেন ওঁদের কাছে শকুন্তলা দেবীর শেষ ছবির একটা প্রিন্ট আছে, সেটার একটা

রিল নাকি ডিনারের আগে দেখানো হবে। এই ছবিতে নাকি শকুন্তলা দেবী তাঁর বিখ্যাত হারটা পরেছিলেন। গল্পটা কপালকুণ্ডলা, আর শকুন্তলা দেবী সেজেছিলেন লুতফ-উন্নিসা। আমার তো শুনেই মনটা চনমন করে উঠল।

ফেলুদা প্রাইভেট ডিটেকটিভ শুনে সকলের মধ্যে একটা চাঞ্চল্য পড়ে গিয়েছিল। মেরি শীলা এসে বলল, 'আমি আপনার একজন ভীষণ অ্যাডমায়ারার। দুঃখের বিষয় আমার কোনও অটোগ্রাফ খাতা নেই। আমি আজকালের মধ্যেই একটা খাতা কিনে নিয়ে আপনার হোটেলে গিয়ে সই নিয়ে আসব।'

বাংলার মধ্যে অনেকগুলো ইংরিজি কথা ব্যবহার করছিল শীলা। সেটা এখানে প্রায় সকলের মধ্যেই লক্ষ করছিলাম।

বেয়ারা পানীয় পরিবেশন করছিল। আমরা তো মদ খাই না, তাই তিনজনে তিন গেলাস ফলের সরবত নিয়ে মাঝে মাঝে চুমুক দিচ্ছিলাম। স্যামুয়েল সাল্‌ডান্‌হা আমাদের দিকে এগিয়ে এসে বললেন, 'হজরতগঞ্জে আমাদের মিউজিক শপ। একদিন দোকানে এলে আমি খুব খুশি হব।'

'আপনার দোকানে দিশি যন্ত্রও বিক্রি হয়?' ফেলুদা জিজ্ঞেস করল।

'আমরা এখন সেতারও রাখছি', বললেন ভদ্রলোক।

এবার একজন ভদ্রলোক এলেন তাঁকে দেখেই বুঝলাম তিনি জয়ন্তবাবুর শালা, কারণ তাঁর চেহারার সঙ্গে সুশীলা দেবীর খুব সাদৃশ্য। ইনি প্রায় সাহেবের মতোই দেখতে, কারণ এঁর চুল আর চোখও কটা।

ইনি একটা হুইস্কির গেলাস তুলে নিয়ে আমাদের দিকে এগিয়ে এসে বললেন, 'আমার নাম রতনলাল ব্যানার্জি। আমি জয়ন্তর ব্রাদার-ইন-ল। আপনাদের পরিচয়...?'

এই সময় জয়ন্তবাবু এগিয়ে এসে আমাদের পরিচয় দিয়ে দিলেন।

'প্রাইভেট ডিটেকটিভ?' রতনলাল ভুরু কপালে তুলে জিজ্ঞেস করলেন। 'আপনি কি কোনও কেসের ব্যাপারে লখ্‌নৌতে এসেছেন?'

ফেলুদা হেসে বলে, 'না, স্রেফ ছুটি।'

এই সময় একজন ভদ্রলোক ঘরে এসে ঢুকলেন বাড়ির ভিতর থেকে। বৃদ্ধই বলা চলে। সম্ভবত ষাটের উপর বয়স নিশ্চয়ই। বুঝলাম তিনিও এই বাড়িতেই থাকেন। ভদ্রলোকের চেহারাটা কী রকম যেন অপরিচ্ছন্ন। এই পার্টিতে তাঁকে মানাচ্ছে না। পোশাক অপরিষ্কার, দাড়িও অন্তত দুদিন কামাননি, মাথার চুল লম্বা হয়ে কাঁধ পর্যন্ত নেমেছে।

জয়ন্তবাবু ভদ্রলোকের পিঠে হাত দিয়ে আমাদের দিকে নিয়ে এলেন।

'আপনাদের সঙ্গে আলাপ করিয়ে দিই', বললেন জয়ন্তবাবু। জানা গেল ইনি হচ্ছেন একজন চিত্রশিল্পী। নাম সুদর্শন সোম। এককালে খুব নাম করা পোর্ট্রেট পেন্টার ছিলেন, শকুন্তলা দেবীর অনেকগুলো ছবি এঁকেছিলেন। এখন রিটায়ার করে জয়ন্তবাবুর বাড়িতেই গেস্ট হয়ে থাকেন। আর্টিস্টকে এই বয়সে রিটায়ার করতে শুনিনি কখনও, তাই একটু অবাক লাগল। এবার লক্ষ করলাম বৈঠকখানার দেয়ালে একটা ছবি—এক মহিলার, বছর চল্লিশেক বয়স—তার তলার কোণের দিকে লেখা এস. সোম। ইনিই কি শকুন্তলা দেবী? বয়স বেশি হলেও চেহারায় বেশ একটা জৌলুস রয়েছে। তখন অবিশ্যি শকুন্তলা দেবী আর ছবি করেন না। সুদর্শন সোম এবার বেয়ারার ট্রে থেকে একটা হুইস্কির গেলাস তুলে নিলেন। ভদ্রলোককে দেখে কেন জানি কষ্ট হচ্ছিল।

ঘরের মধ্যে সবচেয়ে বেশি কথা বলছিলেন স্যামুয়েল সাল্‌ডান্‌হা। ইনি রাজনীতি নিয়ে উচ্চৈঃস্বরে তর্ক জুড়ে দিয়েছেন রতনলাল ব্যানার্জির সঙ্গে। সেই তর্কে দেখলাম সুদর্শন

সোমও যোগ দিলেন।

আমি খালি ভাবছিলাম শকুন্তলা দেবীর হারটা কখন দেখা যাবে। দুই গিন্নিকে দেখছি অতিথিদের দিকে দৃষ্টি দিয়ে চলেছেন। জয়ন্তবাবুর স্ত্রী সুনীলা দেবী ফেলুদাকে এসে বললেন, 'আপনি অরেঞ্জ স্কোয়াশ খাচ্ছেন, ব্যাপার কী—আপনি ড্রিংক করেন না বুঝি ?'

ফেলুদা হেসে বলল, 'না, আমাদের পেশায় মাথাটা সব সময় ঠাণ্ডা রাখাই ভাল।'

'কিন্তু আমি তো জানতাম প্রাইভেট ডিটেকটিভরা ভীষণ ড্রিংক করে।'

'সেটা আপনার ধারণা হয়েছে বোধহয় আমেরিকান ক্রাইম উপন্যাস পড়ে।'

'তাই হবে। আমি ভীষণ গোয়েন্দা কাহিনীর ভক্ত।'

'ভাল কথা', ফেলুদা আর না বলে পারল না, 'আপনার স্বামী বলছিলেন আজ শকুন্তলা দেবীর হারটা একবার আমাদের দেখাবেন।'

'ও হ্যাঁ—তা তো বটেই—দেখেছেন, আমি একদম ভুলে গেছি। শীলা !'

শীলা তার মা-র দিকে এগিয়ে এল।

'কী মা ?'

'যাও তো সোনা—তোমার দিদিমার হারটা একবার নিয়ে এসো তো। জানো তো চাবি কোথায় আছে। মিঃ মিত্র একবার দেখতে চাইছেন।'

শীলা তক্ষুনি চলে গেল আদেশ পালন করতে।

'চাবি বুঝি আপনার কাছে থাকে না ?' জিজ্ঞেস করল ফেলুদা।

'না। ওটা থাকে আমার ড্রেসিং টেবিলের দেরাজে। হারটা থাকে সিন্দুকে। এ বাড়িতে চুরি হবার কোনও ভয় নেই। আমার চাকররা সব পুরনো। সুলেমান—যে আপনাদের দরজা খুলে দিল—সে আছে আজ ত্রিশ বছর। অন্য চাকরও সব পুরনো আর বিশ্বস্ত।'

তিন মিনিটের মধ্যে শীলা ফিরে এল—তার হাতে একটা গাঢ় নীল মখমলের বাক্স। মেয়ের হাত থেকে বাক্সটা নিয়ে নিলেন সুনীলা দেবী। তারপর 'এই যে' বলে বাক্সটা খুলে এগিয়ে দিলেন ফেলুদার দিকে।

আমি আর লালমোহনবাবু বাক্সটার দুদিকে দাঁড়ালাম, আর দুজনের মুখ থেকে একই সঙ্গে একটা বিস্ময়সূচক নিশ্বাস টানার শব্দ বেরিয়ে এল।

এমন অপূর্ব গয়না আমি কখনও দেখিনি। নকশাদার সোনার হার। তাতে হিরে থেকে শুরু করে যত রকম মণিমুক্তো হয় সব বসানো।

'আশ্চর্য জিনিস', বলল ফেলুদা। 'এরকম হার দুটি হয় না। এটার আজকের দর কত হতে পারে তা আন্দাজ আছে আপনার ?'

'তা দুই আড়াই লাখ হবে নিশ্চয়ই।'

'থাক—এটা আর বেশিক্ষণ বাইরে রাখা ভাল না। নাও, শীলা, এটা আবার রেখে দিয়ে এসো।'

শীলা হারটা নিয়ে চলে গেল।

একটা জিনিস লক্ষ করছিলাম যে জয়ন্তবাবুর ছেলে আমাদের দিকে বেশি ঘেঁষছে না। দেখে মনে হল ছেলেটি মিশুকে নয়। আর পার্টিটাও যেন সে বিশেষ উপভোগ করছে না। অবিশ্যি এই টাইপের এই বয়সী ছেলেরা এরকমই হয়, এটা কলকাতাতেও লক্ষ করেছি। এরা নিজেরা দল ছাড়া কোনও দলের সঙ্গেই মিশতে পারে না।

ড্রিংকসের পর্ব বোধহয় শেষ হল, কারণ এবার একজন ভদ্রলোক এসে এক রোল ফিল্ম নিয়ে প্রোজেক্টরে চাপাতে শুরু করলেন। কিছুক্ষণ পরে ভদ্রলোক বললেন, 'আমি রেডি আছি।'

জয়ন্তবাবু এবার ঘোষণা করলেন যে শকুন্তলা দেবী অভিনীত কপালকুণ্ডলা ছবির একটা রিল দেখানো হবে। 'সুলেমান, ঘরের বাতিগুলো নিবিয়ে দাও তো।'

ঘর অন্ধকার হয়ে গেল। তারপর ঘর্ঘর শব্দ তুলে প্রোজেক্টর চলতে শুরু করল। পর্দায় ছবি নড়ে উঠল। সেই আদ্যিকালের ছবি। জয়ন্তবাবু বললেন, 'এটা ১৯৩০ সালের ছবি। ভারতবর্ষে টকি আসার ঠিক আগে।'

আমি অবাক হয়ে দেখছিলাম শকুন্তলা দেবীকে। দেখলে মেমসাহেব মনে হয় না। চেহারা সত্যি খুবই সুন্দর—আজকের দিনেও পর্দায় এত সুন্দরী বড় একটা দেখা যায় না। কিন্তু সাইলেন্ট ছবির যা দোষত্রুটি আর থিয়েটারি অভিনয় সেটাও যে নেই এই কপালকুণ্ডলায় তা নয়। তবুও জানা গেল শকুন্তলা দেবীর পপুলারিটির খানিকটা কারণ। মহারাজা থেকে শুরু করে পানবিড়িওয়ালা পর্যন্ত সকলকেই মুগ্ধ করেছিলেন তিনি। সকলেই তাঁর ছবি দেখত আর বাহবা দিত।

দশ মিনিট চলে ছবি বন্ধ হল।

ঘরের বাতি জ্বলে উঠল। সকলে আবার কথাবার্তা শুরু করল।

এই অন্ধকার অবস্থাতেই যে আরেকজন ঘরে ঢুকেছে তা টের পাইনি। এঁকে আমরা চিনি। ইনি হলেন মিঃ সুকিয়াস। ইনি ক্ষমা প্রার্থনা করলেন পার্টির দিনে এসে পড়ার জন্য। অর্থাৎ ইনি নিমন্ত্রিত হননি—এমনি বোধহয় জয়ন্তবাবুর সঙ্গে দেখা করতে এসেছিলেন।

বেয়ারা এসে খবর দিল পাত পড়েছে—ডিনার ইজ সার্ভড।

চমৎকার মোগলাই রান্না খেয়ে আমরা যখন হোটেলে ফিরলাম তখন বেজেছে সোয়া এগারোটা। পার্টি যে আরও কিছুক্ষণ চলেছিল তাতে সন্দেহ নেই।

৪

পরদিন সকালে ফেলুদা আমার কাঁধ ধরে ঝাঁকুনি দিয়ে আমাকে ঘুম থেকে তুলল। আমি ধড়মড়িয়ে উঠে বসলাম।

'কী ব্যাপার ফেলুদা?'

ফেলুদার মুখ গম্ভীর।

'জয়ন্তবাবু ফোন করেছিলেন। এক্ষুনি। শকুন্তলা দেবীর কণ্ঠহার মিসিং।'

'সর্বনাশ!'

'তুই চট করে তৈরি হয়ে নে। আমি লালমোহনবাবুকে খবরটা দিয়ে আসছি। আমাদের ব্রেকফাস্ট খেয়েই যেতে হবে ওখানে। শুধু মিঃ সুকিয়াস ছাড়া আর সকলেই এসেছে ওখানে খবরটা পেয়ে।'

'পুলিশে খবর দেয়নি?'

'দিয়েছে, কিন্তু আমাকেও চায়।'

আমরা সাড়ে আটটার মধ্যে জয়ন্তবাবুর বাড়ি পৌঁছে গেলাম। বাড়ির সবাই কেমন যেন পাথরের মতো চুপ। ফেলুদা ক্ষমা চাইল। 'কাল আমাদের দেখানোর জন্যই হারটা বার করা হয়েছিল। তার সঙ্গে এ চুরির কোনও সম্পর্ক আছে কি না জানি না, কিন্তু আমি নিজে খানিকটা অসোয়াস্তি বোধ করছি বলে কথাটা বললাম।'

পুলিশের লোক আগেই এসে গিয়েছিল। তাদের মধ্যে যিনি কর্তা তিনি ফেলুদার দিকে এগিয়ে হাত বাড়িয়ে বললেন, 'আমি ইনস্পেক্টর পাণ্ডে। আপনি তো বোধহয় প্রাইভেট

ইনভেস্টিগেটর মিঃ মিটার ?'

'আজ্ঞে হ্যাঁ,' বলল ফেলুদা।

'আই অ্যাম ফ্যামিলিয়ার উইথ ইয়োর নেম', বললেন পাণ্ডে। 'আপনার কয়েকটা সাক্সেসফুল ইনভেস্টিগেশনের কথা আমার মনে আছে। তা আপনি তো বোধহয় জেরা করতে চান ?'

'আগে আপনার কাজ শেষ হয়ে যাক,' বলল ফেলুদা। 'তারপর আমার।'

'থ্যাঙ্ক ইউ স্যার।'

প্রশ্ন করে জানা গেল যে কাল রাত্রে সবাই চলে যাবার পর বারোটা নাগাদ জয়ন্তবাবুর স্ত্রী তাঁর বেডরুমে গিয়ে শুতে যাবার আগে কেন জানি আরেকবার হারটা দেখার ইচ্ছা অনুভব করেন। হয়তো কপালকুণ্ডলা ছবিতে শকুন্তলা দেবীকে হার পরা অবস্থায় দেখেই সে ইচ্ছেটা জাগে। ভদ্রমহিলা নিজেই বললেন, 'এটা একটা ভ্যানিটির ব্যাপার। আমার মা-র গলায় হারটা এত সুন্দর মানাত ; সেটা দেখেই আমার মনে একটা ইচ্ছে হল হারটা একবার পরে

আয়নায় নিজের চেহারাটা দেখি। মেয়েরা শুতে যাবার আগে বেশ খানিকটা সময় ড্রেসিং টেবিলের আয়নার সামনে কাটায়। সেই সময়ই দেরাজ থেকে চাবিটা বার করে সিন্দুক খুলে দেখি হারটা নেই। আমি তৎক্ষণাৎ আমার মেয়েকে ডাকি। মেয়ে জোর দিয়ে বলে যে সে সিন্দুকেই রেখে ছিল হারটা। সেখানে ছাড়া আর কোথায়ই বা রাখবে? সিন্দুকেই তো চিরকাল থেকেছে হারটা।'

'আপনারা ভাল করে খুঁজে দেখেছেন হারটা?' পাণ্ডে জিজ্ঞেস করল।

'কোথায় আর খুঁজব বলুন,' বললেন সুনীলা দেবী, 'ওটা যে কেউ সিন্দুক থেকে বার করে নিয়েছে তাতে তো কোনও সন্দেহ নেই!'

'আপনাদের বাড়িতে কাল পার্টি ছিল, তাই না?' পাণ্ডে প্রশ্ন করলেন।

'হ্যাঁ', বললেন জয়ন্তবাবু।

'কটা থেকে কটা পর্যন্ত?'

'আটটা থেকে পৌনে বারোটা।'

'মিসেস বিশ্বাস, আপনি কি পার্টির পরেই আপনার ঘরে চলে যান?'

'হ্যাঁ।'

'আর তার কতক্ষণ পরে আবিষ্কার করেন যে হারটা নেই?'

'মিনিট পনেরো।'

'এর মধ্যে আপনি ঘর ছেড়ে কোথাও বেরোননি?'

'না।'

'অর্থাৎ হারটা চুরি হয়েছে ডিউরিং দ্য পার্টি?'

'তাই তো মনে হয়,' বললেন জয়ন্তবাবু। 'এখানে একটা কথা বলি—পার্টির মধ্যে হারটাকে আমার মেয়ে একবার সিন্দুক থেকে এই ঘরে আনে—মিঃ মিত্রকে দেখানোর জন্য।'

'তার পরেই—তখনই কি আপনার মেয়ে হারটাকে আবার সিন্দুকে তুলে দেয়?'

'হ্যাঁ', বলল মেরি শীলা। 'আমি এক মুহূর্ত দেরি করিনি।'

'এখানে একটা জরুরি কথা বলা দরকার,' বললেন জয়ন্তবাবু। 'হারটা তুলে রাখার কিছু পরেই এ ঘরে একটা দশ মিনিটের ফিল্ম দেখানো হয়।'

'তার জন্য তখন বাতি নেবানো হয়েছিল?'

'হ্যাঁ।'

'এ বাড়িতে চাকর কজন?'

'তিনজন। একজন রান্না করে। আর দুজন বেয়ারা।'

'কতদিনের লোক এরা?'

'কেউই পনেরো বছরের কম না। এরা অত্যন্ত বিশ্বাসী। সুলেমান তো আমার শ্বশুরের আমল থেকে আছে।'

'তা হলে একটাই সিদ্ধান্তে পৌঁছানো যাচ্ছে,' বললেন পাণ্ডে। 'জিনিসটা শুনতে খারাপ লাগবে, কিন্তু আমাকে বলতেই হবে। এই বাড়ির লোক সমেত এই পার্টিতে যাঁরা ছিলেন, তাঁদেরই একজন হারটা নিয়েছেন।'

আমারও সেই কথাই মনে হচ্ছিল, আর আমার মনে হয় ফেলুদা আর লালমোহনবাবুরও তাই।

পাণ্ডে এবার ফেলুদার দিকে ফিরলেন।

'মিঃ মিটার, আপনার সঙ্গে যে দুজন এসেছেন, তাঁদের পরিচয় পেতে পারি কি?'

'নিশ্চয়ই', বলল ফেলুদা। 'ইনি আমার কাজিন তপেশ মিত্র, আর ইনি আমার বন্ধু—বিখ্যাত লেখক লালমোহন গাঙ্গুলী।'

'এই লেখকটিকে আপনি কতদিন হল চেনেন?'

'বছর পাঁচ-ছয়।'

আমি লালমোহনবাবুর দিকে দেখছিলাম। ভদ্রলোক ফ্যাকাশে হয়ে গেছেন। আমি ওঁকে কণ্ঠহার চোর হিসেবে কল্পনা করলাম। এই সংকটের অবস্থাতেও আমার হাসি পেয়ে গেল।

এবার পাণ্ডে অন্য প্রশ্নে গেলেন।

'এখানে যাঁরা রয়েছেন তাঁদের মধ্যে কজন এ বাড়িতে থাকেন?'

জয়ন্তবাবু বললেন, 'আমি, আমার স্ত্রী, আমার দুই ছেলেমেয়ে এবং আর্টিস্ট মিঃ সোম।'

মিঃ সোম আজও দাড়ি কামাননি। তাই তাঁকে আরও অপরিচ্ছন্ন দেখাচ্ছে।

'আর সকলেই বাইরের লোক?' পাণ্ডে প্রশ্ন করলেন।

'হ্যাঁ। মিঃ সাল্‌ডান্‌হা থাকেন ক্লাইভ রোডে। উনি আমার ব্রাদার-ইন-ল। ওঁর স্ত্রী

আমার স্ত্রীর বড় বোন।'

'আরেকজনকে দেখছি,' রতনলালের দিকে দৃষ্টি দিয়ে বললেন মিঃ পাণ্ডে।

'উনি রতনলাল ব্যানার্জি—আমার স্ত্রীর ছোট ভাই।'

'এ ছাড়া আর কেউ ছিল ?'

'একজন ছিলেন। লাটুশ রোডের মিঃ সুকিয়াস। উনি অবশ্য নিমন্ত্রিতদের মধ্যে ছিলেন না, এমনিই এসে পড়েন। তিনি এসেছিলেন যখন ফিল্মটা দেখানো হচ্ছে তার মাঝখানে। আলো জ্বালার পরে আমি তাঁকে দেখি।'

'এই সুকিয়াসের প্রোফেশন কী ?'

'হি ইজ এ কালেক্টর অফ আর্ট অবজেক্টস। তা ছাড়া তেজারতির কারবার আছে।'

'ইনি কি এই হারটা সম্বন্ধে কোনওদিন ইন্টারেস্ট দেখিয়েছিলেন ?'

'উনি ওটা কিনতে চেয়েছিলেন আমরা বিক্রি করিনি।'

'আই সি।'

ইনস্পেক্টর পাণ্ডে একটুক্ষণ গম্ভীর থেকে বললেন, 'এটা তো বোঝাই যাচ্ছে যে কাল এখানে যাঁরা ছিলেন তাঁদেরই মধ্যে একজন হারটা নিয়েছেন। এখন কথা হচ্ছে, সেই হারটা কোথায়।'

জয়ন্তবাবু গলা খাঁকরে নিয়ে বললেন, 'আপনি যদি সার্চ করতে চান তা হলে করতে পারেন। এমনকী ব্যক্তিগত খানাতল্লাশিতেও আপনার সম্পূর্ণ স্বাধীনতা আছে।'

পাণ্ডে বললেন, 'তা তো করতেই হবে। সার্চ থেকে মহিলারাও বাদ পড়বেন না। এবং তার জন্য আমি মেয়ে পুলিশের বন্দোবস্ত করছি। তা ছাড়া বাড়িটাও ভাল করে সার্চ করা দরকার।'

সার্চের ব্যাপারে দেখলাম কেউই আপত্তি করলেন না। খালি সাল্‌ডান্‌হা বললেন, 'আমার দোকান খুলতে হবে দশটার সময়। তার মধ্যে আমার সার্চটা হয়ে গেলে ভাল।'

ফেলুদা এতক্ষণ চুপ করে সব শুনছিল। এবার বলল, 'এখানে সার্চ চলুক। আমি তা হলে এখন আসি। যদি হারটা পাওয়া যায় তা হলে আশা করি জয়ন্তবাবু আমাকে ফোন করে জানিয়ে দেবেন। না হলে আমি ও বেলা আবার আসব।'

আমরা তিনজনে হোটেলে ফিরে এলাম। লালমোহনবাবুও আমাদের সঙ্গে আমাদের ঘরেই এলেন। ভদ্রলোক ঢুকেই বললেন, 'এ নিয়ে কবার হল বলুন তো, যে আমরা বেড়াতে গিয়ে কেসে জড়িয়ে পড়েছি ? এ জিনিস টেলিপ্যাথি ছাড়া হয় না।'

ফেলুদা বলল, 'দেখি আপনার স্মরণশক্তি কতদূর। তোপ্‌সেকে তো এর আগে অনেকবার পরীক্ষা করেছি, আপনাকে কখনও করা হয়নি।'

'ভেরি ওয়েল স্যার, আই অ্যাম রেডি', বললেন জটায়ু।

'আগে শকুন্তলা দেবীর ফ্যামিলি সম্বন্ধে জিজ্ঞাসা করি।'

'করুন।'

'ভদ্রমহিলার তিন সন্তানের নাম বলুন তো।'

'বড় মেয়ে সুশীলা—'

'তার আগে একটা ক্রিশ্চান নাম আছে।'

'ও হ্যাঁ—ক্রিশ্চান নাম...ক্রিশ্চান নাম...'

'তোপ্‌সে বলতে পারিস ?'

আমার মনে ছিল। বললাম, 'মার্গারেট।'

'ভেরি গুড। তার পরের মেয়ে, অর্থাৎ জয়ন্তবাবুর স্ত্রী ? এই প্রশ্নটা কিন্তু

লালমোহনবাবুকে করছি।'

লালমোহনবাবু এটা ভোলেননি। বললেন, 'প্যামেলা সুনীলা।'

'গুড। তাঁর পরের ভাই?'

'ইয়ে—রতনলাল। অ্যালবার্ট রতনলাল।'

'এবার সুশীলা দেবীর স্বামীর নাম?'

'স্যামুয়েল সাল্‌ডান্‌হা।'

'ভেরি গুড। সুনীলা দেবীর ছেলেমেয়ে?'

'মেয়ে শীলা—মেরি শীলা। আর ছেলে প্রসেনজিৎ। ক্রিশ্চান নাম ভুলে গেছি।'

'ভিক্টর। আর কে ছিলেন কাল পার্টিতে?'

'সেই আর্টিস্ট ভদ্রলোক। নামটা মনে পড়ছে না।'

'তোপ্‌সে?'

'সোম। সুদর্শন সোম।'

'গুড।'

'কিছু মাইন্ড করবেন না মশাই', লালমোহনবাবু বললেন, 'ভদ্রলোককে কিন্তু আমার ভাল লাগল না।'

'কেন?'

'কীরকম পাগলাটে চেহারা। দাড়ি কামাননি।'

'আর্টিস্টরা সব সময় সমাজের নিয়মকানুন মেনে চলে না।'

'তা হতে পারে। মোট কথা, উনি আর আরেকজন আমার কাছে এই চুরির ব্যাপারে প্রাইম সাসপেক্টস।'

'আরেকজন কে?'

'জয়ন্তবাবুর ছেলে প্রসেনজিৎ। একেবারে কলকাতার পার্ক স্ট্রিটের বাউন্ডুলেদের মতো চেহারা। অবশ্য মদ তো দেখলাম খায় না ছেলেটি।'

'খেলেও হয়তো বাপের সামনে খায় না।'

'এনিওয়ে, পার্টিতে কিন্তু আরেকজন ছিলেন।'

'মিঃ সুকিয়াস তো?'

'হ্যাঁ। এঁর কিন্তু হারটার উপর লোভ ছিল।'

'যে কোনও আর্ট কালেক্টরেরই থাকবে। সেটা কিছুই আশ্চর্য না। আর্ট কালেক্টর হলে কিনতে চাইবে। আর অভাবী লোক হলে হাতাতে চাইবে। এঁদের আর্থিক অবস্থা সম্বন্ধে আমরা কোনও কিছুই জানি না। কাজেই এখন অন্ধকারে হাতড়ে লাভ নেই। বিকেলে জয়ন্তবাবু ফোন করবেন, তার আগে পর্যন্ত আমরা ফ্রি। চলুন, আপনাকে কাইজার-বাগটা দেখিয়ে আনি।'

'ভেরি গুড আইডিয়া', বললেন লালমোহনবাবু। 'তদন্তের চাপে যদি লখ্‌নৌ শহরটা দেখা সম্পূর্ণ না হয় তা হলে খুব আপশোস থেকে যাবে।'

৫

বিকেলে কথামতো জয়ন্তবাবু ফোন করলেন। পুলিশ সার্চ করে কিছু পায়নি। বাড়ির চাকরদের জেরা করা হয়েছে, তাতেও কোনও ফল হয়নি। ফেলুদা বলল, 'চল, এবার একবার জয়ন্তবাবুর বাড়ি যাওয়া যাক। এবার ফেলু মিত্তিরের কাজ শুরু। অবিশ্যি পুলিশ

তাদের তদন্ত চালিয়েই যাবে, কিন্তু তাতে আমাদের কিছু এসে যাচ্ছে না।'

হোটেলেই ট্যাক্সি ছিল, একটা নিয়ে গুমতীর ব্রিজ পেরিয়ে জয়ন্তবাবুর বাড়ি গিয়ে হাজির হলাম। আজ বাড়িটাকে গম্ভীর দেখাচ্ছিল, বেশ বোঝা যাচ্ছিল ওখানে একটা দুর্ঘটনা ঘটে গেছে।

সুলেমান এসে দরজা খুলে দিল, আমরা তিনজন ভিতরে ঢুকলাম। জয়ন্তবাবু আমাদের জন্য অপেক্ষা করছিলেন বৈঠকখানায়, আমাদের দেখেই সোফা ছেড়ে উঠে এলেন।

'ওটা পাওয়া গেল না', প্রথম কথাই বললেন ভদ্রলোক।

ফেলুদা বলল, 'সেটা অস্বাভাবিক নয়। আমারও মনে হয়েছিল ওটা পাওয়া যাবে না। যে নিয়েছে সে তো আর বোকা নয় যে হাতের কাছে রেখে দেবে জিনিসটা।'

'আপনিও কি আলাদা করে সার্চ করতে চান?'

'না,' বলল ফেলুদা। 'আমি আপনার বাড়ির লোকজনদের সঙ্গে একটু কথা বলতে চাই। এখন এ বাড়িতে কে কে রয়েছেন?'

'আমার স্ত্রী, আমার মেয়ে, ছেলে বোধহয় এখনও ফেরেনি। আর আছেন সোম—যাঁর সঙ্গে কাল আপনাদের আলাপ করিয়ে দিয়েছিলাম।'

'আমার কিন্তু মিঃ সাল্‌ডান্‌হার সঙ্গেও কথা বলা দরকার। আর মিঃ সুকিয়াস।'

'সেটা কোনও অসুবিধা নেই। আমি আপনাকে ঠিকানা দিয়ে দেব, আপনি ফোনে অ্যাপয়েন্টমেন্ট করে চলে যাবেন।'

'তা হলে আপনাকে দিয়ে শুরু করা যাক।'

'বেশ তো।'

আমরা সকলেই সোফায় বসলাম।

'একটু চা খাবেন তো?' জয়ন্তবাবু জিজ্ঞেস করলেন।

'তা খেতে পারি।'

জয়ন্তবাবু সুলেমানকে ডেকে চার কাপ চায়ের অর্ডার দিলেন। তারপর ফেলুদা একটা চারমিনার ধরিয়ে তার প্রশ্ন শুরু করল।

'আপনি বলছিলেন সুকিয়াস আপনার শাশুড়ির হারটা কিনতে চেয়েছিলেন। সেটা কতদিন আগে?'

'বছরখানেক হবে।'

'সুকিয়াস জানলেন কী করে এই হারের কথা?'

'এটার কথা অনেকেই জানে। এককালে খবরের কাগজে বেরিয়েছিল তো। আমার শাশুড়ি মারা যাবার পর তাঁর একটা সংক্ষিপ্ত জীবনী এখানকার "পায়োনিয়ার" কাগজে বেরিয়েছিল। তাতে হারের কথাটা ছিল। সুকিয়াস এমনিতে মানিলেন্ডার, তেজারতির কারবার করে। ভাবলে মনে হয় এমন লোকের শিল্পের দিকে কোনও ঝোঁক থাকবে না। কিন্তু সুকিয়াস এ ব্যাপারে একটা বিরাট ব্যতিক্রম। আমি ওর বাড়িতে গিয়েছি, ওর সংগ্রহ দেখেছি। দেখবার মতো সব জিনিস আছে ওর কাছে। ওর রুচি অনবদ্য।'

'আপনি যখন হারটা বিক্রি করলেন না, তখন ওর প্রতিক্রিয়া কী হয়?'

'ও খুবই হতাশ হয়েছিল। ও দু লাখ টাকা অফার করেছিল। আমি নিজে হলে কী করতাম জানি না, কিন্তু আমার স্ত্রী হারটার প্রতি বিশেষভাবে অনুরক্ত। কোনও মতেই ওটা হাতছাড়া করবে না। আর সেই হারই...'

জয়ন্তবাবু একটা দীর্ঘশ্বাস ফেললেন।

'আপনি কাউকে সন্দেহ করেন এই ব্যাপারে?'

'আমি সম্পূর্ণ হতভম্ব। চাকরবাকর কাউকেই আমার সন্দেহ হয় না। ওরা বেইমানি করবে এটা আমি বিশ্বাস করি না। অথচ তার বাইরে কে যে এটা নিতে পারে, এবং কেন, সেটা বোঝার সাধ্যি আমার নেই।'

'আপনি তো ব্যবসাদার', ফেলুদা বলল।

'ব্যবসাদার মানে আমার একটি ইমপোর্ট-এক্সপোর্টের আপিস আছে।'

'কেমন চলে আপিস ?'

'ভালই। আমাদেরই কোম্পানি। আমার একজন পার্টনার আছে।'

'কী নাম ?'

'ত্রিভুবন নাগর। এখানকারই লোক। আমার প্রথম জীবনে আমি ব্যবসায় ছিলাম না, একটা সওদাগরি আপিসে চাকরি করতাম। নাগর ছিল আমার বন্ধু। ত্রিশ বছর আগে নাগর আর আমি মিলে আমাদের ব্যবসা শুরু করি।'

'আপনাদের কোম্পানির নাম কী ?'

'মডার্ন ইমপোর্ট অ্যান্ড এক্সপোর্ট।'

'কোথায় আপনাদের আপিস ?'

'হজরতগঞ্জে।'

ইতিমধ্যে আমাদের চা এসে গেছে, আমরা খেতে শুরু করে দিয়েছি। ফেলুদা বলল, 'আরেকটা প্রশ্ন আছে।'

'কী ?'

'কাল যখন ফিল্মটা চলছিল তখন আপনি কাউকে চলাফেরা করতে, কিংবা ঘর থেকে বেরিয়ে যেতে দেখেছিলেন ?'

'উঁহু।'

'আপনার ছেলে কোনও চাকরি করে ?'

'এখনও না। ওকে আমার আপিসে ঢোকানোর চেষ্টা করেছি কিন্তু ও রাজি হয়নি।'

'ওর বয়স কত ?'

'পঁচিশ।'

'ওর কোনদিকে ঝোঁক ?'

'ঈশ্বর জানেন।'

'থ্যাঙ্ক ইউ স্যার। একবার আপনার স্ত্রীর সঙ্গে কথা বলা যায় কি ?'

'নিশ্চয়ই। ও খুবই ডিপ্রেস্‌ড হয়ে পড়েছে, বুঝতেই পারেন।'

'আমি বেশি বিরক্ত করব না ওঁকে ?'

চা খাবার পর জয়ন্তবাবু গিয়ে তাঁর স্ত্রীকে ডেকে আনলেন। ভদ্রমহিলা কান্নাকাটি করেছেন সেটা এখনও দেখলে বোঝা যায়। দিনের বেলা দেখে আরও বেশি করে মনে হল যে শকুন্তলা দেবীর সঙ্গে এঁর আশ্চর্য চেহারার মিল। ভদ্রমহিলা চাপা গলায় বললেন, 'আপনি আমাকে কিছু প্রশ্ন করতে চাইছিলেন... ?'

ফেলুদা বলল, 'হ্যাঁ। বেশিক্ষণ আপনাকে কষ্ট দেব না। সামান্য কয়েকটা প্রশ্ন।'

'বলুন।'

'আপনার মা যে হারটা আপনার দিদিকে না দিয়ে আপনাকে দিলেন তাতে আপনার দিদির কী প্রতিক্রিয়া হয়েছিল ?'

'তিনি বোধহয় এ ব্যাপারটা আগে থেকেই আন্দাজ করেছিলেন।'

'কেন ?'

'দিদি ছিল আমার বাবার ফেভারিট, আর আমি ছিলাম মা-র। মা মারা যাবার তিন বছর আগে হারটা আমাকে দেন। দিদির মনের অবস্থা কী হয়েছিল বলতে পারব না, কারণ এ নিয়ে আমাদের মধ্যে কখনও কোনও আলোচনা হয়নি।'

'আপনার দিদির সঙ্গে আপনার সদ্ভাব আছে?'

'হ্যাঁ। যত দিন যাচ্ছে আমরা দুজনে তত আরও কাছাকাছি এসে পড়ছি। যখন ইয়াং ছিলাম তখন দুজনের মধ্যে একটা রেষারেষির ভাব ছিল।'

'আপনি তো অভিনয় করতে খুব ভালবাসেন?'

'হ্যাঁ। তাই তো মা আমাকে নিয়ে এত প্রাউড ছিলেন। এ ব্যাপারে দিদির কোনও শখ ছিল না।'

'আপনার মেয়ের?'

'শীলা স্কুলে কলেজে অ্যাকটিং করেছে, ক্লাবে-ট্‌লাবেও দু-একবার করেছে। তার বেশি নয়। ও ফিল্মে অফার পেয়েছে, কিন্তু নেয়নি।'

'ও কী করতে চায়?'

'ও ওয়ার্কিং গার্ল হতে চায়। আপিসে কাজ করবে, নিজে রোজগার করবে। ও তো সবে বি এ পাশ করেছে। এর মধ্যে কিছু জার্নালিজ্‌ম করেছে, খবরের কাগজে ওর দু-একটা লেখা বেরিয়েছে।'

'আপনি কি এই চুরির ব্যাপারে কাউকে সন্দেহ করেন?'

'কাউকেই না। এ ব্যাপারে আমি আপনাকে একেবারেই সাহায্য করতে পারব না।'

'কাল যখন ফিল্ম দেখানো হচ্ছিল তখন কাউকে হাঁটাচলা করতে দেখেছিলেন?'

'না। মনে হল সকলেই তন্ময় হয়ে ছবিটা দেখছে।'

'ঠিক আছে, মিসেস বিশ্বাস। আপনার ছুটি।'

মিসেস বিশ্বাস ধন্যবাদ দিয়ে উঠে চলে গেলেন।

ফেলুদা জয়ন্তবাবুর দিকে ফিরল।

'আমি একবার মিঃ সোমের সঙ্গে কথা বলতে চাই।'

'বেশ তো, আমি তাকে পাঠিয়ে দিচ্ছি।'

জয়ন্তবাবু ভিতরে চলে গেলেন।

'দু মিনিটের মধ্যে সুদর্শন সোম এসে হাজির হলেন। আজ তিনি দাড়ি কামিয়েছেন কোনও একটা সময়, তাই তাঁকে একটু ভদ্রস্থ লাগছে। তিনি ফেলুদার সামনের সোফায় বসলেন, তাঁর মুখে চুরুট। কাল পার্টিতে এঁকে চুরুট খেতে দেখেছি। কড়া গন্ধে ঘরটা ভরে গেল।

ফেলুদা প্রশ্ন শুরু করল।

'আপনি কত দিন এ বাড়িতে রয়েছেন?'

'বছর পনেরো হল। শকুন্তলা দেবীই আমাকে এ বাড়িতে থাকতে বলেন।'

'আপনি এক কথায় রাজি হয়ে যান? পরের আশ্রিত হতে কোনওরকম দ্বিধা-সংকোচ বোধ করেননি?'

'তখন আমার অবস্থা খুব খারাপ হয়ে আসছে। এখন আমার বয়স সাতষট্টি। তখনই আমি পঞ্চাশের উপর। ডান হাতের বুড়ো আঙুলে আরথ্রাইটিস, তাই ছবি আঁকতে পারছি না। শকুন্তলা দেবীর অনুগ্রহে আমার তবু একটা সংস্থান হল। তা না হলে আমি যে কী করতাম জানি না। আমায় না খেয়ে মরতে হত। অবশ্য পরের চ্যারিটি ভোগ করছি এই নিয়ে অনেকদিন খুব সচেতন ছিলাম, মনটা খচ্‌খচ্‌ করত। কিন্তু এঁরাও আমার উপস্থিতি

মেনে নিয়েছিলেন, শীলা আর প্রসেনজিৎ আমাকে খুব ভালবাসত, তাই ব্যাপারটা ক্রমে অভ্যস্ত হয়ে গিয়েছিল।'

'আপনার নিজের রোজগার বলে তো কিছুই নেই।'

'দু-একটা পুরানো ছবি মাঝে মাঝে অল্প দামে বিক্রি হয়। সে তেমন কিছুই না। সত্যি বলতে কী, আই অ্যাম পেনিলেস। জয়ন্তবাবু আমাকে প্রতি মাসে হাত খরচের জন্য কিছু টাকা দেন, আর থাকা-খাওয়ার ব্যবস্থাটা রয়েছে। চুরুটের অভ্যাসটা অনেক চেষ্টা করেও ছাড়তে পারিনি। তবে অনেক কমিয়ে দিয়েছি।'

'এই চুরির ব্যাপারে আপনার কাউকে সন্দেহ হয়?'

মিঃ সোম একটু ভেবে বললেন, 'চাকরদের কাউকে হয় না।'

'তবে কাকে হয়?'

মিঃ সোম আবার চুপ করে গেলেন। ফেলুদা বলল, 'আপনি ইতস্তত করলে কিন্তু আমার কাজটা আরও কঠিন হয়ে পড়বে। আপনি নিশ্চয়ই চান যে শকুন্তলা দেবীর হারটা আবার উদ্ধার হোক।'

'তা তো বটেই।'

'তা হলে বলুন আপনার কাউকে সন্দেহ হয় কি না।'

'একজনকে হয়।'

'কে সে?'

'প্রসেনজিৎ।'

'কেন এ কথা বলছেন?'

'প্রসেনজিৎ আর আগের মতো নেই। সে অনেক বদলে গেছে। আমার ধারণা সে কুসঙ্গে পড়েছে। হয়তো জুয়া খেলে, নেশা করে, তার জন্য তার টাকার দরকার পড়ে। চাকরি-বাকরি তো কিছুই করে না। বাপ তাকে যা দেন তাতে তার চলে না। সে আমার কাছ থেকে পর্যন্ত টাকা ধার চায়। আমি তাকে অনেক বুঝিয়েছি, কিন্তু আমার কথায় সে কানই দেয় না।'

'আই সি...। কাল যখন সিনেমা হচ্ছিল তখন কাউকে নড়াচড়া করতে বা জায়গা পরিবর্তন করতে দেখেছিলেন?'

'আজ্ঞে না। আমি পর্দায় ছবি ছাড়া আর কিছুই দেখিনি।'

'ঠিক আছে, মিঃ সোম। অনেক ধন্যবাদ। এবার আপনি যদি শীলাকে একটু পাঠিয়ে দেন।'

মিঃ সোম শীলার খোঁজে চলে গেলেন।

অল্পক্ষণের মধ্যেই শীলা এসে পড়ল। তার পরনে সালওয়ার কামিজ, গায়ে কোনও গয়না নেই। একেবারে আধুনিকা।

'কী করছিলে, শীলা?' শীলা সোফায় বসার পর ফেলুদা প্রশ্ন করল।

'একটা আর্টিক্‌ল লিখছিলাম।'

'খবরের কাগজের জন্য?'

'হ্যাঁ।'

'কী বিষয়?'

'ঘর কী করে সাজাতে হয় তাই নিয়ে।'

'তুমি কি ইনটিরিয়র ডেকোরেশনে ইন্টারেস্টেড নাকি?'

'হ্যাঁ। ওটাকেই আমার প্রোফেশন করার ইচ্ছে আছে।'

'ও বিষয় শিখেছ কিছু?'

'এমনি কিছু শিখিনি, কিন্তু ও বিষয় অনেক বই পড়েছি।'

'আঁকতে পার?'

'মোটামুটি। ছেলেবেলায় সুদর্শনকাকু আমাকে খুব এনকারেজ করতেন। যখন আমার বারো-তেরো বছর বয়স।'

'তোমার দাদার সঙ্গে তোমার সম্পর্ক কীরকম?'

'আগে দুজনে খুব বন্ধু ছিলাম। এখন দাদা বদলে গেছে। আমার সঙ্গে প্রায় কথাই বলে না।'

'তাতে তোমার খারাপ লাগে না?'

'আগে লাগত, এখন অভ্যাস হয়ে গেছে।'

'কাল রাত্রে হারটা আমাদের দেখিয়ে আবার ঠিক জায়গায় রেখেছিলে তো?'

'নিশ্চয়ই। চাবিও ঠিক জায়গায় রেখেছিলাম।'

'তারপর সেটা কী ভাবে উধাও হল সে বিষয়ে তোমার কোনও ধারণা আছে?'

'আমার কী করে থাকবে ?' শীলা একটু হেসে বলল। 'বরং আপনার থাকা উচিত। আপনি তো ডিটেকটিভ।'

'ডিটেকটিভরা তো প্রশ্ন করেই তাদের তদন্ত করে, সেটা নিশ্চয়ই তুমি জান।'

'তা জানি।'

এই কথাটা বলার সঙ্গে সঙ্গেই দরজায় বেলের শব্দ হল। সুলেমান দরজা খুলে দিতে প্রসেনজিৎ ঢুকল। সে আমাদের দেখে যেন একটু হকচকিয়ে গেল, কিন্তু তার পরেই সামলে নিয়ে বলল, 'ডিটেকটশন চলছে বুঝি ?'

ফেলুদা বলল, 'তোমার বোনকে প্রশ্ন করছিলাম কালকের ব্যাপার নিয়ে। এবার ভাবছি তোমাকে করব, যদি তোমার আপত্তি না থাকে।'

'আপত্তি আছে বই কী। পুলিশও আমাকে জেরা করার চেষ্টা করেছিল। আমি কোনও কথার জবাব দিইনি।'

'কিন্তু আমি তো পুলিশ নই।'

'ইট মেক্‌স নো ডিফারেন্স। কোনও কথার জবাব আমি দেব না।'

'তা হলে কিন্তু তোমার উপর সন্দেহ পড়তে পারে।'

'পড়ুক। আই ডোন্ট কেয়ার। শুধু সন্দেহে তো আর কিছু হবে না। প্রমাণ চাই, সেই হারটা খুঁজে পাওয়া চাই।'

'বেশ, তুমি যখন কো-অপারেট করবে না তখন আমাদের দিক থেকেও বলার কিছু নেই। আমরা তোমাকে ফোর্স করতে পারি না।'

ফেলুদা উঠে পড়ল, আর সেই সঙ্গে আমরা দুজনও।

কিন্তু ফেলুদার কাজ শেষ হয়নি। সে বলল, 'আমি এবার বাড়ির প্ল্যানটা দেখতে চাই।'

শীলা বলল, 'চলুন, আমি আপনাকে ভিতরে নিয়ে যাচ্ছি।'

যা দেখলাম তা মোটামুটি এই—বৈঠকখানার পরেই খাবার ঘর, তারপর জয়ন্তবাবু আর সুনীলা দেবীর বেডরুম, তার সঙ্গে বাথরুম। এই বেডরুমের দুপাশে আরও দুটো বাথরুম সমেত বেডরুম, সে দুটোর একটাতে থাকে শীলা, অন্যটায় প্রসেনজিৎ। জয়ন্তবাবুর ঘর থেকে দুটো ঘরে যাবার জন্য দরজা আছে। প্রসেনজিতের ঘরের পাশে একটা ছোট্ট গেস্টরুম আছে তাতে থাকেন মিঃ সোম।

প্ল্যানটা দেখে বৈঠকখানায় ফিরে এলে শীলা ফেলুদাকে বলল, 'আমি কিন্তু দু-একদিনের মধ্যেই অটোগ্রাফের খাতা নিয়ে আসছি।'

'আমি তো বলেইছি।' ফেলুদা বলল, 'যখন ইচ্ছে এসো—তবে একটা ফোন করে এসো। আমি তো এখন তদন্তে জড়িয়ে পড়েছি—কখন কোথায় থাকি বলতে পারি না। ভাল কথা—তোমার বাবাকে একবার আসতে বলবে ? একটু দরকার ছিল।'

শীলা জয়ন্তবাবুকে পাঠিয়ে দিল।

'হল আপনার কোয়েশ্চনিং ?' ভদ্রলোক জিজ্ঞেস করলেন।

'তা হল, তবে আপনার ছেলে কোনও প্রশ্ন করতে দিল না।'

জয়ন্তবাবু আক্ষেপের ভঙ্গিতে মাথা নেড়ে বললেন, 'প্রসেনজিৎ ওরকমই। ওর আশা আমি প্রায় ছেড়ে দিয়েছি।'

'যাই হোক্—আপনাকে ডাকার কারণ—মিঃ সাল্‌ডান্‌হা কি এখনও দোকানে থাকবেন ?'

'এখন তো সাড়ে পাঁচটা—এখনও নিশ্চয়ই থাকবে।'

'তা হলে ওঁর দোকানের ঠিকানা আর টেলিফোন নম্বরটা যদি দেন।'

জয়ন্তবাবু তখনই টেলিফোনের পাশে রাখা প্যাড থেকে একটা পাতা ছিঁড়ে ঠিকানা আর

ফোন নম্বর লিখে ফেলুদার হাতে দিলেন।

'এখান থেকেই ফোন করে নিই?' বলল ফেলুদা।

'সার্টেনলি।'

ফেলুদা ফোন করতেই ভদ্রলোককে পেয়ে গেল। উনি তখনই ফেলুদাকে চলে আসতে বললেন।

'আরেকজনের সঙ্গে কথা বলা বাকি থেকে যাচ্ছে', বলল ফেলুদা, 'তিনি হলেন আপনার শালা রতনলালবাবু। মিঃ সুকিয়াসকে কাল প্রশ্ন করব।'

'রতনলাল থাকে ফ্রেজার রোডে একটা ফ্ল্যাটে। তার ঠিকানা আর টেলিফোন নম্বরও আপনাকে দিয়ে দিচ্ছি। তাকে পাবার ভাল সময় হচ্ছে সন্ধ্যা সাতটার পর।'

৬

হজরতগঞ্জে সাল্‌ডান্‌হা অ্যান্ড কোম্পানিতে পৌঁছে একটু হক্‌চকিয়েই গেলাম। এত পুরনো দোকান সেটা ভাবতে পারিনি। আর পনেরো মিনিট পরেই দোকান বন্ধ হয়ে যাবে। ভদ্রলোক একটা ডেস্কের পিছনে বসে ছিলেন, দোকানে কোনও খদ্দের নেই, খালি একজন কর্মচারী এদিক ওদিক ঘুরছে। সাল্‌ডান্‌হা আমাদের দেখেই হেসে দাঁড়িয়ে উঠলেন।

'আসুন, বসুন, মিঃ মিটার।'

আমরা তিনজনে তিনটে চেয়ারে বসলাম।

'এখানে এসে আপনাকে অসুবিধায় ফেললাম না তো?' ইংরাজিতে জিজ্ঞেস করল ফেলুদা।

'মোটেই না। এখন তো ক্লোজিং টাইম এসে গেল। এখানে আপনার কী কথা আছে বলে নিন, তারপর আপনাদের আমার গাড়িতে করে আমার বাড়ি নিয়ে যাব। সেখানে কফি খাবেন, আমার স্ত্রীর সঙ্গে আলাপ করবেন।'

'তা হলে ভালই হবে,' বলল ফেলুদা, 'কারণ আপনার স্ত্রীকেও দু-একটা প্রশ্ন করার আছে। কালকের পার্টির সকলকেই আমরা প্রশ্ন করছি।'

'দ্যাট্‌স অল রাইট। আই ডোন্ট থিংক সি উইল মাইন্ড।'

'আমার প্রথম প্রশ্ন—আপনার এ দোকান কতদিনের?'

'তা প্রায় সত্তর বছর হল। আমার ঠাকুরদাদা দোকানটার পত্তন করেন। লখ্‌নৌ-এর প্রথম মিউজিক শপ।'

'কিন্তু এখন নিশ্চয়ই আরও মিউজিক শপ হয়েছে?'

'আরও দুটো হয়েছে—দুটোই আমাদের জ্ঞাতভাইদের করা। একটার মালিক ডিমেলো, আরেকটার নরোন্‌হা। এদের মধ্যে একটা আবার হজরতগঞ্জেই—আমার দোকানের কাছেই। দুঃখের বিষয় আমরা ঠিক সময়ের সঙ্গে তাল রেখে চলতে পারিনি। সেটা বোধহয় দোকানের চেহারা দেখেই বুঝতে পারছেন।'

'আপনাদের ব্যবসা তার মানে ভাল চলছে না?'

'কী আর বলব, মিঃ মিটার। এটা কম্পিটিশনের যুগ। আমার ছেলেকে যদি দোকানে বসাতে পারতাম তা হলে তার ইয়াং আইডিয়াজ অনেক কাজে দিত। কিন্তু সে ডাক্তারি পাশ করে চলে গেল আমেরিকা। এখন অবশ্য সে সেখানে খুব ভালই রোজগার করছে। আর আমি বুড়ো মানুষ একাই দোকান সামলাচ্ছি। বিক্রি যে একেবারে হয় না তা নয়, আমার কিছু ফেইথফুল কাস্টমারস আছে। কিন্তু আজকাল যুগ অনেক বদলে গেছে। অনেস্টির আর

দাম নেই ; লোকে চায় চটক।'

ফেলুদা সহানুভূতি প্রকাশ করে আসল প্রশ্নে চলে গেল।

'কাল যে দুর্ঘটনা ঘটে গেল সেটা সম্বন্ধে আপনার কিছু বলার আছে ?'

'কী আর বলব বলুন। ও হার যখন আমার স্ত্রী না পেয়ে আমার শালি পেল, তখন মার্গারেট একেবারে ভেঙে পড়ে। সি লাভ্‌ড দ্যাট নেকলেস। কার না ভাল লাগবে বলুন—এমন একটা আশ্চর্য সুন্দর প্রাইসলেস জিনিস ?'

'আপনি বলছেন ঈশ্বরের চোখেও এটা একটা অন্যায় বলে মনে হয়েছিল ?'

'তা না হলে প্যামেলার এ ক্ষতি হবে কেন ? শকুন্তলা দেবীর পক্ষপাতিত্ব ভগবানের চোখেও দৃষ্টিকটু বলে মনে হয়েছিল নিশ্চয়ই।'

'কিন্তু কে এই হারটা নিতে পারে সে বিষয় আপনার কোনও ধারণা আছে ?'

'নো, মিঃ মিটার। সে বিষয় আমি আপনাকে কোনওরকম ভাবে সাহায্য করতে পারব না। আমার কোনও ধারণা নেই।'

'সুনীলা দেবীর ছেলে যে কুপথে যাচ্ছে সেটা আপনি জানেন ?'

'আমি সেটা আন্দাজ করেছি।'

'সে বোধহয় নেশা করে। আর তার জন্য তার প্রায়ই টাকার দরকার হয়।'

সাল্‌ডান্‌হা চুক্‌চুক্ করে আক্ষেপসূচক শব্দ করলেন। তারপর বললেন, 'দ্যাট মে বি সো। কিন্তু তাই বলে সে তার মা-র এমন একটা সাধের জিনিস চুরি করবে ? এটা আমার কাছে একটু বাড়াবাড়ি বলে মনে হচ্ছে।'

'কাল ফিল্মটা চলার সময় কাউকে ঘর থেকে বেরোতে দেখেছিলেন ?'

'নো। বাট আই স সুকিয়াস কামিং ইন।'

'থ্যাঙ্ক ইউ।'

দোকান বন্ধ করার সময় হয়ে গিয়েছিল, তাই আমরা উঠে পড়লাম।

মিঃ সাল্‌ডান্‌হার গাড়িতে তাঁর বাড়িতে গিয়ে পৌঁছলাম যখন, তখন সোয়া ছ'টা—সবে সন্ধে হয়েছে।

সাল্‌ডান্‌হার বাড়ি জয়ন্তবাবুর বাড়ির তুলনায় অনেক ছোট। এটাও এক-তলা বাংলো টাইপের বাড়ি। ভেতরে ঢুকে বৈঠকখানায় গিয়ে হাজির হলাম। এ বৈঠকখানায় জয়ন্তবাবুর বাড়ির বৈঠকখানার বাহার নেই। বোঝাই যায় সাল্‌ডান্‌হার অবস্থা তেমন ভাল না। এবং তাঁর গৃহিণীর বাড়ি সুন্দর করে সাজিয়ে রাখার দিকে তেমন ঝোঁক নেই।

'মার্গারেট—ইউ হ্যাভ ভিজিটরস' বলে একটা হাঁক দিয়ে সাল্‌ডান্‌হা আমাদের পাশের সোফায় বসে পড়লেন। আমাদের অবিশ্যি পরমুহূর্তেই দাঁড়াতে হল। কারণ ঘরে মিসেস সাল্‌ডান্‌হা, অর্থাৎ মার্গারেট সুশীলা দেবী, এসে ঢুকেছেন।

'ও—মিঃ মিত্র !'

ভদ্রমহিলার ঠোঁটের কোণে হাসি দেখা দিল। তবে সে হাসি মুখ আলো করা হাসি নয়। কারণ হাসা সত্ত্বেও একটা অবসাদের ভাব মুখে থেকে গেল।

ফেলুদা বলল, 'বসুন, সুশীলা দেবী। আপনি বোধহয় জানেন না যে জয়ন্তবাবু কালকের চুরির ব্যাপারে আমাকে তদন্ত করতে বলেছেন।'

'সেটা আজ সকালেই আন্দাজ করছিলাম।'

'সেই ব্যাপারেই আমি আপনাকে দু একটা প্রশ্ন করতে চাই।'

সাল্‌ডান্‌হা এই সময় উঠে পড়ে বললেন, 'আমি আপনাদের জন্য কফি বলছি, আর আমার পোশাকটা বদলে একটু মুখটা ধুয়ে আসছি। ততক্ষণ আপনারা কথা বলুন।'

সাল্‌ডান্‌হা চলে গেলেন ভিতরে।

সুশীলা দেবী বললেন, 'কী প্রশ্ন করবেন করুন।'

'আপনার বিয়ে হয়েছে কতদিন ?'

'পঁয়ত্রিশ বছর।'

'আপনার একটি ছেলে আমেরিকায় আছে শুনলাম।'

'হ্যাঁ।'

'এ ছাড়া আর কোনও সন্তান আছে ?'

'একটি মেয়ে আছে। তার বিয়ে হয়ে গেছে। সে কুলুতে থাকে। তার স্বামীর সেখানে অ্যাপ্‌ল অর্চার্ড আছে।'

'আপনার বোনের চেয়ে আপনি কত বড় ?'

'দু বছরের।'

'তার মানে আপনারা প্রায় পিঠোপিঠি ?'

'হ্যাঁ।'

'আপনার বোনের প্রতি আপনার কীরকম মনোভাব ছিল ?'

'একেবারে ছেলেবয়সে আমরা দুজন ভীষণ বন্ধু ছিলাম। প্যামের আমাকে ছাড়া চলতই না। আমরা দুজনে একসঙ্গে পুতুল খেলতাম, নার্সারি স্কুলে যেতাম, একরকম জামা কাপড় পরতাম।'

'তারপর ?'

'আমার যখন বছর পনেরো বয়স তখন থেকেই আমি বুঝতে পারি যে মা-র টান আমার চেয়ে প্যামের উপর বেশি। তা ছাড়া প্যামের মধ্যে তখন থেকে অনেক গুণের প্রকাশ পেতে থাকে। ও খুব ভাল আবৃত্তি করত, অভিনয় করত, পড়াশুনায় আমার চেয়ে ভাল ছিল, দেখতেও আমার চেয়ে অনেক সুন্দর হয়ে উঠেছিল। দেখলাম প্যামই মা-র আদরের হয়ে উঠছে। আমার উপরে ভালবাসা কমে যাচ্ছে। অবিশ্যি বাবা আমাকে খুব ভালবাসতেন, কিন্তু মা-র ভালবাসা পেলাম না বলে আমার মনে একটা হিংসার ভাব জেগে ওঠে যেটা আমি তখন কাটিয়ে উঠতে পারিনি। সব শেষে মা যখন তাঁর হারটা প্যামকে দিয়ে দিলেন তখন আমার পায়ের তলা থেকে মাটি সরে গেল। এ দুঃখ ভুলতে আমার অনেক সময় লেগেছে।'

'এখন মনে হিংসের ভাব নেই ?'

'না। এক এক সময় ছেলেবেলার কথা মনে হলে জেলাস লাগে। কিন্তু এমনিতে দুজনের মধ্যে যথেষ্ট সদ্ভাব আছে। কাল তো দেখলেন আমাদের—কী মনে হল ?'

'দিব্যি সদ্ভাব।'

'শুধু তাই না। ওর সম্বন্ধে একটা অনুকম্পার ভাবও বোধ করি।'

'কেন বলুন তো ?'

'কারণ আমার ভগ্নীপতি। তাঁর টাকার টানাটানি যাচ্ছে।'

'তাই বুঝি ?'

'এটা কিন্তু আপনাকে গোপনে বলছি।'

'আপনি আমাদের উপর সম্পূর্ণ বিশ্বাস রাখতে পারেন।'

'আমার ভগ্নীপতি অনেক দেনা করে ফেলেছেন। সেই সঙ্গে ড্রিঙ্কিং বেড়ে গেছে।'

'কিন্তু কাল ওরকম পার্টি দিলেন ?'

'কী করে দিলেন জানি না। আমি এবং আমার স্বামী নেমন্তন্ন পেয়ে খুব আশ্চর্য হয়ে গিয়েছিলাম।'

‘হয়তো এর মধ্যে অবস্থার উন্নতি হয়েছে।’

‘তা হতে পারে। কিন্তু আমি দু মাস আগের কথাও জানি। আমার বোন আমার কাছে এসে কান্নাকাটি করেছে। তার উপর ওদের ছেলের গোলমাল তো আছেই। সে ব্যাপার জানেন তো ?’

‘শুনেছি।’

‘আশা করি আপনার কথাই ঠিক—ওদের অবস্থার উন্নতি হয়েছে।’

‘হারটা কে চুরি করতে পারে সে সম্বন্ধে আপনার কোনও বক্তব্য আছে ?’

‘একেবারেই না। ওটা আমার কাছে একটা বিরাট রহস্য।’

‘প্রসেনজিৎকে আপনার সন্দেহ হয় না ?’

‘প্রসেনজিৎ ?’

ভদ্রমহিলা যেন একটু ভাবলেন। তারপর বললেন, ‘একটা ব্যাপার আছে। ফিল্মটা যখন দেখানো হচ্ছিল তখন প্রসেনজিৎ আমার কাছেই ছিল। ফিল্ম চলা অবস্থায় সে উঠে কোথায় যেন যায়।’

‘অন্য কোনও লোককে জায়গা বদলাতে দেখেছিলেন ?’

‘না। তা ছাড়া আমার দৃষ্টি পর্দার উপর ছিল। প্রায় কুড়ি বছর পরে দেখছিলাম ছবিটা।’

‘থ্যাঙ্ক ইউ, সুশীলা দেবী—আমার প্রশ্ন শেষ।’

আমরা কফি খেয়ে উঠে পড়লাম। বাড়ির বাইরে এসে ফেলুদা বলল, ‘এবার অ্যালবার্ট রতনলাল। তা হলেই আজকের মতো আমার কাজ শেষ।’

সাল্‌ডান্‌হার বাড়ি থেকে আমরা রতনলালের ফ্ল্যাটে গেলাম। অত্যন্ত সুসজ্জিত ফ্ল্যাট, আর একজনের পক্ষে বেশ বড়। ভদ্রলোক সোফায় বসে একটা হাই-ফাই স্টিরিওতে গজল শুনছিলেন, পরনে একটা বেগুনি ড্রেসিং গাউন, মুখে পাইপ। ভদ্রলোক যে আতর ব্যবহার করেন সেটা জানতাম না। ঘরে বেশ ঝাঁঝালো আতরের গন্ধ।

ভদ্রলোক আমাদের দেখে স্টিরিওটা বন্ধ করে বললেন, ‘কী ব্যাপার ?’

ফেলুদা বলল, ‘কালকে চুরির ব্যাপারে কয়েকটা প্রশ্ন করার ছিল। আমরা সকলকেই করেছি।’

‘এভরিওয়ান ?’

‘শুধু মিঃ সুকিয়াসকে বাকি। সেটা কাল করব।’

‘আপনার কি ধারণা আমি চুরিটা করে থাকতে পারি ?’

‘মোটেই না। তবে চোর ধরতে আপনি সাহায্য করতে পারেন।’

‘আই অ্যাম নট ইন দ্য লিস্ট বিট ইন্টারেস্টেড ইন দ্য থেফ্‌ট।’

‘এত দামি আর ভাল একটা জিনিস চুরি হল, আর তাতে আপনার ইন্টারেস্ট নেই ?’

‘মাইসোরের দেওয়া জিনিস তো দামি হবেই, তাতে আশ্চর্যের কী আছে ?’

‘আপনার মা-র এত সাধের জিনিস ছিল !’

‘আমার মা-র ফিল্ম কেরিয়ার সম্বন্ধেও আমার কিছুমাত্র উৎসাহ নেই। আই থিংক অল ফিল্মস আর রট্‌ন। সাইলেন্ট ফিল্মস তো বটেই।’

‘আপনার পেশাটা কী জানতে পারি ?’

‘তা পারেন। আমি একটা মার্কেনটাইল ফার্মের অ্যাসিস্ট্যান্ট ম্যানেজার।’

‘তা হলে আপনি আর কোনওরকমে সাহায্য করতে পারছেন না আমাদের ?’

‘আই অ্যাম ভেরি সরি। আমার কিছু বলার নেই।’

'একটা শেষ প্রশ্ন আছে।'

'কী ?'

'কাল ফিল্মটা চলার সময় আপনি কাউকে জায়গা পরিবর্তন করতে দেখেছিলেন ?'

'আমি তো ফিল্ম দেখছিলাম না। আমি অন্যদিকে মুখ ফিরিয়ে ছিলাম। আই স মিঃ সুকিয়াস কাম ইন।'

'ধন্যবাদ। আপনি দেখছি আপনার পিতামহের মতো হিন্দি গানের ভক্ত।'

রতনলাল কোনও মন্তব্য না করে আবার স্টিরিওটা চালিয়ে দিলেন। আমরা ঘর থেকে বেরিয়ে এলাম।

৭

পরদিন সকালে ফেলুদা বলল, 'তোরা বরং দিলখুশাটা দেখে আয়। আমার একটু চিন্তা করার আছে, তা ছাড়া দু-একটা টেলিফোন করারও আছে। সুকিয়াসের সঙ্গে একটা অ্যাপয়েন্টমেন্ট করতে হবে। ইনস্পেক্টর পাণ্ডেকেও একটা ফোন করব।'

আমরা দুজনে আজ ট্যাক্সির বদলে একটা টাঙ্গা নিয়ে বেরোলাম। লালমোহনবাবুর ভীষণ শখ টাঙ্গা চড়ার কারণ উনি জানেন বাদশাহী আংটির সময় আমরা টাঙ্গা চড়েছিলাম।

টাঙ্গা রওনা হবার পর লালমোহনবাবু বললেন, 'দিলখুশার ইতিহাসটা একটু জেনে নিই।'

আমি বললাম, 'দিলখুশা ঊনবিংশ শতাব্দীর প্রথম দিকে নবাব সাদাত আলির তৈরি একটা বাগানবাড়ি ছিল। এর আশেপাশে হরিণ চরে বেড়াত। এখন শুধু ব্যাপারটার ভগ্নাবশেষ রয়েছে, তবে তার পাশে একটা সুন্দর পার্ক রয়েছে যেখানে লোকে বেড়াতে যায়। দিলখুশার উত্তরে বিখ্যাত লা মার্টিনিয়ার ইস্কুল। অষ্টাদশ শতাব্দীতে ক্লড মার্টিনের তৈরি। মার্টিন ছিলেন মেজর জেনারেল। দিলখুশা থেকে এই স্কুলটা দেখতে পাবেন।'

টাঙ্গাতে যেতে যেতে মনে হচ্ছিল—সত্যি, লখ্‌নৌ-এর মতো বাহারের শহর ভারতবর্ষে কমই আছে। লালমোহনবাবু অবশ্য বার বারই বলছেন, 'ইতিহাস চোখের সামনে দেখতে পাচ্ছি।'

দিলখুশার ভগ্নাবশেষ দেখতে বেশি সময় লাগে না। তাই আমরা সে কাজটা শেষ করে পার্কটায় একটু বেড়াতে গেলাম, আর সেখানে গিয়েই একটা বিশ্রী ঘটনায় আমাদের জড়িয়ে পড়তে হল।

প্রথমে মনে হয়েছিল পার্কে কোনও লোকজন নেই। লোক সচরাচর হয় বিকেলের দিকে। আমরা ফুলবাগানের মধ্যে দিয়ে খানিকদূর হাঁটার পর একটা গাছের পিছনে একটা বেঞ্চির খানিকটা অংশ দেখলাম, আর সেই সঙ্গে মানুষের গলার আওয়াজ পেলাম। গাছটা পেরোতেই যে দৃশ্যটা দেখলাম তাতে আমাদের বুকের ভিতরটা ছ্যাঁৎ করে উঠল।

দেখি কী, প্রসেনজিৎ আর দুটি তারই ধাঁচের ছেলে বেঞ্চিতে বসে কী যেন খাচ্ছে। তিনজনেরই চুল উসকো খুসকো আর চোখ ঘোলাটে। ওরা যে নেশা করছিল তাতে কোনও সন্দেহ নেই, আর এই নেশা বড় সহজ নেশা নয়। এ হল ড্রাগের ব্যাপার, যা খেয়ে মানুষ সম্পূর্ণ হুঁশ হারিয়ে খুন পর্যন্ত করতে পারে।

প্রসেনজিৎ এত মশ্‌গুল ছিল যে সে আমাদের প্রথমে দেখতেই পায়নি। তারপর যখন দেখল তখন তার মুখে এক অদ্ভুত ক্রূর হাসি ফুটে উঠল।

'ডিটেকটিভের চেলাদের দেখছি, ডিটেকটিভ কোথায় ?' প্রশ্ন করল সে জড়ানো গলায়।

'তিনি আসেননি', বললেন লালমোহনবাবু।

'আহা, এমন একটা দৃশ্য দেখতে পেলেন না।'

আমরা চুপ।

'চোর ধরা পড়ল ?' বিদ্রূপের সুরে প্রশ্ন করল প্রসেনজিৎ।

'এখনও পড়েনি।'

'আমাকেই তো সকলে সন্দেহ করছে, তাই না ? কারণ আমার টাকার অভাব। লোকের কাছে ধার চাইতে হয় ঘণ্টাখানেক স্বর্গবাসের জন্য। শুনুন—আই ক্যান টেল ইউ দিস—হার চুরি করার মতো বোকা আমি নই। আমার লাক্ খুলে গেছে। আমি বেশির ভাগ টাকা পাই জুয়া খেলে। মাঝে মাঝে লোকের কাছে ধার করতে হয়, কারণ এ জিনিস একবার ধরলে আর ছাড়া যায় না। আপনি ধরলে আপনিও আর ছাড়তে পারতেন না, মিস্টার থ্রিলার

রাইটার। একবার ট্রাই করে দেখুন না—আপনার লেখা অনেক ইমপ্রুভ করে যাবে। মাথার মধ্যে গল্পের প্লট ভিড় করে আসবে। কী, মিস্টার রাইটার—কী বলেন?'

আমরা দুজনেই নির্বাক। এরকম একটা দৃশ্যের সামনে পড়তে হবে ভাবতেই পারিনি।

'তবে একটা কথা বলে রাখি'—হঠাৎ তড়াক্ করে দাঁড়িয়ে উঠে খস্‌খসে ধারালো গলায় বলল প্রসেনজিৎ। তারপর তার জীনসের পকেট থেকে একটা ফ্লিক্ নাইফ বার করে খ্যাঁচ করে বোতাম টিপে ফলাটা বার করে সেটা আমাদের দিকে বাড়িয়ে বলল, 'আজকের কথা যদি ঘুণাক্ষরেও কেউ জানতে পারে তা হলে বুঝব সেটা আপনাদের কীর্তি। তখন বুঝবেন এই ছুরির ধার কত। নাউ ক্লিয়ার আউট ফ্রম হিয়ার!'

বেগতিক ব্যাপার। এখানে থাকা আর নিরাপদ নয়, আর কোনও প্রয়োজনও নেই। যা দেখার তা দেখে নিয়েছি, আর এ দৃশ্য শুধু আমরাই দেখেছি, আর কেউ দেখেনি। আমরা দুজনে আবার টাঙ্গা করে হোটেলে ফিরে এলাম। সারা পথ দুজনের মুখে একটিও কথা নেই।

হোটেলে ফিরে দেখি আমাদের ঘরে শীলা বসে আছে, তার হাতে অটোগ্রাফ খাতা। আমাদের দেখে শীলা উঠে পড়ল। বলল, 'আপনার কিছুটা সময় নষ্ট করে গেলাম। এনিওয়ে, সইয়ের জন্য ধন্যবাদ। আশা করি আপনার ডিটেকশন সফল হবে।'

শীলা চলে গেলে পর লালমোহনবাবুকেই বলতে দিলাম ফেলুদাকে দিলখুশার ঘটনাটা। ফেলুদা সব শুনে বলল, 'আমার ওর চোখের চাহনি দেখেই সন্দেহ হয়েছিল ও ড্রাগ ব্যবহার করে। ও ছেলের ভবিষ্যৎ অন্ধকার।'

'কিন্তু তা হলে ওই কি কণ্ঠহার চোর?' লালমোহনবাবু জিজ্ঞেস করলেন। ফেলুদা কোনও উত্তর না দিয়ে বলল, 'ভাল কথা, আপনাদের আরেকবার একটু বেরোতে হবে।'

'হোয়াই স্যার?'

'সুকিয়াসের টেলিফোন খারাপ। অ্যাপয়েন্টমেন্ট হয়নি। আমিই বেরোতাম, কিন্তু শীলা এসে পড়ল। ওঁর বাড়িতে গিয়ে অ্যাপয়েন্টমেন্ট করতে হবে। চট করে বেরিয়ে পড়লে এখনও ওঁকে বাড়িতে পাবার চান্স। আমার মাথায় একটা জিনিস দানা বাঁধছে তাই আমি বেরোতে চাচ্ছি না। যা তোপ্‌সে, ট্যাক্সি নিয়ে বেরিয়ে পড়।'

লালমোহনবাবু একটা স্বস্তির নিশ্বাস ফেলে বললেন, 'জেরা শুনতে শুনতে প্রাণ হাঁপিয়ে উঠছিল, এবার তবু একটা কাজ পাওয়া গেল।'

আমরা দুজনে বেরিয়ে পড়লাম। সাত নম্বর লাটুশ রোড বলতেই ট্যাক্সি আমাদের সোজা গন্তব্যস্থলে নিয়ে গেল। আমরা ট্যাক্সিটাকে পাঁচ মিনিট অপেক্ষা করতে বললাম।

বেশ বড় একতলা বাড়ি, গেটের গায়ে মার্বল ফলকে লেখা 'এস সুকিয়াস'। গেট দিয়ে ঢুকে দুদিকে বাগান। তাতে ফুল নানা রকমের। বাগানের মধ্যে দিয়ে পথ গাড়িবারান্দায় পৌঁছেছে। বাড়ির বয়স অন্তত পঞ্চাশ বছর তো হবেই।

আমরা কলিং বেল টিপতে একজন বেয়ারা এসে দরজা খুলে দিল।

লালমোহনবাবু জিজ্ঞেস করলেন, 'মিঃ সুকিয়াস হ্যাঁয়?'

'জি হাঁ হুজুর—আপকা সুভনাম?'

'জারা বোলিয়ে মিঃ মিটারকে পাস সে দো আদমি আয়ে হ্যাঁয় এক মিনিট বাৎচিৎকে লিয়ে।'

হিন্দিতে ক'টা ভুল হল জানি না, কিন্তু বেয়ারা ব্যাপারটা বুঝে নিল। আমাদের এক মিনিট অপেক্ষা করতে বলে সে ভিতরে চলে গেল।

এক মিনিট পরে যে বেয়ারা বেরিয়ে এল তার চেহারাই পালটে গেছে। দৃষ্টি বিস্ফারিত, হাত পা ঠক্ ঠক্ করে কাঁপ্‌ছে, মুখ দিয়ে কথাই বেরোচ্ছে না।

'কেয়া হুয়া?' রুদ্ধশ্বাসে জিজ্ঞেস করলেন লালমোহনবাবু।

'আপলোগ...অন্দর আইয়ে...' কোনওরকমে বলল বেয়ারা। আমরা বেয়ারার পিছন পিছন ভিতরে ঢুকলাম। বেয়ারা সেইভাবেই কাঁপতে কাঁপতে বৈঠকখানা পেরিয়ে একটা ঘরে নিয়ে গিয়ে ঢোকাল আমাদের।

ঘরটা হল যাকে বলে স্টাডি। চারিদিকে নানারকম শিল্পদ্রব্য আর বইয়ে ঠাসা আলমারি। ঘরের মাঝখানে একটা বড় টেবিল। তার পিছনে একটা রিভলভিং চেয়ার। সেই চেয়ারে বসে টেবিলের উপর হুমড়ি খেয়ে পড়ে আছেন মিঃ সুকিয়াস, পরনে সাদা শার্ট, তার পিঠ রক্তে লাল। এরকম বীভৎস দৃশ্য আমি কমই দেখেছি।

'কী হরিব্‌ল ব্যাপার!' বললেন লালমোহনবাবু। তারপর বেয়ারার দিকে ফিরে বললেন, 'তুমি শেষ কখন দেখেছ তোমার মনিবকে?'

বেয়ারা আমতা আমতা করে যা বলল তাতে বুঝলাম মিঃ সুকিয়াস সকালে ব্রেকফাস্ট করে এই ঘরে চলে আসেন কাজ করতে। তিনি নিজেই সব করেন, তাঁর সেক্রেটারি নেই, বা বাড়িতে অন্য কোনও লোক নেই। বেয়ারা এই সময়টা প্রয়োজন না হলে তাঁকে ডিসটার্ব করে না। আজও সেই একই নিয়ম মানা হয়েছে।

'সকালে কোনও লোক ওঁর সঙ্গে দেখা করতে আসেনি ?' আমি জিজ্ঞেস করলাম।

বেয়ারা মাথা নাড়ল।

'নেহি হুজুর। কোই নেহি আয়া।'

আমি বুঝতেই পারছিলাম যে বাইরে থেকে সামনের দরজা দিয়ে লোক আসার কোনও দরকার নেই, কারণ সুকিয়াসের চেয়ারের পিছনেই হাট করে খোলা একটা জানালা, তাতে শিক নেই। খুনি যে সেই জানালা দিয়েই ঢুকেছে তাতে কোনও সন্দেহ নেই।

'তোমাদের টেলিফোন তো খারাপ, তাই না ?' লালমোহনবাবু প্রশ্ন করলেন।

'হাঁ হুজুর—দো রোজসে খারাপ হ্যায়।'

'কিন্তু—'

আমি বললাম, 'পুলিশের কথা ভুলে গিয়ে চলুন ট্যাক্সি নিয়ে হোটেলে ফিরে গিয়ে ফেলুদাকে নিয়ে আসি। যা করার ওই করবে।'

'তাই চলো।'

৮

আমরা দশ মিনিটে হোটেলে পৌঁছে গেলাম।

ফেলুদাকে খবরটা দিতেই সে তার খাতাটা ফেলে দিয়ে কোনও কিছু না বলে জ্যাকেটটা চাপিয়ে নিয়ে আমাদের দুজনকে সঙ্গে নিয়ে বেরিয়ে পড়ল। তার ভুরু ভীষণ কুঁচকে গেছে।

সুকিয়াসের বাড়ি পৌঁছে সে প্রথমেই বেয়ারাকে জিজ্ঞেস করল, 'তোমাদের ড্রাইভার আছে ?'

'হ্যায় হুজুর, গাড়ি ভি হ্যায়।'

'ড্রাইভারকে আমার কাছে পাঠিয়ে দাও।'

ড্রাইভার আসতে ফেলুদা তাকে তৎক্ষণাৎ থানায় খবর দিতে বলল। ড্রাইভার চলে গেল।

এবার আমরা গিয়ে স্টাডিতে ঢুকলাম।

'ছুরি মেরেছে ভদ্রলোককে,' বলল ফেলুদা, 'অস্ত্রটা নিয়ে গেছে।'

তারপর টেবিলের উপর ঝুঁকে পড়ে বলল, 'ভদ্রলোক চিঠি লিখছিলেন।'

সেটা অবশ্য আমিও দেখেছিলাম। ইংরিজি চিঠির বেশ খানিকটা লেখা হয়ে গেছিল যখন ছুরিটা মারে।

'এ কী—এ যে আমাকেই লেখা চিঠি ?' বলে উঠল ফেলুদা। তারপর বলল, 'যদিও পুলিশ আসার আগে এখানে কিছু নড়চড় করা উচিত না, চিঠিটা যখন আমার তখন সেটার উপর আমার নিশ্চয়ই একটা ক্লেম আছে।'

এই বলে ফেলুদা চিঠিটা প্যাড থেকে ছিঁড়ে ভাঁজ করে পকেটে পুরে নিল।

তারপর জানালার কাছে গিয়ে বাইরে ঝুঁকে দেখল।

জানালার বাইরে একটা হাত চারেক চওড়া প্যাসেজ, তার পরেই বাড়ির পাঁচিল। সেই পাঁচিল টপকে লোক আসা খুব কঠিন নয়।

'বোঝাই যাচ্ছে খুনটা কোনও ভদ্রলোক করেননি।'

ফেলুদা প্রায় আপনমনেই কথাটা বলল। তারপর বলল, 'যতদূর মনে হয় এ হল লখ্‌নৌইয়া ভাড়াটে গুণ্ডার কাজ। আর এখানে ডাকাতির কোনও প্রশ্ন আসছে না, কারণ এই

একটা ঘরেই অন্তত লাখ টাকার জিনিস রয়েছে। প্রশ্ন হচ্ছে, এই শয়তানটিকে কিনি এমপ্লয় করেছিলেন। অর্থাৎ লোকটি কার অ্যাকমপ্লিস।'

'সেটা অবশ্য মিঃ সুকিয়াসের ব্যক্তিগত ইতিহাস না জানলে বোঝা যাবে না', বললেন লালমোহনবাবু। 'তাই নয় কি?'

ফেলুদা বলল, 'ভদ্রলোকের বিষয় যে আমরা একেবারেই কিছু জানি না তা নয়। অদ্ভুত লোক ছিলেন সেটা তো জানি। চড়া সুদে টাকা ধার দেওয়ার সঙ্গে উঁচু দরের শিল্পদ্রব্যের সংগ্রহ গড়ে তোলা সাধারণ লোকের কম্ম নয়। আমার ধারণা চিঠিতেও কিছু তথ্য পাওয়া যাবে।'

'সেটা একবার পড়বেন না?' লালমোহনবাবু জিজ্ঞেস করলেন।

'চিঠিটার উপরে "কনফিডেনশিয়াল" লেখা ছিল সেটা বোধহয় আপনি দেখেননি। ওটা পড়ব যথাস্থানে যথা সময়ে। আততায়ীকে সুকিয়াস দেখেছিলেন বলে মনে হয় না। কাজেই তার আইডেনটিটি তো আর চিঠিতে থাকবে না।'

দশ মিনিটের মধ্যেই পুলিশ এসে গেল। আবার ইনস্পেক্টর পাণ্ডে। ফেলুদার সঙ্গে করমর্দন করে বললেন, 'আপনি তো আমাদের টেক্কা দিয়েছেন দেখছি।'

'তা দিয়েছি, কিন্তু এখন থেকে এ কেসের ভার সম্পূর্ণ আপনাদের উপর। আমি আর

এতে নাক গলাতে চাই না, কারণ তাতে কোনও লাভ হবে না। শুধু আততায়ীকে ধরলে পরে আমাকে একটা খবর দেবেন।'

'আপনি তার মানে চললেন?'

'হ্যাঁ। তবে আপনার সঙ্গে হয়তো দু-একদিনের মধ্যেই আবার দেখা হবে। কারণ আমি সেই চুরির মামলাটা মোটামুটি সল্‌ভ করে এনেছি।'

'বলেন কী!'

'তাই তো মনে হচ্ছে।'

'আমরা কিন্তু মিঃ বিশ্বাসের ছেলেকে সন্দেহ করছি। আপনিও কি তাই?'

'সেটা এখনও বলতে পারছি না। আমায় মাপ করবেন।'

'আমরা ডেফিনিট প্রুফ পেয়েছি ও ড্রাগ্‌সের খপ্পরে পড়েছে। ওর পিছনে একজন লোকও লাগিয়ে দিচ্ছি আমরা।'

'ওয়েল, বেস্ট অফ লাক্। এখন তো আপনাদের হাতে আরেকটি ক্রাইম পড়ল। আচ্ছা, একটা প্রশ্ন আছে। গুণ্ডা লাগিয়ে খুন সবখানেই সম্ভব এবং সেটা লখ্‌নৌতেও সম্ভব বোধহয়।'

'খুব বেশি মাত্রায়।'

'থ্যাঙ্ক্‌স।'

৯

কোনও একটা মামলার মাঝখানে ফেলুদাকে এত নিষ্কর্মা হয়ে পড়তে দেখিনি কখনও। আমরা পর পর দুদিন লালমোহনবাবুকে নিয়ে লখ্‌নৌ শহর দেখিয়ে বেড়ালাম। আমি একবার জিজ্ঞেস করলাম, 'ফেলুদা, কী ব্যাপার বলো তো? তুমি এত চুপচাপ বসে আছ কেন?'

ফেলুদা বলল, 'অর্ধেক মামলার সমাধান হয়ে গেছে। বাকি অর্ধেক পুলিশের সাহায্য ছাড়া হবে না। আমি এর মধ্যে পাণ্ডের কাছ থেকে দুবার ফোন পেয়েছি। মনে হয় পাকা খবর আর দুদিনের মধ্যেই পেয়ে যাব।'

'পুলিশের ব্যাপারটা কি সুকিয়াসের খুনের সঙ্গে জড়িত?'

'ইয়েস', বলল ফেলুদা।

'আর হার চুরি?'

'সেটা নিয়ে আর ভাববার কিছু নেই।'

'আর সুকিয়াসের খুন সম্বন্ধে তোমার কি কোনও ধারণাই নেই?'

'আছে, কিন্তু প্রমাণ চাই? সেই প্রমাণটা পুলিশ গুণ্ডাটাকে ধরতে পারলেই পেয়ে যাব। কে খুন করিয়েছে সে সম্বন্ধে আমার একটা পরিষ্কার ধারণা আছে।'

আরও একটা দিন এই ভাবে কেটে গেল। আমরা জটায়ুকে নিয়ে মিউজিয়াম দেখিয়ে আনলাম। এখন জটায়ুর লখ্‌নৌ দেখা শেষ বললেই চলে। আমাদের কলকাতায় ফিরতে আর দুদিন বাকি আছে।

দুপুরবেলা ফেলুদা যে ফোনটা আশা করছিল সেটা এল। মিঃ পাণ্ডের কাছ থেকে। কথা বলার পর ওকে জিজ্ঞেস করতে ফেলুদা বলল, 'কেস খতম্। ওরা গুণ্ডাটাকে ধরেছে। শম্ভু সিং বলে এক পাঞ্জাবি। সে আদালতে দোষ স্বীকার করেছে, আসল লোককে দেখিয়ে দেবে বলেছে। যে ছুরিটা দিয়ে খুনটা করা হয়েছিল

সেটাও পাওয়া গেছে।'

'তা হলে এখন কী হবে?'

'রহস্য উদ্‌ঘাটন। আজ সন্ধ্যা সাতটায় জয়ন্ত বিশ্বাসের বাড়িতে।'

এর পর ফেলুদাকে পর পর অনেকগুলো ফোন করতে হল। প্রথমে অবশ্য জয়ন্তবাবুকে। ভদ্রলোক রাজি হয়ে গেলেন। বললেন, 'বাকি সবাইকে তা হলে আপনিই খবর দিয়ে দিন। আপনি তো সকলের টেলিফোন নম্বরই জানেন।'

ভীষণ উৎকণ্ঠা নিয়ে পৌনে সাতটার সময় হেক্টর জয়ন্ত বিশ্বাসের বাড়িতে গিয়ে হাজির হলাম। ইনস্পেক্টর পাণ্ডেও এসে পড়লেন সাতটার পাঁচ মিনিট আগে—সঙ্গে দুজন কনস্টেবল, আর আরেকটি লোক যার হাতে হাতকড়া। বুঝলাম সেই হচ্ছে খুনি গুণ্ডা।

সাতটা বেজে পাঁচ মিনিটের মধ্যেই সকলে এসে পড়ল। সকলে বলতে তালিকাটা দিয়ে দিই—জয়ন্তবাবুর বাড়ির পাঁচজন, সাল্‌ডান্‌হার বাড়ির দুজন আর রতনলাল ব্যানার্জি। প্রশস্ত বৈঠকখানায় সকলে চেয়ার আর সোফাতে ছড়িয়ে বসলেন। রতনলাল আগেই প্রশ্ন করলেন, 'হোয়াট ইজ দিস ফার্স?' ফেলুদা বলল, 'আপনি এটাকে প্রহসন বলে মনে করতে পারেন, কিন্তু আর সকলের কাছে ব্যাপারটা বোধহয় খুবই সিরিয়াস।'

'হারটা পাওয়া গেছে কি?' চাপা স্বরে প্রশ্ন করলেন সুনীলা দেবী।

'যথাসময়েই তার উত্তর পাবেন', বলল ফেলুদা। তারপর উঠে দাঁড়িয়ে সমবেত সকলের উপর একবার চোখ বুলিয়ে বলল, 'রহস্যের সমাধান হয়েছে। বলাই বাহুল্য, এটা পুলিশের সাহায্য ছাড়া হত না। আমি আপনাদের এখন ঘটনাটা বলতে চাই। আশা করি আপনাদের মনে যে সমস্ত প্রশ্ন রয়েছে তার জবাবও আমার কথায় পেয়ে যাবেন।'

'আই হোপ খুব বেশি সময় নেবেন না,' বললেন রতনলাল ব্যানার্জি, 'আমার একটা ডিনার আছে।'

'যতটুকু দরকার তার এক মুহূর্ত বেশি নেব না', বলল ফেলুদা।

সবাই চুপ।

'তা হলে এবার শুরু করি?'

'করুন', বললেন জয়ন্তবাবু।

'গোড়াতেই বলে রাখি যে এখানে দুটো তদন্তের ব্যাপার নিয়ে আমাদের কারবার। এক হল শকুন্তলা দেবীর হার চুরি, আর দ্বিতীয় হল মিঃ সুকিয়াসের মার্ডার।

'এই তদন্তের ব্যাপারে আমি সকলকে জেরা করি। তার মধ্যে সকলেই যে সব সময় সত্যি কথা বলেছেন তা নয়। তাদের মিথ্যে কিছু ধরা পড়েছে অন্যের জেরাতে। কেউ কেউ কিছু কিছু জিনিস লুকোতে চেয়েছেন, কেউ কেউ আবার আমার প্রশ্নের জবাবই দেননি। হারের ব্যাপারে অনেককে সন্দেহ করা চলতে পারত। তার মধ্যে ছিলেন শ্রীমান প্রসেনজিৎ, যিনি ড্রাগের নেশা ধরেছেন এবং সে ড্রাগ কেনার জন্য তাঁর প্রায়ই টাকার দরকার হয়। সে টাকা তিনি এর-ওর কাছ থেকে ধার করেন এবং জুয়া খেলেও জোগাড় করেন। তারপর আরেকজনকে সন্দেহ করা চলতে পারে; তিনি হলেন সুদর্শন সোম। পরের আশ্রিত তিনি, অভাবী লোক, হয়তো সে অবস্থা থেকে মুক্তি পাবার জন্য তিনি হারটা চুরি করেছিলেন। তা ছাড়া আছেন মিঃ সাল্‌ডান্‌হা। তাঁর দোকান ভাল চলছে না, তিনি নিজের অবস্থার উন্নতি করার জন্য হারটা চুরি করতে পারেন। এক জনের উপর সন্দেহ করার কোনও কারণ ছিল না, তিনি হলেন জয়ন্তবাবু। কারণ তাঁর জবানিতে তিনি বলেছিলেন যে তাঁর ব্যবসা ভালই চলছে, তাঁর টাকার কোনও অভাব নেই। কিন্তু আরেকজনের জবানিতে আমি শুনি যে তাঁর ব্যবসা মোটেই ভাল যাচ্ছে না, তিনি ফ্রাস্ট্রেশন বশত তাঁর মদের মাত্রা বাড়িয়ে দিয়েছেন।

অবিশ্যি এই জবানি থেকে কিছু প্রমাণ হয় না, এটা ভুলও হতে পারে।

'এখানে সুকিয়াসের খুনের ব্যাপারে আমাকে আসতে হচ্ছে। তিনি যখন খুন হন তখন একটা চিঠি লিখছিলেন। চিঠিটা প্রায় শেষ হয়ে গিয়েছিল এবং সেটা আমাকে উদ্দেশ করে লেখা। এই চিঠি লেখার কারণ হল—তাঁকে হঠাৎ কানপুর চলে যেতে হচ্ছিল সেই সকালেই, তাই আমাকে তিনি কোয়েশ্চনিং-এর জন্য সময় দিতে পারছিলেন না। কিন্তু কানপুর যাবার আগেই তিনি খুন হন।

'এই চিঠি থেকে আমি দুটো তথ্য জানতে পারি। এক হল এই যে শকুন্তলা দেবীর হারটা অবশেষে জয়ন্তবাবু তাঁকে বিক্রি করতে রাজি হয়েছিলেন দু লাখ টাকায়। এই হারটা আর তিনদিনের মধ্যেই সুকিয়াসের হস্তগত হবার কথা ছিল, কিন্তু তার আগেই হারটা চুরি হয়ে যায়।

'দ্বিতীয় তথ্য হল, এই ঘরে সমবেত সকলের মধ্যে একজন আছেন যিনি মিঃ সুকিয়াসের কাছে পঞ্চাশ হাজার টাকা ধার করেন দেড় মাস আগে। তিনি বলেছিলেন টাকাটা এক মাসের মধ্যে সুদসমেত ফেরত দিয়ে দেবেন, কিন্তু দেননি। সুকিয়াস তাঁকে অনেক অনুরোধ করেও টাকাটা আদায় করতে পারেননি। তখন তিনি বলেন আইনের আশ্রয় নেবেন। এইসব তথ্য আমার জেরায় প্রকাশ পেয়ে যেত বলেই তাঁকে খুন করা হয়। অবিশ্যি যিনি খুনটা করিয়েছিলেন তাঁর পক্ষে সুকিয়াসের চিঠির কথা জানার কোনও উপায় ছিল না, কারণ খুনের সময় তিনি সেখানে উপস্থিত ছিলেন না। যিনি উপস্থিত ছিলেন, অর্থাৎ এই ভদ্রলোকের অ্যাকমপ্লিস, তাকে পুলিশ ধরেছে এবং সে তার অপরাধ স্বীকার করেছে। আর এটাও সে বলেছে যে, যে তাকে এমপ্লয় করেছিল তাকে সে দেখিয়ে দেবে।'

ফেলুদা এবার পাণ্ডের দিকে ফিরল।

'মিঃ পাণ্ডে—আপনি আপনার লোককে আনান তো।'

দুজন কনস্টেবল গিয়ে শম্ভু সিংকে নিয়ে এল।

ফেলুদা বলল, 'তোমাকে যে খুনটা করতে বলেছিল সে লোক কি এখানে রয়েছে?'

শম্ভু সিং এদিক ওদিক দেখে বলল, 'হাঁ হুজুর।'

'তাকে দেখাতে পারবে?'

'ওই যে সেই লোক', বলে একজন বিশেষ ব্যক্তির দিকে শম্ভু সিং তার হাতকড়া পরা দুটো হাত একসঙ্গে তুলে দেখাল।

সকলে অবাক হয়ে দেখল, যে রতনলাল ব্যানার্জির মুখ থেকে তাঁর পাইপটা খসে ঠক্কাস শব্দে মাটিতে পড়ল।

'হোয়াট ননসেন্স ইজ দিস?' বলে উঠলেন রতনলাল ব্যানার্জি।

ফেলুদা বলল, 'আপনি ননসেন্সই বলুন, আর ফার্সই বলুন, ইয়োর গেম ইজ আপ, মিঃ ব্যানার্জি।'

সমস্ত ঘরে একটা থমথমে ভাব, তার মধ্যে ফেলুদা কথা বলে চলল।

'আপনাকে একটা প্রশ্ন করতে চাই, মিস্টার অ্যালবার্ট রতনলাল ব্যানার্জি। আপনার কীসের জন্য পঞ্চাশ হাজার টাকা ধার করার প্রয়োজন হয়েছিল সেটা বলবেন কি?'

'আই উইল নট', এখনও তেজের সঙ্গে বললেন রতনলাল।

'তা হলে আমিই বলি', বলল ফেলুদা। 'আপনি যা রোজগার করতেন তার চেয়ে অনেক বেশি খরচ করতেন। সুকিয়াস লিখেছে আপনি বাইজিদের পিছনে অঢেল টাকা ঢালতেন। আমরা যেদিন আপনার ঘরে গিয়েছিলাম সেদিন আতরের গন্ধ পেয়েছিলাম। আমার ধারণা আমরা আসার আগে আপনার ঘরে একজন বাইজি ছিলেন, তাঁকে আপনি ভিতরে পাঠিয়ে দেন। আপনি নিজে আতর ব্যবহার করলে পার্টির দিনেও নিশ্চয়ই করতেন, কিন্তু সেদিন কোনও গন্ধ পাইনি। আমার মনে হয় আপনি আপনার পিতামহের স্বভাব পেয়েছিলেন। তাঁরও শেষ জীবনে অর্থাভাব হয়েছিল। আপনিও সেই একই কারণে সুকিয়াসের দ্বারস্থ হয়েছিলেন।'

'ও মাই গড!' মাথা হেঁট করে রুদ্ধস্বরে বললেন রতনলাল। 'আই অ্যাম ফিনিশ্‌ড।'

ইনস্পেক্টর পাণ্ডে ও একজন কনস্টেবল তাঁর দিকে এগিয়ে গেল।

ফেলুদা বলল, 'আমার বক্তব্য অবিশ্যি এখনও শেষ হয়নি। এখনও একটা রহস্য উদ্‌ঘাটন হতে বাকি আছে, সেটা হল শকুন্তলা দেবীর কণ্ঠহার। সেটা জয়ন্তবাবু নিতে চেয়েছিলেন, কিন্তু পারেননি, কারণ সেটা তার আগেই অন্য একজনের হাতে যায়।'

'কার?' চাপা স্বরে জিজ্ঞেস করলেন সুনীলা দেবী।

'এখানে আমি একটা কথা বলতে চাই', বলল ফেলুদা। 'একটা ধারণা হয়েছিল যে সেদিন পার্টিতে যখন ফিল্মটা দেখানো হচ্ছিল সেই অন্ধকার অবস্থাতেই বুঝি কেউ গিয়ে হারটা নিয়ে আসে। কিন্তু আসলে ফিল্ম যখন চলে তখন পর্দা থেকে প্রতিফলিত আলোয় ঘর আর সম্পূর্ণ অন্ধকার থাকে না। আমি সেদিন প্রোজেক্টরের পাশে দাঁড়িয়েছিলাম। আমার দৃষ্টি শুধু পর্দার দিকে ছিল না। ঘর থেকে কেউ বেরিয়ে গেলে আমি নিশ্চয় দেখতে পেতাম। কেউ বেরোয়নি। প্রসেনজিৎ দাঁড়ানো অবস্থা থেকে সোফায় বসে আর ছবি চলার মধ্যে সুকিয়াস প্রবেশ করেন। ঘরে আর কোনও নড়াচড়া হয়নি।'

'তা হলে?' সুনীলা দেবী হতভম্ব।

'তা হলে এই যে ছবি শুরু হবার আগেই হারটা সিন্দুক থেকে বার করে আনা হয়েছিল।'

'সে তো হয়েইছিল,' বললেন সুনীলা দেবী। 'শীলা এনেছিল আপনাকে দেখানোর জন্য এবং শীলাই সেটা আবার তুলে রাখে।'

'না। সেখানেই ভুল। শীলা হারটাকে আর সিন্দুকে তোলেনি। সে সেটা নিজের কাছেই রেখে দিয়েছিল। এটা আমি বুঝতে পেরেছিলাম, কিন্তু কারণটা বুঝিনি। পরে রাত্রে সে সেটাকে একটা ফুলের টবে মাটির মধ্যে পুঁতে রাখে। এ কথা শীলা নিজে আমাকে বলেছে। এই যে সেই হার।'

ফেলুদা তার কোটের পকেট থেকে হারটা বার করে ঘরের মাঝখানে টেবিলের উপর রাখল। ঘরের সকলের মুখ থেকে একটা বিস্ময়সূচক শব্দ বেরিয়ে এল।

সুনীলা দেবী বললেন, 'কিন্তু...কিন্তু সে এরকম করল কেন?'

'কারণ সে তার ঘর থেকে আপনার এবং আপনার স্বামীর মধ্যে কথোপকথন শুনে ফেলেছিল। তার শোবার ঘর তো আপনাদের শোবার ঘরের পাশেই এবং মাঝখানের দরজা খোলাই থাকে। মাঝরাত্রে তার ঘুম ভেঙে যায়। তখন আপনি আপনার স্বামীকে বলছিলেন যে হারটা আপনি সুকিয়াসকে বিক্রি করতে রাজি আছেন। এই সিদ্ধান্তে পৌঁছতে অবিশ্যি আপনার অনেক সময় লেগেছিল, কিন্তু শেষ পর্যন্ত যে আপনি রাজি হয়েছিলেন সেটা তো ঠিক। এমন দুর্ঘটনা যাতে না ঘটে তাই শীলা হারটা সরিয়ে রেখেছিল, এবং সে এটা করেছিল বলেই আজও হারটা আপনাদের কাছে রয়েছে এবং আশা করা যায় থাকবে। এমন জিনিস হাতছাড়া করাও একটা ক্রাইম।'

*

হোটেলে ফিরে এসে লালমোহনবাবু মাথা চুলকে বললেন, 'মশাই, লাক্‌নাউ মানে তো ভাগ্য এখনই। তা এখানে ভাগ্যটা কার সেটা তো আমি ঠিক বুঝতে পারছি না।'

ফেলুদা বলল, 'কেন পারছেন না? ভাগ্য আপনার, কারণ আপনি আবার ফেলু মিত্তিরের একটা তারাবাজি দেখতে পেলেন বিনে পয়সায়।'

আমি বললাম, 'তা ছাড়া সুনীলা দেবীদেরই ভাগ্য ভাল যে হারটা তাদেরই রয়ে গেল। থ্যাঙ্কস্ টু মেরি শীলা।'

'যা বলেছ তপেশ ভাই', বললেন লালমোহনবাবু।

'শীলার মতো মেয়ে বড় একটা দেখা যায় না—তাই না ফেলুবাবু?'

ফেলুদা বলল, 'শকুন্তলা দেবীর হারটা যদি সত্যি করে কেউ কদর করে, সে হল মেরি শীলা বিশ্বাস।'

ডাঃ মুনসীর ডায়রি

আজ চায়ের সঙ্গে চানাচুরের বদলে শিঙাড়া। লালমোহনবাবু কিছুদিন থেকেই বলছেন, "খাই-খাই" বলে একটা দোকান হয়েছে মশাই, আমার বাড়ি থেকে হাফ-এ মাইল, সেখানে দুর্দান্ত শিঙাড়া করে। একদিন নিয়ে আসব।'

আজ সেই শিঙাড়া এসেছে, আর লালমোহনবাবুর কথা যে সত্যি, সেটা প্রমাণ হয়ে গেছে।

'সামনের বৈশাখে আপনার যে বইটা বেরোবে তার ছক কাটা হয়ে গেছে?' জিজ্ঞেস করল ফেলুদা।

'ইয়েস স্যার! কাম্পুচিয়ায় কম্পমান। এবার দেখবেন প্রখর রুদ্রের হাবভাব কায়দাকানুন অনেকটা ফেলু মিত্তিরের মতো হয়ে আসছে।'

'অর্থাৎ সে আরও প্রখর হয়ে উঠেছে এই তো?'

'তা তো বটেই।'

'গোয়েন্দার ইমপ্রুভমেন্টের সঙ্গে সঙ্গে তার সৃষ্টিকর্তাও ইমপ্রুভ করেছেন নিশ্চয়ই।'

'এই কবছর সমানে যে আপনার আশেপাশে ঘুরঘুর করেছি, তাতে অনেকটা বেনিফিট যে পাওয়া যাবে সেটা তো আপনি অস্বীকার করবেন না?'

'সেটা মানব যদি আপনি পরীক্ষায় উত্তীর্ণ হতে পারেন।'

'কী পরীক্ষা?'

'পর্যবেক্ষণ ক্ষমতার পরীক্ষা। বলুন তো আমার মধ্যে কোনও পরিবর্তন দেখছেন কিনা। আপনি তো গতকালও সকালে এসেছিলেন; আজকের আমি আর গতকালের আমির মধ্যে কোনও তফাত দেখছেন কি?'

লালমোহনবাবু উঠে দাঁড়িয়ে দুপা পিছিয়ে গিয়ে মিনিটখানেক ফেলুদাকে আপাদমস্তক স্টাডি করে বললেন, 'কই, না তো! উঁহু। নো ডিফারেন্স। কোনও তফাত নেই।'

'হল না। ফেল । অতএব প্রখর রুদ্রও ফেল। আপনি আসার দশ মিনিট আগে আমি প্রায় এক মাস পরে হাত আর পায়ের নখ কেটেছি। কিছু ঈদের চাঁদের মতো হাতের নখ এখনও মেঝেতে পড়ে আছে। ওই দেখুন।'

'তাই তো!'

লালমোহনবাবু কিছুক্ষণের জন্য খানিকটা নিষ্প্রভ হয়ে হঠাৎ ফেলুদার দিকে চেয়ে বললেন, 'ভেরি ওয়েল; এবার আপনি বলুন তো দেখি আমার মধ্যে কী চেঞ্জ লক্ষ করছেন।'

'বলব?'

'বলুন।'

ফেলুদা চায়ের খালি কাপটা টেবিলে রেখে চারমিনারের প্যাকেটটা তুলে নিয়ে বলল, 'নাম্বার ওয়ান, আপনি কাল অবধি লাক্স টয়লেট সোপ ব্যবহার করেছেন; আজ সিন্থলের গন্ধ পাচ্ছি। খুব সম্ভবত টি ভি-র বিজ্ঞাপনের চটকের ফলে।'

'ঠিক বলেছেন মশাই। এনিথিং এল্‌স?'

'আপনি পাঞ্জাবির বোতাম সব কটাই লাগিয়ে থাকেন; আজ অনেকদিন পর দেখছি ওপরেরটা খোলা। নতুন পাঞ্জাবিতে বোতাম লাগাতে অনেক সময় বেশ কসরত করতে হয়। ওপরেরটায় সেই কসরতে কোনও ফল হয়নি বলে মনে হচ্ছে।'

'মোক্ষম ধরেছেন।'

'আরও আছে।'

'কী?'

'আপনি রোজ সকালে একটি করে রসুনের কোয়া চিবিয়ে খান; সেটা আপনি ঘরে এলেই বুঝতে পারি। আজ পারছি না।'

'আর বলবেন না। ভরদ্বাজটা এমন কেয়ারলেস। দিয়েছি কড়া করে ধমক। এইট্টিসিক্স থেকে রসুন ধরেছি মশাই, সকালে ডেইলি এক কোয়া। আমার সিসটেমটাই—'

জটায়ুর রসুনের গুণকীর্তন কমাতে হল, কারণ কলিং বেল বেজে উঠেছে। দরজা খুলে দেখি ফেলুদারই বয়সী এক ভদ্রলোক।

ফেলুদা উঠে দাঁড়াল।

'আসুন—'

'আপনিই তো?'

'আমার নাম প্রদোষ মিত্র।'

ভদ্রলোক সোফায় বসে বললেন, 'আমার নাম শঙ্কর মুনসী।'

'সাইকায়াট্রিস্ট?'

আমি জানতাম যারা মনের ব্যারামের চিকিৎসা করে তাদের বলে সাইকায়াট্রিস্ট।

'সেদিনই খবরের কাগজে ওঁর বিষয়ে একটা খবর পড়লাম না? একটা ছবিও তো বেরিয়েছিল।'

'হ্যাঁ, আপনি ঠিকই বলেছেন', বললেন শঙ্কর মুনসী। 'গত চল্লিশ বছর ধরে উনি একটা ডায়রি লিখেছেন, সেটা পেঙ্গুইন ছাপছে। আপনি হয়তো জানেন না। বাবার মনোবিজ্ঞানী হিসাবে সুনাম আছে ঠিকই, কিন্তু আরেকটা ব্যাপারেও তিনি ছিলেন অসাধারণ। সেটা হল শিকার। পঁচিশ বছর আগে শিকার ছাড়লেও, এই ডায়েরিতে তাঁর শিকারের অভিজ্ঞতার বর্ণনাও আছে। পেঙ্গুইন এখনও লেখাটা পড়েনি; সাইকায়াট্রিস্ট শিকারির ডায়রি শুনেই ছাপার প্রস্তাব দেয়। তবে লেখক হিসেবে যে বাবার সুনাম আছে সেটা তারা জানে। মনোবিজ্ঞান সম্বন্ধে চমৎকার ইংরিজিতে লেখা বাবার অনেক প্রবন্ধ নানান পত্র-পত্রিকায় বেরিয়েছে।'

'খবরটা কি আপনারাই কাগজে দেন?'

'না, ওটা প্রকাশকের তরফ থেকে বেরোয়।'

'আই সি।'

'যাই হোক, এবার আসল ব্যাপারটায় আসি। বাবার গর্ব হচ্ছে যে এ ডায়রিতে তিনি একটিও মিথ্যা কথা লেখেননি। তিনজন লোককে নিয়ে তিনটি ঘটনার উল্লেখ আছে ডায়রিতে। যাদের পুরো নামটা ব্যবহার না করে বাবা নামের প্রথম অক্ষরটা ব্যবহার করেছেন। এই অক্ষর তিনটি হল "এ", "জি", আর "আর"। এরা তিনজনেই আজ সমাজে সম্মানিত, সাক্সেসফুল ব্যক্তি। কিন্তু তিনজনেই, বেশ অনেককাল আগে, তিনটি অত্যন্ত গর্হিত কাজ করেন, এবং তিনজনেই নানান ফিকিরে আইনের হাত থেকে রেহাই পান। যদিও পুরো নাম ব্যবহার না করার দরুন বাবা আইনের হাত থেকে সম্পূর্ণ নিরাপদ। তবুও প্রকাশকের কাছ থেকে অফারটা পাবার পর বাবা তিনজনকেই ব্যাপারটা বলেন। "এ" আর "জি" প্রথমে আপত্তি তোলে, তারপর বাবা বুঝিয়ে বলার পর খানিকটা অনিচ্ছা সত্ত্বেও রাজি হয়। "আর" নাকি কোনওরকম আপত্তি তোলেনি।

'গতকাল দুপুরে খেতে বসেছি, এমন সময় চাকর এসে বাবাকে একটা চিঠি দেয়। সেটা পড়ে বাবার মুখ গম্ভীর হয়ে যায়। কারণ জিজ্ঞেস করাতে বাবার মুখে প্রথম "এ", "জি" আর "আর"-এর বিষয় শুনি, আগে কিছুই জানতাম না।'

'কেন?'

'বাবা লোকটা একটু পিকিউলিয়ার। উনি পেশা আর পেশেন্ট ছাড়া আর কিছুই জানেন না। আমি, মা, সংসার—এসব সম্পর্কেই বাবা সম্পূর্ণ উদাসীন। মা মানে আমার বিমাতা, স্টেপমাদার। আমার যখন তিন বছর বয়স তখন আমার মা মারা যান। তার দু বছর পরে বাবা আবার বিয়ে করেন। এই নতুন মা যে আমাকে খুব কাছে টেনে নিয়েছিলেন তা বলতে পারি না। আমাদের বাড়ির এক অনেক দিনের পুরনো চাকর আমার দেখাশুনা করত। সেই ব্যবধান এখনও রয়ে গেছে। যদিও এটা বলব যে বাবার স্নেহ যেমন পাইনি, তেমনি তাঁর শাসনও ভোগ করিনি।'

'এবং তাঁর ডায়রিও পড়েননি?'

'না। শুধু আমি না, কেউই পড়েনি।'

'আসল প্রসঙ্গ থেকে আমরা একটু দূরে সরে এসেছি। ওই চিঠি কি এই তিনজনের একজন লিখেছেন?'

'ইয়েস, ইয়েস। এই দেখুন।'

শঙ্করবাবু একটা খাম বার করে ফেলুদাকে দিলেন। তা থেকে যে চিঠিটা বেরোল সেটা ফেলুদার পিছনে দাঁড়িয়ে আমি আর লালমোহনবাবুও পড়লাম। প্রথমেই তলায় দেখলাম 'এ'। তার উপর লেখা 'আই টেক ব্যাক মাই ওয়ার্ড। ডায়রি ছাপতে হলে আমার অংশ বাদ দিয়ে ছাপতে হবে। এটা অনুরোধ নয়, আদেশ। অমান্য করলে তার ফল ভোগ করতে হবে।'

'একটা প্রশ্ন আছে', বলল ফেলুদা।'এই তিন ব্যক্তির অপরাধের কথা আপনার বাবা জানলেন কী করে?'

'সেও খুব ইন্টারেস্টিং ব্যাপার। কৌশলে আইনের কবল থেকে মুক্তি পেয়ে "এ", "জি" আর "আর" মনে শান্তি পায়নি। গভীর অনুশোচনা, শেষটায় ঘটনাচক্রে ধরা পড়ে যাবার ভয় ক্রমে মানসিক ব্যারামে দাঁড়ায়। বাবার তখনই বেশ নাম ডাক, এরা তিনজনেই বাবার কাছে আসে চিকিৎসার জন্য। সাইকায়াট্রিস্টের কাছে তো আর কিছু লুকোনো চলে না; সব প্রশ্নের সঠিক জবাব না দিলে চিকিৎসাই হবে না। এই ভাবে বাবা এদের ঘটনাগুলো জানতে পারেন।'

'হুমকি কি শুধু "এ"-ই দিয়েছে?'

'এখন পর্যন্ত তাই, তবে "জি" সম্বন্ধেও বাবার সংশয় আছে!'

'এই তিনজনের অপরাধ কী তা আপনি জানেন?'

'না। শুধু তাই না; এদের আসল নাম, এখন এরা কী করছে, এসব কিছুই বলেননি বাবা। তবে আপনাকে নিশ্চয়ই বলবেন।'

'উনি কি আমার খোঁজ করছেন?'

'সেই জন্যেই তো এলাম। বাবা ওঁর এক পেশেন্টের কাছ থেকে আপনার নাম শুনেছেন। আমাকে জিজ্ঞেস করতে আমি বললাম গোয়েন্দা হিসেবে আপনার যথেষ্ট খ্যাতি আছে। তাতে বাবা বললেন, "মানুষের মনের চাবিকাঠি হাতে না থাকলে ভাল গোয়েন্দা হওয়া যায় না। ওঁকে একটা কল দিতে পারলে ভাল হত। এইসব হুম্‌কি-টুম্‌কিতে শান্তিভঙ্গ হয়। ফলে কাজের ব্যাঘাত হয়। সেটা আমি একেবারেই চাই না।" আমি তখনই বাবাকে জিজ্ঞেস করি মিত্তিরকে কখন আসতে বলব। বাবা বললেন, রবিবার সকাল দশটা। এখন আপনি যদি...'

'বেশ তো; আমার দিক থেকে আপত্তি করার তো কোনও কারণই নেই।'

'তা হলে এই কথা রইল। রবিবার সকাল দশটা, নাম্বার সেভ্‌ন সুইনহো স্ট্রিট।'

২

সাত নম্বর সুইনহো স্ট্রিট ডাক্তারের বাড়ি বলে মনেই হয় না; তার সদর দরজা দিয়ে ঢুকে প্রথমেই চোখে পড়ে একটা দাঁড়ানো রয়েল বেঙ্গল টাইগার, আর তার পিছনে দেয়ালে উপর দিকে একটা বাইসনের মাথা।

শঙ্করবাবু নীচেই অপেক্ষা করছিলেন, আমরা তাঁর সঙ্গে দোতলায় গিয়ে বৈঠকখানায় বসলাম। এঘরেও চতুর্দিকে শিকারের চিহ্ন। ভদ্রলোক ডাক্তারি করে এত জানোয়ার মারার সময় কী করে পেলেন তাই ভাবছিলাম।

মিনিট খানেকের মধ্যেই ডাঃ মুনসী এসে পড়লেন। মাথার চুল সব সাদা হয়ে গেছে, তবে এখনও যে বেশ শক্ত সমর্থ সেটা দেখলেই বোঝা যায়। ভদ্রলোক ফেলুদার সঙ্গে হ্যান্ডশেক করে বললেন, 'আপনার তো ব্যায়াম করা শরীর বলে মনে হচ্ছে। ভেরি গুড। আপনার কাজ প্রধানত মাথার হলেও আপনি যে শরীরের প্রতি দৃষ্টি রেখেছেন সেটা দেখে ভাল লাগল।'

এবার ভদ্রলোক জটায়ু ও আমার দিকে চাইতে ফেলুদা আমাদের পরিচয় করিয়ে দিল।

'এঁরা ট্রাস্টওয়ার্দি কি?' ডাঃ মুনসী প্রশ্ন করলেন।

'সম্পূর্ণ', বলল ফেলুদা। 'তপেশ আমার খুড়তুতো ভাই এবং আমার সহকারী, আর মিঃ গাঙ্গুলী আমার অন্তরঙ্গ বন্ধু।'

'এই জন্যে জিজ্ঞেস করছি কারণ আজ সেই তিন ব্যক্তির আসল পরিচয় আমাকে দিতে হবে, না হলে আপনি কাজ করতে পারবেন না। এই পরিচয় শুধু আপনারা তিনজনই জানবেন, আর কেউ জানে না, আর কাউকে বলিনি।'

'আপনি নির্ভয়ে বলতে পারেন, ডাঃ মুনসী', বললেন জটায়ু। 'আমি অন্তত আর কাউকে বলব না।'

'ভেরি ওয়েল।'

'তা হলে বলুন কী করতে পারি। হুমকি চিঠির কথা আপনার ছেলে বলেছেন।'

'শুধু হুমকি চিঠি নয়', বললেন ডাঃ মুনসী, 'হুমকি টেলিফোনও বটে। এটা কাল রাত্রের ঘটনা। তখন সাড়ে এগারোটা। বোঝাই যায় মত্ত অবস্থায় ফোন করছে। হিগিন্‌স। জর্জ হিগিন্‌স।'

'আপনার ডায়রির "জি"?'

'ইয়েস। বলে কী—"সেদিন টেলিফোনে আমি অত্যন্ত বোকার মতো কথা বলেছি। যখন তোমার কাছে ট্রিটমেন্টের জন্য যাই, তখন আমার যে ব্যবসা ছিল, এখনও সেই ব্যবসাই রয়েছে। একচেটিয়া ব্যবসা আমার, সুতরাং 'জি' থেকে অনেকেই আমার আসল পরিচয় অনুমান করতে পারবে। সো কাট মি আউট।" মাতালকে তো আর যুক্তি দিয়ে কিছু বোঝানো যায় না। ফলে ফোন রেখে দিতে হল। বুঝতেই পারছেন, আমি রুগি নিয়ে এত ব্যস্ত থাকি যে এদের বাড়ি গিয়ে সামনাসামনি কথা বলে যে কিছু বোঝাব তার সময় বা সামর্থ্য আমার নেই। এ কাজের ভারটা আমি আপনাকে দিতে চাই। "এ" এবং "জি"। "আর"-কে নিয়ে চিন্তার কারণ নেই। কারণ তার সঙ্গে কথা বলে জেনেছি যে নামের আদ্যক্ষর থেকে তাকে কেউ চিনে ফেলবে এ আশঙ্কা তার নেই।'

'কিন্তু এই তিনজনের আসল পরিচয়টা—!'

'কাগজ পেনসিল আছে?' ফেলুদা পকেট থেকে নোটবুক আর ডট পেন বার করল।

'লিখুন , "এ" হল অরুণ সেনগুপ্ত। ম্যাকনিল কোম্পানির জেনারেল ম্যানেজার, রোটারি ক্লাবের ভাইস প্রসিডেন্ট। বাসস্থান এগারো নম্বর রোল্যান্ড রোড। ফোন নম্বর ডিরেক্টরিতে দেখে নেবেন।'

ফেলুদা চটপট ব্যাপারটা লিখে নিল।

'এবার লিখুন', বলে চললেন ডাঃ মুনসী, "জি" হল জর্জ হিগিন্‌স। টেলিভিশনের জন্য বিদেশে জানোয়ার চালান দেবার ব্যবসা এঁর। বাড়ির নম্বর নব্বুই রিপন স্ট্রিট। রাস্তার নাম থেকে বুঝতে পারবেন উনি পুরো সাহেব নন, অ্যাংলো ইন্ডিয়ান। তৃতীয় ব্যক্তির আসল পরিচয় প্রয়োজন হলে দেব, নচেৎ নয়।'

'এদের অপরাধগুলো?'

'শুনুন আমার পাণ্ডুলিপি আজ আপনি নিয়ে যাবেন। মন দিয়ে পড়ে আপনার বুদ্ধি বিবেচনা প্রয়োগ করে আমাকে বলবেন এতে আপত্তিকর কিছু আছে কিনা যার ফলে বইটা বাজারে বেরোলে আমার ক্ষতি হতে পারে।'

'ঠিক আছে তা হলে—'

ফেলুদাকে থামতে হল, কারণ ঘরে তিনজন লোকের প্রবেশ ঘটেছে। ডাঃ মুনসী তাদের দিকে দেখিয়ে বললেন, 'আপনি আসছেন শুনে এঁরা সকলেই আপনাকে দেখার ইচ্ছা প্রকাশ

করেছেন। আমার স্ত্রী ছাড়া এই ক'জন এবং আমার ছেলেই এখন আমার বাড়ির বাসিন্দা। আলাপ করিয়ে দিই, এ হচ্ছে সুখময় আমার সেক্রেটারি।'

একজন চশমা-পরা বছর চল্লিশেকের ভদ্রলোকের দিকে দেখালেন ডাঃ মুনসী।

'আর ইনি হচ্ছেন আমার শ্যালক চন্দ্রনাথ।'

এঁর বয়স পঞ্চাশের কাছাকাছি। দেখে কেন জানি মনে হয় ইনি বিশেষ কিছু করেন-টরেন না, এ বাড়িতে আশ্রিত হয়ে রয়েছেন।

'আর ইনি আমার পেশেন্ট রাধাকান্ত মল্লিক। এঁর চিকিৎসা শেষ না হওয়া পর্যন্ত এখানেই আছেন।'

এঁকে দেখে মনে হয় এঁর অসুখ এখনও সারেনি। হাত কচলাচ্ছেন, চোখ পিট পিট করছেন, আর একটানা সুস্থির হয়ে দাঁড়িয়ে থাকতে পারছেন না। বয়স আন্দাজ চল্লিশ-পঁয়তাল্লিশ।

পরিচয়ের পরে একমাত্র সুখময়বাবু ছাড়া আর সকলেই চলে গেলেন। ডাঃ মুনসী সেক্রেটারির দিকে ফিরে বললেন, 'সুখময়, যাও, আমার লেখাটা এনে প্রদোষবাবুকে দাও।'

ভদ্রলোক দু মিনিটের মধ্যে একটা বড়, মোটা খাম এনে ফেলুদাকে দিলেন।

'ওর কিন্তু আর কপি নেই', বললেন ডা. মুনসী। 'পাবলিশারকে দেবার আগে ওটা সুখময় টাইপ করে দেবে।'

'আপনি কোনও চিন্তা করবেন না', বলল ফেলুদা, 'আমি এটার মূল্য খুব ভালভাবেই জানি।'

আমরা উঠে পড়লাম। শঙ্করবাবু পাশের ঘরেই অপেক্ষা করছিলেন। এবার এসে আমাদের সদর দরজা অবধি পৌঁছে দিলেন। তারপর লালমোহনবাবুর সবুজ অ্যাম্বাসাডরে চড়ে আমরা বাড়িমুখো রওনা দিলাম।

'একটা রিকুয়েস্ট আছে', লালমোহনবাবু হঠাৎ বললেন।

'কী?'

'আপনার পড়া হলে পর আমি একবার দু দিনের জন্য পাণ্ডুলিপিটা নেব। এটা রিফিউজ করবেন না, প্লিজ!'

'আপনার না পড়লেই নয়?'

'না-পড়লেই নয়। বিশেষ করে শিকার কাহিনী পড়তে আমার দুর্দান্ত লাগে।'

'বেশ দেব। আর দুদিন নয়; আপনি যে সকালে নেবেন, তার পরের দিন সকালেই ফেরত দিতে হবে। তার মধ্যে শিকারের অংশ আপনার নিশ্চয়ই পড়া হয়ে যাবে। কারণ ১৯৬৫-এর পর তো আর ভদ্রলোক শিকার করেননি।'

'তাই সই।'

৩

ডাঃ মুনসীর হাতের লেখা বেশ পরিষ্কার হলেও, তিনশো পঁচাত্তর পাতার পাণ্ডুলিপিটা পড়তে ফেলুদার লাগল তিন দিন। এত সময় লাগার একটা কারণ অবিশ্যি এই যে ফেলুদা পড়ার ফাঁকে ফাঁকে অনেক কিছু নিজের খাতায় নোট করে নিচ্ছিল।

তিন দিনের পরের দিন রবিবার সকালে যথারীতি জটায়ু এসে হাজির। প্রথম প্রশ্নই হল, 'কী স্যার, হল?'

'হয়েছে।'

'আপনি কী সিদ্ধান্তে এলেন শুনি। এ ডায়রি নির্ভয়ে ছাপার যোগ্য?'

'সম্পূর্ণ। তবে তাতে হুমকি বন্ধ করা যায় না। এই তিনজনের একজনও যদি ধরে বসে থাকে যে নামের আদ্যক্ষর থেকেই লোকে বুঝে ফেলবে কার কথা বলা হচ্ছে তা হলে সে এ বই ছাপা বন্ধ করার জন্য কী যে না করতে পারে তার ঠিক নেই।'

'ইভ্‌ন মার্ডার?'

'তা তো বটেই। একজনের কথাই ধরা যাক। "এ"। অরুণ সেনগুপ্ত। পূর্ববঙ্গের এক জমিদার বংশের ছেলে। যুবা বয়সে ছিলেন এক ব্যাঙ্কের মধ্যপদস্থ কর্মচারী। কিন্তু রক্তের মধ্যে ছিল চূড়ান্ত শৌখিনতা। ফলে প্রতি মাসেই আয়ের চেয়ে ব্যয় বেশি। শেষে কাবুলিওয়ালার শরণাপন্ন হওয়া।'

এই ফাঁকে বলে রাখি, ফেলুদা একবার বলেছিল যে আজকাল আর দেখা যায় না বটে কিন্তু বছর কুড়ি আগেও রাস্তার মোড়ে মোড়ে দেখা যেত লাঠি হাতে কাবুলিওয়ালা দাঁড়িয়ে আছে। এদের ব্যবসা ছিল মোটা সুদে টাকা ধার দেওয়া।

ফেলুদা বলে চলল, 'একটা সময় আসে যখন দেনার অঙ্কটা এমন ফুলে ফেঁপে ওঠে যে মরিয়া হয়ে অরুণ সেনগুপ্তকে ব্যাঙ্কের তহবিল থেকে চল্লিশ হাজার টাকা চুরি করতে হয়। কিন্তু সেটা সে এমন কৌশলে করে যে দোষটা গিয়ে পড়ে একজন নির্দোষ কর্মচারীর উপর। ফলে সে বেচারিকে জেল খাটতে হয়।'

'বুঝেছি', বিজ্ঞের মতো মাথা নেড়ে বললেন জটায়ু। 'তারপর অনুশোচনা, তারপর মাথার ব্যারাম, তারপর মনোবিজ্ঞানী। ...কিন্তু ভদ্রলোক যে এখন একেবারে সমাজের উপর তলায় বাস করছেন। তার মানে মুনসীর চিকিৎসায় কাজ দিয়েছিল?'

'তা তো বটেই। সে কথা মুনসী তাঁর ডায়রিতে লিখেওছেন—যদিও তারপরে আর কিছু লেখেননি কিন্তু আমরা বেশ অনুমান করতে পারি যে এই ঘটনার পর সেনগুপ্ত নিশ্চয়ই তার জীবনের ধারা পালটে ফেলে ত্রিশ বছর ধরে ধীরে ধীরে ধাপে ধাপে উপরে উঠে আজকের অবস্থায় পৌঁছেছেন। বুঝতেই পারেন সেখান থেকে আবার পিছলে পড়ার আশঙ্কা যদি দেখা দেয়, যতই অমূলক হোক, তা হলে সেনগুপ্ত সাহেব মাথা ঠিক রাখেন কী করে?'

'বুঝলাম', বললেন জটায়ু, 'আর অন্য দুজন?'

'"আর" ব্যক্তি সম্বন্ধে চিন্তার কোনও কারণ নেই সে তো সেদিন মুনসীর মুখেই শুনলেন। এঁর আসল নামটা উনি বলেননি, তাই আমিও বলতে পারছি না। ইনি এককালে একটা লোককে গাড়ি চাপা দিয়ে মারেন, তারপর এদিকে ওদিকে মোটা ঘুষ দিয়ে আইনের হাত থেকে নিজেকে বাঁচান। ইনিও ডাঃ মুনসীর হাতে নিজেকে সমর্পণ করে বিবেকযন্ত্রণা থেকে রেহাই পান।...ইন্টারেস্টিং হল "জি"-র ঘটনা।'

'কী রকম?'

'ইনি যে ফিরিঙ্গি সে তো জানেন। আর এঁর ব্যবসার কথাও জানেন। নব্বুই নম্বর রিপন স্ট্রিটে একটা বড় দোতলা বাড়িতে থাকতেন জর্জ হিগিন্স। ১৯৬০-এ এক সুইডিশ ফিল্ম পরিচালক কলকাতায় আসেন ভারতবর্ষের ব্যাকগ্রাউন্ডে একটা ছবি করবেন বলে। তাঁর গল্পের জন্য একটা লেপার্ডের প্রয়োজন ছিল। ইনি হিগিন্সের খবর পেয়ে তার সঙ্গে গিয়ে দেখা করেন। হিগিন্সের একটা লেপার্ড ছিল বটে, কিন্তু সেটা রপ্তানির জন্য নয়; সেটা তার পোষা! অনেক টাকা দিয়ে সুইডিশ পরিচালক একমাসের জন্য লেপার্ডটাকে ভাড়া করেন। কথা ছিল একমাস পরে তিনি অক্ষত অবস্থায় ফেরত দেবেন। আসলে ফিল্ম পরিচালক মিথ্যা কথা বলেন, কারণ তাঁর গল্পে ছিল গ্রামবাসীরা সবাই মিলে লেপার্ডটাকে মেরে ফেলে। এক মাস পরে পরিচালক এসে হিগিন্সকে আসল ঘটনা বলে। হিগিন্স প্রচণ্ড রেগে কাণ্ডজ্ঞান হারিয়ে তখনই পরিচালকের টুঁটি টিপে তাকে মেরে ফেলে। পরমুহূর্তে রাগ চলে গিয়ে তার জায়গায় আসে আতঙ্ক। কিন্তু সেই অবস্থাতেও পুলিশের চোখে ধুলো দেবার ফন্দি হিগিন্ বার করে। সে প্রথমে ছুরি দিয়ে মৃত পরিচালকের সর্বাঙ্গ ক্ষতচিহ্নে ভরিয়ে দেয়। তারপর তার কালেকশনের একটা হিংস্র বনবেড়ালকে খাঁচার দরজা খুলে বার করে সেটাকে গুলি করে মারে। ফলে ব্যাপারটা দাঁড়ায়, খাঁচা ছাড়া বনবেড়াল পরিচালককে হত্যা করে এবং বনবেড়ালকে হত্যা করে হিগিন্স। ফিকিরটা কাজে দেয়, হিগিন্স আইনের হাত থেকে বাঁচে। কিন্তু তারপর একমাস ধরে ক্রমাগত স্বপ্নে নিজেকে ফাঁসিকাঠে ঝুলতে দেখে অগত্যা মুনসীর চেম্বারে গিয়ে হাজির হয়।'

'হুঁ...' বললেন জটায়ু। 'তা হলে এখন কিং কর্তব্য?'

'দুটো কর্তব্য', বলল ফেলুদা। 'এক হল পাণ্ডুলিপিটা আপনাকে দেওয়া, আর দুই—"এ"-কে

একটা টেলিফোন করা।'

জটায়ু হাসিমুখে ফেলুদার হাত থেকে পাণ্ডুলিপি ভরা মোটা খামটা নিয়ে বললেন, 'ফোন করবেন কি অ্যাপয়েন্টমেন্ট করার জন্য?'

'ন্যাচারেলি', বলল ফেলুদা। 'আর দেরি করার কোনও মানে হয় না। তোপ্‌সে—এ. সেনগুপ্ত, ১১ রোল্যান্ড রোড, নম্বরটা বার কর তো।'

আমি ডাইরেক্টরিটা হাতে নিতেই ফোনটা বেজে উঠল। আমিই ধরলাম। ডাঃ মুনসী। ফেলুদাকে বলতেই ও আমার হাত থেকে ফোনটা ছিনিয়ে নিল।

ব্যাপার আর কিছুই নয়—সেনগুপ্ত আরেকটা হুমকি চিঠি দিয়েছেন। তাতে কী বলা হয়েছে সেটা ফেলুদা তার খাতায় লিখে নিল। তারপর ফেলুদা তার শেষ কথাটা বলে ফোনটা রেখে দিল।

সেনগুপ্তর দ্বিতীয় হুমকিটা হচ্ছে এই—'সাতদিন সময়। তার মধ্যে কলকাতার প্রত্যেক বাংলা ও ইংরিজি কাগজে বিজ্ঞপ্তি দেখতে চাই যে অনিবার্য কারণে ডায়রি ছাপা সম্ভব হচ্ছে না। সাতদিন। তারপরে আর হুমকি নয়—কাজ, এবং কাজটা আপনার পক্ষে প্রীতিকর হবে না বলাই বাহুল্য!'

আমি সেনগুপ্তর ফোন নম্বর বার করে ডায়াল করে একবারেই লাইন পেয়ে গেলাম। ফেলুদার হাতে ফোনটা চালান দিয়ে আমি আর জটায়ু কেবল ফেলুদার কথাটাই শুনলুম। সেটা শুনে যা দাঁড়াল তা এই—

'হ্যালো—মিঃ সেনগুপ্তর সঙ্গে একটু কথা বলতে পারি কি—অরুণ সেনগুপ্ত?'

'—'

'মিঃ সেনগুপ্ত? আমার নাম প্রদোষ মিত্র।'

'—'

'হ্যাঁ, ঠিকই ধরেছেন। ইয়ে—আমায় একদিন পাঁচ মিনিট সময় দিতে পারেন?'

'—'

'তাই বুঝি? আশ্চর্য তো! কী ব্যাপার?'

'—'

'তা পারি বইকী। কটায় গেলে আপনার সুবিধে?'

'—'

'ঠিক আছে। তাই কথা রইল।'

'ভাবতে পারিস?' ফোনটা রেখে বলল ফেলুদা, 'ভদ্রলোক নাকি আর পাঁচ মিনিটের মধ্যেই আমাকে ফোন করতেন।'

'কেন, কেন?' প্রশ্ন করলেন জটায়ু।

'সেটা ফোনে বললেন না, সামনে বলবেন।'

'কখন অ্যাপয়ন্টমেন্ট?'

'আধ ঘণ্টা বাদে।'

৪

এগারো নম্বর রোল্যান্ড রোড সাহেবি আমলের দোতলা বাড়ি। দরজার বেল টিপতে একজন উর্দিপরা বেয়ারার আবির্ভাব হল। সে কার্পেট ঢাকা কাঠের সিঁড়ি দিয়ে আমাদের দোতলায় নিয়ে গিয়ে বৈঠকখানায় বসাল। মিনিট দুয়েকের মধ্যেই মিঃ সেনগুপ্ত প্রবেশ করলেন। বাড়ির সঙ্গে

মানানসই সাহেবি মেজাজ; পরনে ড্রেসিং গাউন, পায়ে বেডরুম স্লিপার, হাতে চুরুট।

পরিচয় পর্ব শেষ হলে পর ভদ্রলোক জিজ্ঞেস করলেন, 'আপনারা ড্রিঙ্ক করেন?'

'আজ্ঞে না', বলল ফেলুদা।

'আমি যদি বিয়ার খাই আশা করি আপনারা মাইন্ড করবেন না?'

'মোটেই না।'

ভদ্রলোক বেয়ারাকে ডেকে নিজের জন্য বিয়ার আর আমাদের তিনজনের জন্য চায়ের অর্ডার দিয়ে ফেলুদার দিকে দৃষ্টি দিলেন। ফেলুদা বলল, 'আপনি আমাকে কেন ফোন করতে যাচ্ছিলেন সেটা আগে বলতে আপনার কোনও আপত্তি আছে? তারপর আমার দিকটা বলব।'

'বেশ তো। জে. পি. চাওলার নাম শুনেছেন?'

'ব্যবসাদার? গুরুপ্রসাদ চাওলা? যার নামে চাওলা ম্যানসনস?'

'হ্যাঁ।'

'তাঁর এক নাতি তো—?'

'হ্যাঁ। মিসিং। সম্ভবত কিড্‌ন্যাপ্‌ড।'

'কাগজে দেখছিলাম বটে।'

'গুরুপ্রসাদ আমার অনেকদিনের বন্ধু। পুলিশ তদন্ত করছে বটে, কিন্তু আমি ওকে আপনার নাম সাজেস্ট করি। ভুলু সেহানবিশের কাছে আপনার খুব সুখ্যাতি শুনেছি।'

'হ্যাঁ, একটা ব্যাপারে ওঁকে আমি হেল্‌প করি।'

'তা হলে চাওলাকে কী বলব?'

'মিঃ সেনগুপ্ত, দুঃখের বিষয় আমি অলরেডি একটা কেস হাতে নিয়ে ফেলেছি।'

'আই সি।'

'আর সেই ব্যাপারেই আমি আপনার কাছে এসেছি।'

'কী ব্যাপারে শুনি?'

'আমি ডাঃ মুনসীর কাছ থেকে আসছি।'

'হোয়াট!'

ভদ্রলোক সোফা থেকে প্রায় লাফিয়ে উঠলেন—'মুনসী আপনাকে আমার পরিচয় দিয়ে দিয়েছে? তার মানে তো আর কদিনে রাজ্যিসুদ্ধ লোক জেনে যাবে মুনসীর ডায়েরির "এ" ব্যক্তিটি আসলে কে।'

'মিঃ সেনগুপ্ত, আমি অত্যন্ত সাবধানী লোক। গোপন ব্যাপার কী করে গোপন রাখতে হয় তা আমি জানি। আমার উপর আপনি সম্পূর্ণ ভরসা রাখতে পারেন। তবে আপনি যদি ঘন ঘন ডাঃ মুনসীকে হুমকি চিঠি দেন, তার ফল কী হবে সেটা আমি জানি।'

'আমি হুমকি চিঠি দেব না কেন? আপনি ডায়রিটা পড়েছেন?'

'পড়েছি।'

'আপনার কী মনে হয়েছে?'

'ত্রিশ বছরের পুরনো ঘটনা। এর মধ্যে অন্তত শ' পাঁচেক ব্যাঙ্কে তহবিল তছরুপ হয়েছে। যারা এ কাজ করেছে হয়তো তাদের অনেকেরই নামের প্রথম অক্ষর "এ"। সুতরাং আপনার ভয় সম্পূর্ণ অমূলক।'

'মুনসী কি ব্যাঙ্কের নাম করেছে?'

'না।'

'আমার ব্যাঙ্কে দুজন উচ্চপদস্থ কর্মচারী ছিল যারা চুরির ব্যাপারে আমাকে সন্দেহ করে, কারণ ঠেকায় পড়ে আমি দুজনের কাছে টাকা ধার চেয়েছিলাম। দুজনেই অবিশ্যি রিফিউজ

করে।'

'মিঃ সেনগুপ্ত, আমি আবার বলছি—আপনার ভয়ের কোনও কারণ নেই। আর এই ধরনের চিঠি দিয়ে আপনার লাভটা কী হচ্ছে? ডাঃ মুনসী আইনের দিক দিয়ে সম্পূর্ণ নিরাপদ। অর্থাৎ আপনি কোনও লিগ্যাল স্টেপ নিতে পারছেন না। তা হলে কি আপনি আইনের বাইরে কোনও রাস্তা ভাবছেন?'

'আমার বিপদের আশঙ্কা দেখলে আমি আইন-টাইন মানব না মিঃ মিত্তির। আমার অতীতের ইতিহাস থেকেই আপনি বুঝছেন যে প্রয়োজনে বেপরোয়া কাজ করতে আমি দ্বিধা করি না।'

'আপনার মাথা খারাপ হয়ে গেছে, মি সেনগুপ্ত। তখনকার আপনি আর এখনকার আপনি কি এক? আজ আপনি সমাজে সম্মানিত ব্যক্তি। এই অবস্থায় আপনি এমন একটা ঝুঁকি নেবেন?'

মিঃ সেনগুপ্ত মিনিট খানেক কিছু না বলে চুক্ চুক্ করে বিয়ার খেলেন। তারপর তাঁর চাউনির সামান্য পরিবর্তন দেখা গেল। তারপর তিনি একটা দীর্ঘশ্বাস ফেলে এক চুমুকে বাকি বিয়ারটা শেষ করে গেলাসটা টেবিলে রেখে বললেন, 'ঠিক আছে—ড্যাম ইট! লেট হিম গো অ্যাহেড।'

'আপনি তা হলে হুম্‌কির ব্যাপারে ইতি দিচ্ছেন?'

'ইয়েস ইয়েস ইয়েস!—তবে বিপদের বিন্দুমাত্র আশঙ্কা দেখলেই কিন্তু'—

'আর বলতে হবে না', বলল ফেলুদা, 'বুঝেছি।'

৫

লালমোহনবাবু কথামতো পরদিন সকালেই পাণ্ডুলিপিটা ফেরত নিয়ে এলেন। ফেলুদা বলল, 'এখন আর চা খাওয়া হবে না। কারণ আধ ঘণ্টার মধ্যেই "জি"-র সঙ্গে অ্যাপয়েন্টমেন্ট।'

নব্বুই নম্বর রিপন স্ট্রিটের দরজায় বেল টিপতে যাঁর আবির্ভাব হল তাঁর মাথায় টাক, কানের পাশের চুল সাদা, আর এক জোড়া বেশ তাগড়াই গোঁফ, তাও সাদা।

'মিঃ মিটার, আই অ্যাম জর্জ হিগিন্‌স।'

তিনজনের সঙ্গেই করমর্দনের পর হিগিন্‌স আমাদের নিয়ে দোতলায় চলল। গেট দিয়ে বাড়িতে ঢুকেই দুটো বেশ বড় খাঁচা দেখেছি, তার একটায় বাঘ, অন্যটায় হায়না। দোতলায় উঠে বাঁয়ে একটা ঘরের পাশ দিয়ে যাবার সময় দেখলাম তাতে গোটা পাঁচেক কোয়ালা ভাল্লুক বসে আছে মেঝেতে।

বসবার ঘরে পৌঁছে সোফায় বসে হিগিন্‌স ফেলুদাকে উদ্দেশ করে প্রশ্ন করল, 'ইউ আর এ ডিটেকটিভ?'

'এ প্রাইভেট ওয়ান', বলল ফেলুদা।

বাকি কথাও ইংরিজিতেই হল, যদিও হিগিন্‌স মাঝে মাঝে হিন্দিও বলে ফেলছিলেন, বিশেষ করে কারুর উদ্দেশে গালি দেবার সময়। অনেকের উপরেই ভদ্রলোকের রাগ। যদিও কারণটা বোঝা গেল না। অবশেষে বললেন, 'মান্‌সি তা হলে এখনও প্র্যাকটিস করে? আই মাস্ট সে, সে আমার বিপদের সময় অনেক উপকার করেছিল।'

'তা হলে আর আপনি তাকে শাসাচ্ছেন কেন?' প্রশ্ন করল ফেলুদা।

হিগিন্‌স একটুক্ষণ চুপ করে থেকে বলল, 'সেটার একটা কারণ হচ্ছে সেদিন রাত্রে নেশার মাত্রাটা একটু বেশি হয়েছিল। তবে মানুষের কি ভয় করে না? আমার বাবা কী ছিলেন জান? স্টেশন মাস্টার। আর আমি নিজের চেষ্টায় আজ কোথায় এসে পৌঁছেছি দেখ। এ আমার একচেটিয়া ব্যবসা। মান্‌সির ডায়রি ছাপা হলে যদি আমাকে কেউ চিনে ফেলে তা হলে আমার আর আমার ব্যবসার কী দশা হবে ভাবতে পার?'

ফেলুদাকে আবার বোঝাতে হল যে হিগিন্‌স আইন বাঁচিয়ে কিছুই করতে পারবেন না। তাঁকে আবার বেঁকা রাস্তায় যেতে হবে। 'সেটাই কি তুমি চাইছ?' বেশ জোরের সঙ্গে জিজ্ঞেস করল ফেলুদা। 'তাতে কি তোমার প্রেসটিজ আরও বেশি বিপন্ন হবে না?'

হিগিন্‌স কিছুক্ষণ চুপ করে বিড়বিড় করে বললেন, 'একবার কেন, শতবার খুন করতে পারতাম ও পাজি সুইডিশটাকে। বাহাদুর, আমার সাধের লেপার্ড, মাত্র চার বছর বয়স, তাকে কিনা লোকটা মেরে ফেলল!...'

আবার দশ সেকেন্ডের জন্য কথা বন্ধ; তারপর হঠাৎ সোফার হাতল চাপড়ে গলা তুলে হিগিন্‌স বললেন, 'ঠিক আছে; মান্‌সিকে বলো আমি কোনও পরোয়া করি না। ও যা করছে করুক, বই বেরোলে লোকে আমাকে চিনে ফেললেও আই ডোন্ট কেয়ার। আমার ব্যবসা কেউ টলাতে পারবে না।'

'থ্যাঙ্ক ইউ মিঃ হিগিন্‌স, থ্যাঙ্ক ইউ।'

অরুণ সেনগুপ্তর খবরটা ফেলুদা আগেই ফোনে ডাঃ মুনসীকে জানিয়ে দিয়েছিল। হিগিন্‌সের খবরটা দিতে আমরা মুনসির বাড়িতে গেলাম, কারণ পাণ্ডুলিপিটা ফেরত দেবার একটা ব্যাপার ছিল। ভদ্রলোক ফেলুদাকে একটা বড় ধন্যবাদ দিয়ে বললেন, 'তা হলে তো আপনার কর্তব্য সারা হয়ে গেল। এবারে আপনার ছুটি!'

'আপনি ঠিক বলছেন? "আর" সম্বন্ধে কিছু করার নেই তো?'

'নাথিং।...আপনি আপনার বিল পাঠিয়ে দেবেন, আমি ইমিডিয়েটলি পেমেন্ট করে দেব।'

'থ্যাঙ্ক ইউ, স্যার।'

'এটাকে কি মামলা বলা চলে?' বাড়ি ফিরে এসে বলল জটায়ু।

'মিনি মামলা বলতে পারেন। অথবা মামলাণু।'

'যা বলেছেন।'

'আশ্চর্য এই যে এমন গর্হিত কাজ করার পঁচিশ-ত্রিশ বছর পরে লোকগুলো শুধু বেঁচে নেই, দিব্যি সুখ স্বাচ্ছন্দ্যে চালিয়ে যাচ্ছে।'

'হক্ কথা', বললেন জটায়ু। 'কালই বাড়িতে বসে ভাবছিলুম ত্রিশ বছর আগে যাদের চিনতুম তাদের কারুর সঙ্গে আজও যোগাযোগ আছে কিনা, বা তারা এখন কে কী করছে সেটা জানি কিনা। বিশ্বাস করুন আজই আধ ঘণ্টা ভেবে শুধু একটা নাম মনে পড়ল, অপরেশ চাটুজ্যে, যার সঙ্গে একসঙ্গে বসে বায়স্কোপ দেখিচি, ফুটবল খেলা দেখিচি, সাঙ্গুভ্যালিতে বসে চা খেইচি।'

'এখন কী করে জানেন?'

'উহুঁ। আউট অফ টাচ! কমপ্লিটলি। কবে কীভাবে যে ছাড়াছাড়িটা হল, সেটা অনেক ভেবেও মনে করতে পারলুম না।'

পরদিন সকালে লালমোহনবাবু এসে ফেলুদার দিকে চেয়ে বললেন, 'আপনাকে একটু ডাউন বলে মনে হচ্ছে? বেকারত্ব ভাল লাগছে না বুঝি।'

ফেলুদা মাথা নেড়ে বলল, 'নো স্যার, তা নয়, একটা ব্যাপারে কৌতূহল নিবৃত্তি হল না বলে অসোয়াস্তি লাগছে।'

'কী ব্যাপার?'

'"আর' ব্যক্তিটির আসল পরিচয়। ইনি একটা হুমকি-টুমকি দিলে মন্দ হত না।'

'রট্‌ন, রাবিশ, রিডিকুলাস', বললেন জটায়ু। '"আর" জাহান্নমে যাক। আপনি আপনার যা প্রাপ্য তা তো পাচ্ছেনই।'

'তা পাচ্ছি।'

ফোনটা বেজে উঠল। আমিই ধরলাম। 'হ্যালো' বলতে ওদিক থেকে কথা এল 'আমি শঙ্কর বলছি।' আমি ফোনটা ফেলুদার হাতে চালান দিলাম।

'বলুন স্যার!'

উত্তরটা শোনার সঙ্গে সঙ্গে ফেলুদার কপালে গভীর খাঁজ পড়ল। তিন-চারটে 'হুঁ বলেই ফেলুদা ফোনটা রেখে দিয়ে বলল, 'সাংঘাতিক খবর। ডাঃ মুনসী খুন হয়েছেন, আর সেই সঙ্গে ডায়রিও উধাও।'

'বলেন কী!' চায়ের কাপটা নামিয়ে রেখে বললেন জটায়ু।

'ভেবেছিলাম শেষ। আসলে এই সবে শুরু।'

আমরা আর এক মুহূর্ত অপেক্ষা না করে লালমোহনবাবুর গাড়িতে বেরিয়ে পড়লাম।

সুইনহো স্ট্রিটে পৌঁছে দেখি পুলিশ আগেই হাজির। ইনস্পেক্টর সোম ফেলুদার চেনা, বললেন, 'মাঝ রাত্তিরে খুনটা হয়েছে, মাথার পিছন দিকে ভারী কিছু দিয়ে মেরেছে।'

'কে প্রথম জানল?'

'ওঁর বেয়ারা। ভদ্রলোক ভোর ছটায় চা খেতেন। সেই সময়ই বেয়ারা ব্যাপারটা জানতে পারে। ডাঃ মুনসীর ছেলে বাড়ি ছিলেন না। পুলিশে খবর দেন ডাঃ মুনসীর সেক্রেটারি!'

'আপনাদের জেরা হয়ে গেছে?'

'তা হয়েছে, তবে আপনি নিজের মতো করুন না। আপনি যে আমাদের কাজে ব্যাঘাত করবেন না সেটা আমি পূর্ব অভিজ্ঞতা থেকে জানি। আর চারটি তো প্রাণী, ভদ্রলোকের ছেলে, সেক্রেটারি, শ্যালক আর পেশেন্ট। অবিশ্যি মিসেস মুনসী আছেন। তাঁকে কিছু জিজ্ঞেস করিনি এখনও।'

আমরা তিনজন শঙ্করবাবুর সঙ্গে দোতলায় রওনা দিলাম। সিঁড়ি ওঠার সময় ভদ্রলোক একটা দীর্ঘ নিশ্বাস ফেলে বললেন, 'অনেক কিছুই আশঙ্কা করছিলাম, কিন্তু এটা করিনি।'

বাবার ঘরে পৌঁছে ফেলুদা বলল, 'আপনি যখন রয়েছেন তখন আপনাকে দিয়েই শুরু করি।

'বেশ তো। কী জানতে চান বলুন।'

আমরা সকলে বসলাম। চারিদিকে জন্তু জানোয়ারের ছাল, মাথা ইত্যাদি দেখে মনে হচ্ছিল, এতবড় শিকারি, আর এইভাবে তাঁর মৃত্যু হল!

ফেলুদা জেরা আরম্ভ করে দিল।

'আপনার ঘর কি দোতলায়?'

'হ্যাঁ। আমারটা উত্তর প্রান্তে, বাবারটা দক্ষিণ প্রান্তে।'

'আপনি আজ সকালে বেরিয়েছিলেন?'

'হ্যাঁ।'

'কোথায়?'

'আমাদের ডাক্তারের ফোন খারাপ। উনি রোজ ভোরে লেকের ধারে হাঁটেন, তাই ওঁকে ধরতে গিয়েছিলাম। ক'দিন থেকেই মাথাটা ভার-ভার লাগছে। মনে হচ্ছিল প্রেশারটা বেড়েছে।'

'প্রেশার কি আপনার বাবা দেখে দিতে পারতেন না?'

'এটা বাবার আরেকটা পিকিউলারিটির উদাহরণ। উনি বলেই দিয়েছিলেন আমাদের বাড়ির সাধারণ চিকিৎসা উনি করবেন না। সেটা করেন ডাঃ প্রণব কর।'

'আই সি...একটা কথা আপনাকে বলি শঙ্করবাবু, আপনি যে বলেছিলেন ডাঃ মুনসী আপনার সম্বন্ধে উদাসীন, ডায়রি পড়ে কিন্তু সেরকম মনে হয় না। ডায়রিতে অনেকবার আপনার উল্লেখ আছে।'

'ভেরি সারপ্রাইজিং!'

'আপনার ডায়রিটা পড়ার ইচ্ছে হয় না?'

'অত বড় হাতে লেখা ম্যানুসক্রিপ্ট পড়ার ধৈর্য আমার নেই।'

'এটা অবশ্য আশা করা যায় যে আপনার বিষয় যেটা সত্যি সেটাই উনি লিখেছেন।'

'বাবার দৃষ্টিতে যেটা সত্যি বলে মনে হয়েছে উনি লিখেছেন। সে দৃষ্টির সঙ্গে আর পাঁচজনের দৃষ্টি নাও মিলতে পারে। আমার বলার ইচ্ছে এই, যে বাবা আমাকে চিনলেন কী করে? তিনি তো সর্বক্ষণ রুগি নিয়েই পড়ে থাকতেন।'

'আপনার বাবার মাসিক রোজগার কত ছিল সে সম্বন্ধে আপনার কোনও ধারণা আছে?'

'সঠিক নেই, তবে উনি যে ভাবে খরচ করতেন তাতে মনে হয় ত্রিশ-পঁয়ত্রিশ হাজার হওয়া কিছু আশ্চর্য নয়।'

'উনি যে উইল করে গিয়েছিলেন সেটা আপনি জানেন?'

'না।'

'গত বছর পয়লা ডিসেম্বর। ওঁর সঞ্চয়ের একটা অংশ ব্যবহার হবে মনোবিজ্ঞানের উন্নতিকল্পে।'

'আই সি।'

'আর, আপনার প্রতি উদাসীন হওয়া সত্ত্বেও আপনিও কিন্তু বাদ পড়েননি।'

শঙ্করবাবু আবার বললেন, 'আই সি!'

'এই খুনের ব্যাপারে আপনি কোনও আলোকপাত করতে পারেন?'

'একেবারেই না। এটা সম্পূর্ণ অপ্রত্যাশিত।'

'আর ডায়রিটা যে লোপাট হল?'

'সেটা ওই তিনজনের একজন লোক লাগিয়ে করাতে পারে। বাবার পেশেন্ট হিসাবে এরা এ বাড়িতে এসেছে। বাবা যে ঘরে রুগি দেখেন, তার পাশেই তো আপিস ঘর। সেখানেই থাকত বাবার লেখাটা।'

'আপনাদের সদর দরজা রাত্রে বন্ধ থাকে নিশ্চয়ই।'

'হ্যাঁ, তবে বাড়ির দক্ষিণ-পশ্চিম কোণে জমাদার ওঠার জন্য একটা ঘোরানো সিঁড়ি আছে।'

'ঠিক আছে। থ্যাঙ্ক ইউ। আপনি এবার যদি সুখময়বাবুকে একটু পাঠিয়ে দিতে পারেন?'

মিনিট খানেকের মধ্যেই সেক্রেটারি সুখময় চক্রবর্তী এসে হাজির হলেন। ভদ্রলোক আমাদের থেকে একটু দূরে একটা চেয়ারে বসতে ফেলুদা জেরা আরম্ভ করল।

'আমি প্রথমেই জানতে চাই, পাণ্ডুলিপিটা যে চুরি হল, সেটা কি বাইরে পড়ে থাকত?'

'না। দেরাজে; তবে দেরাজে চাবি থাকত না। তার কারণ আমি বা ডাঃ মুনসী কেউই ভাবতে পারিনি যে সেটা এই ভাবে চুরি হতে পারে।'

'এটা যে আর দেরাজে নেই সেটা কখন কীভাবে জানলেন?'

'আজ থেকে ওটা টাইপ করা শুরু করব ভেবেছিলাম। সকালে গিয়ে দেরাজ খুলে দেখি সেটা নেই।'

'আই সি...আপনি কদ্দিন হল ডাঃ মুনসীর সেক্রেটারির কাজ করছেন?'

'দশ বছর।'

'কাজটা পেলেন কী করে?'

'ডাঃ মুনসী কাগজে বিজ্ঞাপন দিয়েছিলেন।'

'কী ধরনের কাজ করতে হত আপনাকে?'

'ওঁর অ্যাপয়েন্টমেন্টগুলো নোট করে রাখতাম, আর চিঠিগুলোর জবাব টাইপ করতাম।'

'চিঠি কি অনেক আসত?'

'তা মন্দ না। বিভিন্ন দেশের মনোবিজ্ঞান সংস্থা থেকে নিয়মিত চিঠি আসত। বাইরের কনফারেন্সে যোগ দিতে উনি দুবছর অন্তর একবার বিদেশে যেতেন।'

'আপনি বিয়ে করেননি?'

'না।'

'আত্মীয়স্বজন আর কে আছে?'

'ভাইবোন নেই। বাবা মারা গেছেন। আছেন শুধু আমার বিধবা মা আর আমার এক বিধবা খুড়িমা।'

'এঁরা এক সঙ্গেই থাকেন?'

'হ্যাঁ।'

'আপনি এঁদের সঙ্গে থাকেন না?'

'আমি তো এ বাড়িতেই থাকি। ডাঃ মুনসী আমাকে একটা ঘর দেন একতলায়। প্রথম থেকেই এখানে আছি। মাঝে মাঝে গিয়ে বাড়ির খবর নিয়ে আসি।'

'বাড়ি কোথায়?'

'বেলতলা রোড ল্যান্সডাউনের মোড়ে।'

'আপনি এই খুন সম্পর্কে কোনও আলোকপাত করতে পারেন?'

'একেবারেই না। ডায়রি বেহাত হতে পারে হুমকি চিঠি থেকেই বোঝা যায়; কিন্তু খুনটা আমার কাছে একেবারে অর্থহীন বলে মনে হচ্ছে।'

'ডাঃ মুনসী বস্ হিসাবে কেমন লোক ছিলেন?'

'খুব ভাল। আমাকে তিনি অত্যন্ত স্নেহ করতেন, আমার কাজে সন্তুষ্ট ছিলেন, এবং ভাল মাইনে দিতেন।'

'আপনি কি জানেন ডাঃ মুনসীর বই বেরোলে তাঁর অবর্তমানে বইয়ের স্বত্বাধিকারী হতেন আপনি?'

'জানি। ডাঃ মুনসী আমাকে বলেছিলেন।'

'বই ছেপে বেরোলে তার কাটতি কেমন হবে বলে আপনার মনে হয়?'

'প্রকাশকদের ধারণা খুব ভাল হবে।'

'তার মানে মোটা রয়েলটি, তাই নয় কি?'

'আপনি কি ইঙ্গিত করছেন এই রয়েলটির লোভে আমি ডাঃ মুনসীকে খুন করেছি?'

'এখানে যে একটা জোরালো মোটিভের ইঙ্গিত পাওয়া যাচ্ছে সেটা কি আপনি অস্বীকার করবেন?'

'আমার যেখানে টাকার অভাব নেই সেখানে শুধু রয়েলটির লোভে আমি খুন করব, এটা কি খুব বিশ্বাসযোগ্য?'

'এর সঠিক উত্তর দিতে যতটা চিন্তার প্রয়োজন, তার সময় এখনও পাইনি। যাই হোক এখন আপনার ছুটি।'

'কাউকে পাঠিয়ে দেব কি?'

'আমি ডাঃ মুনসীর শালার সঙ্গে একটু কথা বলতে চাই।'

সুখময়বাবু চলে যাবার পর জটায়ু বললেন, 'আপনার কী মনে হচ্ছে বলুন তো, ডায়রি লোপাট আর খুনটা সেপারেট ইস্যু, না পরস্পরের সঙ্গে জড়িত?'

'আগে গাছে কাঁঠাল দেখি, তারপর তো গোঁফে তেল দেব।'

'বোঝো!'

৬

শালা প্রায় সঙ্গে সঙ্গেই এসে হাজির হলেন। কপালের ঘাম মুছতে দেখে মনে হল ভদ্রলোক একটু নার্ভাস বোধ করছেন।

'আপনার নাম তো চন্দ্রনাথ; পদবি কী?' ভদ্রলোক বসার পর ফেলুদা প্রশ্ন করল।

'বোস।'

'আপনি এখানে রয়েছেন পনেরো বছর, তাই তো?'

'হ্যাঁ, কিন্তু আপনি কী করে?'

'আমি ডাঃ মুনসীর ডায়রিটা পড়েছি। আপনার বিষয় অনেক কিছু জানি, তবু আপনার মুখ থেকে কনফার্মেশনের জন্য কতকগুলো প্রশ্ন করছি।'

চন্দ্রনাথ বোস আবার ঘাম মুছলেন।

'ডাঃ মুনসী আপনাকে এ বাড়িতে থাকতে বলেন?'

'না। আমার বোন ডাঃ মুনসীকে অনুরোধ করেন।'

'উনি এক কথায় রাজি হয়ে যান?'

'না।'

'তা হলে?'

'আমার বোন...পীড়াপীড়ি করলে পর...রাজি হন।'

'আপনি তো কোনও চাকরি-টাকরি করেন না।'

'না।'

'হাত খরচা পান মাসে মাসে?'

'হ্যাঁ।'

'কত?'

'পাঁচশো।'

'তাতে চলে যায়?'

চন্দ্রনাথবাবু উত্তর না দিয়ে মাথা হেঁট করলেন। বুঝলাম হাতখরচটা যথেষ্ট নয়।

'আপনি তো ইন্টারমিডিয়েট অবধি পড়েছেন?

'হ্যাঁ।'

'ছাত্র হিসেবে কীরকম ছিলেন?'

'সাধারণ।'

'নাকি তার চেয়েও নীচে?'

চন্দ্রনাথবাবু চুপ।

'প্রথমবার আই এ-তে ফেল করেননি? সেই কারণেই তো আপনার কোনও চাকরি জোটেনি, তাই নয় কি?'

দৃষ্টি নত করে মাথা নেড়ে হ্যাঁ বললেন চন্দ্রনাথবাবু।

'এ বাড়ির কোনও কাজ আপনি করেন কি?'

'হ্যাঁ।'

'কী?'

'বাজার করি। ওষুধপত্র আনি...'

'বুঝেছি।...আপনার শোবার ঘর দোতালায়?'

'হ্যাঁ।'

'কোনখানে? ডা. মুনসীর ঘর থেকে কতদূরে?'

'পাশে।'

'একেবারে পাশে? লাগালাগি?'

'ই-ইয়েস।'

'রাত্রে ঘুমোন কখন?'

'দশটা সাড়ে দশটা।'

'আর ওঠেন?'

'ছ-টা।'

'এই খুন সম্বন্ধে আপনার কিছু বলার আছে?'

'নো-নো স্যার। নাথিং।'

'ঠিক আছে। আপনি এবার অনুগ্রহ করে রাধাকান্ত মল্লিককে একটু পাঠিয়ে দিন।'

রাধাকান্ত মল্লিক এসে সোফায় বসেই এক সঙ্গে হাত আর মাথা নেড়ে বললেন,'আমি খুন সম্বন্ধে কিচ্ছু জানি না, কিচ্ছু না...'

'আমি বলেছি আপনি জানেন?'

'বলেননি, কিন্তু বলবেন। আই নো ইউ ডিটেকটিভস। এসব জেরা-টেরা আমার ভাল লাগে না। যা বলার আমি বলে যাচ্ছি। আপনি শুনুন। আমি যে ব্যারাম নিয়ে এখানে আসি তার নাম আমি জানতাম না। মুনসী বলেন। পার্সিকিউশন ম্যানিয়া। তার লক্ষণ হল, চারপাশের সব লোককে হঠাৎ শত্রু বলে মনে হওয়া। বাবা, দাদা, পড়শি, আপিসের কোলিগ কেউ বাদ নেই। সবাই যেন ওত পেতে বসে আছে। সুযোগ পেলেই ঝাঁপিয়ে পড়বে। আগে এটা ছিল না; ঠিক কখন যে শুরু হল তাও বলতে পারি না। শুধু এটা বলতে পারি যে শেষ দিকে এমন হয়েছিল যে রাত্তিরে ঘুমোতে পারতাম না, পাছে ঘুমোলে কেউ এসে বুকে ছুরি মারে!'

'ডাঃ মুনসীর ওষুধে কাজ দেয়?'

'দিচ্ছিল, তবে সময় লাগছিল। কথা ছিল আর দুহপ্তা পরে ছুটি পাব। কিন্তু তার আগেই...ছুটি হয়ে গেল...'

'আপনি কি এখন বাড়ি ফিরে যাবেন?'

'পুলিশ যেতে দিলেই যাব।'

'আপনার চাকরি তো একটা আছে নিশ্চয়ই।'

'পপুলার ইনশিওরেন্স।'

'ঠিক আছে। আপনি এবার আসতে পারেন।'

রাধাকান্ত চলে যাবার পর ফেলুদা একবার খুনের জায়গা আর লাশটা দেখে এল। যে জিনিসটা দিয়ে বাড়ি মেরে খুন করা হয়েছে সেটা এখনও খুঁজে পাওয়া যায়নি। ইতিমধ্যে পুলিশের ডাক্তার এসে দেখে বলে গেছে খুনটা হয়েছে ভোর চারটা থেকে পাঁচটার মধ্যে। পাণ্ডুলিপিটা এখনও পাওয়া যায়নি। ইনস্পেক্টর সোম বলেছেন সেটা বেরোলেই ফেলুদাকে জানিয়ে দেবেন।

'মিসেস মুনসীর সঙ্গে কি এখন কথা বলা যাবে?' ফেলুদা জিজ্ঞেস করল সোমকে।

'তা যাবে। উনি দেখলাম মোটামুটি শক্তই আছেন।'

আমরা তিনজন মিসেস মুনসীর ঘরে গেলাম। ভদ্রমহিলা জানালার দিকে মুখ করে খাটে বসে আছেন। ফেলুদা দরজায় টোকা মারতে আমাদের দিকে ফিরলেন।

আমি চমকে উঠলাম। ইনি হুবহু এঁর ভাইয়ের মতো দেখতে! যমজ নাকি?

নমস্কারের পর ফেলুদা বলল, 'আমার নাম প্রদোষ মিত্র। আমি একজন প্রাইভেট ডিটেকটিভ। আপনার স্বামীর মৃত্যুর ব্যাপারে তদন্ত করতে এসেছি।'

'আপনি কিছু জিজ্ঞেস করবেন কি?'

দেখে অবাক হলাম যে ভদ্রমহিলার কথায় বিন্দুমাত্র কান্নার রেশ নেই।

ফেলুদা বলল, 'সামান্য দু-একটা প্রশ্ন।'

ভদ্রমহিলা আবার জানালার দিকে মুখ ঘুরিয়ে নিয়ে বললেন, 'করুন।'

'এই হত্যা সম্বন্ধে আপনার কিছু বলার আছে কি?'

'ওঁর ডায়রিই হল ওঁর কাল। আমি ওঁকে কতবার বলেছি, তুমি লিখছ লেখ, কিন্তু এ জিনিস ছাপিও না। আমাদের দেশের লোকেরা এত সত্যি কথা গ্রহণ করতে পারবে না। অনেকে ব্যথা পাবে, অনেকে অসন্তুষ্ট হবে, আর আজ...'

'আমি কিন্তু ডায়রিটা পড়েছি। আমার মনে হয় না এটা পড়লে মনে কেউ ব্যথা পেত।'

'শুনে খুশি হলাম।'

'আপনি আর চন্দ্রনাথবাবু যমজ ভাইবোন?'

'হ্যাঁ।'

'আপনি যখন ডাঃ মুনসীকে প্রস্তাব করেন আপনার ভাইকে এ বাড়িতে এনে রাখা হোক, তখন উনি কী বলেন?'

'অনিচ্ছাসত্ত্বেও মত দেন।'

'অনিচ্ছা কেন?'

'আমার ভাই কোনও চাকরি করে না সেটা উনি মেনে নিতে পারছিলেন না। উনি নিজে ছিলেন কাজ-পাগল মানুষ। কাজ ছাড়া আর কিছুই জানতেন না।'

'অনেক ধন্যবাদ, মিসেস মুনসী। আমার আর কিছু জানার নেই।'

৭

বাড়ি ফিরতে ফিরতে বারোটা হয়ে গেল। লালমোহনবাবু সকালে স্নান সেরে বেরোন, কাজেই সে সমস্যাটা নেই। তাঁকে বললাম দুপুরের খাওয়াটা আজ এখানেই সারতে। ভদ্রলোক রাজি হয়ে গেলেন।

'মহীয়সী মহিলা!' পাখাটা খুলে ফুল স্পিড করে তাঁর প্রিয় কাউচটায় বসে বললেন লালমোহনবাবু, 'এত বড় একটা ট্র্যাজিডিতে এতটুকু টস্‌কাননি! অথচ ভাইটা একেবারে গোবর গণেশ।'

'সেই জন্যেই মহিলার ভাইয়ের উপর এত টান', বলল ফেলুদা, 'এ বড় জটিল মনোভাব, লালমোহনবাবু। স্নেহ, অনুকম্পা, এসব তো আছেই; তার মধ্যে কোথায় যেন একটা মাতৃত্বের রেশ রয়েছে। ভদ্রমহিলার নিজের কোনও ছেলেপিলে নেই, এবং ডাঃ মুনসীর প্রথম পক্ষের স্ত্রীর ছেলের প্রতিও টান নেই, এসব কথা ভুলবেন না।'

'তার উপরে যমজ।'

'তা তো বটেই।'

'আপনার কি মনে হয় ভদ্রমহিলার ডাঃ মুনসীর সঙ্গে বনিবনা ছিল না?'

'সেটা মুনসী পরিবারের সঙ্গে অন্তরঙ্গ না থাকলে বলা মুশকিল। গোয়েন্দাকে যা বোঝার বুঝতে হয় দুটি ইন্দ্রিয়ের সাহায্যে, কান আর চোখ।'

'এক্ষেত্রে কান কী বলছে?'

'মনে একটা খট্‌কা জাগাচ্ছে।'

'কী সেটা?'

'সেটা আপনারা কেন বোঝেননি তা জানি না।'

এবারে আমি একটা কথা না বলে পারলাম না।

'তুমি বলতে চাও ওঁর কথা শুনে মনে হল উনি ডায়রিটা পড়েছেন?'

'সাবাস, তোপ্‌সে, সাবাস।'

'কেন মশাই ডায়রিতে কী ধরনের জিনিস আছে সেটা তো মুনসী মুখেও বলতে পারেন।'

'একই হল লালমোহনবাবু, একই হল।'

'মুনসীর কথায় মনে হয়েছিল ওই তিন ব্যক্তির ঘটনা ছাড়া ডায়রিতে কী আছে তা কেউ জানে না। এখন মনে হচ্ছে কথাটা হয়তো ঠিক না।'

'তবে এটা তো বোঝা যাচ্ছে ডাঃ মুনসীর স্ত্রীর প্রতি মোটেই বিরূপভাব পোষণ করতেন না। ডায়রির প্রথম পাতা খুললেই সেটা প্রমাণ হয়। যে স্ত্রীর সঙ্গে বনিবনা নেই, তাকে কেউ বই উৎসর্গ করে না।'

'আপনি দেখছি ফর্মে আছেন। ভেরি গুড।'

'আরেকটা ব্যাপারে আমি কানকে কাজে লাগিয়েছি মশাই; আপনি নিশ্চয়ই অ্যাপ্রিশিয়েট করবেন। ডাঃ মুনসী নিজের ছেলের প্রতি যে মনোভাব দেখিয়েছেন তাতে তাকে শুষ্কং কাষ্ঠং বলে মনে হওয়া আশ্চর্য নয়। কিন্তু সেইখেনে দেখুন, তাঁর সেক্রেটারির প্রতি তাঁর কত দরদ!'

'গুড। গুড।' ফেলুদা যে অন্যমনস্কভাবে তারিফটা করে সোফা ছেড়ে উঠে পায়চারি আরম্ভ করে দিল।

'কী ভাবছেন মশাই?' প্রায় এক মিনিট চুপ করে থেকে প্রশ্ন করলেন জটায়ু।

'ভাবছি যে তিন উহ্য নামের মধ্যে একজনই রয়ে গেল যার আসল পরিচয়টা পাওয়া গেল না। ফলে মামলাটার মধ্যে একটা ফাঁক রয়ে গেল যেটা আর পূরণ হবে না।'

'আপনার কি মনে হয় ডাঃ মুনসী কোনও তথ্য—'

ক্রি-ং-ং-ং!

আমাদের এই নতুন নীল টেলিফোনটার আওয়াজ আগেরটার চেয়ে অনেক বেশি জোর। ফেলুদা রিসিভারটা তুলে 'হ্যালো' বলল।

অবিশ্বাস্য টেলিফোন। যাকে ফেলুদা টেলিপ্যাথি বলে এ হল ষোল আনা তাই। কার সঙ্গে কী কথাবার্তা হল সেটা ফেলুদা ফোন নামিয়ে রেখেই বলেছিল; আমি যখন ঘটনাটা লিখতে যাব, তখন ও বলল, 'যদিও তুই ফোনটার সময় শুধু আমার কথাগুলো শুনেছিলি, লেখার সময় এমন ভাবে লেখ যেন দুই তরফের কথাই শুনতে পাচ্ছিস। তা হলে পাঠক মজা পাবে।'

আমি ওর কথামতোই লিখছি।

'হ্যালো।'

'মিঃ মিত্তির?'

'হ্যাঁ।'

'আমি "আর" কথা বলছি।'

'"আর"?'

'মুনসীর ডায়রির "আর"।'

'ও। তা হঠাৎ আমাকে ফোন কেন? মুনসীর সঙ্গে আমার সম্পর্কের কথা আপনি জানলেন কী করে?'

'আপনি আজ সকালে মুনসীর বাড়ি যাননি?'

'তা তো যাবই। মুনসী আজ ভোর রাত্রে খুন হয়েছেন। সেই কারণেই যেতে হয়েছিল।'

'আপনার চেহারা অনেকের কাছেই পরিচিত। সেটা আপনি জানেন বোধহয়। মুনসীর বাড়ির সামনে ভিড় এবং পুলিশ দেখে প্রতিবেশীদের অনেকেই বারান্দায় এসে দাঁড়িয়েছিল। তাদেরই একজন আপনাকে চিনে ফেলে—আমার এক পেশেন্ট। আমিও ডাক্তার সেটা জানেন কি? এই

পেশেন্টের বাড়ি গেস্‌লাম ঘণ্টাখানেক আগে। তারই কাছে শুনি মুনসীর মৃত্যু ও আপনার উপস্থিতির খবর। দুইয়ে দুইয়ে চার করে বুঝি মুনসী আপনাকে এমপ্লয় করেছিল।'

'আপনার আসল নামটা জানতে পারি কি?'

'না, পারেন না। ওটা উহ্যই থাকবে। আমি জানতে চাই মুনসী আপনাকে আমার সম্বন্ধে কী বলে।'

'উনি বলেন, আপনাকে উনি যথেষ্ট চেনেন এবং আপনাকে নিয়ে চিন্তা করার কোনও কারণ নেই। ডায়রিটা বেরুচ্ছে এবং তাতে আপনার অতীতের ঘটনা থাকছে জেনেও নাকি আপনি কোনও আপত্তি করেননি।'

'ননসেন্স! সম্পূর্ণ মিথ্যা। ও আমাকে জানাবে কী করে? আমি তো পনেরো দিন বাইরে থেকে কলকাতায় ফিরেছি সবে পরশু রাত্রে। বাড়িতে এসে পুরনো স্টেটসম্যান ঘাঁটতে ঘাঁটতে মুনসীর ডায়রি পেঙ্গুইন ছাপছে এ খবরটা দেখি। খবরটা পড়ে আমার অস্বস্তি লাগে। মুনসী সাইকায়াট্রিস্ট হওয়াতে অনেক মনোবিকারগ্রস্ত ব্যক্তির হাঁড়ির খবর সে জানে; আমার তো বটেই। সে সব কথা কি সে ডায়রিতে লিখেছে?

'আমি মুনসীকে ফোন করি। সে স্বীকার করে যে আমার ঘটনা তার ডায়রিতে স্থান পেয়েছে, তবে আমার নাকি চিন্তার কোনও কারণ নেই এই জন্যে যে আমার নামের শুধু প্রথম অক্ষরটা ব্যবহার করা হয়েছে।...কিন্তু তাতে আমি আশ্বস্ত হব কেন? আমি চব্বিশ বছর আগেও ডাক্তার ছিলাম, এখনও আছি। তখনকার অনেক পেশেন্ট এখনও আমার পেশেন্ট। ডায়রি থেকে তারা আমায় চিনে ফেলবে না তার কী গ্যারান্টি?'

'আমি কিন্তু ডায়রিটা পড়েছি। আমার মনে হয় আপনার চিন্তার কোনও কারণ নেই।'

'আপনি যখন পড়েছেন তখন আমিও পড়ব। সে কথাটা আমি মুনসীকে বলি। আমি বলি যে তোমার কথা আমি বিশ্বাস করি না। আমি নিজে তোমার লেখা পড়ে বিচার করব সেটা ছাপলে আমার কোনও ক্ষতি হবে কিনা। তুমি আমাকে লেখাটা দাও। যদি না দাও তা হলে তোমার অতীতের ঘটনা আমি ফাঁস করে দেব।'

'এ আবার কী বলছেন আপনি?'

'মিস্টার মিত্তির, আমি আর মুনসী একই বছর লন্ডনে যাই ডাক্তারি পড়তে। আমার বিষয় যদিও মনোবিজ্ঞান ছিল না, কিন্তু আমাদের দুজনের যথেষ্ট পরিচয় ছিল। আমি মুনসীর যে চেহারা দেখেছি সে চেহারা কলকাতার কেউ দেখেনি। সে সেখানে উচ্ছন্নে যেতে চলেছিল, আমি তাকে সামলাই, তাকে সোজা পথে নিয়ে আসি। কলকাতায় ফিরে এসে প্র্যাকটিস শুরু করার পর সে ক্রমে ক্রমে নিজেকে সংস্কার করে।'

'আপনি মুনসীর বাড়ি গিয়ে তাঁর কাছ থেকে লেখাটা চেয়ে আনেন?'

'আজ্ঞে হ্যাঁ। গতকাল রাত এগারোটায়। বলেছিলাম দুদিন পরে লেখাটা ফেরত দেব। এখন অবিশ্যি তার কোনও প্রয়োজন নেই।'

'নেই মানে? আপনি পাণ্ডুলিপি ফেরত দিলেই সেটা ছাপা হবে। লেখকের মৃত্যুর পর তার বই ছাপা হয়েছে অনেক ক্ষেত্রে। একে ইংরিজিতে পসথ্যুমাস পাবলিকেশন বলে সেটা আপনি জানেন না?'

'জানি। কিন্তু এক্ষেত্রে সেটা হবে না। লেখাটা আমি পড়েছি। সেটা আমার কাছেই থাকবে। বই হয়ে বেরোবে না। আসি।'

ফেলুদা রিসিভারটা নামিয়ে রেখে দিল, তার মুখ গম্ভীর।

'লোকটা এমন করে আমার উপর টেক্কা দিল!' খপ্‌ করে সোফায় বসে বলল ফেলুদা। 'এ সহ্য করা যায় না।...আর এমন চমৎকার লেখা—এইভাবে বেহাত হয়ে গেল!'

'লেখাটা নিয়ে ভাববেন না, ফেলুবাবু।' একটু যেন রাগত ভাবেই বললেন জটায়ু। 'দ্য খুন ইজ মাচ মোর ইমপর্ট্যান্ট দ্যান দ্যা লেখা।'

'আপনি লেখাটা পড়েও একথা বলছেন?'

'বলছি। যেখানে মার্ডার হ্যাজ বিন কমিটেড, সেখানে আর ওসব কিছু তার কাছে তুচ্ছ।'

শ্রীনাথ এসে খবর দিল ভাত বাড়া হয়েছে। আমরা তিনজনে খাবার ঘরে খেতে বসলাম। লালমোহনবাবু যদিও বেশ তৃপ্তির সঙ্গে খেলেন। এমনকী চিংড়ি মাছের মালাইকারিটা খেতে খেতে বললেন, 'আপনাদের জগন্নাথের রান্নার তারের তুলনা নেই;' ফেলুদা শুক্তো থেকে দই পর্যন্ত একবারও মুখ খুলল না।

খাবার পর তিনজনে তিনটে পান মুখে পুরে বসবার ঘরে বসতেই ফোনটা বেজে উঠল। আমিই ধরলাম। ইনস্পেক্টর সোম। আমি ফেলুদার হাতে ফোনটা চালান দিলাম। 'বলুন স্যার'-এর পর ফেলুদা কেবল দুটো কথা বলল। প্রথমে মিনিট খানেক কথা শুনে বলল, 'তা হলে তো খুনটা বাড়ির লোকে করেছে বলেই মনে হচ্ছে' আর ফোনটা রাখবার আগে বলল— 'ভেরি ইন্টারেস্টিং আমি আসছি।'

'কোথায় যাচ্ছ?' আমি জিজ্ঞেস করলাম।

'মুনসী প্যালেস', টেবিল থেকে চারমিনারের প্যাকেট আর লাইটারটা তুলে পকেটে পুরে বলল ফেলুদা।

'খুনটা বাড়ির লোকে করেছে কেন বললেন?' জটায়ুর প্রশ্ন।

'কারণ নিস্তারিণী ঝি আবিষ্কার করেছে যে একটা হামানদিস্তা মিসিং। এ পারফেক্ট মার্ডার ওয়েপন।'

'আর ইন্টারেস্টিংটা কী?'

'মুনসীর একটা ডায়রি পাওয়া গেছে যাতে এ বছরের প্রথম দিন থেকে মারা যাবার আগের দিন পর্যন্ত এনট্রি আছে।...চলুন বেরিয়ে পড়ি।'

৮

পেঙ্গুইন যে ডায়রিটা ছাপছিল সেটা ১৯৮৯ ডিসেম্বরে শেষ হয়েছে। পুলিশ যেটা পাণ্ডুলিপি খুঁজতে খুঁজতে মুনসীর শোবার ঘরে পেয়েছে, সেটাতে দৈনিক এনট্রি আছে ১৯৯০ পয়লা জানুয়ারি থেকে মুনসী মারা যাবার আগের রাত, অর্থাৎ ১৩ই সেপ্টেম্বর পর্যন্ত। ডায়রিটা সম্ভবত খাটের পাশের টেবিলে রাখা ছিল। সেখান থেকে মাটিতে পড়ে যায়। পুলিশ সেটাকে মাটিতেই পায়।

ডায়রিটা সোমের কাছ থেকে নিয়ে প্রথম পাতা খুলেই ফেলুদার চোখ কীসে আটকে গেল। কিছুক্ষণ ভ্রুকুটি করে পাতাটির দিকে চেয়ে থেকে আবার যেন সংবিৎ ফিরে পেয়ে পাশে দাঁড়ানো শঙ্করবাবুকে জিজ্ঞেস করল, 'আপনি জানতেন যে আপনার বাবা ডায়রি রাখার অভ্যেসটা শেষদিন পর্যন্ত চালিয়ে গেছেন?'

'একেবারেই না। তবে শুনে যে অবাক হচ্ছি তা নয়, কারণ চল্লিশ বছর একটানা লিখে হঠাৎ বন্ধ করার তো কোনও কারণ নেই।'

'সুখময়বাবু জানতেন এই ডায়রির কথা?'

'সেটা ওকেই জিজ্ঞেস করুন।'

আমরা সকলে বসবার ঘরে জমায়েত হয়েছিলাম। মিনিট খানেকের মধ্যেই সুখময় চক্রবর্তী এলেন। ফেলুদা প্রশ্ন করতে সুখময়বাবু বললেন, 'ডা. মুনসী ডায়রি লিখবেন এতে আশ্চর্যের

কিছু নেই, কিন্তু উনি কাজটা করতেন দিনের শেষে শুতে যাবার আগে। ডায়রিও শোবার ঘরেই থাকত নিশ্চয়ই, এই লাল বই আমি কোনওদিনই দেখিনি।'

'বসুন।'

সুখময়বাবু দাঁড়িয়ে কথা বলছিলেন, ফেলুদা বলতে যেন একটু অবাক হয়েই বসলেন। আমি বুঝলাম ফেলুদা আরও কিছু জিজ্ঞেস করতে চায়।

'সুখময়বাবু', বলল ফেলুদা, 'আপনি নিশ্চয়ই চান যে ডাঃ মুনসীর আততায়ীর উপযুক্ত শাস্তি হোক। তাই নয় কি?'

'আমার দায়িত্ব', বলে চলল ফেলুদা, 'হল সেই আততায়ীকে খুঁজে বার করা। একটা কারণে এখন আমরা বুঝতে পারছি যে আততায়ী এই বাড়িতেই রয়েছেন। সেদিন আমি এই বাড়িতে যাঁরা থাকেন তাদের প্রত্যেককে জেরা করেছি। তার ফলে আমি এখনও কোনও সিদ্ধান্তে আসতে পারিনি। হয়তো আমার তরফ থেকেই যথেষ্ট প্রশ্ন করা হয়নি, এবং যাদের প্রশ্ন করেছি তারা আমার সব প্রশ্নের জবাব দেননি। একটা প্রশ্ন আমি করিনি, আজ করতে চাই।'

'বলুন।'

'একটা ব্যাপারে আমাদের মনে খটকা জেগেছে।'

'কী?'

'শঙ্করবাবুর মতে ডাঃ মুনসী তাঁর লেখা এবং পেশেন্ট ছাড়া আর সবকিছু সম্বন্ধে উদাসীন ছিলেন। কিন্তু আপনি তো তাঁর পেশেন্টও নন, তা হলে আপনার প্রতি তিনি এতটা স্নেহবর্ষণ করবেন কেন? ডায়রিতে পড়েছি পাঁচ বছর আগে আপনার অ্যাপেন্ডিসাইটিস অপারেশন হয়; তার সমস্ত খরচ মুনসী বহন করেন। অপারেশনের পর আপনি দশ দিনের জন্য পুরী যান; সে খরচও তিনি বহন করেন। কেন? এর কোনও কারণ আপনি দেখাতে পারেন? এই পক্ষপাতিত্ব কীসের জন্য?'

'জানি না।'

উত্তরটা আসতে যৎসামান্য দেরি হল সেটা নিশ্চয়ই ফেলুদা লক্ষ করেছে। সেটা তার পরের কথা থেকেই বুঝতে পারলাম।

'আমি আবার বলছি সুখময়বাবু, আপনি সত্যি কথা বললে, বা গোপন না করলে, আমাদের কাজ অনেকটা সহজ হয়ে যায়।'

এবারে উত্তরে দেরি হল না।

'আমি সত্যি বলছি।'

লালমোহনবাবু আমাদের নামিয়ে দিয়ে 'টুমরো মর্নিং' বলে গড়পার ফিরে গেলেন। ফেলুদা সোজা তার শোবার ঘরে ঢুকে দরজাটা ভেজিয়ে দিল। বুঝলাম সে ডায়রিতে মনোনিবেশ করবে। ঘড়িতে এখন তিনটে পঁচিশ।

পাখাটা ফুল স্পিড করে দিয়ে সোফায় গা ছড়িয়ে শুয়ে আমি একটা ন্যাশনাল জিওগ্রাফিক ম্যাগাজিন খুলে অ্যানটার্কটিকার বিষয় চমৎকার সব ছবি সমেত একটা লেখা পড়তে লাগলাম।

সাড়ে চারটেয় শ্রীনাথ চা আনল। আমারটা টেবিলের উপর রেখে ফেলুদার ঘরের দরজায় টোকা দেবার সঙ্গে সঙ্গেই ফেলুদা বেরিয়ে এসে বলল, 'এ ঘরেই চা দাও।'

বুঝতেই পারছি ডায়রিটা পড়া হয়ে গেছে, তাই জিজ্ঞেস করলাম, 'কিছু পেলে?'

ফেলুদা কাউচে বসে পকেট থেকে ডায়রি আর চারমিনারের প্যাকেটটা বার করে টেবিলের উপর রেখে গরম চায়ে একটা ছোট্ট চুমুক দিয়ে বলল, 'তোকে কয়েকটা আইটেম পড়ে শোনাচ্ছি। আমার মনে হয় চিন্তার খোরাক পাবি।'

আমি আগেই লক্ষ করেছিলাম। ডায়রির মাথার দিকটা দিয়ে কয়েকটা ছেঁড়া কাগজ উকি মারছে। ফেলুদা কোনওরকম তাড়াহুড়ো না করে একটা চারমিনার ধরিয়ে প্রথম টুকরো মার্কে ডায়রিটা খুলল।

'শোন, এটা তিন সপ্তাহ আগের এনট্রি। আমি ইংরিজি থেকে বাংলা করছি। 'আজ একটা নতুন পেশেন্ট। রাধানাথ মল্লিক। আমার ঘরে ঢুকে চেয়ারে বসে প্রথমেই পকেট থেকে এক টুকরো কাগজ বার করে হাতের তেলোয় রেখে সেটার দিকে আর আমার দিকে বারকয়েক দেখে কাগজটা দলা পাকিয়ে ওয়েস্ট পেপার বাস্কেটে ফেলে দিল। ওটা কী ফেললেন জিজ্ঞেস করাতে ভদ্রলোক বললেন, টেলিগ্রাফের খবর আপনার ছবি সমেত। আমি বললাম, আপনি কি যাচাই করে নিলেন ঠিক লোকের কাছে এসেছেন কিনা? এবারে একটা ছোটখাটো বিস্ফোরণ হল। "আমি কাউকে বিশ্বাস করি না, কাউকেই না! যাচাই করে নিতে হবে বইকী!"...পার্সিকিউশন মেনিয়া।'

চার পাতা পরে দ্বিতীয় এনট্রি।

'শোন—আর. এম.-কে নিয়ে সমস্যা। সে নিজের বাড়িতে একদণ্ড টিকতে পারে না। তার দাদা, তার পড়শি সকলেই তার মনে আতঙ্কের সঞ্চার করছে। ডিফিকাল্ট কেস। আমি বলেছি

কাল থেকে যেন সে আমার এখানে চলে আসে। দুটো ঘর তো খালি পড়ে আছে দোতলায়; তার একটাতেই থাকবে।'

তৃতীয় এনট্রি, এটাও দিন চারেক পরে।

'আর, এম.-কে নিয়ে সমস্যা মিটছে না। আজ ওকে কাউচে শোয়ানোর আগে ও আমার আপিসে এসে বসেছিল। আমি তখন বিলেত থেকে সদ্য আসা একটা জরুরি চিঠি পড়ছি। পড়া শেষ করে ওর দিকে চেয়ে একটা আশ্চর্য ব্যাপার দেখলাম। আমার ভারী কাচের পেপার ওয়েটটা হাতে নিয়ে ও কেমন যেন অদ্ভুত ভাবে আমার দিকে চেয়ে আছে। ও যদি আমাকেও ওর শত্রুপক্ষ মনে করে তা হলে তো মুশকিল।'

চার নম্বর এনট্রি।

'আমার ওষুধের শিশিটা ভুল করে আপিস ঘরে ফেলে এসেছিলাম; রাত্রে শোবার আগে সেটা আনতে গিয়ে প্যাসেজ থেকেই বুঝলাম ঘরে বাতি জ্বলছে। ভেবেছিলাম হয়তো সুখময় কোনও কাজ করছে, কিন্তু গিয়ে দেখি শঙ্কর। সে আমার দিকে পিঠ করে ঝুঁকে পড়ে টেবিলের নীচের দেরাজটা বন্ধ করছে। আমায় দেখে ভারী অপ্রস্তুত হয়ে বলল ওর এয়ার মেল খাম ফুরিয়ে গেছে তাই এখানে আছে কিনা দেখতে এসেছিল। আমি ওকে দুটো খাম দিয়েছিলাম।...ওই দেরাজেই থাকে আমার পাণ্ডুলিপি।'

এরপরে একেবারে শেষ পাতায় শেষ এনট্রি। এর সঙ্গে রাধাকান্ত মল্লিকের কোনও যোগ নেই,আর এটা সত্যিই রহস্যজনক।

'কী ভুলই করেছিলাম!...যাক, তবু যে ভুলটা ভেঙেছে! কিন্তু "আর"-এর জের কি তা হলে অনির্দিষ্টকাল ধরে চলবে? নাকি ওটা নিয়ে অযথা চিন্তা করছি?'

ফেলুদা ডায়রিটা বন্ধ করে একটা দীর্ঘশ্বাস ফেলে বলল, 'অদ্ভুত কেস!'

'তার মানে রহস্যের জট এখনও ছাড়াতে পারনি?'

'না, তবে কীভাবে প্রোসিড করতে হবে তার একটা ইঙ্গিত পেয়েছি। এবার কিছু দৈহিক পরিশ্রম আছে। রুটিন এনকোয়ারি। তুই জটায়ুকে ফোন করে বলে দে কাল যেন সকালে না এসে বিকেলে আসেন। সকালে আমি থাকছি না।'

৯

ফেলুদা পরদিন সকাল আটটায় বেরিয়ে আড়াইটেয় ফিরল। ও নাকি বাইরেই লাঞ্চ সেরে নিয়েছে। কাজ হল কিনা জিজ্ঞেস করতে ঠিক ভরসা পাচ্ছিলাম না। কারণ ওর মধ্যে একটা চাপা উত্তেজনা লক্ষ করছিলাম; তার মানে সাক্সেস না ফেইলিওর সেটা বুঝতে পারছিলাম না।

ফেলুদা সোফায় বসার আগে দুটো ফোন করল, একটা শঙ্কর মুনসীকে, অন্যটা ইনস্পেক্টর সোমকে। দুজনকেই একই ইনস্ট্রাকশন, আগামীকাল সকাল দশটায় সুইনহো স্ট্রিটে বৈঠকে সবাই যেন উপস্থিত থাকে।

এবার একটা চারমিনার ধরিয়ে ফেলুদা সোফায় বসে সামনের টেবিলের উপর পাটা ছড়িয়ে দিয়ে বলল, 'আমারও মুনসীর মতো বলতে ইচ্ছা করছে, কী ভুলই করেছিলাম!...রহস্য উদ্‌ঘাটনের চাবি সবকটা চোখের সামনে পড়ে আছে, অথচ দেখতে পাচ্ছিলাম না।'

আমি একটা কথা না জিজ্ঞেস করে পারলাম না।

'অপরাধীকে আমরা চিনি তো?'

'নিশ্চয়ই', বলল ফেলুদা। 'তোর যখন এত কৌতূহল, তখন আমি তোকে কয়েকটা প্রশ্ন

করছি যেগুলোর উত্তর ঠিকমতো দিতে পারলে হয়তো তুই নিজেই সমস্যার সমাধান করতে পারবি।'

আমি চুপ, বুক ঢিপ ঢিপ।

'এক, নতুন ডায়রিটায় লক্ষ করার মতো বিশেষ কিছু দেখলি?'

'একটা ব্যাপারে খটকা লাগল।'

'কী?'

'খুনের আগের রাত পর্যন্ত ডায়রি লিখে গেছেন ভদ্রলোক, কিন্তু "আর" আসার কোনও উল্লেখ নেই।'

'এক্সলেন্ট! দুই, বিসর্জন কথাটা বলতে প্রথমেই কী মনে হয়?'

'নাটক। রবীন্দ্রনাথ।'

'হল না।'

'দাঁড়াও দাঁড়াও! জল...জলে কিছু ফেলে দেওয়া।'

'গুড। তিন, নেমেসিস কাকে বলে জানিস?'

'নেমেসিস?'

'হ্যাঁ।'

'ইংরিজি কথা?'

'উঁহু। গ্রিক।'

'ওরে বাবা, সে কী করে জানব?'

'তা হলে শিখে নে। অপরাধ করে যে শাস্তি সাময়িকভাবে এড়িয়ে গেলেও একদিন-না-একদিন ভোগ করতেই হবে বলে নেমেসিস। এই নেমেসিস-এরই ভয় পাচ্ছিল "এ", "জি" আর "আর"।'

আমার ব্যাপারটা খুবই ইন্টারেস্টিং লাগছিল, তাই ফেলুদা চুপ করে আছে দেখে বললাম, 'আরও আছে?'

'আর একটা বলব। বেশি বললে কালকের নাটকটা জমবে না।'

'ঠিক আছে।'

'ফিজিশিয়ান হিল দাইসেল্‌ফ, মানে জানিস?'

'এ তো ইংরিজি প্রবাদ, ডাক্তার, আগে নিজের ব্যারাম সারাও।'

'আরেকটা শেষ কথা বলে দিচ্ছি তোকে, "সাজা" কথাটার অনেকগুলো মানে পাবি অভিধানে, তার মধ্যে দুটো মানে নিয়ে আমাদের কারবার।'

'বুঝেছি।'

চা দেবার মিনিট দশেক আগে জটায়ু এসে হাজির। কাউচে বসেই প্রথম প্রশ্ন হল, 'আমরা কোন স্টেজে আছি?'

উত্তরে ফেলুদা 'মিনার্ভা' বলে লালমোহনবাবুকে অসম্ভব ভ্রূকুটি করতে দেখে বলল, 'পেনালটিমেট।'

'পেনালটি, কী বললেন?'

'আপনার ইংরিজিটা আর রপ্ত হল না কিছুতেই। পেনালটিমেট মানে লাস্ট বাট ওয়ান।'

'লাস্ট স্টেজে পৌঁছাচ্ছি কবে?'

'কাল সকাল দশটায় মুনসী প্যালেসে সর্বসমক্ষে যবনিকা উত্তোলন।'

'আর পতন?'

'ধরুন তার আধ ঘণ্টা বাদে।'

'চারজনের উপর তো সন্দেহ—'

'হ্যাঁ, ইনি, মিনি, মাইনি, মো।'

'উঃ, কথায় কথায় আপনার এই প্রগল্‌ভতা অসহ্য। এইটে অন্তত বলুন যে শঙ্কর, সুখময়, রাধাকান্ত—'

ফেলুদা হাত তুলে বাধা দিয়ে বলল, 'আর স্পিক-টি-নট। এইখানেই দাঁড়ি।'

'আপনি দিন দাঁড়ি। আমার বলা শেষ হয়নি। নাটকের ক্লাইম্যাক্স আমার হাতে, আপনার হাতে নয়। এটা ওয়ার্নিং দিয়ে দিলুম।'

'আপনি যে ভয় পাইয়ে দিচ্ছেন।'

'ভয়ের কিস্যু নেই। আপনার সিংহাসন কেউ টলাতে পারবে না। আর তারিফের সিংহভাগ আপনিই পাবেন তাতে সন্দেহ নেই। কিন্তু সিংহাসনের পাশে একটা ছোট্ট স্পেশাল আসন, আর তারিফের পাশে একটি মিনি-তারিফ, এ দুটো আমার বরাদ্দ থাকবেই।'

পরদিন ভোরে এক পশলা বৃষ্টি হওয়াতে আমাদের পাড়াতে কিছুটা জল জমেছিল, তাও ঠিক

সাড়ে ন'টার সময় বগলে ছাতা, কাঁধে ঝোলা আর মুখে হাসি নিয়ে লালমোহনবাবু এসে হাজির। 'তপেশ ভাই', কাউচে বসে বললেন ভদ্রলোক, 'জগন্নাথকে বোলো যেন আজ খিচুড়ি করে। নাটকের পর মধ্যাহ্ন ভোজনটা এখানেই সারব।'

চা খেয়ে দশটার পাঁচ মিনিট আগেই আমরা সুইনহো স্ট্রিটে পৌঁছে গেলাম। আমাদের আগেই পুলিশ হাজির; ইনস্পেক্টর সোম ফেলুদাকে গুড মর্নিং করে বললেন, 'আমি আপনার মেথড তো জানি। তাই সকলকেই বৈঠকখানায় জমায়েত হতে বলে দিয়েছি, বেয়ারা বসার ব্যবস্থা করে দিয়েছে, কেবল মিসেস মুনসীরও থাকার দরকার কিনা সেটা জানার ছিল।'

ফেলুদা মাথা নেড়ে বলল, 'উনি না থাকাটাই বাঞ্ছনীয়।'

সবাই যে যার জায়গা নিয়ে বসতে বসতে একতলায় বড় ঘড়িতে ঢং ঢং করে দশটা বাজল। ফেলুদা উঠে দাঁড়িয়ে একবার চারদিকে দেখে নিয়ে ঘড়ির শেষ ঢং-এর রেশটা মিলিয়ে যেতেই কথা আরম্ভ করে দিল।

'আমি প্রথমেই শঙ্করবাবুকে একটা প্রশ্ন করতে চাই।'

শঙ্করবাবু ঘরের উলটোদিকে বসেছিলেন। তাঁর দৃষ্টি ফেলুদার দিকে ঘুরল। ফেলুদা বলল, 'আমি সেদিন যখন বললাম যে ডাঃ মুনসী তাঁর ডায়রিতে অনেকবার আপনার উল্লেখ করেছেন, তা শুনে আপনি বিস্মিত হন। এবং আমি যখন বললাম যে তিনি আপনার সম্বন্ধে নিশ্চয় সত্যি কথাই বলেছেন তখন আপনি বেশ বিরক্ত হয়েই বললেন, "বাবা আমাকে চিনলেন কবে, কীভাবে, তিনি তো তাঁর রুগি নিয়েই পড়ে থাকতেন।" শঙ্করবাবু আপনি কেন ধরে নিলেন যে বাবা আপনার সম্বন্ধে অপ্রিয় কথাই বলেছেন? আমি তো কিছুই বলিনি।'

'কারণ বাবা সামনা-সামনি আমার কখনও প্রশংসা করেননি।'

'নিন্দে করেছেন কি?'

'না, তাও করেননি।'

'তা হলে আপনিই বা আপনার সম্বন্ধে ডাঃ মুনসীর প্রকৃত মনোভাব কী করে জানলেন?'

'ছেলে তার বাবার মন জানবে না কেন? সে তো অনুমান করতে পারে।'

'বেশ, এবার আরেকটা কথায় আসি। আমি গতকাল দুপুরে একবার আপনাদের এখানে এসেছিলাম। এ বাড়িতে ভৃত্যস্থানীয় যারা আছে তাদের ডেকে ডেকে আমি কয়েকটা প্রশ্ন করি। একটা প্রশ্ন আপনাকে নিয়ে; সেটার উত্তর দেয় আপনাদের মালী গিরিধারী। প্রশ্নটা ছিল, আপনার বাবার খুনের দিন সে আপনাকে ভোরে বেরোতে দেখেছিল কিনা। মালী বলে, হ্যাঁ দেখেছিল। তখন আমি জিজ্ঞেস করি আপনি খালি হাতে বেরোন কিনা। উত্তরে মালী বলে, না। আপনার হাতে একটা কালো চামড়ার ব্যাগ ছিল। বর্ণনায় বুঝি সেটা ব্রিফকেস বা পোর্টফোলিও জাতীয় ব্যাগ। এই ব্যাগে কী ছিল সেটা বলবেন কি?'

শঙ্করবাবু চুপ। তাঁর নিশ্বাস জোরে জোরে পড়তে শুরু করেছে।

'আমি বলব কী ছিল?' বলল ফেলুদা। শঙ্করবাবু নিরুত্তর। ফেলুদা বলল, 'ব্যাগে ছিল আপনার বাবার ডায়রির পাণ্ডুলিপি। ডাক্তারের সঙ্গে দেখা করে, বা করার আগে, আপনি সেটা লেকের জলে বিসর্জন দেন তবে তার কারণ', ফেলুদার গলা চড়ে ওঠে, 'আপনি ডায়রিটা পড়ে দেখেছেন যে আপনার বাবা আপনার সম্বন্ধে একটিও প্রশংসাসূচক কথা বলেননি। তিনি—'

ফেলুদার গলা ছাপিয়ে শঙ্করবাবু বলে উঠলেন, 'ইয়েস, ইয়েস! এই বই ছাপা হলে আমার রোজগারের রাস্তা চিরকালের জন্য বন্ধ হয়ে যেত। অলস, উদ্যমহীন, ইরেসপন্‌সিব্‌ল, অস্থিরমতি, কী না বলেননি উনি আমাকে।'

'রাইট', বলল ফেলুদা। 'তা হলে এটাও স্বীকার করুন যে সেদিন গলার স্বর পালটিয়ে "আর"-এর ভূমিকা নিয়ে আপনিই আমাকে ফোনটা করে আপনার বাবা সম্বন্ধে ঝুড়ি ঝুড়ি মিথ্যে

কথা বলেছিলেন, সন্দেহ যাতে আপনার উপর না পড়ে?'

শঙ্করবাবু দাঁড়িয়ে উঠেছিলেন, এবার ধপ্‌ করে বসে পড়লেন।

'"আর"-এর কথাই যখন উঠল', বলল ফেলুদা, 'তখন ব্যাপারটা আরেকটু তলিয়ে দেখা যাক।'

ফেলুদার দৃষ্টি এবার বাঁয়ে বসা সুখময়বাবুর দিকে ঘুরল।

'আমি এবার আপনাকে একটা প্রশ্ন করতে চাই।'

'করুন।'

'ইংরিজিতে যাকে হাঞ্চ বলা হয়, সেই হাঞ্চের উপর নির্ভর করে আমি গতকাল সকালে একবার সাঁইত্রিশ নম্বর বেলতলা রোডে যাই। সকলের অবগতির জন্য বলছি। এটা হল সুখময়বাবুর বাড়ির নম্বর। আমার মনে হচ্ছিল উনি কিছু তথ্য গোপন করে যাচ্ছেন, এবং হয়তো ওঁর বাড়ির লোকের সঙ্গে কথা বললে কিছুটা আলোর সন্ধান পাওয়া যেতে পারে।'

ফেলুদার দৃষ্টি ঘুরে গিয়েছিল, এখন আবার ফিরে এল সুখময়বাবুর দিকে।

'আপনার মা-র সঙ্গে কথা বলে জানতে পারি আপনার বাবার মৃত্যু হয় চব্বিশ বছর আগে, গাড়ি চাপা পড়ে।...এই তথ্যটি কি ডাঃ মুনসী জানতেন?'

দৃষ্টি মেঝে থেকে না তুলেই উত্তর দিলেন সুখময়বাবু।

'জানতেন। ইনটারভিউ-এর সময়, আমার বাবা সাঁইত্রিশ বছর বয়সে মারা যান জেনে ডাঃ মুনসী জিজ্ঞেস করেন কীসে তাঁর মৃত্যু হয়।'

'খুব সতর্ক লোকেরও কেমন ভুল হয় তার একটা উদাহরণ দিই। শঙ্কর মুনসী যখন আমার বাড়িতে আসেন তখন তিনি নিজের পরিচয় দিতে বলেন যে তিনি ডাঃ রাজেন মুনসীর ছেলে। এই রাজেন নামটা আমার মাথা থেকে বেমালুম লোপ পেয়ে যায়; যেটা থেকে যায় সেটা হল "ডাঃ মুনসী"। কাল ওঁর লাল ডায়রি খুলে প্রথম পাতাতেই "আর মুনসী" দেখে আমি চমকে উঠি। তা হলে কি ডাঃ মুনসী নিজেই তাঁর ডায়রির "আর", এবং তিনিই গাড়ি চাপা দিয়ে লোক মেরে চতুর্দিকে ঘুষ দিয়ে আইনের কবল থেকে নিজেকে বাঁচান, আর সেই মৃত ব্যক্তিরই ছেলে তাঁরই কাছে আসে চব্বিশ বছর পরে চাকরির ইন্টারভিউ দিতে?'

'ভুল, ভুল, ভুল!' চেঁচিয়ে উঠলেন সুখময়বাবু। 'আমার বাবাকে যিনি চাপা দেন তাঁর উপযুক্ত শাস্তি হয়।'

'সে কথা কি ডাঃ মুনসী জানতেন?'

'না। তাঁর ধারণা ছিল তিনিই আমার বাবার মৃত্যুর জন্য দায়ী। আসল ঘটনা তিনি জানতে পারেন মৃত্যুর আগের দিন।'

'কীভাবে?'

'উনি আমাকে ডেকে বলেন যে ওঁর একটা স্বীকারোক্তি করার আছে যেটা না করলে উনি শান্তি পাবেন না। স্বীকারোক্তিটা কী জানতে পেরে আমি বলি, ডাঃ মুনসী, আপনি ভুল করছেন; আমার বাবাকে যিনি চাপা দেন তাঁর শাস্তি হয়েছিল। কথাটা শুনে উনি স্তম্ভিত হয়ে যান। আর আমিও বুঝতে পারি কেন তিনি আমার উপর এত সদয় ছিলেন।'

ঘরের উলটোদিক থেকে একটা ছোট্ট, শুক্‌নো হাসি শোনা গেল। শঙ্করবাবু।

'কিছু বলবেন?' ফেলুদা জিজ্ঞেস করল।

'না বললে আপনি আরও বেশি ভুল পথে গিয়ে পড়বেন।'

'মানে?'

'আমার বাবা জীবনে কখনও গাড়ি চালাননি।'

'সে তথ্য আমার অজানা নয়, শঙ্করবাবু। মালীর সঙ্গে কথা বলার পর আপনার ড্রাইভারের

সঙ্গে আমার কথা হল।'

'সে কী বলে?'

'ত্রিশ বছর সে আপনাদের ড্রাইভারি করেছে, তার মধ্যে সে মাত্র একটা অ্যাক্সিডেন্ট করেছে। তাতে আপনার বাবার তাড়া ছিল বলে অনিচ্ছা সত্ত্বেও জনবহুল রাস্তায় তাকে জোরে গাড়ি চালাতে হচ্ছিল। তাই যখন দুর্ঘটনাটা ঘটে তখন ডাঃ মুনসী খানিকটা নিজেকেই দায়ী করেন। ড্রাইভারের যাতে দণ্ড না হয় তার জন্য তিনি যা করবার সবই করেছিলেন। তা সত্ত্বেও ড্রাইভারের অনুতাপ আর আতঙ্ক কিছুতেই যাচ্ছিল না। তখন মুনসী তার চিকিৎসা করে তাকে ভাল করে তোলেন। অর্থাৎ আপনার বাবা ডায়রিতে একটুও মিথ্যে লেখেননি। এবং "আর" হচ্ছে নট রাজেন মুনসী, বাট ড্রাইভার রঘুনন্দন তেওয়ারি।'

'বাট হু কিল্‌ড মাই ফাদার?' অসহিষ্ণুভাবে চেঁচিয়ে উঠলেন শঙ্কর মুনসী।

'এসব ব্যাপারে একটু ধৈর্য ধরতে হয়, মিঃ মুনসী', গম্ভীর স্বরে বলল ফেলুদা। তারপর মুনসীর দিক থেকে তার দৃষ্টি ঘুরে একটি অন্য ব্যক্তির উপর গিয়ে পড়ল। 'এ ঘরে একজন ব্যক্তি আছেন যাঁকে আমরা অসুস্থ বলে জানি', বলল ফেলুদা। 'এর আগে তিনি দুবার আমাদের সামনে উপস্থিত হয়েছেন, এবং দুবারই নানান অঙ্গভঙ্গির সাহায্যে নিজেকে অসুস্থ বলে প্রতিপন্ন করার চেষ্টা করেছেন। আজ তাঁকে দেখছি তিনি সম্পূর্ণ সুস্থ মানুষের চেহারা নিয়ে আমার ভাষণ শুনছেন। মিঃ মল্লিক—আপনি কি আপনা থেকেই সেরে গেলেন?'

রাধাকান্ত মল্লিক হঠাৎ যেন শক্ খাওয়া মানুষের মতো চমকে উঠলেন।—'কী—কী বলছেন বলুন।'

'বলছি যে আমার জেরায় সকলেই অল্পবিস্তর মিথ্যা বলেছেন বা সত্য গোপন করে গেছেন, কিন্তু আপনি সবাইকে টেক্কা দিয়েছেন।'

মল্লিক এখনও এক দৃষ্টে ফেলুদার দিকে চেয়ে, তার মনের ভাব বোঝার কোনও উপায় নেই। ফেলুদা বলল, 'আপনি বলেছিলেন পপুলার ইনশিওরেন্সে কাজ করেন। আমি সেটা ভেরিফাই করতে সেখানে গিয়েছিলাম। গিয়ে শুনলাম আপনি আর সেখানে নেই, চার মাস হল ছেড়ে দিয়েছেন। আপনি কি তা হলে বেকার। না অন্য কোথাও কাজ করছেন? ইনশিওরেন্স অফিসে এ প্রশ্নের জবাব কেউ দিতে পারল না বলে আপিস থেকেই আপনার বাড়ির ঠিকানা জোগাড় করে আমি সেখানে গিয়েছিলাম। সতীশ মুখার্জি রোড, তাই না?'

মল্লিক এখনও চুপ, তার দৃষ্টি সামনের দিকে।

'সত্য, এ মামলায় বিস্ময়ের শেষ, নেই', বলে চলল ফেলুদা। 'আপনি ডাঃ মুনসীকে বলেছিলেন আপনার বাবা, আপনার দাদা, সকলেই আপনার মনে আতঙ্কের সঞ্চার করেছে। অথচ আপনার বাড়ি গিয়ে দেখি আপনার বাবা দাদা, কেউই নেই। বাবা মারা গেছেন প্রায় পঁচিশ বছর হল, আর দাদা বলে কেউ কোনওদিন ছিলই না। আপনার বিধবা মা-র কাছ থেকে জানি যে আপনি একটা যাত্রা কোম্পানিতে যোগ দিয়েছেন এবং বর্তমানে টুরে আছেন।'

এবার রাধাকান্ত মল্লিক মুখ খুললেন।

'আমি যে সত্যবাদী যুধিষ্ঠির এটা আমি কোনওদিনই ক্লেম করিনি। কিন্তু আপনি কী বলতে চান? আমি খুন করেছি?'

'আমি ধাপে ধাপে এগোই, মল্লিকমশাই, লাফে লাফে নয়। আপনি খুনি কিনা সে ব্যাপারে পরে আসছি; প্রথমে দেখছি আপনি প্রবঞ্চক। মনোবিকারের অভিনয় করে আপনি মুনসীর কাছে এসেছিলেন চিকিৎসার জন্য। আপনি—'

'কেন এসেছিলাম সেটা জানেন আপনি?' ফেলুদাকে বাধা দিয়ে জোরালো গলায় বললেন মল্লিক।

'এটা আপনার মা-র কাছ থেকে জানি যে আপনার বাবা গাড়ি চাপা পড়ে মারা যান, যিনি চাপা দেন তাঁর কোনও শাস্তি হয়নি, এবং গাড়ির মালিক এসে আপনার মা-র হাতে পাঁচ হাজার টাকা তুলে দেন ক্ষতিপূরণ হিসেবে।'

'ইয়েস!' চেঁচিয়ে উঠলেন রাধাকান্ত মল্লিক। 'তখনই দেখি আমি ভদ্রলোককে, আর তারপরে ছবি দেখি কাগজে এই সেদিন। সেই একই চেহারা, আর দেখেই স্থির করি যে একে বাঁচতে দেওয়া চলে না। কল্পনা করতে পারেন? একটা বারো বছরের ছেলে, বাবার পিছনে পিছনে ট্রাম থেকে নামছে। চোখের সামনে বাবা মোটরের তলায় তলিয়ে গেল! ওঃ, কী ভয়ংকর দৃশ্য! আজও মনে পড়লে শরীর শিউরে ওঠে। মাসের পর মাস ধরে মা-কে জিজ্ঞেস করেছি, যে লোকটা বাবাকে চাপা দিল তার শাস্তি হবে না? "বড় লোকদের শাস্তি হয় না! বাবু, বড় লোকেরা পার পেয়ে যায়।"...আর তারপর হঠাৎ খবরের কাগজে ছবি! এক মুহূর্তে মনস্থির করে ফেলি। এর শাস্তি হবে। আর সে শাস্তি দেব আমি!'

'তারপরেই মনোবিকারের অভিনয় করার সিদ্ধান্ত?'

'হ্যাঁ, কিন্তু খুন করা যে এত কঠিন কে জানত? বুঝতে পারছিলাম এ জিনিস চট করে হবার নয়; সময় লাগবে আমার মনকে শক্ত করতে। শেষকালে মন শক্ত হল, অস্ত্র জোগাড় হল...মুনসীরই আপিস ঘরের একটা পেপার নাইফ। বাবার দেহ থেকে যে রক্ত বেরোতে দেখেছি। তাঁর হত্যাকারীর দেহ থেকেও রক্তপাত না হলে উপযুক্ত শাস্তি হবে না। তারপর—'

'তারপর কী, মল্লিকমশাই?'

'অদ্ভুত ব্যাপার, অদ্ভুত ব্যাপার! ছোরা হাতে নিয়ে ঘরে ঢুকেছি। পশ্চিমের জানালা দিয়ে চাঁদের আলো এসে মুনসীর উপর পড়েছে। মুখ হাঁ, আধ খোলা চোখে নিষ্প্রাণ চাউনি। নিশ্বাস-প্রশ্বাসের শব্দ নেই! আমি খুন করব কী? সে লোক তো অলরেডি, ডেড, ডেড, ডেড!'

তৃতীয় 'ডেড' কথাটা বলার সঙ্গে সঙ্গে ঘরে একটা ধুপ করে শব্দ হল।

সেটার কারণ হচ্ছে ডাঃ মুনসীর শালা চন্দ্রনাথবাবু। তিনি সংজ্ঞা হারিয়ে চেয়ার থেকে উলটে মেঝেতে পড়েছেন।

সোম তাঁর দিকে দৌড়ে গেলেন। আর সেই সঙ্গে ফেলুদা বলে উঠল, 'দেখে নিন, মিঃ মুনসী। আপনার মামা, আপনার মা-র যমজ ভাই। হি কিল্‌ড ইওর ফাদার!'

'মানে?' হঠাৎ থাকতে না পেরে চেঁচিয়ে উঠলেন জটায়ু, 'মোটিভ?'

ফেলুদার দৃষ্টি আবার শঙ্করবাবুর দিকে গেল। 'আপনি বলতে পারেন না, শঙ্করবাবু? আপনি তো ডায়রিটা পড়েছেন?'

শঙ্করবাবু ধীরে ধীরে মাথা নেড়ে হ্যাঁ বললেন।

'মানুষকে চেনা এত সহজ নয়, শঙ্করবাবু', বলল ফেলুদা। 'জানোয়ারের সঙ্গে মানুষের আসল তফাত, জানোয়ার ভান করতে জানে না, অভিনয় জানে না, মনের ভাব লুকোতে জানে না।... ডাঃ মুনসী আপনার মা সম্বন্ধে মোটেই উদাসীন ছিলেন না। থাকলে ডায়রিটা তাঁকে কখনই পড়তে দিতেন না। কখনই সে ডায়েরি তাঁকে উৎসর্গ করতেন না। ব্যাপারটা আসলে উলটো। ঔদাসীন্য যদি কারুর তরফ থেকে হয়ে থাকে তিনি হলেন আপনার বিমাতা, যিনি তাঁর সমস্ত স্নেহ, ভালবাসা, চিন্তা, ভাবনা, ঢেলে দিয়েছিলেন তাঁর অকর্মণ্য ভাইয়ের উপর।'

'...এবার খুনের মোটিভটা কী? সেটা কি একবার সমবেত সকলকে বলবেন?' প্রায় যান্ত্রিক মানুষের মতো কথা বেরোল শঙ্করবাবুর মুখ থেকে।

'বাবার উইলে চার ভাগ পাবে মনস্তাত্ত্বিক সংস্থা, চার ভাগ আমি, আর আট ভাগ আমার মা।'

ইতিমধ্যে মি. সোমের পরিচর্যায় চন্দ্রনাথবাবুর জ্ঞান ফিরেছে। ফেলুদা তাকে উদ্দেশ করে প্রশ্ন করল, 'খুন করার সিদ্ধান্ত কি আপনার?'

চন্দ্রনাথবাবু মাথা নাড়লেন, তাঁর দৃষ্টি মেঝের কার্পেটের দিকে। একটা দীর্ঘশ্বাসের পর কথা বেরোল, এত ক্ষীণ, যে বেশ কষ্ট করে বুঝতে হয়।

'না। সিদ্ধান্ত...ডলির। ডলিই আমার হাতে...হামানদিস্তা তুলে দেয়।'

'হুঁ, বুঝেছি।' ফেলুদা যেন বেশ ক্লান্তভাবেই চেয়ারে বসে পড়ল। 'শুধু একটা আপশোস, গভীর আপশোস...ডায়রিটা বেরোলে নিঃসন্দেহে সাহিত্যিক হিসাবে ডাঃ মুনসীর সুনাম হত। সেই ডায়রি এখন সলিলগর্ভে!'

'অ্যাটেনশন! স্পটলাইট!'

ঘর কাঁপিয়ে সবাইকে চমকে দিয়ে চেঁচিয়ে উঠলেন জটায়ু। সবাই তাঁর দিকে দেখছে দেখে একটা অদ্ভুত হেসে কাঁধের ঝোলা থেকে একটানে একটা ফাইল বার করে সেটাকে মাথার উপর তুলে ঝাণ্ডার মতো নাড়তে নাড়তে বললেন, 'জলে যায়নি! জলে যায়নি! হিয়ার ইট ইজ!'

'ডাঃ মুনসীর পাণ্ডুলিপি?' অবাক হয়ে প্রশ্ন করল ফেলুদা। 'সেটা কী করে হয়?'

'ইয়েস স্যার! থ্যাঙ্কস টু বিজ্ঞানের অগ্রগতি। একদিনে পড়া হবে না বলে এটা জিরক্স করিয়ে

রেখেছিলাম, জিরক্স! এক্স ই আর ও এক্স!...নিন সুখময়বাবু, টাইপিং শুরু করে দিন, শেষ হলে পর সোজা নর্থ পোল।'

এখানে অবিশ্যি একটা জটায়ু মার্কা ভুল হল, পেঙ্গুইন নর্থ পোলে থাকে না, থাকে সাউথ পোলে।

গোলাপী মুক্তা রহস্য

'সোনাহাটিতে দেখবার কী আছে মশাই ?' লালমোহনবাবু প্রশ্ন করলেন।

"বাংলায় ভ্রমণ"-এ যা বলছে, তাতে একটা পুরনো শিবমন্দির থাকা উচিত, আর একটা বড় দিঘি থাকা উচিত। নাম বোধহয় মঙ্গলদিঘি। ওখানকার এককালের জমিদার চৌধুরীদের কীর্তি। সোনাহাটি বিশ বছর আগে অবধি ছিল একটা গাঁ। এখন ইস্কুল, হাসপাতাল, হোটেল সবই হয়েছে।'

লালমোহনবাবু ঘড়ি দেখলেন। এটা সম্প্রতি কেনা একটা কোয়ার্টজ্ ঘড়ি। বললেন, 'সাংঘাতিক অ্যাকিউরেট টাইম রাখে।'

'আর দশ মিনিট,' ঘড়ি দেখে বললেন ভদ্রলোক।

আমরা তিনজন এবং আরেকটি ভদ্রলোক—নাম নবজীবন হালদার—সোনাহাটি যাচ্ছি ওখানকার রিক্রিয়েশন ক্লাব থেকে নেমন্তন্ন পেয়ে। ওরা ফেলুদা আর নবজীবনবাবুকে সংবর্ধনা দেবে ওদের বাৎসরিক অনুষ্ঠানে। নবজীবনবাবু ইতিহাসের নামকরা অধ্যাপক, বই-টইও আছে দু-তিনটে। আমরা থাকব দুদিন, ওখানকার সবচেয়ে নামকরা বড়লোক পঞ্চানন মল্লিকের গেস্ট হয়ে। মল্লিক হলেন রিক্রিয়েশন ক্লাবের প্রেসিডেন্ট। তাঁর নাকি নানারকম পুরনো জিনিসের সংগ্রহ আছে।

'আপনি যে এই নেমন্তন্ন অ্যাক্সেপ্ট করবেন সেটা কিন্তু আমি ভাবিনি,' ফেলুদাকে উদ্দেশ করে বললেন জটায়ু।

ফেলুদা বলল, 'আর কিছু না—দুদিনের জন্য যদি কলকাতার বিষাক্ত বায়ু থেকে রেহাই পাওয়া যায় তো মন্দ কী ? তা ছাড়া ওখানে আমার এক কলেজের সহপাঠী আছে, নাম সোমেশ্বর সাহা। ওকালতি করে।'

আমাদের ট্রেন মোটামুটি ঠিক সময়ই সোনাহাটি পৌঁছে গেল। আমরা নামতেই একটা দল আমাদের দিকে এগিয়ে এল—তাদের মধ্যে দুজনের হাতে ফুলের মালা। একজন ফেলুদার গলায় মালা পরিয়ে নমস্কার করে বলল, 'আমি ক্লাবের সেক্রেটারি—নরেশ সেন। আমিই আপনাকে চিঠিটা লিখেছিলাম।'

নবজীবনবাবুকেও মালা পরানো হয়েছিল। এবার একজন মাঝবয়সী ভদ্রলোক—সিল্কের পাঞ্জাবিতে সোনার বোতাম—এগিয়ে এলেন। নরেশ সেন বলল, 'ইনিই হচ্ছেন আমাদের ক্লাবের প্রেসিডেন্ট পঞ্চানন মল্লিক।'

মল্লিকমশাইয়ের মুখে স্বাগতম হাসি। বললেন, 'আপনারা যে আমাদের আমন্ত্রণে সাড়া দিয়েছেন সেটা আমাদের পক্ষে গৌরবের বিষয়। আমার বাড়িতে আপনাদের থাকার ব্যবস্থা হয়েছে। আশাকরি কোনও অসুবিধা হবে না। বড় শহরের সব ফ্যাসিলিটিজ তো এখানে পাবেন না।'

'ও নিয়ে আপনি কোনও চিন্তা করবেন না,' বলল ফেলুদা।

'আপনিও তো শুনিচি খ্যাতিমান ব্যক্তি,' লালমোহনবাবুর দিকে ফিরে বললেন ভদ্রলোক।

'আমি লিখি-টিখি আর কী,' বিনয়ী হাসি হেসে বললেন জটায়ু।

মল্লিকমশাইয়ের নীল অ্যাম্বাসাডর স্টেশনের বাইরেই অপেক্ষা করছিল, আমরা পাঁচজন তাতে উঠে পড়লাম—আমি আর জটায়ু সামনে।

'আপনার সংগ্রহের কথা শুনেছি,' গাড়ি রওনা হবার পর বলল ফেলুদা। 'বোধহয় কাগজেও দেখেছি।'

'হ্যাঁ—ওটা আমার অনেকদিনের শখ। অনেক রকম জিনিস আছে আমার কাছে। হালদারমশাইও ইন্টারেস্ট পাবেন, কারণ বেশ কিছু জিনিসের সঙ্গে ইতিহাস জড়িয়ে আছে। আমার লেটেস্ট সংগ্রহ হল মহর্ষির জুতো।'

'মহর্ষির জুতো ? সেটা কী ব্যাপার ?' ঘাড় ঘুরিয়ে জিজ্ঞেস করলেন লালমোহনবাবু।

'সে ঘটনা জানেন না ? হালদারমশাই নিশ্চয়ই জানেন।'

'কী ব্যাপার ?'

'মহর্ষি দেবেন্দ্রনাথ। তখন যুবা বয়স, খুব শৌখিন লোক। ঐশ্বর্যে ডুবে আছেন। একবার এক জায়গা থেকে নেমন্তন্ন এল, সেখানে কলকাতার সব রইস আদমিরা যাবেন। মহর্ষি গেলেন। কলকাতার বিখ্যাত বাবুমশাইরা মাথা থেকে পা পর্যন্ত মহামূল্য পোশাক আর অলঙ্কারে ঢেকে এসেছেন। কাশ্মীরি দোরোখা আর জামিয়ার শালে চতুর্দিক ঝলমল করছে। তারই মধ্যে দেখা গেল দেবেন্দ্রনাথ এলেন, পরনে সাদা চোগা, সাদা চাপকান, তার উপরে নকশাহীন সাদা শাল জড়ানো। সকলে তো অবাক। এ কী ব্যাপার ? মহর্ষির এই দৈন্যদশা কেন ? তারপর সকলের চোখ গেল মহর্ষির পায়ের দিকে। এক জোড়া সাদা নাগরা, তাতে দুটি বিশাল বিশাল হিরে ঝলমল করছে।'

'সেই জুতো আপনি পেয়েছেন ?' অবাক হয়ে প্রশ্ন করলেন লালমোহনবাবু।

'একটি। একটি পেয়েছি—হিরে সমেত। দেখাব আপনাদের।'

পঞ্চাননবাবুর বাগানে ঘেরা বিশাল দোতলা বাড়ি দেখলেই বোঝা যায় তিনি বড়লোক। গাড়িবারান্দার তলায় গিয়ে গাড়ি থামল। আমরা সবাই নামলাম। সদর দরজায় দুজন বেয়ারা আর একজন দারোয়ান দাঁড়িয়ে আছে, মল্লিকমশাই একজন বেয়ারাকে বললেন, 'বৈকুণ্ঠ, যাও এঁদের ঘর দেখিয়ে দাও। আর এখন তো সোয়া বারোটা ; একটার মধ্যে যাতে খাবার ব্যবস্থা হয় সেটা দেখো।'

আমরা শ্বেতপাথরের সিঁড়ি দিয়ে দোতলায় উঠতে লাগলাম। মল্লিকমশাই বললেন, 'আপনাদের ঘটনা তো সেই সন্ধ্যায়। ও সময়টা কিন্তু বেশ ঠাণ্ডা ; আশাকরি গরম কাপড় আছে সঙ্গে।'

'পৌষ মাসে গ্রামাঞ্চলে ঠাণ্ডা হবে সেটা আমরা জানতাম,' বলল ফেলুদা।

একটা প্যাসেজের দুদিকে তিনটে ঘর আমাদের জন্য রাখা হয়েছে। হালদারমশাই তাঁর ঘরে চলে গেলেন, আমরা তিনজন গিয়ে ঢুকলাম ফেলুদার আর আমার ঘরে। চিনেমাটির টুকরো দিয়ে ঢাকা মেঝে, যাকে ইংরিজিতে বলে Crazy China। এককালে টানা-পাখার ব্যবস্থা ছিল সেটা দেয়ালের উপর দিকে ফুটো দেখলেই বোঝা যায়।

'এঁর টাকা হচ্ছে তামার খনির টাকা,' বলল ফেলুদা। 'আমার এক মক্কেল এঁকে ভাল করেই চেনেন।'

'আবহাওয়াটা যে কলকাতার তুলনায় নির্মল সেটা এর মধ্যেই বোঝা যাচ্ছে,' বললেন লালমোহনবাবু।

আমিও সেটা বেশ বুঝতে পারছিলাম। তা ছাড়া কানটাও আরাম পাচ্ছে। ট্র্যাফিক বলে কোনও ব্যাপার নেই ; এখনও পর্যন্ত একটাও হর্ন শুনিনি।

একজন বেয়ারা একটা থালায় তিন গেলাস সরবত দিয়ে গেল। সেই সরবত খেতে না খেতেই খবর এল যে নীচে খাবার ঘরে পাত পড়েছে।

২

আতিথেয়তায় মল্লিকমশাই যে একেবারে পয়লা নম্বর সেটা খাবার বহর দেখেই বোঝা গেল। মাছের যে এতরকম জিনিস রান্না হতে পারে সেটা আমার ধারণাই ছিল না। ফেলুদা অল্প খায়, কিন্তু লালমোহনবাবু ভোজনরসিক—খুব তৃপ্তি করে খেলেন। ওঁর খুশির আরেকটা কারণ হচ্ছে যে পঞ্চাননবাবু ওঁর লেখা সম্বন্ধে বেশ কয়েকটা প্রশ্ন করছিলেন তাই ভদ্রলোক নিজের ঢাক পেটাবার একটা সুযোগ পেলেন।

খাবার পর মল্লিকমশাই বললেন, 'এবার আপনাদের একটু এনটারটেন করব। চলুন আমার সংগ্রহের কিছু জিনিস দেখাই।'

আমরা আবার দোতলায় ফিরে এলাম। এবার সিঁড়ি দিয়ে উঠে ডান দিকে না ঘুরে বাঁ দিকে ঘুরলাম। এদিকেই পঞ্চাননবাবুর ঘর আর তাঁর সংগ্রহশালা।

জিনিসপত্র অনেকরকম জোগাড় করেছেন ভদ্রলোক তাতে সন্দেহ নেই। তার প্রত্যেকটারই আবার একটা করে পরিচয় আছে। মহর্ষির নাগরাটা প্রথমেই দেখা হল, তারপর ক্রমে টিপুর নস্যির কৌটো, ক্লাইভের ট্যাঁকঘড়ি, সিরাজদ্দৌলার রুমাল, রানি রাসমণির পানবাটা—এ সবই দেখলাম। আমরা সকলেই অবিশ্যি খুবই তারিফ করলাম, কিন্তু আমার যেন কেমন-কেমন লাগছিল। কোন জিনিসটা কার ছিল সেটা জানা গেল কী করে? ক্লাইভের ঘড়িতে তো আর ক্লাইভের নাম লেখা নেই। বা সিরাজদ্দৌলার রুমালেও নেই।

সব দেখেটেখে চারজনে ঘরে ফেরার পথে নবজীবনবাবু ফেলুদাকে জিজ্ঞেস করলেন, 'কেমন মনে হল ?'

ফেলুদা বলল, 'খুব কনভিনসিং লাগল না।'

'কনভিনসিং ? ওর মধ্যে একটা জিনিসও জেনুইন নেই। লোকটা বোগাস, হামবাগ। মহর্ষির নাগরা থেকে তো রীতিমতো নতুন চামড়ার গন্ধ বেরোচ্ছিল।'

ঘণ্টা তিনেক বিশ্রামের সময় ছিল, তারপর অনুষ্ঠানে যাবার জন্য তৈরি হয়ে নিলাম। ফেলুদা ধুতি-পাঞ্জাবি পরল বোধহয় আজ দশ বছর পর। ওকে পোশাকটা যে দারুণ মানায় সেটা স্বীকার করতেই হয়। লালমোহনবাবু একটা নকশাদার কাশ্মীরি শাল চাপিয়েছিলেন, বললেন সেটা ওঁর ঠাকুরদাদার ছিল।

ঠিক পৌনে ছটায় বেয়ারা পাঠিয়ে আমাদের ডেকে নিলেন পঞ্চাননবাবু। শীতকাল, তাই এর মধ্যেই বেশ অন্ধকার হয়ে এসেছে! অনুষ্ঠানের জায়গায় পৌঁছে দেখি আলোয় চারিদিক ঝলমল করছে। স্পটলাইট, ফ্লুয়োরেসেন্ট লাইট, রঙিন বাল্‌ব—কিছুরই অভাব নেই।

আমরা মঞ্চে গিয়ে বসলাম। সংবর্ধনার ব্যাপারটা একেবারে শেষে—অর্থাৎ ক্লাইম্যাক্স। তার আগে নাচ, গান, আবৃত্তি, নাটকের অংশের দৃশ্য—সবই হল। সকলেই আজ জান দিয়ে দিচ্ছে ফেলুদাকে ইমপ্রেস করার জন্য, ফেলুদাও হাততালিতে কার্পণ্য করছে না।

সংবর্ধনার ব্যাপারটা কুড়ি মিনিটে সারা হয়ে গেল! সময় একটু লাগল মানপত্রটা পড়তে। এটা বলতেই হবে যে মানপত্র দুটো দেখতে বেশ ভাল হয়েছে, আর যে লিখেছে তার হাতের লেখা খুব ভাল। সব শেষে কয়েকজন সাংবাদিক ফেলুদাকে ঘিরে ধরল, আর তাদের কিছু প্রশ্নের জবাবও দিতে হল ফেলুদাকে। সে বলল এখন তার অবসর—হাতে কোনও কেস নেই।

নবজীবনবাবু অনুষ্ঠানের শেষে পঞ্চাননবাবুর সঙ্গে বাড়ি ফিরে গেলেন, আমরা রয়ে গেলাম কারণ আমাদের নেমন্তন্ন আছে ফেলুদার সহপাঠী সোমেশ্বর সাহার বাড়িতে। ভিড় কমবার পরেই ভদ্রলোক হাসিমুখে ফেলুদার দিকে এগিয়ে এলেন।

'চিনতে পারছিস ?'

'অনায়াসে,' বলল ফেলুদা। 'গোঁফটা ছাড়া আর প্রায় কিছুই বদলায়নি।'

তুইও মোটামুটি একই রকম আছিস, তবে চোখে একটা দীপ্তি দেখছি যেটা বুদ্ধি পাকবার ফলে হয়েছে। কটা কেস হ্যান্ডল করলি এ পর্যন্ত ?'

'হিসেব নেই,' বলল ফেলুদা। 'গোড়ার দিকে হিসেব রাখতাম, আজকাল ছেড়ে দিয়েছি।'

'তোর সঙ্গে একজন আলাপ করতে ভীষণ আগ্রহী'—সোমেশ্বর সাহা তাঁর পিছনে দাঁড়ানো এক ভদ্রলোককে পিঠে হাত দিয়ে সামনে আমাদের দিকে এগিয়ে দিলেন।—'এঁর নাম জয়চাঁদ বড়াল। এখানকারই বাসিন্দা। ইনিই মানপত্রটা ডিজাইন করেছেন।'

'তাই বুঝি ?' বলল ফেলুদা। 'খুব ভাল হয়েছে। আমরা নিজেদের মধ্যে বলাবলি করছিলাম।'

জয়চাঁদবাবু লজ্জায় ঘাড় নিচু করে বললেন, 'আপনার কাছ থেকে প্রশংসা পাব এ কোনওদিন স্বপ্নেও ভাবিনি। আমি আপনার একজন গুণমুগ্ধ ভক্ত।'

'আজ ইনিও আমাদের বাড়িতেই খাচ্ছেন,' বললেন সোমেশ্বরবাবু। 'চ—এখানে দাঁড়িয়ে থেকে গেঁজিয়ে কোনও লাভ নেই। আমার বাড়ি বেশি দূর নয়। মিনিট দশেক পা চালাতে পারবি তো ?'

'জরুর।'

সোমেশ্বরবাবুর বাড়ি বড় না হলেও, বেশ গুছোনো। সেটা বোধহয় ওঁর স্ত্রীর জন্য। স্ত্রী ছাড়া একটি দশ বছরের ছেলেও আছে ভদ্রলোকের। জয়চাঁদবাবু সমেত আমরা চারজনে বৈঠকখানায় বসার দশ মিনিটের মধ্যেই সরবত এসে গেল। স্ত্রী উমাদেবী বললেন, 'আগে সরবতটা খান—সাড়ে নটার মধ্যে আপনাদের খাবার ব্যবস্থা করে দেব।'

মিনিট পাঁচেক এটা-সেটা নিয়ে কথা হবার পর সোমেশ্বরবাবু জয়চাঁদ বড়ালকে দেখিয়ে বললেন, 'এঁর একটা বিশেষ কিছু বলার আছে তোকে। আমার মনে হয় তুই ইন্টারেস্ট পাবি।'

'বটে ?' বলল ফেলুদা। 'কী ব্যাপার শুনি।'

'কিছুই না,' সলজ্জ হাসি হেসে বললেন জয়চাঁদবাবু, 'আমাদের ফ্যামিলি সংক্রান্ত একটা ব্যাপার।'

লালমোহনবাবু আগ্রহের সঙ্গে একটু এগিয়ে বসলেন। 'কী ব্যাপার, কী ব্যাপার ?'—গল্পের গন্ধ পেলেই ভদ্রলোক চনমনিয়ে ওঠেন।

জয়চাঁদবাবু হাত থেকে সরবতের গেলাসটা টেবিলের উপর নামিয়ে রেখে বললেন, 'আমি নিজে এখন ইস্কুল মাস্টারি করি, কিন্তু আমার পৈতৃক ব্যবসা ছিল হিরে-জহরতের। কলকাতার কর্নওয়ালিস স্ট্রিটে আমাদের একটা গয়নার দোকান এখনও আছে ; সেটা দেখেন আমার এক কাকা। আমি যাঁর কথা বলছি তিনি ছিলেন আমার ঠাকুরদাদার ঠাকুরদাদা—নাম ছিল অভয়চরণ বড়াল। তিনিই এই ব্যবসা আরম্ভ করেন। জাহাজে করে ভারতবর্ষের উপকূলে সব শহরে গিয়ে হিরে পান্না কেনাবেচা করতেন। মাদ্রাজের কাছাকাছি কোনও একটা শহরে তিনি একবার একটা রত্ন পান। সেটা তিনি যত্ন করে জমিয়ে রেখেছিলেন। সে রত্ন এখনও আমার কাছে রয়েছে। সেটা আমি আপনাদের দেখাতে চাই।'

'সঙ্গে এনেছেন ?' জটায়ু প্রশ্ন করলেন।

'আজ্ঞে হ্যাঁ।'

ভদ্রলোক পকেট থেকে একটা খয়েরি রঙের রুমাল বার করলেন, তাতে গেরো দিয়ে বাঁধা একটা ছোট্ট লাল ভেলভেটের বাক্স। বাক্স খুলে তার থেকে একটা মুক্তো বার করে ভদ্রলোক আমাদের সামনে ধরলেন।

ফেলুদা উত্তেজনায় ভরা চাপা স্বরে বলে উঠল—

'একী—এ যে পিংক পার্ল !'

'আজ্ঞে হ্যাঁ,' বললেন জয়চাঁদ বড়াল। 'অবিশ্যি গোলাপী হওয়ায় এর কোনও বিশেষত্ব আছে কি না জানি না।'

'কী বলছেন আপনি !' বলল ফেলুদা। 'ভারতবর্ষে যতরকম মুক্তো পাওয়া যায় তার মধ্যে সবচেয়ে দুষ্প্রাপ্য আর সবচেয়ে মূল্যবান হল গোলাপী মুক্তো।'

'মুক্তো সাদা ছাড়া হয় তাই তো জানতাম না,' বললেন লালমোহনবাবু।

'সাদা লাল কালো হলদে নীল—সবরকম হয়,' বলল ফেলুদা। তারপর জয়চাঁদবাবুর দিকে চেয়ে বলল, 'শুনুন—আপনি ও জিনিস ওভাবে পকেটে নিয়ে ঘুরে বেড়াবেন না। বাড়িতে সিন্দুক থাকলে তাতে রেখে দেবেন।'

'আজ্ঞে এটা আমি বার করি না বললেই চলে। আজ আপনাকে দেখাব বলে নিয়ে এলাম।'

'আর কাকে দেখিয়েছেন ওটা ?'

'মাত্র একজন। গত সপ্তাহে একজন ভদ্রলোক এসেছিলেন, তিনি ঊনবিংশ শতাব্দীর বাঙালি বণিকদের নিয়ে একটা বই লিখছেন—তাঁকে দেখিয়েছিলাম।'

‘এ ছাড়া আর কেউ জানে না তো ?’

‘কী আর বলব বলুন—এই ভদ্রলোক, যিনি বই লিখছেন—তিনি আবার ঘটনাটা এক সাংবাদিককে বলেন। ফলে পরদিনই সেটা কাগজে বেরিয়ে যায়।’

‘কলকাতার কাগজে ?’

‘আজ্ঞে হ্যাঁ। তিনটে বাংলা কাগজে বেরিয়েছে। আপনি ফিরে গিয়ে সেটা দেখতে পাবেন।’

‘গোলাপী মুক্তো বলে বলা আছে তাতে ?’

‘তাই তো বলেছে। একটা কাগজে তো এ-ও বলে দিয়েছে যে মুক্তোর মধ্যে গোলাপী মুক্তোই সবচেয়ে ভ্যালুয়েব্‌ল।’

‘সর্বনাশ !’ কপালে হাত ঠুকে বললে ফেলুদা। ‘আমি আপনাকে জোর দিয়ে বলছি এ জিনিস আপনি কাউকে কখনও দেখাবেন না। এই একটা মুক্তোর দাম কত তা আপনি কল্পনা করতে পারেন ? বিক্রি করলে আপনি যা দাম পাবেন তাতে আপনার পরের দুই পুরুষ পর্যন্ত খাওয়া-পরার কোনও ভাবনা থাকবে না।’

‘এটা আপনি আমাকে বলে খুব উপকার করলেন।’

আমরা তিনজনেই একবার করে মুক্তোটা হাতে নিয়ে দেখলাম। নিটোল চেহারা। ফেলুদা বলল যে, শেপের দিক দিয়েও মুক্তোটা অসাধারণ।

জয়চাঁদবাবু তাঁর সম্পত্তি আবার পকেটে পুরে নিলেন। ফেলুদা ‘ছিক্‌’ করে একটা আক্ষেপসূচক শব্দ করে বলল, ‘খবরটা কাগজে বেরোনো খুবই আনফরচুনেট ব্যাপার। আশা করি কোনও গোলমাল হবে না।’

'যদি হয় তা হলে কি আমি আপনাকে জানাব ?'

'নিশ্চয়ই। আমার ঠিকানা, ফোন নম্বর সবই সোমেশ্বর জানে। আপনি বিনা দ্বিধায় আমার সঙ্গে যোগাযোগ করবেন। এমনকী দরকার হলে ওটাকে নিয়ে কলকাতায় চলে আসতে পারেন।'

৩

আমরা পরদিন সকালে হাওড়া এক্সপ্রেসে রওনা হয়ে বিকেলে কলকাতা পৌঁছে গেলাম। আমাদের সঙ্গে হালদারমশাইও ফিরলেন। দেখলাম ফেলুদা ওঁর সামনে একবারও গোলাপী মুক্তোর উল্লেখ করল না।

বাড়িতে এসে ফেলুদা শুধু একটা কথাই বলল।

'মুক্তোর খবরটা কাগজে বেরোনোটা মারাত্মক ভুল হয়েছে।'

আসবার তিন দিন পরে সকালে বসবার ঘরে বসে কথাসরিৎসাগর পড়ছি, ফেলুদা ক্লিপ দিয়ে নখ কাটছে, এমন সময় টেলিফোনটা বেজে উঠল। ফেলুদা উঠে ধরল। কথা শেষ হয়ে যাবার পর ফেলুদা বলল, 'বড়াল।'

'কলকাতায় এসেছেন ?'

'হ্যাঁ। আমার সঙ্গে বিশেষ দরকার। বিকেল সাড়ে পাঁচটায় আসছে। কথা শুনেই বুঝতে পারলাম ভদ্রলোক খুবই উত্তেজিত।'

আমরা ফোন করে লালমোহনবাবুকে ডাকিয়ে নিলাম। কোনও মামলার কোনও জরুরি অংশ থেকে বাদ পড়লে উনি বিশেষ ক্ষুণ্ণ হন। বলেন, 'কী ঘটছে কিছুই বুঝতে পারি না। ফলে চিন্তা করে যে আপনাকে হেল্‌প করব তারও উপায় থাকে না।'

ভদ্রলোক ঠিক পাঁচটায় এসে পড়লেন, আর তার আধঘণ্টা পরে, শ্রীনাথ চা দেবার সঙ্গে সঙ্গে, এসে পড়লেন জয়চাঁদ বড়াল।

এ চেহারাই আলাদা। এই তিন দিনে ভদ্রলোকের উপর দিয়ে যে বেশ ধকল গেছে সেটা বোঝাই যায়। ইতিমধ্যে দুটো ইংরিজি কাগজেও পিংক পার্লের খবরটা বেরিয়ে আমাদের উৎকণ্ঠা আরও বাড়িয়ে দিয়েছে।

জয়চাঁদবাবু এক গেলাস জল খেয়ে আক্ষেপের ভঙ্গিতে মাথাটা নাড়িয়ে বললেন, 'একটা খবরের কাগজের খবর থেকে যে এত কিছু ঘটতে পারে এ আমার ধারণা ছিল না। তিনটে ঘটনা আপনাকে বলার আছে। এক হচ্ছে আমার এক খুড়তুতো ভাই—নাম হচ্ছে মতিলাল বড়াল—তার একটা চিঠি। সে বহুকাল থেকে বেনারসে আছে। একটা সিনেমা হাউস চালায়। সে লিখেছে যে যদি আমি মুক্তোটা বিক্রি করি তা হলে যা পাব তার একটা অংশ তাকে দিতে হবে। মুক্তোটা পরিবারের সম্পত্তি, শুধু আমার একার নয়। চিঠিতে স্পষ্ট ইঙ্গিত আছে যে মুক্তোর ব্যাপারটা আমি তার কাছ থেকে গোপন করে গেছি।'

'আর দুই নম্বর ?'

'সেটাও একটা চিঠি, এসেছে ধরমপুর বলে উত্তরপ্রদেশের একটা শহর থেকে। আমি ইস্কুলের লাইব্রেরির বই ঘেঁটে জেনেছি যে ধরমপুর একটা করদ রাজ্য ছিল। যিনি চিঠিটা লিখেছেন তিনিই যে ধরমপুরের সর্বেসর্বা তাতে কোনও সন্দেহ নেই, কারণ ঠিকানা হচ্ছে ধরমপুর প্যালেস। লেখকের নাম সূরয সিং। এঁর নাকি মুক্তোর বিরাট কালেকশন আছে, কিন্তু গোলাপী মুক্তো নেই! মুক্তোটা উনি কিনতে চান। আমি কত দাম চাই সেটা অবিলম্বে তাঁকে জানাতে হবে।'

'আর তিন নম্বর ?'

'সেটাই সবচেয়ে মারাত্মক। এক ভদ্রলোক—পশ্চিমা কিংবা মাড়োয়ারি হবে—পরশু আমার বাড়িতে গিয়ে হাজির। তিনি অনেক কিছু কালেক্ট করেন। কথায় বুঝলাম সে সব জিনিস তিনি ভাল দামে বিদেশে পাচার করেন। জামাকাপড়, হাতের আংটি, কানের হিরে ইত্যাদি দেখে মনে হল খুব মালদার লোক।'

'এঁরও কি মুক্তোটা চাই ?'

'হ্যাঁ। তার জন্য তিনি চল্লিশ হাজার টাকা দিতে রাজি আছেন। আমি অবিশ্যি হ্যাঁ না কিছুই বলিনি। তিন দিন সময় চেয়েছি। ভদ্রলোক এখন কলকাতায়। তাঁর চিত্তরঞ্জন অ্যাভিনিউ-এর বাড়ির ঠিকানা দিয়ে দিয়েছেন। আমাকে কাল সকাল দশটায় তাঁর কাছে গিয়ে একটা কিছু বলতে হবে। মনে হল ভদ্রলোক মুক্তোটা পেতে বদ্ধপরিকর। হয়তো দাম একটু বাড়াতে পারেন, কিন্তু মুক্তোটা ওঁর চাই।'

'এঁর নাম জানেন নিশ্চয়ই।'

'জানি।'

'কী ?'

'মগনলাল ! মগনলাল মেঘরাজ।'

আমরা তিনজনেই কয়েক মুহূর্তের জন্য থ মেরে গেলাম। আর কতবার এই লোকটার সঙ্গে মোকাবিলা করতে হবে ? প্রতিপক্ষ হিসেবে এর চেয়ে সাংঘাতিক আর কাউকে কল্পনা করা যায় না। আর ইনিই গিয়ে হাজির হয়েছেন বড়ালমশাইয়ের কাছে ? এঁরও দরকার হয়ে পড়েছে গোলাপী মুক্তো ?

মুখে ফেলুদা বলল, 'আপনি সোজা না করে দেবেন। ওই মুক্তোর দাম ওর চেয়ে পাঁচগুণ বেশি। ভদ্রলোক এই পাথর মোটা দামে বিদেশে পাচার করবেন। দালালি করাই হচ্ছে ওঁর ব্যবসা। ওঁকে আমরা পাঁচ বছর ধরে চিনি।'

'কিন্তু উনি যদি আমার কথা না শোনেন ?'

ফেলুদা একটু ভেবে প্রশ্ন করল, 'বেশ কড়া মেজাজে কথা বলছিলেন কি ভদ্রলোক ?'

'তা বলছিলেন বটে,' বললেন জয়চাঁদবাবু 'এমনকী এ-ও বলেছিলেন যে ওঁর মুক্তোটা পাবার রাস্তা কেউ বন্ধ করতে পারবে না।'

'আপনি একটা কাজ করুন—মুক্তোটা আমাকে দিয়ে যান। আপনি সঙ্গে নিয়ে গেলে ওটা ও আদায় করে ছাড়বে। তার জন্য যদি খুনও করতে হয় তাতেও পেছপা হবে না। লোকটা সাংঘাতিক।'

'কিন্তু ওকে আমি কী বলব ?'

'বলবেন আপনি মুক্তোটা বেচবেন না। তাই ওটা আর সঙ্গে করে আনেননি ! ওরকম একটা প্রেশাস জিনিস তো কলকাতায় পকেটে নিয়ে ঘুরে বেড়ানো যায় না।'

'বেশ, তা হলে আপনিই রাখুন।'

ভদ্রলোক আবার রুমালের গেরো খুলে বাক্স থেকে মুক্তোটা বার করে ফেলুদাকে দিলেন। ফেলুদা তৎক্ষণাৎ মুক্তোটা নিজের ঘরের গোদরেজের আলমারিতে রেখে দিল। তারপর ফিরে এসে সোফায় বসে বলল, 'আর সেই সূরয সিংকে কী বলবেন ? তিনিও বেশ নাছোড়বান্দা বলে মনে হচ্ছে।'

'তাঁকেও না করে দেওয়া ছাড়া উপায় নেই। দেড়শো বছরের ওপর জিনিসটা আমাদের কাছে রয়েছে, আর এখন হাতছাড়া হয়ে যাবে ? আমার তো টাকার অভাব নেই, টাকার লোভও নেই। আমার তো চাকরি আছেই, তা ছাড়া বাড়ি আছে। ধান জমি আছে, চাষ

করে মোটামুটি ভালই আয় হয়। তিনটি প্রাণী তো সংসারে—আমার দিব্যি চলে যায়।'

'দেখুন কাল সকালে কী হয়। যাই হোক না কেন, আমাকে জানিয়ে যাবেন। আমাকে জানিয়ে আসারও কোনও দরকার নেই।'

ভদ্রলোক চা খেয়ে উঠে পড়লেন। উনি বেরিয়ে যাবার পর লালমোহনবাবু বললেন, 'এই রাহু থেকে আমাদের মুক্তি নেই। এবারে আর কী খেল দেখাবে কে জানে!'

ফেলুদা বলল, 'তবে এটা স্বীকার করতেই হবে যে প্রতিবারই আমরা ওকে জব্দ করেছি।'

'সেটি ঠিক। ভাল কথা, আমার এক পড়শী আছে জহুরি, নাম রামময় মল্লিক। বৌবাজারে দোকান আছে—মল্লিক ব্রাদার্স। ওঁকে গিয়ে পিংক পার্লের কথাটা বলতে ভদ্রলোকের চোখ কপালে উঠে গেল। উনিও কনফার্ম করলেন যে এত ভ্যালুয়েব্‌ল মুক্তো আর হয় না।'

ফেলুদা বলল, 'কাল সকালে কী হয় তার উপর সব নির্ভর করছে। মগনলাল যদি জেনে ফেলে জয়চাঁদবাবু আমার এখানে এসেছিলেন, তা হলেই মুশকিল।'

'আপনি মুক্তোটা নিজের কাছে রেখে একটা বড় রিস্ক নিয়েছেন।'

'ও ছাড়া কোনও রাস্তা ছিল না। ওটা না করলে মুক্তো কাল মগনলালের হাতে চলে যেত।'

৪

জয়চাঁদ বড়ালের কথা

চিত্তরঞ্জন অ্যাভিনিউতে মগনলালের বাড়ি বার করতে বেশি সময় লাগল না। বাড়ির বাইরেটা দেখে ভিতরে ঢুকতেই ইচ্ছা করে না, কিন্তু একবার ঢুকে পড়লে দেখা যায় বেশ তক্‌তকে পরিচ্ছন্ন।

একজন চাকর এসে জয়চাঁদবাবুকে তিন তলায় নিয়ে গেল। তারপর একটা বারান্দা দিয়ে এগিয়ে গিয়ে একটা ঘরের দরজার সামনে পৌঁছে ঘোষণা করল যে বড়ালবাবু এসেছেন।

'ভিতরে আসুন,' মগনলালের গম্ভীর গলায় শোনা গেল।

জয়চাঁদ বড়াল ভিতরে গিয়ে ঢুকলেন।

মগনলাল এক পাশে গদিতে বসে আছে। অন্য পাশে সোফা রয়েছে, তারই একটাতে বড়াল বসলেন।

'কী ডিসাইড করলেন?' মগনলাল প্রশ্ন করল।

'ওটা বেচব না।'

মগনলাল কিছুক্ষণের জন্য চুপ। তারপর বলল, 'আপনি ভুল করছেন, জয়চাঁদবাবু। আমাকে রিফিউজ করে কোনও লোক রেহাই পায়নি। আপনি কি দাম বাড়াতে চাচ্ছেন?'

'না। আমি ওটা ফ্যামিলিতেই রাখতে চাই। চার পুরুষ ধরে রয়েছে, এখনও থাকুক।'

'আপনার বাড়ি যা দেখলাম সোনাহাটিতে, তাতে আপনার মান্‌থলি ইনকাম দেড়-দু হাজারের বেশি বলে মনে হয় না। আর এতে আপনি একসঙ্গে ক্যাশ অনেক টাকা পেয়ে যাবেন। হোয়াই আর ইউ বিইং সো ফুলিশ?'

'এটা বংশমর্যাদার ব্যাপার। এটা আমি আপনাকে বোঝাতে পারব না।'

'ওই মোতি কোথায় আছে?'

'আমার কাছে নেই।'

‘ওটা আপনি আনেননি ?’

‘বেচবই না যখন ঠিক করলাম তখন আর আনব কেন ?’

মগনলাল তার সামনেই রাখা একটা ঘণ্টার উপর চাপড় মারল। টুং শব্দের প্রায় সঙ্গে সঙ্গে একটা চাকর এসে ঘরে দাঁড়াল।

‘গঙ্গা—এই বাবুকে সার্চ করো।’

গঙ্গা বেশ ষণ্ডা লোক ; সে একটানে জয়চাঁদবাবুকে বসা অবস্থা থেকে দাঁড় করাল। তারপর সর্বাঙ্গ সার্চ করে একটা মানিব্যাগ, একটা রুমাল আর একটা মশলার কৌটো বার করে মগনলালের সামনে রাখল।

‘ঠিক হ্যায়,’ বলল মগনলাল। ‘ওয়াপিস দে দেনা।’

চাকর জয়চাঁদবাবুকে তার জিনিসগুলো ফেরত দিয়ে দিল।

‘বসুন আপনি।’

জয়চাঁদবাবু আবার সোফায় বসলেন। মগনলাল বলল, ‘সোনাহাটিতে জানলাম কি আপনাদের ক্লাব প্রদোষ মিটারকে রিসেপশন দিয়েছে।’

‘ঠিকই শুনেছেন।’

‘তার সঙ্গে আপনার দেখা হয়েছিল ?’

‘আপনার সব কথার জবাব দিতে তো আমি বাধ্য নই।’

‘আপনার জবাবের দরকার নেই, বিকজ আই অলরেডি নো। আপনি যখন হাওড়াতে ট্রেন থেকে নামলেন, তখন থেকে আমার লোক আপনাকে নজরে রেখেছে। আপনি শিয়ালদায় যোগমায়া হোটেলে উঠেছেন—রাইট ?’

‘ঠিক।’

‘বিকেল পাঁচটার সময় হোটেল থেকে বেরিয়ে আপনি ট্যাক্সি করে সাউথে যান। আপনার ডেস্টিনেশন ছিল ফেলু মিটারের বাড়ি—রাইট ?’

‘আপনি তো সবই জানেন।’

‘আপনার মোতি এখন ফেলু মিটারের জিম্মায় আছে।’

জয়চাঁদবাবু চুপ করে রইলেন। মগনলাল বলল, ‘ইউ হ্যাভ ডান সামথিং ভেরি স্টুপিড, মিস্টার বড়াল। আপনি পার্লটা আমাকে দিলে চালিস হাজার টাকা পেতেন। এখন আমি সে পার্ল আদায় করে নেব, আর আপনি আমার কাছ থেকে একটা পইসাও পাবেন না।’

জয়চাঁদবাবু উঠে পড়লেন।

‘আমি তা হলে এখন আসতে পারি ?’

‘পারেন। আমাদের বিজনেস খতম। তবে আপনার জন্য আমার আপশোস হচ্ছে।’

৫

ফোন না করে দুপুর বারোটা নাগাত জয়চাঁদবাবু নিজেই এসে হাজির। মগনলালের সঙ্গে তাঁর কী ঘটল না ঘটল বর্ণনা দিয়ে ভদ্রলোক বললেন, ‘আপনি মুক্তোর ব্যাপারটা কী করবেন ?’

ফেলুদা বলল, ‘যদ্দূর বুঝতে পারছি, মগনলাল আন্দাজ করছে যে মুক্তোটা আমার কাছে রয়েছে। লোকটা অত্যন্ত তুখোড়। সোজাসুজি যদি আমার কাছে এসে পড়ে তা হলেও আশ্চর্য হব না। যে জিনিসটা এতকাল আপনাদের ফ্যামিলিতে ছিল, সেটা এখন হাতছাড়া হয়ে যাওয়াতে আপনার মন খারাপ লাগবে সেটাও আমি বুঝি। কিন্তু তাও আমি বলব যে

মুক্তোটা আমার কাছেই থাক। আপনার কাছে থাকলে ও যেন-তেন-প্রকারেণ ওটা আদায় করে নেবে। সেটা ভাল হবে না।'

জয়চাঁদ রাজি হয়ে গেলেন। বললেন, 'আমি বিক্রি না করলে তো ও মুক্তোটা এমনিতেই পাবে না। আপদ বিদেয় হোক, তারপর ওটা আমার কাছে ফিরে যেতে পারে।'

'ঠিক কথা,' বলল ফেলুদা। 'আপনি আজই ফিরছেন?'

'আজ্ঞে হ্যাঁ। সন্ধের গাড়িতে।'

'কোনও খবর থাকলে জানাতে ভুলবেন না।'

পরদিন সকালে সাড়ে সাতটার সময় ফোন এল। সোনাহাটি থেকে। সোমেশ্বর সাহা।

ফেলুদা কথা বলা শেষ করে ফোনটা রেখে গম্ভীর মুখ করে বলল, 'কাল রাত্তিরে ট্রেনে জয়চাঁদ বড়ালের মাথায় বাড়ি মেরে অজ্ঞান করে কে বা কারা যেন তার বাক্স সার্চ করে। জিনিসপত্র সব ছত্রাকার হয়ে পড়ে ছিল। অবিশ্যি সোনাহাটি আসবার আগেই ভদ্রলোক জ্ঞান ফিরে পান।'

আমি বললাম, 'এ-ও তো মগনলালেরই ব্যাপার।'

'নিশ্চয়ই,' বলল ফেলুদা। 'লোকটা কোনওরকম সুযোগ ছাড়ে না। ভাগ্যিস মুক্তোটা আমার কাছে রেখে দিয়েছিলাম।'

একটা নতুন কেসের গন্ধ পেলে জটায়ু মাঝে মাঝে বিকেলেও এসে হাজির হন। আজও তাই হল। বললেন, 'মনটা পড়ে রয়েছে এখানে তাই বাড়িতে বসে থাকতে ভাল লাগছিল না।'

ফেলুদা লেটেস্ট খবরগুলো লালমোহনবাবুকে দিয়ে দিল।

'তা হলে তো মনে হচ্ছে ওঁর পায়ের ধুলো এবার এখানে পড়বে। ও তো নির্ঘাত বুঝে গেছে যে মুক্তোটা আপনার কাছে রয়েছে।'

লালমোহনবাবু কথাটা বলার পাঁচ মিনিটের মধ্যে বাইরে একটা গাড়ি এসে যাবার শব্দ পেলাম। তারপর দরজার বেল বেজে উঠল। খুলে দেখি আসল লোক এসে হাজির।

'মে আই কাম ইন, মিস্টার মিটার?' বললেন মগনলাল।

'নিশ্চয়ই, নিশ্চয়ই।'

ভদ্রলোক ঢুকে এলেন। সেই কালো শেরওয়ানি আর ধুতি, পায়ে মোজা আর পাম্প শু।

'অনেক দিনের ইচ্ছা ছিল কি আপনার বাড়িতে একবার আসি। আমাদের এতদিনের দোস্তি—হে হে হে! আঙ্কল কেমন আছেন?'

লালমোহনবাবুকে মগনলাল যা নাস্তানাবদ করেছে, ভদ্রলোক আর কোনওদিন মগনলালের সামনে স্বাভাবিক হতে পারবেন বলে মনে হয় না। শুকনো গলায় জটায়ু উত্তর দিলেন, 'ভাল আছি।'

'চা খাবেন?' ফেলুদা জিজ্ঞেস করল।

'না স্যার। নো টি। আমি আপনার বেশি সময় নেব না। আমি কেন এসেছি তা বোধহয় আপনি বুঝতে পারছেন।'

'তা বোধহয় পারছি।'

'তা হলে আর টাইম ওয়েইস্ট করার দরকার নেই। হোয়ার ইজ দ্যাট পার্ল?'

'মিস্টার বড়ালের কাছে যে নেই তা তো আপনি জানেন। আপনার লোক তো ট্রেনে তাঁকে ঘায়েল করে তাঁর বাক্স সার্চ করে মোতি খুঁজে পায়নি।'

'আমার লোক?'

'তা ছাড়া আর কার লোক হবে বলুন।'

'আপনি এভাবে বলবেন না, মিস্টার মিটার। আপনার কোনও প্রমাণ নেই যে আমার লোক কাজটা করেছে।'

'আপনার ক্ষেত্রে প্রমাণের দরকার হয় না, মগনলালজী। আপনার কাজ মার্কামারা কাজ। সে কাজ আমি দেখলেই বুঝতে পারি।'

'আমি আবার জিজ্ঞাসা করছি—সে পার্ল কোথায় আছে?'

'আমার কাছে।'

'ওটা আমার দরকার।'

'যা দরকার তা কি সব সময়ে পাওয়া যায়?'

'মগনলাল মেঘরাজ ক্যান অলওয়েজ গেট ইট। কথা বলে সময় নষ্ট করে লাভ নেই, মিস্টার মিটার। আমার ওই পিংক পার্ল চাই। না হলে, আপনি তো জানেন, আমি যেমন করে হোক ওটা আদায় করে নেব।'

'তা হলে সেটাই করুন, কারণ মুক্তো আমি আপনাকে দিচ্ছি না।'

'দেবেন না?'

'ভদ্রলোকের এক কথা।'

'তা হলে আমি আসি।' মগনলাল উঠে পড়লেন। 'গুড বাই, আঙ্কল।'

'গুড বাই,' ক্ষীণস্বরে বললেন জটায়ু।

দরজার কাছে গিয়ে মগনলাল নেমে ফেলুদার দিকে ঘুরলেন। তারপর বললেন, 'আমি তিন দিন সময় দিচ্ছি আপনাকে। আজ সোমবার। সোম, মঙ্গল, বুধ। বুঝেছেন?'

'বুঝেছি।'

মগনলাল বেরিয়ে গেলেন।

লালমোহনবাবু মাথা নেড়ে বললেন, 'ব্যাপারটা আমার ভাল লাগছে না মোটেই। দিয়ে দিন মশাই, দিয়ে দিন। আর আপনি কাছেই বা আর কত দিন রাখতে পারবেন। বড়ালকে তো তাঁর জিনিস ফেরত দিতে হবে—তাঁর উত্তরাধিকার সূত্রে পাওয়া এত সাধের জিনিস।'

'যদ্দিন মুক্তো বেহাত হবার আশঙ্কা আছে ততদিন এটা বড়ালকে ফেরত দেওয়া যাবে না। সব সংশয় কাটিয়ে উঠলে পর যেখানের মুক্তো সেখানে যাবে।'

'কিন্তু বড়াল যে এক মহারাজার কথা বলছিল তার সম্বন্ধেও তো একটু খোঁজ নেওয়া দরকার।'

'সে খোঁজ দিতে পারেন সিধু জ্যাঠা। বহুদিন জ্যাঠার সঙ্গে দেখা হয়নি। চলুন একবার

ঘুরে আসি।'

'জায়গার নামটা মনে আছে ?'

'ধরমপুর।'

'আর মহারাজার নাম ?'

'সূরয সিং।'

আমরা লালমোহনবাবুর গাড়িতে পাঁচ মিনিটের মধ্যে সিধু জ্যাঠার বাড়িতে পৌঁছে গেলাম। জ্যাঠা ম্যাগনিফাইং গ্লাস দিয়ে একটা পুরনো পুঁথি পরীক্ষা করছিলেন, আমাদের দেখে গম্ভীর হয়ে গেলেন।

'তোমরা কে ? তোমাদের তো আমি চিনি না।'

ফেলুদা হেসে বলল, 'অপরাধ নেবেন না জ্যাঠা। পসারটা একটু বেড়েছে বলে আর লোকজনের বাড়িতে বিশেষ যাওয়া হয় না। আমি যে কাজে উন্নতি করছি তাতে আপনি নিশ্চয়ই খুশি।'

এবার সিধু জ্যাঠার মুখে হাসি ফুটল।

'ফেলু মিত্তির—তোমাকে কি আমি আজ থেকে চিনি ? আট বছর বয়সে এয়ার গান দিয়ে শালিক মেরে এনে আমায় দেখিয়েছিলে। আমি বলেছিলাম নিরীহ জীবকে আর কক্ষনও মারবে না—কথা দাও। তুমি সেদিন থেকে পাখি মারা বন্ধ করেছিলে। গোয়েন্দাগিরিতে পসার হচ্ছে বলে আমার কাছে বড়াই কোরো না। গোয়েন্দা আমিও হতে পারতাম। তার সব গুণই আমার ছিল। এখনও আছে। তবে কোনওরকম কাজে বাঁধা পড়া আমার ধাতে সয় না। আমার সময় যদি আমি নিজে ইচ্ছামতো ব্যয় না করতে পারি তা হলে লাভটা কী ? শার্লক হোম্‌সের এক দাদা ছিল জানতে ? মাইক্রফ্‌ট হোম্‌স। জাত কুঁড়ে, কিন্তু বুদ্ধিতে সত্যিই শার্লকের দাদা। সেই দাদার কাছে শার্লক মাঝে মাঝে যেত পরামর্শ নিতে। আমি হচ্ছি সেই মাইক্রফ্‌ট। যাক্ গে, এখন বলো কী জন্যে আগমন ?'

'একজন লোক সম্বন্ধে আপনার কাছে কোনও ইনফরমেশন আছে কি না জানতে এসেছিলাম।'

'কে সেই ব্যক্তি ?'

'আপনি ধরমপুরের নাম শুনেছেন ?'

'শুনব না কেন ? উত্তরপ্রদেশের একটা করদ রাজ্য ছিল। আলিগড় থেকে সাতাত্তর মাইল দক্ষিণে। ট্রেন নেই, গাড়িতে যেতে হয়।'

'তা হলে সূরয সিং-এর সম্বন্ধেও নিশ্চয়ই জানেন ?'

'ওরে বাবা !—সে কি এখনও বেঁচে আছে ?'

'হ্যাঁ।'

'সে যে একটি আস্ত বাঘ। মালটি মিলিওনেয়ার। হোটেলের ব্যবসার টাকা। হিরে জহরতের অত ভাল কালেকশন ভারতবর্ষে আর কারুর নেই।'

'লোক কেমন জানেন ?'

'তা কী করে জানব ? সে কি আমার এই কুটিরে পদার্পণ করেছে, না আমি তার বাড়ি গেছি ? এ সব লোককে ভাল-খারাপ বলে বর্ণনা করা যায় না। তুমি হয়তো গিয়ে দেখলে তার মতো অতিথিবৎসল লোক আর হয় না—তোমাকে রাজার হালে রেখে দিল। আবার পরদিন হয়তো সেই লোকই তার কালেকশনের জন্য পাথর আদায় করতে একজনকে খুনই করে ফেলল। অবশ্য নিজে হাতে নয় ; এরা সব সময় আইন বাঁচিয়ে চলে, যদিও তার জন্য ট্যাঁক খরচা হয় অনেক।'

এই খবরই যথেষ্ট বলে আমরা সিধু জ্যাঠাকে আর বিরক্ত করলাম না, যদিও সূরয সিং-এর সঙ্গে আমাদের কারবার হচ্ছে কীভাবে সেটা এখনও বুঝতে পারলাম না। ফেলুদাকে বলতে ও বলল, 'তাও এ খবরগুলো জেনে রাখা ভাল। সে লোক যখন বড়ালকে চিঠি লিখেছে তখনই বোঝা যাচ্ছে তার মুক্তোটার বিশেষ দরকার। সেটা পাবার জন্য সে কতদূর যেতে পারে সেইটে দেখার প্রবল ইচ্ছা হচ্ছে।'

৬

মগনলাল বিষ্যুদবার পর্যন্ত টাইম দিয়েছিল ফেলুদা তার মধ্যে ওর সঙ্গে কোনওরকম যোগাযোগ করল না। আর বিস্ফোরণটা হল শুক্রবার সকালে।

আমিও ফেলুদার দেখাদেখি রোজ সকালে যোগব্যায়াম করি। সাড়ে ছ'টায় সে ব্যাপার শেষ হয়েছে। ফেলুদার কোনও সাড়াশব্দ পাচ্ছি না দেখে আমি তার ঘরের দিকে গেলাম। দরজাটা ভেজানো ছিল। ঠেলে খুলতেই একটা দৃশ্য দেখে থ মেরে গেলাম।

ফেলুদা এখনও ঘুমোচ্ছে। এ যে অভাবনীয় ব্যাপার ! এই সময়ের মধ্যে ফেলুদার স্নান ব্যায়াম দাড়ি কামানো সব শেষ হয়ে যায়। সে বসবার ঘরে খবরের কাগজ পড়ে। আজ কী হল ?

আমি ফেলুদার দিকে এগিয়ে গেলাম। বার দু-এক ঠেলা দিয়ে আর নাম ধরে ডেকে বুঝতে পারলাম ওর হুঁশ নেই।

আমার দৃষ্টি গোদরেজের আলমারির দিকে চলে গেল। দরজা হাট হয়ে আছে। সামনে মেঝেতে জিনিসপত্র ছড়ানো।

ফেলুদার পাল্স দেখলাম। দিব্যি চলছে। দৌড়ে বসবার ঘরে গিয়ে আমাদের ডাক্তার ভৌমিককে টেলিফোন করে ব্যাপারটা বললাম। ভদ্রলোক দশ মিনিটের মধ্যে চলে এলেন।

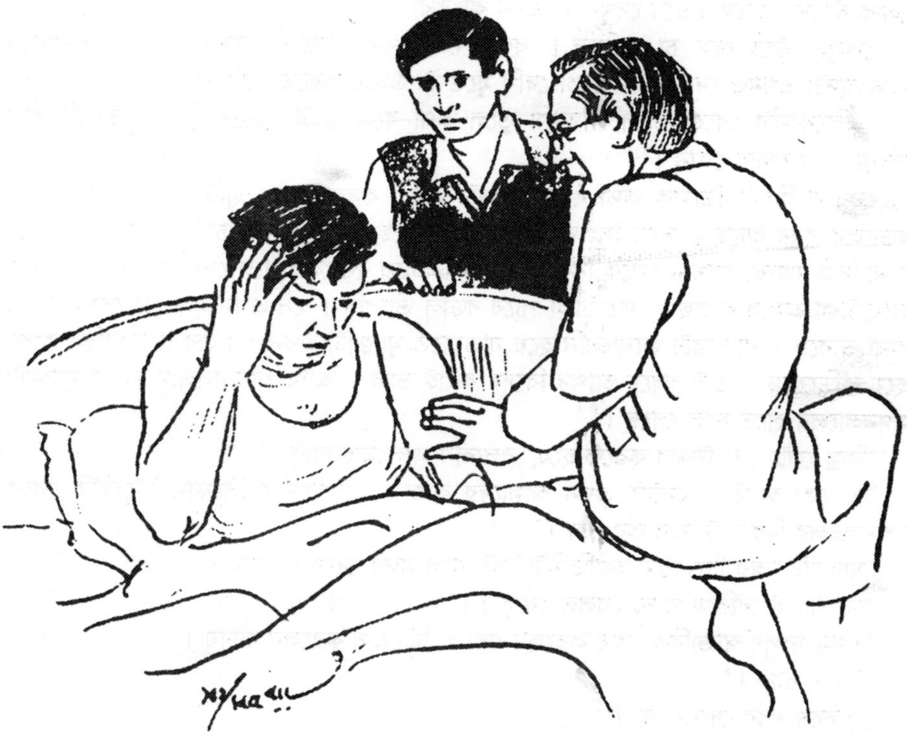

ফেলুদাকে যখন পরীক্ষা করছেন তখনই ও নড়াচড়া আরম্ভ করেছে। ভৌমিক বললেন, 'ক্লোরোফর্ম জাতীয় কিছু ব্যবহার করা হয়েছে অজ্ঞান করার জন্য। কিন্তু লোক ঘরে ঢুকল কী করে?'

সেটা আমি দু মিনিটের মধ্যে বার করে দিলাম। বাথরুমের উত্তর দিকে জমাদার ঢোকার দরজাটা খোলা।

মিনিট পনেরোর মধ্যেই ফেলুদার জ্ঞান হল। ডাক্তার ভৌমিক ভরসা দিয়ে বললেন, 'কোনও চিন্তা নেই। কিছুক্ষণের মধ্যেই স্বাভাবিক অবস্থায় ফিরে আসবেন। তবে এরা কী ক্ষতি করেছে সেটা একবার দেখে নিন। আলমারি তো দেখছি খোলা।'

'তোপ্‌সে দেরাজটা একবার খুলে দেখ তো।'

দেখলাম, কিন্তু সেই লাল ভেলভেটের কৌটো কোথাও পেলাম না। অর্থাৎ পিংক পার্ল উধাও।

ফেলুদা মাথা নেড়ে আক্ষেপের সুরে বলল, 'বাথরুমের দরজা বন্ধ করতে আমার কোনওদিন ভুল হয় না। কালও হয়নি। আসলে ছিট্‌কিনিটা ভাল কাজ করছিল না। কেন যে সারিয়ে নিইনি—কেন যে সারিয়ে নিইনি!'

ডাক্তার ভৌমিক চলে গেলেন।

আমি ফেলুদার অবস্থা দেখেই লালমোহনবাবুকে ফোন করে দিয়েছিলাম। উনি এবার এসে পড়লেন।

'পিংক পার্ল নেই?' প্রথম প্রশ্ন করলেন ভদ্রলোক। আমি বললাম, 'না।' ভদ্রলোক ফেলুদাকে উদ্দেশ করে বললেন, 'আমাকে হেলাফেলা করার রেজাল্টটা দেখলেন তো? আমি প্রথমেই বলেছিলাম—কাজটা ভাল হচ্ছে না। আপনার যে এই দশা করতে পারে সে

লোক কী সাংঘাতিক ভেবে দেখুন। এখন কী করা ?'

ফেলুদা উঠে বসে চা খাচ্ছিল। বলল সে এখন হান্ড্রেড পার্সেন্ট ফিট। 'বড়ালকে দুঃসংবাদটা এখনও দেব না। আগে দেখি মুক্তোটা উদ্ধার করতে পারি কি না।'

টেলিফোনটা বেজে উঠল। আমি তুলে কথা বলে সেটা ফেলুদার হাতে চালান করে দিলাম। 'তোমার ফোন।'

ফেলুদা মিনিট তিনেক কথা বলে ফোনটা রেখে বলল, 'সোনাহাটি থেকে সোমেশ্বর। বড়ালের খবর আছে। সূরয সিং আবার চিঠি লিখেছে। মুক্তো তার চাই। সে সাত দিনের জন্য দিল্লি যাচ্ছে, সেখান থেকে ফিরে সোনাহাটি গিয়ে বড়ালের সঙ্গে দেখা করবে। সে এক লাখ টাকা অফার করছে। এত টাকা পাবে বড়াল ভাবেনি। সে এখন মুক্তোটা বেচে দেবার কথা ভাবছে। ব্যাপারটা জানাজানি হয়ে যাওয়াতে মুক্তোটা এখন ওর একটা অশান্তির কারণ হয়ে দাঁড়িয়েছে। তাই বলছে আপদ বিদেয় করাই ভাল। আমি আর বললাম না যে মুক্তোটা মগনলালের হাতে চলে গেছে।'

'কিন্তু সেটা তো উদ্ধার করতে হবে,' বললেন লালমোহনবাবু।

'তা তো হবেই। সেটাই এখন আমাদের কাজ। তোপ্‌সে টেলিফোন ডিরেক্টরি থেকে মগনলালের ঠিকানাটা বার কর তো।'

'সাতষট্টি নম্বর চিত্তরঞ্জন অ্যাভিনিউ,' বই খুলে নম্বর দেখে বললাম।

'চা খেয়েই বেরিয়ে পড়ব,' বলল ফেলুদা।

'এখন সম্পূর্ণ স্বাভাবিক বোধ করছেন তো ?' জিজ্ঞেস করলেন জটায়ু।

'ইয়েস স্যার।'

'পুলিশে খবর দেবেন না ?'

'কী লাভ ? তারা তো অনুসন্ধান করে নতুন কিছু বলতে পারবে না। সবই তো আমার জানা।'

চিত্তরঞ্জন অ্যাভিনিউতে মগনলালের বাড়ি যখন পৌঁছলাম, তখন বেজেছে ন'টা দশ। আমরা ভিতরে ঢুকছি আর লালমোহনবাবু বিড়বিড় করছেন—'আজ আবার কী খেল দেখাবে কে জানে!'

কিন্তু তিনতলায় মগনলালের গদিতে পৌঁছে তাকে পাওয়া গেল না। তারই একজন কর্মচারী বলল, মগনলাল সকালে দিল্লি চলে গেছেন।

'প্লেনে গেছেন ?' ফেলুদা জিজ্ঞেস করল।

'না, ট্রেন।'

আমরা আবার নীচে নেমে এলাম। লালমোহনবাবু বললেন, 'আশ্চর্য ব্যাপার ইনিও দিল্লি গেছেন আর ওদিকে সূরয সিংও দিল্লি গেছেন।'

'ব্যাপারটা ভেরিফাই করতে হবে,' বলল ফেলুদা।

চতুর্দিকে ফেলুদার চেনা—রেলওয়ে আপিসেও বাদ নেই। অপরেশবাবু বলে বুকিং-এর এক ভদ্রলোকের কাছে গিয়ে ফেলুদা জিজ্ঞেস করল, 'আজ সকালে দিল্লির কী কী ট্রেন আছে ?'

'সোয়া ন'টায় আছে—এইট্টি ওয়ান। পরদিন সকালে দশটা চল্লিশে দিল্লি পৌঁছায়।'

'এ ছাড়া আর কিছু নেই ?'

'না।'

'এবার রিজার্ভেশন চার্টটা দেখে বলুন তো মিস্টার মেঘরাজ বলে এক ভদ্রলোক এই ট্রেনে দিল্লি গেছেন কি না।'

ভদ্রলোক চার্টের নামের উপর চোখ বুলিয়ে এক জায়গায় থেমে বললেন, 'মিস্টার এম. মেঘরাজ। ফার্স্ট ক্লাস এ. সি.। কিন্তু ইনি তো দিল্লি যাননি।'

'তা হলে ?'

'বেনারস। বেনারস গেছেন। আজ রাত সাড়ে দশটায় পৌঁছবেন।'

'বেনারস ?'

কথাটা শুনে আমারও আশ্চর্য লাগছিল, তবে এটা তো জানি যে মগনলালের বেনারসেও একটা বাড়ি রয়েছে। সেখানেই তো আমাদের সঙ্গে প্রথম আলাপ।

'কাল সকালের দিকে বেনারস পৌঁছায় এমন কী কী ট্রেন আছে ?' ফেলুদা জিজ্ঞেস করল।

'আপনি দুটো সুবিধের ট্রেন পাবেন একটা অমৃতসর মেল, আর একটা ডুন এক্সপ্রেস। প্রথমটা ছাড়ে সন্ধ্যা সাতটা কুড়ি আর বেনারস পৌঁছায় পরদিন সকাল দশটা পাঁচ, আর অন্যটা ছাড়ে রাত আটটা পাঁচ আর পৌঁছায় সকাল এগারোটা পনেরো।'

ফেলুদা না হলে অবিশ্যি আমাদের রিজার্ভেশন পাবার কোনও সম্ভাবনাই ছিল না। সঙ্গে টাকা ছিল না। তাই বাড়ি ফিরতে হল। আবার রেল আপিসে ফিরে গিয়ে বারোটার মধ্যে রিজার্ভেশন হয়ে গেল। লালমোহনবাবু চলে গেলেন তাঁর বাড়িতে বাক্স গুছাতে। ফেলুদা বলে দিল, 'ক'দিনের জন্য যাচ্ছি কিছু ঠিক নেই মশাই। আপনি এক হপ্তার মতো জামাকাপড় নিয়ে নিন। ওদিকে কিন্তু খুব ঠাণ্ডা—সেটা ভুলবেন না।'

ট্রেনে বলবার মতো একটা ঘটনাই হল। পরদিন সকালে সাড়ে সাতটায় বক্সারে খবরের কাগজ কিনে তাতে একটা জরুরি খবর পড়লাম। আমেরিকা থেকে একটা ব্যবসায়ীদের দল এসেছে, তারা যে সব ভারতীয়দের সঙ্গে আলাপ আলোচনা করছে তার মধ্যে সূরয সিং একজন। ভদ্রলোকের দিল্লি যাবার কারণটা বোঝা গেল।

মিনিট পনেরো লেট করে আমাদের ট্রেন বেনারস পৌঁছে গেল।

৭

বেনারসে দ্বিতীয়বার এসেও সেই প্রথমবারের মতোই চমক লাগল। এবারও দশাশ্বমেধ রোডে ক্যালকাটা লজেই উঠলাম। ম্যানেজারও একই রয়েছেন—নিরঞ্জনবাবু। ঘর আছে কি না জিজ্ঞেস করতে বললেন, 'আপনাদের জন্য ঘর সব সময়ই আছে। কদিন থাকবেন ?'

'সেটা আগে থেকে বলতে পারছি না,' বলল ফেলুদা।

আমরা আগেরবারের মতোই একটা চার বেডের ঘর পেয়ে গেলাম।

ব্রেকফাস্ট বক্সারেই সারা হয়ে গিয়েছিল, তাই খাবার তাড়া নেই। ফেলুদা বলল, 'আগে কর্তব্যটা সেরে নিই, তারপর খাবার কথা ভাবা যাবে।'

'আপনি কি একেবারে বাঘের খাঁচায় গিয়ে ঢোকার কথা ভাবছেন ?' লালমোহনবাবু চাপা গলায় জিজ্ঞেস করলেন।

'আপনি যদি হোটেলে থাকতে চান তো থাকতে পারেন।'

'না না, সে কি হয় ? থ্রী মাস্কেটিয়ার্স—ভুলে গেলে চলবে কেন ?'

মগনলালের বাড়ি বিশ্বনাথের গলির মধ্যে দিয়ে হেঁটে যেতে হবে। আমরা বারোটা নাগাত রওনা দিয়ে দিলাম। আবার সেই দৃশ্য, সেই শব্দ, সেই গন্ধ। মনে হল এই কবছরে একটুও বদল হয়নি, আর কোনওদিনও হবে না। কয়েকজন দোকানদারের মুখও যেন চিনতে পারলাম।

ক্রমে মন্দির ছাড়িয়ে আমরা গলির একটা মোটামুটি নিরিবিলি অংশে পৌঁছে গেলাম। সব মনে পড়ছে। এর পরে ডাইনে ঘুরতে হবে, তারপর বাঁয়ে মোড় নিয়েই আমরা পৌঁছে যাব মগনলালের বাড়ির রাস্তায়।

'আপনি কী বলবেন সেটা ঠিক করে নিয়েছেন?' লালমোহনবাবু প্রশ্ন করলেন।

ফেলুদা বলল, 'আমি যে সব সময় আগে থেকে ভেবে কাজ করি তা নয়। একেকটা বিশেষ মুহূর্তে একেকটা বিশেষ আইডিয়া এসে যায়। তখন সেইটে প্রয়োগ করি।'

'এর বেলাও তাই করবেন?'

'সেই রকমই তো ইচ্ছে আছে।'

মগনলালের বাড়ির সদর দরজার দুপাশে এখনও তলোয়ারধারী দুই প্রহরীর ছবি, এই কবছরে রংটা একটু ফিকে হয়ে গেছে।

আমরা দরজা দিয়ে ঢুকে একতলার উঠোনে পৌঁছলাম। কেউ কোথাও নেই। দুবার 'কোই হ্যায়' বলেও ফেলুদা জবাব পেল না।

'চলুন উপরে,' বলল ফেলুদা। 'লোকটার সঙ্গে যখন দেখা করতেই হচ্ছে, তখন নীচে দাঁড়িয়ে থেকে তো কোনও লাভ নেই।'

আবার সেই ছেচল্লিশ ধাপ সিঁড়ি, আবার সেই তিন তলায়।

দরজা দিয়ে বারান্দায় ঢুকতে একজন লোক সামনে পড়ল। সে খৈনি ডলছিল, আমাদের দেখে একটু অবাক হয়ে হিন্দিতে প্রশ্ন করল, 'আপনারা কাকে চাইছেন?'

'মগনলালজী আছেন?' ফেলুদা জিজ্ঞেস করল।

'আছেন, তবে উনি এখন খেতে বসেছেন। আপনারা ওঁর ঘরে অপেক্ষা করুন। চলুন আপনাদের নিয়ে যাচ্ছি।'

আমরা আবার অনেকদিন পরে মগনলালের ঘরে এসে ঢুকলাম। এই ঘরেই লালমোহনবাবুকে নাকাল করেছিলেন ভদ্রলোক। সে ঘটনা কোনওদিনও ভুলব না। লালমোহনবাবুকে নিয়ে রগড় করার একটা বাতিক লোকটার মজ্জাগত।

কাঠমাণ্ডুতেও লালমোহনবাবুর চায়ে এল এস ডি মিশিয়ে দিয়েছিলেন। তাতে অবিশ্যি লালমোহনবাবুর খুব ক্ষতি হয়নি, কিন্তু হবার সম্ভাবনা ছিল পুরোমাত্রায়।

আমরা তিনজন সোফায় বসার পরেই জটায়ু চাপা স্বরে বললেন, 'কী বলবেন ঠিক করে ফেলুন মশাই। এইবেলা ঠিক করে ফেলুন। আমার মাথায় তো কিছুই আসছে না।'

'আপনার মাথা দিয়ে তো আর এ মামলা চালাচ্ছি না আমি। আপনি চুপচাপ দেখে যান।'

'ইয়েটা সঙ্গে আছে?'

ইয়ে মানে ফেলুদার রিভলভার সেটা বুঝতে অসুবিধা হল না।

'আছে। নার্ভটাকে ঠাণ্ডা করুন। এ সব সিচুয়েশনে সঙ্গে একজন নার্ভাস লোক থাকলে বড় অসুবিধা হয়।'

কোত্থেকে যেন একটা ঢোলকের শব্দ আসছে, ঘরের দেয়াল-ঘড়ি টিক্ টিক্ করছে, নাকে রান্নার গন্ধ এসে ঢুকছে, আমরা চুপচাপ বসেই আছি তো বসেই আছি।

'একটা লোকের খেতে এত সময় লাগে?' বিড়বিড় করে বললেন লালমোহনবাবু।

কথাটা বলার মিনিট খানেকের মধ্যে একজন লোক এসে ঘরে ঢুকল। সে যে মুগুর ভাঁজা পালোয়ান তাতে কোনও সন্দেহ নেই। সে ফেলুদার সামনে গিয়ে বলল, 'খাড়া হো জাইয়ে।'

'কিঁউ?' ফেলুদার প্রশ্ন।

'সার্চ হোগা।'

'কে হুকুম দিয়েছে তোমায় ?'

'মালিক।'

'মগনলালজী ?'

'হাঁ।'

ফেলুদা তবু বসে আছে দেখে লোকটা তার দুহাত ধরে হ্যাঁচকা টান দিয়ে অনায়াসে তাকে দাঁড় করাল। ফেলুদা আর কোনও আপত্তি করল না, কারণ এ লোকটার সঙ্গে গায়ের জোরে পেরে ওঠা পাঁচটা ফেলুদারও সাধ্যি নেই।

লোকটা চাপড় মেরে প্রথমেই ফেলুদার রিভলভারটা বার করল। তারপর মানি ব্যাগ আর রুমাল।

এবার ফেলুদাকে ছেড়ে লোকটা লালমোহনবাবুকে ধরল। লালমোহনবাবু অবিশ্যি ফেলুদার সার্চ শেষ হবার সঙ্গে সঙ্গে নিজেই উঠে দাঁড়িয়েছেন হাত মাথার উপর তুলে।

আমাদের তিনজনের সার্চ শেষ হবার পর লোকটা রিভলভার ছাড়া আর সব কিছু ফেরত দিয়ে ঘর থেকে বেরিয়ে গেল। তারপরেই বাইরে থেকে একটা গলা খাঁকরানির আওয়াজ পেলাম। এ আমাদের খুব চেনা গলা।

'এ ভাবে আমার পিছে লাগলেন কেন, মিস্টার মিটার ?' গদিতে বসে মগনলাল প্রশ্ন করলেন। 'আপনার এখুনো শিকষা হয়নি ? কী লাভ আছে আমার পিছে পিছে ঘুরে ? আপনি তো সে মোতি আর ফিরত পাবেন না।'

'আপনি নিজেকে খুব চালাক মনে করেন—তাই না, মগনলালজী ?'

'সে তো আপনিও করেন। বুদ্ধি না থাকলে আর এতদিন বেওসা চালাচ্ছি ? বুদ্ধি না থাকলে আর আপনার ঘর থেকে মোতি বার করে আনতে পারি ?'

'কী মোতি ?'

'পিংক পার্ল !' মগনলাল চেঁচিয়ে উঠলেন। 'কী মোতি সেও কি আপনাকে বলে দিতে হবে ?'

'কে বলল পিংক পার্ল ?' ধীর কণ্ঠে বলল ফেলুদা। 'ইট্স এ হোয়াইট পার্ল। তাও খাঁটি মুক্তো নয়, কালচারড পার্ল—যার দাম অনেক কম। আপনাকে ভাঁওতা দেবার জন্য ওতে পিংক রং করা হয়েছে। আসল মুক্তো চলে গেছে যার জিনিস তার কাছে। অত বেশি বুদ্ধিমান ভাববেন না নিজেকে, মগনলালজী।'

আমি অবাক হয়ে ফেলুদার কথা শুনছি। ও কী করে এত সব বানিয়ে বানিয়ে বলছে ? কোত্থেকে ওর এত সাহস হচ্ছে ? লালমোহনবাবু দেখলাম মাথা হেঁট করে রয়েছেন।

'আপনি সচ বলছেন ?'

'আপনি কীভাবে যাচাই করতে চান করে দেখুন।'

মগনলাল তার সামনে রাখা একটা রুপোলি কলিং বেলে চাপড় মারল। পর মুহূর্তেই সেই পালোয়ান লোকটা আবার এঁসে ঢুকল।

'সুন্দরলালের দোকান থেকে ওকে ডেকে আনো। বলো মগনলালজী ডাকছেন। তুরন্ত্।' ভৃত্য চলে গেল।

কিছুক্ষণ সকলেই চুপ। মগনলাল একটা পানের ডিবে থেকে পান নিয়ে মুখে পুরলেন। তারপর ডিবে বন্ধ করার সময় একটা অদ্ভুত প্রশ্ন করলেন।

'রবীন্দরনাথ টেগোরের গান আপনি জানেন ?'

এবার মগনলালের চাউনি থেকে বুঝলাম প্রশ্নটা করা হয়েছে জটায়ুকে।

'কী আঙ্কল ? জবাব দিচ্ছেন না কেন ? আপনি বাঙালি আর আপনি টেগোর সং জানেন না ?'

লালমোহনবাবু মাথা নেড়ে না বোঝালেন।

'সচ্ বোলছেন ?'

এবারে মাথা নড়ল উপর-নীচে। অর্থাৎ হ্যাঁ। ভদ্রলোক এখনও মাথা তুলতে পারছেন না।

এবার ফেলুদা বলল, 'উনি গান করেন না, মগনলালজী।'

'করেন না তো কী হল ? এখুন করবেন। দশ মিনিট লাগবে সুন্দরলালের এখানে আসতে। সেই টাইমে টেগোর সং হবে। আঙ্কল উইল সিং। আসুন আঙ্কল—গদিপর বসুন। সোফায় বসে কি গান হয় ? গেট আপ, গেট আপ ! না গাইবেন তো বড় মুশকিল হবে।'

'আপনি বার বার ওঁকে নিয়ে এমন তামাশা করেন কেন বলুন তো ?' বেশ রেগে গিয়েই বলল ফেলুদা। 'উনি আপনার কী ক্ষতি করেছেন ?'

'নাথিং। দ্যাট ইজ হোয়াই আই লাইক হিম। উঠুন আঙ্কল। উঠুন, উঠুন !'

নিরুপায় হয়ে লালমোহনবাবু সোফা ছেড়ে উঠে গদিতে বসলেন।

'ভেরি গুড। নাউ সিং।'

আর কোনওই রাস্তা নেই। তাই ভদ্রলোক সত্যিই গান ধরলেন। 'আলোকের এই ঝর্ণাধারায় ধুইয়ে দাও।'

মগনলাল তাকিয়ায় শরীরটাকে এলিয়ে দিয়ে পাশে রাখা ক্যাশ-বাক্সের উপর তাল ঠুকে তারিফ করতে লাগলেন। এই অদ্ভুত গানের তারিফ হতে পারে এ আমি স্বপ্নেও ভাবিনি।

প্রায় পাঁচ মিনিট একটানা গেয়ে লালমোহনবাবু আর পারলেন না। বললেন, 'বাকিটা জানি না।'

'দ্যাট ইজ এনাফ,' বললেন মগনলাল। 'এবার সোফায় গিয়ে বসুন।'

লালমোহনবাবু সোফায় বসতেই ঘরে লোকের প্রবেশ হল—সেই পালোয়ান চাকর, আর

একজন পুরু চশমাপরা বুড়ো।

'আইয়ে সুন্দরলালজী,' বললেন মগনলাল। 'আপনি এত বুঢ়া হুয়ে গেছেন এই কবছরে তা ভাবতে পারিনি। একটা কাজের জন্য আপনাকে ডেকে পাঠিয়েছি।'

সুন্দরলাল গদিতে বসলেন। মগনলাল তাঁর ক্যাশবাক্স খুলে তার থেকে ভেলভেটের বাক্সটা বার করলেন। তারপর বাক্স থেকে মোতিটা বার করে সুন্দরলালকে প্রশ্ন করলেন, 'গুলাবী মোতি হয় সেটা আপনি জানেন?'

'গুলাবী মোতি?'

'হা।'

'সেরকম তো শুনেছি, কিন্তু চোখে দেখিনি।'

'আপনি পঞ্চাশ বছর হল দোকান চালাচ্ছেন আর গুলাবী মোতি চোখে দেখেননি? দেখুন এইটে দেখুন। দেখে বলুন তো এটা সচ্চা না ঝুঠা?'

সুন্দরলাল মুক্তোটা হাতে নিলেন। দেখলাম তাঁর হাত কাঁপছে। চোখের খুব কাছে এনে মুক্তোটাকে মিনিটখানেক ধরে দেখে সুন্দরলাল বললেন, 'হাঁ, এতো সত্যিই দেখছি গুলাবী মোতি। অ্যায়সা কভী নেহি দেখা।'

'তা হলে এটা খাঁটি?'

'ওইসাই তো মালুম হোতা।'

'এবার মোতিটা দিয়ে দিন আমাকে।'

সুন্দরলাল মুক্তোটা ফেরত দিয়ে দিল।

'এবার আপনি যেতে পারেন।'

সুন্দরলাল ঘর থেকে বেরোনোর পর মগনলাল ফেলুদার দিকে চেয়ে বললেন, 'আপনি ঝুট বাত বলেছেন, মিস্টার মিটার। এই পার্ল জেনুইন।'

'এটা কি আপনি সূরয সিংকে বিক্রি করতে চান?'

'আমি কী করি না-করি তাতে আপনার কী?'

'আপনি তো এখান থেকে দিল্লি যাবেন?'

'হাঁ, যাব।'

'ওখানে তো সূরয সিং রয়েছেন।'

'সে খবর আমি পেপারে পড়েছি।'

'আপনি কি বলতে চান তাঁর সঙ্গে আপনার কোনও কারবার নেই?'

'আমি কিছুই বলতে চাই না, মিস্টার মিটার। দ্য পিংক পার্ল চ্যাপটার ইজ ক্লোজড। আমি ওই নিয়ে আপনার সঙ্গে আর কোনও কথা বলব না।'

'ঠিক আছে, আমি উঠছি। আমার যে জিনিসটা আপনার কাছে রয়েছে সেটা দয়া করে ফেরত দিন।'

মগনলাল আবার কলিং বেল টিপলেন। পালোয়ান এসে দাঁড়াল।

'এঁকে এর রিভলভার ওয়াপিস দিয়ে দাও।'

পালোয়ান আজ্ঞা পালন করল, ফেলুদা আর আমরা দুজন উঠে পড়লাম।

মগনলালের ঘর থেকে বেরিয়ে বারান্দায় এসে লালমোহনবাবুকে জিজ্ঞেস করলাম, 'এখন কেমন লাগছে?'

ভদ্রলোক মাথা নেড়ে বললেন, 'লোকটা কী করে যে একটা মানুষের উইক পয়েন্ট ধরে ফেলে!—পাঁচ মিনিট ধরে একটানা রবীন্দ্রসংগীত জীবনে এই প্রথম গাইলাম।'

একতলায় এসে ফেলুদা বলল, 'আজকে যে একটা খুব জরুরি কাজ হয়ে গেল সেটা কি

বুঝতে পেরেছেন, লালমোহনবাবু ?'

'জরুরি কাজ ?' ভদ্রলোক অবাক হয়ে প্রশ্ন করলেন।

'ইয়েস স্যার,' বলল ফেলুদা। 'জেনে গেলাম ও মুক্তোটা কোথায় রাখে।'

'আপনি কি ওটা আবার আদায় করার তাল করছেন ?'

'ন্যাচারেলি !'

৮

হোটেলে ফিরে ঘরে ঢোকার আগেই নিরঞ্জনবাবু তাঁর ঘর থেকে ডাক দিয়ে বললেন, 'একটি ভদ্রলোক আপনাদের সঙ্গে দেখা করার জন্য অনেকক্ষণ থেকে বসে আছেন।'

ম্যানেজারের ঘরে ঢুকে দেখি একটি মাঝারি হাইটের কালো ভদ্রলোক, বয়স চল্লিশ থেকে পঁয়তাল্লিশ, ম্যানেজারের উলটো দিকে একটা চেয়ারে বসে আছেন। আমাদের দেখে ভদ্রলোক উঠে দাঁড়ালেন।

'আমার নাম মতিলাল বড়াল।'

'আপনি কি জয়চাঁদবাবুর ভাই ?'

'খুড়তুতো ভাই। এখানে একটা সিনেমা হাউস আছে আমার।'

'চলুন, আমাদের ঘরে চলুন। কথা হবে।'

আমরা চারজন আমাদের ঘরে এলাম। খাটে বসে ভদ্রলোক প্রশ্ন করলেন, 'মুক্তোটা এখন কোথায় ? জয়চাঁদের কাছে ?'

'না।'

'তবে ?'

'মগনলাল মেঘরাজের নাম শুনেছেন ?'

'বাবা ! তেইশ বছর কাশীতে আছি, আর মগনলালের নাম শুনব না ?'

'মুক্তোটা তাঁরই কাছে আছে।'

'কিন্তু তিনি তো মুক্তো জমান না। তিনি তো দালাল ; কম দামে জিনিস কিনে বেশি দামে বেচেন।'

'এবারেও তাই করবেন। ধরমপুরের সূরয সিংকে উনি মুক্তোটা বেচবেন।'

'সূরয সিং এখানে আসছেন ?'

'না। উনি দিল্লিতে। আমার যতদূর ধারণা, মগনলাল দিল্লি যাচ্ছেন ওঁর সঙ্গে দেখা করতে।'

'আপনি কী করছেন ?'

'আমরাও দিল্লি যাব—যদি তার আগে মুক্তোটা আদায় করতে পারি।'

'মগনলাল যদি টাকা না পায়, তা হলে আমার ভাই পাবে তো ?'

'সূরয সিং যদি তাঁর কথা রাখেন তা হলে নিশ্চয়ই পাবেন।'

'আশ্চর্য ! এমন একটা ভ্যালুয়েবল জিনিস ফ্যামিলিতে রয়েছে এতকাল ধরে, আর জয় সে কথা একবারও বলেনি। ও একাই জিনিসটাকে আগলে রেখেছে।'

'আপনি জানতেন না এতে আমার খুব অবাক লাগছে।'

'আমি পনেরো বছর বয়স থেকে ঘর ছাড়া। তারপর আর সোনাহাটি যাইনি। কাগজে মুক্তোর কথাটা পড়ে জয়কে চিঠি লিখেছিলাম, যে বিক্রি যদি হয় তা হলে আমি যেন একটা শেয়ার পাই। ও লিখল আমি বিক্রি করব না। তারপর কাল একটা চিঠি পেয়েছি তাতে

লিখেছে ও মাইন্ড চেঞ্জ করেছে, বিক্রি করবে। এই যে সেই চিঠি।'

ভদ্রলোক পকেট থেকে একটা চিঠি বার করে দিলেন। ফেলুদা সেটা পড়ে ফেরত দিয়ে বলল, 'আপনাকে তো বিশ হাজার অফার করেছে, আপনি তাতে সন্তুষ্ট ?'

'আরেকটু বেশি হলে আরও খুশি হতাম, তবে নেই-মামার চেয়ে কানা মামা ভাল। মুক্তোটা যে মগনলালের কাছে আছে সে বিষয়ে আপনি শিওর ?'

'আমি নিজের চোখে দেখেছি।'

মতিলালবাবু একটুক্ষণ ভাবলেন। তারপর বললেন, 'আপনি যদি মুক্তোটা চান, তা হলে তো আপনিই সেটা সূরয সিংকে বিক্রি করবেন ?'

'তা তো বটেই, এবং তা হলেই আপনি আপনার শেয়ার পাবেন।'

'তা হলে প্রথম কাজ হচ্ছে মগনলালের কাছ থেকে মুক্তোটা আদায় করা।'

'সে ব্যাপারে আপনি আমাকে হেল্‌প করতে পারেন ?'

'আপনার কী দরকার ?'

'বেপরোয়া কাজ করতে পারে এমন কিছু লোক।'

মতিলালবাবু কয়েক মুহূর্ত মাথা হেঁট করে কী যেন ভাবলেন। তারপর বললেন, 'একটা কথা আপনাকে বলি, মিস্টার মিত্তির—আজকাল শুধু সিনেমা হাউস চালিয়ে সংসার চলে না। লোকেরা সব বাড়িতে বসে ছবি দেখে। তাই কিছু এক্স্ট্রা রোজগারের রাস্তা দেখতে হয়।'

'মানে গোলমেলে কাজ ?'

'কিন্তু আইন বাঁচিয়ে।'

'তার মানে আপনার হাতে লোক আছে ?'

'মগনলালের যে রাইট-হ্যান্ড ম্যান—মনোহর—সে আমার দিকে চলে এসেছে। তা ছাড়া আরও দু-একজন লোক আমি দিতে পারি।'

'ভেরি গুড।'

'আপনি বলুন কখন কী করতে হবে।'

'আজ রাত বারোটা। জ্ঞান-বাপীতে চলে আসুন আপনার লোক নিয়ে। আমরা ওখানে থাকব।'

'ঠিক আছে। রাত বারোটা।'

'আপনি আবার গোঁয়ার্তুমি করছেন ?' বলে উঠলেন লালমোহনবাবু। ফেলুদা তাতে কানই দিল না। সে মতিলালবাবুকে বলল, 'মগনলালের কিন্তু একটি পালোয়ান ভৃত্য আছে। তার সঙ্গে মোকাবিলা করার কথাটা ভুললে চলবে না।'

মতিলালবাবু হেসে বললেন, 'আমার মনোহরও পালোয়ান। তার উপরে মাথায় বুদ্ধি রাখে।'

'তা হলে ওই কথা রইল। রাত বারোটা, জ্ঞান-বাপী।'

মতিলালবাবু উঠে পড়ে বললেন, 'একটা জরুরি কথা জিজ্ঞেস করা হয়নি। মুক্তোটা ও কোথায় রাখে জানেন ?'

'জানি। ও নিয়ে আপনি চিন্তা করবেন না।'

'অল রাইট।'

ভদ্রলোক চলে গেলে ফেলুদাও বিছানা থেকে উঠে পড়ে বলল, 'আমার নিরঞ্জনবাবুর সঙ্গে দু মিনিট দরকার আছে। সেটা সেরে দক্ষিণ হস্তের ব্যাপারটা সারা যাবে। বেশ খিদে পেয়েছে।'

৯

কাশীর মতো থমথমে রাত খুব কম জায়গাতেই দেখেছি। সেটা আরও বেশি মনে হয় এই জন্যে যে দিনের বেলা জায়গাটা লোকে জনে রঙে শব্দে ভরে থাকে। আমরা বারোটার সময় যখন জ্ঞান-বাপী পৌঁছলাম তখন একটা রাস্তার কুকুরের ডাক ছাড়া কোনও শব্দ নেই।

মিনিট পাঁচেক অপেক্ষা করার পর ফেলুদা একটা শেষ-করা চারমিনার পায়ের তলায় ফেলে চাপ দিতেই চাপা গলায় শোনা গেল, 'মিস্টার মিত্তির!' বুঝলাম মতিলাল বড়াল হাজির।

কতগুলো অন্ধকার মূর্তি আমাদের দিকে এগিয়ে এল। 'আমার সঙ্গে তিনজন লোক আছে। আপনি রওনা দেবার জন্য তৈরি ?'

চাপা স্বরে প্রায় ফিসফিসিয়ে কথা হচ্ছে। ফেলুদাও সেইভাবেই বলল, 'নিশ্চয়ই। আর, আমাদের গাইড করতে হবে না, আমরা রাস্তা জানি।'

'তা হলে চলুন।'

অন্ধকারের মধ্যে দিয়ে আমরা এগিয়ে চললাম। ফেলুদা আর মতিলালবাবু দুজনেই দেখলাম রাস্তা খুব ভাল করে জানে, আর এই ঘুটঘুটে অন্ধকারেও বেশ দ্রুতই এগিয়ে চলেছে। এক জায়গায় একটা রাস্তার আলো টিমটিম করে জ্বলছিল। সেই আলোতে দেখে নিয়েছি মতিলালবাবুর তিনজন লোকের মধ্যে একজন ভীষণ ষণ্ডা। বুঝলাম এই হচ্ছে মনোহর।

মগনলালের রাস্তার মুখে এসে সকলে থামল। ফেলুদা লালমোহনবাবুর দিকে এগিয়ে এসে ফিসফিস করে বলল, 'আপনারা এইখানে অপেক্ষা করুন। আমাদের হয়তো মিনিট কুড়ি লাগবে।'

কথাটা বলে উত্তরের অপেক্ষা না করেই মতিলালবাবু আর ওই তিনজন লোকের সঙ্গে ফেলুদা মগনলালের বাড়ির দিকে এগিয়ে গেল।

কয়েক মিনিট দুজনেই চুপ করে দাঁড়িয়ে রইলাম। নিজেদের নিশ্বাস ফেলার শব্দ পাচ্ছি। অবশেষে লালমোহনবাবু হয়তো আর থাকতে না পেরে ফিসফিস করে বললেন, 'ওই গুণ্ডাদের সঙ্গে তোমার দাদার যাবার কী দরকার ছিল বুঝতে পারলাম না।'

'সেটা যথাসময়ে বুঝবেন।'

'আমার ব্যাপারটা ভাল লাগছে না।'

'ঠিক আছে। আমার মনে হয় কথা না বলাই ভাল।'

ভদ্রলোক চুপ করে গেলেন। খুব মন দিয়ে শুনলে দূর থেকে হারমোনিয়াম আর ঘুঙুরের শব্দ পাওয়া যায়। আকাশের দিকে চাইলাম। এত তারা কলকাতার আকাশে কোনওদিন দেখিনি। এই তারার আলোতেই চার পাশ আবছা আবছা দেখা যাচ্ছে। যতদূর মনে হয়, আজ অমাবস্যা।

বেশি সময় যায়নি, কিন্তু এখনই মনে হচ্ছে অনন্তকাল ধরে দাঁড়িয়ে আছে। কতক্ষণ হল ? দশ মিনিট ? পনেরো মিনিট ? আশ্চর্য ! মগনলালের বাড়িতে ডাকাতি হচ্ছে, এখান থেকে ত্রিশ হাত দূরে, কিন্তু তার কোনও শব্দ নেই।

আরও মিনিট পাঁচেক দাঁড়িয়ে থাকার পর পায়ের শব্দ পেলাম। একজনের বেশি লোক। এগিয়ে আসছে আমাদের দিকে।

ফেলুদারাই ফিরছে। কাছে এসে বলল, 'চ।'

'কাজ হল ?' রুদ্ধশ্বাসে জিজ্ঞেস করলেন জটায়ু।

'খতম্,' বলল ফেলুদা ! তারপর মতিলালবাবুর দিকে ফিরে বলল, 'অনেক ধন্যবাদ। আপনার শেয়ারের ব্যবস্থা আমি করে দেব।'

আমরা আমাদের হোটেলের দিকে হাঁটা দিলাম।

কথা হল একেবারে ঘরে ঢুকে।

'কিছু বলুন, মশাই !' আর থাকতে না পেরে বললেন লালমোহনবাবু।

'আগে এইটে দেখুন।'

ফেলুদা পকেট থেকে লাল ভেলভেটের বাক্সটা বার করে খাটের উপর রাখল।

'সাবাস !' বললেন লালমোহনবাবু। 'কিন্তু কীভাবে হল ব্যাপারটা একটু বলুন। খুন-খারাপি হয়নি তো ?'

'সেই পালোয়ানটা মাথায় একটু চোট পেয়েছে, সেটা মনোহরের কীর্তি।'

'কিন্তু ক্যাশবাক্স খুললেন কী করে ?'
'যে ভাবে লোকে খোলে। চাবি দিয়ে।'
'এ কি ম্যাজিক নাকি ?'
'নো স্যার। মেডিসিন।'
'মানে ?'
'সাপ্লাইড বাই নিরঞ্জনবাবুর বন্ধু ডাক্তার চৌধুরী।'
'কী সব বলছেন আবোল তাবোল ? কীসের সাপলাই ?'

'ক্লোরোফর্ম,' বলল ফেলুদা। 'শঠে শাঠ্যম্। এবার বুঝেছেন ?'

পরদিন রাত সোয়া এগারোটায় দিল্লি এক্সপ্রেস ধরে তারপর দিন ভোর ছটায় দিল্লি পৌঁছলাম। এর আগের বার আমরা জনপথ হোটেলে ছিলাম, এবারও তাই রইলাম। ফেলুদা ঘরে এসে আর কিছু করার আগে বিভিন্ন হোটেলে ফোন করে খোঁজ নিতে আরম্ভ করল সূরয সিং কোথায় আছে। দশ মিনিট চেষ্টা করার পর তাজ হোটেলে বলল, 'হ্যাঁ, সূরয সিং এখানেই আছেন। রুম থ্রি ফোর সেভ্ন।'

'একবার তাঁর সঙ্গে কথা বলতে পারি কি ?'

সৌভাগ্যক্রমে সূরয সিং তাঁর ঘরেই ছিলেন। এক মিনিটে অ্যাপয়েন্টমেন্ট হয়ে গেল। সন্ধ্যা ছটা। হোটেলে ওঁর ঘরেই যেতে হবে। কী কারণ জিজ্ঞেস করেছিল, বলল ফেলুদা। 'আমি তাকে পিংক পার্ল সংক্রান্ত ব্যাপার বলাতে তৎক্ষণাৎ টাইম দিয়ে দিল।'

দুপুর বেলাটা কিছু করার নেই। জনপথে একটা চিনে রেস্টোরান্টে খেয়ে দোকানগুলো দেখে তিনটে নাগাত হোটেলে ফিরে এলাম একটু বিশ্রামের জন্য। পৌনে ছটায় বেরোতে হবে। লালমোহনবাবু ফেলুদাকে মনে করিয়ে দিলেন, 'আপনার ইয়েটা নিতে ভুলবেন না।'

ছটায় তাজে পৌঁছে ফেলুদা প্রথমে নীচ থেকে ফোন করে জানিয়ে দিল যে আমরা এসেছি।

'আমার ঘরে চলে আসুন,' বললেন ভদ্রলোক।

তিনশো সাতচল্লিশে গিয়ে বেল টিপতে যে দরজা খুলল তাকে মনে হল সেক্রেটারি জাতীয় কেউ। বললেন, 'আপনারা বসুন, উনি এক্ষুনি আসছেন।'

ঘর বলতে যা বোঝায় এটা তা নয় ; তিনটে ঘর জুড়ে একটা বিশাল সুইট। যেটায় ঢুকেছি সেটা সিটিং রুম। আমরা সোফায় গিয়ে বসলাম।

মিনিট পাঁচেক বসতেই ভদ্রলোক এসে পড়লেন।

ইনি যে অত্যন্ত ধনী সেটা এক ঝলক দেখলেই বোঝা যায়। গায়ে চোস্ত সুট, সোনার টাইপিন, পকেটে সোনার কলম। হাতে পাথর বসানো সোনার আংটি। বয়স পঞ্চান্নর বেশি নয়। কানের দুপাশে চুলে পাক ধরেছে, বাকি চুল কালো, আর চাড়া দেওয়া গোঁফটাও কালো।

'হু ইজ মিস্টার মিটার ?'

ফেলুদা উঠে দাঁড়িয়ে পরিচয় দেওয়ার ব্যাপারটা সেরে নিল। ভদ্রলোক দেখলাম দাঁড়িয়েই রইলেন।

'আপনার সঙ্গে পিংক পার্লের কী কানেকশন ?' ফেলুদাকে প্রশ্ন করলেন মিস্টার সিং।

ফেলুদা বলল, 'আমি একজন প্রাইভেট ইনভেস্টিগেটর। জয়চাঁদ বড়াল মুক্তোটা আমার জিম্মায় রেখেছেন যাতে ওটা নিরাপদ থাকে।'

'কথাটা আমি বিশ্বাস করতে বাধ্য নই, মিস্টার মিটার। আপনি মালিকের কাছ থেকে যে মুক্তোটা চুরি করেননি তার কী প্রমাণ ?'

'কোনও প্রমাণ নেই। আপনাকে আমার কথা মেনে নিতে হবে।'

'আমি তাতে রাজি নই।'

'তা হলে আমার একটা কথাই বলার আছে—আমি মুক্তোটা দেব না। এটা যার জিনিস তাঁর কাছে ফেরত চলে যাবে।'

'মুক্তোটা দিতে আপনি বাধ্য।'

'না মিস্টার সিং, আমি বাধ্য নই। নো ওয়ান ক্যান ফোর্স মি।'

চোখের পলকে সূরয সিং-এর হাতে একটা রিভলভার চলে এল, আর তার পরমুহূর্তেই একটা কান-ফাটানো গর্জন।

কিন্তু সেটা সূরয সিং-এর রিভলভার থেকে নয়, ফেলুদার কোল্ট থেকে। সে সূরয সিং-এর হাত নামানো দেখেই ব্যাপারটা বুঝে নিয়েছে। আর বিদ্যুদ্বেগে নিজের রিভলভারটা বার করেছে।

গর্জনের সঙ্গে সঙ্গে সূরয সিং-এর হাত থেকে তার রিভলভারটা ছিটকে বেরিয়ে একটা ঠং

শব্দ করে ঘরের পিছন দিকের মেঝেতে পড়ল।

সূরয সিং-এর চেহারা পালটে গেছে। তার চাউনিতে ঘৃণার বদলে এখন সম্ভ্রম।

'আমি চল্লিশ গজ দূর থেকে বাঘ মেরেছি, কিন্তু তোমার মতো টিপ আমার নেই। ঠিক আছে, আমি তোমার নামেই চেক লিখে দিচ্ছি, তুমি মুক্তোটা আমাকে দাও।'

ফেলুদা পকেট থেকে ভেলভেটের কৌটাটা বার করে সূরয সিংকে দিল। কৌটোটা থেকে মুক্তোটা বার করে ডান হাতের বুড়ো আঙুল আর তর্জনীর মধ্যে ধরে সেটাকে ঘুরিয়ে-ফিরিয়ে দেখতে থাকলেন সূরয সিং। তাঁর চোখ জ্বল জ্বল করছে।

'আমি এটাকে যাচাই করে নিলে আশা করি তোমার আপত্তি হবে না। এতগুলো টাকা...'

'ঠিক আছে।'

'শঙ্করপ্রসাদ!' হাঁক দিলেন সূরয সিং। পাশের ঘর থেকে একজন ফিটফাট ভদ্রলোক বেরিয়ে এলেন, বছর চল্লিশেক বয়স, চোখে সোনার চশমা।

'স্যার?'

'একবার দেখো তো এই মুক্তোটা জেনুইন কি না।'

শঙ্করপ্রসাদ মিনিটখানেক ঘুরিয়ে-ফিরিয়ে দেখেই সেটা সূরয সিংকে ফেরত দিল।

'নো স্যার।'

'মানে?'

'এটা ফল্স। সস্তা সাদা কালচারড পার্লের উপর গোলাপী রং করে দেওয়া হয়েছে।'

'আর ইউ শিওর?'

'অ্যাবসোলিউটলি।'

সূরয সিং-এর মুখ লাল। কাঁপতে কাঁপতে ফেলুদার দিকে চাইলেন। তাঁর কথা বলতেও যেন কষ্ট হচ্ছে।

'ইউ-ইউ—মেকি জিনিস আমাকে পাচার করছিলে?'

ফেলুদার মুখ হাঁ হয়ে গেছে।

'তা হলে বড়ালের বাড়িতেই নিশ্চয়ই ফল্স মুক্তো ছিল,' বলল ফেলুদা।

'তোমার রিভলভার নামাও।'

ফেলুদা নামাল।

'এই নাও তোমার ঝুঠা মোতি।'

ফেলুদা বাক্সসমেত মুক্তোটা সূরয সিং-এর হাত থেকে নিল।

'নাউ গেট আউট।'

আমরা তিনজন সুবোধ বালকের মতো ঘর থেকে বেরিয়ে চলে এলাম। যখন লিফ্‌টে উঠছি তখন দেখলাম ফেলুদার কপালে গভীর খাঁজ।

কলকাতা ফেরার পথে ট্রেনে ফেলুদা একটা কথাও বলল না। এমন অবস্থায় যে সে কোনওদিন পড়েনি সেটা আর কেউ না জানুক, আমি তো জানি।

আমরা ফিরলাম রাত্রে। পরদিন সকালে আমার ঘর থেকে শুনতে পেলাম ফেলুদা গুন গুন করে গান গাইছে।

আমি বসবার ঘরে এসে দেখি ও পায়চারি করছে আর 'আলোকের এই ঝর্ণাধারায়'-এর সুরটা ভাঁজছে। আমাকে দেখেও সে পায়চারি, গান কোনওটাই থামল না। আমি অবশ্য খুশি। ফেলুদাকে মনমরা দেখতে আমার মোটেও ভাল লাগে না।

মিনিট পাঁচেকের মধ্যেই লালমোহনবাবুর গাড়ির হর্ন শোনা গেল। আমি দরজাটা খুলে দিলাম, ভদ্রলোক ঢুকলেন।

'প্রাতঃ প্রণাম!' ঘাড় হেঁট করে হাতজোড় করে বলল ফেলুদা। 'আসতে আজ্ঞা হোক!'

লালমোহনবাবু কেমন যেন থতমত খেয়ে একটা বোকা হাসি হেসে বললেন, 'আপনি কি তা হলে... ?'

'আমি অন্ধকার পছন্দ করি না, লালমোহনবাবু, তাই সেখানে আমাকে বেশিক্ষণ ফেলে রাখা চলে না। ফল্‌স মুক্তোটা যে আপনার গড়পারের সেক্‌রা বন্ধুর কীর্তি সেটা আমি বুঝেছি, আর এটা যে আপনার এবং আমার ভ্রাতার যৌথ প্রয়াস সেটা বুঝেছি, কিন্তু কবে কখন—'

'বলছি, স্যার, বলছি,' বললেন লালমোহনবাবু। 'অপরাধ নেবেন না কাইন্ডলি। আর আপনার ভাইটিকেও মাপ করে দেবেন। আপনি মগনলালের হুম্‌কি যেরকম বেপরোয়া ভাবে নিলেন, তাতে আমি অত্যন্ত উদ্বেগ বোধ করছিলুম। ও মুক্তোটা পেয়ে যাবে এই চিন্তাটাই আমি বরদাস্ত করতে পারছিলুম না। ও তিন দিন সময় দিয়েছিল সোম, মঙ্গল, বুধ। মঙ্গলবার আমি সকালে আসি। আপনি চুল ছাঁটাতে গেলেন, মনে আছে তো ? সেই সময় তপেশ আপনার চাবি দিয়ে আলমারি খুলে মুক্তোটা বার করে আমায় দেয়। এক দিনেই ডুপ্লিকেট হয়ে যায়। বুধবার ওটা তপেশকে এনে দিই, ও সুযোগ বুঝে সেটা আলমারিতে রেখে দেয়। যা করেছি তা শুধু আপনার মঙ্গলের জন্য, বিশ্বাস করুন।'

'আপনাদের ফন্দি অবিশ্যি তারিফ করার মতোই।'

'আপনি সেদিন যখন মগনলালকে বললেন মুক্তোটা ফলস, তখন আমি ভেবেছিলাম আপনি আমাদের কারসাজি ধরে ফেলেছেন।'

'না ধরিনি। আপনাদের পক্ষে এতটা মাথা খাটানো সম্ভব সেটা ভাবতে পারিনি। আসলে আপনারা যে ফেলু মিত্তিরের এত কাছে থাকেন সেটা ভুলে গিয়েছিলাম।'

'জয়চাঁদবাবু নিশ্চয়ই আরও ভাল অফার পাবেন।'

'অলরেডি পেয়েছেন। কাল এসে সোমেশ্বরের একটা চিঠিতে জানলাম। এক আমেরিকান ভদ্রলোক। এক লাখ পঁচিশ অফার করেছেন।'

'বাঃ, এ তো সত্যিই সুখবর।'

ফেলুদা এবার আমার দিকে ফিরল। আমি একটা গাঁট্টা কি রদ্দা এক্সপেক্ট করছিলাম, তার বদলে ও আমার কাঁধে হাত দিয়ে বলল, 'তোকে একটা অ্যাডভাইস দিই। এই ঘটনাটার বিষয় যখন লিখবি, তখন তোদের এই কীর্তিটার কথা একেবারে শেষে প্রকাশ করবি। নইলে গপ্প জমবে না।'

আমি অবিশ্যি তাই করেছি। লোকে আশা করি আমার এই কারচুপিটা মাইন্ড করবে না।

'তা হলে এবার আসলটা আপনাকে দিয়ে দিই ?' বললেন লালমোহনবাবু।

'ইয়েস, ইফ ইউ প্লিজ, মিস্টার গাঙ্গুলী।'

জটায়ু পকেট থেকে লাল ভেলভেটের কৌটোটা বার করে ফেলুদাকে দিল। ফেলুদা বাক্সটা খুলে জানালার কাছে গিয়ে আলোতে ধরল।

গোলাপী মুক্তা সগৌরবে বিরাজমান।

লন্ডনে ফেলুদা

১

'টেলিভিশনটা কিনে কোনও লাভ হল না মশাই,' বললেন লালমোহনবাবু। 'দেখার মতো কিস্যু থাকে না। রামায়ণ মহাভারত দুটোই দেখতে চেষ্টা করেছি। পাঁচ মিনিটের বেশি স্ট্যান্ড করা যায় না।'

'আপনি যে খেলাধুলোয় ইন্টারেস্টেড নন', বলল ফেলুদা। 'তা হলে দেখতেন মাঝে মাঝে বেশ ভাল প্রোগ্রাম থাকে। টেনিস, ক্রিকেট, ফুটবল—কোনওটাই বাদ নেই। যেমন দেশের খেলা, তেমনি বিদেশের খেলা।'

'তবে ওরা আমার একটা গল্প থেকে টি ভি সিরিয়াল করতে চাচ্ছে।'

'বাঃ, এ তো ভাল খবর।'

'ভাল মানে? প্রখর রুদ্র করবে এমন কোনও অ্যাকটর আছে বাংলাদেশে? অথচ ও দেশে দেখুন—সুপারম্যানের জন্য পর্যন্ত লোক পেয়ে গেল। মনে হয় একেবারে বইয়ের পাতা থেকে উঠে এসেছে।'

আমাদের পাড়ায় কোনও বড় পুজো নেই। তবে একটু দূরেই আছে, সেখান থেকে মাঝে মাঝে লাউডস্পিকারে হিন্দি গান ভেসে আসছে। লালমোহনবাবু তার সঙ্গে গলা মেলাতে চেষ্টা করে পারছেন না। গানটা ভদ্রলোকের একেবারেই আসে না, যদিও বলেন ওঁর দাদামশাই নাকি খান ত্রিশেক ওস্তাদি গান রেকর্ড করেছিলেন।

চা এক প্রস্থ হয়ে গেছে, আরেকবার হবে কি না ভাবছি এমন সময় বাইরে গাড়ি থামার শব্দ পেলাম। আর তার পরেই ডোরবেল।

দরজা খুলে দেখি এক লম্বা চওড়া ধবধবে ফরসা ভদ্রলোক দাঁড়িয়ে আছেন।

'এটা কি প্রদোষ মিত্রের বাড়ি?'

'আজ্ঞে হ্যাঁ—আসুন ভিতরে।' ফেলুদা সোফা থেকে উঠে দাঁড়িয়েছে।

ভদ্রলোক ঘরে ঢুকলেন। ধুতি, পাঞ্জাবি আর কাঁধে সাদা চাদর। পায়ে সাদা পাম্প শু। আভিজাত্য ফুটে বেরোচ্ছে সমস্ত শরীর থেকে।

'বসুন,' বলল ফেলুদা।

ভদ্রলোক একটা সোফায় বসে লালমোহনবাবুর দিকে জিজ্ঞাসু দৃষ্টি দিলেন। 'ইনি আমার বন্ধু লালমোহন গাঙ্গুলী,' বলল ফেলুদা। লালমোহনবাবু একটা নমস্কার করলেন, কিন্তু ভদ্রলোক যেন সেটা দেখেও দেখলেন না। পায়ের উপর পা তুলে গিলে করা ধুতির কোঁচটাকে সযত্নে কোলের উপর রেখে বললেন, 'আপনার কথা আমায় বলে পাইকপাড়ার সাধন চক্রবর্তী।'

'ওঁর একটা তদন্তের সঙ্গে আমি জড়িত ছিলাম,' বলল ফেলুদা।

'ভদ্রলোক আপনার সুখ্যাতি করলেন, তবে ডিটেল কিছু দেননি। আপনি কদ্দিন ধরে করছেন এ কাজ?'

'বছর দশেক হল।'

'সিসটেমটা দিশি না বিলিতি?'

'যে কেসে যেমনটা দরকার হয় আর কী।'

'আই সি...'

'আপনার সমস্যাটা কী সেটা যদি বলেন...'

'সেটাকে সমস্যা বলা চলে কি না জানি না। সেটা আপনিই বিচার করবেন।'

ভদ্রলোক পকেট থেকে একটা খাম বার করলেন। তারপর তার থেকে সযত্নে একটা ছবি বার করে ফেলুদাকে দিলেন। আমি ফেলুদার কাঁধের উপর দিয়ে দেখলাম ফিকে হয়ে যাওয়া পুরনো একটা ফোটোগ্রাফ, তাতে রয়েছে পাশাপাশি দাঁড়িয়ে পরস্পরের কাঁধে হাত দিয়ে দুজন প্যান্ট-শার্ট পরা ছেলে। তাদের বয়স ষোলো-সতেরোর বেশি নয়।

'এর মধ্যে কাউকে চিনছেন কি?' ভদ্রলোক প্রশ্ন করলেন।

'বাঁ দিকের জন তো আপনি,' বলল ফেলুদা।

'হ্যাঁ, ওই একজনকেই আমিও চিনতে পারছি।'

'অন্যটি আপনার বন্ধু অবশ্যই।'

'দেখে তো তাই মনে হয়, তবে ওর পরিচয় ধরতে পারিনি। ছবিটা আমি সম্প্রতি পেয়েছি। একটা দেরাজের কাগজপত্রের তলায় ছিল। আপনাকে আমি একটিমাত্র কাজ দিতে এসেছি। ভেবে দেখুন সেটা নেবেন কি না।'

'কী কাজ?'

'আমার সঙ্গে ওই ছেলেটি কে সেটা আমার জানা চাই। এর পরিচয় আপনাকে অনুসন্ধান করে উদ্ঘাটন করতে হবে। ও কোথায় আছে, কী করে, আমার সঙ্গে পরিচয় হল কবে, কী করে—সে সব আমার জানা চাই। সেটা করলেই আপনার কাজ শেষ। এর জন্য আপনার পুরো পারিশ্রমিক আমি দেব।'

'আমার আগে জানা দরকার আপনি নিজে কোনও খোঁজ করেছেন কি না।'

'ক্লাবে আমার স্কুল-কলেজের কয়েকজন সহপাঠী আছে, আমি তাদের দেখিয়েছি। তারা কেউ চিনতে পারেনি। আপনি লক্ষ করবেন ছেলেটি বাঙালি কি না তাও বোঝা শক্ত।'

'চুলটা তো কালো, তবে চোখ দুটো যেন একটু কটা। আপনার সাহেব বন্ধু ছিল কখনও?'

'আমি ইংল্যান্ডে চার বছর স্কুলে আর এক বছর কলেজে পড়ি। বাবা ওখানে ডাক্তারি করতে গিয়েছিলেন। তারপর অবিশ্যি আমরা সবাই দেশে ফিরে আসি। ফিরে আসার আগে ইংল্যান্ডের কোনও কথা আমার মনে নেই, কারণ ওখানে থাকতে বাইসিকল থেকে পড়ে গিয়ে আমার স্কাল ফ্র্যাকচার হয়ে যায়। তার ফলে পাঁচ-সাত বছরের স্মৃতি আমার মন থেকে লোপ পেয়ে গেছে।'

'কোন স্কুল আর কলেজে পড়েছিলেন সেটা মনে নেই?'

'বাবা বলেছিলেন। সে-ও অনেক বছর আগে। কলেজ বোধহয় কেমব্রিজ। স্কুলের নাম মনে নেই।'

'স্মৃতি ফিরিয়ে আনার জন্য কোনও ওষুধ-টষুধ খাচ্ছেন না?'

'অ্যালোপ্যাথিক খেয়েছি। তাতে কোনও কাজ হয়নি। এখন একটা কবিরাজি ওষুধ খাচ্ছি।'

'ইংল্যান্ড থেকে ফিরে কী হয়?'

'সেন্ট জেভিয়ার্সে ভর্তি হই। বাবাই সব ব্যবস্থা করে দেন, কারণ তখনও আমি সম্পূর্ণ সুস্থ হইনি।'

'সেটা কোন বছর?'

'ফিফটি টু। ইন্টারমিডিয়েটে ভর্তি হই।'

'হুঁ...।'

ফেলুদা ছবিটা হাতে নিয়ে মিনিটখানেক ভাবল। তারপর প্রশ্ন করল, 'আপনার কি মনে হয় এই ছেলের সঙ্গে কোনও একটা বিশেষ ঘটনা জড়িয়ে আছে?'

'সেরকম মনে হয়েছে। এক-এক সময় আবছা আবছা স্মৃতি ফিরে আসে, আর তখন যেন

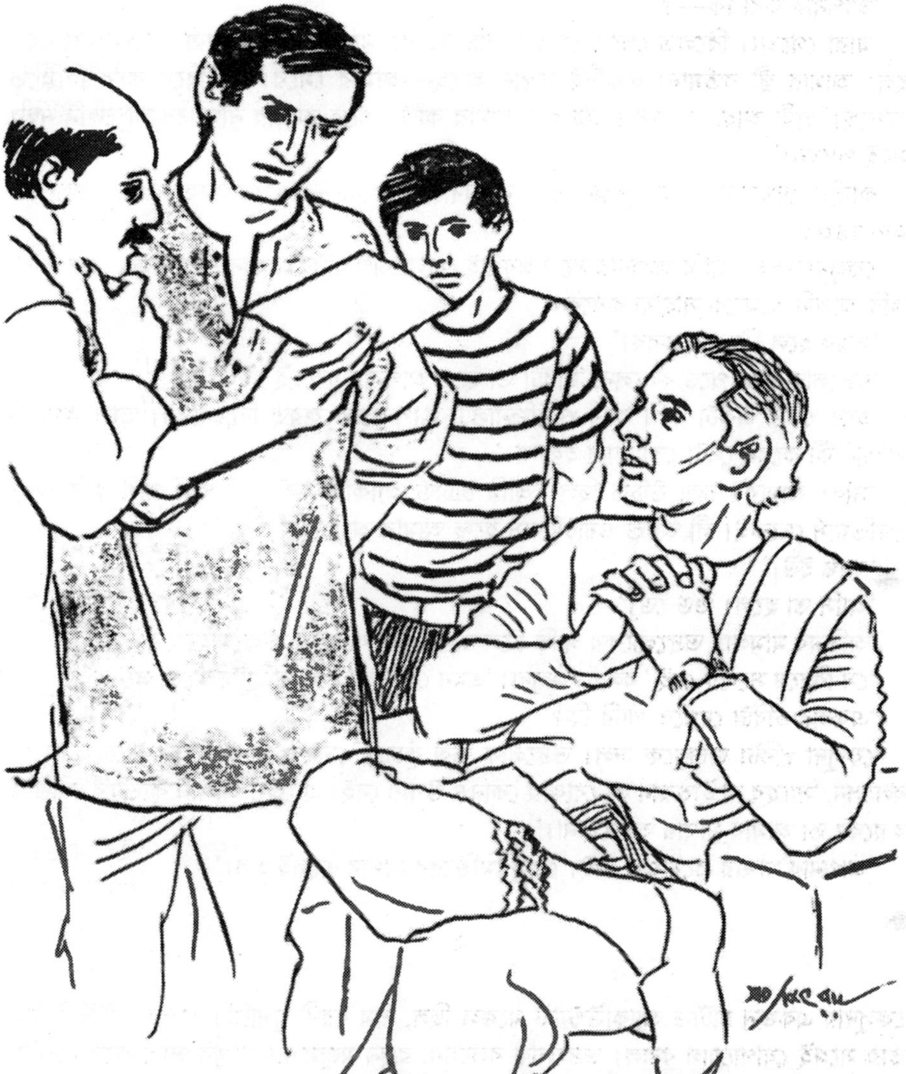

একে দেখতে পাই। কিন্তু এর পরিচয় অজানাই থেকে যায়। অত্যন্ত অস্বস্তিকর ব্যাপার। যার সঙ্গে এত বন্ধুত্ব ছিল সে কে, সে এখন কোথায় আছে, কী করে, আমাকে মনে রেখেছে কি না, এ সব জানার জন্য প্রবল কৌতূহল হয়। কাজটা সহজ না বুঝতে পারছি, কিন্তু সেই কারণেই হয়তো আপনি ইন্টারেস্টেড হতে পারেন।'

'ঠিক আছে। কাজটা আমি নিচ্ছি। তবে এতে কত সময় লাগবে তা আমি বলতে পারছি না। আর ধরুন যদি বিলেত যেতে হয়?'

'তা হলে আপনার এবং আপনার অ্যাসিস্ট্যান্টের প্লেন ভাড়া আমি দেব, ওখানে হোটেলে থাকার খরচ আমি দেব, যে পাঁচশো ডলার আপনাদের প্রাপ্য তার টাকাটা আমি দেব। বুঝতেই পারছেন আমি এর পরিচয় পাবার জন্য কতটা আগ্রহী।'

'আপনার বাবা কি—?'

'মারা গেছেন। বিলেত থেকে ফেরার পাঁচ বছরের মধ্যেই। মা-ও মারা গেছেন দশ বছর হল। আমার স্ত্রী বর্তমান। একটিই সন্তান আছে—আমার মেয়ে। সে বিয়ে করে দিল্লিতে রয়েছে। স্বামী আই. এ. এস.। এই হল আমার কার্ড। এতে আমার নাম ঠিকানা ফোন নম্বর সবই পাবেন।'

কার্ডটা দেখলাম। নাম—রঞ্জন কে. মজুমদার; ঠিকানা—১৩ রোল্যান্ড রোড; ফোন—২৮-৭৪০১।

ফেলুদা বলল, 'আমি আপনার সঙ্গে অবশ্যই যোগাযোগ রাখব। কোনও প্রয়োজন হলে আশা করি আপনি আমাকে সাহায্য করবেন।'

'সম্ভব হলে নিশ্চয়ই করব।'

ভদ্রলোক উঠে পড়ে বললেন, 'ছবিটা তা হলে আপনার কাছেই রইল।'

'হ্যাঁ। ওটার একটা কপি করে ওরিজিনালটা আপনাকে ফেরত দিয়ে দেব। ভাল কথা—আপনি কী করেন সেটা তো জানা হল না।'

'সরি। আমারই বলা উচিত ছিল। আমি চার্টার্ড অ্যাকাউন্ট্যান্ট। বি. কম পাশ করি সেন্ট জেভিয়ার্স থেকেই। লী অ্যান্ড ওয়াটকিনস্ হচ্ছে আমার আপিসের নাম।'

'থ্যাঙ্ক ইউ।'

'আসি তা হলে। গুড ডে।'

'অভিনব মামলা,' ভদ্রলোকের গাড়ি চলে যাবার পর বললেন লালমোহনবাবু।

'সে বিষয়ে সন্দেহ নেই,' বলল ফেলুদা। 'এমন কেস আর পেয়েছি বলে তো মনে পড়ে না।'

'একবার ছবিটা দেখতে পারি কি?'

ফেলুদা ছবিটা জটায়ুকে দিল। ভদ্রলোক ভুরু কুঁচকে সেটার দিকে কিছুক্ষণ চেয়ে থেকে বললেন, 'সাহেব না ইন্ডিয়ান তা বোঝার কোনও উপায় নেই। এ কেস আপনি কীভাবে কনডাক্ট করবেন তা আমার মাথায় আসছে না।'

'আপনার মাথার প্রয়োজন নেই। ফেলু মিত্তিরের মাথায় এলেই হল।'

২

ফেলুদার একজন চার্টার্ড অ্যাকাউন্ট্যান্ট মক্কেল ছিল, নাম ধরণী মুখার্জি। ফেলুদা টেলিফোনে তার সঙ্গেই যোগাযোগ করল। ভদ্রলোক বললেন, রঞ্জন মজুমদারকে খুব ভাল করে চেনেন, কারণ দুজনেই স্যাটার্ডে ক্লাবের মেম্বার। রঞ্জনবাবু কীরকম লোক জিজ্ঞেস করাতে ধরণীবাবু বললেন যে, তিনি একটু চাপা ধরনের লোক, বিশেষ মিশুকে নন, বেশিরভাগ সময় ক্লাবে চুপচাপ একা বসে থাকেন। ড্রিংক করেন—তবে মাত্রাতিরিক্ত নয়। রঞ্জনবাবু যে ছেলেবেলায় কিছুকাল বিলেতে ছিলেন সে কথাও ধরণীবাবু জানেন, কিন্তু তার বাইরে আর কিছুই বিশেষ জানেন না।

১৯৫২-তে সেন্ট জেভিয়ার্সে ইন্টারমিডিয়েটে কে কে ছাত্র ছিল তার হদিস পেতে ফেলুদার বিশেষ বেগ পেতে হল না। সেই ছাত্রদের তালিকায় খুব ভাল করে চোখ বুলিয়ে ফেলুদা বলল, 'এর মধ্যে একজনের নাম চেনা চেনা মনে হচ্ছে। যদ্দূর মনে হয় ভদ্রলোক হোমিওপ্যাথি করেন।' বাড়ি ফিরে এসে বলল, 'তোপসে, ডাক্তার হীরেন বসাকের নামটা ডিরেক্টরিতে বার করে ভদ্রলোকের টেলিফোন নাম্বারটা আমায় দে তো।'

আমি দু মিনিটে কাজটা সেরে দিলাম। ফেলুদা সেই নম্বরে ফোন করে একটা অ্যাপয়েন্টমেন্ট

চাইল। ডাক্তার ফেলুদার নাম শুনেই হয়তো পরদিন সকালেই সময় দিয়ে দিলেন—সাড়ে এগারোটা।

কেস কেমন যাচ্ছে খবর নিতে পরদিন সকালে লালমোহনবাবু এসেছিলেন। আমরা তাঁর গাড়িতেই ডাক্তারের চেম্বারে গেলাম।

ওয়েইটিং রুমে ভিড় দেখেই বোঝা যায় ডাক্তারের পসার ভাল। ডাক্তারের সহকারী 'আসুন, আসুন' বলে ফেলুদাকে একেবারে আসল ঘরে নিয়ে গিয়ে ঢোকাল; পিছন পিছন অবশ্য আমরা দুজনও ঢুকলাম।

ডাক্তার বসাক ফেলুদাকে দেখে হাসিমুখে চেয়ার ছেড়ে উঠে দাঁড়ালেন।

'কী ব্যাপার? আপনার তো বড় একটা ব্যারাম-ট্যারাম হয় না।'

'ব্যারাম না,' ফেলুদা হেসে বলল। 'একটা তদন্তের ব্যাপারে আপনাকে একটা প্রশ্ন করতে এসেছি।'

'কী প্রশ্ন?'

'আপনি কি সেন্ট জেভিয়ার্সের ছাত্র ছিলেন?'

'হ্যাঁ, তা ছিলাম।'

'আমার আসল প্রশ্নটা হল—এই দুটি ছেলেকে কি চিনতে পারছেন?'

ফেলুদা পকেট থেকে সেলোফেনে মোড়া ছবিটা বার করে ডাক্তার বসাকের হাতে দিল। এক দিনের মধ্যেই ছবিটার কপি করিয়ে নিয়ে আসল ছবিটা ফেলুদা রঞ্জনবাবুকে ফেরত দিয়ে এসেছে। ডাক্তার ভুরু কুঁচকে ছবিটার দিকে কিছুক্ষণ চেয়ে থেকে বললেন, 'এদের মধ্যে একজন তো মনে হয় আমাদের সঙ্গে পড়ত। রঞ্জন। হ্যাঁ, রঞ্জনই তো নাম।'

'আমি বিশেষ করে অন্যজনের সম্বন্ধে জানতে চাইছি।'

ডাক্তার ছবিটা ফেরত দিয়ে মাথা নেড়ে বললেন, 'অন্যটিকে কস্মিনকালেও দেখিনি আমি।'

'আপনাদের সঙ্গে সেন্ট জেভিয়ার্সে পড়ত না?'

'ডেফিনিটলি না।'

ফেলুদা ছবিটা আবার সেলোফেনে মুড়ে পকেটে রেখে দিল।

'আপনি তা হলে বলছেন আপনার ক্লাসের অন্য ছেলেদের জিজ্ঞেস করেও খুব একটা লাভ নেই?'

'আমার তো মনে হয় বৃথা সময় নষ্ট।'

'তাও, আপনি একটা কাজ করে দিলে আমি খুব উপকৃত হব।'

'কী?'

ফেলুদা পকেট থেকে সেন্ট জেভিয়ার্সের ছাত্রদের তালিকাটা বার করে ডাক্তার বসাককে দেখাল।

'এর মধ্যে কারুর বর্তমান খবর জানেন?'

আমি বুঝলাম ফেলুদা সহজে ছাড়ছে না।

ডাক্তার তালিকাটার উপর চোখ বুলিয়ে বললেন, 'একজনের খবর জানি। জ্যোতির্ময় সেন। ইনিও ডাক্তার, তবে অ্যালোপ্যাথ।'

'কোথায় থাকেন বলতে পারেন?'

'হেস্টিংস। ঠিকানাটাও আপনি টেলিফোনের বইয়েতেই পেয়ে যাবেন।'

'থ্যাঙ্ক ইউ, স্যার।'

গাড়িতে উঠে লালমোহনবাবু বললেন, 'স্কুল-কলেজের বাইরেও তো বন্ধু হয় মশাই। অ্যাট প্রেজেন্ট আমার যে কজন বন্ধু আছে তাদের কেউই আমার সহপাঠী ছিল না।'

'এটা ঠিকই বলেছেন,' বলল ফেলুদা। 'আমার মনে হয় শেষ পর্যন্ত খবরের কাগজে ছবি দিয়ে এনকোয়ারি করতে হবে। তবে আগে এই হেস্টিংসের ডাক্তারকে একটু বাজিয়ে দেখা যাক।'

জ্যোতির্ময় সেন আমাদের অ্যাপয়েন্টমেন্ট দিয়েছিলেন তিন দিন পরে, সকাল সাড়ে ন'টায়। ফেলুদার নাম শুনেছেন, যথেষ্ট সম্ভ্রমের সঙ্গে কথা বললেন, আর বললেন উনি দশটায় চেম্বারে যান, তার আগেই আমাদের সঙ্গে কাজটা সেরে নিতে চান। ফেলুদা বলল, 'আর এটাও জানিয়ে রাখি যে এর সঙ্গে ব্যারামের কোনও সম্পর্ক নেই; ব্যাপারটা আমার একটা তদন্তের সঙ্গে সংশ্লিষ্ট।'

লালমোহনবাবুও অ্যাপয়েন্টমেন্টের কথাটা জেনে নিয়েছিলেন; তাঁর গাড়িতেই আমরা শুক্রবার সকালে ঠিক সাড়ে ন'টায় হেস্টিংসে জ্যোতির্ময় সেনের বাড়ি পৌঁছে গেলাম।

এঁর পসার যে ভাল সেটা বাড়ি দেখেই বোঝা যায়। বেয়ারা এসে সেলাম ঠুকে আমাদের বসবার ঘরে নিয়ে গিয়ে বসিয়ে বলল, 'ডাক্তারবাবু পাঁচ মিনিটের মধ্যেই আসবেন।'

লালমোহনবাবু গলা নামিয়ে ফেলুদাকে প্রশ্ন করলেন, 'আপনি কার বিষয় জানতে চাইবেন—রঞ্জন মজুমদার, না ছবির অন্য ছেলেটি?'

ফেলুদা বলল, 'রঞ্জন মজুমদার লোকটাকে একটু ভাল করে জানা দরকার। এখন পর্যন্ত খুবই সামান্য জানি। তাঁর বন্ধুর বিষয় এই ডাক্তার কিছু বলতে পারবেন বলে মনে হয় না।'

ফেলুদার কথা শেষ হবার সঙ্গে সঙ্গেই জ্যোতির্ময়বাবু এসে গেলেন।

'আপনি তো প্রদোষ মিত্র,' বললেন ভদ্রলোক সোফায় বসে। 'অবিশ্যি ফেলুদা নামেই বেশি প্রসিদ্ধ। ইনি তো তোপসে, বুঝতেই পারছি, আর ইনি নিশ্চয়ই জটায়ু। আপনার তদন্তের সব কাহিনী আমার বাড়ির ছেলে বুড়ো সবাই পড়ে, তাই আপনাকে একরকম আত্মীয় বলেই মনে হয়। বলুন, কী প্রয়োজন আপনার।'

'এই ছবির দুজনের একজনকেও চেনেন?'

'এ তো দেখছি রঞ্জন মজুমদার। পরিষ্কার মনে পড়ছে এ চেহারা। এই দ্বিতীয় ছেলেটাকে চিনলাম না।'

'কলেজে আপনাদের ক্লাসে ছিল না?'

'উঁহু—তা হলে মনে থাকত।'

'তা হলে এই রঞ্জন মজুমদার সম্বন্ধে দু-একটা প্রশ্ন করব।'

'কলেজে রঞ্জন আমার ইন্টিমেট বন্ধু ছিল। আমরা দুজনে এক বেঞ্চে বসতাম, একসঙ্গে সিনেমা দেখতাম। ও আমার হয়ে প্রক্সি দিত, আমি ওর হয়ে দিতাম। অবিশ্যি এখন আর কোনও যোগাযোগ নেই।'

'কীরকম ছেলে ছিলেন তিনি? অর্থাৎ, মানুষ হিসেবে কীরকম?'

জ্যোতির্ময় সেন ভুরু কুঁচকে একটু ভাবলেন। তারপর বললেন, 'একটু খ্যাপাটে গোছের। অবিশ্যি সেটা আমি মাইন্ড করতাম না।'

'খ্যাপাটে কেন বলছেন?'

'কারণ ওই বয়সে অত স্ট্রং ন্যাশনালিস্ট ফিলিং আমি কারুর মধ্যে দেখিনি। এটা মনে হয় ওর ঠাকুরদাদার কাছ থেকে পাওয়া। রঘুনাথ মজুমদার। ইয়াং বয়সে টেররিস্ট দলে ছিলেন, বোমা-টোমা তৈরি করতেন। রঞ্জনের বাবার মধ্যেও বোধহয় এ জিনিসটা ছিল। বিলেতে ডাক্তারি করতেন। কোন এক সাহেবের সঙ্গে বনেনি বলে আবার দেশে ফিরে আসেন।'

'বিলেতে থাকার সময় রঞ্জনবাবু তো ওখানকার স্কুলে পড়তেন।'

'তা পড়ত হয়তো, কিন্তু সে সম্বন্ধে ও নিজে কিছুই বলেনি। ওর তো ওখানে একটা বিশ্রী অ্যাক্সিডেন্ট হয়—সে বিষয় জানেন বোধহয়?'

'হ্যাঁ। উনি নিজেই বলেছিলেন।'

'তার ফলে ও পাঁচ-সাত বছরের ঘটনা একদম ভুলে যায়। অর্থাৎ বিলেতের সব ঘটনাই ওর মন থেকে লোপ পেয়ে যায়।'

'তা হলে ওখানে কার সঙ্গে পরিচয় হয়েছিল না-হয়েছিল সেটাও জানবার কোনও উপায় নেই?'

'না। যদি না ঘটনাচক্রে স্মৃতি আবার ফিরে আসে। তবে এটা বলে রাখি—রঞ্জন খুব সাধারণ ছেলে ছিল না। অসুখে ওর কী ক্ষতি করেছিল জানি না—বা ইংল্যান্ডের ছাত্র অবস্থা ওর কীরকমভাবে কেটেছে জানি না, কিন্তু ওর মধ্যে একটা ব্যক্তিত্ব ছিল যেটা ওই বয়সেও বোঝা যেত।'

পরদিন সকালে টেলিফোনে অ্যাপয়েন্টমেন্ট করে আমি আর ফেলুদা রঞ্জন মজুমদারের বাড়ি গেলাম। 'কদ্দূর এগোলেন?' ভদ্রলোক জিজ্ঞেস করলেন।

'এই ছেলেটি যে কলকাতায় আপনার সহপাঠী ছিল না সেটা জানতে পেরেছি। এবার একটা স্টেপ নেব ভাবছি যেটা নিয়ে আপনার সঙ্গে আলোচনা করতে চাই এবং আপনার অনুমতি চাই।'

'কী স্টেপ?'

'এই ছবি থেকে অচেনা ছেলের ছবিটা খবরের কাগজে ছাপতে চাই—একটা বিজ্ঞাপনে। কলকাতা আর দিল্লির কাগজে দিলেই হবে।'

ভদ্রলোক একটু ভেবে বললেন, 'আমার নামের কোনও উল্লেখ থাকবে না তো?'

'মোটেই না,' বলল ফেলুদা। 'আমি শুধু জানতে চাই এই ছেলের পরিচয় কেউ জানে কি না। যদি জানে তা হলে আমার সঙ্গে যেন যোগাযোগ করে। আমার নাম-ঠিকানা থাকবে।'

'ঠিক আছে। আপনার ইনভেস্টিগেশনের জন্য যা যা করার দরকার সে তো আপনাকে করতেই হবে। আমার কোনও আপত্তি নেই।'

৩

পাঁচ দিন পরে রবিবারে কলকাতা আর দিল্লির স্টেটসম্যানে বিজ্ঞাপনটা বেরোল।

প্রথম দিন কোনও ফলাফল নেই, কেউ যোগাযোগ করল না।

'বোঝাই যাচ্ছে কলকাতার কেউ নয়; তা হলে এর মধ্যে টেলিফোন এসে যেত', বলল ফেলুদা।

বুধবার সকালে ফেলুদার একটা ফোন এল। গ্র্যান্ড হোটেল থেকে। জন ডেক্সটর বলে একজন টুরিস্ট। তিনি একটা অস্ট্রেলিয়ান দলের সঙ্গে ভারতবর্ষ ভ্রমণে বেরিয়েছেন, দিল্লিতে এসে আচমকা কাগজে ছবিটা দেখেই স্থির করেছিলেন কলকাতায় এসে ফেলুদার সঙ্গে যোগাযোগ করবেন। বললেন আজই বিকেলে কাঠমাণ্ডু চলে যাচ্ছেন, দুপুর একটা নাগাত আমাদের বাড়ি আসতে পারেন।

ফেলুদা অবশ্যই হ্যাঁ বলল। সে বেশ উত্তেজিত। বিজ্ঞাপনের যে কোনও ফল হবে সেটা ও আশা করেনি।

একটার কাছাকাছি একটা ট্যাক্সি এসে আমাদের বাড়ির সামনে দাঁড়াল। ফেলুদা দরজা খুলল। ট্যাক্সি থেকে নেমে এক বছর পঞ্চাশের সাহেব ফেলুদার দিকে এগিয়ে এল।

'মিস্টার মিটার?'

'ইয়েস—প্লিজ কাম ইন।'

ভদ্রলোক ভিতরে এসে ঢুকলেন। গায়ের চামড়া রোদে পুড়ে একটা বাদামি রঙে এসে দাঁড়িয়েছে। বোঝাই যায় ভদ্রলোক বেশ কিছু দিন হল ভারত দর্শন করে বেড়াচ্ছেন।

ভদ্রলোক বসার পরে ফেলুদা জিজ্ঞেস করল, 'আপনি কাগজের ছবিটা দেখেছেন?'

'সেটা দেখেছি বলেই তো আসছি। অ্যাদ্দিন পরে আমার খুড়তুতো ভাই পিটার ডেক্সটরের ছবি কাগজের বিজ্ঞাপনে দেখে অবাক লাগল।'

'এ বিষয়ে আপনি নিশ্চিত যে এটা আপনার খুড়তুতো ভাইয়ের ছবি?'

'হ্যাঁ, তাতে কোনও সন্দেহ নেই। তবে আমি খুব অল্প বয়সে অস্ট্রেলিয়া চলে যাই। তারপরে আর পিটারের খবর রাখিনি। ইন ফ্যাক্ট, আমার ফ্যামিলির সঙ্গেও আমার যোগাযোগ বিচ্ছিন্ন হয়ে যায়। তাই ওরা এখন কে কী অবস্থায় আছে তা বলতে পারব না। এইটুকু মনে আছে যে পিটারের বাবা—আমার কাকা—মাইকেল ডেক্সটর ইন্ডিয়ান আর্মিতে ছিলেন। আমার মনে হয় ইনডিপেনডেন্সের পরে উনি আবার দেশে ফিরে যান।'

'পিটারই কি ওঁর একমাত্র ছেলে ছিল?'

'ওঃ নো! সবসুদ্ধ সাতজন সন্তান ছিল মাইকেল ডেক্সটরের। পিটার ছিল ষষ্ঠ। বড় ছেলে জর্জও ইন্ডিয়ান আর্মিতে ছিল।'

'মাইকেল ডেক্সটর বিলেতে কোথায় থাকতেন?'

'কাউন্টিটা মনে আছে। নরফোক। শহরের নাম মনে নেই।'

'এতেও অনেক কাজ হল।'

জন ডেক্সটর উঠে পড়লেন। তাঁকে হোটেলে গিয়ে লাঞ্চ খেতে হবে—তাঁর দলের লোক সব অপেক্ষা করছে। ফেলুদা ভদ্রলোককে আবার ধন্যবাদ জানিয়ে ট্যাক্সিতে তুলে দিল।

পরদিন আবার অ্যাপয়েন্টমেন্ট করে আমরা রঞ্জন মজুমদারের বাড়ি গিয়ে হাজির হলাম।

'বিজ্ঞাপনের কোনও ফল পেলেন?' ভদ্রলোক জিজ্ঞেস করলেন।

'সেইটে জানাতেই আপনার কাছে আসা', বলল ফেলুদা। 'ছেলেটি ব্রিটিশ, নাম পিটার ডেক্সটর।'

'কী করে জানলেন?'

ফেলুদা জন ডেক্সটরের ঘটনাটা বলল।

রঞ্জনবাবু কেমন যেন অন্যমনস্ক হয়ে গেলেন। তারপর বিড়বিড় করে দুবার বললেন, 'পিটার ডেক্সটর...পিটার ডেক্সটর...'

'কিছু মনে পড়ছে কি?' ফেলুদা জিজ্ঞেস করল।

'আবছা আবছা। একটা দুর্ঘটনা...না, এই স্মৃতির ওপর নির্ভর করা চলে না।'

'আপনি যে-সময়ের কথা ভুলে গেছেন, সেই সময়ের ঘটনা কি মাঝে মাঝে মনে পড়ে যায়?'

'যা মনে পড়ে সেটা সত্যি কি না কী করে বিচার করব? এমন তো কেউ নেই যাকে জিজ্ঞেস করে যাচাই করতে পারি। বাবা-মা দুজনেই মারা গেছেন। আমার বিলেতের ঘটনা ওঁরাই জানতেন।'

'একটা জিনিস বোধহয় বুঝতে পারছেন, যে কলকাতায় বসে এই পিটার ডেক্সটর সম্বন্ধে আর কিছু জানা যাবে না।'

'হ্যাঁ...হ্যাঁ... তা তো বুঝতেই পারছি...'

ভদ্রলোক আবার অন্যমনস্ক।

'না কি ব্যাপারটা এখানেই ইতি দেবেন?' ফেলুদা জিজ্ঞেস করল।

ভদ্রলোক হঠাৎ যেন সজাগ হয়ে উঠলেন।

'মোটেই না—মোটেই না।' হাঁটুতে চাপড় মেরে বললেন রঞ্জন মজুমদার। 'সে কোথায় আছে, কী করছে, আমাকে মনে আছে কি না—সব আমি জানতে চাই। আপনি কবে যেতে পারবেন?'

হঠাৎ এই প্রশ্নে যেন ফেলুদা একটু হকচকিয়ে গেল। বলল, 'কোথায়?'

'লন্ডন—আবার কোথায়? লন্ডন তো আপনাকে যেতেই হবে।'

'হ্যাঁ, সেটা বুঝতে পারছি।'

'কবে যাবেন?'

'আমার তো অন্য কোনও কাজ নেই। এটাই একমাত্র কেস।'

'আপনাদের পাসপোর্ট-টাসপোর্ট হয়ে গেছে?'

'হ্যাঁ। আমরা কয়েক বছর আগে হংকং যাই; তখনই করিয়ে নিয়েছিলাম।'

'তা হলে আর কী—বেরিয়ে পড়ুন। আমি টিকিটের ব্যবস্থা করছি।'

'আমাদের সঙ্গে এক বন্ধু যাবেন—নিজের খরচে অবশ্য।'

'ঠিক আছে—তাঁর নাম আমার সেক্রেটারি পশুপতিকে দিয়ে দেবেন। পশুপতিই আমার ট্র্যাভল এজেন্টের থ্রু দিয়ে আপনাদের যাবার এবং ওখানে থাকার সব ব্যবস্থা করে দেবে। তা ছাড়া ফরেন এক্সচেঞ্জের ব্যাপারটা তো আছে; সেটাও ও করে দেবে।'

'ওখানে কদ্দিন থাকা?'

রঞ্জনবাবু একটু ভেবে বললেন, 'সাত দিনে যদি হল তো হল, না হলে চলে আসবেন। আমি রিটার্ন বুকিংটাও সেইভাবেই করব।'

'আমি যদি সাকসেসফুল না হই, তা হলে কিন্তু আপনার কাছ থেকে টাকা নিতে প্রস্তুত নই।'

'আপনি কোনও কেসে বিফল হয়েছেন?'

'তা হইনি।'

'তা হলে এটাতেও হবেন না।'

৪

'ইউ. কে!'

লালমোহনবাবুর চোখ ছানাবড়া হয়ে গেল। ফেলুদা ভদ্রলোককে কলকাতার ঘটনা সব বলে দিয়ে তারপর লন্ডনের ব্যাপারটা বলল। ভদ্রলোক এটার জন্য একেবারেই তৈরি ছিলেন না।

'আপনি গেলে কিন্তু আপনার নিজের খরচে যেতে হবে। আমাদের খরচ মিস্টার মজুমদার দিচ্ছেন।'

'কুছ পরোয়া নেহি। খরচের ভয় আমাকে দেখাবেন না, মিস্টার হোমস। আপনার পসার বেড়েছে ঠিকই, কিন্তু এখনও আমার রোজগার আপনার চেয়ে বেশি। শুধু বলে দিন কী করতে হবে।'

'দিন সাতেকের মতো গরম কাপড় নেবেন। পাসপোর্টটা হারাননি তো?'

'নো স্যার—কেয়ারফুলি কেপ্ট ইন মাই অ্যালমাইরা।'

'তা হলে আর আপনার করণীয় কিছু নেই। যাবার তারিখটা যথাসময়ে জানতে পারবেন। যদ্দুর মনে হয়—এখান থেকে বম্বে, বম্বে থেকে লন্ডন।'

'ওখানে থাকছি কোথায়?'

'সেটা রঞ্জনবাবুর ট্র্যাভল এজেন্ট ব্যবস্থা করবে। একটা থ্রি-স্টার হোটেল হবে আর কী।'

'হোয়াই ওনলি থ্রি স্টারস?'

'তার চেয়ে বেশি চড়তে গেলে মজুমদার মশায়ের পকেট ফাঁক হয়ে যাবে। লন্ডনের খরচ সম্বন্ধে কোনও ধারণা আছে আপনার?'

'তা অবিশ্যি নেই। তবে একটা কথা বলে রাখি—গড়পারে এক ভদ্রলোক থাকেন, আমার খুব চেনা। চন্দ্রশেখর বোস। ব্যবসাদার। বছরে দুবার করে বিলেত যান। তাঁর কাছ থেকে কিছু ডলার ম্যানেজ করব—কী বলেন?'

'ব্যাপারটা কিন্তু বেআইনি। অতএব নীতিবিরুদ্ধ।'

'আরে মশাই আপনি অত সাধুগিরি করবেন না তো। আজকাল নীতির ডেফিনিশন চেঞ্জ করে গেছে।'

'ঠিক আছে। অনিচ্ছা সত্ত্বেও আপনার কারচুপিতে সায় দিচ্ছি।'

আমাদের মঙ্গলবার এয়ার ইন্ডিয়াতে যাওয়া ঠিক হল। প্লেন ছাড়বে রাত তিনটেয়, তারপর বম্বে হয়ে লন্ডন পৌঁছাবে মঙ্গলবার সকাল সাড়ে এগারোটায়। হোটেলের বুকিং-ও হয়ে গেছে—পিকাডিলি সার্কাসে রিজেন্ট প্যালেস। ফেলুদা বলল, 'খুব ভাল লোকেশন। একেবারে শহরের মাঝখানে।' ফেলুদা ক'দিন থেকে লন্ডন সংক্রান্ত গাইড বুকে ডুবে আছে, খুঁটিয়ে খুঁটিয়ে শহরের ম্যাপ দেখছে।

যাবার আগের দিন মিস্টার মজুমদারকে ফোন করা হল। মিনিট দুয়েক কথা বলে ফোন নামিয়ে রেখে ফেলুদা বলল, 'জানতে চেয়েছিলাম ওঁর বাবা কোনও হাসপাতালের সঙ্গে যুক্ত ছিলেন কি না। বললেন ওঁর মনে নেই। ওঁরা কোথায় থাকতেন জিজ্ঞেস করাতেও একই উত্তর পেলাম। বললেন ওঁর বাবা ওঁকে বলেছিলেন কিন্তু এখন আর মনে নেই। আমার মনে হয় অ্যাকসিডেন্টটা ওঁর স্মৃতিশক্তিকেই দুর্বল করে দিয়েছে। লন্ডনে আমার কলেজের এক সহপাঠী আছে, সে-ও ডাক্তার। দেখব ওর কাছ থেকে কোনও খবর পাওয়া যায় কি না।'

দেখতে দেখতে যাবার দিন চলে এল। ফেলুদার দৌলতে কত জায়গাই না দেখলাম, কিন্তু লন্ডন যাওয়া হবে এটা কোনওদিন স্বপ্নেও ভাবিনি। লালমোহনবাবু বললেন, 'বিলেতে আজকাল রাম শ্যাম যদু মধু সকলেই যাচ্ছে, সেই ভেবে মনটাকে একটু ঠাণ্ডা রাখার চেষ্টা করছিলাম—ও

মা, কাল রাত্তিরে দেখি পালস রেট বেড়ে একশো দশে উঠেছে। এমনিতে আশির বেশি কদাচিৎ ওঠে।'

এখানে বলে রাখি, লালমোহনবাবু তাঁর গড়পারের বন্ধুর কাছ থেকে বেশ কিছু ডলার ম্যানেজ করেছেন।

ফেলুদাকে ক'দিন থেকে একটু চুপচাপ দেখছি, যদিও কাজ যা করার সবই করছে। কেসটা যে সহজ নয় সেটাই বোধহয় মাথার মধ্যে ঘুরছে। আমি তো কল্পনাই করতে পারছি না ও কীভাবে এগোবে। তথ্য এত কম। তার ওপরে রঞ্জনবাবুর স্মৃতিলোপ। যে ক'টা বছর ওই ছেলেটির সঙ্গে ওঁর বন্ধুত্ব ছিল, সেই ক'টা বছরের কথাই উনি ভুলে বসে আছেন। লালমোহনবাবু সোজাসুজি বললেন, 'আপনি অনেক রহস্যের সমাধান করেছেন, কিন্তু এটার মতো কঠিন কেস আর কখনও আপনার হাতে এসেছে বলে তো মনে হয় না। আপনি যে কেসটা কেন নিলেন তা বুঝতে পারছি না।'

'এটা নিলাম বলেই কিন্তু আপনার বিলেত যাওয়া হচ্ছে।'

'তা বটে, তা বটে।'

যাবার দিন এবং তারপর যাবার সময়ও এসে পড়ল। লালমোহনবাবুর গাড়িতেই এয়ারপোর্ট গেলাম। ভদ্রলোক পুরোদস্তুর সাহেব সেজেছেন। এই টাইটা আগে দেখিনি, বুঝলাম নতুন কিনেছেন।

কাস্টমসের ঝামেলা এখানেই চুকিয়ে দিয়ে বম্বে পৌঁছে লাগেজ জমা দিয়ে লাউঞ্জে কিছুটা সময় অপেক্ষা করে, লাউডস্পিকারের ঘোষণা শুনে আমরা প্লেনে গিয়ে উঠলাম। আশ্চর্য— এখন বিছানায় শুয়ে ঘুমোনোর কথা, কিন্তু যাবার উত্তেজনায় একটুও ঘুম পাচ্ছে না। লালমোহনবাবু নাকি দুপুরে এক দফা ঘুমিয়ে নিয়েছেন, তাই বললেন প্লেনে আর ঘুমোনোর দরকার হবে না। ভদ্রলোক নিজের জায়গায় বসে বেল্ট বেঁধে বললেন, 'সেই পঞ্চুলালের গল্পে পড়েছিলাম না—তিমি মাছের পেটে ঢুকেছিল পঞ্চু—এও যেন সেই তিমি মাছের পেট। এত লোক সমেত প্লেনটা মাটি থেকে ওঠে কী করে সেটাই আশ্চর্য।'

সেই আশ্চর্য ঘটনাটাও ঘটে গেল। রানওয়ে দিয়ে যখন প্লেন কান-ফাটানো শব্দ করে ছুটে চলেছে, লালমোহনবাবুর চোখ তখন বন্ধ। ঠোঁটটা একবার নড়ে উঠল, আর বুঝলাম যে উনি বললেন 'দুগ্গা দুগ্গা', আর সেই মুহূর্তে প্লেনটা জমি ছেড়ে আকাশে উঠে পড়ল, জানালা দিয়ে দেখলাম বম্বের আলো দ্রুত দূরে সরে যাচ্ছে। তারপর প্লেনটা ক্রমে নাক উঁচু অবস্থা থেকে সোজা হল, শব্দ কমে গেল, আর লাউডস্পিকারে এয়ার হোস্টেসকে বলতে শোনা গেল আমরা এখন বেল্ট খুলতে পারি, তবে আলগা করে পরে থাকাই ভাল। তারপর এক দিকে একজন ছেলে আর অন্য দিকে একজন মেয়ে দাঁড়িয়ে লাইফ জ্যাকেট আর অক্সিজেনের ব্যাপারটা বুঝিয়ে দিল।

আমরা নন-স্মোকিং এরিয়াতে বসেছি। ফেলুদা সিগারেট খায় বটে, কিন্তু দরকার পড়লে অনায়াসে দশ-বারো ঘণ্টা না খেয়ে থাকতে পারে। 'সিনেমা দেখাবে না?' লালমোহনবাবু জিজ্ঞেস করলেন। আমি বললাম, 'সচরাচর তো দেখায় বলেই শুনেছি।'

সিনেমা দেখাল ঠিকই, সেই সঙ্গে কথা শোনার জন্য একটা করে হেডফোন দিল, কিন্তু এত বাজে ছবি যে আমি দশ মিনিট দেখে হেডফোন খুলে রেখে ঘুম দিলাম।

ঘুমটা যখন ভাঙল তখন জানালা দিয়ে রোদ আসছে। ফেলুদাও বলল ও ঘণ্টা দুয়েক ঘুমিয়ে নিয়েছে। কেবল লালমোহনবাবুই নাকি একটানা জেগে আছেন। বললেন, 'হোটেলে ঘুমিয়ে পুষিয়ে নেব।'

বরফে ঢাকা আলপসের উপর দিয়ে প্লেনটা না উড়ে গেলে প্রায় কিছুই দেখার থাকত না।

পাহাড়টার নাম জেনে লালমোহনবাবু জিজ্ঞেস করলেন, 'আমরা কি মন্ট ব্ল্যাঙ্ক দেখতে পাব?'
ফেলুদা বলল, 'তা পাব, তবে মন্ট ব্ল্যাঙ্ক নয়, লালমোহনবাবু। এখন ইউরোপে এসেছেন, এখানকার দ্রষ্টব্যগুলোর নামের উচ্চারণ ঠিক করে করতে শিখুন। ওটা হল ম ব্লাঁ।'

'তার মানে অনেকগুলো অক্ষরের কোনও উচ্চারণই নেই?'

'ফরাসিতে সেটা খুব স্বাভাবিক।'

লালমোহনবাবু বেশ কয়েকবার ম ব্লাঁ ম ব্লাঁ বলে নিলেন।

'আর আমাদের হোটেল যেখানে,' বলল ফেলুদা, 'সেটার বানান দেখে পিকাডিলি বলতে ইচ্ছা করলেও আপনি যদি পিক্‌লি বলেন তা হলে ওখানকার সাধারণ লোকে বুঝবে আরও সহজে। পিক্‌লি সার্কাস।'

'পিক্‌লি সার্কাস। থ্যাঙ্ক ইউ।'

আধ ঘণ্টা লেটে আমাদের প্লেন লন্ডনের হিথরো এয়ারপোর্টে পৌঁছে গেল। ফেলুদা বলল, 'এখান থেকে সেন্ট্রাল লন্ডন তিনরকমে যাওয়া যায়। এক হল বাস, দুই হল ট্যাক্সি আর তিন টিউব। ট্যাক্সিতে দেদার খরচা, আর বাসের চেয়ে টিউবে কম সময় লাগে। আমার ম্যাপ বলছে একেবারে পিকাডিলি সার্কাস পর্যন্ত টিউব যায়, কাজেই তাতেই যাওয়া ভাল।'

'টিউবটা কী ব্যাপার মশাই?' লালমোহনবাবু জিজ্ঞেস করলেন।

'টিউব হল কলকাতায় আমরা যাকে মেট্রো বলি, সেই। অর্থাৎ পাতাল রেল। লন্ডনের নীচ দিয়ে কিলবিল করে ছড়ানো রয়েছে এই টিউবের লাইন। একবার বুঝে নিলে টিউবে যাতায়াতের মতো সহজ জিনিস আর নেই। ম্যাপ পাওয়া যায়; একটা আপনাকে এনে দেব।'

৫

আমাদের হোটেলটা বেশ বড় আর পরিচ্ছন্ন, অথচ ভাড়া খুব বেশি নয়। 'ট্র্যাভল এজেন্ট ভালই চয়েস করেছিল মশাই,' বললেন লালমোহনবাবু। টিউব থেকে বেরিয়ে শহরের চেহারা দেখে প্রথমে ভদ্রলোকের মুখ দিয়ে কথাই বেরোচ্ছিল না। শেষে বললেন, 'আচ্ছা মশাই, আমাদেরও লাল ডবল ডেকার, আর এখানেও দেখছি লাল ডবল ডেকার, এগুলো কেমন ছিমছাম, আর আমাদেরগুলো এমন ছিবড়ে চেহারা কেন বলুন তো?'

লাঞ্চ হোটেলে সেরে ফেলুদা বলল, 'তোরা যদি খুব টায়ার্ড না বোধ করিস তা হলে একবার অক্সফোর্ড স্ট্রিটটা ঘুরে দেখে আয়। ব্যস্ত লন্ডনের এমন চেহারা আর কোথাও পাবি না।'

'আর তুমি কী করবে?'

'বলছিলাম না—আমার এক কলেজের বন্ধু—বিকাশ দত্ত—এখানে ডাক্তার। তাকে একবার ফোন করে জানিয়ে দিই আমি এসেছি, আর দেখি যদি ও কোনও ইনফরমেশন দিতে পারে।'

আমরা অবিশ্যি তেমন কিছু ক্লান্ত হইনি, তাই বেরোনোই স্থির করলাম।

ফোন করে তার বন্ধুকে পেয়ে গেল ফেলুদা। মিনিটখানেক কথা বলে ফোন রেখে বলল, 'বিকাশ আমার গলা শুনে একেবারে থ। একটা মামলা যে কোনওদিন আমাকে লন্ডনে এনে ফেলবে সেটা ও ভাবতেই পারেনি। তা ছাড়া ওর কাছ থেকে একটা খবরও পাওয়া গেল।'

'কী খবর?'

'লন্ডনে এক বৃদ্ধ বাঙালি ডাক্তার আছেন, তিনি নাকি দ্বিতীয় মহাযুদ্ধ শেষ হবার কিছু পরেই এখানে আসেন ডাক্তারির ছাত্র হয়ে। তারপর লন্ডনে প্র্যাকটিস করেন। নাম নিশানাথ সেন। খুব মিশুকে লোক। বিকাশের ধারণা উনি হয়তো রঞ্জনবাবুর বাবাকে চিনতেন। ওঁর চেম্বারের ঠিকানাটা দিয়ে দিল। আমি একবার ভদ্রলোকের সঙ্গে দেখা করে আসি।'

ফেলুদা উঠে পড়ল।

'অন্ধকারে ঢিল যদি ছুঁড়তেই হয়, তা হলে সেটা এখনই আরম্ভ করে দেওয়া ভাল।'

আমরা একসঙ্গেই বেরোলাম। ফেলুদা টিউব স্টেশনের দিকে গেল, আমরা ওর কাছ থেকে ডিরেকশন নিয়ে অক্সফোর্ড স্ট্রিটের দিকে হাঁটা দিলাম।

অক্টোবর মাস, তাই বেশ ঠাণ্ডা। আমরা দুজনেই গলায় মাফলার জড়িয়ে নিয়েছি।

পথে অনবরত ভারতীয় চোখে পড়ছে, তাই বোধহয় জটায়ু বললেন, 'বেশ অ্যাট-হোম ফিল করছি ভাই তপেশ। অবিশ্যি রাস্তায় মসৃণ চেহারা মোটেই হোমের কথা মনে পড়ায় না।'

অক্সফোর্ড স্ট্রিটে পৌঁছে চোখ টেরিয়ে গেল। শুধু যে দোকানের বাহার তা নয়; এরকম ভিড় আর কোনও রাস্তায় কখনও দেখেছি বলে মনে পড়ে না।

'জনসমুদ্র! ওশন অফ হিউম্যানিটি, তপেশ, ওশন অফ হিউম্যানিটি।'

এই জনসমুদ্রের সঙ্গে তাল রেখে চলতে হচ্ছে, তাই আস্তে হাঁটার উপায় নেই। সমস্ত রাস্তাটাই যেন একটা অবিরাম ব্যস্ততার ছবি। আর দোকানের কথা কী আর বলব! ঝলমলে লোভ লাগানো চেহারা নিয়ে পাশাপাশি দাঁড়িয়ে রয়েছে বিশাল বিশাল ডিপার্টমেন্ট স্টোর। নামগুলো পড়ছি—ডোবনহ্যাম, মার্কস অ্যান্ড স্পেনসরস, বুটস, ডি এইচ এভানস...

একটা বড় দোকানের কথা আমি আগেই জানতাম—সেল্‌ফ্রিজেস—আর এটাও জানতাম যে সেটা অক্সফোর্ড স্ট্রিটের একেবারে শেষ প্রান্তে। দোকানটা যে এত বড় সেটা আমি ভাবতেই পারিনি। 'চলুন, একটা জিনিস দেখাই' বলে লালমোহনবাবুকে হাত ধরে রাস্তা পার করে সেলফ্রিজেসের সামনে এসে দাঁড়ালাম। তারপর ঘুরপাক খাওয়া দরজা দিয়ে দুজনে দোকানের ভিতর ঢুকলাম। আমাদের মুখ হাঁ হয়ে গেল। রাজ্যের সবরকম জিনিস এই এক দোকানে পাওয়া যায়, তাই ক্রেতাদের ভিড়ও দেখবার মতো। সেই ভিড়ের চাপে এদিকে ওদিকে টলছি, এক পা এগোচ্ছি তো দু পা পেছোচ্ছি। জটায়ু যাতে হারিয়ে না যান তাই তাঁর হাতটা চেপে ধরে আছি।

'মানুষেরও যে ট্র্যাফিক জ্যাম হয় তা এই প্রথম দেখলাম,' বললেন ভদ্রলোক।

খানিক দূর এগিয়ে একটা মোটামুটি কম ভিড়ের জায়গায় পৌঁছলাম।

'এমন জায়গায় এসে কিছু না কিনে ফিরে যাব?' বললেন লালমোহনবাবু।

'কী কিনতে চাইছেন আপনি?'

'চারির্দিকে তো দেখছি কলম পেনসিল নোটবুকের সম্ভার। একটা মাঝারি দামের ফাউন্টেন পেনও যদি কিনতে পারতাম। সামনের উপন্যাসটা লন্ডনে কেনা কলমে লিখতে পারলে...'

'বেশ তো, আপনি দেখে বেছে নিন।'

মিনিট পাঁচেক দেখার পর ভদ্রলোক একটা মনের মতো কলম খুঁজে পেলেন। 'থ্রি পাউন্ডস থার্টি পেন্স। তার মানে আমাদের দেশের হিসেবে কত হল?'

'তা প্রায় পঁচাত্তর টাকা।'

'গুড। এই জিনিসের কলকাতায় দাম হত দুশো।'

'আর কী—পেমেন্ট করে দিন।'

'কী বলব বলো তো? মানে, প্রথম দিন তো, একটু গাইডেন্স না পেলে...'

'আপনাকে কিছুই বলতে হবে না। কলমটা নিয়ে ক্যাশ কাউন্টারে দিন আর একটা পাঁচ পাউন্ডের নোট দিন। ওরা চেঞ্জ ফেরত দেবে, আর কলমটা ওদের একটা খামে পুরে দেবে। ব্যস্‌, খতম।'

'তুমি প্রথম দিন এত কী করে জানলে বলো তো?'

'আমি তো এসে অবধি চতুর্দিকে দেখছি। আপনিও দেখছেন, কিন্তু আপনি অবজার্ভ করছেন

না।'

দু মিনিটের মধ্যে ভদ্রলোক তার নতুন কেনা কলম নিয়ে হাসতে হাসতে ফিরে এলেন। আমি বললাম, 'চা খাবেন?'

'কোথায়?'

'আমি যত দূর জানি, ওপরে একটা রেস্টোরান্ট আছে।'

'বেশ তো, চলো যাওয়া যাক।'

চলন্ত সিঁড়ি দিয়ে ওপরে উঠে গিয়ে চার তলায় খাবার জায়গাটা আবিষ্কার করলাম, আর সেই

সঙ্গে ভাগ্যক্রমে একটা খালি টেবিলও পেয়ে গেলাম।

চা খাওয়া শেষ করে আবার অক্সফোর্ড স্ট্রিটের জনসমুদ্র পেরিয়ে যখন হোটেলে ফিরলাম তখন সাড়ে চারটা বেজে গেছে। ঘরে গিয়ে দেখি ফেলুদা হাজির।

'বিলেত ব্যাপারটা কী তার কিছু আন্দাজ পেলেন?'

লালমোহনবাবুকে জিজ্ঞেস করল ফেলুদা।

'কেমন লাগল বলার ভাষা খুঁজে পাচ্ছি না।'

'কেন, আপনার বই পড়ে তো মনে হয় আপনার বিশেষণের স্টক অফুরন্ত।'

'বাংলায় বোঝাতে পারব না। বলতে হয় সুপার-সেনসেশন্যাল। এখনও মাথা ভোঁ ভোঁ করছে। বিশ্রী দোটানার মধ্যে পড়ে গেছি।'

'কেন?'

'লন্ডন দেখব, না আপনার তদন্তের প্রোগ্রেস দেখব।'

'তদন্ত তো সবে শুরু। তেমন জমে উঠলে আমি নিজে থেকেই বলব। আপাতত লন্ডন দেখে নিন।'

'সেই ডাক্তারের সঙ্গে দেখা হল?' আমি জিজ্ঞেস করলাম।

'হল, তবে কথা প্রায় কিছুই হল না। ভদ্রলোক রুগি নিয়ে ব্যস্ত ছিলেন। কাল সকালে ওঁর বাড়ি যেতে বলেছেন। রিচমন্ডে থাকেন।'

'সেটা কোথায়?'

'পিকাডিলি আন্ডারগ্রাউন্ড থেকে রওনা হয়ে সাউথ কেনসিংটনে চেঞ্জ করে গ্রিন লাইন ধরে সোজা রিচমন্ড। এ ধরনের জায়গাও তো দেখা দরকার। ভদ্রলোক স্টেশনের বাইরে গাড়ি নিয়ে অপেক্ষা করবেন আমাদের জন্য। বেশ অমায়িক লোক। রঞ্জনবাবুর বাবাকে চিনতেন এটুকু জেনেছি।'

হোটেলের ঘরে ঘরে টেলিভিশন, তাই দেখেই সন্ধেটা দিব্যি কেটে গেল। তাড়াতাড়ি ডিনার সেরে শুয়ে পড়লাম, আর বালিশে মাথা রাখতেই চোখ ঘুমে ঢুলে এল।

৬

পরদিন সকালে উঠে দেখি আকাশ মেঘলা, টিপ টিপ করে বৃষ্টি পড়ছে। আমার একটা ওয়াটারপ্রুফ জ্যাকেট ছিল, সেটা গায়ে চাপিয়ে নিলাম। ফেলুদা আর লালমোহনবাবু দুজনেই ম্যাকিনটশ চাপিয়েছে।

ব্রেকফাস্ট সেরে হোটেলের বাইরে বেরিয়ে ফেলুদা বলল, 'মিস্টার জটায়ু, আপনাকে বলে রাখি যে এটাই হল লন্ডনের স্বাভাবিক চেহারা। কাল যে খটখটে দিন আর ঝলমলে রোদ পেয়েছিলেন, সেটা হচ্ছে ব্যতিক্রম।'

'এখানে কলকাতার মতো জল জমে না নিশ্চয়ই।'

'তা জমে না। আর খুব যে মুষলধারে বৃষ্টি হয় তাও নয়।'

আন্ডারগ্রাউন্ডে দেখি সকলেরই তাড়া, কেউ আস্তে হাঁটছে না। আমরাও তার সঙ্গে তাল মিলিয়ে চললাম।

'এই স্পিডটা দেখছি ছোঁয়াচে', বললেন লালমোহনবাবু। 'কলকাতায় এমন রুদ্ধশ্বাসে হাঁটবার কথা কল্পনাই করতে পারি না।'

চেঞ্জ করার সময়ও সেই একই তাড়া। এক লাইন থেকে আরেক লাইনে যেতে হচ্ছে, মিনিটে মিনিটে ট্রেন আসছে যাচ্ছে, সময় যাতে নষ্ট না হয় তার জন্য লোকে উঠে পড়ে লেগেছে।

রিচমন্ড পৌঁছলাম এগারোটা বেজে পাঁচে। নিশানাথবাবু বলে দিয়েছিলেন হাতে কত সময় রাখতে হবে, তাই কোনও অসুবিধা হল না।

স্টেশনের বাইরে বেরোতেই একজন ষাট-বাষট্টি বছরের সৌম্যদর্শন ভদ্রলোক হাসিমুখে ফেলুদার দিকে এগিয়ে এলেন। এখানে বৃষ্টি হচ্ছে না, যদিও আকাশে মেঘ।

'ওয়েলকাম টু রিচমন্ড।'

ফেলুদা ভদ্রলোককে সম্ভাষণ জানিয়ে আমাদের দুজনের পরিচয় দিয়ে দিল।

'আপনি রাইটার?' লালমোহনবাবুকে জিজ্ঞেস করলেন ভদ্রলোক। 'কতকাল যে বাংলা বই পড়িনি তার হিসেব নেই।'

'আপনি দেশে যান না মাঝে মাঝে?' লালমোহনবাবু জিজ্ঞেস করলেন।

'লাস্ট গেছি সেভেনটি থ্রিতে। তারপর আর না। কার জন্যেই বা যাব বলুন। আমার পুরো ফ্যামিলিই তো এখানে। আমার বাড়িতে অবিশ্যি আমি আর আমার স্ত্রী ছাড়া কেউ থাকে না, কিন্তু ছড়িয়ে ছিটিয়ে এই ইংল্যান্ডেই রয়েছে আমার দুই ছেলে, দুই মেয়ে, নাতি-নাতনি।'

ভদ্রলোকের গাড়িটা একটু দূরে পার্ক করা ছিল; বললেন, 'এখানে তবু কম; লন্ডনে গাড়ি পার্কিং হচ্ছে একটা বিরাট সমস্যা। আপনি হয়তো সিনেমা যাবেন, গাড়ি পার্ক করতে হবে সিনেমা হাউস থেকে আধ মাইল দূরে।'

আমরা গাড়িতে উঠলাম। ভদ্রলোক নিজেই ড্রাইভ করেন, ফেলুদা ওঁর পাশে বসে স্ট্র্যাপ লাগিয়ে নিল। ব্যাপারটা দেখে একটু অবাক হয়ে লালমোহনবাবু আমার দিকে চাইতে বললাম, 'এখানে গাড়িতে সামনের সিটে বসলে স্ট্র্যাপ লাগানো নিয়ম।'

'কেন?'

'যাতে অ্যাক্সিডেন্ট হলে লোকে মুখ থুবড়ে না পড়ে।'

নিশানাথবাবু গাড়ি চালু করে দিয়ে বললেন, 'আমার বাড়ি এখান থেকে দেড় মাইল। এখানে এখনও মাইল চলে। দেশে তো কিলোমিটার, কিলোগ্রাম হয়ে গেছে, তাই না?'

রিচমন্ড যে খুব ছোট জায়গা তা মনে হল না, কারণ দোকানপাট সবই রয়েছে। অক্সফোর্ড স্ট্রিটে যে সব দোকানের নাম দেখেছিলাম, তার কিছু কিছু এখানেও দেখলাম।

নিশানাথ সেনের বাড়ি একটা সুন্দর নিরিবিলি জায়গায়, চারিদিকে গাছপালা, গাছের পাতায় শরৎকালের হলদে আর বাদামি রং। দোতলা বাড়িটাও সুন্দর, সামনের বাগানে ফুল—একেবারে পোস্টকার্ডের ছবি।

আমরা একতলায় বসবার ঘরে বসলাম। আজ বেশ ঠাণ্ডা আর স্যাঁতসেঁতে, তাই ফায়ার প্লেসে আগুন জ্বলছে।

আমরা বসার প্রায় সঙ্গে সঙ্গেই একজন বয়স্ক মেমসাহেব এসে ঢুকলেন, মুখে হাসি।

'আমার স্ত্রী এমিলি', বললেন নিশানাথবাবু। আমরা নিজেরাই নিজেদের পরিচয় দিয়ে দিলাম।

'আপনাদের জন্য একটু কফি করি?' মহিলা জিজ্ঞেস করলেন। ফেলুদা সম্মতি জানিয়ে ধন্যবাদ দিয়ে দিল। এবার নিশানাথবাবুও ফেলুদার সামনে একটা কাউচে বসে বললেন, 'কী জানতে চান বলুন।'

'আপনি কাল বলছিলেন রঞ্জন মজুমদারের বাবাকে চিনতেন। আমি রঞ্জন মজুমদার সম্বন্ধে কিছু তথ্য সংগ্রহ করছি।'

'রঞ্জনের বাপ রজনী আর আমি প্রায় একই সঙ্গে ফর্টি এইটে বিলেতে আসি। ও আমার চেয়ে ষোল-সতেরো বছরের বড় ছিল। আলাপটা হয় পরে। তত দিনে আমি এডিনবরায় ডাক্তারি পাশ করে লন্ডনে প্র্যাকটিস শুরু করেছি, আর রজনী মজুমদার সেন্ট মেরিজ হাসপাতালের

সঙ্গে অ্যাটাচড রয়েছেন। একটা থিয়েটারে আমাদের পাশাপাশি সিট পড়েছিল। কী নাটক তাও মনে আছে—মেজর বারবারা। ইন্টারমিশনে পরস্পরের সঙ্গে পরিচয় হয়। ওর সঙ্গে ওর স্ত্রীও ছিলেন। ও থাকত গোলডার্স গ্রিনে, আর আমি—তখনও আমার বিয়ে হয়নি—হ্যাম্পস্টেডে।'

'আর ওঁর ছেলে?'

'ছেলেও এখানে এসে কিছু দিনের মধ্যেই স্কুলে ভর্তি হয়।'

'কী স্কুল মনে আছে?'

'আছে বইকী—ওয়ারেনডেল। এপিং-এ। তারপর কেমব্রিজে যায়।'

'কোন কলেজ?'

'যদ্দূর মনে পড়ে—ট্রিনিটি। সেই সময়ই আমার সঙ্গে রজনী মজুমদারের আলাপ।'

'কীরকম লোক ছিলেন রজনী মজুমদার?'

নিশানাথবাবু একটু ভেবে বললেন, 'পিকিউলিয়ার।'

'কেন—পিকিউলিয়ার বলছেন কেন?'

'আমার মনে হয় ওদের পুরো ফ্যামিলিটাই একটু অদ্ভুত ধরনের ছিল। রজনী মজুমদারের

বাবা রঘুনাথ মজুমদার ইয়াং বয়সে টেররিস্ট ছিলেন, বোমা-টোমা তৈরি করেছেন। পরে উনি নামকরা হার্ট স্পেশালিস্ট হন। তখন আর সাহেবদের ওপর কোনও বিদ্বেষ নেই। এমনকী তিনিই জোর করে রজনীকে বিলেত পাঠান। তাঁর শখ তাঁর নাতি সাহেব ইস্কুলে পড়বে আর ছেলে লন্ডনে প্র্যাকটিস করবে। এরকম রূপান্তর বড় একটা দেখা যায় না। আর রজনী যে ভাবে দেশে ফিরে গেল সেও অদ্ভুত। ওর একটা ধারণা ছিল যে ইংরেজরা এখনও ভারতীয়দের ঘৃণার চোখে দেখে। আমি ওকে অনেক বোঝাতে চেষ্টা করেছি যে ব্যাপারটা সত্যি নয়। এই বিদ্বেষের দু-একটা আইসোলেটেড ঘটনা হয়তো ঘটে থাকতে পারে, কিন্তু এখানে বহু ভারতীয় ইংরেজদের সঙ্গে একসঙ্গে কাজ করছে, দুই জাতের মধ্যে কোনও ক্ল্যাশ নেই।

'কিন্তু রজনী মজুমদার আমার কথা মানতে রাজি হয়নি। একটা সামান্য ব্যাপারে—ওরই এক ব্রিটিশ পেশেন্টের একটা কথায়—ও হঠাৎ স্থির করে দেশে ফিরে যাবে।'

'ততদিনে তো ওঁর ছেলের অ্যাক্সিডেন্ট ঘটে গেছে?'

'তা গেছে। সেই ছেলে এখন কী করছে? তার তো পঞ্চাশের ওপর বয়স হওয়া উচিত।'

'হ্যাঁ। উনি চার্টার্ড অ্যাকাউন্ট্যান্ট।'

'তার মানে এখানকার পড়াশুনা ওর কোনওই কাজে লাগেনি? কলকাতায় ফিরে গিয়ে নতুন করে পড়াশুনা করতে হয়?'

'তাই তো মনে হয়। ইয়ে—রঞ্জনের বন্ধুবান্ধব সম্বন্ধে কিছু জানতেন কি?'

'না। নাথিং অ্যাট অল।'

ইতিমধ্যে কফি এসে গিয়েছিল, আর আমাদের খাওয়াও হয়ে গিয়েছিল, তাই আমরা উঠে পড়লাম। ভদ্রলোক ফেরার পথেই একরকম জোর করেই আমাদের স্টেশনে পৌঁছে দিলেন।

৭

আমরা পরদিন টিউবে করে এপিং গিয়ে পৌঁছলাম বিকেল সাড়ে তিনটে নাগাদ। স্টেশন থেকে হেঁটে ওয়ারেনডেল স্কুলে পৌঁছতে লাগল কুড়ি মিনিট। বিশাল খেলার মাঠের পিছনে দাঁড়িয়ে আছে স্কুল বিল্ডিং—অন্তত দুশো বছরের পুরনো তো হবেই। ফেলুদার উদ্দেশ্য হল রঞ্জন মজুমদার ওখানে ছাত্র ছিল কি না, এবং পিটার ডেক্সটর ওর সঙ্গে পড়ত কি না সেইটে জানা।

ইস্কুলের সদর দরজায় পোর্টার দাঁড়িয়ে আছে, সে জিজ্ঞেস করল আমরা কার সঙ্গে দেখা করতে চাই। ফেলুদা বলল সে চল্লিশ দশকের শেষ দিকের একজন ছাত্র সম্বন্ধে কিছু তথ্য জানতে চায়। পোর্টার আমাদের একটা লাইব্রেরি জাতীয় হলে ঢুকিয়ে দিয়ে বলল, 'মিস্টার ম্যানিং দেয়ার উইল হেলপ ইউ।'

ম্যানিং ভদ্রলোকটি একটা ডেস্কে বসে পুরু কাচের চশমা পরে একটা খাতায় কী জানি লিখছিলেন, ফেলুদা তাঁর কাছাকাছি দাঁড়িয়ে একটা মৃদু গলা খাঁকরানি দিল। ভদ্রলোক লেখা থামিয়ে চোখ তুলে বললেন, 'ইয়েস?'

ফেলুদা ব্যাপারটা বুঝিয়ে দিল।

'হুইচ ইয়ার ডিড ইউ সে?'

'নাইনটিন ফর্টি এইট।'

মিস্টার ম্যানিং তাঁর জায়গা ছেড়ে উঠে পিছন দিকে গিয়ে একটা বইয়ের তাক থেকে বেশ বড় এবং মোটা একটা খাতা বার করলেন। তারপর সেটাকে এনে ফেললেন তাঁর ডেস্কে।

আমরা চুপ করে দাঁড়িয়ে আছি, ভদ্রলোক খাতার পাতা উলটিয়ে একটা বিশেষ পাতায় এসে চশমার ওপর দিয়ে ফেলুদার দিকে চেয়ে বললেন, 'হোয়াট নেম ডিড ইউ সে?'

'আই হ্যাভন্‌ট টোল্ড ইউ ইয়েট,' বলল ফেলুদা। 'দ্য নেম ইজ মজুমদার, অ্যান্ড দ্য ফার্স্ট নেম ইজ রঞ্জন।'

'ম্যাজুমডা, ম্যাজুমডা,' নামের তালিকার ওপর দিয়ে আঙুল চালাতে চালাতে বিড়বিড় করতে লাগলেন মিস্টার ম্যানিং।

হঠাৎ আঙুলটা এক জায়গায় এসে থেমে গেল।

'ইয়েস আর. ম্যাজুমডা,' বললেন মিস্টার ম্যানিং।

'ওর সঙ্গে কি পিটার ডেক্সটর বলে কেউ পড়ত?'

'ডেক্সটর...ডেক্সটর...নো, নো ডেক্সটর ইন দ্য সেম ক্লাস।'

'আই সি।' ফেলুদার ভুরু কুঁচকে গেছে। বলল, 'যদি অনুগ্রহ করে ফর্টি নাইনটাও একটু দেখে দাও। হয়তো পিটার ডেক্সটর পরের বছর এসেছে।'

দুঃখের বিষয় ফর্টি নাইনের খাতাতেও পিটার ডেক্সটরের নাম পাওয়া গেল না। অর্থাৎ এখানে আর আমাদের থাকার কোনও মানে হয় না।

'থ্যাঙ্ক ইউ ভেরি ভেরি মাচ,' বলল ফেলুদা। 'ইউ হ্যাভ বিন মোস্ট হেল্‌পফুল।'

ট্রেনে আসতে আসতে ফেলুদা বলল, 'কেমব্রিজে গিয়ে খোঁজ করলেই ডেক্সটরের নাম পাওয়া যাবে। কিন্তু তাও আমার মনে হচ্ছিল যে এখানেও কাগজে একটা বিজ্ঞাপন দিলে মন্দ হত না।'

'কী বিজ্ঞাপন?' জিজ্ঞেস করলেন জটায়ু।

'টাইমসের পার্সোন্যাল কলামে দেব। নরফোকের পিটার ডেক্সটর সম্বন্ধে কারও কোনও ইনফরমেশন থাকলে সে যেন অমুক হোটেলের অমুক ঘরের অমুক ব্যক্তির সঙ্গে যোগাযোগ করে।'

'এতে কী ফল হতে পারে বলে আপনি আশা করছেন?'

'কীসে ফল হয় আর কীসে না হয় সেটা তো সব সময় আগে থেকে বলা যায় না। কেমব্রিজের তালিকায় নাম পেলে তো শুধু নামটাই পাওয়া যাবে; লোকটা সম্বন্ধে তো কিছু জানা যাবে না। দিয়েই দেখি না একটা বিজ্ঞাপন।'

'কিন্তু সে তো বেরোতে বেরোতে তিন-চার দিন লেগে যাবে।'

'দুদিনের বেশি সময় লাগার কথা না। একটা দিন যদি ফাঁক পাই তা হলে সেদিন আমরা লন্ডন দেখব। এখানে দেখার জিনিসের কি অভাব আছে? মাদাম ত্যুসোর নাম শুনেছেন?'

'ম্যাডাম টুসড?'

'আপনার উচ্চারণে তাই।'

'যেখানে বিখ্যাত লোকেদের মোমের প্রতিকৃতি আছে তো?'

'ইয়েস স্যার। অবশ্য দ্রষ্টব্য। তারপর আর্ট গ্যালারিগুলো আছে, পার্লামেন্ট হাউসে বিগ বেন আছে, সেন্ট পলস ক্যাথিড্রাল আছে—কত চাই? হেঁটে হেঁটে আপনার পায়ের গোড়ালিতে ফোস্কা পড়ে যাবে। অথচ এগুলো না দেখলে লন্ডন দেখা হল বলা চলে না।'

'আপনার বিজ্ঞাপনটা কবে দিচ্ছেন?'

'আজই এক ঘণ্টার মধ্যেই। পরশু বেরিয়ে যাবে।'

'তা হলে কালকের দিনটা আমরা শহর দেখছি?'

'হ্যাঁ।'

মাদাম ত্যুসো (ফেলুদার উচ্চারণে) দেখে তাক লেগে গেল ঠিকই। প্রত্যেকটা ঘরের দরজার সামনে পোর্টার দাঁড়িয়ে আছে এমনভাবে যে সেগুলোকেও দেখলে মনে হয় মোমের তৈরি। তারপর চেম্বার অফ হররস—সত্যিই গায়ে কাঁটা দেয়।

মিউজিয়ম দেখার পর বাইরে বেরিয়ে আমরা ফেলুদাকে অনুসরণ করে চললাম। এবারে কোথায় যাচ্ছে সেটা আগে থেকে কিছুই বলল না।

এখানকার অনেক রাস্তার নাম বড় বড় পাথরের ফলকে লেখা থাকে। একটুক্ষণ চলার পর সেইরকম একটা ফলক চোখে পড়ায় ব্যাপারটা এক ঝলকে বুঝে নিলাম। রাস্তার নাম বেকার স্ট্রিট। ২২১ বি বেকার স্ট্রিটে যে শার্লক হোমসের বাড়ি সে কে না জানে? ওই নম্বরে যদিও সত্যি করে কোনও বাড়ি নেই। কিন্তু কাছাকাছি নম্বর তো আছে। ফেলুদা সেইরকম একটা বাড়ির সামনে দাঁড়িয়ে গম্ভীর গলায় বলল, 'গুরু, তুমি ছিলে বলেই আমরা আছি। আজ আমার লন্ডন আসা সার্থক হল।'

বিশ্বের গল্প সাহিত্যে যত চরিত্র সৃষ্টি হয়েছে, তার মধ্যে খ্যাতিতে যে শার্লক হোমস নাম্বার ওয়ান সেটা ফেলুদা অনেকবার বলেছে। কন্যান ডয়েল একটা গল্পে তিনি হোমসকে মেরে ফেলেছিলেন। কিন্তু পাবলিক অ্যায়সা হল্লা করে যে ডয়েল বাধ্য হয়ে হোম্‌সকে আবার বাঁচিয়ে তুলেছিলেন।

বেকার স্ট্রিটে না এলে লন্ডন দেখা সম্পূর্ণ হত না এটা বুঝতে পারলাম।

৮

দুদিন পরে অর্থাৎ রবিবার, টাইমসে ফেলুদার বিজ্ঞাপন বেরোল। আর আশ্চর্য ব্যাপার—তার পরদিনই বিজ্ঞাপনের ফল পাওয়া গেল। সোমবার সকাল সাড়ে আটটায় ফেলুদার ফোন বেজে উঠল। মিনিটখানেক কথা বলে ফেলুদা ফোনটা রেখে বলল, 'অত্যন্ত রুক্ষ মেজাজের লোক। নাম আর্চিবল্ড ক্রিপস। বলল ওর কাছে পিটার ডেক্সটরের খবর আছে। আধ ঘণ্টার মধ্যেই এসে যাচ্ছে লোকটা। রগড় হতে পারে। তুই লালমোহনবাবুকে খবর দে।'

লালমোহনবাবু তৈরি ছিলেন, এসে বললেন এত তাড়াতাড়ি রেজাল্ট পাওয়া যাবে সেটা উনি ভাবতেই পারেননি।

সোয়া ন'টার সময় দরজায় টোকা পড়ল। মৃদু নয়, বেশ জোরে। আমি দরজা খুললাম। রুক্ষ গলার সঙ্গে মানানসই রুক্ষ চেহারাওয়ালা একজন ভদ্রলোক ঢুকে এলেন। তাঁর দৃষ্টি প্রথমে গেল জটায়ুর দিকে।

'আর ইউ মিস্টার মিটার?'

'নো নো। হি, হি।'

লালমোহনবাবু ফেলুদার দিকে দেখিয়ে দিলেন। ক্রিপস সাহেব একটা চেয়ার টেনে এনে তাতে বসে ফেলুদার দিকে কঠোর দৃষ্টি দিয়ে বললেন, 'হোয়াট ডু ইউ ওয়ান্ট টু নো অ্যাবাউট পিটার ডেক্সটর?'

'প্রথমত, সে এখন কোথায়?'

'হি ইজ ইন হেভন।'

'তার মৃত্যু হয়েছে শুনে আমি দুঃখিত। কবে হল?'

'আজ নয়। অনেক কাল আগে। হোয়েন হি ওয়জ ইন কেমব্রিজ।'

'উনি কেমব্রিজে পড়তেন?'

'হ্যাঁ, আর মূর্খের মতো ক্যাম নদীতে নৌকো চালাতে গিয়েছিল।'

'মূর্খের মতো কেন?'

'কারণ ও সাঁতার জানত না। নৌকো উলটে গিয়ে জলে পড়ে তার মৃত্যু হয়।'

'ওঁরা তো শুনেছি অনেক ভাইবোন ছিলেন।'

'ফাইভ ব্রাদার্স অ্যান্ড টু সিসটারস। তার মধ্যে শুধু দুজনের খবর জানি—বড় ছেলে জর্জ আর ছোট ছেলে রেজিন্যাল্ড। জর্জ আর্মিতে ছিল, ইন্ডিপেন্ডেন্সের পর এখানে চলে আসে। বলত শিখ আর গুর্খা ছাড়া ও দেশের সবাই হয় বদমাইস না হয় অকর্মণ্য। ডেক্সটরদের কেউই ইন্ডিয়ান নিগারদের পছন্দ করে না।'

'নিগার? নিগার তো ভারতবর্ষে নেই। ইন ফ্যাক্ট, আমেরিকাতেও আজকাল নিগ্রোদের আর কেউ নিগার বলে না।'

ফেলুদার মুখ গম্ভীর। বলল, 'আপনার কথা শুনে মনে হচ্ছে ভারতীয়দের সম্বন্ধে আপনার ধারণাও ডেক্সটরদের মতোই।'

'তা তো বটেই। একশোবার।'

'তা হলে আপনার কাছ থেকে আর কোনও ইনফরমেশন আমি চাই না। যেটুকু দিয়েছেন তার জন্য ধন্যবাদ।'

এই গরম কথাগুলো শুনে ক্রিপ্‌স সাহেব যেন একটু নরম হলেন। বললেন, 'আই

অ্যাম সরি ইফ আই হ্যাভ অফেন্ডেড ইউ। রেজিন্যাল্ডের কথাটা বলেই আমি উঠছি। রেজিন্যাল্ড ওদের ছোট ভাই। সে ইন্ডিয়াতে একটা চা বাগানে আছে, কিন্তু বেশিদিন থাকবে না।'

ফেলুদা চেয়েই রয়েছে ভদ্রলোকের দিকে, মুখে কিছু বলছে না।

'বিকজ হি হ্যাজ ক্যানসার,' বলে চললেন ক্রিপ্‌স। 'ও গিয়েছিল শুধু পয়সা রোজগারের জন্য। ভারতবর্ষের ওপর ওর কোনও মমতা নেই।'

ফেলুদা উঠে দাঁড়াল।

'থ্যাঙ্ক ইউ মিস্টার ক্রিপস। আমার আর কিছু জানার প্রয়োজন নেই।'

ক্রিপ্‌সও কেমন যেন বোকা-বোকা ভাব করে উঠে দাঁড়ালেন। তারপর হঠাৎ 'গুড ডে' বলে সটান ঘর থেকে বেরিয়ে গেলেন।

'কী জঘন্য লোক মশাই', দরজা বন্ধ হবার সঙ্গে সঙ্গে বললেন লালমোহনবাবু। 'তবে আপনি লন্ডনে বসে একজন সাহেবকে যে ভাবে দাবড়ানি দিলেন, তার কোনও জবাব নেই।'

'যাই হোক,' বলল ফেলুদা, 'এর কাছ থেকে অন্তত একটা জরুরি তথ্য পাওয়া গেল। পিটার ডেক্সটর কেমব্রিজে ছিলেন এবং নৌকোডুবি হয়ে মারা যান।'

'এখন কী করা?'

'সময় হু হু করে বেরিয়ে যাচ্ছে,' বলল ফেলুদা। 'পরশু আমাদের ফেরার দিন, ভুলবেন না। আজই দুপুরে তাড়াতাড়ি লাঞ্চ সেরে কেমব্রিজ যাত্রা।'

আমরা দেড়টার মধ্যে বেরিয়ে পড়লাম।

পিকাডিলি সার্কাস থেকে প্রথমে লিভারপুল স্ট্রিটে গিয়ে সেখানকার রেল স্টেশন থেকে সাধারণ ট্রেন ধরে যেতে হয় কেমব্রিজে। পৌঁছতে লাগে এক ঘণ্টা। এখানে ট্রেন খুব দ্রুত চলে, আর চড়েও আরাম কারণ কামরাগুলো অত্যন্ত পরিষ্কার, পরিচ্ছন্ন।

সুন্দর শহর কেমব্রিজ, তার মধ্যে ইউনিভার্সিটি দাঁড়িয়ে আছে তার প্রাচীন ঐতিহ্য নিয়ে। পাশাপাশি অনেকগুলো কলেজ আছে—ফেলুদা বলল আটশোটা—তবে নিশানাথবাবু বলে দিয়েছিলেন রঞ্জন মজুমদার ট্রিনিটি কলেজে পড়তেন, তাই আমরা সেখানেই খোঁজ করলাম। জানা গেল যে ১৯৫১-তে রঞ্জন মজুমদার ইতিহাস পড়তে ট্রিনিটি কলেজে ভর্তি হন, এবং তার সঙ্গে একই ক্লাসে ছিল পিটার ডেক্সটর।

'এই পিটার ডেক্সটর তো নৌকাডুবি হয়ে মারা যান?' জিজ্ঞেস করল ফেলুদা। যে ভদ্রলোক আমাদের সাহায্য করছিলেন—নাম মিস্টার টেলর—তিনি বললেন যে তিনি মাত্র সাত বছর হল জয়েন করেছেন, কাজেই পুরনো ঘটনা কিছুই জানেন না।

'তবে এখানে একজন খুব পুরনো গার্ডনার আছে, চল্লিশ বছর হল এখানে কাজ করছে, নাম হুকিন্‌স। তাকে জিজ্ঞেস করে দেখতে পারেন।'

ফেলুদা বাগানেই হুকিন্‌সকে পাকড়াও করল। গায়ের চামড়া এখনও বেশ টান-টান, তবে চুল সাদা। তাও দিব্যি কাজ করে চলেছে।

'তুমি এখানে অনেকদিন আছ, তাই না?' ফেলুদা মোলায়েম সুরে প্রশ্ন করল।

'ইয়েস,' বলল হুকিন্‌স। 'তবে আর বেশিদিন নয়, কারণ আমার রিটায়ারমেন্টের সময় এসে গেছে। আমার বয়স তেষট্টি হল, কিন্তু এখনও পরিশ্রম করতে পারি। আমার বাড়ি চ্যাটাওয়র্থ স্ট্রিটে—এখান থেকে দু মাইল। রোজ হেঁটে আসি, হেঁটে ফিরি।'

'ছাত্রদের সঙ্গে তোমার কীরকম সম্পর্ক?'

'খুব ভাল। দে অল লাভ মি। আমার সঙ্গে এসে গল্প করে, ঠাট্টা তামাসা করে, আমাকে সিগারেট দেয়, বিয়ার দেয়। আই গেট অ্যালং ভেরি ওয়েল উইথ দেম।'

'পুরনো ঘটনা মনে থাকে তোমার? স্মরণশক্তি কেমন?'

'হালের ঘটনা ভুলে যাই, কিন্তু পুরনো কিছু কিছু মনে আছে। অবিশ্যি কত পুরনো তার ওপর নির্ভর করে।'

'মনটাকে চল্লিশ বছর পিছিয়ে নিয়ে যেতে পারবে?'

'হোয়াই?'

'তোমাদের এখানে ক্যাম নদীতে নৌকো চালায় না ছেলেরা?'

'শুধু ছেলেরা কেন, মেয়েরাও চালায়।'

'কোনও নৌকোডুবির ঘটনা মনে পড়ছে?'

হুকিন্‌স মাথা নেড়ে গলাটাকে ভারী করে বলল, 'ইটস এ স্যাড স্টোরি, স্যাড স্টোরি। একটি ইংরেজ ছেলে, নাম মনে নেই। নৌকো উলটিয়ে জলে ডুবে মারা যায়। সাঁতার জানত না।'

'সে কি একাই ছিল?'

'একা? না বোধহয়। সঙ্গে বোধহয় আরেকজন ছিল।'

'ঠিক করে ভেবে বলো তো।'

'অত দিন আগের কথা তো— তাই ভাল মনে পড়ছে না।'

'ওই ইংরেজ ছেলেটির একজন ভারতীয় বন্ধু ছিল না?'

'আই থিঙ্ক হি হ্যাড।'

'একটু চেষ্টা করে মনে করে দেখো তো—সেই ভারতীয় ছেলেটিও নৌকোয় ছিল কি না।'

'মে বি হি ওয়াজ—মে বি হি ওয়াজ...'

'ওই ঘটনার সময় তুমি কোথায় ছিলে?'

'আমি একটা ঝোপের ধারে বসে বিশ্রাম করছিলাম। হয়তো সিগারেট খাচ্ছিলাম।'

'ঘটনাটা তুমি দেখেছিলে?'

'হেলপ-হেল্প চিৎকার শুনে আমি নদীর ধারে যাই। গিয়ে দেখি এই কাণ্ড।'

'তা হলে তো তোমার মনে থাকা উচিত নৌকোতে আর কেউ ছিল কি না।'

হুকিন্স মাথা হেঁট করে যেন ভাববার চেষ্টা করল। তারপর বলল, 'নাঃ—এর বেশি আর মনে করতে পারছি না। আই অ্যাম সরি। এইটুকু যে মনে আছে তার একটা কারণ ওই একই দিনে আমি বিয়ে করি। ম্যাগি। দ্য বেস্ট ওয়াইফ ওয়ান কুড হ্যাভ।'

৯

টাইমসের বিজ্ঞাপনের ফল যে মিস্টার ক্রিপ্স-এর আসাতেই শেষ হয়ে গেল তা নয়। কেমব্রিজ যাবার পরদিনই ফেলুদা টেলিফোন পেল এক ভারতীয় ভদ্রলোকের কাছ থেকে—নাম সত্যনাথন। মাদ্রাজি, তাতে সন্দেহ নেই। ভদ্রলোক বললেন পিটার ডেক্সটর সম্বন্ধে কিছু তথ্য তিনি দিতে পারেন। 'আমি এগারোটা নাগাদ তোমাদের হোটেলে পৌঁছতে পারি।'

'খুব ভাল কথা,' বলল ফেলুদা, 'চলে আসুন।'

সত্যনাথন কথা মতো এলেন। বেশ গাঢ় কালো রং, মাথার চুল একেবারে সাদা। একটা চেয়ারে বসে বললেন, 'বিজ্ঞাপনটা পড়েই আপনার সঙ্গে যোগাযোগ করব ভেবেছিলাম, কিন্তু কয়েকটা কাজে একটু আটকা পড়ে গিয়েছিলাম।'

'আপনি লন্ডনেই থাকেন?'

'না। কিলবার্নে। এখান থেকে বেশি দূর নয়। ওখানে একটা ইস্কুলে মাস্টারি করি। পিটার ডেক্সটরের সঙ্গে একসঙ্গে আমি কেমব্রিজে ছিলাম।'

'তার মানে রঞ্জন মজুমদারও আপনার সহপাঠী ছিল?'

'তা তো বটেই।'

'তাকে মনে আছে?'

'স্পষ্ট। পিটারের খুব বন্ধু ছিল। অবিশ্যি দুজনের মধ্যে ঝগড়াও হত প্রায়ই।'

'কী নিয়ে?'

'পিটার ভারতীয়দের একেবারে পছন্দ করত না। রঞ্জনকে দেখে একেবারে সাহেব বলে মনে হত, তাই পিটার তাকে বন্ধু হিসেবে মেনে নেয়। বলত—ইউ আর নট ইন্ডিয়ান, ইউ আর হাফ ইংলিশ।'

'আপনার সঙ্গে পিটারের কীরকম সম্পর্ক ছিল?'

'আমার গায়ের রং তো দেখতেই পাচ্ছেন। আমাকে সে বহুবার ডার্টি নিগার বলে সম্বোধন করেছে। আমি ব্যাপারটা হজম করে নিতাম।'

'পিটারের মৃত্যুর কথা মনে আছে?'

'তা থাকবে না? এমন কী দিনটাও মনে আছে—হুইট-সানডের আগের দিন। পিটার যখন সাঁতার জানত না তখন ওর নৌকোয় চড়া অত্যন্ত ভুল হয়েছিল।'

'ওর সঙ্গে আর কে ছিল?'

'রঞ্জন।'

'সে বিষয় আপনি নিশ্চিত?'

'অ্যাবসোলিউটলি। রঞ্জনের সর্বাঙ্গ জলে ভেজা চেহারাটা এখনও আমার চোখের সামনে ভাসে। আমি তখন আমার ঘরে ছিলাম। আমাদের মালী হুকিন্‌সের চেঁচামেচিতে বাইরে বেরিয়ে এসে সব ব্যাপারটা জানতে পারি। রঞ্জন তার বন্ধুকে বাঁচাবার জন্যে জলে ঝাঁপিয়ে পড়ে। বাই ইট ওয়জ টু লেট। রেজিনাল্ডও চেষ্টা করেছিল দাদাকে বাঁচাতে, কিন্তু পারেনি।'

'পিটারের পরের ভাই?'

'হ্যাঁ। সে আমাদের পরের বছরই কেমব্রিজে ভর্তি হয়। সেই একই ছাঁচে ঢালা। ভারতীয়দের সঙ্গে প্রায়ই হাতাহাতি লেগে যেত। অনেকবার ওয়ার্নিং দেওয়া হয়েছে। কিন্তু কোনও ফল হয়নি। রেজিন্যাল্ডের ধারণা ছিল রঞ্জন ইচ্ছা করলে পিটারকে বাঁচাতে পারত। এই কথা সে সারা কলেজে বলে বেড়াত—"হি ডেলিবারেটলি লেট হিম ড্রাউন।"'

'রঞ্জন মজুমদার তো এক বছরের বেশি কেমব্রিজে পড়েনি?'

'না। একটা বাইসিক্‌ল অ্যাক্সিডেন্টের পর সে দেশে ফিরে যায়।'

কথা শেষ, তাই সত্যনাথন উঠে পড়লেন। ওঁর কাছ থেকে একটা মূল্যবান তথ্য জানা গেল—নৌকোতে পিটারের সঙ্গে রঞ্জন ছিলেন, আর তিনি বন্ধুকে বাঁচাতে চেষ্টা করে পারেননি।

সত্যনাথন চলে যাবার পর থেকেই লক্ষ করলাম ফেলুদার ভুরুটা কুঁচকে গেল। লাঞ্চ খেতে খেতে লালমোহনবাবু বললেন, 'আপনাকে যেন ডিস্‌স্যাটিসফায়েড বলে মনে হচ্ছে। কারণটা জানতে পারি কি?'

'একটা ব্যাপারে খটকা লাগছে।'

'কী?'

'মনে হচ্ছে হুকিন্‌স যা বলেছে তার চেয়ে বেশি ও জানে এবং ওর মনে আছে। কোনও একটা কারণে তথ্য লুকিয়ে যাচ্ছে।'

'তা হলে কী করবেন?'

'আরেকবার কেমব্রিজ যাওয়া দরকার। এবারে হুকিন্‌সের বাড়ি। রাস্তার নামটা ও বলেছিল। মনে আছে, তোপসে?'

মনে ছিল। বললাম, 'চ্যাটওয়র্থ স্ট্রিট।'

'ভেরি গুড। কেমব্রিজ গিয়ে রাস্তার একটা পুলিশকে জিজ্ঞেস করলেই বাতলিয়ে দেবে। এটাও জেনে রাখুন, লালমোহনবাবু—এখানকার পুলিশ, যাকে এরা বলে "ববি"—এদের মতো হেল্‌পফুল পুলিশ পৃথিবীতে আর কোথাও নেই।'

লাঞ্চের পর ফেলুদা বলল ওর একটা কাজ আছে, ও একটু বেরোবে। ও ফিরলে তারপর আমরা কেমব্রিজ যাব। ঘণ্টায় ঘণ্টায় কেমব্রিজের ট্রেন ছাড়ে—কোনও অসুবিধা নেই।

সাড়ে চারটায় রওনা হয়ে আমরা যখন কেমব্রিজে পৌঁছলাম, তখন রাস্তার বাতি জ্বলে গেছে। আমরা একটা বড় রাস্তা ধরে এগিয়ে একটা পুলিশের কাছে গিয়ে হাজির হলাম।

'চ্যাটওয়র্থ স্ট্রিট কোথায় বলতে পার?' ফেলুদা জিজ্ঞেস করল। পুলিশ প্রায় কাগজে নকশা আঁকার মতো করে বুঝিয়ে দিল।

আধঘণ্টা লাগল চ্যাটওয়র্থ স্ট্রিট পৌঁছতে। এটাকে গলি বললেই চলে, দেখে বোঝা যায় যে খুব অবস্থাসম্পন্ন লোকেদের পাড়া নয়। একটা বাড়ির সামনে একজন লোক রাস্তা থেকে একটা বেড়ালকে তুলে কোলে নিল। তাকেই ফেলুদা জিজ্ঞেস করল হুকিন্‌স কোন বাড়িতে থাকে।

'ফ্রেড হুকিন্‌স?' ভদ্রলোক বললেন। 'নাম্বার সিক্সটিন।'

এখানে সব বাড়ির বাইরেই নম্বর লেখা থাকে, তাই ষোলো খুঁজে পেতে সময় লাগল না।

এগিয়ে গিয়ে দরজায় নক করতে হুকিন্‌স নিজেই দরজা খুলল।

'গুড ইভনিং,' বলল ফেলুদা।

আমাদের দেখে হুকিন্‌সের মুখ হাঁ হয়ে গেছে। 'সে কী—তোমরা আবার...?'

'একটু ভিতরে আসতে পারি?' ফেলুদা জিজ্ঞেস করল।

'নিশ্চয়ই, নিশ্চয়ই।'

হুকিন্‌স এক পাশে সরে দাঁড়িয়ে আমাদের ঢোকবার জায়গা করে দিল। আমরা তিনজনে ঢুকলাম। এটাই বসবার ঘর, যদিও আয়তনে খুবই ছোট। আমরা দুটো চেয়ারে আর একটা সোফায় ভাগাভাগি করে বসলাম।

'ওয়েল?'

ফেলুদার দিকে জিজ্ঞাসুর দৃষ্টি দিলে হুকিন্‌স।

'তোমাকে দু একটা প্রশ্ন করার ছিল।'

'অ্যাবাউট দ্য ড্রাউনিং?'

'হ্যাঁ।'

'আমি যা বলেছি তার বেশি তো আর কিছু জানি না।'

'আমি নতুন প্রশ্ন করব।'

'কী?'

'মিস্টার হুকিন্‌স, যে নৌকো ধীরে চলছে, তাতে কেউ বসা অবস্থায় জলে পড়ে যেতে পারে এটা কি তোমার বিশ্বাসযোগ্য মনে হয়?'

'যদি ঝড় থাকে তা হলে নৌকো নিশ্চয়ই উলটে যেতে পারে। দেয়ার ওয়জ এ হাই উইন্ড দ্যাট ডে।'

'আমি আজই দুর্ঘটনার পরের দিনের খবরের কাগজ দেখেছি। তাতে পিটার ডেক্সটরের মৃত্যু সংবাদ আছে, কিন্তু ঝড়ের কোনও খবর নেই। ওয়েদার রিপোর্টে বলছে বাতাসের গতিবেগ ছিল ঘণ্টায় ৩৫ মাইল। সেটাকে কি তুমি হাই উইন্ড বলবে?'

হুকিন্‌স চুপ। আর একটা টেবিল ক্লকের টিক টিক শব্দ ছাড়া আর কোনও শব্দ নেই।

ফেলুদা বলল, 'আমার ধারণা তুমি একটা কিছু লুকোচ্ছ। সেটা কী দয়া করে বলবে?'

'এতদিন আগের ঘটনা...'

'কিন্তু অত্যন্ত গুরুত্বপূর্ণ ঘটনা। যে দুজনকে নিয়ে ঘটনা, তার মধ্যে একজন তো তোমার বেশ কাছের লোক ছিল বলে মনে হচ্ছে।'

হুকিন্‌স ফেলুদার দিকে চাইল। বেশ বোঝা যাচ্ছে যে তার দৃষ্টিতে সংশয় ঘনিয়ে আসছে।

'হোয়াট ডু ইউ মিন?'

'তোমার শেল্‌ফে আমি অনেকরকম জিনিসের মধ্যে একটা পিতলের গণেশ আর একটা আইভরির বুদ্ধ দেখতে পাচ্ছি। ওগুলো কী করে পেলে জানতে পারি কি?'

'রন দিয়েছিল আমাকে।'

'রন মানে বোধ করি রঞ্জন।'

'ইয়েস। ওকে আমি রনও বলতাম, জনও বলতাম।'

'আই সি। এবার একটা কথা বলো—পিটারের হেল্‌প্ হেল্‌প চিৎকারের আগে তুমি ওদের কোনও কথা শোনোনি? ইন্ডিয়ান গডদের সামনে মিথ্যা কথা বলা কিন্তু মহাপাপ।'

'কী কথা বলছিল বুঝিনি—আই ওনলি হার্ড দেয়ার ভয়েসেস।'

'তার মানে ওরা বেশ জোরে কথা বলছিল?'

'পারহ্যাপস...পারহ্যাপস...'

'আমার কী বিশ্বাস জান?'

হুকিন্‌স আবার ফেলুদার দিকে দেখল।

'হোয়াট?'

'আমার বিশ্বাস ওদের মধ্যে ঝগড়া হচ্ছিল। পিটার দাঁড়িয়ে উঠেছিল, আর—'

'ইয়েস, ইয়েস!' হুকিনস হঠাৎ বলে উঠল। 'আর ও রনকে আক্রমণ করতে যায়, আর টাল সামলাতে না পেরে জলে পড়ে যায়।'

'তার মানে পিটার তার মৃত্যুর জন্য নিজেই দায়ী?'

'অফ কোর্স!'

'তোমাদের এই যে ক্যাম নদী, আমাদের দেশে এটাকে বলে কেন্যাল। এতে একটা লোক সাঁতার না জানলেও এত সহজে ডুবে যেতে পারে—বিশেষ করে যখন তাকে একজন বাঁচাবার চেষ্টা করছে?'

'ডুবল যে সে তো চোখের সামনে দেখলাম।'

'তুমি এখনও সত্যি কথা বলছ না, মিস্টার হুকিন্‌স। আই ওয়ান্ট দ্য ট্রুথ। আমি এত দূর থেকে এসেছি শুধু এই ট্রুথের সন্ধানে। পিটার কেন এত সহজে ডুবে গেল?'

হুকিন্‌সকে দেখেই বুঝতে পারছিলাম যে সে ক্রমেই কোণঠাসা হচ্ছে। এবার সে হঠাৎ ভেঙে পড়ে বলল, 'ঠিক আছে, আমি বলছি কেন পিটার ডুবে যায়। তার কারণ ও যখন জলে পড়ে তখন ওর জ্ঞান ছিল না।'

'জ্ঞান ছিল না?'

ফেলুদা তীক্ষ্ণ দৃষ্টিতে চেয়ে রয়েছে হুকিন্‌সের দিকে। তারপর চাপা স্বরে বলল, 'বুঝেছি। নৌকো বাইছিল রঞ্জন, তাই না?'

'ইয়েস।'

'তার মানে তার হাতে দাঁড় ছিল।'

'ইয়েস।'

'অর্থাৎ একটা অস্ত্র ছিল, যেটা দিয়ে সে পিটারকে আঘাত করে। তার ফলে পিটার সংজ্ঞা

হারিয়ে জলে পড়ে যায়। অর্থাৎ সে কোনও স্ট্রাগলই করেনি। আর রঞ্জন যে তাকে বাঁচাবার চেষ্টা করছিল সেটা একটা অভিনয়। অর্থাৎ রঞ্জনই পিটারের মৃত্যুর জন্য দায়ী।'

হুকিন্‌স মাথা চাপড়ে বলল, 'আমি তোমাদের আঘাত দিতে চাইনি। তাই সত্য গোপন করছিলাম। রঞ্জনের জায়গায় আমি থাকলে আমিও ওরই মতো করতাম। পিটার ওকে অশ্রাব্য ভাষায় গাল দিচ্ছিল। বলছিল তোমার চামড়া সাদা হলে কী হবে, আঁচড় কাটলেই দেখা যাবে নীচে কালো। ইউ আর নাথিং বাট এ ডার্টি ব্ল্যাক নেটিভ। এতে কার মাথা ঠিক থাকে বলো!'

'তুমি ছাড়া এই ঘটনার সাক্ষী আর কেউ ছিল?'

'ইয়েস। ওনলি ওয়ান।'

'কে?'

'রেজিন্যান্ড।'

'রেজিন্যাল্ড ডেক্সটর?'

'আমরা দুজন একসঙ্গেই বসে সিগারেট খাচ্ছিলাম। সমস্ত ঘটনাই আমরা দুজন একসঙ্গে দেখি। পরে আমি রনকে বাঁচাবার জন্য বলেছিলাম পিটার রনকে আক্রমণ করতে গিয়ে জলে পড়ে যায়। এদিকে রেজিন্যাল্ড অনবরত সত্যি ঘটনাটা বলে বেড়াচ্ছিল। সৌভাগ্যক্রমে সকলেই জানত যে রেজিন্যাল্ড ইন্ডিয়ানদের ঘৃণা করে, তাই তার কথা কেউ বিশ্বাস করেনি। থ্যাঙ্ক গড ফর দ্যাট—রন ওয়জ সাচ এ নাইস বয়, সো জেনারাস, সো কাইন্ড।'

'এ ব্যাপারে তদন্ত হয়নি? ইনকুয়েস্ট হয়নি?'

'হয়েছিল বইকী।'

'তুমি সাক্ষী দিয়েছিলে?'

'ইয়েস।'

'মিথ্যে সাক্ষী তো?'

'তা বটে। আই ওয়জ ডিটারমিনড টু সেভ রঞ্জন। সেও অবশ্য সাক্ষী দিয়েছিল। আমি যা বলেছিলাম, সেও তাই বলেছিল।'

'আর রেজিন্যাল্ড? সে সাক্ষী দেয়নি?'

'হ্যাঁ—এবং সে সত্যি ঘটনাই বলেছিল। তবে তার কথায় ভারতীয় বিদ্বেষ এত প্রকাশ পাচ্ছিল যে জুরি তার কথা বিশ্বাস করেনি। তারা রায় দিয়েছিল ডেথ বাই অ্যাক্সিডেন্ট।'

ফেলুদা উঠে পড়ল।

'থ্যাঙ্ক ইউ মিস্টার হুকিন্‌স। আমার আর কোনও প্রশ্ন নেই।'

হোটেলে ফিরলাম ডিনারের ঠিক আগে। রিসেপশন থেকে ঘরের চাবি নিচ্ছি, এমন সময় একজন কর্মচারী ফেলুদার দিকে চেয়ে বলল, 'মিস্টার মিটার?'

'ইয়েস।'

'তোমার একটি টেলিগ্রাম আছে।'

ফেলুদা টেলিগ্রামটা নিয়ে খুলে পড়ল। পাঠিয়েছেন রঞ্জন মজুমদার। তিনি বলছেন—'ক্যান রিকল এভরিথিং। রিটার্ন ইমিডিয়েটলি।'

'পারফেক্ট টাইমিং', বলল ফেলুদা। 'এখানের মামলা শেষ, কাল আমাদের রিটার্ন বুকিং, আর মিস্টার মজুমদারের স্মৃতি ফিরে এসেছে।'

প্লেনেই ফেলুদা বলেছিল যে দমদম থেকে সোজা মিস্টার মজুমদারের বাড়ি যাব। আমরা কলকাতায় পৌঁছাচ্ছি দুপুর একটা পাঁচে।

মনে গভীর উৎকণ্ঠা। রঞ্জনবাবু জানেন তিনি খুন করেছিলেন; এখন তিনি কী করবেন?

আমাদের ফেরার তারিখ আর সময় আগে থেকেই জানা ছিল, তাই লালমোহনবাবুর গাড়ি এয়ারপোর্টে হাজির ছিল।

রোল্যান্ড রোডে পৌঁছে বুকটা ধক্ করে উঠল। রঞ্জনবাবুর বাড়ির সামনে পুলিশের গাড়ি কেন?

গাড়ি থেকে নেমে গেটের ভিতর ঢুকতেই আমাদের চেনা ইনস্পেকটর মণ্ডল গম্ভীর মুখে এগিয়ে এলেন।

'আজ সকাল আটটায় ব্যাপারটা ঘটেছে।'

'কী ব্যাপার?' ফেলুদা জিজ্ঞেস করল।

'মিস্টার মজুমদার খুন হয়েছেন। সকালে নাকি একজন সাহেব এসেছিল ওঁর সঙ্গে দেখা করতে। সে কে তা জানা যায়নি। আপনি কোনও এনকোয়ারি করবেন?'

'না।'

পরদিন সকাল সাড়ে সাতটায় লালমোহনবাবু এসে হাজির। ভদ্রলোক অত্যন্ত উত্তেজিত।

'পাঁচ নম্বরের পাতার খবরটা দেখেছেন?'

'কোন কাগজ?' ফেলুদা জিজ্ঞেস করল।

'স্টেটসম্যান—আবার কোন কাগজ।'

'না, এখনও দেখিনি।'

'প্রথম পাতায় তো মজুমদারের খবরটা রয়েছে—এবার পাঁচের পাতা দেখুন।'

ফেলুদা কাগজটা নিয়ে পাঁচের পাতা খুলল। 'নীচে বাঁ দিকে', বললেন জটায়ু।

খবরটা বার করে ফেলুদা পড়ে শোনাল। তার বাংলা করলে এই দাঁড়ায়—

হোটেলে আত্মহত্যা

সদর স্ট্রিটের একটি হোটেলে গতকাল রাত্রে গুলির আওয়াজ পেয়ে অনুসন্ধান করে দেখা যায় সাত নম্বর ঘরে একটি সাহেব মৃত অবস্থায় মেঝেতে পড়ে আছেন। তাঁর হাতে রিভলভার। হোটেলের খাতা থেকে জানা যায় সাহেবের নাম রেজিন্যাল্ড ডেক্সটর। ইনি এসেছিলেন দার্জিলিং-এর নিকটবর্তী খয়রাবাড়ি চা বাগান থেকে।

নয়ন রহস্য

১

ফেলুদাকে বেশ কিছুদিন থেকেই মনমরা দেখছি। আমি বলছি মনমরা। সেই জায়গায় লালমোহনবাবু অন্তত বারো রকম বিশেষণ ব্যবহার করেছেন—একেক দিনে একেক রকম। তার মধ্যে হতোদ্যম, বিষণ্ণ, বিমর্ষ, নিস্তেজ, নিষ্প্রভ ইত্যাদি তো আছেই। এমনকী মেদামারা পর্যন্ত আছে। এর কোনওটাই অবিশ্যি উনি ফেলুদাকে বলেননি, বলেছেন আমাকে। আজ আর থাকতে না পেরে সোজাসুজি ফেলুদাকেই প্রশ্ন করে বসলেন, 'মশাই, আপনাকে কদিন থেকে এত ম্রিয়মাণ দেখছি কেন ?'

ফেলুদা সোফায় হেলান দিয়ে সামনের কফি-টেবিলের উপর পা ছড়িয়ে বসেছিল মেঝের দিকে তাকিয়ে ; লালমোহনবাবুর প্রশ্নের পরও সেই একইভাবে বসে রইল।

'এটা কিন্তু মশাই আনফেয়ার', অভিমানের সুরে বললেন জটায়ু। 'আমার এখানে আসার একমাত্র উদ্দেশ্য হচ্ছে জমিয়ে আড্ডা দেওয়া। আপনি দিনের পর দিন এমন বেজার ভাব করলে তো আসা বন্ধ করে দিতে হয় ! একটু আলোকপাত করুন, যাতে কী হয়েছে আঁচ করতে পারি। এমন তো হতে পারে যে আপনার এই কন্ডিশনের রেমিডি হয়তো আমি সাপ্লাই করতে পারি। আগে তো আমি ঘরে ঢুকলেই আপনার ভুরু নেচে উঠত, আজকাল দেখছি আমাকে দেখলেই মুখ ঘুরিয়ে নেন।'

'সরি', মেঝের দিকে চেয়েই মৃদুস্বরে বলল ফেলুদা।

'নো নিড টু অ্যাপলজাইজ, ফেলুবাবু ; আপনি কেন গুমরোচ্ছেন সেইটে বলুন, তার পর বাকি কথা হবে। কাইন্ডলি বলুন। এত আনন্দের স্মৃতিভরা ঘর এমন গুমোট মেরে যাবে এটা বরদাস্ত করা যায় না। বলবেন কী হয়েছে ?'

'চিঠি', বলল ফেলুদা।

'চিঠি ?'

'চিঠি।'

'কার চিঠি ? এমন কী থাকতে পারে চিঠিতে যা আপনার মনে অন্ধকার আনবে ? কার চিঠি মশাই ?'

'পাঠক।'

'কীসের পাঠক ?'

'শ্রীমান তপেশের লিপিবদ্ধ করা প্রদোষচন্দ্র মিত্রের কীর্তিকলাপ।'

'পাঠক কি তাতে অবজেকশন নিয়েছে ?'

'পাঠক সিঙ্গুলার নয়, লালমোহনবাবু ; পাঠক প্লুর‍্যাল। গুনে দেখেছি ছাপান্নখানা চিঠিতে ঘুরিয়ে ফিরিয়ে একই কথা।'

আমি কিন্তু এইসব চিঠিপত্রের কথা কিছুই জানি না। ফেলুদা রোজই চার-পাঁচটা করে চিঠি পায় সেটা জানি, কিন্তু সেগুলো কী চিঠি সেটা কোনও দিন জিজ্ঞেস করিনি।

'একই কথা মানে ?' জিজ্ঞেস করলেন জটায়ু। 'কী কথা ?'

'ফেলু মিত্তিরের মামলা আর তেমন জমাটি হচ্ছে না, জটায়ু আর তেমন হাসাতে পারছেন না, তপেশের বিবরণ বিবর্ণ হয়ে আসছে...' লালমোহনবাবু হঠাৎ খেপে উঠলেন। —'হাসাতে

পারছেন না ? জটায়ু হাসাতে পারছেন না ? আমি কি সং ?'

'না না', ফেলুদা বলে উঠল, 'আপনি সং হতে যাবেন কেন ? সং, ভাঁড়, ক্লাউন, জোকার—এ সব অত্যন্ত অপমানকর কথা। আপনি হলেন বিদূষক। এইভাবে নিজেকে কল্পনা করে নিলে দেখবেন আর কোনও ঝঞ্ঝাট নেই।'

কথাটায় লালমোহনবাবুর রাগ তো গেলই না, বরং তিনি বেশ বিরক্তির সঙ্গে ফেলুদার দিকে পিঠ করে দাঁড়িয়ে বললেন, 'আই অ্যাম রিয়েলি ডিস্যাপয়েন্টেড। ছ্যা ছ্যা ছ্যা—এইসব চিঠি আপনি জমিয়ে রেখেছেন ? পাওয়ামাত্র দলা পাকিয়ে ওয়েস্ট পেপার বাস্কেটে নিক্ষেপ করেননি ?'

'না, করিনি', গম্ভীরভাবে বলল ফেলুদা, 'কারণ এই সব পাঠকই এতকাল আমাকে সাপোর্ট করেছে ; এখন যদি তারা বলে যে, থ্রি মাসকেটিয়ার্স-এর অকাল বার্ধক্য দেখা দিয়েছে, তা হলে কথাটা আমি উড়িয়ে দিতে পারি না।'

'অকাল বার্ধক্য !' হাঁটুতে চাপড় মেরে চোখ কপালে তুলে বললেন জটায়ু। 'তপেশের কথা ছেড়েই দিলাম—আপনি তো সুপারফিট চিরতরুণ। তপেশও আপনারই মতো রেগুলার যোগব্যায়াম করে। শরীরে মেদের লেশমাত্র নেই। আর আমি যে আমি—এখনও—এই সে দিনও—আমার পড়শি—সেভেনটিন ইয়ারস মাই জুনিয়র—সোমেশ্বর হাজরাকে পাঞ্জায় কাত করে দিলুম—সেটা বার্ধক্যের লক্ষণ ? বয়স তো মানুষের বাড়বেই, কিন্তু সেই সঙ্গে যে আক্কেলও বাড়ে, অভিজ্ঞতাও বাড়ে তার কি কোনও দাম নেই ?'

'এটা বোঝাই যাচ্ছে যে, সে সবের কোনও পরিচয় পাঠকরা পাচ্ছে না।'

'এও তো এক রহস্য। কিনারা করতে পারলেন ?'

ফেলুদা টেবিল থেকে পা দুটো নামিয়ে সোজা হয়ে বসল।

'শুনুন, লালমোহনবাবু—জনপ্রিয়তার লেজুড় হিসেবে বেশ কিছু ঝক্কি এসে পড়ে সেটা আপনারও অজানা নয়। প্রকাশকের চাপ আপনাকে ভোগ করতে হয় না ?'

'ওরেব্বাস—সে তো ট্রিমেন্ডাস ব্যাপার !'

'জানি। কিন্তু ফেলুদার জনপ্রিয়তা আর প্রখর রুদ্রের জনপ্রিয়তা এক জিনিস নয়। আপনার উপর চাপ এলে আপনি কল্পনার আশ্রয় নিয়ে সাপ-ব্যাঙ-বিচ্ছু যা হয় একটা দাঁড় করিয়ে প্রকাশকের চাহিদা মেটাতে পারেন। কিন্তু তোপ্সের উপর যখন চাপ আসে তখন কল্পনার আশ্রয় নিলে চলে না। বাস্তবে আমার মামলায় যা ঘটেছে, সেটাকেই একটু পালিশ করে উপন্যাসের আকারে প্রকাশকের হাতে তুলে দিতে হয়। তার মাস খানেকের মধ্যেই ফেলুদার একটি টাট্‌কা নতুন অ্যাডভেঞ্চার বইয়ের বাজার দখল করে বসে। তার একটা ফল হল এই ছাপান্নখানা চিঠি। কারণ আর কিছুই নয় ; প্রতি বছরই যে আমার হাতে এমন একটি মামলা আসবে যা থেকে জমাটি উপন্যাস হয় তার কী গ্যারান্টি আছে ? এটা ভুললে চলবে না যে, আমার পাঠক প্রধানত কিশোর-কিশোরী। আমার এমন অনেক মামলার উদাহরণ দিতে পারি যেগুলো চিত্তাকর্ষক হলেও, তাতে এমন সব উপাদান থাকে যা কখনওই কিশোরদের পাতে দেওয়া চলে না।'

'যেমন লখাইপুরের সেই জোড়া খুনের মামলা ?'

'তা তো বটেই ! সেটাতে তো তোপ্সেকে আমার ধারে-পাশেই আসতে দিইনি—যদিও সে এখন আর খোকাটি নেই, এবং বয়সের তুলনায় অনেক বেশি জানে-বোঝে।'

'তার মানে আপনি বলতে চান যে, তোপ্সের বাছাইয়ে গলদ রয়েছে ?'

'সেটা হত না যদি না ও প্রকাশকের তাগিদের চোটে বিভ্রান্ত হয়ে পড়ত। ওকে দোষ দিই কী করে বলুন ? আমার মামলা থেকে ও যা খাড়া করে তাকে কিশোর উপন্যাসই বলা হয়ে

থাকে। এইসব উপন্যাস যদি শুধু কিশোররাই পড়ত, তা হলে কিন্তু কোনও সমস্যা ছিল না ; আসলে যেটা ঘটে সেটা হল, কিশোরদের সঙ্গে তাদের মা, বাবা, মাসি, পিসি, খুড়ো, জ্যাঠা সকলেই এসব উপন্যাস পড়ে। একসঙ্গে এত স্তরে চাহিদা মেটানো কি চাট্টিখানি কথা ?'

'আপনি তপেশকে একটু গাইড করুন না।'

'সেটা করব। আগে করতাম, ইদানীং করি না। আবার করব। তবে তার আগে প্রকাশকের সঙ্গে একটা মোকাবিলা করা দরকার। তাদের বোঝাতে হবে যে, লাগসই মামলা পেলেই তারা উপন্যাস পাবে, নচেৎ নয়। তাতে যদি একটা বছর ফেলুদা বাদও যায়, সেটাও তাদের মেনে নিতে হবে। তারা ঘোর ব্যবসাদার ; আমার মান-ইজ্জত নিয়ে তারা চিন্তিত নয়—সে চিন্তা আমাদেরই করতে হবে।'

'পাঠকদের সঙ্গেও তো একটা মোকাবিলার প্রয়োজন, তাই নয় কি ? এই যে সব যারা রাগী-রাগী চিঠি দিল ?'

'এরা বোকা নয়, লালমোহনবাবু। এদের চাহিদা অত্যন্ত সঙ্গত। সেটা মেটাতে পারলেই এরা আবার আমাকে তুলে ধরবে।'

'শুধু আপনাকে ? আমাকে নয় ?'

'একশোবার! আপনি-আমি তো পরস্পরের পরিপূরক। সোনায় সোহাগা। অ্যারালডাইট দিয়ে আমার সঙ্গে সেঁটে রয়েছেন আপনি সেই সোনার কেল্লার সময় থেকেই। আমাকে ছাড়া আপনার অস্তিত্বই নেই—অ্যান্ড ভাইসি ভারসা।'

লালমোহনবাবু আমার দিকে ফিরে গম্ভীর গলায় বললেন, 'বি ভেরি কেয়ারফুল, তপেশ !'

এটা বলার কোনও দরকার ছিল না, কারণ ফেলুদা স্পষ্টই বুঝিয়ে দিয়েছে যে, এবার থেকে কেয়ারফুল হবার অর্ধেক দায়িত্ব ওর।

কথার ফাঁকে ফেলুদা একটা চারমিনার ধরিয়েছিল। এবার সেটা আধপোড়া অবস্থায় অ্যাশ-ট্রেতে ফেলে দিয়ে আমার দিকে এগিয়ে এসে পিঠে একটা চাপড় মেরে বলল, 'সোজা নিয়ম, বুঝলি তোপ্সে। এবার থেকে আমার গ্রিন সিগন্যাল না পাওয়া পর্যন্ত তুই হাত পা গুটিয়ে বসে থাকবি। ঠিক হ্যায় ?'

আমি হেসে মাথা নাড়িয়ে বুঝিয়ে দিলাম 'ঠিক হ্যায়'।

২

এই যে এতক্ষণ পাঁয়তারা করলাম, তা থেকে বোঝাই যাবে যে, ফেলুদা আমায় গ্রিন সিগন্যাল দিয়েছে। শুধু ফেলুদা কেন, নয়নের মামলা নিয়ে লিখছি শুনে জটায়ু একটা কান-ফাটানো হাততালি দিয়ে বললেন, 'গ্রেট ! গ্রেট ! ইয়ে, আমার ভূমিকাটা ইনট্যাক্ট থাকবে তো ? সব কিছু মনে আছে তো ?' আমি বললাম, 'কোনও চিন্তা নেই ; সব নোট করা আছে।'

আসল মামলায় পৌঁছতে অবিশ্যি আরও কিছুটা সময় লাগবে। কোথায় শুরু করব জিজ্ঞেস করাতে ফেলুদা বলল, 'তরফদারের শো। দ্যাট ইজ দ্যা স্টার্টিং পয়েন্ট।' আমি ওর কথামতোই স্টার্ট করছি।

তরফদার হলেন ম্যাজিশিয়ান। পুরো নাম সুনীল তরফদার। শোয়ের নাম 'চমকদার তরফদার'। আজকাল ব্যাঙের ছাতার মতো ম্যাজিশিয়ান গজাচ্ছে এই পশ্চিম বাংলায়। এর মধ্যে কিছু আছে যারা সত্যিই ম্যাজিক নিয়ে সাধনা করে। প্রতিদ্বন্দ্বিতার চাপে অনেককেই শেষ পর্যন্ত পিছিয়ে আসতে হয়। যারা টিকে থাকে তাদের মোটামুটি একটা স্ট্যান্ডার্ড আছে। ইয়াং বয়সে ফেলুদার ম্যাজিকের নেশা ছিল, সেটা আমিই একটা গল্পে জানিয়ে

ফেলেছিলাম। ফলে এ সব উঠতি ম্যাজিশিয়ানদের অনেকেই ওর কাছে আসে শোয়ে নেমন্তন্ন করার জন্য। আমরা কয়েকবার গিয়েছি, আর গিয়ে হতাশ হইনি।

সুনীল তরফদারও এই উঠতিদের মধ্যে একজন। বছর খানেক হল শো করছেন। এখনও তেমন নাম করেননি, যদিও দু-একটা কাগজে বেশ প্রশংসা বেরিয়েছে। গত ডিসেম্বরের গোড়ার দিকে এক দিন সকালে ইনি আমাদের বাড়িতে এসে ফেলুদাকে টিপ্ করে এক প্রণাম করলেন। কেউ ওর পায়ে হাত দিলে ফেলুদা ভীষণ বিব্রত হয়ে পড়ে; তরফদারের প্রণামে ও হাঁ হাঁ করে উঠল।

ভদ্রলোকের বয়স ত্রিশ-বত্রিশের বেশি নয়, লম্বা একহারা চেহারা, ঠোঁটের উপরে একটা সরু সাবধানে-ছাঁটা গোঁফ। প্রণাম সেরে নিজের পরিচয় দিয়ে বললেন, 'স্যার, আমি আপনার একজন গ্রেট ফ্যান। আমি জানি এককালে আপনার নিজেরই ম্যাজিকের শখ ছিল। আমার শো হচ্ছে মহাজাতি সদনে। আপনাদের জন্য তিনটে ফার্স্ট রোয়ের টিকিট দিয়ে যাচ্ছি। আগামী রবিবার সাড়ে ছটায় যদি আপনারা আসেন তা হলে আমি সত্যিই খুশি হব।'

ফেলুদা তৎক্ষণাৎ হ্যাঁ না কিছুই বলছে না দেখে ভদ্রলোক ঝুঁকে পড়ে ফেলুদার কাঁধে হাত রেখে বললেন, 'আমি আপনাদের রোববার ডাকছি এই কারণে যে, সেদিন আমার প্রোগ্রামে একটা নতুন আইটেম অ্যাড করছি। আমি জোর দিয়ে বলতে পারি এ জিনিস আর কেউ কখনও স্টেজে দেখায়নি।'

ফেলুদা যাব বলে কথা দিয়েছিল। রবিবার বিকেলে সাড়ে পাঁচটায় লালমোহনবাবু তাঁর সবুজ অ্যাম্বাসাডর নিয়ে আমাদের বাড়িতে চলে এলেন। চা-ডালমুট খেয়ে আমরা ছ' টায় রওনা হয়ে শোয়ের ঠিক পাঁচ মিনিট আগে মহাজাতি সদনে পৌঁছে গেলাম। কাগজে বেশ চোখে পড়ার মতো একটা বিজ্ঞাপন দুদিন আগেই বেরিয়েছিল, ভিড় দেখে মনে হল সেটায় কাজ দিয়েছে। আমরা মাঝের প্যাসেজ দিয়ে এগিয়ে গিয়ে সামনের সারির মাঝামাঝি পাশাপাশি তিনটে চেয়ারে বসলাম।

'কাগজে বিজ্ঞাপনটা দেখেছিলেন?' ফেলুদার দিকে ঝুঁকে পড়ে প্রশ্ন করলেন লালমোহনবাবু।

'দেখেছি', বলল ফেলুদা।

'তাতে যে বলছে অভূতপূর্ব নতুন আকর্ষণ জ্যোতিষ্ক—এই জ্যোতিষ্কটি কী বস্তু, মশাই?'

'একটু ধৈর্য ধরুন—যথাসময়ে জানতে পারবেন।'

তরফদার দেখলাম পাংচুয়ালি সাড়ে ছটায় শো আরম্ভ করে দিলেন। পর্দা সরতেই ফেলুদার দিকে চেয়ে দেখি তার চোখ নিজের রিস্টওয়াচের দিকে, ভুরু ঈষৎ তোলা, আর ঠোঁটের কোণে মৃদু হাসি। আমি তো জানি ও পাংচুয়ালিটির উপর কত জোর দেয়। ও বলে বাঙালিদের উন্নতির পথে একটা বড় রকম বাধার সৃষ্টি করে এই সময়ানুবর্তিতার অভাব। তরফদার যে এই নিয়মের ব্যতিক্রম, সেটা দেখেই ফেলুদা খুশি।

শো কিছুক্ষণ চলার পরেই বুঝতে পারলাম, জাদুকরের ঝলমলে পোশাক ছাড়া আজকের সফল ম্যাজিশিয়ানদের তুলনায় ইনি জাঁকজমকের দিকটায় একটু কম দৃষ্টি দেন। এও লক্ষ করলাম যে এমন অনেক আইটেম আছে, যাতে নতুনত্ব বলে বিশেষ কিছু নেই।

ইন্টারভ্যালের পর প্রোগ্রামের দ্বিতীয় অংশে এল প্রথম চমক। এটা স্বীকার করতেই হল যে, হিপনটিজ্‌ম বা সম্মোহনে তরফদারের সমকক্ষ বাঙালি জাদুকরের মধ্যে আর নেই বললেই চলে। তিনজন দর্শককে পর পর স্টেজে এনে চোখের দৃষ্টি আর আঙুল-ছড়ানো দুই হাতের আন্দোলনের জোরে সম্মোহিত করে তাদের দিয়ে যা-খুশি-তাই করিয়ে ভদ্রলোক প্রচুর হাততালি পেলেন।

কিন্তু তার পরেই তরফদার একটা বেচাল চাললেন। ফেলুদার দিকে চেয়ে দর্শকদের উদ্দেশ করে বললেন, 'আমি এবার প্রথম সারিতে বসা স্বনামধন্য গোয়েন্দাপ্রবর শ্রীপ্রদোষচন্দ্র মিত্রকে অনুরোধ করছি মঞ্চে আসতে।'

ফেলুদা উঠে দাঁড়িয়ে জটায়ুর দিকে দেখিয়ে বলল, 'আমাকে না ডেকে এই ভদ্রলোককে ডাকুন। আমাকে ডাকলে বিপত্তির সম্ভাবনা আছে।'

তরফদারের বয়স বেশি না বলেই হয়তো তিনি একটু একরোখা। একটা ভয়ংকর রকম কনফিডেন্ট হাসি হেসে বললেন, 'না স্যার, আমি চাই আপনিই আসুন।'

বিপত্তি কথাটা ভুল নয়। তরফদারের বার বার নানারকম চেষ্টা সত্ত্বেও ফেলুদা যেমন সজাগ তেমনই সজাগ রয়ে গেল। এদিকে আমার অপ্রস্তুত লাগছে ; হল ভর্তি লোক, তার মধ্যে ম্যাজিশিয়ানের সব চেষ্টা ব্যর্থ হচ্ছে। শেষে তরফদার যেটা করলেন সেটাই বোধহয় এই অবস্থায় মান বাঁচানোর একমাত্র উপায়।

তিনি সবিনয়ে হার স্বীকার করে দর্শকদের উদ্দেশে বললেন, 'ফেলু মিত্তির বস্তুটা যে কী, সেটা আপনাদের দেখানোর জন্যই আমি এঁকে মঞ্চে ডেকেছিলাম। এঁর কাছে হার স্বীকার করতে আমার বিন্দুমাত্র লজ্জা নেই। আমি চাই আপনারা এই আশ্চর্য মানুষটিকে যথোপযুক্ত সম্মান দেখান।'

হল হাততালিতে ফেটে পড়ল। ফেলুদা স্টেজ থেকে নেমে নিজের জায়গায় এসে বসতে লালমোহনবাবু তার দিকে ঝুঁকে পড়ে বললেন, 'আপনার মশাই ফিজিয়লজিটাই আলাদা।'

কিন্তু একটা চূড়ান্ত চমক—যেটা আমার হৃৎস্পন্দন প্রায় বন্ধ করে দিয়েছিল—এখনও বাকি ছিল। সেটাই তরফদারের নতুন এবং শেষ আইটেম।

যাকে নিয়ে এই আইটেম, সে হল আট-ন বছরের একটি ফুটফুটে ছেলে—যাকে সঙ্গে নিয়ে তরফদার মঞ্চে হাজির হলেন। একটা বেশ বাহারের চেয়ার স্টেজের মাঝখানে রাখা ছিল, ছেলেটিকে তাতে বসিয়ে তরফদার দর্শকদের দিকে ঘুরে বললেন, 'এই বালকের নাম জ্যোতিষ্ক ; এর আশ্চর্য ক্ষমতার পরিচয় আপনারা এখনই পাবেন। আমি স্বীকার করছি এতে আমার কোনও বাহাদুরি নেই। একে মঞ্চে উপস্থিত করতে পেরে আমি গর্বিত। এ ছাড়া আমার আর কোনও ক্রেডিট নেই।'

এবার তরফদার ছেলেটির দিকে ফিরে বললেন, 'জ্যোতিষ্ক, দর্শকদের দিকে দেখো তো।'

ছেলেটির দৃষ্টি সামনের দিকে ঘুরল।

তরফদার বললেন, 'সামনের সারিতে প্যাসেজের ডান দিকে লাল সোয়েটার আর কালো প্যান্ট পরা যে ভদ্রলোকটি বসে আছেন, তাঁর কাছে কি কোনও টাকা আছে ?'

যাঁর কথা বলা হচ্ছে তিনি উঠে দাঁড়ালেন।

'আছে', মিহি, সুরেলা গলায় বলল জ্যোতিষ্ক।

'কত টাকা বলতে পার ?'

'পারি।'

'কত ?'

'কুড়ি টাকা তিরিশ পয়সা।'

ভদ্রলোক ইতিমধ্যে পকেট থেকে পার্স বার করে তার থেকে দুটো দশ টাকার নোট বার করেছেন। প্যাসেজের ওদিকে বসলেও দিব্যি বুঝতে পারছি যে, ভদ্রলোকের চোখ ছানাবড়া, মুখ হাঁ।

'ওনার হাতে যে দুটো দশ টাকার নোট, তার নম্বর বলতে পার ?'

'এগারো ই—এক এক এক তিন শূন্য দুই। আর চোদ্দ সি—দুই আট ছয় শূন্য দুই পাঁচ।'

ভদ্রলোকের ভুরু আরও ইঞ্চিখানেক উপরে উঠে গেল।

'মাই গড—হি ইজ অ্যাবসোলিউটলি রাইট !'

চারদিক থেকে তুমুল হাততালি আর উচ্ছ্বাসের কোরাস।

এবার তরফদার দর্শকদের দিকে ফিরে বললেন, 'এখন অবিশ্যি আমি জ্যোতিষ্ককে প্রশ্ন করছি, কিন্তু ইচ্ছে করলে আপনাদের যে কেউ করতে পারেন। শুধু এটা মনে রাখতে হবে যে, প্রশ্ন এমন হতে হবে যার উত্তর সংখ্যায় হয়। এই ভাবে উত্তর দিতে জ্যোতিষ্কর যথেষ্ট মানসিক পরিশ্রম হয়, যদিও সেটা বাইরে থেকে বোঝা নাও যেতে পারে। তাই জ্যোতিষ্ক আর মাত্র দুটো প্রশ্নের জবাব দেবে, তার পর তার ছুটি।'

দুটোর একটায় একজন তরুণ দর্শক প্রশ্ন করল, 'আমি এখানে এসেছি মোটর গাড়িতে। সে গাড়ির নম্বর তুমি বলতে পার ?'

জ্যোতিষ্ক নম্বর বলে দিয়ে বলল, 'তোমাদের কিন্তু এ ছাড়াও আর একটা গাড়ি আছে। সেটার নম্বর ডব্লিউ এম এফ ছয় দুই তিন দুই।'

তারপর তরফদার একটি ছেলেকে জিজ্ঞেস করলেন, 'তুমি কি এ বছর কোনও পরীক্ষা দিয়েছ ?'

'মাধ্যমিক', বলল ছেলেটা। তরফদার জ্যোতিষ্কর দিকে ফিরে বললেন, 'এই ছেলেটি মাধ্যমিক পরীক্ষায় বাংলায় কত নম্বর পেয়েছে বলতে পার ?'

জ্যোতিষ্ক বলল, 'একাশি। ওর চেয়ে বেশি কেউ পায়নি।'

উত্তর শুনে ছেলেটি নিজেই হাততালি দিয়ে উঠল।

শোয়ের পর ফেলুদা বলল, 'এক বার ব্যাকস্টেজে যাওয়া দরকার। তরফদারকে একটা ধন্যবাদ তো দিতেই হয়।'

আমরা গেলাম। তরফদার আয়নার সামনে বসে মেক-আপ তুলছেন—আমাদের দেখেই এক-গাল হেসে উঠে দাঁড়ালেন।

'কেমন লাগল ফ্র্যাঙ্কলি বলুন, স্যার।'

'দুটো আইটেমের তারিফ করতেই হয়', বলল ফেলুদা। 'এক, আপনার হিপ্‌নটিজম্‌, আর দুই—জ্যোতিষ্ক। কোত্থেকে পেলেন এই আশ্চর্য ছেলেকে ?'

'কালীঘাটের ছেলে। ওর আসল নাম নয়ন। জ্যোতিষ্ক নামটা আমিই দিয়েছি ; বিজ্ঞাপনেও জ্যোতিষ্কই ব্যবহার করছি। কথাটা আপনাদের বললুম, আপনারা কাইন্ডলি আর কাউকে বলবেন না।'

'না না,' বলল ফেলুদা। 'কিন্তু শুধু কালীঘাট বললে তো কিছুই বলা হল না।'

'বাপ অসীম সরকার থাকেন নিকুঞ্জবিহারী লেনে। ছেলের আশ্চর্য ক্ষমতা দেখে আমার কাছে নিয়ে আসেন যদি আমি ওকে কাজে লাগাতে পারি। আসলে ভদ্রলোক অভাবী, তাই ভাবলেন ছেলেকে দিয়ে যদি কিছু একস্ট্রা ইনকাম হয়।'

'সেটা যে হবে সে বিষয় আমার কোনও সন্দেহ নেই, ছেলেটি কি বাপের কাছেই থাকে ?'

'আজ্ঞে না। আমি ওকে নিজের বাড়িতে এনে রেখেছি। ওর পড়াশুনোর জন্য টিউটর ঠিক করেছি ; কাল এক ডাক্তারকে ডেকেছিলাম, উনি নয়নের ডায়েট বাতলে দিয়েছেন।'

'এ সব তো রীতিমতো খরচের ব্যাপার !'

'জানি স্যার। তবে এও জানি যে, নয়ন ইজ এ গোল্ডমাইন। ওর রক্ষণাবেক্ষণের জন্য যদি ধার-দেনাও করতে হয়, সে টাকা কদিনের মধ্যে উঠে আসবে।'

'হুঁ...তবে আইডিয়াল হত যদি আপনি একটি পৃষ্ঠপোষক জোগাড় করতে পারতেন।'

'সেটা আমিও বুঝি স্যার। দেখি আর দুটো দিন...'

'আপনার অনেকটা সময় নিয়েছি। আর মাত্র দুটো কথা বলে আপনাকে রেহাই দেব। এক—এই স্বর্ণখনিটি যাতে বেহাত না হয়, সেদিকে আপনার কড়া নজর রাখতে হবে। সেকেন্ড রো-তে মনে হল কয়েকজন সাংবাদিককে দেখলাম, তাই না?'

'ঠিক দেখেছেন, স্যার। এগারোজন সাংবাদিক আজকে আমার শো দেখেছেন। তারা সকলেই আগামী শুক্রবারের সিনেমার পাতায় আমার শোয়ের বিষয় লিখবেন। ইতিমধ্যে কোনও চিন্তার কারণ আছে বলে মনে হয় না।'

'যাই হোক, এটা বলে গেলাম যে, যদি নয়ন সম্বন্ধে কোনও এনকোয়ারি বা টেলিফোন আসে যা আপনার মনে খট্‌কা জাগায়, তা হলে আমাকে জানাতে দ্বিধা করবেন না।'

'মেনি থ্যাঙ্কস, স্যার। এবার আমার একটা রিকোয়েস্ট আছে।'

'কী?'

'এবার থেকে আমায় আপনি না বলে তুমি বলবেন কাইন্ড্‌লি।'

৩

শুক্রবারের কাগজে নয়ন সম্বন্ধে বেরোনোর কথা ; আজ মঙ্গলবার। বেশ অবাক হলাম দেখে যে, আজই তরফদারের কাছ থেকে টেলিফোন এল। শুধু ফেলুদার দিকটা শুনে ব্যাপারটা আন্দাজ করতে পারলাম না ; ফোন রাখার পর ফেলুদা খুলে বলল।

'খবরটা এর মধ্যেই ছড়িয়েছে, বুঝেছিস তোপ্‌সে। আটশো লোক সেদিন ম্যাজিক দেখেছে ; তার মধ্যে কতজন কত লোককে নয়ন সম্বন্ধে বলেছে কে জানে ? ব্যাপারটা যা দাঁড়িয়েছে—তরফদার চারজনের কাছ থেকে টেলিফোন পেয়েছে। হেঁজিপেঁজি নয়, বেশ মালদার লোক। তারা সকলেই নয়ন সম্বন্ধে কথা বলতে অ্যাপয়েন্টমেন্ট চায়। তরফদার কাল সকাল ন'টা থেকে অ্যাপয়েন্টমেন্ট রেখেছে। প্রত্যেককে পনেরো মিনিট সময় দেবে। এও বলে দিয়েছে যে, তার সঙ্গে আরও তিনজন লোক থাকবে—অর্থাৎ মিস্টার ফেলু, মিস্টার তপেশ আর মিস্টার লালু। এই খবরটা তুই এক্ষুনি ফোন করে জটায়ুকে জানিয়ে দে।'

'কিন্তু এই চারজন কারা, সেটা তরফদার বললেন না ?'

'একজন আমেরিকান, একজন পশ্চিমা ব্যবসাদার, একজন অ্যাংলো-ইন্ডিয়ান, একজন বাঙালি। আমেরিকানটি নাকি ইমপ্রেসারিও। অর্থাৎ নানা রকম শিল্পীদের স্টেজে উপস্থিত করেন এবং তা থেকে দু পয়সা কামান। অন্য তিনজন কী তা গেলে জানা যাবে। আসল কথা যা বুঝলাম—তরফদার বুঝেছে সে একা সিচুয়েশনটা হ্যান্ডল করতে পারবে না ; তাই আমাদের ডাকা।'

লালমোহনবাবুকে ফোন করাতে ভদ্রলোক আর থাকতে না পেরে চলেই এলেন। 'শ্রীনাথ !' বলে একটা হাঁক দিয়ে তাঁর প্রিয় কাউচটাতে বসে বললেন, 'একটা চেনা-চেনা গন্ধ পাচ্ছি যে মশাই, কী ব্যাপার ?'

'এখন পর্যন্ত গন্ধ পাবার কোনও কারণ নেই লালমোহনবাবু। এটা নিছক আপনার কল্পনা।'

'আমি মশাই কাল থেকে ওই খোকার কথা ভাবছি। কী অদ্ভুত ক্ষমতা বলুন তো !'

'কিছুই বলা যায় না', বলল ফেলুদা, 'এক দিন হয়তো দেখবেন হঠাৎ ম্যাজিকের মতো ক্ষমতাটা লোপ পেয়ে গেছে। তখন আর-পাঁচটা ছেলের সঙ্গে নয়নের কোনও তফাত থাকবে না।'

'কাল তা হলে আমরা তরফদারের ওখানে মিট করছি ?'

'ইয়েস, এবং একটা কথা আপনাকে বলে রাখি—আমি কিন্তু কাল গোয়েন্দা হিসেবে যাচ্ছি না। আমি হব নির্বাক দর্শক। যা কথা বলার তা আপনি বলবেন।'

'এটা আপনি রিয়েলি মিন করছেন ?'

'সম্পূর্ণ।'

'ঠিক হ্যায়। জয় মা তারা বলে লেগে পড়ব।'

*

একডালিয়া রোডে তরফদারের বাড়ি। মাঝারি দোতলা বাড়ি—অন্তত পঞ্চাশ বছরের পুরনো তো বটেই। গেটে সশস্ত্র দারোয়ান ; বুঝলাম ফেলুদার সতর্কবাণীতে ফল হয়েছে।

ফেলুদার নাম শুনে দারোয়ান গেট খুলে দিল, আমরা ভিতরে ঢুকলাম।

ঢুকেই ডাইনে এক ফালি বাগান, তাতে কেয়ারির কোনও বালাই নেই। সদর দরজার দিকে এগিয়ে যাবার সময় ফেলুদা দাঁতের ফাঁক দিয়ে বলল, 'দেখবি উইদিন টু ইয়ারস্

তরফদার এ বাড়ি ছেড়ে চলে যাবে।'

'কোথায় যাবে?'

'সাম অট্টালিকা।'

সদর দরজার দারোয়ানও আমাদের সেলাম ঠুকে ভিতরে যেতে দিল।

আমরা যেখানে পৌঁছলাম, সেটা ল্যান্ডিং, বাঁয়ে সিঁড়ি দোতলায় উঠে গেছে। এদিক ওদিক দেখছি, এমন সময় বেশ ভদ্র পোশাক পরা একজন চাকর—বেয়ারা বলাই বোধহয় ঠিক হবে—আমাদের দিকে এগিয়ে এসে বলল, 'আসুন আপনারা'। আমরা চাকরের পিছন পিছন গিয়ে বৈঠকখানায় হাজির হলাম।

'বসুন ; বাবু আসছেন।'

এই ঘরের সাইজও মাঝারি, তবে আসবাবপত্রে বেশ রুচির পরিচয় আছে। দুটো সোফায় ভাগাভাগি করে আমরা তিনজন বসলাম।

'গুড মর্নিং!'

ম্যাজিশিয়ান হাজির, তবে একা নন। তাঁর পাশে একটি বিরাট অ্যালসেশিয়ান দণ্ডায়মান। আমি জানি ফেলুদা কুকুরের ভক্ত, আর যত বড় যত ভীতিজনক হাউন্ডই হোক না কেন, পোষা জানলে তার পিঠে হাত বোলানোর লোভ সামলাতে পারে না। এখানেও তাই করল।

'এর নাম বাদশা', বললেন তরফদার। 'বয়স বারো। খুব ভাল ওয়চ-ডগ।'

'এক্সেলেন্ট!' আবার সোফায় বসে বলল ফেলুদা। 'আমরা কিন্তু তোমার কথামতো পনেরো মিনিট আগেই এসেছি।'

'আপনি যে পাংচুয়াল হবেন সেটা আমি জানতাম', তৃতীয় সোফায় বসে বললেন তরফদার।

'তোমার এ বাড়ি কি ভাড়া বাড়ি?' জিজ্ঞেস করল ফেলুদা।

'আজ্ঞে না। এ বাড়ি আমার বাবার তৈরি। উনি নামকরা অ্যাটর্নি ছিলেন। আর একটা বাড়ি আছে—ওল্ড বালিগঞ্জ রোডে। সেটায় আমার দাদা থাকেন। দুই ভাইকে দুটো বাড়ি উইল করে দিয়ে যান। বাবা মারা যান এইট্টি-ফোরে। আমি এই বাড়িতেই মানুষ হয়েছি।'

'আপনি সংসার করেননি?' জিজ্ঞেস করলেন জটায়ু।

'আজ্ঞে না', মৃদু হেসে বললেন তরফদার। 'তাড়া কী? আগে শো-টাকে দাঁড় করাই!'

চা এসে গেছে, সঙ্গে শিঙাড়া। ফেলুদা একটা শিঙাড়া তুলে নিয়ে বলল, 'আজ কিন্তু আমি শ্রোতা। কিছু বলার থাকলে ইনি বলবেন।' ফেলুদা জটায়ুর দিকে নির্দেশ করল। 'ইনি কে জান তো?'

'তা জানি বইকী!' চোখ কপালে তুলে বললেন তরফদার। 'বাংলার নাম্বার ওয়ান রহস্য-রোমাঞ্চ ঔপন্যাসিক।'

লালমোহনবাবু কোনও দিন চেষ্টা করেও বিনয়ী ভাব প্রকাশ করতে পারেননি ; এখন একটা সেল্যুটে বুঝিয়ে দিলেন তিনি চেষ্টাই করছেন না।

ফেলুদা হাতের কাপ টেবিলে রেখে একটা চারমিনার ধরিয়ে বলল, 'তোমাকে একটা কথা অকপটে বলছি, সুনীল। তোমার শোয়ে শোম্যানশিপের কিঞ্চিৎ অভাব লক্ষ করলাম। আজকের উঠতি জাদুকরদের কিন্তু ও দিকটা নেগলেক্ট করলে চলে না। তোমার হিপ্‌নটিজ্‌ম, আর তোমার নয়ন—দুটোই আশ্চর্য আইটেম তাতে সন্দেহ নেই, কিন্তু আজকের দর্শক জাঁকজমকটাও চায়।'

'জানি। আমার মনে হয় সে অভাব এবার পূরণ হবে। অ্যাদ্দিন যে হয়নি তার একমাত্র

কারণ পুঁজির অভাব।'

'সে অভাব মিটল কী করে ?' ভুরু তুলে প্রশ্ন করল ফেলুদা।

'সুখবরটা দেবার মওকা খুঁজছিলাম। —আমি একজন ভাল পৃষ্ঠপোষক পেয়েছি, স্যার।'

'এই সেদিনই বলছিলাম, আর এর মধ্যেই... ?'

'হ্যাঁ স্যার। আপাতত আর কোনও ভাবনা নেই।'

'কিন্তু কে সেই ব্যক্তি—সে কি জানতে পারি ?'

'কিছু মনে করবেন না, স্যার—তিনি তাঁর নামটা উহ্য রাখতে বলেছেন।'

'কিন্তু ব্যাপারটা ঘটল কী করে সেটা বলাও কি বারণ ?'

'মোটেই না। এই ভদ্রলোকের এক নিকট-আত্মীয় গত রবিবার আমার শো দেখে সেই রাত্রেই ভদ্রলোককে নয়নের কথা বলেন। রাত দশটায় ভদ্রলোকের কাছ থেকে আমি ফোন পাই। তিনি বলেন যে, অবিলম্বে আমার সঙ্গে একবার দেখা করতে চান। আমি পর দিনই সকাল দশটায় সময় দিই। উনি কাঁটায় কাঁটায় দশটায় এসে হাজির হন। তার পর বৈঠকখানায় এসে বসে আমাকে প্রথমেই জিজ্ঞাসা করেন জ্যোতিষ্ককে কীভাবে দেখা যায়। নয়ন আমার কাছেই থাকে জেনে ভদ্রলোক তৎক্ষণাৎ নয়নকে ডেকে পাঠাতে বলেন। নয়ন এলে পর ভদ্রলোক তাকে দু-একটা এমন প্রশ্ন করেন যার উত্তর সংখ্যায় হয়। নয়ন অবশ্যই ঠিক ঠিক জবাব দেয়। ভদ্রলোক হতভম্ব হয়ে কিছুক্ষণ নয়নের দিকে চেয়ে থেকে নিজেকে সামলে নিয়ে আমার দিকে ঝুঁকে পড়ে প্রস্তাবটা দেন।'

'কী প্রস্তাব ?'

'প্রস্তাবটা আমাকে হাতে চাঁদ পাইয়ে দিল। উনি বললেন আমার শোয়ের সব খরচ উনি বহন করবেন। একটা কোম্পানি স্থাপন করবেন যার নাম হবে "মিরাক্‌লস আনলিমিটেড"। এই কোম্পানির মালিক কে তা কেউ জানবে না। এই কোম্পানির হয়েই আমি শো করব। তা থেকে খ্যাতি যা হবে তা আমার, খরচ হয়ে লাভ যা হবে তা ওঁর। আমাকে উনি মাসোহারা দেবেন যাতে আমার আর নয়নের স্বচ্ছন্দে চলে যায়। ...আমি অবিশ্যি এ প্রস্তাবে রাজি হই, কারণ আমার মন থেকে সমস্ত চিন্তা দূর হয়ে যাচ্ছে এতে।'

'কিন্তু এমন সুযোগ উনি হঠাৎ কেন দেবেন সে কথা জিজ্ঞেস করনি ?'

'স্বভাবতই করেছি, এবং উনি তাতে এক অদ্ভুত কাহিনী শোনালেন। ওনার শখ ছিল পেশাদারি জাদুকর হবেন। ইস্কুল থেকে শুরু করে বাইশ বছর বয়স পর্যন্ত উনি সমানে ম্যাজিক অভ্যাস করেছেন, ম্যাজিকের বই আর সরঞ্জাম সংগ্রহ করেছেন। বাদ সাধলেন ওঁর বাবা। তিনি ছেলের এই নেশা সম্বন্ধে কিছুই জানতেন না। একদিন ঘটনাচক্রে জানতে পেরে রেগে আগুন হয়ে ছেলের ম্যাজিকের সব সরঞ্জাম ছুড়ে ফেলে দিয়ে জোর করে তাকে ব্যবসায় নামান। অসম্ভব কড়া মেজাজের লোক ছিলেন বাবা, তাই ছেলে তাঁর শাসন মেনে নেন। শুধু তাই নয়, অল্পদিনের মধ্যেই তিনি ভাল রোজগার করতে শুরু করেন। তা সত্ত্বেও তিনি ম্যাজিকের মোহ কাটিয়ে উঠতে পারেন না। ভদ্রলোক বললেন, "আমি রোজগার করেছি অনেক কিন্তু তাতে আমার আত্মার তৃপ্তি হয়নি। এই ছেলেকে দেখে বুঝতে পারছি এই আমার জীবনে সার্থকতা এনে দেবে।"

'তোমার সঙ্গে লেখাপড়া হয়ে গেছে ?'

'আজ্ঞে হ্যাঁ। আমি এখন অত্যন্ত হালকা বোধ করছি। নয়নের মাস্টার, ডাক্তার, জামাকাপড়—সব কিছুর খরচ উনি দিচ্ছেন। একটা প্রশ্ন অবিশ্যি উনি আমাকে করেন, সেটা হল কলকাতার বাইরে ভারতবর্ষের অন্য বড় শহরে শো করার অ্যামবিশান আমার আছে কি না। আমি জানাই যে সেদিনই সকালে আমি ম্যাড্রাস থেকে একটা টেলিফোন পেয়েছি মিঃ

রেড্ডি নামে এক থিয়েটারের মালিকের কাছ থেকে। রবিবার রাত্রে আমার শো দেখে ভদ্রলোকের একজন কলকাতাবাসী সাউথ ইন্ডিয়ান বন্ধু রেড্ডিকে নয়নের কথা টেলিফোনে জানান। তাই পরদিন সকালেই রেড্ডি আমাকে ফোন করেন। খবরটা শুনে পৃষ্ঠপোষক জানতে চাইলেন আমি রেড্ডিকে কী বলেছি। আমি বললাম—আমি ভাববার জন্য সময় চেয়েছি। তাতে পৃষ্ঠপোষক বলেন, "তুমি এক্ষুনি রেড্ডির আমন্ত্রণ অ্যাক্‌সেপ্ট করছ বলে টেলিগ্রাম করো। দক্ষিণ ভারত সফরে যাবে তুমি। শুধু ম্যাড্রাস নয়, আরও অন্য শহরে শো করবে তুমি। সব খরচ আমার।'

তোমাকে খরচের হিসাব দিতে হবে না ?' জিজ্ঞেস করল ফেলুদা।

'তা তো বটেই', বললেন তরফদার। 'সে কাজের ভার নেবে আমার ম্যানেজার ও বন্ধু শঙ্কর। ও খুব এফিশিয়েন্ট লোক।'

পনেরো মিনিট যে চলে গেছে সেটা টের পেলাম যখন চাকর এসে বলল যে একটি সাহেব আর তার সঙ্গে একটি বাঙালিবাবু এসেছেন।

'এখানে নিয়ে এসো,' বললেন তরফদার।'

জটায়ু দেখলাম একটা দীর্ঘশ্বাস ফেলে নড়েচড়ে বসলেন, কারণ এখন থেকে ফেলুদা নির্বাক।

সাহেবের মাথায় ধবধবে সাদা চুল হলেও বয়স যে বেশি না, সেটা চামড়ার টান ভাব দেখেই বোঝা যায়।

তরফদার উঠে দাঁড়িয়েছিলেন, আগন্তুকদের বসতে বলে নিজেও বসলেন। ফেলুদা জায়গা করে দেবার জন্য আমাদের সোফাতেই লালমোহনবাবুর পাশে এসে বসল।

'আমার নাম স্যাম কেলারম্যান,' বললেন সাহেব। 'আর ইনি আমার ইন্ডিয়ার রিপ্রেজেনটিটিভ মিস্টার ব্যাস্যাক।'

লালমোহনবাবু কাজে লেগে গেলেন।

'ইউ আর অ্যান ইমপ্রেসোরিয়া—থুড়ি, ইমপ্রেসারিও ?'

'ইয়েস। আজকাল ভারতীয় কালচার নিয়ে আমাদের দেশে খুব মাতামাতি চলছে। মহাভারত নাটক হয়েছে, মুভিও হয়েছে, জানেন বোধহয়। তাতে ভারতীয় ঐতিহ্যের একটা নতুন দিক খুলে গেছে।'

'সো ইউ আর ইনটারেস্টেড ইন ইন্ডিয়ান কালচার ?'

'আই অ্যাম ইনটারেস্টেড ইন দ্যাট কিড।

'ইউ মিন—সান অফ এ গোট ?'

আমি এটাই ভয় পেয়েছিলাম। আমেরিকানরা যে মানুষের বাচ্চাকেও কিড বলে সেটা লালমোহনবাবু জানেন না।

এবার মিঃ বসাক মুখ খুললেন।

'ইনি জ্যোতিষ্কর কথা বললেন ; মিঃ তরফদারের শো-তে যে ছেলেটি অ্যাপিয়ার করে।'

'উনি ছেলেটি সম্বন্ধে কী জানতে চান সেটা বলবেন কি ?' বললেন তরফদার। মিঃ বসাক প্রশ্নটা অনুবাদ করে দেওয়াতে কেলারম্যান বললেন, 'আমি চাই এই আশ্চর্য ছেলেটিকে আমাদের দেশের দর্শকের সামনে হাজির করতে। এর যা ক্ষমতা তা ভারতবর্ষ ছাড়া কোনও দেশে সম্ভব হত না। অবিশ্যি কিছু স্থির করার আগে আমি একবার ছেলেটিকে দেখতে চাই, এবং তার ক্ষমতারও একটু নমুনা পেতে চাই।'

বসাক বললেন, 'মিঃ কেলারম্যান পৃথিবীর তিনজন সবচেয়ে বিখ্যাত ইমপ্রেসারিওর একজন। একুশ বছর ধরে এই কাজ করছেন। ছেলেটিকে পাবার জন্য ইনি অনেক মূল্য

দিতে প্রস্তুত। তা ছাড়া টিকিট বিক্রি থেকেও যা আসবে তার একটা অংশও ছেলেটি পাবে। সেটা চুক্তিতে লেখা থাকবে।'

তরফদার বললেন, 'মিঃ কেলারম্যান, দ্য ওয়ান্ডার কিড ইজ পার্ট অফ মাই ম্যাজিক শো। তার আমাকে ছেড়ে আর কোথাও যাবার প্রশ্নই উঠতে পারে না। সামনে আমার দক্ষিণ ভারত ট্যুর আছে—ম্যাড্রাস দিয়ে শুরু। সেখানে এই ছেলের খবর পৌঁছে গেছে, এবং তারা উদ্‌গ্রীব হয়ে আছে এর অদ্ভুত ক্ষমতা দেখার জন্য। ভেরি সরি, মিঃ কেলারম্যান—আমি আপনার অনুরোধ রাখতে পারলাম না।'

কেলারম্যানের মুখ লাল হয়ে গেছে। তাও তিনি ধরা গলায় অনুরোধ করলেন, 'ছেলেটিকে একবার দেখা যায় ? আর সেই সঙ্গে যদি তার ক্ষমতার... ?'

'তাতে অসুবিধে নেই।' বললেন তরফদার। তার পর চাকরকে দিয়ে নয়নকে ডেকে পাঠালেন। নয়ন এসে তরফদারের সোফার হাতলে কনুই রেখে দাঁড়াল। দিনের বেলা তাকে এত কাছ থেকে দেখে অদ্ভুত লাগছিল। এমন একটা ক্ষমতা যে ওর মধ্যে আছে সেটা দেখে বোঝার কোনও উপায় নেই—যদিও চাউনিতে বুদ্ধির ছাপ স্পষ্ট।

কেলারম্যান অবাক হয়ে কিছুক্ষণ নয়নের দিকে চেয়ে রইলেন। তারপর মৃদুস্বরে, নয়নের দিক থেকে চোখ না সরিয়ে বললেন, 'ও কি আমার ব্যাঙ্ক অ্যাকাউন্টের নম্বর বলে দিতে পারে ?'

তরফদার বাংলায় নয়নকে প্রশ্নটা করাতে সে বলল, 'কোন ব্যাঙ্ক ? ওর তো তিনটে ব্যাঙ্কে টাকা আছে।'

কেলারম্যানের মুখ থেকে লাল ভাবটা চলে গিয়ে ফ্যাকাশে ভাব দেখা দিল। সে ঢোক গিলে আগের মতোই ধরা গলায় মার্কিনি নাকী উচ্চারণে বলল, 'সিটি ব্যাঙ্ক অফ নিউইয়র্ক।'

নয়ন গড়গড় করে বলে দিল, 'ওয়ান্ টু ওয়ান্ টু এইট ড্যাশ সেভ্‌ন ফোর।'

'জিসাস ক্রাইস্ট !'

কেলারম্যানের চোখ দুটো যেন ঠিক্‌রে বেরিয়ে আসছে।

'আই অ্যাম অফারিং ইউ টোয়েন্টি থাউজ্যান্ড ডলারস রাইট নাউ।' তরফদারের দিকে ফিরে বলেন কেল্যারম্যান। 'তোমার ম্যাজিক শো থেকে কোনওদিন এত রোজগার করতে পারবে ?'

'এ তো সবে শুরু, মিঃ কেলারম্যান', বললেন তরফদার। 'এখনও ভারতবর্ষের কত শহর পড়ে আছে ; তারপর সারা পৃথিবীর বড় বড় শহর। ম্যাজিক দেখতে ছেলে-বুড়ো সকলেই ভালবাসে। আর এই ছেলেটি যে ম্যাজিক দেখায় তার নমুনা তো দেখলেন আপনি। এর কোনও তুলনা আছে কি ? বিশ হাজার কেন—তারও ঢের বেশি যে এ ছেলে আমার শো থেকে আনবে না, সেটা কেউ জোর দিয়ে বলতে পারে ?'

'ওর বাবা আছেন ?' জিজ্ঞেস করলেন কেলারম্যান।

'ধরে নিন এখন আমিই ওর বাবা।'

এর মধ্যে লালমোহন হঠাৎ বলে উঠলেন, 'স্যার, ইন আওয়ার ফিলজফি, ত্যাগ ইজ মোর ইম্পর্ট্যান্ট দ্যান ভোগ।'

কথাটা বসাক কেলারম্যানকে অনুবাদ করে বুঝিয়ে দিয়ে দাঁড়িয়ে উঠে বললেন, 'মিস্টার তরফদার, আপনি কিন্তু একটা সুবর্ণ সুযোগের সদ্ব্যবহার করছেন না। এমন সুযোগ আপনি আর পাবেন না। ভেবে দেখুন।'

বুঝতে পারলাম, ভদ্রলোক যদি নয়নকে কেলারম্যানের হাতে তুলে দিতে পারেন তা হলে তাঁর নিজের নির্ঘাত মোটারকম প্রাপ্তি আছে।

'আমার ভাবা হয়ে গেছে', সহজ ভাবে বললেন তরফদার।

অগত্যা কেলারম্যানও উঠে দাঁড়ালেন। বসাক এবার পকেট থেকে একটা ভিজিটিং কার্ড বার করে তরফদারকে দিয়ে বললেন, 'এতে আমার নাম ঠিকানা ফোন নম্বর সবই আছে। যদি মাইন্ড চেঞ্জ করেন তো আমার সঙ্গে যোগাযোগ করবেন।'

দুই ভদ্রলোককে দরজা অবধি পৌঁছে দিলেন তরফদার।

'বসাক ঘুঘু লোক।' তরফদার ফেরার পরে বলল ফেলুদা, 'নইলে মার্কিন ইমপ্রেসারিওর এজেন্ট সে হতে পারে না। পয়সার দিক দিয়েও সলিড, হয়তো কেলারম্যানের দৌলতেই। দামি ফরাসি আফটার-শেভ লোশন মেখে এসেছে—যদিও থুতনির নীচে এক চিলতে শেভিং সোপ এখনও লেগে আছে। বোঝাই যাচ্ছে ঘুম ভাঙে দেরিতে, তাই ন'টায় অ্যাপয়েন্টমেন্ট রাখতে তাড়াহুড়ো করতে হয়েছে।'

৪

'একজনকে তো বিদায় করা গেল', বললেন তরফদার, 'এবার দ্বিতীয় ব্যক্তির জন্য অপেক্ষা। পাংচুয়াল হলে তো আর দু-তিন মিনিটের মধ্যেই আসা উচিত।'

দু মিনিট অপেক্ষা করতে হল না। নয়নকে ফেরত পাঠিয়ে দেবার সঙ্গে সঙ্গেই চাকরকে যেতে হল সদর দরজায়। সে ফিরে এল সঙ্গে একটি কালো সুট পরা ভদ্রলোককে নিয়ে। তরফদার উঠে দাঁড়িয়ে বললেন, 'গুড মর্নিং। আপনার নামটা টেলিফোনে ঠিক ধরতে পারিনি। আপনি যদি...'

'তেওয়ারি', সোফায় বসে বললেন ভদ্রলোক, 'দেবকীনন্দন তেওয়ারি। টি এইচ সিন্ডিকেটের নাম শুনেছেন?'

তরফদার, জটায়ু দুজনেই চুপ দেখে ফেলুদাকেই মুখ খুলতে হল।

'আপনাদের ইমপোর্ট-এক্সপোর্টের কারবার কি ? পোলক স্ট্রিটে অপিস ?'

'ইয়েস স্যার।'

ভদ্রলোক ফেলুদার দিকে সন্দিগ্ধ দৃষ্টিতে দেখছিলেন বলে তরফদার আমাদের বিষয় ওঁকে বলে দিলেন।

'এঁরা আমার তিনজন বিশিষ্ট বন্ধু। আশা করি এঁদের সামনে কথা বলতে আপনার কোনও আপত্তি হবে না।'

'নো, নো। তবে কথা মানে শুধু একটি প্রশ্ন। ওই ছেলেটিকে যদি একবার আমার সামনে উপস্থিত করেন, তা হলে আমি তাকে কেবলমাত্র একটি প্রশ্ন করব। জবাব পেলে আমার অশেষ উপকার হবে, আর আমার কাজও শেষ হবে।'

নয়নকে আবার আনতে হল। তরফদার নয়নের ঠিক পিঠে হাত রেখে তেওয়ারির দিকে দেখিয়ে বললেন, 'ইনি তোমাকে একটা কথা জিজ্ঞেস করবেন। দেখ তার উত্তর দিতে পার কি না।' তারপর তেওয়ারির দিকে ফিরে বললেন, 'আপনার প্রশ্নের উত্তর সংখ্যায় হবে তো ? অন্য কোনও প্রশ্নের উত্তর কিন্তু এ দিতে পারবে না।'

'আই নো, আই নো। আমি জেনেশুনেই এসেছি।'

তারপর—লালমোহনবাবুর ভাষায়—নয়নের দিকে তীক্ষ্ণ দৃষ্টি নিবদ্ধ করে ভদ্রলোক বললেন, 'আমার সিন্দুকের কম্বিনেশনটা কী সেটা বলতে পার ?'

নয়ন ফ্যাল ফ্যাল করে ভদ্রলোকের দিকে চেয়ে আছে দেখে ফেলুদা বলল, 'শোনো জ্যোতিষ্ক—কম্বিনেশন জিনিসটা কী সেটা বোধহয় তুমি জান না। আমি বুঝিয়ে দিচ্ছি। একরকম সিন্দুক হয় যাতে তালাচাবি থাকে না। তার বদলে ডালার এক পাশে একটা চাক্‌তি থাকে যেটাকে ঘোরানো যায়। এই চাক্‌তির গায়ে একটা তীর আঁকা থাকে, আর চাকতিটাকে ঘিরে সিন্দুকের গায়ে এক থেকে শূন্য অবধি নম্বর লেখা থাকে। কম্বিনেশন হল সিন্দুক খোলার একটা বিশেষ নম্বর। চাকতিটাকে ঘুরিয়ে ঘুরিয়ে পর-পর সেই নম্বরের পাশে তীরটাকে আনলে শেষ নম্বরে পৌঁছতেই ঘড়াৎ করে সিন্দুক খুলে যায়—বুঝেছ ?'

'বুঝেছি।'

এখানে জটায়ু দুম্ করে একটা বেশ লাগসই প্রশ্ন করলেন তেওয়ারিকে।

'আপনার নিজের সিন্দুকের কম্বিনেশন আপনি নিজেই জানেন না ?'

'তেইশ বছর ধরে জেনে এসেছি', আক্ষেপের ভঙ্গিতে মাথা নেড়ে বললেন তেওয়ারি। 'স্বভাবতই মুখস্থ ছিল। ক' হাজার বার সে সিন্দুক খুলেছি তার কি হিসাব আছে ? কিন্তু বয়স যেই পঞ্চাশ পেরিয়েছে অমনি স্মৃতিশক্তি দুর্বল হতে শুরু করেছে। আজ চার দিন থেকে নম্বরটা কিছুতেই মনে পড়ছে না। একটা ডায়রিতে লেখা ছিল, বহু পুরনো ডায়রি—সেটা যে কোথায় গেছে জানি না। আমি হয়রান হয়ে শেষে এই ছেলের খবর পেয়ে মিস্টার তরফদারের সঙ্গে অ্যাপয়েন্টমেন্ট করি।'

'আপনি কি আর-কাউকে কোনওদিন নম্বরটা বলেননি ?' আবার প্রশ্ন করলেন জটায়ু। ফেলুদার দিকে আড়চোখে চেয়ে তার ঠোঁটের কোণে হাসি দেখে বুঝলাম সে জটায়ুকে তারিফ করছে।

তেওয়ারি বললেন, 'আমার ধারণা আমার পার্টনারকে বলেছিলাম—বহুকাল আগে অবশ্য—কিন্তু সে অস্বীকার করছে। হয়তো এও আমার স্মৃতিভ্রম। কম্বিনেশন তো আর পাঁচজনকে বলে বেড়াবার জিনিস নয়, আর এ-সিন্দুক হল আমার পার্সোনাল সিন্দুক। আমার যে-টাকা ব্যাঙ্কে নেই তা সবই এই সিন্দুকে আছে। অথচ...'

তেওয়ারির দৃষ্টি সোফার পাশে দাঁড়ানো নয়নের দিকে ঘুরল। সঙ্গে সঙ্গে নয়ন বলল, 'সিক্স ফোর থ্রি এইট নাইন সিক্স ওয়ান।'

'রাইট! রাইট! রাইট!' উল্লাসে চেঁচিয়ে উঠলেন তেওয়ারি। আর সঙ্গে সঙ্গে পকেট থেকে একটা ছোট্ট নোটবুক বার করে ডটপেন দিয়ে তাতে নম্বরটা লিখে নিলেন।

'আপনার সিন্দুকে কত টাকা আছে সেটা আপনি জানেন?' প্রশ্ন করলেন তরফদার।

'এগজ্যাক্ট অ্যামাউন্টটা জানি না।' বললেন তেওয়ারি, 'তবে যত দূর মনে হয়—লাখ চারেক তো হবেই।'

'এ কিন্তু বলে দিতে পারে', নয়নের দিকে দেখিয়ে বললেন তরফদার। 'আপনি জানতে চান?'

'তা কৌতূহল তো হয়ই।'

তেওয়ারি ঠোঁটের কোণে হাসি আর চোখে জিজ্ঞাসু দৃষ্টি নিয়ে নয়নের দিকে চাইলেন।

'টাকা-পয়সা কিচ্ছু নেই', বলল নয়ন।

'হোয়াট!'

তেওয়ারি সোফা থেকে প্রায় তিন ইঞ্চি লাফিয়ে উঠলেন। তারপর উত্তেজনা সামলে নিয়ে মুখে একটা বিরক্ত ভাব এনে বললেন, 'বোঝাই যাচ্ছে এই বালক সব ব্যাপারে রিলায়েব্‌ল নয়। এনিওয়ে, কম্বিনেশনটায় ভুল নেই। ওটা জানতে পেরে সত্যিই আমার উপকার হয়েছে।'

তেওয়ারি দাঁড়িয়ে উঠে পকেটে হাত ঢুকিয়ে একটা গোলাপি কাগজে মোড়া সরু লম্বা প্যাকেট বার করে নয়নের হাতে দিয়ে বলল, 'দিস ইজ ফর ইউ, মাই বয় ।'

তেওয়ারিকে দরজা অবধি এগিয়ে দিয়ে তরফদার ফিরে আসতে ফেলুদা নয়নকে বলল, 'ওটা খুলে দেখো তো ওতে কী আছে ।'

প্যাকেট খুলতে বেরোল একটা ছোটদের রিস্টওয়াচ ।

'বাঃ !' বললেন জটায়ু । 'এটা পরে ফেলো নয়ন ভাই, পরে ফেলো !'

নয়ন ঘড়িটা হাতে পরে নিয়ে নিজের ঘরে চলে গেল ।

'সিন্দুক খুলে তেওয়ারি সাহেবের প্রাণ ওষ্ঠাগত হবে', বলল ফেলুদা ।

'সিন্দুকে যদি সত্যিই কিছু থেকে না থাকে', বললেন জটায়ু, 'তা হলে তেওয়ারি নিশ্চয়ই ওঁর পার্টনারকেই সন্দেহ করবেন ?'

ফেলুদা যেন মন থেকে ব্যাপারটাকে ঝেড়ে ফেলে দিয়ে অন্য প্রসঙ্গে চলে গেল । তরফদারের দিকে ফিরে বলল, 'তোমরা যে দক্ষিণ ভারত সফরে যাচ্ছ, সেটা কীসে যাবে ? ট্রেনে, না প্লেনে ?'

'ট্রেনে অবশ্যই । সঙ্গে এত লটবহর, ট্রেন ছাড়া উপায় কী ?'

'নয়নকে সামলাবার কী ব্যবস্থা করছ ?'

'ট্রেনে তো আমিই সঙ্গে থাকব ; কিছু হবে বলে মনে হয় না । ওখানে পৌঁছে আমি ছাড়া একজন আছে যে ওকে সব সময়ে চোখে চোখে রাখবে । সে হল আমার ম্যানেজার শঙ্কর ।'

কথা হয়তো আরও চলত, কিন্তু ঠিক এই সময়ে চাকর একটি প্যান্ট-কোট-টাই পরা ভদ্রলোককে এনে হাজির করলেন । বুঝলাম ইনি নাম্বার থ্রি ।

'গুড মর্নিং । আই মেড অ্যান অ্যাপয়েন্টমেন্ট উইথ—'

'মি', বললেন তরফদার । 'মাই নেম ইজ তরফদার ।'

'আই সি । মাই নেম ইজ হজসন । হেনরি হজসন ।'

'প্লিজ সিট ডাউন ।'

তরফদারও উঠে দাঁড়িয়েছিলেন ; এবার দুজনেই একসঙ্গে বসলেন ।

হজসনের গায়ের যা রং, তাঁকে সাহেব বলা মুশকিল । তাও ইংরিজি ছাড়া গতি নেই ।

'এঁরা কারা প্রশ্ন করতে পারি কি ?' পর পর আমাদের তিনজনের দিকে চেয়ে প্রশ্ন করলেন হজসন ।

'আমার খুব কাছের লোক । আপনি এঁদের সামনে স্বচ্ছন্দে কথা বলতে পারেন ।'

'হুম্ ।'

ভদ্রলোকের মেজাজ যে তিরিক্ষি, সেটা তাঁর পার্মানেন্টলি কুঁচকে থাকা ভুরু থেকে বেশ বোঝা যাচ্ছিল ।

'আমার এক পরিচিত বাঙালি ভদ্রলোক লাস্ট সানডে তোমার ম্যাজিক দেখেছিল । সে একটি ছেলের আশ্চর্য ক্ষমতার কথা বলে । আমি অবিশ্যি তার কথা বিশ্বাস করিনি । আমি ঈশ্বর মানি না ; তাই অলৌকিক শক্তিতেও আমার বিশ্বাস নেই । ইফ ইউ ব্রিং দ্যাট বয় হিয়ার—আমি ওর সঙ্গে কয়েকটা কথা বলতে চাই ।'

তরফদার যেন অনিচ্ছাসত্ত্বেও চাকরকে ডেকে পাঠালেন ।

'নারায়ণ, আরেকবার যাও তো—খোকাবাবুকে ডেকে আনো ।'

নয়ন মিনিট খানেকের মধ্যে হাজির ।

'সো দিস ইজ দ্য বয় ?'

হজসন নয়নের দিকে কিছুক্ষণ চেয়ে থেকে বলল, 'আমাদের এখানে ঘোড়দৌড় হয় তুমি জান ?'

তরফদার সেটা বাংলা করে নয়নকে বললেন।

'জানি', পরিষ্কার গলায় বলল নয়ন।

'গত শনিবার রেস ছিল', বলল হজসন। 'তিন নম্বর রেসে কত নম্বর ঘোড়া জিতেছিল, বলতে পার ?'

এটাও অনুবাদ হল নয়নের জন্য।

'ফাইভ'—এক মুহূর্ত না ভেবে বলে দিল নয়ন।

এক জবাবেই কেল্লা ফতে। সোফা থেকে উঠে প্যান্টের দু পকেটে হাত ঢুকিয়ে 'ভেরি স্ট্রেঞ্জ' বলে এপাশ ওপাশ পায়চারি করতে লাগলেন হজসন সাহেব। তারপর হঠাৎ থেমে তরফদারের দিকে সোজা দৃষ্টি দিয়ে বললেন, 'অল আই ওয়ান্ট ইজ দিস—আমি সপ্তাহে একবার করে এখানে এসে এর কাছ থেকে জেনে যাব সামনের শনিবার কোন রেসে কত নম্বর ঘোড়া জিতবে। সোজা কথায় বলছি—রেস আমার নেশা। অনেক টাকা খুইয়েছি, তাও নেশা যায়নি। কিন্তু আর হারলে দেনার দায়ে আমাকে জেলে পুরবে। তাই এবার থেকে শিওর হয়ে বেট করতে চাই। দিস্ বয় উইল হেল্প মি।'

'হাউ ক্যান ইউ বি সো শিওর ?' ঠাণ্ডা গলায় জিজ্ঞেস করলেন তরফদার।

'হি মাস্ট, হি মাস্ট, হি মাস্ট!' বাঁ হাতের তেলোর ওপর ডান হাত দিয়ে পর পর তিনটে ঘুঁষি মেরে বললেন হজসন সাহেব।

'নো—হি মাস্ট নট', দৃঢ়স্বরে বললেন তরফদার। 'অসাধু উদ্দেশ্যে কোনওরকমে ব্যবহার করা চলবে না এই বালকের ক্ষমতা। এ ব্যাপারে আমার কথার এক চুল নড়চড় হবে না।'

এবারে হজসনের চেহারা হয়ে গেল ভিখিরির মতো। হাত দুটো জোড় করে ভদ্রলোক কাতর সুরে বললেন, 'অন্তত আগামী রেসের উইনারের নামগুলো বলে দিক! প্লিজ!'

'নো হেল্প ফর গ্যাম্বলারস্, নো হেল্প ফর গ্যাম্বলারস্!' আশ্চর্য শুদ্ধ ইংরিজিতে ঘন ঘন মাথা নেড়ে বললেন জটায়ু।

হজসন সোফা ছেড়ে উঠে পড়লেন, তাঁর মুখ বেগুনি।

'তোমাদের মতো এমন ঢ্যাঁটা আর মূর্খ লোক আমি আর দেখিনি, ড্যাম ইট!'

কথাটা বলে আর একমুহূর্ত অপেক্ষা না করে হজসন গটগটিয়ে সদর দরজার দিকে চলে গেলেন।

'বিশ্রী লোক! হরিব্‌ল ম্যান!' নাক কুঁচকে চাপা গলায় বললেন জটায়ু।

তরফদার নয়নকে ঘরে পাঠিয়ে দিলেন।

'বিচিত্র সব অ্যাপয়েন্টমেন্ট', বলল ফেলুদা। 'হজসন অবিশ্যি শুধু জুয়াড়ি নন, তিনি নেশাও করেন। আমি কাছে বসেছিলাম তাই গন্ধটা সহজেই পাচ্ছিলাম। ওঁর যে দৈন্যদশা সেটা ওঁর কোটের আস্তিনের কনুই দেখলেই বোঝা যায়। ভাঁজ খেয়ে খেয়ে কোটের ওইখানটাই সবচেয়ে আগে জখম হয়। একে তাপ্পি লাগাতে হয়েছে, কিন্তু নতুন কাপড়ের সঙ্গে পুরনো রং বা কোয়ালিটি কোনওটাই মেলেনি। তা ছাড়া ভদ্রলোককে যে বাসে বা ট্রামে আসতে হয়েছে সেটা ওঁর ডান পায়ের কালো জুতোর ডগায় অন্য কারুর জুতোর আংশিক ছাপ দেখেই বোঝা যায়। এ জিনিস ট্যাক্সি বা মেট্রোতে হয় না।'

এগুলো অবিশ্যি শুধু ফেলুদারই চোখে ধরা পড়েছে।

বাইরে একটা গাড়ি থামার শব্দ পেয়ে আমরা আবার টান হয়ে বসলাম।

'নাম্বার ফোর', বলল ফেলুদা।

৫

মিনিট খানেক পরেই নারায়ণ এক অদ্ভুত প্রাণীকে এনে হাজির করল। পুরনো জুতোর বুরুশের মতো দাড়ি, শুঁয়োপোকার মতো গোঁফ। ঝুলঝাড়ুর মতো চুল, পরনে ঢিলে হয়ে যাওয়া গেরুয়া সুট, আর বিশ্রীভাবে প্যাঁচ দেওয়া সবুজ টাই। ছোটখাটো মানুষ। বয়স ষাট-পঁয়ষট্টি হবে, যদিও সেই তুলনায় চোখ দুটো অস্বাভাবিক রকম উজ্জ্বল।

ঘরে ঢুকে এদিক-ওদিক দেখে মিহি অথচ কর্কশ গলায় বললেন, 'তরফদার, তরফদার—হুইচ ওয়ান ইজ তরফদার?'

তরফদার উঠে দাঁড়িয়ে নমস্কার করে বললেন, 'আমিই সুনীল তরফদার।'

'অ্যান্ড দিজ থ্রি?' আমাদের তিনজনের উপর দিয়ে একটা ঝাড়ু-দৃষ্টি দিয়ে জিজ্ঞেস করলেন ভদ্রলোক।

'আমার তিন অন্তরঙ্গ বন্ধু', বললেন তরফদার।

'নেম্‌স? নেম্‌স?'

'ইনি প্রদোষ মিত্র, ইনি লালমোহন গাঙ্গুলী, আর ইনি তপেশ মিত্র।'

'অল রাইট। এবার কাজের কথা। কাজের কথা।'

'বলুন।'

'আমার নাম জানেন?'

'আপনি তো টেলিফোনে শুধু আপনার পদবিটাই বলেছিলেন—ঠাকুর। সেটাই জানি।'

'তারকনাথ। তারকনাথ ঠাকুর। টি এন টি—ট্রাইনাইট্রোটোলুঈন—হাঃ হাঃ হাঃ হাঃ!'

ভদ্রলোকের হাসির দমকে চমকে উঠলাম। ট্রাইনাইট্রোটোলুঈন বা টি এন টি যে এক প্রচণ্ড বিস্ফোরকের উপাদান, সেটা আমি জানতাম।

'আপনার বাড়িতে কি একজন অসম্ভব বেঁটে বামন থাকে?' ফেলুদা প্রশ্ন করল।

'কিচোমা। কোরিয়ান,' বললেন তারকনাথ। 'এইট্টি টু সেন্টিমিটারস্। বিশ্বের খর্বতম প্রাপ্তবয়স্ক ব্যক্তি।'

'এ খবরটা মাস কয়েক আগে কাগজে বেরিয়েছিল।'

'এবার গিনেস বুক অফ রেকর্ডসে স্থান পাবে।'

'একে আপনি জোগাড় করলেন কী করে?' প্রশ্ন করলেন জটায়ু।

'আমি সারা পৃথিবী ঘুরে বেড়াই। আমার অঢেল টাকা। এক পয়সা নিজে উপার্জন করিনি, সব বাপের টাকা। উইল করেননি, তবে আমিই একমাত্র সন্তান, তাই সব টাকাই আমি পাই। কীসের টাকা জান? গন্ধদ্রব্য। পারফিউম। কুন্তলায়নের নাম শুনেছ?'

'সে তো এখনও পাওয়া যায়', বললেন জটায়ু।

'হ্যাঁ। বাবারই আবিষ্কার, ব্যবসাও বাবারই। এখন এক ভাইপো দেখে। আমার কোনও ইনটারেস্ট নেই। আমি সংগ্রাহক।'

'কী সংগ্রহ করেন?'

'নানান মহাদেশের এমন সব জিনিস যার জুড়ি নেই। একমেবাদ্বিতীয়ম্। কিচোমোর কথা বললাম। এ ছাড়া আছে দুহাতে একসঙ্গে লিখতে পারে এমন একটি সেক্রেটারি। জাতে মাওরি। নাম টোকোবাহানি। আরও আছে। একটি ব্ল্যাক প্যারট—তিন ভাষায় কথা বলে। একটি দুই-মাথা বিশিষ্ট পমেরেনিয়ান কুকুর, লছমনঝুলার একটি সাধু উড্ডীনানন্দ, মাটি থেকে দেড় হাত উপরে শূন্যে আসনপিঁড়ি হয়ে বসে ধ্যান করে। তা ছাড়া—'

'ওয়ান মিনিট স্যার', বলে লালমোহনবাবু বাধা দিলেন। সঙ্গে সঙ্গে প্রতিক্রিয়া হল।

হাতের লাঠি মাথার উপর তুলে চোখ রক্তবর্ণ করে তারকনাথ চেঁচিয়ে উঠলেন, 'ইউ ডেয়ার ইনটারাপ্ট মি !'

'সরি সরি সরি স্যার।' জটায়ু কুঁকড়ে গেছেন—'আমি জানতে চাইছিলুম আপনার সংগ্রহের মধ্যে যারা মানুষ, তারা কি স্বেচ্ছায় আপনার ওখানে রয়েছে ?'

'তারা ভাল খায়, ভাল পরে, ভাল বেতন পায়, আরাম পায়, আদর পায়—থাকবে না কেন ? হোয়াই নট ? আমার কথা আর আমার সংগ্রহের কথা পৃথিবীর অনেক দেশের অনেক লোকেই জানে ; তোমরা না জানতে পার। আমেরিকা থেকে একজন সাংবাদিক এসে আমার সঙ্গে কথা বলে, দেশে ফিরে নিউ ইয়র্ক টাইমসে "দ্য হাউস অফ ট্যারক" বলে এক প্রবন্ধ লেখে।'

এবার তরফদার মুখ খুললেন।

'অনেক কথাই তো জানা গেল, কেবল আপনার এখানে আসার কারণটা ছাড়া।'

'এটা আবার বলে দিতে হবে ? আমি ওই খোকাকে আমার সংগ্রহের জন্য চাই। কী নাম যেন ? ইয়েস—জ্যোতিষ্ক। আই ওয়ন্ট জ্যোতিষ্ক।'

'কেন ? সে তো এখানে দিব্যি আছে', বললেন তরফদার। 'খাওয়া পরার অভাব নেই, যত্নআত্তির অভাব নেই। সে আমার ডেরা ছেড়ে আপনার ওই উদ্ভট ভিড়ের মধ্যে যাবে কেন ?'

তারকনাথ তরফদারের দিকে প্রায় আধ মিনিট চেয়ে থেকে বললেন, 'গাওয়াঙ্গি-কে একবার দেখলে তুমি এমন বেপরোয়া কথা বলতে পারতে না।'

'হোয়াট ইজ গাওয়াঙ্গি ?' প্রশ্ন করলেন জটায়ু।

'নট হোয়াট, বাট হু', গম্ভীরভাবে বললেন তারকনাথ। 'নট বস্তু, বাট ব্যক্তি। ইউগ্যান্ডার লোক। পৌনে আট ফুট হাইট, চুয়ান্ন ইঞ্চি ছাতি, সাড়ে তিনশো কিলো ওজন। কোনও ওলিম্পিক ওয়েট লিফটার ওর কাছে পাত্তা পাবে না। একবার টেরাইরের জঙ্গলে একটা বাঘকে ঘুমপাড়ানি ইনজেকশনের গুলি মারে, কারণ বাঘটার গায়ে স্পট এবং ডোরা দুই-ই ছিল। একমেবাদ্বিতীয়ম। সেই বাঘকে কাঁধে করে সাড়ে তিন মাইল বয়ে এনেছিল গাওয়াঙ্গি। সে এখন আমার একনিষ্ঠ সেবক।'

'আপনি কি আবার দাসপ্রথা চালু করলেন নাকি ?' জটায়ু বেশ সাহসের সঙ্গে প্রশ্ন করলেন।

'নো স্যার !' গর্জিয়ে উঠলেন টি এন টি। 'গাওয়াঙ্গিকে যখন দেখি তখন তার ভবিষ্যৎ অন্ধকার। ইউগ্যান্ডার রাজধানী কাম্পালা শহরে এক শিক্ষিত পরিবারের ছেলে। বাপ ডাক্তার। তাঁর কাছেই শুনি গাওয়াঙ্গির যখন চোদ্দ বছর বয়স তখনই সে প্রায় সাত ফুট লম্বা। বাড়ির বাইরে বেরোয় না। কারণ রাস্তার লোকে ঢিল মারে। ইস্কুলে ভর্তি হয়েছিল, কিন্তু ছাত্রদের বিদ্রূপের ঠেলায় বাধ্য হয়ে তাকে ছাড়িয়ে আনতে হয়। আমি যখন তাকে দেখি তখন তার বয়স একুশ। ভবিষ্যৎ অন্ধকার। চুপচাপ ঘরে বসে থাকে সারাদিন। দেখে মনে হল এইভাবে সে আর বেশিদিন বাঁচবে না। সেই অবস্থা থেকে তাকে আমি উদ্ধার করে আনি। আমার কাছে এসে সে নতুন জীবন পায়। সে আমার দাস হতে যাবে কেন ? আমি তাকে নিজের সন্তানের মতো স্নেহ করি। আমাদের সম্পর্ক পিতা-পুত্রের সম্পর্ক।'

'যাই হোক তারকবাবু', বললেন তরফদার, 'আপনার অনুরোধ রাখতে পারলাম না। আমি জ্যোতিষ্ককে চিড়িয়াখানার অধিবাসী হিসেবে কল্পনা করতে পারি না এবং চাইও না।'

'গাওয়াঙ্গির বিবরণ শোনার পরেও এটা বলছ ?'

‘বলছি।’

ভদ্রলোক যেন একটু দমে গিয়ে একটা দীর্ঘশ্বাস ফেলে বললেন, ‘তাই যখন বলছ তখন এই ছেলেটিকে একবার দেখতে পারি কি ?’

‘সেটা সহজ ব্যাপার। আপনি সেই কলকাতার উত্তর প্রান্ত থেকে এসেছেন, আপনার জন্য এতটুকু করতে পারব না ?’

নয়ন এসে দাঁড়াতে তারকবাবু তার দিকে ভুরু কুঁচকে চেয়ে জিজ্ঞেস করলেন, ‘আমার বাড়িতে ক’টা ঘর আছে বলতে পার ?’

‘ছেষট্টি।’

‘হুঁ...’

এবার তারকনাথ উঠে দাঁড়িয়ে তার লাঠির রুপো দিয়ে বাঁধানো মাথাটা ডান হাতের মুঠো দিয়ে শক্ত করে ধরে বললেন, ‘রিমেমবার, তরফদার—টি এন টি অত সহজে হার মানে না। আমি আসি।’

ভদ্রলোক চলে যাবার পর আমরা কিছুক্ষণ কোনও কথাই বললাম না। নয়নকে তার ঘরে পাঠিয়ে দিলেন তরফদার। অবশেষে লালমোহনবাবু ফেলুদার দিকে ফিরে বললেন, ‘চার দিয়ে তো অনেক কিছু হয়—না মশাই ? চতুর্দিক, চতুর্ভুজ, চতুর্মুখ, চতুর্বেদ—এই চারটিকে কী বলব তাই ভাবছি।

‘চতুর্লোভী বলতে পারেন।’ বলল ফেলুদা। ‘চার জনই যে লোভী তাতে তো কোনও সন্দেহ নেই। তবে লোভী হয়েও যে কোনও লাভ হল না সে ব্যাপারে সুনীলকে তারিফ করতে হয়।’

‘তারিফ কেন স্যার ?’ বললেন তরফদার। ‘এ তো সোজা অঙ্ক। সে ছেলে আমার বাড়িতে মানুষ হচ্ছে সুস্থ পরিবেশে। আমি তাকে দেখছি। সে আমাকে দেখছে। স্রেফ লেনদেনের ব্যাপার। এ অবস্থার পরিবর্তন হবে কেন ?’

আমরা তিনজন উঠে পড়লাম।

‘একটা কথা বলি তোমাকে’, তরফদারের কাঁধে হাত রেখে বলল ফেলুদা, ‘আর অ্যাপয়েন্টমেন্ট না।’

‘পাগল !’ বললেন তরফদার। ‘এক দিনেই যা অভিজ্ঞতা হল, এর পরে আবার অ্যাপয়েন্টমেন্ট !’

‘তবে এটা বলে রাখি—নয়নকে বিপদের হাত থেকে রক্ষা করতে যদি আমার প্রয়োজন হয়, তা হলে আমি তৈরি আছি। ছেলেটির উপর আমার মায়া পড়ে গেছে।’

‘থ্যাঙ্ক ইউ স্যার, থ্যাঙ্ক ইউ। প্রয়োজন হলেই খবর পাবেন।’

৬

বিষ্যুদবারের সকাল। গতকালই চতুর্লোভীর সঙ্গে সকলে কাটিয়েছি আমরা। বেশ বুঝতে পারছি ব্যাপারটা ক্রমে এক্সাইটিং হয়ে আসছে, তাই বোধহয় জটায়ু তাঁর অভ্যাসমতো ন’টায় না এসে সাড়ে আটটায় এসেছেন।

ভদ্রলাক কাউচে বসতেই ফেলুদা বলল, ‘আজ কাগজে খবরটা দেখেছেন ?’

‘কোন কাগজ ?’

‘স্টেটসম্যান, টেলিগ্রাফ, আনন্দবাজার...’

‘মশাই, এক কাশ্মীরি শালওয়ালা এসে সকালটা এক্কেবারে মাটি করে দিয়ে গেল।

কাগজ-টাগজ কিছু দেখা হয়নি। কী খবর মশাই ?'

আমি আগেই কাগজ পড়েছি, তাই খবরটা জানতাম।

'তেওয়ারি সিন্দুক খুলেছিলেন,' বলল ফেলুদা, 'আর খুলে দেখেন সত্যিই তার মধ্যে একটি কপর্দকও নেই।'

'তা হলে তো নয়ন ঠিকই বলেছিল', চোখ বড় বড় করে বললেন জটায়ু। 'চুরিটা কখন হয় ?'

'দুপুরে আড়াইটা থেকে সাড়ে তিনটার মধ্যে। অন্তত তেওয়ারির তাই ধারণা। সেই সময়টা তিনি আপিসে ছিলেন না। ছিলেন তাঁর ডেনটিস্টের চেম্বারে। ভদ্রলোকের স্মরণশক্তি এখন ভাল কাজ করছে। দুদিন আগেই নাকি উনি সিন্দুক খুলেছিলেন, তখন সব কিছুই ছিল। টাকার অঙ্কও মনে পড়েছে—পাঁচ লাখের কিছু উপরে। তেওয়ারি অবিশ্যি তাঁর পার্টনারকেই সন্দেহ করছেন। বলছেন একমাত্র তাঁর পার্টনারই নাকি কম্বিনেশনটা জানত। এ ছাড়া আর কাউকে কখনও বলেননি।'

'এই পার্টনারটি কে ?'

'নাম হিঙ্গোয়ানি। টি এইচ সিন্ডিকেটের টি হলেন তেওয়ারি আর এইচ হিঙ্গোয়ানি।'

'যাকগে। তেওয়ারি, হিংটিংছট, এ সবে আমার কোনও ইন্টারেস্ট নেই। আমি খালি ভাবছি ওই পুঁচকে ছেলে এমন ক্ষমতা পেল কী করে ?'

'আমিও সে কথা অনেকবার ভেবেছি। ব্যাপারটা প্রথম কী করে আবিষ্কার হয়, সেটা জানার খুব আগ্রহ হচ্ছে। তোপ্‌সে, নয়নের বাড়ির রাস্তার নাম তোর মনে আছে ?'

'নিকুঞ্জবিহারী লেন। কালীঘাট।'

'গুড।'

'একবার যাবেন নাকি মশাই ? বলা যায় না, আমার ড্রাইভার কলকাতার এমন সব রাস্তা চেনে যার নামও আমি কস্মিনকালে শুনিনি।'

সত্যিই দেখা গেল হরিপদবাবু নিকুঞ্জবিহারী লেন চেনেন। বললেন, 'ও রাস্তায় তো পল্টু দত্ত থাকতেন। আমি তখন অজিতেশ সাহার গাড়ি চালাই। একদিন তাঁকে নিয়ে গেলুম পল্টু দত্তর বাড়ি। দুজনেই তো ফুটবলার, তাই খুব আলাপ।'

দশ মিনিটের মধ্যে নিকুঞ্জবিহারী লেন-এ পৌঁছে একটা পানের দোকানে জিজ্ঞেস করে জানলাম অসীম সরকার থাকেন আট নম্বরে।

আট নম্বরের দরজায় টোকা দিতে একজন রোগা, ফরসা ভদ্রলোক দরজা খুলে আমাদের সামনে দাঁড়ালেন। বুঝলাম তিনি সবেমাত্র দাড়ি কামানো শেষ করেছেন, কারণ হাতের গামছা দিয়ে গাল মোছা এখনও শেষ হয়নি।

'আপনারা— ?' ভদ্রলাক ফেলুদার দিকে জিজ্ঞাসু দৃষ্টি দিলেন।

'আপনি কি আপিসে বেরোচ্ছেন ?'

'আজ্ঞে না। এখন তো ৯টা। আমি বেরোই সাড়ে ৯টায়।'

ফেলুদা বলল, 'আমরা গত রবিবার তরফদারের ম্যাজিক দেখতে গিয়েছিলাম। সেখানে আপনার ছেলের—আপনিই তো অসীম সরকার ?'

'আজ্ঞে হ্যাঁ।'

'আশ্চর্য অলৌকিক ক্ষমতা আপনার ছেলের। তরফদারের সঙ্গে আমাদের বেশ ভাল আলাপ হয়েছে। তাঁর কাছেই আপনার বাড়ির হদিস পেলাম।—এই দেখুন, আমরা কে তাই বলা হয়নি !—ইনি রহস্য রোমাঞ্চ উপন্যাস লেখক জটায়ু, এ আমার ভাই তপেশ, আর আমি প্রদোষ মিত্র।'

'প্রদোষ মিত্র ?' ভদ্রলোকের চোখ কপালে। 'সেই বিখ্যাত গোয়েন্দা প্রদোষ মিত্র—যাঁর ডাক নাম ফেলু ?'

'আজ্ঞে হ্যাঁ।' ফেলুদা বিনয়ের অবতার।

'ভেতরে আসুন, ভেতরে আসুন—কী আশ্চর্য !'

আমরা ভদ্রলোকের পিছন পিছন ভিতরে গিয়ে একটা সরু প্যাসেজের বাঁ দিকের দরজা দিয়ে একটা ছোট্ট ঘরে গিয়ে ঢুকলাম। সেটাকে শোবার ঘর বসবার ঘর দুই-ই বলা চলে। দুটো চেয়ার আর একটা তক্তপোশ ছাড়া ঘরে কোনও আসবাব নেই। তক্তপোশের এক প্রান্তে শতরঞ্চি দিয়ে গোটানো একটা বালিশ দেখে বোঝা যায়, সেখানে কেউ শোয়। ফেলুদা আর জটায়ু চেয়ারে, অসীমবাবু আর আমি খাটে বসলাম।

ফেলুদা বলল, 'আপনার বেশি সময় নেব না। আমাদের আসার কারণটা বলি। সে দিন তরফদারের শো-তে আপনার ছেলের আশ্চর্য ক্ষমতা দেখে আমাদের কথা বন্ধ হয়ে গিয়েছিল। শোয়ের পর তরফদারকে জিজ্ঞেস করাতে উনি বলেন ছেলেটি তাঁর কাছেই থাকে। আমি জানতে চাই যে নয়নের বাসস্থান পরিবর্তনের প্রস্তাবটা কি তরফদার করেন, না আপনি করেন ?'

'আপনি মহামান্য ব্যক্তি, আপনার কাছে মিথ্যা বলব না। ওঁর বাড়িতে রাখার প্রস্তাবটা তরফদার মশাই-ই করেন, তবে তার আগে নয়নকে আমিই ওঁর কাছে নিয়ে যাই।'

'সেটা কবে ?'

'ওর ক্ষমতা প্রকাশ পাবার তিন দিন পরে—দোসরা ডিসেম্বর।'

'এই সিদ্ধান্তের কারণটা কী ?'

'এর একটাই কারণ, মিত্তির মশাই। আমার বাড়ি দেখেই বুঝতে পারছেন আমার টানাটানির সংসার। আমার চারটি সন্তান। বড়টি ছেলে, সে বি কম পড়ছে। তার খরচ আমাকে জোগাতে হয়। তারপর দুটি মেয়ে। তাদেরও স্কুলের খরচ আছে। নয়নকে এখনও ইস্কুলে দিইনি। আমি এই কালীঘাট পোস্ট আপিসেই সামান্য চাকরি করি। পুঁজি বলতে কিছুই নেই ; যা আনি তা নিমেষেই খরচ হয়ে যায় ; ভবিষ্যতের কথা ভেবে গা-টা বারবার শিউরে ওঠে। তাই নয়নের মধ্যে যখন হঠাৎ এই ক্ষমতা প্রকাশ পেল, তখন মনে হল—একে দিয়ে কি দু পয়সা উপার্জন করানো যায় না ? কথাটা শুনতে হয়তো খারাপ লাগবে কিন্তু আমার যা অবস্থা, তাতে এমন ভাবাটা অস্বাভাবিক নয়, মিত্তির মশাই।'

'সেটা আমি বুঝতে পারছি', বলল ফেলুদা। 'এর পরেই আপনি নয়নকে তরফদারের কাছে নিয়ে যান ?'

'আজ্ঞে হ্যাঁ। আমার তো টেলিফোন নেই, তাই আর অ্যাপয়েন্টমেন্ট করতে পারিনি, সোজা চলে যাই ছেলেকে সঙ্গে নিয়ে। ভদ্রলোক নয়নের ক্ষমতার দু-একটা নমুনা দেখতে চাইলেন। আমি বললুম, ওকে এমন কিছু জিজ্ঞেস করুন, যার উত্তর নম্বরে হয়। ভদ্রলোক নয়নকে বললেন, "আমার বয়স কত বলতে পার ?" নয়ন তক্ষুনি জবাব দিল—তেত্রিশ বছর তিন মাস দশ দিন। এর পরে আর কোনও প্রশ্ন করেননি তরফদার। আমাকে বললেন—আমি যদি ওকে মঞ্চে ব্যবহার করি, তাতে আপনার কোনও আপত্তি আছে ? আমি অবশ্যই পারিশ্রমিক দেব।—আমি রাজি হয়ে গেলুম। তরফদার জিজ্ঞেস করলেন—আপনি কত আশা করেন ? আমি ভয়ে ভয়ে বললাম—মাসে এক হাজার। তরফদার বললেন, "ভুল হল। আমার মাথায় কী নম্বর আছে, বলো তো, নয়ন ?" নয়ন বলল—তিন শূন্য শূন্য শূন্য।—সে ভুল বলেনি, মিত্তির মশাই। তরফদার মশাইও তাঁর কথা রেখেছেন। আগাম তিন হাজার আমি এরই মধ্যে পেয়ে গেছি। আর ভদ্রলোক যখন

আমাকে বাঁচবার পথ দেখিয়ে দিলেন, তখন নয়নকে তাঁর বাড়িতে রাখার প্রস্তাবেই বা কী করে না বলি ?'

'কিন্তু নয়ন কি স্বেচ্ছায় গেল ?'

'সেও এক তাজ্জব ব্যাপার। এক কথায় রাজি হয়ে গেল। এখন তো ও দিব্যি আছে।'

'এইবারে আরেকটা প্রশ্ন করছি', বলল ফেলুদা, 'তা হলেই আমাদের কাজ শেষ।'

'বলুন।'

'ওর ক্ষমতার প্রথম পরিচয় আপনি কী করে পেলেন ?'

'খুব সহজ ব্যাপার। একদিন সকালে উঠে নয়ন বলল—"বাবা, আমার চোখের সামনে অনেক কিছু গিজ গিজ করছে। তুমি সেরকম দেখছ না ?" আমি বললাম, "কই, না তো। কী গিজ গিজ করছে ?" নয়ন বলল, "এক দুই তিন চার পাঁচ ছয় সাত আট নয় শূন্য। সব এ দিকে ও দিকে ঘুরছে, ছুটছে, লাফাচ্ছে, ডিগবাজি খাচ্ছে। আমার মনে হয় আমাকে যদি নম্বর নিয়ে কিছু জিজ্ঞেস করো তা হলে ওদের ছটফটানি থামবে।"—আমার পুরোপুরি বিশ্বাস হচ্ছিল না, তাও ছেলের অনুরোধ রাখতে জিজ্ঞেস করলাম, "আমার একটা খুব মোটা লাল বাঁধানো বাংলা বই আছে জান তো ?" নয়ন বলল, "মহাভারত ?" আমি বললাম, "হ্যাঁ। সেই বইয়ে কত পাতা আছে বলো তো।" নয়নের মুখে হাসি ফুটল। বলল, "ছটফটানি থেমে গেছে। সব নম্বর পালিয়ে গেছে। খালি তিনটে নম্বর পর পর দাঁড়িয়ে আছে।" কী নম্বর জিজ্ঞেস করাতে নয়ন বলল, "নয় তিন চার।" আমি তাক থেকে কালী সিংহের মহাভারত নামিয়ে খুলে দেখি তার পৃষ্ঠা সংখ্যা সত্যি ৯৩৪।'

আমাদের কাজ শেষ, আমরা ভদ্রলোককে বেশ ভাল রকম ধন্যবাদ দিয়ে বাড়িমুখো রওনা দিলাম।

শ্রীনাথ দরজা খুলে দিতে বসবার ঘরে ঢুকেই দেখি দুজন ভদ্রলোক বসে আছেন। তার মধ্যে সুনীল তরফদারকে চিনি। অন্যজনকে আগে দেখিনি।

ফেলুদা ব্যস্তভাবে বলল, 'সরি। তোমরা কি অনেকক্ষণ এসেছ ?'

'পাঁচ মিনিট', বললেন তরফদার। 'এ হচ্ছে আমার ম্যানেজার ও প্রধান সহকারী—শঙ্কর হুবলিকার।'

তরফদারের মতো বয়স, বেশ চালাক চেহারা, উঠে দাঁড়িয়ে আমাদের নমস্কার করলেন।

'আপনি তো মারাঠি ?' প্রশ্ন করল ফেলুদা।

'ইয়েস স্যার। তবে আমার জন্ম, স্কুলিং, সবই এখানে।'

'বসুন, বসুন।'

আমরা সবাই বসলাম।

'কী ব্যাপার বলো ?' তরফদারকে উদ্দেশ করে বলল ফেলুদা।

'ব্যাপার গুরুতর।'

'মানে ?'

'কাল আমাদের বাড়িতে দৈত্যের আগমন হয়েছিল।'

আমার বুকটা ধড়াস করে উঠল। সেই গাওয়াঙ্গির কথা বলছেন নাকি ভদ্রলোক ?

'ব্যাপারটা খুলে বলো', বলল ফেলুদা।

'বলছি।' বললেন ভদ্রলোক। 'আজ ঘুম থেকে উঠে বাদশাকে নিয়ে হাঁটতে বেরোব—তখন সাড়ে পাঁচটা—দোতলা থেকে নেমেই থমকে দাঁড়িয়ে পড়লাম।'

'কেন ?'

'সিঁড়ির সামনের মেঝেতে ছড়িয়ে আছে রক্ত, আর সেই রক্ত থেকে পায়ের ছাপ সদর

দরজার দিকে চলে গেছে। সেই ছাপ পরে মেপে দেখেছি—লম্বায় ষোল ইঞ্চি।'

'ষো... !' লালমোহনবাবু কথাটা শেষ করতে পারলেন না।

'তারপর ?' বলল ফেলুদা।

তরফদার বলে চললেন, 'আমাদের দরজায় কোল্যাপসিবল গেট লাগানো। রাত্তিরে সে গেট তালা দিয়ে বন্ধ থাকে। সেই গেট দেখি অর্ধেক খোলা, আর তালা ভাঙা। সেই আধখোলা গেটের বাইরে মাটিতে অজ্ঞান হয়ে পড়ে আছে আমার দারোয়ান ভগীরথ। ভগীরথের পাশ দিয়ে আরও রক্তাক্ত পায়ের ছাপ চলে গেছে পাঁচিলের দিকে।

'জলের ঝাপটা দিয়ে তো কোনওরকমে ভগীরথের জ্ঞান ফিরিয়ে আনলাম। সে চোখ খুলেই 'দানো ! দানো !' বলে আর্তনাদ করে আবার ভিরমি যায় আর কী ! যাই হোক, তার কাছ থেকে যা জানা গেল তা হচ্ছে এই—মাঝরাত্তিরে সদর দরজার বাইরে দাঁড়িয়ে সে খইনি ডলছিল। দরজার বাইরে একটা লো পাওয়ারের বাতি সারারাত জ্বলে। এই আবছা আলোয় ভগীরথ হঠাৎ দেখে যে একটা অতিকায় প্রাণী পাঁচিলের দিক থেকে তার দিকে এগিয়ে আসছে। প্রাণীটা যে পাঁচিল টপকে এসেছে তাতে সন্দেহ নেই, কারণ গেটে রয়েছে সশস্ত্র প্রহরী।

'ভগীরথ বলে সে একবার চিড়িয়াখানায় গিয়েছিল : সেখানে "গরৈলা" বলে একটা জানোয়ার দেখে। এই প্রাণীর চেহারা কতকটা সেইরকম, কিন্তু তার চেয়েও ঢের বেশি লম্বা আর চওড়া। এর বেশি ভগীরথ আর কিছু বলতে পারেনি, কারণ তার পরেই সে সংজ্ঞা হারায়।'

'বুঝেছি', বলল ফেলুদা। 'দানোটা তারপর কোল্যাপসিবল গেট ভেঙে ভেতরে ঢোকে, আর তখনই তোমার বিশ্বস্ত বাদশা দানোটার পায়ে কামড় দিয়ে তাকে জখম করে। এবং তার ফলেই দানব তার কাজ অসমাপ্ত রেখে পলায়ন করে।'

'কিন্তু যাবার আগে সে প্রতিশোধ নিয়ে যায়। বাদশার ঘাড় মটকানো মৃতদেহ পড়ে ছিল সদর দরজা থেকে ত্রিশ হাত দূরে—তার মুখের দুপাশে তখনও রক্ত লাগা।'

আমি মনে মনে বললাম—এই ঘটনায় যদি খুশি হবার কোনও কারণ থাকে সেটা এই যে টি.এন.টি.-র উদ্দেশ্য সিদ্ধি হয়নি।

ফেলুদা চিন্তিতভাবে চুপ করে আছে দেখে তরফদার অধৈর্য হয়ে বলে উঠলেন, 'কিছু বলুন, মিস্টার মিত্তির ?'

'বলার সময় পেরিয়ে গেছে সুনীল', গম্ভীর স্বরে বলল ফেলুদা। 'এখন করার সময়।'

'কী করার কথা ভাবছেন ?'

'ভাবছি না, স্থির করে ফেলেছি।'

'কী ?'

'দক্ষিণ ভারত যাব। ম্যাড্রাস দিয়ে শুরু। নয়ন ইজ ইন গ্রেট ডেঞ্জার। তার যাতে অনিষ্ট না হয় এটা দেখার ক্ষমতা তোমাদের নেই। এখানে প্রদোষ মিত্রকে প্রয়োজন।'

তরফদারের মুখে হাসি ফুটে উঠল।

'আপনি যে আমাকে কতটা নিশ্চিন্ত করলেন, তা বলতে পারব না। আপনি অবশ্য আপনার প্রোফেশনাল ক্যাপাসিটিতে কাজ করবেন, আপনার পারিশ্রমিক আর আপনাদের তিনজনের যাতায়াত ও হোটেল খরচা আমি দেব। আমি মানে—আমার পৃষ্ঠপোষক।'

'খরচের কথা পরে। তোমাদের যাওয়ার তারিখ তো উনিশে ডিসেম্বর, কিন্তু কোন ট্রেন সেটা জানি না।'

'করোমণ্ডল এক্সপ্রেস।'

'আর হোটেল ?'

'সেও করোমণ্ডল।'

'বুঝেছি। তাজ করোমণ্ডল। তাই তো ?'

'হ্যাঁ, আর আপনারা কিন্তু ফার্স্ট ক্লাস এ.সি.-তে যাচ্ছেন। এখনই আপনাদের নাম আর বয়স একটা কাগজে লিখে দিন। বাকি কাজ সব শঙ্কর করে দেবে।'

ফেলুদা বলল, 'বুকিং-এ অসুবিধা হলে আমাকে জানিও। রেলওয়েতে আমার প্রচুর জানাশোনা।'

৭

তরফদাররা গেলেন পৌনে দশটায়, তারপর ঠিক পাঁচ মিনিট বাদেই ফেলুদার একটা ফোন এল, সেটা যাকে বলে একেবারে অপ্রত্যাশিত। কথা-টথা বলে সোফায় বসে শ্রীনাথের সদ্য আনা চায়ে একটা চুমুক দিয়ে ফেলুদা বলল, 'কাল ডিরেক্টরি খুলে দেখেছি, এই নামে শুধু দুটো ফোন আছে।'

'এই সব সামান্য ব্যাপারে আপনার সাসপেন্স তৈরি করার প্রবণতাটা আমার মোটেই ভাল লাগে না, মশাই', বললেন জটায়ু। 'কার ফোন সেটা হেঁয়ালি না করে বলবেন ?'

'হিঙ্গোয়ানি।'

'যার কথা কাগজে বেরিয়েছে ?'

'ইয়েস স্যার। তেওয়ারির পার্টনার।'

'এই ব্যক্তির কী দরকার আপনার সঙ্গে ?'

'সেটা ওঁর ওখানে গেলে বোঝা যাবে। ভদ্রলোক বললেন কর্নেল দালালের কাছে আমার প্রশংসা শুনেছেন।'

'ও, গত বছরের সেই জালিয়াতির মামলাটা ?'

'হ্যাঁ।'

'অ্যাপয়েন্টমেন্ট হয়েছে ?'

'সেটা আমার কথা থেকেই আপনার বোঝা উচিত ছিল ; আপনি মনোযোগ দেননি।'

আমি কিন্তু বুঝেছিলাম ফেলুদার অ্যাপয়েন্টমেন্ট হয়েছে আজ বিকেল পাঁচটায়। সেটা লালমোহনবাবুকে বলতে উনি বেশ রেগে গিয়ে বললেন, 'কানের কাছে অন্যে টেলিফোন করলে আমি অন্ প্রিন্‌সিপল্ তার কথা শুনি না। কোথায় থাকেন ভদ্রলোক ?'

'আলিপুর পার্ক রোড।'

'বনেদি পাড়া। —আমরাও যাচ্ছি তো আপনার সঙ্গে ?'

'সেটা কবে যাননি বলতে পারেন ?'

'ঠিক কথা। ইয়ে—"আনি" দিয়ে পদবি শেষ হলে তো সিন্ধি বোঝায়, তাই না ?'

'তা তো বটেই। দেখুন না—দু আনি ছ আনি কেরানি কাঁপানি হাঁপানি চাকরানি মেথরানি...'

'রক্ষে করুন, রক্ষে করুন !' দু হাত তুলে বললেন জটায়ু। 'বাপরে !—এ হচ্ছে আপনার সজারু-মজারু মুড। আমার খুব চেনা। কিছু জিজ্ঞেস করলেই টিট্‌কিরির খোঁচা। যাই হোক্—যেটা বলতে চাইছিলাম—ভাবছি আজ দ্বিপ্রহরের আহারটা এখানেই সারব। খিচুড়ির আইডিয়াটা কেমন লাগে ? বেশ ঠাণ্ডা-ঠাণ্ডা পড়েছে তো ?'

'উত্তম প্রস্তাব', বলল ফেলুদা।

দুপুরে খাবার পর ফেলুদা দু ঘণ্টা ধরে জটায়ুকে স্ক্র্যাব্‌ল খেলা শেখাল। ভদ্রলোক কোনও দিন ক্রসওয়ার্ডই করেননি। তাই ওঁকে—সিন্ধি নামের ঢঙেই বলি—বেশ নাকানি-চোবানি খেতে হল। ফেলুদা শব্দের খেলাতে একেবারে মাস্টার, যেমন হেঁয়ালির জট ছাড়াতেও মাস্টার—যার অনেক উদাহরণ এর আগে দিয়েছি।

আলিপুর পার্ক রোড অবশ্যই হরিপদবাবুর চেনা। পাঁচটা বাজতে পাঁচ মিনিটে আমাদের গাড়ি সাঁইত্রিশ নম্বরের গেট দিয়ে ঢুকে পোর্টিকোর নীচে এসে থামল। সামনেই ডাইনে গ্যারেজ, তার বাইরে একটা লম্বা সাদা গাড়ি দাঁড়িয়ে আছে। 'বিদেশি বলে মনে হচ্ছে?' লালমোহনবাবু মন্তব্য করলেন।

ফেলুদা সদর দরজার দিকে এগিয়ে গিয়ে বলল, 'না। ওটার নাম কনটেসা। এখানেই তৈরি।'

সদর দরজায় দারোয়ান দাঁড়িয়ে, ফেলুদা তাকে বলল, 'আমাদের অ্যাপয়েন্টমেন্ট আছে।'

ইতিমধ্যে বোধহয় গাড়ির শব্দ পেয়েই একটি বেয়ারা এসে হাজির হয়েছে; সে লালমোহনবাবুর দিকে চেয়ে বলল, 'মিত্তর সা'ব?'

'হাম নেহি—ইনি', ফেলুদার দিকে দেখিয়ে বললেন জটায়ু।

'আইয়ে আপ লোগ।'

বেয়ারার পিছন পিছন আমরা একটা ড্রইং রুমে গিয়ে হাজির হলাম।

'বৈঠিয়ে।'

আমি আর জটায়ু একটা সোফায় বসলাম। ফেলুদা তৎক্ষণাৎ না বসে একটু এদিক-ওদিক ঘুরে দেখে একটা বুক সেলফের সামনে গিয়ে দাঁড়াল। দেওয়ালে আর টেবিলে শোভা পাচ্ছে এমন খুঁটিনাটির মধ্যে অনেক নেপালি জিনিস রয়েছে। লালমোহনবাবুও দেখেছেন, কারণ বিড়বিড় করে বলতে শুনলাম, 'দার্জিলিং'।

'কেন, দার্জিলিং কেন?' ফিরে এসে আরেকটা সোফায় বসে বলল ফেলুদা। 'নেপালি জিনিস কি নেপালে পাওয়া যায় না?'

'আরে সে তো নিউ মার্কেটেই পাওয়া যায়।'

বাইরে ল্যান্ডিং-এ দাঁড়ানো গ্র্যান্ডফাদার ক্লক দেখেছি, এবার তাতে গম্ভীর অথচ মোলায়েম শব্দে ঢং ঢং করে পাঁচটা বাজতে শুনলাম। আর প্রায় সঙ্গে সঙ্গে খয়েরি রঙের সুট পরা একজন রোগা, ফরসা, প্রৌঢ় ভদ্রলোক ঘরে এসে ঢুকলেন। কেন জানি মনে হল ভদ্রলোকের স্বাস্থ্যটা খুব ভাল যাচ্ছে না—বোধহয় চোখের তলায় কালির জন্য।

আমরা তিনজনেই নমস্কার করতে উঠে দাঁড়িয়েছিলাম। ভদ্রলোক ব্যস্ত হয়ে বললেন, 'বসুন বসুন—প্লিজ সিট ডাউন।'

ভদ্রলোকের ঘড়ির ব্যান্ডটা বোধহয় ঢিলে হয়ে গেছে, কারণ নমস্কার করে হাত নামাবার সঙ্গে সঙ্গে ঘড়িটা সড়াৎ করে নীচে নেমে এল। ডান হাত দিয়ে ঠেলে সেটাকে যথাস্থানে এনে ভদ্রলোক ফেলুদার উলটোদিকের সোফায় বসলেন। বাংলা ইংরিজি হিন্দি মিশিয়ে কথা বললেন হিঙ্গোয়ানি।

ফেলুদা নিজের এবং আমাদের দুজনের পরিচয় করিয়ে দেবার পর ভদ্রলোক বললেন, 'আমার আপিসের যে খবর কাগজে বেরিয়েছে সে কি আপনি পড়েছেন?'

'পড়েছি', বলল ফেলুদা।

'আমি গ্রহ-নক্ষত্রের প্রভাবে বিশ্বাস করি। আমাকে যে ভাবে হ্যারাস করা হচ্ছে তাকে গ্রহের ফের ছাড়া আর কিছুই বলা যায় না। আমার পার্টনারের ভীমরতি ধরেছে; কোনও সুস্থ মস্তিষ্ক লোক কখনও এমন করতে পারে না।'

'আমরা কিন্তু আপনার পার্টনারকে চিনি।'

'হাউ ?' অবাক হয়ে প্রশ্ন করলেন হিঙ্গোয়ানি।

ফেলুদা সংক্ষেপে তরফদার আর জ্যোতিষ্কের ব্যাপারটা বলে বলল, 'এই ছেলের ব্যাপারেই তেওয়ারি ফোনে অ্যাপয়েন্টমেন্ট করে তরফদারের বাড়ি এসেছিলেন। আমরা তখন সেখানে উপস্থিত ছিলাম। ভদ্রলোক বললেন তাঁর সিন্দুকের কম্বিনেশনটা ভুলে গেছেন। ছেলেটিকে জিজ্ঞেস করাতে সে বলে দেয়, আর সেই সঙ্গে এটাও বলে যে সিন্দুকে আর একটি পাই-পয়সাও নেই।'

'আই সি...'

'আপনি ফোনে বললেন আপনাকে খুব বিব্রত হতে হচ্ছে ?'

'তা তো বটেই। প্রথমত, বছর খানেক থেকেই আমাদের মধ্যে বনিবনা হচ্ছে না, যদিও এককালে আমরা বন্ধু ছিলাম। আমরা একসঙ্গে এক ক্লাসে সেন্ট জেভিয়ার্সে পড়তাম। কলেজ ছাড়ার বছর খানেকের মধ্যেই আমরা আলাদা আলাদা ভাবে ব্যবসা শুরু করি। তারপর ১৯৭৩-এ আমরা এক জোটে টি এইচ সিন্ডিকেটের পত্তন করি। বেশ ভাল চলছিল কিন্তু ওই যে বললাম—কিছুদিন থেকে দুজনের সম্পর্কে চিড় ধরেছিল।'

'সেটার কারণ কী ?'

'প্রধান কারণ হচ্ছে—তেওয়ারির স্মরণশক্তি প্রায় লোপ পেতে বসেছিল। সামান্য জিনিসও মনে রাখতে পারে না। ওকে নিয়ে মিটিং করা এক দুরূহ ব্যাপার হয়ে দাঁড়িয়েছিল। গত বছর একদিন আমি তেওয়ারিকে বলি—"ডাঃ শর্মা বলে একজন অত্যন্ত বিচক্ষণ মস্তিষ্ক চিকিৎসক আছেন। তাঁকে আমি খুব ভাল করে চিনি। আমি চাই তুমি একবার তাঁর কাছে যাও।"—তাতে তেওয়ারি ভয়ানক অফেন্স নেয়। সেই থেকেই আমাদের সম্পর্কে চিড় ধরে। অথচ আমি হাল না ধরলে সিন্ডিকেট ডুবে যাবে শুধু এই কথা ভেবেই আমি রয়ে গিয়েছিলাম। না হলে আইনসম্মত ভাবে পার্টনারশিপ চুকিয়ে দিয়ে চলে আসতাম। কিন্তু যে ব্যাপারে আমি সবচেয়ে বড় ধাক্কা খেলাম সেটা এই যে, তেওয়ারি যেই জানতে পারল যে ওর সিন্দুক খালি, ও সটান আমার কাছে এসে বলল, "গিভ মি ব্যাক মাই মানি—দিস মিনিট।"

'উনি যে ক্লেম করেন যে এককালে আপনাকে কম্বিনেশনটা বলেছিলেন, সেটা কি সত্যি ?'

'সর্বৈব মিথ্যা। ওটা ছিল ওর পার্সোনাল সিন্দুক। তার কম্বিনেশন ও পাঁচজনকে বলে বেড়াবে ? ননসেন্স। তা ছাড়া ওর ধারণা যে ও যখন ডেনটিস্টের কাছে যায় তখনই আমি ওর সিন্দুক খুলে টাকা চুরি করি। অথচ আমার অকাট্য প্রমাণ রয়েছে যে সেই সময়টা আমি ছিলাম আপিস থেকে অন্তত চার মাইল দূরে। আমার এক খুড়তুতো ভাইয়ের হার্ট অ্যাটাক হয়েছে খবর পেয়ে আমি এগারোটার সময় বেলভিউ ক্লিনিকে চলে যাই, ফিরি সাড়ে তিনটেয়।'

'তাও মিঃ তেওয়ারি আপনার পিছনে লেগে আছেন ?'

'শুধু পিছনে লেগেছেন নয় মিস্টার মিটার, তিনি আমাকে শাসিয়েছেন যে অবিলম্বে টাকা ফেরত না দিলে তিনি আমার সর্বনাশ করবেন। তেওয়ারি যে স্বার্থসিদ্ধির জন্য কতদূর যেতে পারে তার বেশ কিছু নমুনা আমি গত সতেরো বছরে পেয়েছি। গুণ্ডা লাগিয়ে কী করা সম্ভব-অসম্ভব সে আর আমি আপনাকে কী বলব ?'

'আপনি বলতে চান তেওয়ারি এতই প্রতিহিংসাপরায়ণ যে গুণ্ডা লাগিয়ে আপনাকে খুন করানোতেও সে পেছপা হবে না ?'

'সিন্দুকে কিছু নেই জানার পরমুহূর্তে সে যেভাবে আমার ঘরে এসে আমার উপর দোষারোপ করে, তাতে আমি পরিষ্কার বুঝি যে তার কাণ্ডজ্ঞান সম্পূর্ণ লোপ পেয়েছে। এ অবস্থায় টাকা ফেরত না পেলে আমার উপর চরম প্রতিশোধ নেওয়াটা কিছুই আশ্চর্য নয়।'

'এই চুরি সম্বন্ধে আপনার নিজের কোনও থিওরি আছে?'

'প্রথমত, চুরি যে গেছে সেটাই আমি বিশ্বাস করি না। তেওয়ারি হয় সেটা সরিয়েছে, না হয় কিছুতে খরচ করেছে, না হয় কাউকে দিয়েছে। তোমরা বাংলায় যে বলো না—ব্যোম ভোলানাথ?—তেওয়ারি হল সেই ভোলানাথ। না হলে বাইশ বছরের পুরনো ব্যক্তিগত সিন্দুকের কম্বিনেশন কেউ ভোলে?'

'বুঝলাম', বলল ফেলুদা। 'এবার তা হলে আসল কথায় আসা যাক।'

'কেন আমি আপনাকে ডেকেছি সেটা জানতে চাইছেন তো?'

'আজ্ঞে হ্যাঁ।'

'দেখুন মিঃ মিটার—আমি চাই প্রোটেকশন। তেওয়ারি নিজে ভোলানাথ হতে পারে, কিন্তু ভাড়াটে গুণ্ডাদের কেউই ভোলানাথ নয়। তারা অত্যন্ত সেয়ানা, ধূর্ত, বেপরোয়া। এই জাতীয় প্রোটেকশনের কাজ তো আপনাদের প্রাইভেট ডিটেকটিভদের মধ্যে পড়ে। তাই না?'

'তা পড়ে। কিন্তু মুশকিল হচ্ছে কী, আমি সামনে প্রায় পাঁচ সপ্তাহের জন্য থাকছি না। ফলে আমার কাজ শুরু করতে তো অনেক দেরি হয়ে যাবে। তাতে আপনার চলবে কি?'

'আপনি কোথায় যাচ্ছেন?'

'দক্ষিণ ভারত। প্রথমে ম্যাড্রাস। সেখানে দশ দিন, তারপর অন্যত্র।'

হিঙ্গোয়ানির চোখ জ্বলজ্বল করে উঠল।

'এক্সেলেন্ট!' হাঁটুতে চাপড় মেরে বললেন ভদ্রলোক। 'আপনাকে একটা কথা এখনও বলা হয়নি—আমি দুদিন থেকে আর আপিসে যাচ্ছি না। যা ঘটেছে তার পরে আর কোনও মতেই ওখানে থাকা যায় না। আইনত যা করার তা আমি যথাসময়ে করব—যখন মাথা ঠাণ্ডা হবে। অথচ রোজগার তো করতেই হবে। ম্যাড্রাসে একটা কাজের সম্ভাবনা আছে সে খবর আমি পেয়েছি। আমি এমনিতেই যেতাম। আপনারা গেলে একসঙ্গেই বেরিয়ে পড়ব। আপনি প্লেনে যাচ্ছেন?'

'না, ট্রেনে। এখানেও একজনকে প্রোটেক্ট করার ব্যাপার আছে। তরফদারের ম্যাজিক শোয়ের ওই বালক। তারও জীবন বিপন্ন। অন্তত তিনজন ব্যক্তির লোলুপ দৃষ্টি পড়েছে ওর উপর। বুঝতেই তো পারছেন, এমন আশ্চর্য ক্ষমতাকে অসদুদ্দেশ্যে কাজে লাগানোর অজস্র উপায় আছে।'

'বেশ তো', বললেন হিঙ্গোয়ানি, 'আপনি এক ঢিলে দুই পাখি মারুন। আপনি তো এই জাদুকরের জন্য প্রোফেশনালি কাজ করছেন?'

'হ্যাঁ।'

'সেটা আমার বেলাতেও করুন, আমিও আপনাকে পারিশ্রমিক দেব।'

ফেলুদা অফারটা নিয়ে নিল। তবে বলল, 'এটা জেনে রাখবেন যে, শুধু আমার প্রোটেকশনে হবে না। আপনাকেও খুব সাবধানে চলতে হবে। আর সন্দেহজনক কিছু হলেই আমাকে জানাবেন।'

'নিশ্চয়ই। আপনি কোথায় থাকবেন?'

'হোটেল করোমণ্ডল। আমরা একুশে পৌঁছচ্ছি।'

'বেশ। ম্যাড্রাসেই দেখা হবে।'

বাড়ি ফেরার পথে আমি বললাম, 'আচ্ছা ফেলুদা, ড্রইং রুমের দুদিকের দেয়ালে দুটো বেশ বড় বড় রেক্ট্যাঙ্গুলার ছাপ দেখলাম—অনেক দিনের টাঙানো ছবি তুলে ফেললে যেমন হয়।'

'গুড অবজারভেশন', বলল ফেলুদা। 'বোঝাই যাচ্ছে ও জায়গায় দুটো বাঁধানো ছবি ছিল—সম্ভবত অয়েল পেন্টিং।'

'সেগুলো যে আর নেই', বললেন জটায়ু, 'সেটার কোনও সিগ্‌নিফিক্যান্স আছে কি ?'

'বোঝাই যাচ্ছে ভদ্রলোক ছবিগুলো পাচার করে দিয়েছেন।'

'তার সিগ্‌নিফিক্যান্স ?'

'সাতশো ছেষট্টি রকম সিগ্‌নিফিক্যান্স। সব শোনার সময় আছে কি আপনার ?'

'আবার সজারু !—আমার মনে হয় ব্যাপারটাকে আপনি বিশেষ গুরুত্ব দিচ্ছেন না।'

'সেটার সময় এখনও আসেনি, লালমোহনবাবু। তথ্যটা আমার মস্তিষ্কের কম্পিউটারের মেমারিতে পুরে দিয়েছি। প্রয়োজনে বোতাম টিপলেই ফিরে পাব।'

'আপনি যে এই হিঙের কচুরির কেসটাও নিলেন—দুদিক সামলাতে পারবেন তো ?'

ফেলুদা কোনও উত্তর না দিয়ে ভাসা-ভাসা চোখে চলন্ত গাড়ির জানলা দিয়ে বাইরে চেয়ে থেকে মৃদুস্বরে বলল, 'খট্‌কা...খট্‌কা...খট্‌কা...'

৮

পরদিন সকালে কাগজ খুলে দেখি, তরফদার সম্বন্ধে খবর বেরিয়েছে যে উনি উনিশে ডিসেম্বর দলবল নিয়ে দক্ষিণ ভারত সফরে যাচ্ছেন, পঁচিশে ডিসেম্বর ম্যাড্রাসে ওঁর প্রথম শো।

ফেলুদা চুল ছাঁটতে গিয়েছিল, দশটা নাগাত ফিরল। ওকে খবরটার কথা বলতে ও গম্ভীরভাবে বলল, 'দেখেছি।... আত্মপ্রচারের লোভ খুব কম লোকেই সামলাতে পারে রে, তোপ্‌সে! আমি একটু নরম-গরম কথা শোনাব বলে ওকে ফোন করেছিলাম, কারণ—বুঝতেই তো পারছিস—এই খবর বেরোনোর ফলে আমার কাজটা অনেক বেশি কঠিন হয়ে পড়ছে।'

'তরফদার কী বললেন ?'

ফেলুদা একটা শুকনো হাসি হেসে বলল, 'বলে কী—আজকের দিনে শো-ম্যানদের পাবলিসিটি ছাড়া গতি নেই, মিস্টার মিত্তির। ও নিয়ে আপনি কাইন্ডলি আমাকে কিছু বলবেন না।... আমি বললাম—যে-তিনজন ব্যক্তি নয়নের দিকে লুব্ধ দৃষ্টি দিচ্ছে, তারা যে তোমার প্রোগ্র্যামটা জেনে গেল, সেটা কি ভাল হল ?—তাতে ছোক্‌রা বলল—আপনি চিন্তা করবেন না। আমি যেভাবে ওদের বলেছি, আমার বিশ্বাস তাতে ওরা নয়নকে পাবার আশা ছেড়েই দিয়েছে।—এর পর আর কী বলি বল ? সত্যি যদি তাই হয় তা হলে তো আমার আর কোনও প্রয়োজনই থাকে না। কিন্তু আমি তো জানি যে নয়নের বিপদ—এবং সেই সঙ্গে আমার দায়িত্ব—এখনও পুরোমাত্রায় রয়েছে! অর্থাৎ আমার দিক থেকে কাজে ঢিলে দেবার কোনও প্রশ্নই আসে না।'

বাইরে গাড়ি থামার শব্দ, আর তার পরে পর পর দুবার কলিং বেল টেপার শব্দে বুঝলাম জটায়ু হাজির। এখন সোয়া দশটা ; ভদ্রলোক সাধারণত ন'টা-সাড়ে ন'টার মধ্যে চলে আসেন। আজ কোনও কারণে দেরি হয়েছে।

দেখে ভাল লাগল যে ফেলুদার মুখ থেকে মেজাজ খিঁচড়ানো ভাবটা চলে গেল।

'খবর আছে মশাই, খবর আছে !' ঘরে ঢুকেই চোখ বড় বড় করে বললেন জটায়ু।

‘দাঁড়ান, দেখি আমি কত দূর আন্দাজ করতে পারি,’ বললেন ফেলুদা। ‘আপনি নিউ মার্কেটে গেস্‌লেন। ঠিক ?’

‘কী করে জানলেন ?’

‘আপনার কোটের বুক পকেট থেকে আইডিয়াল স্টোর্সের ক্যাশমেমোর ইঞ্চি খানেক বেরিয়ে আছে। তা ছাড়া আপনার কোটের বাঁ দিকের সাইড পকেট এমনভাবে ঝুলেফুলে রয়েছে যে বোঝাই যাচ্ছে আপনার প্রিয় টুথপেস্ট ফরহ্যানসের একটি ফ্যামিলি সাইজ প্যাকেট রয়েছে ওখানে।’

‘বোঝো !—নেক্সট ?’

‘আপনি রেস্টোরান্টে গিয়ে স্ট্রবেরি আইসক্রিম খেয়েছিলেন—তার দু ফোঁটা আপনার শার্টে পড়েছে।’

‘সাবাশ !—নেক্সট ?’

‘আপনি একা কখনও রেস্টোরান্টে যান না। অর্থাৎ একটি পরিচিত ব্যক্তির আবির্ভাব হয়েছিল, যার সঙ্গে আপনি যান।’

‘জবাব নেই !—নেক্সট ?’

‘আপনি তাকে নিয়ে যাননি, সেই আপনাকে নিয়ে গেস্‌ল। কারণ আপনাকে এত কাল চিনে অন্তত এটুকু জানি যে আপনার এমন কোনও বন্ধু এখন নেই, যাকে আপনি রেস্টোরান্টে নিয়ে গিয়ে আইসক্রিম খাওয়াবেন।’

‘আমার মাথা ভোঁ ভোঁ করছে। —নেক্সট ?’

‘এ ব্যক্তির সঙ্গে সম্প্রতি আলাপ হয়েছে আপনার। পুরনো আলাপী বলতে আমরা দুজন ছাড়া আপনার আর কেউ নেই। তরফদার কি ? না। তার এত সময় নেই ; সে এখন সফরের তোড়জোড় করছে। চতুর্লোভীর কেউ কি ? হজসন নন, কারণ সে ইনভাইট করলে আপনি রিফিউজ করবেন—একটানা ইংরিজি বলাটা আপনার পারদর্শিতার মধ্যে পড়ে না। তারকনাথ ? উঁহু, তাঁর নিউ মার্কেটে কোনও প্রয়োজন থাকতে পারে না ; উত্তর কলকাতায় দোকানের অভাব নেই। আর তা ছাড়া আমার ধারণা, তাঁর বাজার করার জন্য মাইনে করা লোক আছে। তা হলে বাকি রইল কে ?’

‘ব্রিলিয়ান্ট, ব্রিলিয়ান্ট ! আপনি ধরে ফেলেছেন, ফেলুবাবু, ধরে ফেলেছেন ! অনেক দিন পরে আপনার চিন্তাশক্তি আর পর্যবেক্ষণ ক্ষমতার নমুনা পাওয়া গেল। থ্যাঙ্ক ইউ, স্যার !’

‘বসাক তো ?’

‘বসাক, বসাক—নন্দলাল বসাক ! আজ প্রথম পুরো নামটা জানলুম।’

‘আপনার সঙ্গে তাঁর কী কথা ?’

‘কথা ভাল নয়, ফেলুবাবু। ভদ্রলোক তরফদারকে আরও দশ হাজার ডলার অফার করেছিলেন। তার মানে ত্রিশ। আজকাল এক ডলারে কত টাকা ?’

‘সতেরোর আশেপাশে ঘোরাফেরা করছে।’

‘হিসেব করুন, গায়ের লোম খাড়া হয়ে উঠবে।’

‘তরফদার কী বলেন ?’

‘তিনি প্রত্যাখ্যান করেন। তার ফলে বসাকের মেজাজ খিঁচড়ে যায়। তরফদারকে কিছু বলেননি, তবে আমাকে বললেন—আপনি ওই ভেলকিরামকে বলে দেবেন যে, বসাকের সংকল্পে ব্যাগড়া দেবে এমন লোক এখনও জন্মায়নি। শেষের কথাগুলো আরও সাংঘাতিক ; বললেন—বড়দিনে মাদ্রাজে তরফদারের শো ওপ্‌ন করছে ; ইফ মাই নেম ইজ নন্দ বসাক—তা হলে সেই শো থেকে ওই খোকার আইটেম বাদ দিতে হবে। টেল দিস টু ইওর

টিকটিকি ফ্রেন্ড।'

ফেলুদার চেহারার সঙ্গে অনেক বাঙালিই পরিচিত, কাজেই বসাক যে তাকে চিনে ফেলবেন তাতে আশ্চর্যের কিছু নেই। তবু কেন যেন আমার হাত পা ঠাণ্ডা হয়ে এল।

'বসাকের হদিস তো তবু পাওয়া গেল,' বলল ফেলুদা, 'তেওয়ারি ইজ আউট অফ দ্য পিকচার। এখন বাকি তারকনাথ আর হজসন।'

'তারকনাথ কেন—গাওয়াঙ্গি বলুন! তারকনাথ খ্যাপাটে হতে পারেন, কিন্তু তাঁর যা বয়স তাতে তিনি একা কিছু করতে পারবেন না।'

একেই ফেলুদা বলে টেলিপ্যাথি। তারকনাথের কথা ওঠার মিনিট খানেকের মধ্যেই কলিং বেল বাজায় দরজা খুলে দেখি স্বয় টি এন টি।

'মিঃ মিত্তির আছেন?'

'আসুন, আসুন,' ভিতর থেকে বলল ফেলুদা। 'আপনিও দেখছি আমায় চিনে ফেলেছেন।'

'তা চিনব না কেন?' ঘরে ঢুকে একটা কাউচে বসে বললেন ভদ্রলোক। 'আর আপনাকে যখন চিনেছি, তখন আপনার এই ল্যাংবোটটিকেও চিনেছি। আপনিই তো জটায়ু?'

'আজ্ঞে হ্যাঁ।'

'একবার ভেবেছিলাম আপনাকেও আমার আজব ঘরে এনে রাখব, কারণ গাঁজাখুরি গপ্পো লেখায় তো আপনি একমেবাদ্বিতীয়ম্! "হণ্ডুরাসে হাহাকার"—হাঃ হাঃ হাঃ হাঃ!'

ভদ্রলোকের এই ঘর-কাঁপানো হাসির সঙ্গে আবার নতুন করে পরিচয় হল।

'তা হলে আপনার সঙ্গে মাদ্রাজে দেখা হচ্ছে?' ফেলুদার দিকে ফিরে জিজ্ঞেস করলেন তারক ঠাকুর।

'আপনি যাওয়া স্থির করে ফেলেছেন?'

'শুধু আমি কেন? আমার ইউগ্যান্ডার অপোগণ্ডটিও যাবেন! হাঃ হাঃ হাঃ—কেমন? ভাল হয়েছে? জটায়ু?'

'আপনি ট্রেনে যাচ্ছেন?' ফেলুদা জিজ্ঞেস করল।

'তা ছাড়া তো উপায় নেই। প্লেনের সিটে তো গাওয়াঙ্গি বসতেই পারবে না!'

আরেক দফা হো হো করে হেসে ভদ্রলোক উঠে পড়ে বললেন, 'আপনাকে একটা কথা বলি মিঃ মিত্তির—এমন অনেক সিচুয়েশান আছে, যেখানে শারীরিক শক্তির কাছে মানসিক শক্তি দাঁড়াতেই পারে না। গাওয়াঙ্গির চেয়ে আপনার বুদ্ধি যে অনেক গুণে বেশি তাতে সন্দেহ নেই, কিন্তু আপনার ব্যায়ামের অভ্যাস থাকলেও, গাওয়াঙ্গির যে শারীরিক বল, তার শতাংশের একাংশও আপনার নেই।—গুড বাই।'

ভদ্রলোক যেমন হঠাৎ এসেছিলেন, তেমনই হঠাৎ চলে গেলেন। আমি মনে মনে বললাম—এই গাওয়াঙ্গি বস্তুটিকে একবার চাক্ষুষ দেখতেই হবে।

৯

স্টেশন থেকে হোটেলে আসার পথে মাদ্রাজের চেহারা দেখে জটায়ু বললেন, 'মশাই, এই শহরের নাম কলকাতা বম্বে দিল্লির সঙ্গে একসঙ্গে উচ্চারণ করা হয় কেন তার কোনও কারণ খুঁজে পাচ্ছি না। পশ্চিমবাংলার যে কোনও মফস্বল টাউন এর চেয়ে বেশি গমগমে। তা ছাড়া ডিসেম্বর মাসে গরমটা কী রকম দেখেছেন? আর ইয়ে—আমরা যে-হোটেলে যাচ্ছি, সেখানে দিশি বিদেশি সব রকম খাবার পাওয়া যায় তো? মাদ্রাজি মেনুতে শুনিচি শুধু তিনটে

নাম থাকে। আমি খাইয়ে না হতে পারি, কিন্তু যা খাব, সেটা মুখরোচক না হলে আমার সাধ মেটে না।'

আমার কিন্তু শহরটা খারাপ লাগছিল না, যদিও গমগমে ভাবটা একেবারেই নেই। অনেক দিন পরে একটা বড় শহরে এসে চারিদিকে ঢ্যাঙা ঢ্যাঙা বাড়ির ভিড় নেই দেখে অদ্ভুত লাগছিল। রাস্তা দিব্যি ভাল—এখন পর্যন্ত গাড্ডাও পাইনি। আর যেটা পাইনি সেটা হল ট্র্যাফিক জ্যাম। তা সত্ত্বেও লালমোহনবাবু কেন মুখ বেজার করে আছেন জানি না।

'বৈকুণ্ঠ মল্লিকের কথা তো কয়েক বার বলিচি আপনাদের,' হঠাৎ বললেন জটায়ু।

'আপনার সেই এথিনিয়াম ইনস্টিটিউশনের কবি?'

'কবি অ্যান্ড পর্যটক। ভ্রমণের নেশা ছিল ভদ্রলোকের।'

'উনি কি মাদ্রাজেও এসেছিলেন?'

'সার্টেনলি।'

'মাদ্রাজ নিয়ে পদ্য আছে ওঁর?'

'সার্টেনলি। জাস্ট সিক্স লাইনস্। শুনুন—

বড়ই হতাশ হয়েছি আজ
তোমারে হেরিয়ে মাদ্রাজ!—
ভাষা হেথা দুর্বোধ্য তামিল
অন্য ভাষার সাথে নেই কোনও মিল—
ইডলি আর দোসা খেয়ে তৃপ্তিবে রসনা?
ওরে বাবা, এ শহরে কেউ কভু এস না!

'তৃপ্তিবে?' ভুরু কুঁচকে বলল ফেলুদা।

'হোয়াই নট? মল্লিকের উপর মাইকেলের দস্তুরমতো প্রভাব ছিল। তৃপ্তিবে হল নামধাতু। আপনি গোয়েন্দা তাই হয়তো জানেন না; আমরা সাহিত্যিকরা জানি। বলছি না—হাইলি ট্যালেন্টেড। পোড়া দেশ বলে কল্‌কে পেলেন না।'

আমি দেখেছি বৈকুণ্ঠ মল্লিকের কথা বলতে গেলেই জটায়ু ভীষণ উত্তেজিত হয়ে পড়েন, আর এতটুকু সমালোচনা করলেই তেলে-বেগুনে জ্বলে ওঠেন। আমি আর ফেলুদা তাই চুপ মেরে গেলাম।

এই ফাঁকে বলে রাখি যে, ট্রেনে কোনও গণ্ডগোল হয়নি। তরফদার, শঙ্করবাবু আর নয়ন এ সি ফার্স্ট ক্লাসে আমাদের এক বোগিতেই ছিলেন। দলের বাদবাকি সব ছিল সেকেন্ড ক্লাসে। যে তিনজনকে নিয়ে চিন্তা—হজসন, তারকনাথ আর বসাক—তারা কেউ এ ট্রেনে এসে থাকলেও আমাদের সঙ্গে দেখা হয়নি। ম্যাড্রাস সেন্ট্রালে নেমেও এদের কাউকে দেখিনি। হিঙ্গোয়ানি আজ রাত্রেই প্লেনে আসছেন, আর আমাদের হোটেলেই থাকবেন।

করোমণ্ডলের ঝলমলে লবিতে ঢুকে লালমোহনবাবুর মুখে প্রথম হাসি দেখা দিল। এ দিকে ও দিকে দেখে বললেন, 'নাঃ, অনবদ্য মশাই অনবদ্য! ইডলি-দোসার দেশে এ জিনিস ভাবাই যায় না।'

ট্রেনেই আলোচনা করে ঠিক হয়েছে যে আমরা প্রথম তিনটে দিন একটু ঘুরে দেখব। সঙ্গে অবশ্য নয়ন আর তরফদারও থাকবে। ফেলুদা বলেছে—'আমরা এলিফ্যান্টা দেখেছি, এলোরা দেখেছি, উড়িষ্যার মন্দির দেখেছি—মাদ্রাজে এসে মহাবলীপুরম দেখলে ভারতের অন্যতম শ্রেষ্ঠ ভাস্কর্যের নমুনাটা দেখা হয়ে যাবে। তোপ্‌সে, তুই গাইডবুকটায় একটু চোখ বুলিয়ে নিস। কতগুলো তথ্য জানা থাকলে দেখতে আরও ভাল লাগবে।'

রাত্রে ন'টার মধ্যে ডাইনিং রুমে গিয়ে মোগলাই খানা খেয়ে ঠাণ্ডা ঘরে দিব্যি আরামে ঘুম

দিলাম। পরদিন সকালে উঠে ফেলুদা বলল, 'এক বার তরফদারের খোঁজটা নেওয়া দরকার।'

আমরা দুজন আমাদের চার তলার ৪৩৩ নম্বর ঘর থেকে তিন তলার ৩৮২ নম্বর ঘরের সামনে গিয়ে দরজার বেল টিপলাম।

দরজা খুলে দিলেন তরফদার নিজেই। ঘরে ঢুকে দেখি শঙ্করবাবুও রয়েছেন, আর আরেকটি ভদ্রলোক, যাকে দেখলেই মাদ্রাজি বলে বোঝা যায়। কিন্তু নয়নকে দেখতে পাচ্ছি না কেন ?

'গুড মর্নিং মিঃ মিত্তির,' একগাল হেসে বললেন তরফদার—'ইনি মিঃ রেড্ডি। এঁর রোহিণী থিয়েটারেই আমার শো। বলছেন প্রচুর এনকোয়ারি আসছে। এঁর ধারণা, দুর্দান্ত সেল হবে।'

'নয়ন কই ?' তরফদারের কথাগুলো যেন অগ্রাহ্য করেই জিজ্ঞেস করল ফেলুদা।

'এখানকার সবচেয়ে নামী কাগজ "হিন্দু"-র একজন রিপোর্টার নয়নকে ইন্টারভিউ করছে,' বললেন তরফদার। 'এর ফলে আমাদের দারুণ পাবলিসিটি হবে।'

'কিন্তু কোথায় হচ্ছে সে ইন্টারভিউ ?'

'হোটেলের ম্যানেজার নিজে একতলার কনফারেন্স রুমে ব্যবস্থা করে দিয়েছেন। এও বলা আছে বাইরের কাউকে যেন ঢুকতে না দেওয়া হয়। তা ছাড়া—'

তরফদারের কথা শেষ হবার আগেই ফেলুদা এক লাফে ঘর থেকে বেরিয়ে দৌড় দিল হোটেলের করিডর দিয়ে—আমি পিছনে।

লিফ্‌ট না নিয়ে সিঁড়ি দিয়ে ঊর্ধ্বশ্বাসে নামলাম আমরা—ফেলুদা সমানে দাঁতে দাঁত চেপে হিন্দি, ইংরিজি ও বাংলায় তরফদারের উদ্দেশে গালি দিয়ে চলেছে।

নীচে পৌঁছে একজন বেয়ারাকে সামনে পেয়ে ফেলুদা জিজ্ঞেস করল, 'হোয়্যার ইজ দ্য কনফারেন্স রুম ?'

বেয়ারা দেখিয়ে দিল, আমরা হুড়মুড়িয়ে গিয়ে ঘরে ঢুকলাম।

বেশ বড় ঘর। তার মাঝখানে লম্বা টেবিলের দুপাশে আর দু মাথায় সারি সারি চেয়ার। একটা চেয়ারে নয়ন বসে আছে, তার পাশের চেয়ারে একজন দাড়িওয়ালা লোক নোটবই খুলে ডট পেন হাতে নিয়ে নয়নের সঙ্গে কথা বলছে।

ফেলুদা তিন সেকেন্ড চুপ করে দাঁড়িয়ে দৃশ্যটা দেখল। তারপর ঝড়ের বেগে এগিয়ে গিয়ে এক টানে রিপোর্টারের গাল থেকে দাড়ি, আর আরেক টানে ঠোঁটের উপর থেকে গোঁফ খুলে ফেলল।

অবাক হয়ে দেখলাম ছদ্মবেশের তলা থেকে বেরিয়ে পড়েছেন হেনরি হজসন।

'গুড মর্নিং!' উঠে দাঁড়িয়ে নির্লজ্জ হাসি হেসে বললেন হজসন।

ফেলুদা নয়নের দিকে ফিরল।

'উনি কী জিজ্ঞেস করছিলেন তোমাকে ?'

'ঘোড়ার কথা।'

'আমার কাজ এখানে শেষ হলেও আমার আপশোস নেই,' বললেন হজসন। 'আগামী তিন দিনের সব কটা রেসের উইনিং হর্সের নম্বর আমি জেনে নিয়েছি। আমি এখন বেশ কয়েক বছরের জন্য নিশ্চিন্ত। গুড ডে স্যার!'

হজসন গটগটিয়ে ঘর থেকে বেরিয়ে গেলেন। ফেলুদা কপালে হাত দিয়ে ধপ্‌ করে হজসনের চেয়ারে বসে পড়ল। তারপর মাথা নেড়ে গভীর বিরক্তির সুরে বলল, 'নয়ন, এবার থেকে কোনও বাইরের লোক তোমার সঙ্গে কথা বলতে চাইলে তুমি

বলবে—ফেলুকাকা সঙ্গে থাকলে বলব, না হলে নয়। বুঝেছ?'

নয়ন মাথা নেড়ে জানিয়ে দিল সে বুঝেছে।

আমি বললাম, 'তবে একটা কথা ফেলুদা—হজসন আর জ্বালাবে না; সে এখন কলকাতায় ফিরে গিয়ে রেস খেলবে।'

'সেটা ঠিক, কিন্তু আমি ভাবছি আমাদের জাদুকরটি কত দায়িত্বজ্ঞানহীন। ম্যাজিশিয়ানদের এর চেয়ে বেশি কমনসেন্স থাকা উচিত।'

আমরা নয়নকে সঙ্গে নিয়ে ফিরে গেলাম তরফদারের ঘরে।

'চমৎকার পাবলিসিটি হবে তোমার।' শ্লেষ-মাখানো সুরে তরফদারকে বলল ফেলুদা। 'নয়ন কাকে ইন্টারভিউ দিচ্ছিল, জানো?'

'কাকে?'

'মিস্টার হেনরি হজসন।'

'ওই দাড়িওয়ালা— ?'

'হ্যাঁ, ওই দাড়িওয়ালা। তার কার্যসিদ্ধি হয়ে গেছে। এই যদি তোমার আক্কেলের নমুনা হয়, তা হলে কিন্তু আমি তোমাকে কোনওরকম সাহায্য করতে পারব না। তোমার অনুমান যে ভুল সে তো দেখতেই পাচ্ছ; হজসন যদি ম্যাড্রাস অবধি ধাওয়া করতে পারে, তা হলে অন্য দুজনই বা করবে না কেন? আমি জানি যে বিপদের আশঙ্কা এখনও পুরো মাত্রায় রয়েছে। এ অবস্থায় আমি যা বলছি, তা তোমাকে মানতেই হবে।'

'বলুন স্যার,' হেঁট মাথা চুলকে বললেন তরফদার।

'মিঃ রেড্ডির তরফ থেকে যেটুকু পাবলিসিটি না করলেই নয়, সেটুকু তিনি করবেন; কিন্তু তোমরা—তুমি বা শঙ্কর পাবলিসিটির ধারে-কাছেও যাবে না। প্রেস পীড়াপীড়ি করলেও তাদের কাছে তোমরা মুখ খুলবে না। তোমার এই সফর যদি সাকসেসফুল হয়, তা হলে সেটা হবে নয়নের জোরে, তোমাদের পাবলিসিটির জোরে নয়। বুঝেছ?'

'বুঝেছি স্যার।'

ব্রেকফাস্ট খেতে খেতে লালমোহনবাবুকে ঘটনাটা বলতে উনি বললেন, 'ঠিক এইটেরই দরকার ছিল। ভয় হচ্ছিল যে, মাদ্রাজে এসে বুঝি কেসটা থিতিয়ে যাবে। তা নয়—এখন আবার দিব্যি জমে উঠেছে।'

ঠিক হয়েছিল দশটার সময় আমরা দুটো ট্যাক্সি নিয়ে বেরোব। মহাবলীপুরম আজ নয়, কাল। আজ যাব স্নেক পার্ক দেখতে। হুইটেকার নামে এক আমেরিকানের কীর্তি এই স্নেক পার্ক। গাছপালায় ভরা পার্কও বটে, আবার সেই সঙ্গে সাপের ডিপোও বটে।

যাবার জন্য তৈরি হচ্ছি, লালমোহনবাবু অলরেডি তৈরি হয়ে আমাদের ঘরে এসে হাজির, এমন সময় দরজার বেল বেজে উঠল। দরজা খুলে দেখি মিঃ হিঙ্গোয়ানি।

'মে আই কাম ইন?'

টি ভি-টা খোলা ছিল, যদিও দেখবার মতো কিছুই হচ্ছিল না, ফেলুদা সেটা বন্ধ করে দিয়ে বলল, 'নিশ্চয়ই, নিশ্চয়ই—প্লিজ কাম ইন।'

ভদ্রলোক ঘরে ঢুকে একটা স্বস্তির নিশ্বাস ফেলে কাউচে বসে বললেন, 'সো ফার—নো ট্রাবল।'

'এ তো সুসংবাদ,' বলল ফেলুদা।

'আমার বিশ্বাস তেওয়ারি আমার ম্যাড্রাসে আসার খবরটা জানে না। আমি কাউকে না বলে চলে এসেছি।'

'আপনি নিজে সাবধানে আছেন তো?'

'তা আছি।'

'একটা কথা আমি খুব জোর দিয়ে বলছি—আপনি যখন ঘরে থাকবেন, তখন কেউ বেল টিপলে আপনি নাম জিজ্ঞেস করে গলা চিনে, তার পর দরজা খুলবেন, তার আগে নয়।'

হিঙ্গোয়ানি কিছু বলার আগেই আমাদের দরজার বেল বেজে উঠল। খুলে দেখি, নয়নকে নিয়ে তরফদার হাজির।

'এসো ভিতরে,' বলল ফেলুদা।

'এই সেই অদ্ভুত ক্ষমতাসম্পন্ন বালক কি?' দুজনে ঘরে ঢুকতে জিজ্ঞেস করলেন হিঙ্গোয়ানি।

ফেলুদার দিকে চেয়ে দেখি তার ঠোঁটের কোণে হাসি।

'আপনার সঙ্গে এই দুজনের পরিচয় করিয়ে দেবার কোনও প্রয়োজন আছে কি ?' হিঙ্গোয়ানিকে প্রশ্ন করল ফেলুদা।

'হোয়াট ডু ইউ মিন ?'

'মিঃ হিঙ্গোয়ানি, আপনি আমাকে আপনার নিরাপত্তার জন্য নিযুক্ত করেছেন। এখানে আপনাকে মনে রাখতে হবে যে গোয়েন্দার কাছ থেকে মক্কেল যদি কোনও জরুরি তথ্য গোপন করেন তা হলে গোয়েন্দার কাজটা আরও অনেক বেশি কঠিন হয়ে পড়ে।'

'আপনি কী বলতে চাইছেন ?'

'সেটাও আপনি খুব ভাল করেই জানেন, কিন্তু না-জানার ভাণ করছেন। অবিশ্যি সত্য গোপন করার অভিযোগ শুধু আপনার বিরুদ্ধেই প্রযোজ্য নয়। এঁর বিরুদ্ধেও বটে।'

ফেলুদা শেষ কথাটা তরফদারকে উদ্দেশ করে বলল। তরফদার কিছু বলতে না পেরে ফ্যাল-ফ্যাল করে চেয়ে রইল।

'আপনারা যখন মুখ খুলছেন না, তখন আমিই বলি।'

ফেলুদার দৃষ্টি এখনও তরফদারের দিকে।

'সুনীল, তুমি একজন পৃষ্ঠপোষকের কথা বলছিলে। আমি কি অনুমান করতে পারি যে, মিঃ হিঙ্গোয়ানিই সেই পৃষ্ঠপোষক ?'

হিঙ্গোয়ানি চোখ কপালে তুলে চেয়ার থেকে প্রায় অর্ধেক উঠে পড়ে বললেন, 'বাট হাউ ডিড ইউ নো ? এও কি ম্যাজিক ?'

'না, মিঃ হিঙ্গোয়ানি, ম্যাজিক নয়। এ হচ্ছে ইন্দ্রিয়গুলিকে সজাগ রাখার ফল। আমরা গোয়েন্দারা সাধারণ লোকের চেয়ে একটু বেশি দেখি, বেশি শুনি।'

'কী দেখে বা শুনে আপনি এই তথ্যটা আবিষ্কার করলেন ?'

'গত রবিবার তরফদারের ম্যাজিক শো-তে এক যুবকের প্রশ্নের উত্তরে এই জ্যোতিষ্ক দুটো গাড়ির নম্বর বলে দেয়। তার মধ্যে একটা নম্বর—ডব্লিউ এম. এফ ছয় দুই তিন দুই—দেখলাম আপনার গ্যারাজের সামনে দাঁড়ানো কনটেসার নম্বর। এই যুবক কি আপনার বাড়ির লোক নন এবং তিনি শো থেকে ফিরে এসে কি আপনাকে জ্যোতিষ্কর আশ্চর্য ক্ষমতার কথা বলেননি ?'

'ইয়েস, বলেছিল। মোহন, আমার ভাইপো...' হিঙ্গোয়ানির কেমন যেন হতভম্ব ভাব।

'আর একটা ব্যাপার আছে,' বলল ফেলুদা। 'সেদিন আপনার ড্রইংরুমের বুক কেসে দেখলাম পুরো একটা তাকভর্তি ম্যাজিকের বই। তার মানে—'

'ইয়েস, ইয়েস, ইয়েস!' ফেলুদাকে বাধা দিয়ে বললেন হিঙ্গোয়ানি। 'ওগুলোর মায়া আমি কাটিয়ে উঠতে পারিনি। বাবা আমার ম্যাজিকের সব সরঞ্জাম ফেলে দিয়েছিলেন। কিন্তু বই ফেলেননি।'

তরফদারের দিকে চেয়ে দেখি, তাঁর শোচনীয় অবস্থা।

'তরফদারকে কোনও দোষ দেবেন না, মিঃ মিটার,' বললেন হিঙ্গোয়ানি। 'ও আমারই অনুরোধে আমার নামটা প্রকাশ করেনি।'

'কিন্তু এই গোপনতার কারণ কী ?'

'একটা বড় কারণ আছে, মিঃ মিটার।'

'কী ?'

'আমার বাবা এখনও জীবিত ; ফৈজাবাদে থাকেন, আমাদের পৈতৃক বাড়িতে। বিরাশি বছর বয়স। কিন্তু এখনও টনটনে জ্ঞান, মজবুত শরীর। তিনি যদি জানেন যে, এত দিন বাদে আমি আবার ম্যাজিকের সঙ্গে নিজেকে জড়িয়েছি, তা হলে তিনি আমাকে ত্যাজ্যপুত্র

করবেন।'

ফেলুদা ভ্রূকুটি করে বার তিনেক মাথা উপর-নীচ করে বলল, 'বুঝেছি।'

হিঙ্গোয়ানি বলে চললেন, 'মোহন শো দেখে ফিরে এসেই এই ছেলের অসামান্য ক্ষমতার কথা আমাকে বলে। তখনই আমার মাথায় আসে, আমি এই জাদুকরের শো ফাইনান্স করব। যখন থেকে তেওয়ারির সঙ্গে মন কষাকষি শুরু হয়েছে, তখন থেকেই বুঝতে পারছিলাম যে, আমাকে অবিলম্বে টি এইচ সিন্ডিকেটের পার্টনারশিপে ইস্তফা দিয়ে রোজগারের নতুন রাস্তা দেখতে হবে। রবিবার রাত্রে জ্যোতিষ্কর কথা শুনে সোমবার সকালেই আমি তরফদারের বাড়িয়ে গিয়ে আমার প্রস্তাবটা দিই। তরফদার রাজি হয়ে যায়। এর দুই দিন বাদেই তেওয়ারির টাকা-চুরি ধরা পড়ে এবং আমার সঙ্গে তার সংঘর্ষ সপ্তমে চড়ে। আমি আর থাকতে না পেরে তেওয়ারিকে একটা চার লাইনের চিঠিতে জানিয়ে দিই যে, আমি অসুস্থ। ডাক্তারের প্রস্তাব মতো এক মাসের অবসর নিচ্ছি। তার পরদিন থেকেই আমি আপিসে যাওয়া বন্ধ করি।'

'তার মানে আপনি এমনিতেই মাদ্রাজে আসছিলেন তরফদারের শোয়ের জন্য?'

'হ্যাঁ, কিন্তু আমার বিপদের আশঙ্কাটাও সম্পূর্ণ সত্যি। অর্থাৎ আপনার সাহায্য আমাকে নিতেই হত।'

'আর আপনি মাদ্রাজে যে একটা চাকরির সম্ভাবনার কথা বলছিলেন?'

'সেটা সত্যি নয়।'

'আই সি!' বলল ফেলুদা। 'তা হলে ব্যাপারটা যা দাঁড়াচ্ছে—আপনার জীবন বিপন্ন, যার কারণ হল তেওয়ারি সংক্রান্ত ঘটনা; আর জ্যোতিষ্কও ঘোর বিপদে পড়তে পারে দুজন অত্যন্ত লোভী আর বেপরোয়া ব্যক্তির চক্রান্তে। এই দুই বিপদই সামলানোর জন্য আমাকে নিযুক্ত করা হয়েছে। নয়নের সঙ্গে সব সময় আমাদের কেউ-না-কেউ থাকবে। এখন আপনি বলুন, আপনি কীভাবে আমাদের কাজটা সহজ করতে পারেন।'

হিঙ্গোয়ানি বললেন, 'আমি কথা দিচ্ছি, আপনার আদেশ আমি অক্ষরে অক্ষরে পালন করব। মাদ্রাজে আমি এর আগে অনেক বার এসেছি। কাজেই এখানে আমার দেখবার কিছু বাকি নেই। তরফদারের শো এক বার শুরু হলে তার রিপোর্ট আমি ওর ম্যানেজারের কাছ থেকে পাব এবং শো-এর দরুন পেমেন্ট যা করার তা ম্যানেজারকেই করব। অর্থাৎ আমি ঘরেই থাকব এবং চেনা লোক কি না যাচাই না করে দরজা খুলব না।'

ফেলুদা উঠে পড়ল, আর সেই সঙ্গে আমরা দুজনও।

'এসো, নয়নবাবু।'

জটায়ু নয়নের দিকে হাত বাড়িয়ে দিলেন, নয়ন বেশ আগ্রহের সঙ্গে হাতটা ধরে নিল। বুঝলাম, জটায়ুকে তার বেশ পছন্দ হয়ে গেছে।

১০

স্নেক পার্কে বেশিক্ষণ ছিলাম না, কিন্তু এটা বুঝেছি যে জায়গাটা একেবারে নতুন ধরনের। মাত্র একজন লোকের মাথা থেকে যে এ জিনিস বেরিয়েছে, সেটা বিশ্বাস করা যায় না। যত রকম সাপের নাম আমি শুনেছি তার সব, আর তার বাইরেও বেশ কিছু এই পার্কে রয়েছে। তা ছাড়া, সাপ দেখা ছাড়াও, পার্কে ঘুরে বেড়ানোর আনন্দও এখানে পাওয়া যায়।

প্রথম দিনের এই আউটিং-এ কোনও উল্লেখযোগ্য বা চাঞ্চল্যকর ঘটনা ঘটেনি। যদিও হজসনের ছদ্মবেশের কথা জানার জন্যেই বোধ হয় দাড়িওয়ালা লোক দেখলেই জটায়ু বসাক

বলে সন্দেহ করে নয়নকে একটু কাছে টেনে নিচ্ছিলেন।

সাপ দেখে এদিক-ওদিক ঘুরতে হঠাৎ দেখলাম, রেলিং দিয়ে ঘেরা একটা বেশ বড় জলা জায়গায় গোটা পাঁচেক কুমির রোদ পোয়াচ্ছে। দেখে মনে হল তারা সব ক'টাই ঘুমোচ্ছে। রেলিং-এর ফাঁক দিয়ে এ-দৃশ্য দেখছি, লালমোহনবাবু নয়নকে ফিসফিস করে বলছেন—তুমি আরেকটু বড় হলে তোমাকে আমার 'করাল কুম্ভীর' বইটা দেব—এমন সময় দেখি দু হাতে দুটো বালতি নিয়ে গেঞ্জি আর হাফপ্যান্ট পরা একটা লোক কুমিরগুলো থেকে হাত পঞ্চাশেক দূরে গিয়ে দাঁড়াল। কুমিরগুলো এবার একটু নড়েচড়ে উঠল। লোকটা এবার বালতিতে হাত ঢুকিয়ে ঢুকিয়ে এক-একটা কোলা ব্যাঙ বার করে কুমিরগুলোর দিকে ছুড়ে ছুড়ে দিতে লাগল। আশ্চর্য এই যে, প্রত্যেকটা ব্যাঙই কোনও-না-কোনও কুমিরের হাঁ-করা মুখের ভিতর গিয়ে পড়ল। কুমিরকে ব্যাঙ চিবিয়ে খেতে আর কোনওদিন দেখিওনি আর দেখব বলে ভাবিওনি।

গোলমেলে ঘটনা যা ঘটে সেটা দ্বিতীয় দিনে, আর সেটার কথা ভাবলেই মনে বিস্ময়, আতঙ্ক, অবিশ্বাস—সব একসঙ্গে জেগে ওঠে।

***

গাইডবুক পড়ে জেনেছিলাম মহাবলীপুরম ম্যাড্রাস থেকে প্রায় আশি কিলোমিটার দূরে। রাস্তা নাকি ভাল, যেতে দু ঘণ্টার বেশি সময় লাগা উচিত নয়। কালকের মতোই দুটো ট্যাক্সির ব্যবস্থা করেছিলেন শঙ্করবাবু। এবার নয়ন তরফদারের সঙ্গে না গিয়ে আমাদের সঙ্গে আসতে চাইল। কারণ আর কিছুই নয়, জটায়ুর সঙ্গে ওর বেশ জমে গেছে। ভদ্রলোক নয়নকে তাঁর লেটেস্ট বই 'অতলান্তিক আতঙ্ক'-র গল্প সহজ করে বলে শোনাচ্ছেন। একবারে তো শেষ হবার নয়, তাই খেপে খেপে শোনাচ্ছেন। গাড়িতে তাই ফেলুদা আর জটায়ুর মাঝখানে বসল নয়ন। আর আমি সামনে।

যেতে যেতে বেশ বুঝতে পারছি, আমরা ক্রমে সমুদ্রের দিকে এগোচ্ছি। মাদ্রাজ শহর সমুদ্রের ধারে হলেও আমরা এখন অবধি সমুদ্র দেখিনি, তবে সন্ধেবেলা সমুদ্রের দিক থেকে আসা হাওয়া উপভোগ করেছি।

সোয়া দু ঘণ্টার মাথায় সামনের দৃশ্যটা হঠাৎ যেন ফাঁক হয়ে গেল। ওই যে দূরে গাঢ় নীল জল, আর সামনে বালির উপর ছড়িয়ে উঁচিয়ে আছে সব কী যেন।

আরও খানিকটা এগিয়ে গিয়ে বুঝলাম যে সেগুলো মন্দির। মূর্তি আর বিশাল বিশাল পাথরের গায়ে খোদাই করা নানারকম দৃশ্য।

আমাদের গাড়ি যেখানে এসে থামল, তার ঠিক সামনে দাঁড়িয়ে একটা ভ্যান। আর তার পরেই একটা প্রকাণ্ড লাক্সারি কোচ। কোচে একে একে উঠছে এক বিরাট টুরিস্ট দল। তাদের দেখেই কেন জানি বোঝা যায় তারা আমেরিকান। কত রকম পোশাক, কত রকম টুপি, চোখে কতরকম ধোঁয়াটে চশমা, কাঁধে কত রকম ঝোলা।

'বিগ বিজনেস, টুরিজ্‌ম,' বলে জটায়ু নয়নকে নিয়ে গাড়ি থেকে নামলেন।

ফেলুদা আগে এখানে না এলেও, কোথায় কী আছে সব জানে। ও আগেই বলে রেখেছিল—'অনেক দূর ছড়িয়ে অনেক কিছু দেখার জিনিস আছে ; তবে নয়নকে নিয়ে তো আর অত ঘোরা যাবে না ; তুই অন্তত চারটে জিনিস অবশ্যই দেখিস—শোর টেম্পল, গঙ্গাবতরণ, মহিষমণ্ডপ গুহা আর পঞ্চপাণ্ডব গুহা। জটায়ু যদি দেখতে চান তো দেখবেন ; না হলে নয়নকে সামলাবেন। তরফদার আর শঙ্কর কী করবে জানি না ; কথাবার্তা শুনে তো

মনে হয় না ওদের মধ্যে শিল্পপ্রীতি বলে কোনও বস্তু আছে।'

আমরা গাড়ি থেকে নেমে সামনে এগোনোর প্রায় সঙ্গে সঙ্গেই লালমোহনবাবু একটা জটায়ু-মার্কা প্রশ্ন করলেন।

'এ তো বল্লভদের কীর্তি, তাই না মশাই ?'

ফেলুদা তার গলায় একটা বাজখাঁই টান এনে বলল, 'পল্লব, মিস্টার গাঙ্গুলী, পল্লব। নট বল্লভ।'

'কোন সেঞ্চুরি ?'

'সেটা খোকাকে জিজ্ঞেস করুন, বলে দেবে।'

লালমোহনবাবু অবিশ্যি সেটা আর করলেন না ; খালি মৃদুস্বরে একবার 'সজারু' বলে চুপ করে গেলেন। আমি জানি মহাবলীপুরম সপ্তম শতাব্দীতে তৈরি হয়েছিল।

প্রথমেই শোর টেম্পল বা সমুদ্রের ধারের মন্দিরটা দেখা হল। মন্দিরের পিছনের পাঁচিলের গায়ে ঢেউ এসে ঝাপ্‌টা মারছে।

'এরা স্পট সিলেক্ট করতে জানত মশাই,' ঢেউয়ের শব্দের উপরে গলা তুলে মন্তব্য করলেন জটায়ু।

ডান পাশে দূরে একটা হাতি আর একটা ষাঁড়ের মূর্তির পাশে কয়েকটা ছোট ছোট মন্দিরের মতো জিনিস রয়েছে। ফেলুদা বলল সেগুলো পাণ্ডবদের রথ।—'যেটা দেখতে কতকটা বাংলার গাঁয়ের কুঁড়ে ঘরের মতো, সেটা হল দ্রৌপদীর রথ।'

মাথা ঘুরে গেল গঙ্গাবতরণ দেখে। এটাকে অবিশ্যি অর্জুনের তপস্যাও বলা হয়। বাইরেই রয়েছে ব্যাপারটা, আর বোঝাই যায় যে একটা বিশাল পাথরের স্ল্যাব দেখে শিল্পীদের এই দৃশ্য খোদাই করার আইডিয়া মাথায় আসে। দুটো বিরাট হাতি, আর তার চতুর্দিকে অজস্র মানুষের ভিড়।

লালমোহনবাবু নয়নকে নিয়ে এখনও আমাদের পাশেই ছিলেন, দৃশ্যটার দিকে চোখ রেখে বললেন, 'এ তো ছেনি-হাতুড়ির কাজ, তাই না ?'

'হ্যাঁ,' গম্ভীরভাবে বলল ফেলুদা। 'তবে ভেবে দেখুন—হাজার হাজার প্রাচীন ভাস্কর্যের নমুনা রয়েছে আমাদের সারা দেশ জুড়ে, দশ-বারো শতাব্দী ধরে সেগুলো তৈরি হয়েছে, অথচ পুঙ্খানুপুঙ্খরূপে দেখলেও তার সামান্যতম অংশেও একটিও হাতুড়ির বেয়াড়া আঘাত বা ছেনির বেয়াড়া অ্যাঙ্গেলের চিহ্ন পাবেন না। এ তো মাটি নয় যে, আঙুলের চাপে এদিক-ওদিক করে ত্রুটি সংশোধন হয়ে যাবে ; পাথরের ত্রুটি শুধরানোর কোনও উপায় নেই। এ যুগে সেই পারফেকশনের সহস্রাংশও আর অবশিষ্ট নেই। কোথায় গেল কে জানে !'

তরফদার আর শঙ্করবাবু এগিয়ে গিয়েছিলেন ; ফেলুদা বলল, 'যা, তোরা গিয়ে পঞ্চপাণ্ডব আর মহিষমণ্ডপ গুহাগুলো দেখে আয়। আমি এটা আর একটু খুঁটিয়ে দেখছি। তাই সময় লাগবে।'

ফেলুদার কাছ থেকে গাইড বুকটা চেয়ে প্ল্যান দেখে বুঝে নিলাম, গুহা দুটো দেখতে কোনদিকে যেতে হবে। লালমোহনবাবুকে মুখে বলে বুঝিয়ে দিলাম। তবে তিনি এখন মহাবলীপুরম ছেড়ে অতলান্তিকে চলে গেছেন, তাই আমার কথা কানে গেল কি না জানি না। না গেলেও, আমি এগোনোর আগেই তিনি গল্প শুরু করে নয়নকে নিয়ে এগিয়ে গেলেন।

কিছু দূর গিয়ে ডাইনে ঘুরে দেখি, একটা কাঁচা রাস্তা পাহাড়ের গা দিয়ে ওপরে উঠে গেছে। প্ল্যান বলেছে এটা দিয়েই যেতে হবে। ঢেউয়ের আওয়াজ এখানে কম ; তার চেয়ে

বেশি জোরে শুনছি লালমোহনবাবুর গলা। মনে হচ্ছে গল্প ক্লাইম্যাক্সে পৌঁছচ্ছে।

একটু এগিয়ে গিয়ে দেখি, পঞ্চপাণ্ডব গুহায় পৌঁছে গেছি—অন্তত বাইরের সাইনবোর্ডে তাই বলছে। আমি ঢোকার আগেই জটায়ু নয়নকে নিয়ে গুহা থেকে বেরিয়ে রাস্তা দিয়ে আরও উপরে উঠে গেলেন। বুঝলাম আশ্চর্য সব শিল্পের নমুনা লালমোহনবাবুর কাছে মাঠে মারা যাচ্ছে।

ফেলুদার আদেশ, তাই পঞ্চপাণ্ডব গুহায় খানিকটা সময় দিলাম। একটা ঘাড়-ফেরানো গোরু আর তার পাশে দাঁড়ানো বাছুরের দৃশ্য দেখে মনে হল যে, ঠিক এই দৃশ্য আজও বাংলার যে কোনও গ্রামে দেখা যায়। শুধু গোরু বাছুর কেন, মহাবলীপুরমের হাতি হরিণ বাঁদর ষাঁড় ইত্যাদি দেখে বুঝতে পারি তেরশো বছরেও এদের চেহারার কোনও পরিবর্তন হয়নি। অথচ পোশাক বদলের জন্য সে যুগের মানুষকে আজ আর চেনার কোনও উপায় নেই।

গুহা থেকে বেরিয়ে কয়েকটা পরিবর্তন লক্ষ করলাম, যেগুলো কানে আর চোখে ধরা পড়ল।

এক, সূর্য ঢেকে গেছে ছাই রঙের মেঘে। গুড়গুড়ুনি যে মেঘের ডাক তাতে কোনও সন্দেহ নেই। রোদের তেজটা চলে গিয়ে এখন সমুদ্রের হাওয়াটা আরও বেশি টের পাওয়া যাচ্ছে।

সবচেয়ে বেশি তফাত ধরা পড়ে কানে। সমুদ্রের দীর্ঘশ্বাস ছাড়া চারিদিকে কোনও শব্দ নেই। আমি গুহাতে পাঁচ মিনিটের বেশি থাকিনি। সামনে মহিষমর্দিনী গুহা। তার ভিতর থেকে লালমোহনবাবুর গলা পাওয়া উচিত। কারণ গল্পের বেশ জমাটি অংশে তিনি গুহায় পৌঁছেছিলেন। অবিশ্যি তিনি গুহাতে না-ঢুকেই এগিয়ে গিয়ে থাকতে পারেন। কিন্তু কেন? ও দিকে তো আর কিছু দেখার নেই! কোথায় গেলেন ভদ্রলোক নয়নকে নিয়ে?

কেমন যেন একটা সংশয়ের ভাব আমাকে চেপে ধরল। আমি দেখলাম, মহিষমর্দিনী গুহার দিকে আমি দৌড়তে শুরু করেছি।

গুহার পাশে পৌঁছতেই আরেকটা শব্দ আমার আতঙ্ক সপ্তমে চড়িয়ে দিল।

'হাঃ হাঃ হাঃ হাঃ হাঃ হাঃ হাঃ—'

টি এন টি-র হাসি!

ঊর্ধ্বশ্বাসে সামনে ছুটে গিয়ে মোড় ঘুরে একটা সাংঘাতিক দৃশ্য দেখে আমার নিশ্বাস মুহূর্তের জন্য বন্ধ হয়ে গেল।

দেখলাম, একটা লাল-সাদা ডুরে-কাটা জামা আর কালো প্যান্ট পরা এক অতিকায় কৃষ্ণকায় প্রাণী—যাকে দানব বললে খুব ভুল হয় না—এক-বগলে জটায়ু আর অন্য বগলে নয়নকে নিয়ে দ্রুত পা ফেলে ক্রমে দূরে সরে যাচ্ছে।

ভয়াবহ দৃশ্য, কিন্তু তখন আমার মাথায় খুন চেপে গেছে, আর তার ফলে শরীরে এনার্জি আর মনে সাহস এসে গেছে। আমি 'ফেলুদা!' বলে একটা চিৎকার দিয়ে প্রাণপণে ছুটে গেলাম দানবটার দিকে—আমার উদ্দেশ্য পিছন থেকে ঝাঁপিয়ে পড়ে তার একটা পা জাপ্‌টে ধরে তার হাঁটা বন্ধ করব।

কিন্তু যা ভেবেছিলাম সেটা করেও কোনও ফল হল না। পা জড়িয়ে ধরতেই প্রথমে দানবটা একটি বিকট চিৎকার দিল—বুঝলাম, যেখানে বাদশা কামড়েছিল ঠিক সেখানেই আমি চাপ দিয়েছি। তার পরমুহূর্তে দেখলাম সেই জখম পায়ের ঝট্‌কানিতে আমি মাটি থেকে শূন্যে উঠে গেছি। তার পর চোখের পলকে দেখি, আমি নয়নের সঙ্গে একই বগলের নীচে বন্দি হয়ে হাওয়া কেটে এগিয়ে চলেছি, আমার পা দুটো পেন্ডুলামের মতো দুলছে।

দৈত্যটার মাংসপেশির চাপে আমার নিশ্বাস প্রায় বন্ধ হয়ে এলেও আমি শুনতে পাচ্ছি অন্য বগলের তলা থেকে লালমোহনবাবুর 'মাগো ! মাগো !' আর্তনাদ।

আর হাসি ?

সামনে বিশ হাত দূরে তারকনাথ হাসতে হাসতে লাফাচ্ছেন আর ডান হাত মাথার উপর তুলে লাঠি ঘোরাচ্ছেন।

'কেমন ? গাওয়াঙ্গি কাকে বলে, দেখলে ?' তারস্বরে প্রশ্ন করলেন টি এন টি।

কিন্তু এখন তো আর তিনি একা নেই ! তাঁর পিছন থেকে এগিয়ে এসে তাঁর পাশে দাঁড়িয়েছেন দুজন লোক। তার মধ্যে একজন অদ্ভুতভাবে সামনে ঝুঁকে পড়ে লম্বা লম্বা পা ফেলে বকের মতো এগিয়ে আসছেন আমাদের দিকে।

চমকদার সুনীল তরফদার।

এবার তরফদার তাঁর গতি না কমিয়ে হাত দুটো সামনে বাড়িয়ে সাপের ফণার মতো দোলাতে লাগলেন—তাঁর বিস্ফারিত দৃষ্টি সটান আমাদের যিনি বগলদাবা করেছেন তাঁর দিকে।

এই চাউনি, এই ঝুঁকে পড়া, হাতের এই ঢেউ খেলানো—এ সবই আমার চেনা। এ হল তরফদারের সম্মোহনের কায়দা।

তারকনাথ হঠাৎ উন্মাদের মতো লাঠি উঁচিয়ে তরফদারের দিকে ধাওয়া করতেই পিছন থেকে এক লাফে এগিয়ে এসে শঙ্করবাবু বুড়োর হাত থেকে লাঠিটা ছিনিয়ে নিলেন।

এবার বুঝলাম আমাদের গতি কমে আসছে।

আকাশে আবার মেঘের গর্জন।

তারকনাথ এবার দু হাতে নিজের মাথার চুল টেনে ধরে ঘড়ঘড়ে গলায় একটা অদ্ভুত অচেনা ভাষায় গাওয়াঙ্গিকে কী যেন বললেন।

গাওয়াঙ্গি আর তরফদার এখন মুখোমুখি।

আমি বগলদাবা অবস্থাতেই কোনওরকমে ঘাড় ঘুরিয়ে গাওয়াঙ্গির মুখের দিকে চাইলাম। এমন মুখ আমি আর দেখিনি। চোয়াল ঝুলে পড়ে দাঁত বেরিয়ে গেছে, আর চোখ দুটো ঠিক্‌রে বেরিয়ে আসছে।

বগলদাবা করা বিশাল হাত দুটো এবার ধীরে ধীরে নেমে এল। আমার পা এখন মাটিতে। ও দিকে লালমোহনবাবুও মাটিতে।

'আপনারা গাড়িতে গিয়ে উঠুন !' চোখের পাতা না ফেলে গাওয়াঙ্গির দিক থেকে দৃষ্টি না সরিয়ে চেঁচিয়ে বললেন তরফদার। 'আমরা এক্ষুনি আসছি !'

উলটো দিকে দৌড় দেবার আগের মুহূর্তে দেখলাম, তারকনাথ মাথায় হাত দিয়ে মাটিতে বসে পড়লেন।

ফেলুদা এখনও গঙ্গাবতরণের সামনে দাঁড়িয়ে। আমাদের তিনজনকে রুদ্ধশ্বাসে দৌড়ে আসতে দেখে যেন ও আপনা থেকেই ব্যাপারটা আঁচ করে নিল।

আমাদেরও আগে ও দৌড়ে গিয়ে গাড়ির দরজা খুলে দিল। আমরা চারজন হুড়মুড়িয়ে উঠে পড়লাম।

'টার্ন ব্যাক্ ! টার্ন ব্যাক্ !' চেঁচিয়ে আদেশ দিল ফেলুদা। এই ড্রাইভার হিন্দি জানে না ; কেবল তামিল আর ভাঙা ভাঙা ইংরিজি।

গাড়ি উলটোমুখো হতেই ফেলুদা আবার বলল, 'নাউ ব্যাক টু ম্যাড্রাস—ফাস্ট !'

গাড়ি বিদ্যুদ্বেগে রওনা দেবার পর শুধু একজনই কথা বলল। সে হল নয়ন।

'দৈত্যটার বেয়াল্লিশটা দাঁত।'

১১

বেশ জমিয়ে লাঞ্চ খাওয়া হচ্ছে করোমণ্ডলের মোগলাই ডাইনিং রুম মাইসোরে। অবিশ্বাস্য ব্যাপার হল—আজকের খানার পুরো ভার নিয়েছেন লালমোহনবাবু। আসলে তরফদার যে সম্মোহনের জোরে ওঁর প্রাণ বাঁচিয়েছিল, তাতে—ওঁরই ভাষায়—উনি সবিশেষ কৃতজ্ঞ।

খেতে খেতে ফেলুদার দিকে ফিরে বললেন, 'অনেক থ্রিলিং ঘটনার মধ্যে পড়িচি মশাই—থ্যাঙ্কস টু ইউ—কিন্তু আজকেরটা একেবারে ফাইভ-স্টার অভিজ্ঞতা।'

দানবের বগলবন্দি হওয়াটা কীভাবে ঘটল, সেটা ফেলুদা আগেই জিজ্ঞেস করেছিল। আর লালমোহনবাবু সেটা বলেওছিলেন। তাঁর ভাষাতেই ঘটনার বর্ণনাটা এখানে দিচ্ছি।

'আর বলবেন না, মশাই—আমি তো খোকাকে গপ্পো শোনাতে মশগুল, গুহায় ঢুকছি আর বেরোচ্ছি, পল্লব-টল্লব মাথা থেকে হাওয়া হয়ে গেছে। একটা গুহায় ঢুকে দেখলুম সামনেই মহিষাসুর। বেরিয়ে আসব, এমন সময় দেখলুম—আরেকটা মূর্তি রয়েছে যেটা বিশাল, বীভৎস। এটার চোখ বোজা, আর মিশকালো রঙের উপর লাল-সাদা ডোরা। মনে মনে ভাবছি—এই ব্যতিক্রমের কারণটা কী ?—এও ভাবছি—একি ঘটোৎকচের মূর্তি নাকি ?—কারণ মহাভারতের অনেক কিছুই তো এখানে দেখছি। এমন সময় মূর্তিটা চোখ খুলল। ভাবতে পারেন ?—ধুমসোটা দাঁড়িয়ে দাঁড়িয়ে ঘুমোচ্ছিল !

'চোখ খুলেই অবশ্য আর এক মুহূর্ত দেরি করল না। আমি আর নয়ন দুজনেই ব্যোম্‌কে গেছি, সেই অবস্থাতেই আমাদের দুজনকে বগলদাবা করে নিয়ে দে ছুট !'

ফেলুদা মন্তব্য করেছিল যে বোঝাই যাচ্ছে গাওয়াঙ্গির মনটা খুব সরল। এমনকী এও হতে পারে যে, তার বুদ্ধি বলে কিছু নেই ; যা আছে সে শুধু শারীরিক বল। না হলে সুনীল তাকে হিপ্‌নোটাইজ করতে পারত না।

তরফদার আর শঙ্করবাবু কোথায় গিয়েছিলেন জিজ্ঞেস করাতে তরফদার বললেন, 'শঙ্করের হবি হচ্ছে আয়ুর্বেদ। ও শুনেছিল যে, মহাবলীপুরমে সর্পগন্ধা গাছ পাওয়া যায়, তাই আমরা দুজনে খুঁজতে গিয়েছিলাম। গাছ পেয়ে ফিরতি পথে দেখি এই কাণ্ড।'

'সর্পগন্ধা তো ব্লাড প্রেশারে কাজ দেয়, তাই না ?' বলল ফেলুদা।

'হ্যাঁ,' বললেন শঙ্করবাবু। 'এই সুনীলের প্রেশার মাঝে মাঝে চড়ে যায়। ওর জন্যই এই গাছ আনা।'

এর পরেই জটায়ু প্রস্তাব করেন যে তিনি সকলকে খাওয়াবেন। মোগলাই খানার কথাও উনিই বলেন, আর তাতে সকলেই রাজি হয়।

এখন এক টুকরো চিকেন টিক্কা কাবাব মুখে পুরে চিবোতে চিবোতে ভদ্রলোক ফেলুদার দিকে মুচকি হেসে বললেন, 'আপনার প্রয়োজনীয়তা যে ফুরিয়ে গেছে, সেটা আজ প্রমাণ হল।'

ফেলুদা ঠাট্টাটাকে খুব একটা আমল না দিয়ে বলল, 'তার চেয়েও বড় কথা হল—গাওয়াঙ্গি বাতিল হয়ে গেল।'

'ইয়েস,' বললেন জটায়ু। 'এখন বাকি শুধু মিস্টার ব্যাস্যাক।'

আমাদের সঙ্গে আজ মিঃ রেড্ডিও খাচ্ছেন—অবিশ্যি নিরামিষ। পরশু বড়দিনে তাঁর রোহিণী থিয়েটারে তরফদারের শো শুরু। বিজ্ঞাপনের ব্যাপারে রেড্ডি যে কোনও কার্পণ্য করেননি, সেটা ফেরার পথে রাস্তার দু পাশে তামিল আর ইংরিজি পোস্টার দেখেই বুঝেছি। প্রত্যেকটাতেই জাদুকরের পোশাক পরে তরফদারের ছবি আর সেই সঙ্গে 'জ্যোতিষ্কম্‌—দ্য ওয়ান্ডার বয়'-এর নাম। রেড্ডি জানালেন যে, এর মধ্যেই প্রথম দু দিন হাউসফুল হয়ে গেছে।

‘আমি বলছি আজ আর কোথাও বেরোবেন না’, বললেন মিঃ রেড্ডি। ‘আর কালকের দিনটাও রেস্ট করুন। আপনাদের আজকের এক্সপিরিয়েন্স তো শুনলাম; ওই ছেলেকে নিয়ে আর কোনও রিস্‌ক নেবেন না। ওর কিছু হলে যারা টিকিট কেটেছে, তারা সবাই টাকা ফেরত চাইবে। তখন কী দশা হবে ভেবে দেখুন—আমারও, আপনারও। থিয়েটারে অবিশ্যি আমি পুলিশ রাখছি, কাজেই শো-এর সময় কোনও গণ্ডগোল হবে না।’

গাওয়াঙ্গির ঘটনার ফলে তরফদার আর শঙ্করবাবু দুজনেই বুঝেছেন যে, নয়নকে সামলানোর ব্যাপারে কোনও গাফিলতি চলবে না। ফেলুদা ওদের কাছে ক্ষমা চেয়ে বলল, মহাবলীপুরম দেখে ওর মাথা ঘুরে গিয়েছিল—‘না হলে আমি কখনওই মিস্টার গাঙ্গুলীর হাতে নয়নকে ছাড়তাম না। এখন শিক্ষা হয়েছে, এবার থেকে আর কোনও গণ্ডগোল হবে না।’

জটায়ুর গল্প শেষ। তাই নয়ন আজ খাবার পরে তরফদারের সঙ্গে ঘরে চলে গেল।

এখনও যে চমকের শেষ সীমায় পৌঁছইনি, সেটা ঘরে ফেরার মিনিট পাঁচেকের মধ্যেই—অর্থাৎ আড়াইটে নাগাত—প্রমাণ হল।

ফেলুদা আজ রগড়ের মুডে ছিল। জটায়ুকে বলেছিল—‘এবার থেকে আপনিই সামাল দিন, আমার দিন তো ফুরিয়ে এল’—ইত্যাদি। লালমোহনবাবু ব্যাপারটা রীতিমতো উপভোগ করছিলেন, এমন সময় টেলিফোনটা বেজে উঠল। ফেলুদা মিনিটখানেক ইংরিজিতে কথা বলে ফোনটা রেখে বলল, ‘চিনলাম না। কিছুক্ষণের জন্য আসতে চায়।’

‘আসতে বললে?’ আমি জিজ্ঞেস করলাম।

‘হ্যাঁ’, বলল ফেলুদা। ‘হোটেলে এসেছে, নীচ থেকে ফোন করল। জটায়ু—প্লিজ টেক ওভার।’

‘মানে?’ লালমোহনবাবুর মুখ হাঁ।

‘আমার প্রয়োজনীয়তা তো ফুরিয়েই গেছে। দেখাই যাক না আপনাকে দিয়ে চলে কি না।’

লালমোহনবাবু কিছু বলার আগেই দরজার বেল বেজে উঠল।

আমি দরজা খুলতে একজন মাঝারি হাইটের বছর-পঞ্চাশের ভদ্রলোক ঘরে ঢুকলেন। মাথার চুল পাতলা এবং সাদা হয়ে এসেছে, তবে গোঁফটা কালো এবং ঘন। ভদ্রলোক এক বার জটায়ু আর এক বার ফেলুদার দিকে চেয়ে ইংরিজিতে বললেন, ‘আপনার নামের সঙ্গে আমি পরিচিত, মিঃ মিটার, কিন্তু আপনার চেহারার সঙ্গে নয়। হুইচ ওয়ান অফ ইউ ইজ—?’

ফেলুদা সরাসরি লালমোহনবাবুর দিকে দেখিয়ে বলল, ‘দিস ইজ মিস্টার মিটার।’

ভদ্রলোক হাত বাড়িয়ে দিলেন লালমোহনবাবুর দিকে। জটায়ু দেখলাম নিজেকে সামলে নিয়েছেন, আর বেশ ডাঁটের সঙ্গেই হ্যান্ডশেকটা করলেন। মনে পড়ল ফেলুদাই একবার জটায়ুকে বলেছিল—‘হ্যান্ডশেকটা পুরোপুরি সাহেবি ব্যাপার, তাই ওটা করতে হলে সাহেবি মেজাজেই করবেন, মিনমিনে বাঙালি মেজাজে নয়। মনে রাখবেন—গোরুখোরের গ্রিপ আর মাছখোরের গ্রিপ এক জিনিস নয়।’

মনে হয় সেটা মনে রেখেই জটায়ু বেশ শক্ত করে আগন্তুকের হাতটা ধরে দু বার সারা শরীর দুলিয়ে ঝাঁকুনি দিয়ে হাতটা টেনে নিয়ে বললেন, ‘সিট ডাউন, মিস্টার—’

ভদ্রলোক একটা সোফায় বসে বললেন, ‘আমার নাম বললে আপনারা চিনবেন না। আমি এসেছি মিঃ তেওয়ারির কাছ থেকে। ওঁর সঙ্গে আমার বহু দিনের আলাপ। এ ছাড়া আমার

আর একটা পরিচয় আছে—আমিও আপনারই মতো একজন প্রাইভেট ডিটেকটিভ। আমার কোম্পানির নাম ছিল ডিটেকনিক। সাতাশ বছর আগে কলকাতায় এই কোম্পানি স্টার্ট করে। নাইনটিন সিক্সটি এইটে—আজ থেকে বাইশ বছর আগে—আমি বম্বে চলে যাই আমার কোম্পানি নিয়ে। তাই আপনার নাম শুনলেও আপনার চেহারার সঙ্গে আমার পরিচয় হয়নি। আই অ্যাম সারপ্রাইজ্‌ড—কারণ আপনার চেহারা দেখে গোয়েন্দা বলে মনেই হয় না। কিছু মনে করবেন না, মিস্টার মিটার, বাট ইউ লুক ভেরি অর্ডিনারি। বরং এঁকে—'

আগন্তুক ফেলুদার দিকে দৃষ্টি ঘোরালেন। জটায়ু গলাটা রীতিমতো চড়িয়ে বললেন, 'হি ইজ মাই ফ্রেন্ড মিস্টার লালমোহ্যান গ্যাঙ্গুলী, পাওয়ারফুলি আউটস্ট্যান্ডিং রাইটার।'

'আই সি।'

'আপনি কোথাকার লোক ?'

ভদ্রলোক যা বললেন, তাতে ছাগলের গলায় খাঁড়ার কোপ পড়ার মতো শব্দ হল।

'কচ্‌।'

'কচ্ছ ?'

'ইয়েস...যাই হোক্‌, যে কারণে আসা...'

ভদ্রলোক কোটের পকেট থেকে একটা পোস্টকার্ড সাইজের ফোটো বার করে জটায়ুর দিকে এগিয়ে দিলেন। আমি খুব যে কাছে ছিলাম, তা নয়, কিন্তু তাও বুঝতে পারলাম সেটা হিঙ্গোয়ানির ছবি।

'এই লোকের হয়ে আপনি কাজ করছেন প্রোফেশানালি, তাই না ?'

ফেলুদা নির্বিকার। জটায়ুর চোখ এক মুহূর্তের জন্য কপালে উঠে নেমে এল। আমাদের ধারণা ফেলুদা যে হিঙ্গোয়ানির হয়ে কাজ করছে সেটা বাইরের কেউ জানে না। ইনি জানলেন কী করে ?

'তাই যদি হয়,' বললেন আগন্তুক, 'তা হলে আমি আপনার প্রতিদ্বন্দ্বী। কারণ, আমি তেওয়ারির দিকটা দেখছি। ওর ব্যাপারটা আমি কাগজে পড়ে ওর সঙ্গে যোগাযোগ করি। বাইশ বছর পরে আমার হদিস পেয়ে সে আনন্দে লাফিয়ে ওঠে। কলকাতায় থাকতে আমি ওকে অনেক ব্যাপারে হেল্‌প করি, সেটা ও ভোলেনি। বলল—আই নিড ইওর হেল্‌প এগেন।—আমি রাজি হই, আর তক্ষুনি কাজে লেগে যাই। প্রথমেই হিঙ্গোয়ানির বাড়িতে ফোন করে জানতে পারি, ও কলকাতায় নেই। ওর এক ভাইপো ফোন ধরেছিল ; বলল—আঙ্কল কোথায় যাচ্ছেন তা বলে যাননি।—আমি এয়ারলাইনসে খোঁজ করে ম্যাড্রাসের প্যাসেঞ্জার লিস্টে ওর নাম পাই। বুঝতে পারি, তেওয়ারির শাসানির ফলে সে ভয়ে চম্পট দিয়েছে। এর পর আমি ওর বাড়িতে যাই। ওর বেয়ারার কাছে জানতে পারি যে কদিন আগে তিনজন বাঙালি হিঙ্গোয়ানির সঙ্গে দেখা করতে আসেন, তাদের একজনের নাম মিত্তর। আমার সন্দেহ হয়। আমি ডাইরেক্টরি থেকে আপনার নম্বর বার করে ফোন করি। একজন সার্ভেন্ট ফোন ধরে বলে যে, আপনি ম্যাড্রাস গেছেন। আমি দুয়ে দুয়ে চার হিসেব করে ম্যাড্রাস যাওয়া স্থির করি। কাল এখানে এসেই ফোনে সব হোটেলে খোঁজ নিয়ে জানতে পারি, হিঙ্গোয়ানি করোমণ্ডলে আছেন। আমি জিজ্ঞেস করি—মিটার বলে আছেন কেউ ?—উত্তর পাই, হ্যাঁ আছেন ; পি. মিটার। তখনই স্থির করি, আপনার সঙ্গে দেখা করে লেটেস্ট সিচুয়েশনটা জানাব। এটা আপনি স্বীকার করছেন তো যে, হিঙ্গোয়ানি আপনাকে অ্যাপয়েন্ট করেছে তাকে প্রোটেক্ট করার জন্য ?'

'এনি অবজেকশন ?'

'মেনি।'

আমরা তিনজনেই চুপ। ফেলুদা কিন্তু মাঝে মাঝে সিগারেটে টান দিয়ে ধোঁয়ার রিং ছাড়ছে, দেখে বোঝার কোনও উপায় নেই তার মনে কী আছে।

'তেওয়ারির সিন্দুকের ঘটনা এখন কোথায় এসে দাঁড়িয়েছে, জানেন?' বললেন আগন্তুক।

'কলকাতার কাগজে বেরিয়েছে কি?' জটায়ুর প্রশ্ন।

'ইয়েস। সম্পূর্ণ নতুন তথ্য। এতে কেসটার চেহারাটাই পালটে যায়। কাগজ পড়েই আমি তেওয়ারির সঙ্গে যোগাযোগ করি। আপনি যাঁর প্রাণরক্ষার ভার নিয়েছেন তিনি কেমন লোক জানেন? হি ইজ এ থিফ, স্কাউন্ড্রেল অ্যান্ড নাম্বার ওয়ান লায়ার।'

ভদ্রলোক শেষের কথাগুলো বললেন ঘর কাঁপিয়ে। জটায়ু প্রাণপণ চেষ্টা করেও তাঁর কথায় আতঙ্কের রেশ ঢাকতে পারলেন না।

'হা-হাউ ডু ইউ নোহো?'

'তার অকাট্য প্রমাণ পাওয়া গেছে। হিঙ্গোয়ানি তেওয়ারির সিন্দুক থেকে পাঁচ লক্ষের উপর টাকা চুরি করেছে। সিন্দুকের তলা থেকে হিঙ্গোয়ানির আংটি পাওয়া গেছে—পলা বসানো সোনার আংটি। ওর আপিসের প্রত্যেকে ওই আংটি চিনেছে। আংটিটা গড়িয়ে একেবারে পিছন দিকে চলে গিয়েছিল। তাই এতদিন বেরোয়নি। পরশু বেয়ারা মেঝে সাফ করতে গিয়ে পায়। এটাই হচ্ছে আমার রঙের তুরুপ। দিস্ উইল ফিনিশ হিঙ্গোয়ানি।'

'কিন্তু যখন চুরিটা হয় তখন তো হিঙ্গোরাজ—থুড়ি, হিঙ্গোয়ানি—আপিসে ছিলেন না।'

'ননসেন্স!' গর্জিয়ে উঠলেন ডিটেকটিভ। 'হিঙ্গোয়ানি চুরিটা করে মাঝরাত্তিরে, আপিস টাইমে নয়। গোয়েঙ্কা বিল্ডিং-এ টি এইচ সিন্ডিকেটের আপিস। সেই বিল্ডিং-এর দারোয়ানকে পাঁচশো টাকা ঘুষ দিয়ে হিঙ্গোয়ানি আপিসে ঢোকে রাত দুটোয়। এ কথা দারোয়ান পুলিশের দাবড়ানিতে স্বীকার করেছে। সিন্দুকের কম্বিনেশন তেওয়ারি হিঙ্গোয়ানিকে বলেছিল, সেটা তেওয়ারির এখন পরিষ্কার মনে পড়েছে। প্রায় বছর পনেরো আগে তেওয়ারির জনডিস হয়, হাসপাতালে ছিল, খুব খারাপ অবস্থা। হিঙ্গোয়ানি তখন তার পার্টনার আর ঘনিষ্ঠ বন্ধু। বন্ধুকে ডেকে তেওয়ারি বলে, 'আমি মরে গেলে আমার সিন্দুক কী করে খোলা হবে?' হিঙ্গোয়ানি ব্যাপারটা হেসে উড়িয়ে দেয়। কিন্তু তেওয়ারি জোর করে তাকে নম্বরটা নোট করে নিতে বলে। হিঙ্গোয়ানি সে অনুরোধ রাখে।'

'কিন্তু হিঙ্গোয়ানি হঠাৎ টাকা চুরি করবে কেন?'

'কারণ ওর পকেট ফাঁক হয়ে আসছিল,' গলা সপ্তমে তুলে বললেন আগন্তুক। 'শেষ বয়সে জুয়ার নেশা ধরেছিল! প্রতি মাসে একবার করে কাঠমাণ্ডু যেত। ওখানে জুয়ার আড়ত ক্যাসিনো আছে জানেন তো? সেই ক্যাসিনোতে গিয়ে হাজার হাজার টাকা খুইয়েছে রুলেটে। তেওয়ারি ব্যাপারটা জেনে যায়। হিঙ্গোয়ানিকে অ্যাডভাইস দিতে যায়। হিঙ্গোয়ানি খেপে ওঠে। এমন দশা হয়েছিল লোকটার যে, বাড়ির দামি জিনিসপত্র বেচতে শুরু করে। শেষে মরিয়া হয়ে পার্টনারের সিন্দুকের দিকে চোখ দেয়।'

'আপনি কী করবেন স্থির করেছেন?'

'তোমাদের এখান থেকে আমি তার ঘরেই যাব। আমার বিশ্বাস, চুরির টাকা তার সঙ্গেই আছে। তেওয়ারি কেমন মানুষ, জানেন?—সে বলেছে, তার টাকা ফেরত পেলে সে তার পুরনো পার্টনারের বিরুদ্ধে কোনও স্টেপ নেবে না। এই খবরটা আমি হিঙ্গোয়ানিকে জানাব—তাতে যদি তার চেতনা হয়।'

'আর যদি না হয়?'

ভদ্রলোক সিগারেটে একটা লম্বা টান দিয়ে সেটাকে অ্যাশট্রেতে পিষে ফেলে একটা ক্রূর

হাসি হেসে বললেন, 'সে ক্ষেত্রে অন্য ব্যবস্থা নিতে হবে।'

'আপনি গোয়েন্দা হয়ে আ-আইন-বিরুদ্ধ কাজ— ?'

'ইয়েস, মিস্টার মিটার! গোয়েন্দা শুধু এক রকমই হয় না, নানা রকম হয়। আমি অবস্থা বুঝে ব্যবস্থা করি। এটা কি আপনি জানেন না যে, গোয়েন্দা আর ক্রিমিন্যালে প্রভেদ সামান্যই ?'

ভদ্রলোক উঠে পড়লেন। আবার জটায়ুর সঙ্গে জবরদস্ত হ্যান্ডশেক করে—'গ্ল্যাড টু মিট ইউ, মিস্টার মিটার। গুড ডে।' বলে গটগটিয়ে ঘর থেকে বেরিয়ে গেলেন।

আমরা তিনজন কিছুক্ষণ চুপ করে বসে রইলাম। ফেলুদাই প্রথম কথা বলল।

'থ্যাঙ্ক ইউ, লালমোহনবাবু। মৌন থাকার সুবিধে হচ্ছে যে, চিন্তার আরও বেশি সময় পাওয়া যায়। কোনও একটা ব্যারামে—হয়তো ডায়াবেটিস—হিঙ্গোয়ানি রোগা হয়ে যাচ্ছিলেন। তাই সেদিন বারবার কবজি থেকে ঘড়ি নেমে যাওয়া, আর চুরির সময় আঙুল থেকে আংটি খুলে যাওয়া।'

'আপনি কি তা হলে ওই গোয়েন্দার কথা বিশ্বাস করছেন ?'

'করছি, লালমোহনবাবু, করছি। অনেক ব্যাপার, যা ধোঁয়াটে লাগছিল, তা ওর কথায় স্পষ্ট হয়ে গেছে। তবে হিঙ্গোয়ানি টাকা চুরি করে অর্থাভাব মেটানোর জন্য নয় ; সে কাঠমাণ্ডুতে জুয়া খেলে যতই টাকা খুইয়ে থাকুক, নয়নকে পেয়ে সে বোঝে, তার সব সমস্যা মিটে যাবে। সে টাকা চুরি করে মিরাক্‌লস আনলিমিটেড কোম্পানিকে দাঁড় করানোর জন্য, তরফদারকে ব্যাক্ করার জন্য।'

'তা হলে এখন আপনি হিঙ্গোয়ানির সঙ্গে দেখা করবেন না ?'

'তার তো কোনও প্রয়োজন নেই! যিনি দেখা করবেন তিনি হলেন ডিটেকনিকের এই গোয়েন্দা। হিঙ্গোয়ানিকে তেওয়ারির টাকা বাধ্য হয়েই এই গোয়েন্দার হাতে তুলে দিতে

হবে—প্রাণের ভয়ে। কাজেই তরফদারের পৃষ্ঠপোষক হিসেবে তার আর কোনও ভবিষ্যৎ নেই।'

'তা হলে এখন... ?'

'এইখানেই দাঁড়ি দিন, লালমোহনবাবু। এর পরে যে কী, তা আমি নিজেই জানি না।'

১২

জটায়ু আর আমার পিছনে যেহেতু কেউ লাগেনি, বিকেলে আমরা দুজনে সমুদ্রের ধারে গেলাম হাওয়া খেতে। হিঙ্গোয়ানির কপালে কী আছে জানি না, তবে এটা মনে হচ্ছে যে, নয়নের আর কোনও বিপদ নেই। যদি তেওয়ারির টাকা ফেরত দিয়েও হিঙ্গোয়ানির কাছে বেশ কিছু টাকা অবশিষ্ট থাকে, তা হলে তরফদারের শো হতে কোনও বাধা নেই। আর প্রথম শো থেকেই তো টিকিট বিক্রির টাকার অংশ আসতে শুরু করবে। মনে হয় হিঙ্গোয়ানি এখনও বেশ কিছু দিন চালিয়ে যাবেন।

জটায়ুকে বলাতে তিনি চোখ রাঙিয়ে বললেন, 'তপেশ, আই অ্যাম শক্‌ড্‌। লোকটা একটা ক্রিমিন্যাল, পরের সিন্দুক থেকে লাখ লাখ টাকা হাতিয়েছে, আর সে লোক নয়নকে ভাঙিয়ে খাবে, এটা ভেবে তুমি খুশি হচ্ছ ?'

'খুশি নয়, লালমোহনবাবু। হিঙ্গোয়ানির বিরুদ্ধে যা প্রমাণ পাওয়া গেছে, তাতে তো তাকে এই মুহূর্তে জেলে পোরা যায়। কিন্তু তার পার্টনার যদি পুরনো বন্ধুত্বের খাতিরে তার উপর দয়াপরবশ হয়ে তাকে রেহাই দেন—তাতে আমার-আপনার কী বলার আছে ?'

'লোকটা জুয়াড়ি—সেটা ভুলো না। আমার অন্তত কোনও সিমপ্যাথি নেই হিঙ্গোয়ানির উপর।'

তেষ্টা পাচ্ছিল দুজনেরই। লালমোহনবাবু কোল্ড কফি খাবার ইচ্ছে প্রকাশ করলেন। 'এখানকার কফিটা একটা প্লাস পয়েন্ট সেটা স্বীকার করতেই হবে।'

সমুদ্রের কাছেই একটা কাফে আবিষ্কার করে আমরা একটা টেবিল দখল করে বেয়ারাকে কোল্ড কফি অর্ডার দিলাম। কাফেতে অনেক লোক, বুঝলাম এদের ব্যবসা ভালই চলে।

মিনিটখানেকের মধ্যে ঠক্‌ঠক্ করে দুটো গেলাস এসে পড়ল আমাদের টেবিলের উপর। আমরা দুজনেই ঘাড় নিচু করে প্লাস্টিকের স্ট্রয়ের ডগা ঠোঁটের মধ্যে পুরে দিলাম।

'হ্যাভ ইউ টোল্ড ইয়োর টিকটিকি ফ্রেন্ড ?'

লালমোহনবাবু একটা বিশ্রী শব্দ করে বিষম খেলেন।

মুখ তুলেই দেখি টেবিলের উলটোদিকে চক্‌রা-বক্‌রা হাওয়াইয়ান শার্ট পরে দণ্ডায়মান মিস্টার নন্দলাল বসাক।

লালমোহনবাবু সামলে নিতে ভদ্রলোক বললেন, 'শুধু এইটে বলে দেবেন মিত্তিরকে এবং তরফদারকে যে, নন্দ বসাক পায়ের তলায় ঘাস গজাতে দেয় না। পঁচিশে ডিসেম্বর যদি শো হয়, তা হলে সেই শো থেকে শেষের আইটেমটি বাদ যাবে, এ গ্যারান্টি আমি দিতে পারি।'

আমাদের পাশেই কাফের দরজা। ভদ্রলোক কথাটা বলেই সে দরজা দিয়ে বেরিয়ে গেলেন। বাইরে অন্ধকার, তাই তিনি যে কোনদিকে গেলেন সেটা বুঝতেই পারলাম না।

তেষ্টা মেটেনি, তাই কফিটা শেষ করে দাম চুকিয়ে আমরা আর দশ মিনিটের মধ্যেই বাইরে বেরিয়ে একটা ট্যাক্সি ধরে হোটেলমুখো রওনা হলাম।

হোটেলে পৌঁছতে লাগল আধঘন্টা। ভিতরে ঢুকে দেখি লবি লোকে লোকারণ্য। শুধু লোক নয়, তার সঙ্গে অনেকখানি জায়গা জুড়ে দাঁড় করানো অজস্র লাগেজ। বোঝাই যাচ্ছে, একটা বিদেশি টুরিস্ট দল সবেমাত্র এসে পৌঁছেছে। ফেলুদাকে বসাকের খবরটা এক্ষুনি দিতে

হবে, তাই আমরা প্রায় দৌড়ে গিয়ে লিফ্‌টে ঢুকে চার নম্বর বোতামটা টিপে দিলাম।

চারশো তেত্রিশের সামনে গিয়েই বুঝলাম, ঘরে ফেলুদা ছাড়াও অন্য লোক আছে, আর বেশ গলা উঁচিয়ে কথাবার্তা হচ্ছে।

বেল টেপার প্রায় পনেরো সেকেন্ড পরে দরজা খুলল ফেলুদা, আর আমাকে সামনে পেয়েই এক রামধমক।

'দরকারের সময় না পাওয়া গেলে তোরা আছিস কী করতে?'

কাঁচুমাচু ভাবে ঘরে ঢুকে দেখি, মাথায় হাত দিয়ে কাউচে বসে আছেন সুনীল তরফদার।

'ব্যাপারটা কী মশাই?' ভয়ে ভয়ে শুধোলেন জটায়ু।

'সেটা ঐন্দ্রজালিককে জিজ্ঞেস করুন', শুকনো গম্ভীর গলায় বলল ফেলুদা।

'কী মশাই?'

'আমিই বলছি।' বলল ফেলুদা। 'ওর মুখ দিয়ে কথা বেরোবে না।' খচ্‌ করে লাইটার দিয়ে ঠোঁটে ধরা চারমিনারটা জ্বালিয়ে একরাশ ধোঁয়া ছেড়ে ফেলুদা বলল, 'নয়ন হাওয়া। কিড্‌ন্যাপ্‌ড। ভাবতে পারিস? এর পরেও ফেলু মিত্তিরের মান-ইজ্জত থাকবে? পই পই করে বলে দিয়েছিলাম ঘর থেকে যেন না বেরোয়, নয়ন যেন ঘর থেকে না বেরোয়।—আর এই ভর সন্ধেবেলা—গিজগিজ করছে লবি, তার মধ্যে শঙ্করবাবু নয়নকে নিয়ে গেছেন বুকশপে।'

'তারপর?'—আমার বুকের ধুকপুকুনি আমি কানে শুনতে পাচ্ছি।

'বাকিটা বলো চমকদার মশাই, বাকিটা বলো! নাকি এই কাজটাও আমার উপর ছাড়তে হবে?'

ফেলুদাকে এত রাগতে আমি অনেকদিন দেখিনি।

তরফদার হেঁট মাথা অনেকটা তুলে চাপা গলায় বললেন, 'নয়ন একা ঘরে বসে অস্থির হয়ে পড়ে বলে শঙ্কর ওর জন্য গল্পের বই কিনতে গিয়েছিল। বই পেয়েও ছিল। দোকানের মেয়েটি দুটো বই প্যাক করে ক্যাশ মেমো করে দিচ্ছিল—শঙ্কর তাই দেখছিল। হঠাৎ মেয়েটি বলে ওঠে—দ্যাট বয়? হোয়্যার ইজ দ্যাট বয়?—শঙ্কর পিছন ফিরে দেখে নয়ন নেই। ও তৎক্ষণাৎ দোকান থেকে বেরিয়ে লবিতে খোঁজে, নয়নের নাম ধরে ডাকে, একে-ওকে জিজ্ঞেস করে, কিন্তু কোনও ফল হয় না। লবিতে এত ভিড়—তার মধ্যে একজন ন' বছরের ছেলেকে সঙ্গে নিয়ে...'

'এটা কখনকার ঘটনা?'

'সেখানেই বলিহারি!' চেঁচিয়ে উঠল ফেলুদা। 'দেড় ঘণ্টা আগে ব্যাপারটা ঘটেছে, আর সুনীল এই সবে দশ মিনিট হল এসে আমাকে রিপোর্ট করছে—হুঁঃ!'

'বসাক', বললেন জটায়ু। 'নো ডাউট অ্যাবাউট ইট।'

'আপনি দেখি ভয়ংকর আত্মপ্রত্যয়ের সঙ্গে বলছেন কথাটা।'

আমি কাফের ঘটনাটা ফেলুদাকে বললাম। ফেলুদা গম্ভীর।

'আই সি...আমি এটাই আশঙ্কা করেছিলাম। অর্থাৎ কুকীর্তিটা করার কিছুক্ষণের মধ্যেই তোদের সঙ্গে দেখা হয়। হুঁ...'

'শঙ্করবাবু কোথায়?' জটায়ু জিজ্ঞেস করলেন।

তরফদার মাথা না তুলেই বলল, 'থানায়।'

'শুধু পুলিশে খবর দিলে তো চলবে না,' বলল ফেলুদা, 'তোমার পৃষ্ঠপোষক আছে, তোমার থিয়েটারের মালিক আছেন। তিনি কি নয়ন ছাড়া শো করতে রাজি হবেন? আই হ্যাভ গ্রেট ডাউট্‌স।'

'তা হলে হিঙ্গোয়ানিকে...'

জটায়ু একবার ফেলুদার, একবার তরফদারের দিকে চাইলেন।

'তাঁকে খবর দেবার সাহস নেই এই সম্মোহক প্রবরের। বলছে—"আপনি কাইন্ডলি কাজটা করে দিন, মিস্টার মিত্তির! আমি গেলে সে লোক আমাকে টুঁটি টিপে মেরে ফেলবে"।'

'শুনুন—' লালমোহনবাবু হঠাৎ যেন ঘুম থেকে উঠলেন—'আপনারও যেতে হবে না, সুনীলবাবুরও যেতে হবে না। আমরা যাচ্ছি।—কী তপেশ, রাজি তো?'

ফেলুদা ঠোঁটের ফাঁকে সিগারেট আর কপালে ভ্রূকুটি নিয়ে সোফায় বসে পড়ে বলল, 'যেতে হলে এখনই যান। তোপ্‌সে, তুই ইংরিজিতে হেল্‌প করিস।'

হিঙ্গোয়ানির ঘরের নম্বর দুশো আটাশি। আমরা সিঁড়ি দিয়েই নেমে গিয়ে তাঁর দরজার বেল টিপলাম।

দরজা খুলল না।

'সময়-সময় এই বেলগুলো ওয়র্ক করে না', বললেন জটায়ু। 'এবার বেশ জোরে চাপ দিয়ো তো।'

আমি বললাম, 'ভদ্রলোকের তো বেরোবার কথা না। ঘুমোচ্ছেন নাকি?'

তিনবার টেপাতেও যখন ফল হল না, তখন আমাদের বাধ্য হয়ে লবিতে গিয়ে হাউস টেলিফোনে ২৮৮ ডায়াল করতে হল।

ফোন বেজেই চলল। নো রিপ্লাই।

ইতিমধ্যে লালমোহনবাবু রিসেপশনে গিয়েছিলেন জিজ্ঞেস করতে। তারা বলল—'মিঃ হিঙ্গোয়ানি নিশ্চয়ই ঘরেই আছেন। কারণ, তাঁর চাবি এখানে নেই।'

এবার জটায়ুর মুখ দিয়ে তোড়ে ইংরিজি বেরোল, ভাষা টেলিগ্রামের।

'বাট ইম্পর্ট্যান্ট সি হিঙ্গোয়ানি—ভেরি ইম্পর্ট্যান্ট। নো ডুপ্লিকেট কি? নো ডুপ্লিকেট কি?'

কাজটা খুব খুশি মনেই করে দিল রিসেপশনের লোকেরা।

চাবি হাতে বয়কে সঙ্গে নিয়ে আমরা লিফ্‌টে দোতলায় উঠে আবার হিঙ্গোয়ানির ঘরের সামনে গিয়ে দাঁড়ালাম।

ইয়েল লক্‌ চাবি ঘোরাতেই খড়াৎ করে খুলে গেল, বয় দরজা ঠেলে দিল, আমি বললাম 'থ্যাঙ্ক ইউ', জটায়ু আমার আগেই ঘরে ঢুকে তৎক্ষণাৎ তড়াক্‌ করে পিছিয়ে আমারই সঙ্গে ধাক্কা খেলেন। তার পর অদ্ভুত স্বরে ঠোঁটের ফাঁক দিয়ে তিন টুকরো কথা বেরোল।

'হিং-হিং-হিক্‌।'

ততক্ষণে আমিও ভিতরে ঢুকে গেছি, আর দৃশ্য দেখে এক নিমেষে আমার গলা শুকিয়ে কাঠ হয়ে গেছে।

খাটের উপর চিত হয়ে হাত-পা ছড়িয়ে পড়ে আছেন মিঃ হিঙ্গোয়ানি। তাঁর পা দুটো অবিশ্যি নীচে নেমে মেঝের কার্পেটে ঠেকে আছে। তাঁর গায়ে যে লাল নীল সাদা আলোর খেলা চলেছে, সেটার কারণ হচ্ছে বাঁয়ে টেবিলের উপর রাখা টিভি—যেটাতে হিন্দি ছবি চলেছে, যদিও কোনও শব্দ নেই। ভদ্রলোকের বোতাম খোলা জ্যাকেটের ফাঁক দিয়ে দেখা যাচ্ছে, সাদা শার্টের উপর ভেজা লাল ছোপ, আর তার মাঝখানে উঁচিয়ে আছে একটা ছোরার হাতল।

হিঙ্গোয়ানিকে যে ডিটেকনিকের গোয়েন্দাই খুন করেছে, তাতে কোনও সন্দেহ নেই, কারণ পুলিশের ডাক্তার নানা পরীক্ষা করে বলেছেন খুনটা হয়েছে আড়াইটে থেকে সাড়ে তিনটের মধ্যে। গোয়েন্দা ভদ্রলোক আমাদের ঘর থেকে বেরিয়েছিলেন পৌনে তিনটে নাগাত—আর তিনি নিজেই বলেছিলেন সোজা যাবেন হিঙ্গোয়ানির ঘরে। এও বোঝা যাচ্ছে যে, হিঙ্গোয়ানি তেওয়ারির টাকা ফেরত দিতে রাজি হননি। তাই গোয়েন্দা তার কথামতো অবস্থা বুঝে ব্যবস্থা নিয়েছেন। বেডসাইড টেবিলের উপর খুচরো পঁয়ষট্টি পয়সা ছাড়া এক কপর্দকও পাওয়া যায়নি হিঙ্গোয়ানির ঘরে। একটা সুটকেস ছাড়া আর কোনও মাল ঘরে ছিল না। টাকা নিশ্চয়ই একটা ব্রিফকেস জাতীয় ব্যাগে ছিল ; তার কোনও চিহ্ন আর নেই।

ফেলুদা পুলিশকে জানিয়েছে যে আততায়ী যদি টাকা নিয়ে থাকে, তা হলে সে-টাকা সে কলকাতায় গিয়ে টি. এইচ. সিন্ডিকেটের মিঃ দেবকীনন্দন তেওয়ারির হাতে তুলে দেবে। এই খবরটা কলকাতার পুলিশকে জানানো দরকার।

ফেলুদাকে হত্যাকারীর চেহারার বর্ণনা দিয়ে বলতে হল যে, লোকটার নাম তার জানা নেই।—'শুধু এটুকু বলতে পারি সে সম্ভবত কচ্ছ প্রদেশের লোক।'

মিঃ রেড্ডি খবর পেয়েই চলে এসেছিলেন, আর এখন আমাদের ঘরেই বসেছিলেন। আমি ভেবেছিলাম তিনি ব্যাপারটা জেনে মূর্ছা যাবেন। তার বদলে দেখলাম নয়ন ছাড়াও কী ভাবে শোটাকে জমানো যায় তিনি সেই কথা ভাবছেন। বোঝাই যায় ভদ্রলোকের তরফদারের উপর একটা মায়া পড়ে গেছে। বললেন, 'শো বন্ধ না করে যদি আপনার হিপ্‌নোটিজ্‌ম-এর আইটেমটা ডবল করে দেওয়া যায় ? আমি ম্যাড্রাসের লিডিং ফিল্ম স্টারস্‌, ডানসারস্‌, সিঙ্গারস্‌কে ডাকব ওপ্‌নিং নাইটে। আপনি তাদের এক এক করে স্টেজে ডেকে বুদ্ধু বানিয়ে দিন। কেমন আইডিয়া ?'

তরফদার মাথা নেড়ে দীর্ঘশ্বাস ফেলে বলল, 'শুধু আপনার ওখানে খেলা দেখিয়ে তো আমার চলবে না ! আমি জানি নয়নের খবর ছড়িয়ে গেছে। সব ম্যানেজার তো আপনার মতো নয়, মিঃ রেড্ডি !—তাদের বেশির ভাগই কড়া ব্যবসাদার। নয়ন ছাড়া তারা আমাকে বুকিং-ই দেবে না। ...একসঙ্গে দুটো দুর্ঘটনা আমাকে শেষ করে দিয়েছে।'

ফেলুদা তরফদারকে জিজ্ঞেস করল, 'হিঙ্গোয়ানি কি তোমাকে অলরেডি কিছু পেমেন্ট করেছেন ?'

'কলকাতায় থাকতে কিছু দিয়েছিলেন ; তাতে আমাদের যাতায়াতের খরচ হয়ে যায়। একটা বড় কিস্তি আগামী কাল দেবার কথা ছিল। উনি দিনক্ষণ দেখে এসব কাজ করতেন। আগামীকাল নাকি দিন ভাল ছিল।'

মিঃ রেড্ডি কাহিল। বললেন, 'তোমার অবস্থা আমি বুঝতে পারছি। এই মন নিয়ে তোমার পক্ষে শো করা অসম্ভব।'

'শুধু আমি না, মিঃ রেড্ডি। আমার ম্যানেজার শঙ্কর এমন ভেঙে পড়েছে যে, সে শয্যা নিয়েছে। তাকে ছাড়াও আমার চলে না।'

পুলিশ আধঘণ্টা হল চলে গেছে। তারা খুনের তদন্তই করবে ; মাদ্রাজের বিভিন্ন হোটেল, লজ, ধরমশালায় খোঁজ নেবে আমাদের বর্ণনার সঙ্গে মেলে এমন চেহারার কোনও লোক গত দু দিনের মধ্যে সেখানে এসে উঠেছে কি না। হিঙ্গোয়ানির ভাইপো মোহনকে টেলিফোন করা হয়েছিল। সে আগামীকাল এসে লাশ শনাক্ত করে সৎকারের ব্যবস্থা করবে। মৃতদেহ এখন মর্গে রয়েছে। পুলিশ এও জানিয়েছে যে, ছোরার হাতলে কোনও আঙুলের ছাপ

পাওয়া যায়নি। নয়নের ব্যাপারে ফেলুদা বলল যে, সে নিজেই তদন্ত করবে। তাতে তরফদার সায় দিয়েছেন।

রেড্ডি এবার চেয়ার থেকে উঠে ফেলুদাকে বললেন, 'আমি কিন্তু আপনার উপরই ভরসা করে আছি, মিঃ মিত্তির। দুদিন যদি শো পোস্টপোন করতে হয় তা আমি করব। এই দুদিনের মধ্যে আপনি জ্যোতিষ্কমকে খুঁজে বার করে দিন—প্লিজ !'

রেড্ডি যাবার মিনিটখানেকের মধ্যে তরফদারও উঠে পড়ে বললেন, 'দুদিন দেখি। তার মধ্যে যদি নয়নকে না পাওয়া যায় তা হলে কলকাতায় ফিরে যাব। আপনি কি আরও কিছু দিন থাকবেন ?'

'অনির্দিষ্টকাল থাকা অবশ্যই সম্ভব নয়,' বলল ফেলুদা। 'তবে এইভাবে চোখে ধুলো দেওয়াটাও মেনে নেওয়া মুশকিল। দেখি...'

তরফদার বেরিয়ে যাবার পর ফেলুদা হাতের সিগারেটে একটা শেষ টান দিয়ে তার খুব চেনা গলায় একটা চেনা কথা মৃদুস্বরে তিনবার বলল—'খট্‌কা...খট্‌কা...খট্‌কা...'

'এটা আবার কীসের খট্‌কা ?' জটায়ু জিজ্ঞেস করলেন।

'হিঙ্গোয়ানিকে বলা ছিল যে, অচেনা লোক হলে সে যেন দরজা না খোলে ; তা হলে ডিটেকনিক ঢুকলেন কী করে ? তাকে কি হিঙ্গোয়ানি আগে থেকেই চিনতেন ?'

'কিছুই আশ্চর্য নয়', বললেন জটায়ু। 'হিঙ্গোয়ানি কতরকম ব্যাপারে আমাদের ধাপ্পা দিয়েছিল ভেবে দেখুন।'

আমি ফেলুদাকে একটা কথা না বলে পারলাম না।

'তুমি কি শুধু হিঙ্গোয়ানি মার্ডারের কথাই ভাবছ, ফেলুদা ? আমার কিন্তু বার বার মনে হচ্ছে যে একটা বাজে লোক যদি খুন হয়েও থাকে, তাতে যতটা ভাবনা হয়, তার চেয়ে নয়নের মতো ছেলে চুরি যাওয়াটা অনেক বেশি ভাবনার। তুমি হিঙ্গোয়ানি ভুলে গিয়ে এখন শুধু নয়নের কথা ভাবো।'

'দুটোই ভাবছি রে তোপ্‌সে, কিন্তু কেন জানি মনের মধ্যে দুটো জট পাকিয়ে যাচ্ছে।'

'এ আবার কী হেঁয়ালি মশাই ?' লালমোহনবাবু বেশ বিরক্তভাবে বললেন। 'দুটো তো সেপারেট ঘটনা—জট পাকাতে দিচ্ছেন কেন ?'

ফেলুদা জটায়ুর কথায় কান না দিয়ে বার দু-তিন মাথা নেড়ে বলল, 'নো সাইন অফ স্ট্রাগ্‌ল...নো সাইন অফ স্ট্রাগ্‌ল...'

'সে তো শুনলুম', বললেন জটায়ু। 'পুলিশ তো তাই বলল।'

'অথচ লোকটা যে ঘুমের মধ্যে খুন হয়েছে তা তো নয় !'

'তা হবে কেন ? জুতো মোজা পরে কেউ ঘুমোয় নাকি ?'

'তা অনেক মাতাল ঘুমোয় বইকী—কারণ তাদের হুঁশ থাকে না।'

'কিন্তু এঁর ঘরে তো ড্রিঙ্কিং-এর কোনও চিহ্ন ছিল না। —অবিশ্যি যদি বাইরে থেকে মদ খেয়ে এসে দরজা খোলা রেখে ঘুমিয়ে পড়ে থাকে...'

'উঁহু।'

'হোয়াই নট ?'

'টিভি খোলা ছিল, যদিও ভল্যুম একেবারে নামানো ছিল। তা ছাড়া অ্যাশট্রের খাঁজেতে একটা আধখানা সিগারেট পুরোটা ছাই হয়ে পড়ে ছিল। অর্থাৎ ভদ্রলোক টিভি দেখতে দেখতে সিগারেট খাচ্ছিলেন, সেই সময় দরজার বেলটা বাজে। হিঙ্গোয়ানি টিভির ভল্যুম পুরো নামিয়ে দিয়ে সিগারেটটা ছাইদানের কানার খাঁজে রেখে উঠে গিয়ে দরজা খোলেন।'

'খোলার আগে কি জিজ্ঞেস করবেন না কে বেল টিপল ?'

'হ্যাঁ, কিন্তু চেনা গলা হলে তো আর দ্বিধার কোনও কারণ থাকে না।'

'তা হলে ধরে নিন যে হিঙ্গোয়ানির সঙ্গে এই গোয়েন্দার আলাপ ছিল, এবং হিঙ্গোয়ানি তাকে অসৎ লোক বলে জানতেন না।'

'কিন্তু সেই লোক যখন ছুরি বার করবে তখন হিঙ্গোয়ানি বাধা দেবেন না ? স্ট্রাগ্‌ল হবে না ?'

'আপাতদৃষ্টিতে তাই মনে হয়। কী ক্ষেত্রে সেটা সম্ভব সেটা আপনি ভেবে বের করবেন। যদি না পারেন, তা হলে বুঝতে হবে আপনার পাঠকদের অভিযোগের যথেষ্ট কারণ আছে। কোথায় গেল আপনার আগের সেই জৌলুস ? সেই ক্ষুরধার—'

'চুপ !'

লালমোহনবাবুকে ব্রেক কষতে হল।

ফেলুদা আমাদের দিক থেকে চোখ ঘুরিয়ে এখন দেয়ালের দিকে চেয়ে—চোখে সুতীক্ষ্ণ দৃষ্টি, কপালে গভীর খাঁজ।

আমি আর জটায়ু প্রায় এক মিনিট কথা বন্ধ করে ফেলুদার এই নতুন চেহারাটা দেখলাম। তারপর আমাদের কানে এল কতকগুলো কথা—ফিসফিসিয়ে বলা—

'বু-ঝে-ছি।—কিন্তু কেন, কেন, কেন ?'

দশ-বারো সেকেন্ড নৈঃশব্দ্যের পর লালমোহনবাবুর চাপা কণ্ঠস্বর শোনা গেল।

'আপনি একটু একা থাকতে চাইছেন কি ?'

'থ্যাঙ্ক ইউ, মিস্টার গাঙ্গুলী। আধঘণ্টা, আধঘণ্টা একা থাকতে চাই।'

আমরা দুজনে উঠে পড়লাম।

১৪

আমার মনে যে ইচ্ছেটা ছিল, সেটা দেখলাম লালমোহনবাবুর ইচ্ছের সঙ্গে মিলে গেছে। সেটা হল নীচে কফি শপে গিয়ে চা খাওয়া।

আমরা কফি শপে গিয়ে একটা টেবিল দখল করে বসে চায়ের অর্ডার দিলাম। 'সঙ্গে স্যান্ডউইচ হলে মন্দ হত না', বললেন জটায়ু। 'শুধু চা বড় চট করে ফুরিয়ে যাবে। আধ ঘণ্টা কাটাতে হবে তো !' বেয়ারা দাঁড়িয়েছিল ; চায়ের সঙ্গে দু প্লেট চিকেন স্যান্ডউইচ যোগ করে দিলাম।

আসার আগে আঁচ পেয়েছি যে ফেলুদা আলোর সন্ধান পেয়েছে। সেটা কম কি বেশি জানি না, কিন্তু বুঝতে পারছি যে শিরদাঁড়া দিয়ে ঘন ঘন শিহরন বয়ে যাচ্ছে।

হাতে সময় আছে তাই লালমোহনবাবু তাঁর সবে-মাথায়-আসা উপন্যাসের আইডিয়াটা শোনালেন। যথারীতি গল্পের নাম আগেই ঠিক হয়ে গেছে। মাঞ্চুরিয়ায় রোমাঞ্চ। বললেন, 'চায়না সম্বন্ধে একটু পড়ে নিতে হবে। অবিশ্যি আমার এ গল্পে আজকের চিনের চেহারা পাওয়া যাবে না ; এ হবে ম্যান্ডারিনদের আমলের চায়না।'

খাওয়া শেষ, লালমোহনবাবুর গল্প শেষ, তাও দেখি দশ মিনিট সময় রয়েছে।

কফি শপ থেকে লবিতে বেরিয়ে এসে জটায়ু বললেন, 'কী করা যায়, বলো তো !'

আমি বললাম, 'আমার ইচ্ছে করছে একবার বুক শপটাতে ঢুঁ মারি। ওটা তো এখন আমাদের কাছে একটা হিস্টোরিক জায়গা—নয়ন তো ওখান থেকেই অদৃশ্য হয়েছে।'

'গুড আইডিয়া। আর বলা যায় না—হয়তো গিয়ে দেখব আমার বই ডিসপ্লে করা হয়েছে।'

'ইডলি দোসার দেশে আপনার বই থাকবে না, লালমোহনবাবু।'

'দেখি না খোঁজ করে!'

দোকানের ভদ্রমহিলার বয়স বেশি না, আর দেখতেও সুশ্রী। জটায়ু 'এক্সকিউজ মি' বলে ভদ্রমহিলার দিকে এগিয়ে গেলেন।

'ইয়েস স্যার?'

'ডু ইউ হ্যাভ ক্রাইম নভেলস্ ফর—ইয়ে, কী বলে—কিশোরস্?'

'কিশোরস্?' ভদ্রমহিলার ভুরু কুঁচকে গেছে।

'ফর ইয়াং পিপ্‌ল', বললাম আমি।

'ইন হোয়াট ল্যাংগুয়েজ?'

'বাংলি—আই মিন, বেঙ্গলি।'

'নো, স্যার। নো বেঙ্গলি বুক্‌স। স্যরি। বাট উই হ্যাভ লট্‌স অফ চিলড্রেনস্ বুক্‌স ইন ইংলিশ।'

'জানি। আই নো।'

তার পর একটু হেসে ফার্স্ট গিয়ার দিয়ে আরম্ভ করলেন, 'টুডে—মানে, দিস আফটারনুন, এ ফ্রেন্ড...ইয়ে...নু'

বুঝলাম সেকেন্ড গিয়ারে গাড়ি আটকে গেছে। আমাকেই বলে দিতে হল যে, আজই বিকেলে আমাদের এক বন্ধু এই দোকান থেকে দুটো ইংরিজি চিলড্রেনস বুক্‌স কিনে নিয়ে গেছে।

'দিস আফটারনুন?'

'ইয়েস।' বললেন জটায়ু। 'নো?'

'নো, স্যার।'

'নো?'

ভদ্রমহিলা বললেন গত চার দিনের মধ্যে কোনও ছোটদের বই তিনি বিক্রি করেননি। আমরা মুখ চাওয়া-চাওয়ি করলাম। আমার বুকে ধুকপুকুনি। ধরা গলায় বললাম, 'দশ মিনিট হয়ে গেছে, লালমোহনবাবু।'

ভদ্রমহিলাকে একটা 'থ্যাঙ্ক ইউ' জানিয়ে আমরা প্রায় দৌড়ে গিয়ে লিফটে উঠলাম। বোতাম টিপে খসখসে গলায় জটায়ু বললেন, 'এ যে বিচিত্র সংবাদ!'

আমি কোনও উত্তর দিলাম না, কারণ আমার কথা বলতে ইচ্ছে করছিল না।

চাবি ঘুরিয়ে হাঁপাতে হাঁপাতে ঘরে ঢুকে দুজনেই একসঙ্গে কথা বলে ফেললাম।

'ও মশাই—!'

'ফেলুদা!'

'ওয়ান অ্যাট এ টাইম'—ফেলুদার গলায় ধমকের সুর।

আমি বললাম, 'আমি বলছি।—শঙ্করবাবু বইয়ের দোকানে যাননি।'

'টাট্‌কা কিছু থাকে তো বল। এটা বাসি খবর।'

'আপনি জানেন?'

'আমি সময়ের অপব্যবহার করি না, লালমোহনবাবু। বইয়ের দোকানে প্রায় বিশ মিনিট আগেই হয়ে এসেছি। মিস্ স্বামীনাথনের সঙ্গে কথা বলেছি। খবরটা আপনাদের দিতে গিয়ে দেখলাম, আপনারা গোগ্রাসে স্যান্ডউইচ গিলছেন; তাই চলে এলাম।'

'কিন্তু তা হলে—?' আমার অসমাপ্ত প্রশ্ন।

'তরফদার আসছে। এক্ষুনি ফোন করেছিল। বেশ উত্তেজিত বলে মনে হল। দেখি কী

বলে।'

দরজায় ঘণ্টা।

তরফদার, মুখ চুন।

'আমায় বাঁচান, ফেলুবাবু!' হাহাকার করে উঠলেন ভদ্রলোক।

'কী হল?'

'শঙ্কর। ওর ঘরে গেস্‌লাম। বেহুঁশ হয়ে মাটিতে পড়ে আছে। আমার বিপদের কি আর শেষ নেই?'

ফেলুদার কাছ থেকে এই প্রশ্নের এক অদ্ভুত উত্তর এল।

'না, সুনীল তরফদার; এই সবে শুরু।'

'মানে?' চেরা গলায় বলে উঠলেন তরফদার।

'মানে অত্যন্ত সহজ, সুনীল। তুমি এখনও নিরপরাধের পোশাক পরে ঘুরে বেড়াচ্ছ; এ পোশাক তোমাকে মানায় না, সুনীল। তুমি যে ঘোর অপরাধী!'

'মিস্টার মিত্তির, আমাকে এই ধরনের কথা বলার কোনও অধিকার নেই আপনার।'

'কী বলছ সুনীল? গোয়েন্দা অপরাধীকে ধরে ফেললে তার উপর দোষারোপ করবে না? তুমি এই যে এলে আমার ঘরে, এখান থেকে সোজা চলে যাবে পুলিশের হাতে। তারা পাঁচ মিনিটের মধ্যেই এসে পড়বে।'

'আমার অপরাধটা কী, সেটা জানতে পারি?'

'নিশ্চয়ই। এক, তুমি হত্যাকারী ; দুই, তুমি চোর। সে কথাই আমি পুলিশকে বোঝাব।'

'আপনি পাগল হয়ে গেছেন। আপনি প্রলাপ বকছেন।'

'মোটেই না। হিঙ্গোয়ানি চেনা লোক ছাড়া আর কারুর জন্য দরজা খুলবেন না এটা তিনি নিজেই বলেছিলেন। যাকে আমরা এতক্ষণ খুনি বলে ভাবছিলাম—অর্থাৎ কচ্ছদেশীয় সেই গোয়েন্দা—তাকে হিঙ্গোয়ানি চিনতেন না। সেই কারণেই গোয়েন্দা হিঙ্গোয়ানির ছবি সঙ্গে এনেছিলেন, যাতে তিনি শিওর হতে পারেন যে ঠিক লোকের সঙ্গেই তিনি দেখা করছেন। অতএব তার জন্য দরজা খুলে দেওয়া হিঙ্গোয়ানির পক্ষে সম্ভব নয়। কিন্তু তোমায় তিনি চিনতেন ভাল করেই, তাই তুমি নিজের পরিচয় দিলে তাঁর পক্ষে দরজা খুলে দেওয়া স্বাভাবিক।'

'আপনি একটা কথা ভুলে যাচ্ছেন, ফেলুবাবু। পুলিশ পরিষ্কার বলেই দিয়েছে হিঙ্গোয়ানি তার আততায়ীকে বাধা দেবার কোনও চেষ্টা করেননি। দেয়ার ওয়জ নো সাইন অফ স্ট্রাগ্‌ল। আমি যদি ছুরি বার করে তাঁর দিকে এগিয়ে যেতাম, তিনি কি বাধা দেবার চেষ্টা করতেন না?'

'একটা বিশেষ ক্ষেত্রে কখনই করতেন না।'

'কী সেই বিশেষ ক্ষেত্র?'

'সেটা তোমারই ক্ষেত্র, তরফদার। সম্মোহন। হিঙ্গোয়ানিকে হিপ্‌নোটাইজ করে খুন করলে তিনি বাধা দেবেন কী করে?'

'আপনার পাগলামি এখনও যায়নি, ফেলুবাবু। হিঙ্গোয়ানি আমার অন্নদাতা। তাঁর ব্যাকিং-এর উপর আমার সমস্ত ভবিষ্যৎ নির্ভর করছিল। আমি কি এমনই মূর্খ যে এঁকেই খুন করব? যার শিল, যার নোড়া, তারই ভাঙি দাঁতের গোড়া? আপনি হাসালেন মিঃ মিত্তির—আপনি হাসালেন।'

'এই বেলা হেসে নাও, চমকদার তরফদার ; এর পরে আর সে অবস্থা থাকবে না।'

'আপনি কি ইঙ্গিত করছেন যে আমার প্রধান অবলম্বন নয়ন চলে গিয়ে আমি কাণ্ডজ্ঞান হারিয়ে খুন করেছি?'

'না, কারণ তোমার জবানিতেই জানা যায় যে নয়ন সন্ধ্যাবেলা নিখোঁজ হয়, আর হিঙ্গোয়ানির মৃত্যুর সময় দুপুর আড়াইটে থেকে সাড়ে তিনটের মধ্যে।'

'আপনি এখনও উলটোপালটা বলছেন, মিঃ মিত্তির। মাথা ঠাণ্ডা রাখার চেষ্টা করুন।'

'আমার মাথায় জল ঢালো, তরফদার—দেখবে তা বরফ হয়ে গেছে।... এবারে একটা খবর তোমাকে দিই। আমি কিছুক্ষণ আগে নীচে বইয়ের দোকানটায় গিয়েছিলাম। যিনি দোকানে বসেন সেই মহিলার সঙ্গে আমার কথা হয়। তিনি বলেন গত চার দিনের মধ্যে তাঁর বইয়ের দোকান থেকে কোনও ছোটদের বই বিক্রি হয়নি, এবং কোনও খদ্দেরের সঙ্গে কোনও ছোট ছেলে আসেনি।'

'শি-শি মাস্ট বি লাইং!'

'নো, সুনীল তরফদার—নট শি। মিথ্যাবাদী হচ্ছ তুমি এবং তোমার ম্যানেজার শঙ্কর হুবলিকার। শঙ্করের মাথায় পোর্সিলেনের ছাইদান দিয়ে বাড়ি মেরেছি বলে হয়তো তার মধ্যে কিছুটা চেতনার সঞ্চার হবে—কিন্তু তোমার ঢ্যাঁটামো দেখছি কিছুতেই যাচ্ছে না।'

'শঙ্করকে আপনিই বেহুঁশ করেছেন?'

'ইয়েস, সুনীল তরফদার।'

'কেন?'

'কারণ সে খুনের কারণ গোপন রাখতে সাহায্য করছিল।'

দরজায় বেল বেজে উঠল।

'তোপসে, মিঃ রামচন্দ্রনকে ভেতরে নিয়ে আয়।'

দরজা খুলতে রামচন্দ্রন ঢুকে এসে ফেলুদার দিকে জিজ্ঞাসু দৃষ্টি দিলেন।

ফেলুদা কিছু বলার আগেই তরফদার রামচন্দ্রনের দিকে ফিরে চেঁচিয়ে উঠলেন, 'এই ব্যক্তি বলছেন আমি খুন করেছি, কিন্তু কোনও কারণ বা মোটিভ দেখাতে পারছেন না।'

ফেলুদা সঙ্গে সঙ্গে বলল, 'শুধু খুন নয়, তরফদার। ভুলো না—ডাকাতিও বটে। হিঙ্গোয়ানির প্রতিটি কপর্দক এখন তোমার হাতে। পাঁচ লাখের উপর—যেটা দিয়ে তুমি নিজের পৃষ্ঠপোষকতা নিজেই করার মতলব করেছিলে।'

ফেলুদা এবার আমার দিকে ফিরল।

'তোপ্‌সে—বাথরুমের ভিতরে যে রয়েছে, তাকে বার করে আন তো।'

আমি বাথরুমের দরজা খুলে অবাক হয়ে দেখি, নয়ন দাঁড়িয়ে আছে। এবার সে বেরিয়ে ফেলুদার দিকে এগিয়ে গেল।

'শঙ্কর একে তার বাথরুমের মধ্যে বন্ধ করে রেখেছিল। আসল ঘটনাটা আমার চোখের সামনে ফুটে উঠতে আমি শঙ্করের ঘরে যাই, এবং তাকে অজ্ঞান করে নয়নকে নিয়ে আসি। নয়নের মুখ থেকেই শোনো তোমার ভবিষ্যৎ সম্পর্কে সন্ত্রাস এবং তোমার খুন ও চুরির রাস্তা নেবার কারণ।'

তরফদারের দিকে চেয়ে দেখলাম তাঁর সর্বাঙ্গে কাঁপুনি ধরেছে।

'নয়ন', বলল ফেলুদা, 'তরফদার মশাইকে ক বছর জেল খাটতে হবে বলো তো।'

'তা তো জানি না।'

'জান না?'

'না।'

'কেন, নয়ন? কেন জান না?'

'আমি তো চোখের সামনে আর নম্বর দেখছি না।'

'দেখছ না?'

'না। তোমাকে তো বললাম—সব নম্বর পালিয়ে গেছে।'

রবার্টসনের রুবি

১

'মামা-ভাগ্‌নে বলতে আপনার বিশেষ কিছু মনে পড়ে?' প্রশ্নটা জটায়ুকে করল ফেলুদা।

আমি অবিশ্যি উত্তরটা জানতাম, কিন্তু লালমোহনবাবু কী বলেন সেটা জানার জন্য তাঁর দিকে কৌতূহলী দৃষ্টি দিলাম।

'আঙ্কল অ্যান্ড নেফিউ?' চায়ে সশব্দ চুমুক দিয়ে পালটা প্রশ্ন করলেন লালমোহনবাবু।

'নো স্যার। ইংরিজি করলে চলবে না। মামা-ভাগ্‌নে। বলুন তো দেখি কীসের কথা মনে পড়ে।'

'দাঁড়ান মশাই, আপনার এই দুম্‌ করে করা প্রশ্নগুলো বড় গোলমেলে। মামা ভাগ্‌নে...

মামা ভাগ্‌নে... । উঁহু । আমি হাল ছাড়লুম, এবার আপনি আলোকপাত করুন ।'

'অভিযান ছবিটা দেখেছেন ?'

'সে তো বহুকাল আগে । ও ইয়েস !' —লালমোহনবাবুর চোখ দুটো জ্বলজ্বল করে উঠল । 'সেই পাথর ! একটা বিরাট চ্যাপটা চাঁইয়ের উপর আরেকটা বিরাট পাথর ব্যালান্স করা রয়েছে নাকের ডগায় । মনে হয় হাত দিয়ে ঠেলা মারলেই উপরের পাথরটা দুলবে । মামার পিঠে ভাগ্‌নে—তাই তো ?'

'রাইট । ব্যাপারটা কোথায় সেটা মনে পড়ছে ?'

'কোন জেলা বলুন তো !'

'বীরভূম ।'

'ঠিক ঠিক ।'

'অথচ ও অঞ্চলটায় একবারও টুঁ মারা হয়নি । আপনি গেছেন ?'

'টু টেল ইউ দ্য ট্রুথ—নো স্যার ।'

'ভাবুন তো দেখি ! —আপনি লেখক, তা যেরকম লেখাই লিখুন না কেন । অথচ রবীন্দ্রনাথ যেখানে তাঁর অধিকাংশ জীবন কাটিয়েছেন, সেইখানেই যাননি । কী লজ্জার কথা বলুন তো দেখি !'

'যাব যাব করেও যাওয়া হয়নি মশাই । আর সত্যি বলতে কী, আমরা তো ট্যাগোরের রাস্তা ছেড়ে অন্য রাস্তা ধরিচি কিনা, তাই শান্তিনিকেতন-টেতনকে তেমন আর পাত্তা দিইনি । 'হনলুলুতে হুলুস্থূল' যে লিখছে সে আর কবিগুরু থেকে কী প্রেরণা পেতে পারে বলুন !'

'আপনি বীরভূম বলতে আশা করি শুধু শান্তিনিকেতন ভাবছেন না । বক্রেশ্বরের হট স্প্রিংস আছে, কেন্দুলিতে কবি জয়দেবের জন্মস্থান আছে, বামাক্ষ্যাপা যেখানে সাধনা করতেন সেই তারাপীঠ আছে, মামা-ভাগ্‌নের দুবরাজপুর আছে, অজস্র পোড়া ইঁটের মন্দির আছে—'

'সেটা আবার কী দেখবার জিনিস মশাই ?'

'টেরা কোটা জানেন না ? বাংলার এক বড় সম্পদ !'

'ট্যাড়া কোঠা ? মানে, ব্যাঁকা বাড়ি ?'

কেউ কোনও বিষয়ে অজ্ঞতা প্রকাশ করলে ফেলুদার স্কুলমাস্টার মূর্তিটা বেরিয়ে পড়ে । ও বলল—

'টেরা—টি ই আর আর এ—ল্যাটিন ও ইটালিয়ান কথা, মানে মাটি ; আর কোটা—সি ও ডবল টি এ—এও ইটালিয়ান কথা, মানে পোড়া । মাটি আর বালি মিশিয়ে তা দিয়ে নানারকম মূর্তি ইত্যাদি গড়ে উনুনের আঁচে রেখে দিলে যে লাল চেহারাটা নেয় তাকে বলে টেরা কোটা । যেমন সাধারণ ইঁট । যেটা বানানো হয় সেটা যে শুধু দেখতে সুন্দর তা নয়, টেঁকসইও বটে । এই টেরা কোটার মন্দির ছড়িয়ে আছে সারা পশ্চিম বাংলায় আর বাংলাদেশে । তার মধ্যে সেরা মন্দির কিছু পাওয়া যাবে বীরভূমে । তার কোনও কোনওটা আড়াইশো-তিনশো বছরের পুরনো । কারুকার্য দেখলে মাথা ঘুরে যায় । বাংলার এ সম্পদ সম্বন্ধে যে ওয়াকিবহাল নয় সে বাংলার কিছুই জানে না ।'

'বুঝলাম । জানলাম । আমার ঘাট হয়েছে । কাইন্ডলি এক্সকিউজ মাই ইগ্‌নোরান্স ।'

'আপনি জানেন না, অথচ একজন শ্বেতাঙ্গ অধ্যাপক এই নিয়ে যা কাজ করে গেছেন তার তুলনা নেই ।'

'কার কথা বলছেন ?'

'ডেভিড ম্যাককাচন । অকাল মৃত্যু তাঁর কাজ শেষ করতে দেয়নি, কিন্তু তাও যা করেছেন তার জবাব নেই । আপনি খবরের কাগজের হেডলাইন ছাড়া আর কিছু পড়েন না

জানি—তাই আজ স্টেটসম্যানে প্রকাশিত একটি প্রবন্ধ আপনার দৃষ্টি এড়িয়ে গেছে তা অনুমান করতে পারি। না হলে ডেভিড ম্যাককাচনের উল্লেখ সেখানে পেতেন।'

'কী লেখা বলুন তো!'

'রবার্টসন্‌স রুবি।'

'রাইট, রাইট। লেখার নামটা দেখে আর রুবির রঙিন ছবিটা দেখে পড়তে আরম্ভ করেছিলাম, কিন্তু ধোপা এসে সব মাটি করে দিল।'

'প্রবন্ধের লেখক পিটার রবার্টসন এখন এখানে। ভারতপ্রেমিক বলে মনে হল। ম্যাককাচনের লেখা পড়ে বীরভূমের মন্দির দেখতে চায়, তা ছাড়া ট্যাগোরের শান্তিনিকেতন দেখতে চায়।'

'কিন্তু রুবির ব্যাপারটা কীভাবে আসছে?'

'এই পিটারের এক পূর্বপুরুষ প্যাট্রিক রবার্টসন সিপাইদের বিরুদ্ধে লড়েছিলেন। বেঙ্গল রেজিমেন্টে ক্যাপ্টেন ছিলেন। যুদ্ধ যখন শেষ হয় এবং ব্রিটিশদের জয় হয়, প্যাট্রিক তখন

লখ্নৌতে। মোটে ছাব্বিশ বছর বয়স। ইংরেজ সেনা ছলেবলে নবাবের প্রাসাদে লুটতরাজ করে এবং মহামূল্য মণিমুক্তা নিয়ে পালায়। প্যাট্রিক রবার্টসন একটি রুবি পান যার আয়তন একটা পায়রার ডিমের সমান। সেই রুবি প্যাট্রিকের সঙ্গে ইংল্যান্ডে আসে এবং প্যাট্রিকের মৃত্যুর পর রবার্টসন পরিবারেই থেকে যায়। লোকে উল্লেখ করত রবার্টসন্‌স রুবি বলে। সম্প্রতি প্যাট্রিকের একটি শেষ বয়সের ডায়রি পাওয়া গেছে যার অস্তিত্ব আগে জানা ছিল না। তাতে প্যাট্রিক লখ্নৌয়ের লুটতরাজের উল্লেখ করে গভীর অনুশোচনা প্রকাশ করেছেন। প্যাট্রিক বলেছেন তাঁর আত্মা শান্তি পাবে শুধুমাত্র যদি তাঁর কোনও বংশধর ভারতবর্ষ থেকে লুট করে আনা এই রুবি আবার ভারতবর্ষে ফেরত দিয়ে দেয়। পিটার সেই পাথর সঙ্গে করে এনেছে, এবং যাবার আগে এখানে কোনও মিউজিয়ামে দিয়ে যাবে।'

লালমোহনবাবু পুরো ব্যাপারটা শুনে কিছুক্ষণ চুপ করে থেকে বললেন, 'কেন্দুলিতে শীতকালে দারুণ মেলা হয় বলে শুনেছি।'

'ঠিকই শুনেছেন। দলে দলে বাউল আসে সেই মেলাতে।'

'সেটা ঠিক কখন হয় মশাই?'

'এই এখন। মকর সংক্রান্তিতে শুরু হয়েছে।'

'হোয়াট ইজ দ্য বেস্ট ওয়ে টু গো?'

লালমোহনবাবুর মাঝে মাঝে একটা সাহেবি মেজাজ প্রকাশ পায়। উনি বলেন সেটা ওঁর গল্প লেখার জন্য অনেক ইংরিজি বই কনসাল্ট করতে হয় বলে।

ফেলুদা বলল, 'সত্যিই যেতে চাইছেন বীরভূম?'

'ভেরি মাচ সো।'

'তা হলে আমি বলি কী, আপনি হরিপদবাবুকে বলুন সোজা আপনার গাড়ি নিয়ে বোলপুর চলে যেতে। আমরা সেদিনই শান্তিনিকেতন এক্সপ্রেসে চলে যাব। যাবার আগে অবশ্য ট্যুরিস্ট লজে বুকিং করে নিতে হবে। ফাস্ট ট্রেন; শুধু বর্ধমানে থামে; আড়াই ঘণ্টায় শান্তিনিকেতন পৌঁছে যাব।'

'ট্রেনেই যাব বলছেন?'

'তার কারণ আছে। শান্তিনিকেতন এক্সপ্রেসে লাউঞ্জ কার বলে একটা ফার্স্ট ক্লাস এয়ারকন্ডিশন্‌ড বগি থাকে। এতে করিডর নেই, সেই আদ্যিকালের কামরার মতো চওড়া। পঁচিশ ত্রিশজন যায়, বৈঠকখানার মতো সোফা কাউচ টেবিল পাতা রয়েছে। এ সুযোগ ছাড়া উচিত নয়।'

'জিহ্বা দিয়ে লালাক্ষরণ হচ্ছে মশাই। তা হলে একটা কাজ করি—শতদলকে একটা পোস্টকার্ড ড্রপ করে দিই।'

'শতদলটা কে?'

'শতদল সেন। এক স্কুলে এক ক্লাসে পড়িচি, এখন বিশ্বভারতীর ইতিহাসের অধ্যাপক। ব্রিলিয়ান্ট ছাত্র ছিল মশাই, আমি ওকে কোনওদিন টেক্কা দিতে পারিনি।'

'তার মানে আপনিও ব্রিলিয়ান্ট ছাত্র ছিলেন বলছেন?'

'তা বাংলার জনপ্রিয়তম থ্রিলার রাইটার সম্বন্ধে সেটা কি বিশ্বাস করা খুব কঠিন ব্যাপার?'

—'তা আপনার বর্তমান আই. কিউ—' পর্যন্ত বলে ফেলুদা আর কথাটা শেষ করল না। বলল, 'লিখে দিন আপনার বন্ধুকে।'

দুদিনের মধ্যে সব ব্যবস্থা হয়ে গেল। বোলপুর ট্যুরিস্ট লজে একটা ডাবল আর একটা সিঙ্গল রুম বুক করা হয়েছে। গরম কাপড় বেশ ভালরকম নিতে হবে, কারণ এটা জানুয়ারি মাস, শান্তিনিকেতনে কলকাতার চেয়ে বেশি শীত। ইতিমধ্যে আমি ডেভিড ম্যাককাচনের

বইটায় একবার চোখ বুলিয়ে নিয়েছি। দেখে অবাক লাগছিল যে একজন লোক কী করে এত জায়গায় ঘুরে এত খুঁটিনাটি তথ্য সংগ্রহ করেছে। বাংলার এই আশ্চর্য সম্পদ সম্বন্ধে আমার কোনও ধারণাই ছিল না।

শনিবার সকালে লালমোহনবাবুর সবুজ অ্যাম্বাসাডর নিয়ে হরিপদবাবু বেরিয়ে পড়লেন। পানাগড় অবধি গিয়ে ডাইনে ঘুরতে হবে, তারপর অজয় নদী পেরিয়ে ইলামবাজার দিয়ে বোলপুর।

আমরা সাড়ে নটায় হাওড়া স্টেশনে জড়ো হলাম। লালমোহনবাবু বললেন, 'আমার দুদিন থেকে ডান চোখটা নাচছে ; সেটা গুড সাইন না ব্যাড সাইন, মশাই ?'

ফেলুদা বলল, 'আপনি খুব ভাল করেই জানেন আমি ও ধরনের কুসংস্কারে বিশ্বাস করি না, তাও কেন জিজ্ঞেস করছেন বলুন তো !'

লালমোহনবাবু কেমন যেন মুষড়ে পড়ে বললেন, 'একবার ভাবলুম এটা হয়তো কোনও আসন্ন তদন্তের লক্ষণ ; তারপর মনে হল ট্যাগোরের সঙ্গে ক্রাইমের কোনও রকম সম্পর্ক থাকা একেবারেই অসম্ভব। কাজেই ওটা আপনি মন থেকে দূর করে দিতে পারেন, ফেলুবাবু।'

২

লালমোহনবাবু অবশ্য পরে বললেন, ওটাই হচ্ছে ওঁর ডান চোখ নাচার কারণ, আমার কিন্তু মনে হল ব্যাপারটা যাকে ইংরিজিতে বলে কোইন্সিডেন্স আর বাংলায় কাকতালীয়।

লাউঞ্জ কারে সবসুদ্ধ চব্বিশ জন বসতে পারে, কিন্তু উঠে দেখি আমাদের নিয়ে রয়েছে মাত্র দশ জন ; তার মধ্যে আবার দুজন সাহেব। একজনের সোনালি চুল, দাড়িগোঁফ নেই, আরেকজনের কালো চাপ দাড়ি আর কাঁধ অবধি লম্বা চুল। বয়স ফেলুদার চেয়ে কিছু কমই হবে—মানে ত্রিশের সামান্য বেশি। আমার মন কিন্তু বলল এর মধ্যে একজন নিশ্চয়ই পিটার রবার্টসন।

সেটা যে সত্যি সেটা জানা গেল গাড়ি ছাড়ার দশ মিনিটের মধ্যেই।

একটা সোফায় আমরা তিনজন পাশাপাশি বসেছি, সত্যিই বুঝতে পারছি এরকম আরামের কামরা এর আগে কখনও দেখিনি। ফেলুদা একটা চারমিনার বার করে মুখে পুরে লাইটারটা দিয়ে সেটা ধরিয়েছে এমন সময় সোনালি চুল-ওয়ালা সাহেব মুখে একটা সিগারেট পুরে ফেলুদার দিকে হাত বাড়িয়ে বলল, 'মে আই— ?'

ফেলুদা লাইটারটা সাহেবের হাতে দিয়ে বলল, 'আর ইউ গোইং টু বোলপুর টু ?'

সাহেব সিগারেটটা ধরিয়ে লাইটারটা ফেরত দিয়ে হাসিমুখে ফেলুদার দিকে হ্যান্ডশেকের জন্য হাত বাড়িয়ে বলল, 'ইয়েস। মাই নেম ইজ পিটার রবার্টসন, অ্যান্ড দিস ইজ মাই ফ্রেন্ড টম ম্যাক্সওয়েল।'

ফেলুদা এবার আমাদের তিনজনেরই পরিচয় করিয়ে দিয়ে বলল, 'তোমার লেখাই তো সেদিন স্টেটসম্যানে পড়ছিলাম না ?'

'ইয়েস। ডিড ইউ লাইক ইট ?'

'অত্যন্ত চিত্তাকর্ষক লেখা। সেই রুবি কি তুমি কাউকে দিয়ে দিয়েছ ?'

'না। ওটা আমাদের সঙ্গেই আছে। আমরা কলকাতার মিউজিয়মকে ওটা অফার করেছি। ঘটনাটা কিউরেটরকে জানিয়েছি। উনি বলেছেন উনি অত্যন্ত খুশি হবেন পাথরটা মিউজিয়মের জন্য পেলে। উনি অবশ্য ব্যাপারটা দিল্লিতে জানিয়েছেন। ওখান থেকে

অনুমতি পেলেই আমরা পাথরটাকে আনুষ্ঠানিকভাবে মিউজিয়মের হাতে তুলে দেব। কিউরেটর বললেন ভারতবর্ষের অনেক সম্পদই নাকি বিদেশে চলে গেছে, তার সামান্য অংশও যদি এইভাবে ফেরত পাওয়া যেত তা হলে কত ভাল হত।'

'তোমার তো ইন্ডিয়ার সঙ্গে একটা যোগসূত্র রয়েছে ; তোমার বন্ধুরও আছে নাকি ?'

উত্তরটা বন্ধু নিজেই দিতে পারতেন, কিন্তু দিলেন পিটার রবার্টসন।

'টমের ঠাকুরদাদার ঠাকুরদাদা ছিলেন বীরভূমে এক নীলকুঠির মালিক। জার্মানরা কৃত্রিম উপায়ে নীল বার করে সস্তায় বাজারে ছাড়ার পর ভারতবর্ষ থেকে নীলের চাষ উঠে যায়। তখন টমের পূর্বপুরুষ রেজিন্যাল্ড ম্যাক্সওয়েল দেশে ফিরে যান। আমাদের দুজনেরই একই ভ্রমণের নেশা আর তার থেকে বন্ধুত্ব। টম একজন পেশাদার ফোটোগ্রাফার। আমি ইস্কুল মাস্টারি করি।'

টমের পাশেই কামরার মেঝেতে রাখা একটা ব্যাগ দেখে আন্দাজ করেছি তাতে ক্যামেরার সরঞ্জাম রয়েছে।

'তোমরা কদিন বীরভূমে থাকবে ?' ফেলুদা জিজ্ঞেস করল।

'দিন সাতেক', বলল পিটার রবার্টসন। 'আসল কাজ কলকাতাতেই, কিন্তু বাংলার কিছু টেরা কোটা মন্দির দেখার শখ আছে।'

'বীরভূমে অবিশ্যি মন্দির ছাড়াও বেশ কিছু দেখবার জিনিস আছে। একবার গিয়ে পড়লে একসঙ্গে ঘুরে দেখা যাবে। ভাল কথা—তোমার স্টেটসম্যানের লেখার কোনও প্রতিক্রিয়া হয়নি ?'

'কী বলছ ! —লেখা বার হবার তিনদিনের মধ্যে স্টেটসম্যানে চিঠি আসতে শুরু করে। লেখকদের মধ্যে রাজারাজড়ার ম্যানেজার আছে, ধনী ব্যবসাদার আছে, রত্ন সংগ্রাহক আছে। এরা সকলেই রুবিটা কিনতে চায়। আমি আমার লেখার মধ্যে স্পষ্টই বলে দিয়েছি যে ওটা আমি বিক্রি করব না। রবার্টসনের রুবি নিয়ে আমাদের দেশেও রত্ন সংগ্রাহকদের মধ্যে চাঞ্চল্য পড়ে গেছে অনেকদিন থেকে। তারা ওটার জন্য কত টাকা দিতে প্রস্তুত তা তুমি কল্পনা করতে পারবে না। আমি লন্ডনে যাচাই করিয়ে দেখেছি, এটার মূল্য হচ্ছে টোয়েন্টি থাউজ্যান্ড পাউন্ডস।'

'পাথরটা বোধহয় তোমার কাছেই রয়েছে ?'

'ওটা টমের জিম্মায়। এ ব্যাপারে ও আমার চেয়ে অনেক বেশি সাবধান। তা ছাড়া ওর রিভলভার আছে, প্রয়োজনে সেটা ব্যবহার করতে পারে।'

'পাথরটা কি একবার দেখা যায় ?'

'নিশ্চয়ই।'

পিটার টমের দিকে দৃষ্টি দিল। টম তার ক্যামেরার ব্যাগ খুলে তার মধ্যে থেকে একটা নীল মখমলের বাক্স বার করল। ফেলুদা তার হাত থেকে বাক্সটা নিয়ে খুলতেই আমাদের তিনজনের মুখ দিয়ে একসঙ্গে একটা বিস্ময়সূচক শব্দ বেরিয়ে পড়ল। শুধু যে এমন পাথর এর আগে দেখিনি তা নয়—এমন লাল রংও আর কোথাও দেখেছি বলে মনে পড়ল না।

ফেলুদা পাথরটা কিছুক্ষণ হাতে ঘুরিয়ে ফিরিয়ে দেখে 'ইটস্ অ্যামেজিং !' বলে সেটা ফেরত দিয়ে দিল। তারপর টম ম্যাক্সওয়েলকে উদ্দেশ করে বলল, 'আপনার রিভলভারটা একবার দেখতে পারি ? ও বিষয়ে আমার কিঞ্চিৎ জ্ঞান আছে।'

কথাটা বলে ফেলুদা তার পকেট থেকে একটা ভিজিটিং কার্ড বার করে পিটারের হাতে দিল।

পিটারের চোখ কপালে উঠে গেল।

'সে কী—তুমি যে দেখছি প্রাইভেট ইনভেস্টিগেটর! তা হলে তো আমাদের কোনও গণ্ডগোল হলে তোমার শরণাপন্ন হতে হবে!'

'গণ্ডগোল আশা করি হবে না, যদিও সেটা নির্ভর করছে ম্যাক্সওয়েল সাহেবের উপর, কারণ পাথরটা ওঁর জিম্মায় রয়েছে।'

ইতিমধ্যে ম্যাক্সওয়েল তার রিভলভারটা বার করেছে, এবার সেটা ফেলুদাকে দেখতে দিল। দেখেই বুঝলাম সেটা ফেলুদার কোল্ট না, অন্য কোম্পানির তৈরি।

'ওয়েবলি স্কট', বলল ফেলুদা। তারপর রিভলভারটা ফেরত দিয়ে বলল, 'তোমায় একটা কথা জিজ্ঞেস করতে পারি?'

'নিশ্চয়ই।'

'তোমার এটার দরকার হয় কেন?'

'ফোটোগ্রাফির নেশা আমাকে নানান জায়গায় নিয়ে যায়। অনেক দুর্গম জায়গায় আমি গিয়েছি, জংলি উপজাতিদের ছবি তুলেছি। বুঝতেই পারছ সঙ্গে একটা অস্ত্র থাকলে কাজটা অনেক সহজ হয়ে যায়। এই রিভলভার দিয়ে আমি অ্যাফ্রিকায় ব্ল্যাক মাম্বা সাপ পর্যন্ত মেরেছি।'

'ভারতবর্ষে এর আগে কখনও এসেছ?'

'না, এই প্রথম।'

'ছবি তোলা শুরু করে দিয়েছ?'

'কলকাতার কিছু জনবহুল অঞ্চলের ছবি তুলেছি।'

'তার মানে বস্তি?'

'হ্যাঁ। আমি যেই পরিবেশে মানুষ সেরকম পরিবেশের ছবি তোলার কোনও ইচ্ছা আমার নেই। তার থেকে যত অন্যরকম হয় ততই ভাল। আমার মনে হয় পভার্টি ইজ মোর ফোটোজেনিক দ্যান প্রসপেরিটি।'

'ফোটো—হোয়াট?' প্রশ্নটা করলেন জটায়ু।

'ফোটোজেনিক', বলল ফেলুদা। 'অর্থাৎ চিত্রগুণসম্পন্ন।'

লালমোহনবাবু বিড়বিড় করে বাংলায় মন্তব্য করলেন, 'এ কি বলতে চায় হাড়হাভাতেরা আর মোর ফোটোজেনিক দ্যান যারা খেয়ে-পরে আছে?'

ম্যাক্সওয়েল বলল, 'কাজেই এখানেও আমাদের ওই কথাটা মনে রাখতে হবে। ওই কথা মনে রেখেই আমি এখানেও ছবি তুলব।'

ভদ্রলোকের কথাগুলো আমার কেন জানি অদ্ভুত লাগছিল। পিটার ভারতবর্ষকে ভালবাসে তাতে কোনও সন্দেহ নেই, কিন্তু তার বন্ধুর মনোভাব এত অন্যরকম হয় কী করে? এই বন্ধুত্ব টিকবে তো?

বর্ধমানে চা-ওয়ালা ডেকে ভাঁড়ে চা খাওয়া হল, সেই চা-ওয়ালাকে দাঁড় করিয়ে তার ছবি তুললেন ম্যাক্সওয়েল।

বোলপুর স্টেশনে পৌঁছে সাইকেল রিকশার ভিড় দেখে ম্যাক্সওয়েল ব্যস্ত হয়ে পড়েছিল, কিন্তু পিটার তাকে জানিয়ে দিল যে স্টেশনে এত সময় নষ্ট করা চলবে না।

চারটে রিকশা নিয়ে মালপত্তর সমেত আমরা যখন বোলপুর ট্যুরিস্ট লজে পৌঁছলাম তখন একটা বেজে দশ মিনিট।

৩

স্টেশনে লালমোহনবাবুর বন্ধু শতদল সেন এসেছিলেন। লালমোহনবাবুরই বয়সী, ফরসা রং, মাথায় ঢেউ খেলানো কালো চুল। অনেকদিন পরে একজনকে দেখলাম যিনি লালমোহনবাবুকে লালু বলে সম্বোধন করলেন। ভদ্রলোক নিজেও অবিশ্যি হয়ে গেলেন সতু।

যে যার ঘরে যাবার আগে ট্যুরিস্ট লজের লাউঞ্জে বসে কথা হচ্ছিল। শতদলবাবু বললেন, 'তোদের গাড়ি বলছিস তিনটে নাগাত আসবে। তারপর তোরা চলে আসিস আমার ওখানে। পিয়ার্সন পল্লীতে খোঁজ করলেই আমার বাড়ি দেখিয়ে দেবে। নাম শান্তিনিলয়। তোদের একবার উত্তরায়ণ কমপ্লেক্সটা দেখিয়ে আনব।'

ফেলুদা বলল, 'আমাদের সঙ্গে কি দুজন সাহেব যেতে পারেন?'

'বেশ তো—তারাও ওয়েলকাম।'

শতদলবাবু চলে গেলেন।

সকালে স্নান করে বেরিয়েছিলাম, তাই ঘরে মালপত্তর রেখে প্রথমেই লাঞ্চটা সেরে নিলাম। শান্তিনিকেতনে সত্যিই শান্ত পরিবেশ, তাই ফেলুদার রেস্ট হবে ভাল। ও সম্প্রতি দুটো মামলা করে এসেছে। প্রথমটা মনে হয়েছিল আত্মহত্যা, কিন্তু শেষটায় দাঁড়াল খুন, আর দ্বিতীয়টা জালিয়াতি। দুটোই বেশ ঝামেলার কেস ছিল, তাই ওর এখন সত্যিই বিশ্রামের দরকার।

ডাইনিং রুমেই পিটার আর টমকে আমাদের বিকেলের প্ল্যানটা বলে দিলাম। পিটার তৎক্ষণাৎ রাজি, যদিও টম কিছুই বলল না। পিটার এও বলল যে এর মধ্যেই ও দুবরাজপুরের এক ধনী ব্যবসায়ীর কাছ থেকে টেলিফোন পেয়েছে। ফোনটা করেছিল তাঁর ছেলে, কারণ ভদ্রলোকের ইংরিজিটা নাকি তেমন সড়গড় নয়। পিটার বলল, 'ভদ্রলোক আমার রুবির খবরটা পেয়েছেন এবং সেটা কেনার ইচ্ছা প্রকাশ করেছেন। আমি অবিশ্যি বলতে বাধ্য হলাম যে আমি ওটা বেচব না। তাতে ভদ্রলোক ছেলেকে দিয়ে বলালেন যে পাথরটা তাঁর একবার দেখার ইচ্ছে। আশা করি সে সুযোগ থেকে তাকে বঞ্চিত করব না।'

'ভদ্রলোকের নাম কী?'

'জি. এল. ড্যানড্যানিয়া।'

'ঢানঢানিয়া। বুঝলাম। কখন অ্যাপয়েন্টমেন্ট?'

'কাল সকাল দশটা।'

'আমরা আসতে পারি কি?'

'নিশ্চয়ই। আপনারা এলে আমি অনেকটা নিশ্চিন্ত বোধ করব। ইন ফ্যাক্ট, আপনারা ভাল দোভাষীর কাজ করতে পারবেন। দুবরাজপুর আর তার পাশেই হেতমপুরে তো ভাল টেরা কোটার মন্দির আছে বলে ম্যাককাচন লিখেছে। কথা সেরে না হয় সেগুলো দেখে আসব।'

'শুধু মন্দির না', ফেলুদা বলল, 'দুবরাজপুরে আরও দেখার জিনিস আছে। হাতে সময় থাকলে সেও দেখা যেতে পারে।'

হরিপদবাবু অ্যাম্বাসাডর নিয়ে পৌনে চারটেয় এসে পৌঁছালেন। পথে বর্ধমানে খেয়ে নিয়েছিলেন, বললেন আমরা বেরোতে চাইলে বেরোতে পারি। —'আমার বিশ্রামের কোনও দরকার নেই, স্যার।'

আমরা আর সময় নষ্ট না করে বেরিয়ে পড়লাম। পিয়ার্সন পল্লী থেকে শতদল সেনকে

তুলে নিয়ে ছ'জনে গিয়ে হাজির হলাম উত্তরায়ণে। পিটার এরকম বাড়ি এর আগে দেখেনি, বলল, 'ইট লুকস্ লাইক এ ফেয়ারি টেল প্যালেস।'

উদীচী, শ্যামলীও দেখা হল। কোনওখানেই পভার্টির ছাপ নেই বলেই বোধহয় ম্যাক্সওয়েল তার ক্যামেরা বারই করল না।

লালমোহনবাবু সব দেখেটেখে বললেন, 'নো স্যার, এই অ্যাটমোসফিয়ারে এখন প্রখর রুদ্রর প্লট বেরোবে না ; তার জন্য চাই ক্যালকাটার পরিবেশ।'

ফেরবার পথে পিটার আর টম একটা সাইকেল রিকশা ধরল। পিটার বলল, 'কাছেই একটা ট্রাইব্যাল ভিলেজ আছে, টম তার কিছু ছবি তুলতে চায়।'

বুঝলাম সাঁওতাল গ্রামের কথা বলা হচ্ছে।

সাহেবদের বিদায় দিয়ে আমরা আমাদের ঘরে এসে 'অন্ত্যাক্ষরী' খেলে বিকেলটা কাটিয়ে দিলাম। যাবার সময় শতদলবাবু তাঁর থলি থেকে একটা বই বার করে জটায়ুকে দিয়ে বললেন, 'এই নিন—"লাইফ অ্যান্ড ওয়র্ক ইন বীরভূম", লেখক এক পাদ্রি, নাম রেভারেন্ড প্রিচার্ড। একশো বছর আগের লেখা বই। ইন্টারেস্টিং তথ্যে বোঝাই। পড়ে দেখবেন।'

'উনি না পড়লেও আমি নিশ্চয়ই পড়ব।' বলল ফেলুদা।

পরদিন সকালে সাড়ে আটটায় ব্রেকফাস্ট সারা হল। দুবরাজপুর এখান থেকে ২৫ কিলোমিটার, যেতে আধ ঘণ্টার বেশি লাগবে না। ঢানঢানিয়ার ছেলে ওদের বাড়িটা কোথায় সেটা বুঝিয়ে দিয়েছিল, আর তা ছাড়া এও বলেছিল যে দুবরাজপুরে ওটাই হচ্ছে সবচেয়ে বড় বাড়ি।

আমরা দশটার পাঁচ মিনিট আগেই একটা উঁচু দেয়ালে ঘেরা বাড়ির লোহার গেটের সামনে এসে দাঁড়ালাম, গেটের গায়ে ফলকে লেখা জি. এল. ঢানঢানিয়া।

সশস্ত্র দারোয়ান একবার আমাদের মুখটা দেখে নিয়েই গেট খুলে দিতে বুঝলাম যে তাকে বলা হয়েছে সাহেবরা আসছে।

গেট খুলে দিতে গাড়ি ঢুকে খানিকটা মোরামফেলা পথ দিয়ে গিয়েই সদর দরজার সামনে পৌঁছে গেলাম। দরজার সামনে একটা স্কুটার ধরে একজন বছর পঁচিশের ছেলে, সে আমাদের দেখেই স্কুটারটা এক পাশে দাঁড় করিয়ে এগিয়ে এল। আমরা গাড়ি থেকে নামলাম। পিটার এগিয়ে গেল যুবকের দিকে। হাত বাড়িয়ে বলল, 'মাই নেম ইজ পিটার রবার্টসন। ইউ মাস্ট বি কিশোরীলাল ?'

'হ্যাঁ। আমি কিশোরীলাল ঢানঢানিয়া। আমার বাবা আপনাদের সঙ্গে অ্যাপয়েন্টমেন্ট করেছেন। চলুন, আমি আপনাদের নিয়ে যাচ্ছি।'

'আমার এই তিনজন ভারতীয় বন্ধুও যেতে পারেন তো ?'

'নিশ্চয়ই।'

আমরা কিশোরীলালকে অনুসরণ করে বাড়ির ভিতর ঢুকে একটা উঠোন পেরিয়ে সিঁড়ি দিয়ে দোতলায় উঠে দুটো ঘর আর একটা বারান্দা পেরিয়ে একটা দরজার সামনে এসে দাঁড়ালাম।

'জুতো খুলতে হবে কি ?' ফেলুদা জিজ্ঞেস করল।

'না না, কোনও দরকার নেই।' কিশোরীলালের বাংলায় বেশ একটা টান আছে।

আমরা বৈঠকখানায় ঢুকলাম।

বেশ বড় ঘর। দরজা জানালায় রঙিন কাচ, তাই দিয়ে আলো এসে ঘরটাকে বেশ রংদার করে তুলেছে। ঘরের অর্ধেকটা ফরাস পাতা, বাকি অংশটায় সোফা চেয়ার ইত্যাদি রয়েছে।

মালিক বসে আছেন ফরাসের এক প্রান্তে, শীর্ণকায় চেহারায় একটা প্রকাণ্ড তাগড়াই গোঁফ একটা অদ্ভুত বৈপরীত্য এনেছে। চারপাশে তাকিয়া ছড়ানো। মালিক ছাড়াও ঘরে রয়েছেন বছর পঞ্চাশেকের একটি ভদ্রলোক, পরনে ছাই রঙের প্যান্টের সঙ্গে খয়েরি রঙের জ্যাকেট। ইনি আমাদের দেখেই উঠে দাঁড়ালেন।

পিটার ঢানঢানিয়াকে উদ্দেশ করে ভারতীয় ভঙ্গিতে একটা নমস্কার করে বলল, 'মিঃ ড্যানড্যানিয়া, আই প্রিজিউম।'

'ইয়েস', বললেন ঢানঢানিয়া, 'অ্যান্ড দিস ইজ মাই ফ্রেন্ড ইনস্পেক্টর চৌবে।'

'ইনি আমার বন্ধু টম ম্যাক্সওয়েল, আর এঁরা তিনজনও আমার বন্ধুস্থানীয়।'

ফেলুদা বলল, 'আমার নাম প্রদোষ মিত্র, ইনি মিঃ গাঙ্গুলী, আর এ আমার ভাই তপেশ।'

'সিট ডাউন, বৈঠিয়ে। —কিশোরী, রামভজনকো বোলো মিঠাই আর সরবতকে লিয়ে।'

কিশোরীলাল আজ্ঞা পালন করতে ঘর থেকে বেরিয়ে গেল। আমরা চেয়ার আর সোফায় ভাগাভাগি করে বসলাম। এবারে লক্ষ করলাম দেয়ালে চতুর্দিকে টাঙানো দেবদেবীর ছবি। মগনলাল মেঘরাজের বেনারসের বৈঠকখানার কথা মনে পড়িয়ে দেয়।

আমরা বসতে ফেলুদা গলা খাক্‌রিয়ে বলল, 'আমাদের তো কোনও অ্যাপয়েন্টমেন্ট ছিল না, আমরা এসেছি মিঃ রবার্টসনের সঙ্গে। আপনার কোনও আপত্তি থাকলে কিন্তু আমরা এখুনি চলে যেতে পারি।'

'নো, নো। স্রেফ একটা পাথর দেখার ব্যাপার, আপনারা থাকলে ক্ষেতি কী?'

ম্যাক্সওয়েল হঠাৎ বলে উঠল, 'মে আই টেক সাম পিকচার্স, মিঃ ড্যানড্যানিয়া!'

'হোয়াট পিকচার্স?'

'অফ দিস রুম।'

'ঠিক হ্যায়।'

'হি সেজ ইউ মে', বলে দিল ফেলুদা।

'লেকিন পহলে তো উয়ো রুবি দেখলাইয়ে।'

'হি ওয়ন্টস্ টু সি দ্য রুবি ফার্স্ট,' বলল ফেলুদা।

'আই সি!'

ম্যাক্সওয়েল ক্যামেরাটা পাশে সরিয়ে রেখে ব্যাগের ভিতর হাত ঢুকিয়ে রুবির কৌটোটা বার করল। তারপর সেটাকে খুলে ঢানঢানিয়ার দিকে এগিয়ে দিতে আমার বুকটা কেন জানি ধুকপুক করে উঠল।

ঢানঢানিয়া পাথরটা বার করে ঘুরিয়ে ফিরিয়ে দেখে কোনও মন্তব্য না করে সেটা তাঁর বন্ধু ইন্সপেক্টর চৌবের হাতে চালান দিলেন। চৌবে সেটা খুব তারিফের দৃষ্টিতে দেখে আবার ঢানঢানিয়াকে ফেরত দিল।

'হোয়াট প্রাইস ইন ইংল্যান্ড?' ঢানঢানিয়া প্রশ্ন করলেন।

'টোয়েন্টি থাউজ্যান্ড পাউন্ডস,' বলল পিটার রবার্টসন।

'হুম্—দশ লাখ রুপয়া...'

এবার পাথরটা বাক্সে রেখে সেটা ম্যাক্সওয়েলকে ফেরত দিয়ে ঢানঢানিয়া বললেন, 'আই উইল পে টেন ল্যাখস।'

লাখ ব্যাপারটা সাহেবরা বোঝে না বলে আবার ফেলুদাকে বলে দিতে হল, 'হি মিনস ওয়ান মিলিয়ান রুপিজ।'

'কিন্তু তার প্রশ্ন আসছে কী করে,' বলল রবার্টসন, 'আমি তো পাথরটা বিক্রি করব না।'

এই প্রথম বুঝলাম ঢানঢানিয়া ইংরিজিটা দিব্যি বোঝেন, কেবল বলার সময় হোঁচট খান।

'হোয়াই নট?' শুধোলেন ঢানঢানিয়া।

'আমার পূর্বপুরুষের সাধ ছিল এটা ভারতবর্ষে ফেরত যাক,' বলল রবার্টসন, 'আমি তাঁর সে সাধ পূরণ করতে এসেছি। আমি এ পাথর নিয়ে ব্যবসা করব না। এটা আমি কলকাতার মিউজিয়মে দিয়ে দেব।'

'দ্যাট ইজ ফুলিশ,' বললেন ঢানঢানিয়া। 'জাদুঘরে এই পাথর আলমারির এক কোণে পড়ে থাকবে। লোকে ভুলেই যাবে ওটার কথা।'

'সে তো আপনাকে বিক্রি করলে আপনি ওটা বাক্স-বন্দি করে রেখে দেবেন।'

'ননসেন্স!' বেশ জোরের সঙ্গে বলে উঠলেন ঢানঢানিয়া। 'আমি আমার নিজের মিউজিয়ম করব—যেমন সালার জং মিউজিয়ম আছে হায়দ্রাবাদে। সেই রকম মিউজিয়ম আমি করব, দুবরাজপুরে নয়, কলকাতায়। গণেশ ঢানঢানিয়া মিউজিয়ম। লোকে এসে

আমার কালেকশন দেখে যাবে। ইওর রুবি উইল বি ইন এ স্পেশাল শো কেস। লোকে এসে দেখে তারিফ করবে। রুবির তলায় লেখা থাকবে সেটা কোত্থেকে কী ভাবে পাওয়া গেছে। তোমার নাম ভি থাকবে।'

এবার দুজন ভৃত্যের প্রবেশ ঘটল। তাদের একজনের হাতে ট্রেতে লাড্ডু, আরেকজনের ট্রেতে সরবত।

'লাড্ডু খান, খেয়ে ডিসাইড করুন মিঃ রবার্টসন।'

আমরা ডান হাতের কাজটা সেরে ফেলার জন্য তৈরি হলাম। লাঞ্চ টাইম হতে এখনও দেরি, কিন্তু পেট বলছে খেতে আপত্তি নেই। বীরভূমের জলের কথা আগেই শুনেছিলাম।

আমাদের সঙ্গে সাহেবরাও লাড্ডু খেল। তারপর সরবত খাবার সময় দেখি টম ম্যাক্সওয়েল পকেট থেকে একটি বড়ি বের করে তাতে ফেলে দিল।

'মিঃ মিটার,' বললেন গণেশ ঢানঢানিয়া, 'আপনার বন্ধুদের বলে দিন কি বীরভূমের জল পিউরিফাই করার কোনও দরকার হয় না।'

ফেলুদা অবিশ্যি সেটা আর বলল না।

'ওয়েল ?' মিষ্টি খাবার পর গুরুগম্ভীর গলায় জিজ্ঞেস করলেন গণেশ ঢানঢানিয়া। ওর শীর্ণ শরীর থেকে এই হেঁড়ে গলা বার হওয়াটাও বেশ একটা অবাক করা ব্যাপার।

'ভেরি সরি মিঃ ড্যানড্যানিয়া,' বলল রবার্টসন, 'আমি তো বলেই ছিলাম এ পাথর বিক্রির জন্য নয়। তুমি দেখতে চেয়েছিলে তাই দেখালাম।'

এবার ইন্সপেক্টর চৌবে মুখ খুললেন।

'আমি খালি একটা প্রশ্ন করতে চাই। পাথর বিক্রি করা না-করা আপনার মর্জি। কিন্তু এমন একটা জিনিস আপনার বন্ধু ব্যাগে নিয়ে ঘুরে বেড়াচ্ছেন দেখে আমার মোটেই ভাল লাগছে না! আপনি বললে আমি ওটার প্রোটেকশনের জন্য লোক দিতে পারি। সে হবে প্লেন ক্লোদস ম্যান। আপনি তাকে পুলিশ বলে বুঝতেও পারবেন না, কিন্তু সে আপনাদের নিরাপত্তা এনশিওর করবে।'

'পুলিশের কোনও প্রয়োজন নেই,' বলল টম ম্যাক্সওয়েল। 'আমার কাছে এ পাথর সম্পূর্ণ নিরাপদ অবস্থায় আছে। চোর ছ্যাঁচড় এর ওপর দৃষ্টি দিলে তাকে কীভাবে শায়েস্তা করতে হয় তা আমি জানি। আমি নিজেই অস্ত্রধারণ করি, পুলিশের কোনও প্রয়োজন নেই।'

চৌবে হাল ছেড়ে দিলেন।

'ঠিক আছে। আপনার যদি এতই কনফিডেন্স থাকে তা হলে আমার বলার কিছু নেই।'

'আপনারা কদিন আছেন ?' জিজ্ঞেস করলেন ঢানঢানিয়া।

'চার পাঁচ দিন তো বটেই,' বলল পিটার রবার্টসন। 'আমি নিজে টেরা কোটা মন্দির সম্বন্ধে ইন্টারেস্টেড, এবং সেই নিয়ে কিছু পড়াশুনাও করেছি।'

'থিঙ্ক, মিঃ রবার্টসন, থিঙ্ক,' বললেন ঢানঢানিয়া। 'থিঙ্ক ফর টু ডেজ—দেন কাম টু মি আগেন।'

'বেশ তো। ভাবতে তো আর পয়সা লাগে না। ভেবে নিয়ে তারপর তোমাকে আবার জানাব।'

'গুড,' বললেন ঢানঢানিয়া, 'অ্যান্ড গুড বাই।'

'নাঃ—এ মশাই ভাবা যায় না।'

গভীর সম্ভ্রমের সঙ্গে ফিসফিসিয়ে কথাটা বললেন জটায়ু। উনি না বললে হয়তো আমি বলতাম, কারণ এরকম দৃশ্য আমি এর আগে কখনও দেখিনি। প্রায় এক বর্গ মাইল জায়গা জুড়ে ছোট বড় মাঝারি সাইজের পাথর কাত হয়ে পড়ে আছে না হয় খাড়া দাঁড়িয়ে আছে, তার মধ্যে যেগুলোর হাইট সত্যিই উঁচু সেগুলো প্রায় তিন তলা বাড়ির সমান। একেকটা বিশাল দাঁড়ানো পাথর আবার মাঝখান থেকে চিরে দুভাগ হয়ে গেছে—হয়তো সুদূর অতীতের কোনও ভূমিকম্পের চিহ্ন। দৃশ্যটার মধ্যে এমন একটা প্রাগৈতিহাসিক ছাপ রয়েছে যে একটা পাথরের পাশ দিয়ে যদি একটা ডাইনোসর বেরিয়ে আসে তা হলেও অবাক হব না।

এইখানেই একটা বিশেষ জোড়া পাথরকে বলা হয় মামা-ভাগ্‌নে, আর তার থেকে পুরো জায়গাটারই নাম হয়ে গেছে মামা-ভাগ্‌নে।

গণেশ ঢানঢানিয়ার কাছে বিদায় নিয়ে বাইরে বেরিয়ে এসেই ফেলুদা প্রস্তাব করল দুবরাজপুরেই যখন আসা হয়েছে তখন মামা-ভাগ্‌নে না দেখে যাওয়ার কোনও মানে হয় না। চৌবেও প্রস্তাব সমর্থন করলেন। সাহেবরা এটার কথা আগে শোনেনি, এসে তাদের চোখ ছানাবড়া হয়ে গেছে। পিটার খালি খালি বলছে 'ফ্যানট্যাস্টিক... ফ্যানট্যাস্টিক,' আর টমের মুখে এই প্রথম হাসি দেখা দিয়েছে। সে একটা ছবি তোলার বিষয়ও পেয়ে গেছে—একটা উঁচু পাথরের মাথায় বসে একটা সাধু চিরুনি দিয়ে দাড়ি আঁচড়াচ্ছে। তিনি কী করে ওই টঙে চড়েছেন তা মা গঙ্গাই জানেন।

পিটার বলল, 'আচ্ছা, চারিদিকে ত্রিসীমানায় কোনও পাথর দেখছি না, অথচ এইখানে এত পাথর—এ নিয়ে কোনও কিংবদন্তি নেই ?'

'ডু ইউ নো গড হনুমান ?'

প্রশ্নটা অপ্রত্যাশিতভাবে করলেন জটায়ু। উত্তরে পিটার মৃদু হেসে বলল, 'আই হ্যাভ হার্ড অফ হিম।'

এর পরে লালমোহনবাবু যা বললেন, একসঙ্গে এতটা নির্ভুল ইংরিজি বলতে তাঁকে এর আগে কখনও শুনিনি।

'ওয়েল, হোয়েন গড হনুমান ওয়জ ফ্লাইং থ্রু দ্য এয়ার উইথ মাউন্ট গন্ধমাদন অন হিজ হেড, সাম রকস্ ফ্রম দি মাউনটেন ফেল হিয়ার ইন দুবরাজপুর।'

'ভেরি ইন্টারেস্টিং,' বলল পিটার রবার্টসন।

সাহেব থাকা সত্ত্বেও ফেলুদা জটায়ুকে উদ্দেশ করে বাংলায় বলল, 'হনুমানের কিংবদন্তিটা বোধহয় আপনার কল্পনাপ্রসূত ?'

'নো স্যার!' বলে চেঁচিয়ে উঠলেন জটায়ু। 'লজের ম্যানেজার নিজে আমায় এটা বলেছেন। এখানে সবাই এটাই বিশ্বাস করে।'

'"বাংলায় ভ্রমণ" তা বলেনি।'

'কী বলেছে ?'

'বলেছে রামচন্দ্র যখন সেতুবন্ধনের জন্য পাথর আনাইলেন, তখন কিছু পাথর পুষ্পক রথ থেকে এখানে পড়ে যায়।'

'ভালই, তবে নট অ্যাজ গুড অ্যাজ মাই হনুমান।'

ম্যাক্সওয়েলের মনে হল পাথরের ছবি তুলতে বিশেষ ভাল লাগছে না, যদিও আমার মনে

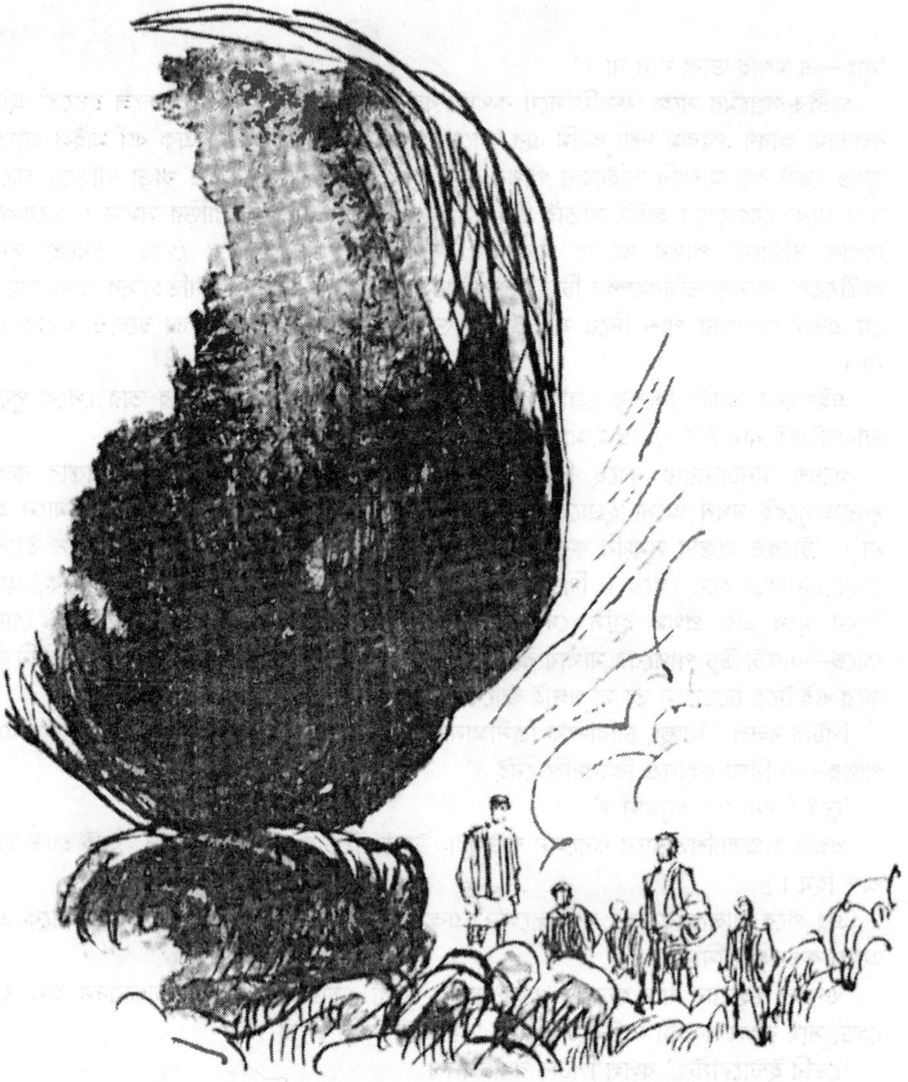

হচ্ছিল পাথরগুলো দারুণ ফোটোজেনিক। ওর সুযোগ এল মামা-ভাগ্‌নের এক প্রান্তে পাহাড়েশ্বর শিব আর শ্মশানকালীর মন্দিরে এসে।

মন্দিরে পুজো দেওয়া ও বোধহয় এই প্রথম দেখল, কারণ দেখলাম ওর ক্যামেরার খচ খচ শব্দ আর থামছে না। এই শ্মশানকালীকেই নাকি রঘু ডাকাত পুজো দিত।

চৌবে দেখলাম ম্যাক্সওয়েলের কাণ্ড দেখে একটু বিচলিত হয়ে পড়েছেন। বললেন, 'এখানে অনেকেই কিন্তু বিদেশিরা যে সব কিছুর ছবি তুলে নিয়ে যায় সেটা পছন্দ করে না। এই ব্যাপারে তোমাকে একটু সাবধান হতে হবে।'

'কেন?' ফোঁস করে বলে উঠল ম্যাক্সওয়েল। 'এখানে চোখের সামনে যা ঘটছে তারই তো ছবি তুলছি আমি, জোচ্চুরি তো করছি না।'

'তাও বলছি—কখন, কী নিয়ে কে আপত্তি করে বসে তা বলা যায় না। ভারতীয়রা এ

ব্যাপারে একটু সেনসিটিভ। আমাদের কিছু আচার ব্যবহার বিদেশিদের চোখে দৃষ্টিকটু লাগা অস্বাভাবিক নয়, কিন্তু সেগুলোর ছবি তুলে বাইরে প্রচার করাটা অনেকের কাছেই আপত্তিকর মনে হতে পারে।'

ম্যাক্সওয়েল তেড়েমেড়ে কী যেন বলতে যাচ্ছিল। কিন্তু পিটার তাকে একটা মৃদু ধমকে নিরস্ত করল।

আমরা মামা-ভাগ্নে দেখে তেষ্টা মেটানোর জন্য কিছুদূরে রাস্তার ধারে একটা চায়ের দোকানে গিয়ে রাস্তার উপরেই রাখা বেঞ্চিগুলোতে বসে চা আর নানখাটাই অর্ডার দিলাম। হরিপদবাবু বললেন উনি এই ফাঁকে একবার চা খেয়ে নিয়েছেন তাই আর খাবেন না।

ইন্সপেক্টর চৌবে ফেলুদার পাশে বসেছিলেন, তাঁর পাশে আমি। তাই চৌবে যে কথাটা বললেন সেটা আমার কানে এল।

'আপনার নাম শুনেই আমি আপনাকে চিনেছি, কিন্তু সেটা আর প্রকাশ করিনি, কারণ মনে হল যত্রতত্র আপনার আসল পরিচয়টা প্রকাশ পেয়ে যায় সেটা হয়তো আপনি চাইবেন না।'

'আপনি ঠিকই অনুমান করেছেন,' বলল ফেলুদা।

'এখানে কি বেড়াতে?'

'পুরোপুরি।'

'আই সি।'

'আপনি তো বিহারের লোক বোধহয়।'

'হ্যাঁ, কিন্তু পাঁচপুরুষ ধরে আমরা বীরভূমেই রয়েছি। ভাল কথা, ম্যাক্সওয়েল ছেলেটির সঙ্গে ভারতবর্ষের কোনও যোগসূত্র আছে কি?'

'ম্যাক্সওয়েলের ঠাকুরদার ঠাকুরদাদা এই বীরভূমেই একটা নীলকুঠির মালিক ছিলেন। নাম বোধহয় রেজিন্যাল্ড ম্যাক্সওয়েল।'

'তাই হবে। আমি ছেলেবেলায় বাপ-ঠাকুরদাদার মুখে এক ম্যাক্সওয়েল সাহেবের নাম শুনেছি, তিনিও নীলকুঠির মালিক ছিলেন। লাভপুরের কাছে ছিল তাঁর কুঠি। গাঁয়ের লোকে বলত ম্যাকশেয়াল সাহেব। তারপর ক্রমে সেটা খ্যাঁকশেয়ালে পরিণত হয়।'

'কেন?'

'কারণ লোকটা ছিল ঘোর অত্যাচারী এবং অহংকারী। এর মধ্যেও দেখছি সেই পূর্বপুরুষের রক্ত কিছুটা বইছে। অথচ রবার্টসন সাহেব কিন্তু একবারেই সেরকম নন, সত্যি করেই ভারতবর্ষ ও ভারতীয়দের ভালবাসেন।'

চা পর্ব সেরে দুবরাজপুরের দুমাইলের মধ্যে হেতমপুরে কয়েকটা সুন্দর টেরা কোটা মন্দির দেখে আমরা লাঞ্চের আগেই টুরিস্ট লজে ফিরে এলাম। হেতমপুরের মন্দিরের গায়ে দুশো বছরের পুরনো থামে মেমসাহেবের মূর্তি দেখে রবার্টসন মুগ্ধ। ম্যাক্সওয়েলের দেখলাম মন্দির সম্বন্ধে কোনও কৌতূহল নেই। সে রাস্তার ধারে টিউবওয়েলে এক মা তার বাচ্চাকে স্নান করিয়ে দিচ্ছিল, তারই কয়েকটা ছবি তুলে ফেলল।

হেতমপুর থেকে চৌবে বিদায় নেবার আগে ফেলুদা তাকে একটা প্রশ্ন করল।

'আপনার সঙ্গে তো ঢানঢানিয়ার যথেষ্ট পরিচয় আছে দেখলাম। লোকটা কেমন?'

চৌবে বলল, 'পরিচয় মানে ও আমাকে হাতে রাখতে চায়। ওর নানারকম সব ধোঁয়াটে কারবার আছে, তাই পুলিশের সঙ্গে ওর দোস্তি রাখাটা দরকার। আমি অবশ্য ওর খাতিরের মানে বুঝি এবং সব সময়ই চোখ কান খোলা রাখি। গোলমাল দেখলে আমি ওকে রেহাই দেব না। তবে লোকটা ধনী। ওই রুবির জন্য দশ লাখ দিতে ওর গায়ে লাগবে না।'

‘ওঁর ছেলে কি ওর বাপের ব্যবসা দেখে ?’

‘কিশোরীলালের নিজের ইচ্ছা নেই বাপের ব্যবসায় থাকার। সে নিজে একটা কিছু করতে চায়, এবং সেই নিয়ে তার বাপের সঙ্গে কথাও হয়েছে। গণেশ তার ছেলেকে খুব ভালবাসে, তাই শেষ পর্যন্ত সে রাজিও হয়ে যেতে পারে।’

‘আই সি।’

‘ভাল কথা—আপনাদের কালকের প্ল্যান কী ?’

‘কাল ভাবছি সকালে একবার কেন্দুলির মেলাটা দেখে আসব।’

‘আপনারা সবাই যাবেন ? ইনক্লুডিং এই দুই সাহেব ?’

‘সেরকমই তো মনে হয়।’

‘তা হলে আপনাকে বলে দিই—আপনি এই ম্যাক্সওয়েল ছোকরাটির উপর একটু দৃষ্টি রাখবেন। ওর ব্যবহার আমার মাথায় দুশ্চিন্তা ঢুকিয়ে দিয়েছে।’

‘নিশ্চয়ই রাখব।’

লজে ফিরে এসে আরও দুজনের সঙ্গে আলাপ হল—তাদের কথা এই বেলা লিখে রাখি।

এক—মিস্টার নস্কর। ইনি কলকাতার একজন নাম-করা ধনী ব্যবসায়ী। ইনি আগেই দুটোর সময় নিজের গাড়িতে এসে পৌঁছেছেন।

দুই—জগন্নাথ চট্টোপাধ্যায়। ইনি বোলপুরেই থাকেন। স্টেটসম্যানে পিটারের লেখাটা পড়ে সোজা আমাদের সঙ্গে এসে দেখা করে বললেন উনি বীরভূম সম্পর্কে বিশেষজ্ঞ। এখানকার প্রত্যেকটি টেরা কোটা মন্দির ওঁর দেখা এবং সে ব্যাপারে উনি সাহেবদের খুব সাহায্য করতে পারেন। পিটার তাঁকে বলে দিল ওর সঙ্গে যোগাযোগ রাখতে।

মিঃ নস্কর—পরে জেনেছিলাম পুরো নাম অর্ধেন্দু নস্কর—ট্যুরিস্ট লজে এসে লাউঞ্জে আমাদের দেখা পেলেন। আমরা সবাই তখন লাঞ্চের ডাক কখন পড়বে তার অপেক্ষায় বসে আছি। ভদ্রলোক এসে ঢুকতে আমাদের সকলেরই দৃষ্টি আকর্ষণ করলেন, কারণ চেহারাটা বেশ চোখে পড়ার মতো। টকটকে গায়ের রং, ফ্রেঞ্চ কাট কালো দাড়ি, চোখে রিমলেস চশমা, পরনে গাঢ় নীল সুটের সঙ্গে জামার উপর কালো নকশা করা স্কার্ফ।

ভদ্রলোক দুজন সাহেবের সামনে দাঁড়িয়ে ‘মিঃ রবার্টসন ?’ বলতেই পিটার উঠে দাঁড়িয়ে তার হাতটা বাড়িয়ে দিল। ভদ্রলোক করমর্দন করে বললেন, ‘মাই নেম ইজ ন্যাস্কার। আমি স্টেটসম্যানে তোমার লেখাটা পড়ে খোঁজখবর করে তোমার সঙ্গে দেখা করব বলে সোজা এখানে চলে আসছি আমার গাড়িতে।’

‘হোয়াট ক্যান আই ডু ফর ইউ ?’

নস্কর একটা চেয়ার টেনে নিয়ে পিটারের মুখোমুখি বসে বলল, ‘আগে তোমার মুখ থেকে আমি একটা কথা শুনতে চাই...’

‘কী ?’

‘দেড়শো বছর আগে তোমার পূর্বপুরুষ তাঁর ডায়রিতে যে বাসনার কথা লিখেছেন, তুমি কি সত্যিই সেটা পূরণ করতে এদেশে এসেছ ?’

‘অ্যাবসোলিউটলি,’ বলল পিটার।

‘তুমি কি অতিপ্রাকৃতে বিশ্বাস কর ? তোমার কি সত্যিই ধারণা যে রুবিটা ভারতবর্ষে ফেরত দিলে তোমার পূর্বপুরুষের আত্মা শান্তি পাবে ?’

পিটার শুকনো গলায় উত্তরটা দিল।

‘আমি কী বিশ্বাস করি বা না করি সেটা জানার কী দরকার ? যতদূর বুঝছি আপনি রুবিটা কেনার প্রস্তাব করছেন। আমার উত্তর হল আমি ওটা বেচব না।’

'তুমি তোমার দেশের জহুরিকে এটা দেখিয়েছ ?'

'দেখিয়েছি।'

'রুবির দাম তার মতে কত হতে পারে ?'

'টোয়েন্টি থাউজ্যান্ড পাউন্ডস।'

'পাথরটা কি হাতের কাছে আছে ? সেটা একবার দেখতে পারি কি ?'

পাথরটা টমের কাছেই ছিল ; সে ব্যাগ থেকে কৌটোটা বার করে নস্করকে দিল। মিঃ নস্কর কৌটোটা খুলে পাথরটা বার করে বেশ কিছুক্ষণ ধরে সেটা ঘুরিয়ে ফিরিয়ে দেখে তারপর পিটারের দিকে ফিরে বলল, 'তোমাদের দুজনের কাউকেই তো তেমন ধনী বলে মনে হচ্ছে না।'

'তার কারণ', বলল পিটার, 'আমরা ধনী নই। কিন্তু এও বলতে পারি যে আমরা লোভীও নই।'

'আমরা দুজনে কিন্তু এক ছাঁচে ঢালা নই', টম ম্যাক্সওয়েল হঠাৎ বলে উঠল।

'তার মানে ?' নস্কর শুধোলেন।

পিটার বলল, 'আমার বন্ধু বলতে চাইছে যে এ ব্যাপারে আমাদের দুজনের মধ্যে মতের সম্পূর্ণ মিল নেই। অর্থাৎ রুবিটা বিক্রি করে দু পয়সা রোজগারের ব্যাপারে তার কোনও আপত্তি নেই। কিন্তু রুবিটা তো ওর প্রপার্টি নয়, আমার প্রপার্টি ; কাজেই ওর কথায় তেমন আমল না দিলেও চলবে।'

টম দেখি গম্ভীর হয়ে গেছে, তার কপালে গভীর খাঁজ।

'এনিওয়ে', বললেন নস্কর, 'আমি এখানে আরও তিনদিন আছি। শান্তিনিকেতনে আমার বাড়ি রয়েছে। আমি আপনাদের সঙ্গে যোগাযোগ রাখব। অত সহজে আমাকে ঝেড়ে ফেলতে পারবেন না মিস্টার রবার্টসন। আমি আপনাকে বারো লাখ টাকা দিতে রাজি আছি। আমার মূল্যবান পাথরের সংগ্রহ সারা ভারতবর্ষে পরিচিত। এত বড় একটা রোজগারের সুযোগকে আপনারা কেন হেলাফেলা করছেন জানি না। আশা করি ক্রমে আপনাদের মত পরিবর্তন হবে।'

পিটার বলল, 'এখানে একটা কথা কিন্তু বলা দরকার। আপনার আগে আরেকজন আমাদের অফার দিয়েছেন।'

'কে ?'

'দুবরাজপুরের একজন ব্যবসায়ী।'

'ঢানঢানিয়া ?'

'হ্যাঁ।'

'ও কত দেবে বলেছে ?'

'দশ লাখ। সেটা আরও বাড়বে না এমন কোনও কথা নেই।'

'ঠিক আছে। ঢানঢানিয়াকে আমি খুব চিনি। ওকে আমি ম্যানেজ করে নেব।'

মিঃ নস্কর আমাদের কাছ থেকে বিদায় নিয়ে চলে গেলেন, আর ওদিকে ডাইনিং রুম থেকে খবর এল যে পাত পড়েছে।

৫

বোলপুর থেকে ২৫ মাইল দূরে আড়াইশো বছর আগে বর্ধমানের এক মহারানির তৈরি রাধাবিনোদের টেরা কোটা মন্দির ঘিরে চলেছে কেন্দুলির বিরাট মেলা। মেলা বলতে যা বোঝায় তার সবই এখানে আছে। দক্ষিণ দিয়ে বয়ে চলেছে অজয় নদী।

আমরা আমাদের গাড়িতেই এসেছি সকলে ; সেটা সম্ভব হয়েছে ফেলুদা গাড়ি চালানোর ফলে। আমরা তিনজন সামনে আর পিছনে পিটার, টম ও জগন্নাথ চাটুজ্যে।

মেলার এক পাশে একটা বিরাট বটগাছের তলায় বাউলরা জমায়েত হয়েছে। তাদের মধ্যে একজন আবার একতারা আর ডুগডুগি নিয়ে নেচে নেচে গান গাইছে—

আমি অচল পয়সা হলাম রে ভবের বাজারে
তাই ঘৃণা করে ছোঁয় না আমায় রসিক দোকানদারে···

জগন্নাথবাবু এদিকে পিটারকে মন্দিরের গায়ের কারুকার্য বোঝাচ্ছে। আমিও কাছে গিয়ে অবাক হয়ে দেখলাম যে রামায়ণ-মহাভারতের অনেক দৃশ্য মন্দিরের গায়ে খোদাই করা রয়েছে।

টম একটু আগেও আমাদের পাশেই ছিল, এখন জানি না কোথায় চলে গেছে।

একটা সুযোগ পেয়ে ফেলুদা পিটারকে নিজের কাছে ডেকে নিয়ে একটা প্রশ্ন করল, যেটা আমার মাথায়ও ঘুরছিল।

'তোমাদের দুজনের বন্ধুত্বে কি একটু চিড় ধরেছে ? টমের কথাবার্তা হাবভাব কাল থেকেই আমার ভাল লাগছে না। তুমি ওর উপর কতখানি বিশ্বাস রাখ ?'

পিটার বলল, 'আমরা একই স্কুলে একই কলেজে পড়েছি। ওর সঙ্গে আমার বন্ধুত্ব বাইশ বছরের। কিন্তু ভারতবর্ষে আসার পর থেকে ওকে যেমন দেখছি তেমন আর আগে কখনও দেখিনি। ওর মধ্যে কতকগুলো পরিবর্তন দেখছি। এক এক সময় মনে হয় ওর ধারণা ব্রিটিশরা এখনও বুঝি ভারতীয়দের শাসন করে। তা ছাড়া ওদেশে থাকতে রুবিটা ভারতবর্ষে ফেরত দেবার ব্যাপারে ও কোনও আপত্তি করেনি। এখন মনে হচ্ছে ওটা বিক্রি করতে পারলে ও আরও খুশি হয়।'

'ওর কি খুব টাকার দরকার ?'

'ও সারা পৃথিবী ঘুরে ছবি তুলতে চায়—বিশেষ করে যেসব দেশে দারিদ্র্যের চেহারাটা খুব প্রকট। এতে যা খরচ হবে সে টাকা ওর কাছে নেই। তবে রুবিটা বিক্রি করলে যা টাকা পাওয়া যাবে তাতে আমাদের দুজনের খরচ কুলিয়ে যাবে।'

'ও যদি তোমাকে না জানিয়ে পাথরটা পাচার করে ?'

'সেরকম বিশ্বাসঘাতকতা ও করবে বলে মনে হয় না। আমি ওকে মাঝে মাঝে শাসন করতে শুরু করেছি। মনে হয় তাতে কাজ দেবে।'

ফেলুদা এদিক ওদিক দেখে বলল, 'ও কোথায় গেছে বলতে পারো ?'

'তা তো জানি না। আমাকে বলে যায়নি।'

'আমার একটা সন্দেহ হচ্ছে।'

'কী ?'

'দক্ষিণ দিকে নদীর পাড় থেকে ধোঁয়া উঠছে দেখে বুঝতে পারছি ওখানে শ্মশান আছে। ও আবার তার ছবি তুলতে যায়নি তো ? একবার গিয়ে দেখা দরকার।'

লালমোহনবাবু কাছেই একটা দোকানের সামনে দাঁড়িয়েছিলেন। আমরা তাঁকে ডেকে নিয়ে ধোঁয়ার দিকে রওনা দিলাম।

বাউলের দল পেরিয়ে নদীর পাড়। সেখান থেকে জমিটা ঢালু হয়ে গিয়ে জলে মিশেছে।

ওই যে শ্মশান। একটা মড়া পুড়ছে, আরেকটা চিতায় শুইয়ে তার উপর কাঠ চাপানো হচ্ছে।

'ওই তো টম!' পিটার চেঁচিয়ে উঠল।

আমিও দেখলাম টমকে। সে ক্যামেরা হাতে যে মড়াটায় কাঠ চাপানো হচ্ছিল তার ছবি তোলার তোড়জোড় করছে।

'হি ইজ ডুইং সামথিং ভেরি ফুলিশ', বলল ফেলুদা।

কথাটা বলার সঙ্গে সঙ্গেই সেটা যে সত্যি সেটা প্রমাণ হয়ে গেল। মড়ার কাছেই গোটা চারেক মাস্তান টাইপের ছেলে বসেছিল। টম সবে ক্যামেরাটা চোখের সামনে ধরেছে আর সেই সময় একটা মাস্তান টমের দিকে দ্রুত এগিয়ে গিয়ে ক্যামেরাটায় মারল একটা চাপড়, আর যন্ত্রটা টমের হাত থেকে ছিটকে গিয়ে বালির ওপর পড়ল।

আর টম? সে বিদ্যুদ্বেগে তার ডান হাত দিয়ে মাস্তানের নাকে মারল এক ঘুঁষি। মাস্তানটা হাত দিয়ে মুখ চেপে মাটিতে বসে পড়ল। হাত সরাতে দেখি ওর নাক দিয়ে রক্ত পড়ছে।

ফেলুদা আর এক মুহূর্ত অপেক্ষা না করে ঊর্ধ্বশ্বাসে গিয়ে মাস্তানদের সামনে হাত তুলে দাঁড়াল, তার পিছনেই টম।

ফেলুদা এবার মুখ খুলল। যতটা সম্ভব নরম করে সে কথাগুলো বলল।

'আপনারা এইবারের মতো এই সাহেবকে মাপ করে দিন। উনি নতুন এসেছেন, কোথায় কী করতে হয় না-হয় সে বিষয়ে এখনও ধারণা নেই। মৃতদেহের ছবি তুলে উনি খুবই অন্যায় কাজ করেছেন। সেটা আমি ওঁকে বুঝিয়ে বলছি। আপনারা এইবারের মতো ওঁকে মাপ করে দিন।'

অবাক হয়ে দেখলাম একজন মাস্তান এগিয়ে এসে ঢিপ করে ফেলুদাকে একটা প্রণাম করে বলল, 'আপনি স্যার ফেলুদা নন? একেবারে সেই মুখ, সেই ফিগার!'

'হ্যাঁ। আমি স্বীকার করছি আমি ফেলু মিত্তির। এই সাহেব আমাদের বন্ধু। আপনারা দয়া করে এঁকে রেহাই দিন।'

'ঠিক আছে স্যার, ঠিক আছে', কেমন যেন মন্ত্রমুগ্ধের মতো বলল মাস্তানের দল। আমি বুঝলাম ফেলুদাকে চিনে ফেললে ফল যে সব সময় খারাপ হয় তা মোটেই না।

কিন্তু যে মাস্তান ঘুঁষি খেয়েছিল সে এ পর্যন্ত কথা বলেনি, এবার বলল— 'আমি এর বদলা নেব, মনে রেখো সাহেব— চাঁদু মল্লিকের কথা নড়চড় হয় না।'

আমরা ফিরতি পথ ধরলাম। বালির উপর পড়াতে টমের ক্যামেরার কোনও ক্ষতি হয়নি। তবে ও দেখলাম বেশ হকচকিয়ে গেছে। আশা করি এবার থেকে ও একটু সাবধান হবে।

আমাদের মেলা দেখার শখ মিটে গিয়েছিল, তাই আমরা বোলপুরমুখো রওনা দিলাম।

বোলপুরে ফিরে লাঞ্চ খেয়ে লাউঞ্জে এসে বসতেই দেখি চৌবে হাজির।

'আপনাদের খবর নিতে এলাম', বললেন চৌবে। পুলিশের চোখ, তাই বললেন, 'দেখে মনে হচ্ছে কোথাও যেন একটা গোলমাল হয়েছে?'

'বিস্তর গোলমাল', বলল ফেলুদা। তারপর শ্মশানের ঘটনাটা বর্ণনা করে বলল, 'চাঁদু মল্লিক নামটা কি চেনা চেনা মনে হচ্ছে?'

'বিলক্ষণ চেনা', বললেন চৌবে। 'হেতমপুরে থাকে, নাম-করা গুণ্ডা। বার তিনেক

জেলেও গেছে। ও যদি বদলা নেবার কথা বলে থাকে তো সেটা হেসে উড়িয়ে দেওয়া চলবে না।'

ইতিমধ্যে টম ঘরে চলে গিয়েছিল। পিটার বসেছিল আমাদের সঙ্গে। চৌবে ইংরিজিতে বললেন, 'শুধু একটিমাত্র লোক এই অবস্থার পরিবর্তন ঘটাতে পারেন। তিনি হলেন পিটার রবার্টসন। মিঃ রবার্টসন— প্লিজ কনট্রোল ইওর ফ্রেন্ড'স টেমপার। ভারতবর্ষ পঁয়তাল্লিশ বছর হল স্বাধীন হয়েছে। তাদের প্রাক্তন মনিবদের কাছ থেকে এ রকম ব্যবহার আজ আর কোনও ভারতীয় বরদাস্ত করতে পারবে না।'

'সেটা তুমিই ওকে বলো', বলল পিটার। 'আমার মাথায় সমস্ত ওলট-পালট হয়ে গেছে। আমি এই টমকে আর চিনি না। তার সঙ্গে কথা বলতে হয় তুমি বলো। বলে যদি কিছু ফল হয় তা হলে আমাদের এখানে আসাটা সার্থক হবে।'

'ঠিক আছে। আমিই বলছি। কিন্তু পাথরটা কি আপনার বন্ধুর কাছেই থাকবে? সেটা

কি আপনার নিজের জিম্মায় রাখা চলে না ?'

'আমার অসম্ভব ভুলো মন, জানেন মিঃ চৌবে। পাথরটা মনে হয় ওর কাছেই নিরাপদে আছে। আর ও যদি পাথরটাকে পাচার করতে চায় তা হলে সেটা ও আমাকে না জানিয়ে করবে বলে মনে হয় না।'

আমরা উঠে পড়লাম। সবাই মিলে গিয়ে ঢুকলাম দশ নম্বর ঘরে।

একটা চেয়ারে মাথা নিচু করে বসে আছে টম ম্যাক্সওয়েল, তার ঠোঁট থেকে ঝুলছে একটা আধ-খাওয়া সিগারেট। ঘরের দরজা খোলাই ছিল, আমরা ঢুকতে সে মুখ তুলে চাইল, কিন্তু উঠে দাঁড়াল না। মিঃ চৌবে গিয়ে তার পাশের চেয়ারটায় বসলেন, আমরা বাকি ক'জন দু খাটে ভাগাভাগি করে বসলাম।

'আর ইউ ট্রাইং টু পুট প্রেশার অন মি ?' জিজ্ঞেস করল টম ম্যাক্সওয়েল।

'নো', বললেন চৌবে, 'উই হ্যাভ নট কাম টু প্লিড উইথ ইউ। তোমাকে সনির্বন্ধ অনুরোধ জানাতে এসেছি।'

'কী অনুরোধ ?'

'ভারতীয়দের প্রতি তোমার যতই বিদ্বেষ থাক না কেন, সেটা বাইরে প্রকাশ কোরো না।'

'আমি তো তোমার কথা মতো চলব না। আমার নিজের বিচারবুদ্ধি যা বলে আমি তাই করব। আমি এই দুই দিনেই দেখতে পাচ্ছি তোমাদের দেশ কোথায় পিছিয়ে পড়ে আছে। এই পঁয়তাল্লিশ বছরে তোমরা এক চুলও অগ্রসর হওনি। এখনও তোমরা হাল বলদ দিয়ে চাষ কর, কলকাতার মতো শহরে মানুষ দিয়ে রিকশা টানাও, ফুটপাথে লোকে শুয়ে থাকে সপরিবারে—এ সব কি সভ্যতার লক্ষণ ? তোমরা এ সব গোপন রাখতে চাও বিশ্বের লোকেদের কাছ থেকে। আমি তা মানব না। আমি ছবি তুলে দেখিয়ে দেব স্বাধীন ভারতবর্ষের আসল চেহারা।'

'শুধু এই কটা দিক দেখলে চলবে না, টম ম্যাক্সওয়েল। অন্য কত দিকে আমাদের দেশ এগিয়েছে সেটা তুমি দেখবে না ? আমরা মহাকাশে যান পাঠিয়েছি। আমাদের দেশে দৈনিক ব্যবহারের কতরকম জিনিস তৈরি হয়েছে সেটা তুমি নিশ্চয়ই দেখেছ ? জামা-কাপড়, ওষুধপত্র, প্রসাধনের জিনিস, ইলেকট্রনিক যন্ত্রপাতি—কোনটা না তৈরি হচ্ছে ভারতবর্ষে ! শুধু অভাবটাই তুমি দেখবে ? তোমাদের দেশে কি নিন্দনীয় কিছু নেই ?'

'দুটোর তুলনা কোরো না। ইন্ডিয়ার স্বাধীনতা একটা ভাঁওতা। সেটা আমি আমার ক্যামেরা দিয়ে প্রমাণ করতে চাই। আজ থেকে পঞ্চাশ বছর আগে আমাদের পূর্বপুরুষেরা তোমাদের উপর যেমন কর্তৃত্ব করে এসেছে, এখনও সেটার দরকার। না হলে এ দেশের কোনও উন্নতি হবে না। মাই গ্রেট গ্রেট গ্র্যান্ডফাদার ওয়জ রাইট।'

'মানে ?'

'তিনি ছিলেন নীল কুঠির মালিক। হি কিক্‌ড ওয়ন অফ হিজ সার্ভেন্টস টু ডেথ।'

'সে কী !'

'ইয়েস স্যার ! হিজ পাংখা-পুলার। এখন তো তবু শীতকাল, গরমে তোমাদের দেশের আবহাওয়া কী বীভৎস হয় তা আমি শুনেছি। সেই গরমকালে রাত্রে আমার পূর্বপুরুষ রেজিন্যাল্ড ম্যাক্সওয়েল ঘুমোচ্ছিলেন তাঁর বাংলোয়। পাংখাওয়ালা পাংখা টানছিল। টানতে টানতে সে ঘুমিয়ে পড়ে। ঘাম এবং অজস্র মশার কামড়ের চোটে রেজিন্যাল্ড ম্যাক্সওয়েলের ঘুম ভেঙে যায়। তিনি আন্দাজ করেন ব্যাপারটা কী। বাইরে এসে দেখেন পাংখাপুলার মুখ হাঁ করে ঘুমোচ্ছে। রেজিন্যাল্ড প্রচণ্ড রাগে তার চাকরের পেটে কষে লাথি মারতে থাকেন। তাতে চাকরের ঘুম চিরনিদ্রায় পরিণত হয়। এই হচ্ছে রাইট ট্রিটমেন্ট। তোমরা কী

বিশ্রীভাবে মড়া পোড়াও আজ তার ছবি তুলতে গিয়েছিলাম। এ দৃশ্য আমাদের দেশে কেউ দেখেনি—আমি তাদের দেখাতে চেয়েছিলাম। তবে স্থানীয় কয়েকজন হুডলামস্ আমাকে শাসাতে আসে। আমি ঘুঁষি মেরে তাদের একজনের নাক ফাটিয়ে দিই। হি ডিজার্ভড্ ইট। এ ব্যাপারে আমার বিন্দুমাত্র আপশোস নেই।'

চৌবে একটুক্ষণ চুপ করে থেকে বলল, 'মিস্টার ম্যাক্সওয়েল, আমি শুধু এইটুকুই বলতে চাই যে দ্য সুনার ইউ লিভ আওয়ার কান্ট্রি দ্য বেটার। তুমি থাকলে শুধু দেশের অমঙ্গল নয়, তোমার নিজেরও যে অমঙ্গল হতে পারে সেটা আশা করি বুঝতে পেরেছ।'

'আমি এ দেশে এসেছি ছবি তুলতে। সে কাজ শেষ করে তবে আমি ফিরব।'

'তোমাদের আসার আসল উদ্দেশ্য তো হল রবার্টসনের রুবিটা ফেরত দেওয়া।'

'সেটা পিটারের উদ্দেশ্য—অ্যান্ড আই থিঙ্ক হি ইজ বিইং ভেরি স্টুপিড। ও যদি পাথরটা বেচে দেয় তা হলে আমি আরও অনেক বেশি খুশি হব।'

৬

রাত্রে ডিনার সেরে ঘরে বসে আড্ডা মারছি, ফেলুদা সবে একটা চারমিনার ধরিয়েছে, এমন সময় লালমোহনবাবু হঠাৎ ব্যস্ত হয়ে উঠে পড়লেন।

'এত তাড়া কীসের?' জিজ্ঞেস করল ফেলুদা।

'আরে মশাই, শতদল একটা বই পড়তে দিয়েছে না— সেটা ছাড়তে পারছি না। টম ম্যাক্সওয়েল যে পাংখা-পুলারকে জুতিয়ে মারার গপ্প বলল, সেই ঘটনা এই বইতে রয়েছে।'

'বটে?'

'বইটার নাম লাইফ অ্যান্ড ওয়র্ক ইন বীরভূম; লিখেছেন এক পাদ্রি, নাম রেভারেন্ড প্রিচার্ড। গত সেঞ্চুরির শেষের দিকের ঘটনা। রেজিন্যাল্ড ম্যাক্সওয়েল তার চাকরকে খুন করে কিন্তু সেই খুনের জন্য কোনও শাস্তি তাকে কোনওদিন ভোগ করতে হয়নি। এই চাকরের নাম ছিল হীরালাল।

'মারা যাওয়াতে তার ছেলে অনাথ হয়ে পড়ে। এই পাদ্রি তখন ছিলেন শিউড়িতে। তিনি খুনের খবরটা পেয়ে ম্যাক্সওয়েলের নীলকুঠিতে যান। সেখানে এগারো বছরের অনাথ অনন্ত নারায়ণকে দেখে ভারী দুঃখ পান। তখনই ছেলেটির ভরণপোষণের ভার গ্রহণ করেন। তারপর ছেলেটিকে ক্রিশ্চান করে একটি মিশনারি স্কুলে ভর্তি করেন। এই পর্যন্ত পড়েছি মশাই। সেই ছেলেটির কী হল জানার জন্য প্রাণটা আঁকুপাঁকু করছে, সো প্লিজ এক্সকিউজ—'

দরজায় টোকা। খুলে দেখি পিটার রবার্টসন।

'মে আই কাম ইন?'

'নিশ্চয়ই, নিশ্চয়ই।'

ফেলুদা উঠে দাঁড়াল। লালমোহনবাবু আবার বসে পড়লেন। পিটারকে গম্ভীর দেখাচ্ছে; কিছু একটা ঘটেছে নিশ্চয়ই।

'কী ব্যাপার পিটার?' ফেলুদা জিজ্ঞেস করল।

'আই হ্যাভ ডিসাইডেড টু সেল দ্য রুবি।'

'সে কী! বসো, বসো— বসে কথা বলো।'

পিটার বসল। তারপর বলল, 'এই দুর দেশে এসে বন্ধু-বিচ্ছেদের কথা ভেবে মনটা বড় উদ্বিগ্ন হয়ে উঠল। টম বদ্ধপরিকর যে পাথরটা বেচে যা টাকা আসবে তাই দিয়ে পৃথিবী

ভ্রমণে বেরোবে। এই ধারণাটা ওকে একেবারে নেশার মতো পেয়ে বসেছে। আর আমিও ভেবে দেখলাম— মিউজিয়ামে দিলে কজনে আর পাথরটার কথা জানতে পারবে ? তাই অনেক ভেবে-চিন্তে…অবশেষে…'

ফেলুদা গম্ভীর। বলল, 'তোমাদের সিদ্ধান্ত আমি নাকচ করার কে ? তবে অনেক আশা করেছিলাম যে তোমার সিদ্ধান্তই কায়েমি থাকবে। এখন দেখছি তা নয়।'

লালমোহনবাবু বললেন, 'কবে বিক্রি করার কথা ভাবছ তুমি ?'

'প্রথম অফার যখন ঢানঢানিয়ার তখন ওকেই দেব ভাবছি। ওর সঙ্গে টেলিফোনেও কথা হয়ে গেছে। পরশু সকাল দশটায় টাইম দিয়েছে।'

'একটা ঐতিহাসিক ঘটনা ঘটবে বলেছিলে, এখন সেটা একটা মামুলি ঘটনায় পর্যবসিত হল,' দীর্ঘশ্বাস ফেলে বলল ফেলুদা।

'আই অ্যাম ভেরি সরি।'

পিটার চলে গেল। রবার্টসনের রুবির সঙ্গে ব্যবসার ব্যাপারটা জড়িয়ে জিনিসটা কেমন জানি জোলো হয়ে গেল।

আমরা আগে থেকেই ঠিক করে রেখেছিলাম যে পরদিন সকালে গিয়ে বক্রেশ্বরটা দেখে আসব। ব্রেকফাস্ট খাবার দশ মিনিটের মধ্যে মিঃ নস্কর তাঁর গাড়িতে এসে ট্যুরিস্ট লজের রিসেপশন বিল্ডিংটার সামনে হাজির হলেন।

'গুড মর্নিং।'

আমরা লাউঞ্জে দাঁড়িয়েছিলাম, সকলেই গুড মর্নিং বললাম।

'আজ ফুলবেড়ে গ্রামে চাঁদনি রাতে জবর সাঁওতাল নাচের বন্দোবস্ত হয়েছে।'

'হঠাৎ ?' ফেলুদা জিজ্ঞেস করল।

'একদল জাপানি ট্যুরিস্ট এসেছে। তাদের জন্য ব্যবস্থা করা হয়েছে। আমি এসেছি আপনাদের আমার ওখানে ইনভাইট করতে। রাত্রে ডিনার। তারপর দশটা নাগাদ দু মাইল দূরে সাঁওতাল গ্রামে গিয়ে নাচ দেখা। কেমন ?'

ফেলুদা বলল, 'ইনভাইট করছেন মানে সবাইকে ?'

'এভরিওয়ান। আপনারা তিনজন এবং সাহেব দুজন।'

'থ্যাঙ্ক ইউ ভেরি মাচ,' বলল ফেলুদা। 'ক'টায় আসব ?'

'এই আটটা নাগাদ। আমি গাড়ি পাঠিয়ে দেব কি ?'

'না না,' বলল ফেলুদা। 'আমরা তো ড্রাইভার নিয়ে সবসুদ্ধ ছ'জন—কোনও অসুবিধা হবে না।'

'ভেরি ওয়েল। গুড ডে।'

বক্রেশ্বর গিয়ে মনে হল সেই কোন আদ্যিকালে এসে পড়েছি। সামনে সারি সারি মন্দির, পিছনে জঙ্গল। তার মধ্যে বটগাছই বেশি। কোনও কোনও বটগাছ থেকে ঝুরি নেমে এসে মন্দিরকে আঁকড়ে ধরেছে। এতগুলো মন্দির আর এতগুলো কুণ্ড, জগন্নাথবাবু দেখলাম সবগুলোর নাম জানেন। লালমোহনবাবু পুজো দিলেন। কারণ বললেন, 'না দিলে নিজেকে বড় বে-ধার্মিক মনে হচ্ছে।' দুজন সাহেবের একজন—পিটার রবার্টসন—সুইমিং ট্রাকস্ পরে সৌভাগ্য কুণ্ডে সাঁতার কাটল। কুণ্ডের নামের মানেটা আগেই জেনে নিয়েছিল। তাই বলল, 'দিস উইল ব্রিং মি গুড লাক্।' মন্দিরের আগেই ভিখিরির দল। তাই টম ম্যাক্সওয়েলের ফোটোজেনিক বিষয়ের অভাব ঘটেনি।

লজে ফিরে আসার আধ ঘণ্টার মধ্যেই ফেলুদার একটা ফোন এল। ইন্সপেক্টর চৌবে।

জিজ্ঞেস করল আমরা সাঁওতাল নাচের খবরটা পেয়েছি কি না। ফেলুদা অবিশ্যি নস্করের বাড়িতে ডিনারের খবরটাও দিয়ে দিল। বলল, সেখান থেকে আমরা নাচ দেখতে যাব। চৌবে বললেন তিনিও সাড়ে দশটা নাগাদ যাবেন, কাজেই ওখানেই আমাদের সঙ্গে দেখা হবে।

মিঃ নস্কর ভালরকম ডিরেকশন দিয়ে দিয়েছিলেন। তাই ওঁর বাড়ি পেতে দেরি হল না। বেশ বড় দোতলা বাড়ি, সামনে ফুলের বাগান, গেট দিয়ে গাড়ি ঢুকে পোর্টিকোর নীচে থামল।

নস্কর আমাদের জন্যে অপেক্ষাই করছিলেন, আমরা গাড়ি থেকে নামতে আমাদের আপ্যায়ন করে ভিতরে নিয়ে গেলেন। একটা সুসজ্জিত বৈঠকখানায় গিয়ে আমরা কজন বসলাম। সাহেবদের জন্য ইংরিজিতেই কথাবার্তা হল।

'একা মানুষের পক্ষে তো আপনার বিরাট বাড়ি দেখছি', বলল ফেলুদা।

'একা বটেই, তবে আমার বন্ধু-বান্ধব অনেক। তাদের চার-পাঁচজনকে ধরে নিয়ে প্রায়ই এখানে ছুটি কাটিয়ে যাই।'

নস্কর আর দুই সাহেবের জন্য হুইস্কি এল, আর আমরা ও রসে বঞ্চিত জেনে আমাদের জন্য লিমকা।

লালমোহনবাবুর দিকে দৃষ্টি দিয়ে হঠাৎ নস্কর বললেন, 'আপনার বন্ধু যে গোয়েন্দা সে আমি নাম শুনেই বুঝেছি। কিন্তু আপনার সঠিক পরিচয়টা পাওয়া যায়নি। এখন জিজ্ঞেস করতে পারি কি ?'

উত্তর দিল ফেলুদা।

'ওর আসল নামটা অনেকেই জানে না। উনি ছদ্মনামে থ্রিলার লেখেন। সেই নামটা হল জটায়ু। জনপ্রিয়তায় উনি নাম্বার ওয়ান বললে বেশি বলা হবে না।'

'ঠিক, ঠিক—আমি পড়েছি আপনার লেখা। "সাংঘাইয়ে সংঘাত"—কেমন, ঠিক বলিনি ?'

লালমোহনবাবু একটা বিনয়ী হাসি হাসলেন।

'আমি সিরিয়াস বই একদম পড়তে পারি না,' বললেন নস্কর। 'বিলিতি ক্রাইম ফিকশন পড়ি আর মাঝে মাঝে দু-একটা দিশিও চেখে দেখি। এখন কী লিখছেন ?'

'আপাতত রেস্ট। গত পুজোয় একটা বেরিয়েছে। নাম শুনে থাকতে পারেন— লন্ডনে লণ্ডভণ্ড।'

'এটাও কি হিট ?'

'সাড়ে চার হাজার কপি নিঃশেষ—হেঃ হেঃ !'

মিঃ নস্কর আসল প্রসঙ্গে যেতে বেশি সময় নিলেন না। পিটারের দিকে ফিরে বললেন, 'আমার প্রস্তাবটা নিয়ে কি আপনি কিছু ভেবেছেন ?'

'আমি পাথরটা বিক্রি করে দিচ্ছি।' বলল পিটার।

'দ্যাটস্ এক্সেলেন্ট।'

'কিন্তু আপনাকে না।'

'ঢানঢানিয়া ?'

'হ্যাঁ। উনিই প্রথম অফার দিয়েছিলেন তাই...'

'নো, মিঃ রবার্টসন, আপনি ওটা আমাকেই বিক্রি করবেন।'

'সে কী করে হয় ? আই হ্যাভ সেট-আপ মাই মাইন্ড।'

'কী করে হয় আমি বুঝিয়ে দিচ্ছি। কারণটা আমি একজন নিরপেক্ষ ব্যক্তির মুখ দিয়ে

শুনিয়ে দিচ্ছি। —মিঃ গাঙ্গুলী!'

'আগ্-গেঁ?'

ডাকটা এত অপ্রত্যাশিত যে লালমোহনবাবুর গলা চিরে দু-ভাগ হয়ে গেল।

'আপনি কাইন্ডলি যদি এই কার্পেটের সামনেটায় এসে দাঁড়ান!'

'আ-আমি?'

'আপনিই সবচেয়ে নিরপেক্ষ এবং সবচেয়ে অমায়িক। আপনি ভয় পাবেন না। আপনার বিন্দুমাত্র ক্ষতি হবে না। আমার একটা বিশেষ ক্ষমতার কথা আপনাদের বলা হয়নি। আমি সকলকে হিপনোটাইজ করতে পারি। সেই অবস্থায় তাদের নানারকম প্রশ্ন করে সঠিক জবাব পেতে পারি। হিপ্‌নোটাইজ্‌ড ব্যক্তি কখনও মিথ্যা বলে না। কারণ সেই ক্ষমতাটা তাদের সাময়িকভাবে লোপ পেয়ে যায়। সেই জায়গায় নতুন ক্ষমতা আসে। সেটার পরিচয় আপনারা এখনই পাবেন।'

ব্যাপারটা এত দ্রুত ঘটে গেল যে লালমোহনবাবু আপত্তি করার কোনও সুযোগই পেলেন না। ফেলুদাও দেখলাম নির্বিকার। আসলে লালমোহনবাবুকে নিয়ে কেউ রগড় করলে ও সেটা বেশ উপভোগ করে।

নস্কর উঠে গিয়ে লালমোহনবাবুর কাঁধ ধরে তাঁকে একরকম টেনে এনেই ঘরের মাঝখানে দাঁড় করালেন। তারপর নিজেই গিয়ে ঘরের বাতিগুলো নিভিয়ে দিয়ে পকেট্ থেকে একটা ছোট্ট লাল টর্চ বার করে সেটা জ্বালিয়ে জটায়ুর চোখের উপর ফেলে আলোটাকে ঘোরাতে শুরু করলেন। সেই সঙ্গে তার কথাও শুরু হল।

'আপনি সম্পূর্ণ আমার উপর নির্ভর করুন, আমার উপর নির্ভর করুন। আপনার নিজের সত্তা লোপ পেতে বসেছে, সেই জায়গায় আসছে একটি অলৌকিক শক্তিসম্পন্ন বিজ্ঞ মানুষ। ···ইয়েস···ইয়েস···ইয়েস···ইয়েস···'

স্পষ্ট দেখতে পাচ্ছি লালমোহনবাবুর দৃষ্টি ঘোলাটে হয়ে আসছে, তাঁর মুখ হাঁ হয়ে আসছে। তিনি সটান চেয়ে আছেন নস্করের দিকে।

এবার টর্চ ঘোরানো থামল, কিন্তু নস্কর সেটা লালমোহনবাবুর মুখের উপর ফেলে রাখলেন। তারপর এল প্রথম প্রশ্ন।

'আপনার নাম কী?'

'শ্রী সর্বজ্ঞ গঙ্গোপাধ্যায়, ওরফে লালমোহন, ওরফে জটায়ু।'

লালমোহনবাবুর এ নাম আমি কখনও শুনিনি।

'এ ঘরে কজন উপস্থিত আছে?'

'ছয় জন।'

'তাদের সবাই কি বাঙালি?'

'দুজন সাহেব।'

'তাদের নাম কী?'

'পিটার রবার্টসন আর টম ম্যাক্সওয়েল।'

'তাঁরা কোত্থেকে আসছেন?'

'ল্যাঙ্কেশিয়ার, ইংল্যান্ড।'

'এঁদের বয়স কত?'

'পিটার চৌত্রিশ বছর তিন মাস, টম তেত্রিশ বছর নয় মাস।'

'এঁদের ভারতবর্ষে আসার উদ্দেশ্য কী?'

'পিটারের উদ্দেশ্য রবার্টসনের রুবি ফেরত দেওয়া।'

'সে রুবি কার কাছে আছে ?'
'টম ম্যাক্সওয়েল।'
'এই রুবির ভবিষ্যৎ কী ?'
'ওটা বিক্রি হবে।'
'সেটা কি গণেশ ঢানঢানিয়া কিনবে ?'
'না।'
'কিন্তু উনি তো দর দিয়েছেন ?'
'এবার দশ লাখ নেমে হবে সাড়ে সাত।'
'তার মানে পিটার বিক্রি করবে না ?'
'না।'
'তা হলে ?'
'ওটা অন্য একজন কিনবেন ?'
'কে ?'
'অর্ধেন্দু নস্কর।'
'কত দাম ?'
'বারো লাখ।'
'থ্যাঙ্ক ইউ, স্যার।'

এবার নস্কর লালমোহনবাবুর কাঁধ ধরে ঝাঁকানি দিতেই তিনি ধড়মড়িয়ে স্বাভাবিক অবস্থায় ফিরে এলেন।

'ওয়েল মিস্টার রবার্টসন ?'

নস্কর পিটারের দিকে চেয়ে প্রশ্নটা করলেন।

'দ্যাট ওয়জ মোস্ট ইমপ্রেসিভ।'

'এখন বিশ্বাস হল ?'

'আই ডোন্ট নো হোয়াট টু থিঙ্ক।'

'তোমাকে ভাবতে হবে না। তাড়া নেই। তুমি ঢানঢানিয়ার সঙ্গে কাল দেখা করো। সাড়ে সাত লাখে তোমার রুবি বিক্রি করতে চাও তো পার। তা না হলে আমার বারো লাখের অফার তো রয়েইছে।'

চাকর এসে খবর দিল ডিনার রেডি।

আমরা সকলে উঠে ডাইনিং রুমের উদ্দেশে রওনা দিলাম।

৭

যোড়শোপচারে ডিনার সেরে আমরা সোয়া দশটা নাগাত ফুলবেড়িয়া গ্রামে হাজির হলাম। পূর্ণিমা রাত, তা ছাড়া এখানে ওখানে মশাল জ্বলছে, তাই দেখার কোনও অসুবিধা নেই। গ্রামের একপাশে একটা মাঠ, সেখানেই লোকের ভিড়। এরা সাঁওতাল নয়—বেশির ভাগই শহরের লোক, নাচ দেখতে এসেছে। তাদের মধ্যে মেয়ে-পুরুষ দুইই রয়েছে।

ভিড়ের মধ্যে থেকে দেখি ইন্সপেক্টর চৌবে বেরিয়ে এলেন।

'শুধু আমি নয়,' বললেন চৌবে, 'আপনাদের অনেক পরিচিত ব্যক্তিই এখানে উপস্থিত।'

'কী রকম ?' জিজ্ঞেস করল ফেলুদা।

'কিশোরীলাল আর চাঁদু মল্লিককেও দেখলাম। সেই বীরভূম বিশেষজ্ঞ ব্যক্তিও রয়েছেন।'

'সে তো ভাল কথা। নাচটা আরম্ভ হবে কখন?'

'সব লাইন করে দাঁড়িয়ে পড়েছে তো। যে কোনও মুহূর্তেই শুরু হবে।'

পিটারকে দেখে ফেলুদা এগিয়ে গিয়ে বলল, 'কাছাকাছির মধ্যে থেকো, না হলে ফেরার সময় খুঁজে বার করা মুশকিল হবে।'

টম ম্যাক্সওয়েল ক্যামেরা বার করে তাতে ফ্ল্যাশ লাগাচ্ছে। নস্করকে দেখলাম তিনিও একটা ছোটখাটো ফ্ল্যাশ ক্যামেরা নিয়ে রেডি। তিনি টমের দিকে এগিয়ে গিয়ে ফোটোগ্রাফি সম্বন্ধে আলোচনা শুরু করলেন। আমি কাছেই ছিলাম, তাই কথাগুলো শুনতে পাচ্ছিলাম। নস্কর জিজ্ঞেস করলেন, 'তোমার কি স্টুডিয়ো আছে?'

'না', বলল টম ম্যাক্সওয়েল। 'আমি স্টুডিয়ো ফোটোগ্রাফার নই। আমি দেশ-বিদেশে ঘুরে ঘুরে ছবি তুলি। ফ্রি লান্স। আমার ছবি বহু পত্র-পত্রিকায় বেরিয়েছে। ভারতবর্ষে যা ছবি তুলব তা ন্যাশনাল জিওগ্রাফিক ম্যাগাজিন নেবে বলেছে। তারাই আমার খরচ বহন করছে।'

মাদলে চাঁটি পড়ল। টমের সঙ্গে আমরাও নাচের দলের দিকে এগিয়ে গেলাম।

নাচ শুরু হয়ে গেছে। জনা তিরিশেক সাজগোজ করা মেয়ে পরস্পরের হাত ধরে দুলতে শুরু করেছে। তিনটে মাদলের সঙ্গে তিনজন বংশীবাদক রয়েছে। মাদল যারা বাজাচ্ছে তাদের পায়ে ঘুঙুর।

লালমোহনবাবু আমার পাশে এসে ঘেঁষে দাঁড়িয়ে বললেন, 'এখন আবার বাঁ চোখটা নাচছে। কপালে কী আছে কে জানে।'

'হিপ্‌নোটাইজ্‌ড হয়ে শরীর খারাপ হয়নি তো?'

'নাঃ। অদ্ভুত অভিজ্ঞতা, জানো ভাই তপেশ। কী যে করেছি আর কী যে বলেছি তার কিছু মনে নেই।'

এবার মশালের আলোয় হঠাৎ চাঁদু মল্লিককে দেখতে পেলাম বিড়ি ফুঁকছে। এক পা এক পা করে সে নাচের দলের দিকে এগোচ্ছে।

না, নাচের দিকে নয়, টমের দিকে।

আমি লালমোহনবাবুকে ফিসফিসিয়ে বললাম, 'ওকে চোখে চোখে রাখা দরকার।'

'যা বলেছ।'

টম কিন্তু এক জায়গায় দাঁড়িয়ে নেই। সে এবার পিছন দিকে চলে গেল, বোধহয় নতুন দৃষ্টিকোণ খোঁজবার জন্য। সব ফোটোগ্রাফারই কি এই রকম ছটফটে হয়?

চাঁদু মল্লিক একটা জায়গায় এসে দাঁড়িয়েছে, তার দু হাত সরু প্যান্টের পকেটে গোঁজা।

ক্রমে আমাদের দলের লোকেরা ছড়িয়ে ছিটিয়ে পড়ল। লালমোহনবাবু অবশ্য আমার পাশ ছাড়েননি। আমি বাকি সকলের উপর দৃষ্টি রাখতে চেষ্টা করছিলাম, কারণ ফেরার সময় সকলকে এক জায়গায় জড়ো হতে হবে। ওই যে ফেলুদা, চৌবেকে একটু আগে ওর পাশে দেখেছিলাম, এখন আর নেই। ওই যে নস্কর—ওঁর ফ্ল্যাশ জ্বলে উঠল। অলস ছন্দে নাচ হয়ে চলেছে।

ওই কিশোরীলাল। সে পিটারের দিকে এগোচ্ছে। ওদের মধ্যে কিছু কথা হয় কি না জানবার জন্য আমি জটায়ুকে ছেড়ে ওদের দিকে এগিয়ে গেলাম।

কিশোরীলাল পিটারকে সামনে পেয়ে বলল, 'গুড ইভনিং।'

পিটার বলল, 'কালকে আমাদের অ্যাপয়েন্টমেন্টটা ঠিক আছে তো?'

'ইয়েস স্যার।'

'আশা করি তোমার বাবা মত বদলাবেন না।'

'নো স্যার। হি হ্যাজ মেড আপ হিজ মাইন্ড।'

'ভেরি গুড।'

কিশোরীলাল চলে গেল।

এবার জগন্নাথবাবুকে দেখলাম তাঁর জায়গা নিতে। পিটার 'হ্যালো' বলে বলল, 'আমাকে এই নাচের ব্যাপারটা একটু বুঝিয়ে দেবে?'

'সার্টেন্‌লি।'

জগন্নাথবাবু পিটারের পাশে ঘন হয়ে দাঁড়িয়ে কানের কাছে মুখ এনে নাচের ব্যাপারটা বোঝাতে আরম্ভ করল। আমি আর শুনতে না পেয়ে লালমোহনবাবুর দিকে এগিয়ে গেলাম।

এবার ফেলুদাকে দেখলাম একটা মশালের আলোয়। সে একটা চারমিনার ধরাল।

প্রথম নাচ শেষ হয়ে দ্বিতীয় নাচ শুরু হল। এর তাল একেবারে অন্য, আগেরটার চেয়ে অনেক দ্রুত। মেয়েরা একবার নিচু হচ্ছে পরস্পরের হাত ধরে, তার পরেই সোজা হয়ে উঠছে, তালে তালে, মাদল আর বাঁশির সঙ্গে। সেই সঙ্গে একটানা সুরে গান। 'ভেরি এক্সাইটিং' মন্তব্য করলেন জটায়ু।

আমাদের সামনে দিয়ে মিঃ নস্কর ক্যামেরা নিয়ে বেরিয়ে গেলেন আমাদের দিকে একটা প্রশ্ন ছুঁড়ে দিয়ে— 'কেমন লাগছে?'

'কী ব্যাপার? এমন জোর নাচ চলেছে আর আপনার কপালে খাঁজ?'

প্রশ্নটা জটায়ু করলেন আমাদের দিকে এগিয়ে আসা ফেলুদাকে।

'ভ্রূকুটির কারণ আছে। পরিবেশটা ভাল নয়, ভাল নয়। —ম্যাক্সওয়েলকে দেখেছিস, তোপ্‌সে?'

'কিছুক্ষণ আগেও দেখেছি, কিন্তু এখন আর দেখছি না।'

'ছোকরা গেল কোথায়?' বলে আমাদের ছেড়ে ফেলুদা বাঁ দিকে এগিয়ে গেল।

লালমোহনবাবু বললেন, 'তোমার দাদাকে হেল্‌প করবে? চলো আমরাও গিয়ে দেখি ম্যাক্সওয়েল গেল কোথায়।'

'চলুন।'

লালমোহনবাবুর হাত ধরে এগিয়ে গেলাম নাচের দলের পিছন দিকটায়। চাঁদু মল্লিক। কিশোরীলাল। এক ঝলক এক ঝলক দেখছি একেকটা চেনা মুখ। কিন্তু টম কই?

ওই যে পিটার। সেও এক জায়গায় দাঁড়িয়ে ভ্রূকুটি করে এদিক ওদিক দেখছে।

'হ্যাভ ইউ সিন টম্?'

'আমরাও ওকেই খুঁজছি।'

'আই ডোন্ট লাইক দিস অ্যাট অল।'

পিটার টমকে খুঁজতে ডাইনে চলে গেল। আমরা বাঁয়ে এগিয়ে গেলাম। নাচ এখন আরও দ্রুত, মাদল বেজে চলেছে। নাচের দল গাইছে, দুলছে আর ঘুরছে।

হঠাৎ ভিড়ের মধ্যে থেকে ফেলুদা বেরিয়ে এল।

'চৌবেকে দেখেছিস?'

সে গভীরভাবে উদ্বিগ্ন।

উত্তরের অপেক্ষা না করেই সে এগিয়ে গেল। দুবার তাকে গলা তুলতে শুনলাম।

'ইন্সপেক্টর চৌবে! ইন্সপেক্টর চৌবে!'

এক মিনিটের মধ্যে ফেলুদাকে আবার দেখলাম, সঙ্গে চৌবে। তারা দ্রুত এগিয়ে গেল ডান দিকে।

'কী ব্যাপার ?' লালমোহনবাবু প্রশ্ন করলেন।

সংক্ষেপে 'ম্যাক্সওয়েল' বলে ফেলুদা আর চৌবে এগিয়ে গেল।

এবার আমরা ফেলুদা আর চৌবেকে অনুসরণ করে দৌড় শুরু করলাম।

একটা গাছের ধারে গিয়ে ফেলুদা থামল। হাত দশেক দূরে একটা মশাল জ্বলছে। তার আলোয় দেখলাম ম্যাক্সওয়েল মাটিতে উপুড় হয়ে পড়ে আছে। তার পাশে ঘাসের উপর লুটোচ্ছে তার ব্যাগ আর ফ্ল্যাশসমেত ক্যামেরা।

'ইজ হি ডেড ?' চৌবের প্রশ্ন।

'না। অজ্ঞান। পাল্‌স আছে।'

চৌবের কাছে দেখলাম একটা ছোট্ট টর্চ রয়েছে। সেটা জ্বালিয়ে টমের মুখের উপর ফেলতে টমের চোখের পাতাটা যেন নড়ে উঠল। ফেলুদা এবার টমের কাঁধ ধরে ঝাঁকুনি দিল।

'ম্যাক্সওয়েল ! টম !'

ঠিক সেই মুহূর্তে অন্ধকার থেকে মশালের আলোয় ছুটে বেরিয়ে এল পিটার।

'হোয়াট্‌স দ্য ম্যাটার উইথ হিম ? ইজ হি ডেড ?'

'না। অজ্ঞান,' বললেন চৌবে। 'তবে জ্ঞান ফিরছে।'

ইতিমধ্যে টম চোখ খুলেছে। তার মুখ যন্ত্রণায় বিকৃত।

'কোথায় লেগেছে তোমার ?' ফেলুদা জিজ্ঞেস করল।

টম কোনওরকমে হাত দিয়ে মাথার পিছনটা দেখিয়ে দিল।

এবার পিটার মাটি থেকে ব্যাগটা কুড়িয়ে নিয়ে সেটা খুলে ভিতরে হাত ঢোকাতে তার মুখটা ফ্যাকাশে হয়ে গেল।

'দ্য রুবি ইজ গন', ভারী গলায় বলল পিটার।

টমকে গাড়িতে তুলে নিয়ে আমরা আবার নস্করের বাড়িতে ফিরে এলাম। রুবি উধাও শুনে নস্করের অবস্থা দেখবার মতো হয়েছিল। সে শ্লেষ মেশানো গলায় বলল, 'তোমরা যা চেয়েছিলে তাই হল। ভারতবর্ষের রুবি ভারতবর্ষেই ফিরে এল, তবে তোমাদের পৃথিবী ভ্রমণ আর হল না।'

পূর্বপল্লীর ডাক্তার সিংহ টমকে পরীক্ষা করে বললেন, 'মাথার পিছনের একটা অংশ ফুলেছে। কোনও ভারী জিনিস দিয়ে আঘাত করার ফলে টম সংজ্ঞা হারায়।'

'এই আঘাত থেকে মৃত্যু হতে পারত কি ?' পিটার জিজ্ঞেস করল।

'আরেকটু জোরে হলে হতে পারত বইকী ?' বললেন ডাঃ সিংহ। 'আপাতত ওখানটায় বরফ ঘষে দেওয়া ছাড়া আর কোনও চিকিৎসা নেই। ব্যথা বেশি হলে একটা পেন কিলার খেয়ে নিলে কাজ দেবে।'

ডাঃ সিংহ চলে যাবার পর চৌবে মুখ খুললেন।

'মিঃ ম্যাক্সওয়েল, আপনাকে যে আঘাত করেছে তাকে তো আপনি দেখতে পাননি বলে বললেন।'

'না। সে লোক আমার পিছন দিক দিয়ে আসে।'

'যতদূর বুঝতে পারছি', বললেন চৌবে, 'মাথার পিছনে বাড়ি মারার কারণ ওই পাথর চুরি করা। টম ম্যাক্সওয়েলের ব্যাগে এরকম একটা পাথর ছিল সেটা অনেকেই জানত না, যদিও রবার্টসন্‌স রুবির কথা অনেকেই এর মধ্যে জেনে গেছে। যাঁরা টমের ব্যাগে পাথর আছে

জানতেন তাঁরা হলেন আমি, মিস্টার মিত্তির, তাঁর ভাই, তাঁর বন্ধু লালমোহনবাবু, জগন্নাথ চাটুজ্যে, কিশোরীলাল এবং মিঃ নস্কর।'

মিঃ নস্কর হাঁ হাঁ করে উঠলেন। —'পাথরটা তো আমার হাতে চলেই আসত ; সেখানে আমি এ রাস্তা নেব কেন—যেখানে আমার বাড়ি খেয়ে টম খুনও হয়ে যেতে পারত ?'

'ও সব বলে লাভ নেই, মিঃ নস্কর। আপনি প্রাইম সাসপেক্ট। হিপ্‌নোটাইজ্‌ড অবস্থায় মিঃ গাঙ্গুলী যা বলেছেন সেগুলো যে ফলবেই এমন কোনও গ্যারান্টি নেই। এ রুবি যেমন তেমন রুবি নয়, আর আপনিও যেমন তেমন কালেক্টর নন। সে রুবি বেহাত হয়ে যেতে পারে জেনে আপনি সেটা বিনা পয়সায় হাত করার চেষ্টা করবেন না ? কী বলছেন আপনি ?'

'ননসেন্স ! ননসেন্স !' বলে নস্কর চুপ করে গেলেন।

চৌবে বলে চললেন, 'এ ছাড়া আছে কিশোরীলাল। তার বাপ পয়সা দিয়ে জিনিসটা কিনতে চেয়েছিলেন। তাতে ছেলের কোনও লাভ হত না। অথচ ছেলে রুবির মূল্য জানে, সেটা কোথায় থাকে তা জানে। এই অবস্থায় সেটাকে হাতাবার চেষ্টা করাটা কি খুব অস্বাভাবিক ?...টমের উপর আক্রোশ ছিল এমন এক ব্যক্তি ওখানে উপস্থিত ছিলেন। সে হল চাঁদু মল্লিক। মাথায় বাড়ি মারাটা চাঁদুর পক্ষে অত্যন্ত স্বাভাবিক, কারণ সে বদলা নেবে বলে শাসিয়েই রেখেছিল। প্রশ্ন হচ্ছে, সে কি রুবির ব্যাপারটা জানত ? মনে তো হয় না। এখানে টমকে মাথায় আঘাত মেরে অজ্ঞান করে স্রেফ টাকাকড়ির লোভে ব্যাগে হাত ঢুকিয়ে যদি ঘটনাচক্রে রুবির কৌটোটা পেয়ে যায়—এই সম্ভাবনাকে আমরা উড়িয়ে দিতে পারি না, পারি কি ?... আরেকজন সাসপেক্ট হচ্ছে জগন্নাথ চাটুজ্যে। ইনি রুবি সম্বন্ধে জানতেন, কোথায় সেটা থাকে তাও জানতেন। ওঁর এ হেন আচরণের কারণ একমাত্র লোভ।'

ফেলুদা বলল, 'একজন সাসপেক্টকে আপনি বাদ দিয়ে যাচ্ছেন, মিঃ চৌবে।'

'কে ?'

'পিটার রবার্টসন।'

'হোয়াট !' বলে লাফিয়ে উঠল পিটার।

'ইয়েস মিঃ রবার্টসন !' বলল ফেলুদা। 'তুমি চেয়েছিলে রুবিটাকে কলকাতার মিউজিয়ামের হাতে তুলে দিতে। তোমার বন্ধু তাতে বাদ সাধছিল। পাছে বিদেশে এসে বন্ধু-বিচ্ছেদ হয় তাই তুমি পাথরটা বিক্রি করতে রাজি হয়েছিলে। কিন্তু শেষে তোমার মত পালটানো আশ্চর্য নয়। এমনিতেও টমের সঙ্গে তোমার আর সৌহার্দ্যের সম্পর্ক ছিল না। আমি যদি বলি যে তুমি তোমার মূল সিদ্ধান্তে ফিরে গিয়েছিলে, এবং তাই পাথরটা নিজের কাছে নিয়ে আস।'

কথাগুলো শুনে রবার্টসন কিছুক্ষণ চুপ করে দাঁড়িয়ে রইল। তারপর সটান উঠে দাঁড়িয়ে হাত দুটো মাথায় তুলে বলল, 'আমি নিয়েছি কি না জানার খুব সহজ রাস্তা আছে। সার্চ মি, ইন্সপেক্টর চৌবে। রুবি নিয়ে থাকলে এর মধ্যে সেটা সরাবার কোনও সুযোগ আমি পাইনি। কাম অন, ইন্সপেক্টর—সার্চ মি।'

'ভেরি ওয়েল', বলে ইন্সপেক্টর চৌবে উঠে গিয়ে পিটারকে সার্চ করলেন। কিছুই পাওয়া গেল না।

এবার ফেলুদা বলল, 'ওঁকে যখন সার্চ করা হল তখন আমরা তিনজন বাদ যাই কেন ? আসুন মিঃ চৌবে।'

চৌবে ইতস্তত ভাব করছেন দেখে ফেলুদা আবার বলল, 'আসুন আসুন, মনের মধ্যে সন্দেহ রাখা ভাল না।'

চৌবে আমাদের তিন জনকেই সার্চ করলেন। তারপর বললেন, 'মিঃ রবার্টসন, এ

ব্যাপারে আমি তদন্ত করি এটা আপনি চান কি ?'

'নিশ্চয়ই', জোরের সঙ্গে বলল রবার্টসন। 'আই ওয়ন্ট দ্যাট রুবি ব্যাক অ্যাট এনি কস্ট।'

৮

পরদিন সকালে টমকে দেখলাম সে অনেকটা সামলে নিয়েছে। বলল ব্যথাটা এখনও সম্পূর্ণ যায়নি। কিন্তু আর দুদিনের মধ্যেই চলে যাবে।

পাথর চুরির ব্যাপারটায় দুই বন্ধুই দেখলাম সমান কাতর। এই ভাবে পাথরটাকে ভারতবর্ষে রেখে যাবার কথাটা পিটার মোটেই ভাবেনি, আর টম আপশোস করছে প্রথম দিনই কেন সেটাকে বিক্রি করে দেওয়া হয়নি, যখন ঢানঢানিয়াও এত ভাল অফার দিল।

মিস্টার চৌবে সকালে আমাদের ঘরে এলেন এগারোটা নাগাত। বললেন এসে প্রথমে একবার টমকে দেখেছেন, তারপর আমাদের কাছে এসেছেন রিপোর্ট নিতে।

'কিছু এগোল ?' জিজ্ঞেস করল ফেলুদা।

'একজন সাসপেক্টকে বাদ দিতে হয়েছে।'

'কে ?'

'কিশোরীলাল।'

'কেন ? বাদ কেন ?'

'প্রথমত, আমি যতদূর জানি কিশোরীলালকে, সে অত বেপরোয়া নয়। তা ছাড়া—এটা আমি জানতাম না—মাস খানেক হল ঢানঢানিয়া বেশ কয়েক লাখ টাকা খরচ করে তার ছেলেকে একটা প্ল্যাস্টিকের ফ্যাক্টরি বানিয়ে দিয়েছে। কিশোরী রেগুলার কাজে যাতায়াত করছে। তার বাবা কড়া নজর রেখেছেন তার উপর। এই সময় একটা পাথর চুরি করে বিক্রি করে হাতে কাঁচা টাকা পেলে সেটা বাবার দৃষ্টি এড়াত না। সো—কিশোরীলাল ইজ আউট।'

'চাঁদু মল্লিক ?'

'আমাদের যা হিসেব, তাতে টম মাথায় আঘাত পায় পৌনে এগারোটা নাগাত। তখন চাঁদু বোলপুরে নবীন ঘোষের মদের দোকানে। একাধিক সাক্ষী আছে। তাদের সবাইকে জেরা করে দেখেছি। চাঁদু ইজ আউট টু।'

'বাকি দুজন ?'

'আজ সকালে নস্করের বাড়ি সার্চ করেছিলাম। পাথরটা পাওয়া যায়নি। অবিশ্যি তাতে কিছু প্রমাণ হয় না। এতটুকু পাথর লুকিয়ে রাখা তেমন কিছু কঠিন ব্যাপার নয়। তবে সবচেয়ে বেশি সন্দেহ পড়ছে কিন্তু বীরভূম এক্সপার্ট জগন্নাথ চ্যাটার্জির ওপর।'

'এটা কেন বলছেন ?'

'ও বীরভূম এসেছে মাত্র তিন বছর হল। ওর বাড়িতে একটা ট্যুরিস্ট গাইড আছে, সেটার নাম হল ভ্রমণসঙ্গী। তা থেকেই ও তথ্য সংগ্রহ করে। বোলপুরের আগে বর্ধমানে ছিল। সেখানে তার পুলিশ রেকর্ড রয়েছে—জালিয়াতির কেস।'

'তাই বুঝি ?'

'ইয়েস স্যার। আমার মতে হি ইজ আওয়ার ম্যান। সাহেবদের কাছ থেকেও ও পারিশ্রমিক আদায় করছিল। ওয়ান হান্ড্রেড রুপিজ পার ডে। সমস্ত ব্যাপারটা খুবই সন্দেহজনক।'

'ওর বাড়ি সার্চ করেছেন ?'

'করব আজ দুপুরে। শুধু সার্চ না—কারণ সার্চ করে কিছু পাওয়া যাবে বলে মনে হয় না—কড়া কথা বলে ওর মনে চরম ভয় ঢুকিয়ে দিতে হবে। ভাল কথা—আপনি নিজে কোনও তদন্ত করবেন না ?'

'বর্তমান ক্ষেত্রে আপনি অনেক বেশি কার্যকরী হবেন বলে মনে হয়। তবে মাথা খেলবে ঠিকই, আর কিছু মনে এলে আপনাকে জানাব। ইয়ে—আমি যে সাসপেক্টটার কথা বলেছিলাম তার কী হল ?'

'পিটার রবার্টসন ?'

'হ্যাঁ, কারণ আমার ধারণা ওর এখন যে মনের অবস্থা তাতে ও বন্ধুবিচ্ছেদটা মেনে নিতে প্রস্তুত। প্যাট্রিক রবার্টসনের মনোবাঞ্ছা পূর্ণ করাটাও ওর এখন প্রধান লক্ষ্য।'

'আপনার কথা মনে রেখেই আমি একটু আগেই ওর ঘরটা ভাল করে সার্চ করেছি। কিছু পাইনি।'

চৌবে চা আর বিস্কুট খেয়ে উঠে পড়লেন ; বললেন ওবেলা আবার আসবেন।

ফেলুদা একটা দীর্ঘশ্বাস ফেলে বলল, 'বড় গোলমেলে ব্যাপার। পাঁচটা সাসপেক্ট পাঁচ জায়গায় ছড়িয়ে আছে। এখানে শখের গোয়েন্দাকে পুলিশ টেক্কা দেবে তাতে আর আশ্চর্যের কী ?'

'আপনার কি কারুর উপর সন্দেহ পড়ল ?' জটায়ু প্রশ্ন করলেন।

'এই পাঁচজনের মধ্যে ?'

'হ্যাঁ।'

'কিশোরীলালের ব্যবসার ব্যাপারটা যদিও জানতাম না, কিন্তু তাও আমার মন ওকে বাতিল করে দিচ্ছিল। তার কারণ ছেলেটার মধ্যে হিম্মতের অভাব। কাউকে মাথায় বাড়ি মেরে অজ্ঞান করার সামর্থ্য ওর আছে বলে মনে হয় না, আর তার উপর ওই ভিড়ের মধ্যে ব্যাগ খুলে তার থেকে পাথর বার করে নিয়ে পালানো...'

'চাঁদু মল্লিক ?'

'ওর সামর্থ্য আছে সন্দেহ নেই, তবে রুবি সম্বন্ধে—বিশেষ করে টমের ব্যাগে রুবি আছে সেটা ওর পক্ষে জানা খুবই অস্বাভাবিক বলে মনে হয়। নস্কর লোকটাকেও সন্দেহ করতে আমার মন চায় না। বিশেষ করে মাথায় বাড়িটাড়ি মারার ব্যাপারে ও মোটেই নিজেকে জড়াবে না। তা ছাড়া এটা মনে রাখতে হবে লোকটার টাকার অভাব একেবারেই নেই।'

'একটা জিনিস আমি কিছুতেই বুঝতে পারছি না।'

'কী ?'

'হিপ্‌নোটাইজ হয়ে মানুষ সত্যি কথা বলে ?'

'কোন সত্যিটা বলছেন আপনি ?'

'বাঃ, তপেশ যে বললে ওদের বয়স বলে দিলুম। ওরা ল্যাঙ্কেশিয়ার থেকে এসেছে বলে দিলুম।'

'দুটো তথ্যই স্টেটসম্যানের লেখার গোড়ার দিকেই ছিল।'

'তাই বুঝি ?'

'ইয়েস স্যার। আর বাকি যা বলেছেন সেটা যে মিথ্যে সে তো প্রমাণই হয়ে গেল।'

'তা বটে।... তা হলে জগন্নাথ চ্যাটার্জিই কালপ্রিট ?'

'চৌবে যা বলল, তাতে তো সেরকমই মনে হচ্ছে। মামলাটার পরিসমাপ্তি খুব জমাটি হল না সেটা—'

ফেলুদার কথা শেষ হল না। কারণ দরজায় টোকা পড়েছে।

খুলে দেখি টম ম্যাক্সওয়েল—তার মুখ গম্ভীর। ফেলুদা উঠে দাঁড়িয়ে একটা চেয়ার এগিয়ে দিল টমের দিকে। টম মাথা নাড়ল।

'আমি বসতে আসিনি।'

'আই সি।'

'আমি এসেছি তুমি এবং তোমার দুই বন্ধুর ঘর সার্চ করতে।'

'সার্চ তো কাল একবার করা হয়ে গেছে। তাতে তোমার বিশ্বাস হল না!'

'নো। সে সার্চ করেছে ইন্ডিয়ান পুলিশ। আমার তাদের ওপর কোনও বিশ্বাস নেই।'

'সার্চ করতে ওয়ারেন্ট লাগে তা জানো? যে কেউ সার্চ করতে চাইলেই সার্চ করতে পারে না।'

'তা হলে তুমি আমাকে সার্চ করতে দেবে না?'

'নো, মিঃ ম্যাক্সওয়েল। ও ব্যাপারটা কালই হয়ে গেছে। আজ আর হবে না।'

ম্যাক্সওয়েল আর দ্বিরুক্তি না করে অ্যাবাউট টার্ন করে চলে গেল।

'বোঝো', বললেন লালমোহনবাবু। 'আপনার সঙ্গে অনেক তদন্তেই অংশগ্রহণ করলুম, কিন্তু ক্রিমিন্যাল বলে সাসপিশন এই প্রথম পড়ল আমাদের উপর।'

'সব রকম অভিজ্ঞতাই হয়ে থাকা ভাল, তাই নয় কি?'

'তা বটে। তা আপনি কি স্রেফ ঘরে বসে তদন্ত করবেন! বেরোবেন না কোথাও?'

'দরকার হলে নিশ্চয়ই বেরোব। তবে এখনকার স্টেজটা হল চিন্তা করার স্টেজ, আর সেটা ঘরে বসেই সবচেয়ে ভাল হয়। অবিশ্যি তাই বলে আপনাদের ধরে রাখতে চাই না। আপনারা স্বচ্ছন্দে বেরোতে পারেন। শান্তিনিকেতন এবং তার আশেপাশে এখনও অনেক কিছুই দেখতে বাকি আছে।'

'ভেরি ওয়েল। আমরা তা হলে একবার শতদলকে গিয়ে ধরি। ও বলছিল ওর আজ কোনও ক্লাস নেই। দেখি ও কী সাজেস্ট করে। আপনাকে বরং একটা জিনিস দিয়ে যাচ্ছি—শতদলের দেওয়া সেই বই। সেই পাদ্রি প্রিচার্ডের লেখা। দারুণ বই মশাই। কাল রাত্তিরে শেষ করেছি। এই ম্যাক্সওয়েলের পূর্বপুরুষ সম্বন্ধে অনেক তথ্য পাবেন। আর নীল চাষ সম্বন্ধে পরিষ্কার ধারণা হয়ে যাবে।'

ফেলুদাকে বইটা দিয়ে আমি আর লালমোহনবাবু বেরিয়ে পড়লাম।

শতদলবাবু বললেন, 'চলো তোমাদের একটা খাঁটি গ্রাম দেখিয়ে নিয়ে আসি। গোয়ালপাড়া। আর তার পিছনেই আছে গুরুদেবের প্রিয় নদী কোপাই। এ দুটো না দেখলে শান্তিনিকেতন দর্শন অসম্পূর্ণ থেকে যাবে।'

গ্রাম এর আগে যে দেখিনি তা নয়, তবে গোয়ালপাড়ার মতো খাঁটি গ্রামের চেহারা এর আগে দেখেছি বলে মনে পড়ে না। লালমোহনবাবুকে কবিতায় পেয়েছে। তাঁর প্রিয় কবি বৈকুণ্ঠ মল্লিকের একটা কবিতার খানিকটা অংশ আবৃত্তি করে ফেললেন—

'বাংলার গ্রামে স্পন্দিছে মোর প্রাণ
সেই কবে দেখা—আজও স্মৃতি অম্লান
যেদিকে ফেরাও দৃষ্টি
মানুষ ও প্রকৃতি দুইয়ে মিলে দেখ কী অপরূপ সৃষ্টি!'

কোপাই দেখেও সেই একই ব্যাপার। এটাতে বোঝা যায় যে বৈকুণ্ঠ মল্লিক শান্তিনিকেতনে এসেছিলেন—

'জীর্ণ কোপাই সর্পিল গতি
মন বলে দেখে—মনোরম অতি

দুই পাশে ধান
প্রকৃতির দান
দুলে ওঠে সমীরণে,
বলে দেবে কবি
আঁকা রবে ছবি
চিরতরে মোর মনে।'

৯

বিকালে এক আশ্চর্য ঘটনা। ইনস্পেক্টর চৌবে পাঁচটা নাগাত এসে বললেন, 'কেস খতম্। যা ভেবেছিলাম তাই। জগন্নাথ চাটুজ্যে নিয়েছিল পাথরটা। সার্চ করে কিছু পাওয়া যায়নি অবশ্য, কিন্তু তারপর একটু পুলিশি চাপ দেওয়াতে সত্যিটা বেরিয়ে পড়ে—আর সেই সঙ্গে পাথরটাও। একটা ফুলের টবে পুঁতে রেখেছিল।'

'আপনি নিয়ে এসেছেন পাথরটা?'

'ন্যাচারেলি।'

চৌবে পকেট থেকে পাথরটা বার করলেন। আবার নতুন করে সেটার ঝলমলে রং দেখে মনটা কেমন জানি হয়ে গেল।

'আশ্চর্য!' বলল ফেলুদা।

'কেন?'

'লোকটাকে দেখে চোর বলে বিশ্বাস করা যায়, কিন্তু জখমকারী বলে যায় না। একেবারে ভেতো বাঙালি।'

'মানুষের চেহারা দেখে সব সময় তার ভেতরটা জাজ করা যায় না মিঃ মিত্তির।'

'সেটা অবশ্য আমার অভিজ্ঞতাই বলে।'

'তা হলে পাথরটাকে এবার স্বস্থানে চালান দিই?'

'চলুন।'

আমরা চারজনে দশ নম্বর ঘরের দিকে রওনা দিলাম।

পিটার দরজা খুলল।

'ওয়েল, মিঃ রবার্টসন', বললেন চৌবে, 'আই হ্যাভ এ লিট্‌ল গিফ্‌ট ফর ইউ।'

'হোয়াট?'

চৌবে পকেট থেকে কৌটোটা বার করে পিটারের হাতে দিলেন।

পিটার ও টমের মুখ হাঁ।

'বাট, হোয়্যার—হোয়্যার...?'

'সেটা না হয় আর নাই বললাম। ঘরের ছেলে ঘরে ফিরে এসেছে সেটাই হল আসল কথা। মিঃ ম্যাক্সওয়েল নিশ্চয়ই স্বীকার করবেন যে ভারতীয় পুলিশ বেশ করিৎকর্মা। এবার অবিশ্যি তোমরা এটা নিয়ে কী করবে দ্যাট ইজ আপ টু ইউ। বিক্রি করতে পার, ক্যালকাটা মিউজিয়ামেও দিয়ে দিতে পার।'

পিটার ও টম দুজনেই উঠে দাঁড়িয়েছিল, দুজনেই এবার ধপ্ করে খাটে বসে পড়ল। পিটার মৃদুস্বরে বলল, 'গুড শো! কনগ্র্যাচুলেশন্‌স।'

'এবার তা হলে চলি?' বললেন চৌবে।

'আই ডোন্ট নো হাউ টু থ্যাঙ্ক ইউ।' বলল টম ম্যাক্সওয়েল।

'ডোন্ট। তোমার মনে যে ধন্যবাদ দেবার প্রশ্নটা জেগেছে সেটাই বড় কথা। আমরা তাতেই খুশি।'

'কী মনে হচ্ছে মশাই?' পরদিন ব্রেকফাস্ট টেবিলে ফেলুদাকে জিজ্ঞেস করলেন জটায়ু।

'কোথায় যেন গণ্ডগোল', বিড়বিড় করে বলল ফেলুদা।

'আমি বলব কোথায় গণ্ডগোল? এই ফর দ্য ফার্স্ট টাইম দারোগার কাছে হেরে গেলেন ফেলু মিত্তির। সেইখানেই গণ্ডগোল।'

'উঁহু। তা নয়। মুশকিল হচ্ছে কী আমি বিশ্বাস করছি না আমি হেরে গেছি।'

ফেলুদা চুপ করে গেল। তারপর বলল, 'তোপ্‌সে—তুই এখন কিছুক্ষণ লালমোহনবাবুর ঘরে যা। আমি একটু একা থাকতে চাই।'

লালমোহনবাবুর ঘরে গিয়ে বসতে ভদ্রলোক বললেন, 'আমার ভাল লাগছে না ভাই তপেশ। একটা সুযোগ এসেও কেমন যেন ফস্‌কে গেল। তাই বোধহয় কাল বাঁ চোখটা নাচছিল।'

তারপর একটুক্ষণ চুপ করে থেকে বললেন, 'তোমার দাদার শরীর-টরীর খারাপ হয়নি তো? দেখে কেন জানি মনে হচ্ছিল রাত্রে ভাল ঘুম হয়নি।'

'ঘুম হয়েছে, তবে অনেক রাত অবধি আপনার দেওয়া বইটা পড়েছে এটা আমি জানি। অবিশ্যি তাও সেই সকাল সাড়ে পাঁচটায় উঠে যোগব্যায়াম করেছে।'

'তোপ্‌সে!'

ফেলুদার গলা, সেই সঙ্গে দরজায় ধাক্কা। দরজা খুললাম।

ফেলুদা ঝড়ের বেগে ঘরে ঢুকে বলল, 'চলুন—বেরোতে হবে। চৌবের ওখানে। দেরি নয়—ইমিডিয়েটলি।'

আমরা তৈরিই ছিলাম, তিনজন বেরিয়ে পড়লাম।

দুবরাজপুর থানায় গিয়ে গাড়িটা থামল। আমরা তিনজন নামলাম। একজন কনস্টেবল জিজ্ঞাসু দৃষ্টি নিয়ে এগিয়ে এল।

'একটু ইনস্পেক্টর চৌবের সঙ্গে দেখা করব।'

'আসুন।'

আমরা চৌবের ঘরে গিয়ে হাজির হলাম। ভদ্রলোক কাগজপত্র দেখছিলেন, আমাদের দেখে অবাক আর খুশি মেশানো দৃষ্টি দিয়ে আমাদের দিকে চাইলেন।

'কী ব্যাপার?'

'একটু কথা ছিল।'

'বসুন, বসুন।'

আমরা তিনজন চৌবের টেবিলের উলটোদিকে তিনটে চেয়ারে বসলাম।

'চা খাবেন তো?'

'নো থ্যাঙ্কস্। একটু আগেই ব্রেকফাস্ট খেয়েছি।'

'তা বলুন কী ব্যাপার।'

'মাত্র একটা প্রশ্ন।'

'বলুন, বলুন।'

'আপনি কি ক্রিশ্চান?'

চৌবের চোখ কপালে উঠে গেল। তারপর একটা সরল হাসি হেসে বললেন, 'হঠাৎ এ প্রশ্ন?'

'আমি জানতে চাই। প্লিজ বলুন।'

'ইয়েস, আই অ্যাম এ ক্রিশ্চান—কিন্তু আপনি জানলেন কী করে?'

'আপনাকে আমি চারবার খেতে দেখেছি। প্রথমবার ঢানঢানিয়ার বাড়িতে লাড্ডু আর সরবত। লাড্ডু আপনি বাঁ হাতে খান। ব্যাপারটা দেখেছিলাম বটে, কিন্তু যাকে লক্ষ করা বলে তা করিনি। অর্থাৎ ওটার তাৎপর্য বুঝিনি। দ্বিতীয়বার, চায়ের দোকানে চায়ের সঙ্গে নানখাটাই খেলেন, তাও বাঁ হাতে। এটা আমার মনের কোণে নোট করে রেখেছিলাম। কাল চা বিস্কুট খেলেন আমাদের ঘরে, বিস্কুট বাঁ হাতে। তখনই বুঝতে পারি আপনি ক্রিশ্চান। কিন্তু এবারও তাৎপর্য বুঝিনি। এখন বুঝেছি।'

'বহুৎ আচ্ছা। কিন্তু তাৎপর্যটা কী সেটা জানতে পারি? এই কথাটা বলতে আপনি একেবারে দুবরাজপুর চলে এলেন?'

'তা হলে আরেকটা প্রশ্ন করি?'

'করুন।'

'আপনার ফ্যামিলিতে প্রথম কে ক্রিশ্চান হয়?'

'আমার ঠাকুরদা।'

'তাঁর নাম?'

'অনন্ত নারায়ণ।'

'তাঁর ছেলের নাম?'

'চার্লস প্রেমচাঁদ।'

'অ্যান্ড হিজ সন?'

'রিচার্ড শঙ্কর প্রসাদ।'

'তিনি কি আপনি?'

'ইয়েস স্যার।'

'আপনার ঠাকুরদাদার বাবার নাম কি হীরালাল?'

'হ্যাঁ—বাট হাউ ডিড ইউ—?'

চৌবের মুখ থেকে খুশি ভাবটা চলে গিয়ে এখন খালি অবাক অবিশ্বাস।

'এই হীরালালই কি রেজিন্যাল্ড ম্যাক্সওয়েলের পাংখা টানত?'

'এ খবর আপনি পেলেন কী করে?'

'একটা বই থেকে। পাদ্রি প্রিচার্ডের লেখা। যিনি আপনার ঠাকুরদাদাকে অনাথ অবস্থা থেকে উদ্ধার করে তাকে ক্রিশ্চান করে তার ভবিষ্যতের পথ তৈরি করে দিয়েছিলেন।'

'এরকম একটা বই আছে বুঝি?'

'আছে। দুষ্প্রাপ্য বই, কিন্তু আছে।'

'তা হলে তো আপনি—'

'কী?'

'আপনি তো জানেন...'

'কী জানি?'

'সেটা আপনিই বলুন মিঃ মিত্তির। আমার বলতে সংকোচ হচ্ছে।'

'বলছি', বলল ফেলুদা। 'আপনার প্রপিতামহর সাহেবের বুটের লাথি খেয়ে প্রাণত্যাগ করার ঘটনা আপনি এখনও ভুলতে পারেননি। ছেলেবেলা থেকেই হয়তো শুনে এসেছেন রেজিন্যাল্ড খ্যাঁকশেয়াল কী জাতীয় লোক ছিলেন। যখন আপনি জানলেন যে সেই রেজিন্যাল্ডের নাতি এখানে এসেছে এবং যখন দেখলেন সেই নাতির মধ্যে রেজিন্যাল্ডের

ঔদ্ধত্য আর ভারতবিদ্বেষ পুরোপুরি বর্তমান, তখন—'

'ঠিক আছে, মিঃ মিত্তির, আর বলতে হবে না।'

'তা হলে আমি যা ভাবছি সেটাই ঠিক তো?'

'কী?'

'আপনি প্রতিহিংসাবশত টমকে মাথায় বাড়ি মেরে অজ্ঞান করেন। পাথরটা নেন যাতে সন্দেহটা ওই চারজনের উপর গিয়ে পড়ে।'

'ঠিক। এখন এর জন্য আমার কী শাস্তি হওয়া উচিত বলুন।'

'সেটাই আমি আপনাকে বলতে এসেছি।'

'কী?'

'আপনার কোনও শাস্তি হবে না। আপনার অবস্থায় পড়লে আমিও ঠিক এই জিনিসই করতাম। আপনি গুরু পাপে লঘু দণ্ড দিয়েছেন। আপনি নির্দোষ।'

'থ্যাঙ্ক ইউ, মিঃ মিত্তির—থ্যাঙ্ক ইউ।'

'এখন আপনার কোন চোখ নাচছে, মিঃ সর্বজ্ঞ গঙ্গোপাধ্যায়?'

'দুচোখই। একসঙ্গে। আনন্দের নাচনি। আমি কেবল ভাবছি একটা কথা।'

'আমি জানি।'

'কী বলুন তো?'

'আপনার বন্ধু শতদল সেনকে ধন্যবাদ দিতে হবে, এই তো?'

'মোক্ষম ধরেছেন। তিনি বইটা না দিলে—'

'—এই মামলার নিষ্পত্তি হত না—'

'আর জগন্নাথ চাটুজ্যে রয়ে যেতেন ক্রিমিন্যাল।'

'অন্তত আমাদের মনে।'

'ঠিক বলেছেন।'

'হরিপদবাবু—চলুন তো দেখি পিয়ার্সন পল্লী। শতদল সেনের বাড়ি।'

*

রবার্টসনের রুবিটা শেষ পর্যন্ত মিউজিয়মেই গেল। কৃতিত্বটা যে ফেলুদার, সেটা বলাই বাহুল্য। ন্যাশনাল জিওগ্রাফিক-এর মতো বিশ্ববিখ্যাত পত্রিকা যখন ম্যাক্সওয়েলের ভারতবর্ষে আসার ব্যয়ভার গ্রহণ করেছে, তা থেকে সহজেই বোঝা যায় যে ও যথেষ্ট নাম-করা ফোটোগ্রাফার, এবং এই জাতীয় লোকের টাকার অভাব থাকার কথা নয়। আরও টাকার লোভে ও রুবিটা বিক্রি করতে চাইছিল। পিটার ম্যাক্সওয়েলের ব্যবহারে অসন্তুষ্ট হলেও ছোটবেলাকার বন্ধুত্বের কথা ভেবে ওর কথায় সরল বিশ্বাসে রুবিটা বিক্রি করতে রাজি হয়েছিলেন। ফেলুদার কথায় তিনি পূর্বপুরুষের আত্মার শান্তির জন্য যা করতে এসেছিলেন তাই করলেন। ম্যাক্সওয়েলের রাগ ও আস্ফালন কোনও কিছুই তাঁকে টলাতে পারল না।

অ স মা প্ত ফে লু দা

তোতা রহস্য
(প্রথম খসড়া)

‘তোমার নাম ফেলুদা?’

একটা ছোট্ট ছেলে ফেলুদার পিছনে দাঁড়িয়ে প্রশ্নটা করেছে। ঘটনাটা ঘটছে পার্ক আর রাসেল স্ট্রিটের খেলনার দোকান হবি সেন্টারে। শুধু খেলনার দোকান বললে ভুল হবে, কারণ এখানে খেলনা ছাড়াও আরেকটা জিনিস পাওয়া যায় সেটা হল অ্যাকুরিয়ামের মাছ। ব্রেজিলের রাক্ষুসে মাছ পিরানহার দুটো বাচ্চা ওখানে এসেছে খবর পেয়েই দুজনে এসে হাজির হয়েছি।

ওই খুদে মাছের ধারালো দাঁত দেখে আমাদের চোখ চড়কগাছ, এমন সময় পিছন থেকে প্রশ্নটা এল।

ছেলেটি ঘাড় উঁচু করে ফেলুদার দিকে দেখছে একদৃষ্টে। একটি ভদ্রলোক হাসি হাসি মুখ করে আমাদের দিকে এগিয়ে এসে বললেন, ‘আমার ছেলে আপনার পরম ভক্ত। বলতে পারেন আপনি ওর একজন হিরো।’

ফেলুদা কিছু বলার আগেই ছেলেটি এক নিশ্বাসে বলে গেল—‘আমাদের বাড়িতে একটি টিয়া উড়ে এসেছিল কাল বিকেলে, সেটাকে পঞ্চু ধরে ফেলেছে, আর আমরা একটা খাঁচা কিনেছি, আর সেই খাঁচাতে টিয়াটাকে রেখে দিয়েছি, আর সেটা খুব মজার কথা বলে।’

‘তাই বুঝি?’ ফেলুদা ছেলেটির দিকে ঝুঁকে পড়ে জিজ্ঞেস করল। ‘কী বলে বলো তো?’

‘খালি খালি ত্রিনয়ন বলে একজনকে ডাকে।’

‘বাঃ—এতো খুব মজার ব্যাপার!’ ফেলুদা বলল, ‘ত্রিনয়ন নিশ্চয়ই ওকে খেতে দিত।’

‘তুমি দেখবে টিয়াটা?’

বেশ বুঝতে পারছিলাম যে ফেলুদা যদি একবার হ্যাঁ বলে তো ছেলেটি একেবারে হাতে স্বর্গ পাবে।

ছেলের বাবা আরও এগিয়ে এসে বললেন, ‘ফেলুদা ব্যস্ত মানুষ কত কাজ থাকে ওঁর, ওঁর পক্ষে কি যেখানে সেখানে যাওয়া সম্ভব?’

ফেলুদা বলল, ‘বেশ তো, একদিন যাব এখন। তোমার টিয়া তো আর পালিয়ে যাচ্ছে না। অবিশ্যি কার টিয়া দেখতে যাচ্ছি সেটা আমার জানা দরকার।’

ভদ্রলোক এবার পকেট থেকে একটা কার্ড বার করে ফেলুদাকে দিয়ে বললেন, ‘আমার নাম জয়ন্ত বোস। ইনি হচ্ছেন শ্রীমান রজত। আপনি একদিন এলে আমরা খুবই খুশি হব। রজত ছাড়াও আমাদের বাড়িতে আপনার আরও দুটি ভক্ত আছেন—রজতের মা এবং বাবা।’

ফেলুদা কথা দিল যে একটা রবিবার সকালে রজতদের বাড়িতে গিয়ে তার টিয়া পাখি দেখে আসবে।

পরদিন সকালে ফেলুদার ডাকে ঘুম ভাঙল। বৈঠকখানা থেকে ডাকছে ফেলুদা। ও সক্কলের

আগে উঠে যোগব্যায়াম সেরে, সক্কলের আগে খবরের কাগজ পড়ে।

আমি তড়াক্ করে উঠে ওর কাছে গিয়ে দেখি ও খবরের কাগজ হাতে নিয়ে বসে আছে। পাশে ইংরিজিটা ভাঁজ করে রাখা, হাতে বাংলা কাগজ। আমায় দেখেই 'এইটে পড়ে দেখ তোপ্‌সে' বলে কাগজটা আমার হাতে দিয়ে একটা জায়গায় আঙুল দেখিয়ে দিল। দেখি দ্বিতীয় পাতায় কর্মখালি-টালির মধ্যে ব্যক্তিগত বলে যে বিজ্ঞাপনগুলো থাকে, এটা তারই একটা। তাতে লেখা রয়েছে—

'গত ১৯শে অক্টোবর আমার একটি পোষা চন্দনা খাঁচা থেকে পালিয়ে যায়। আমার অতি প্রিয় এ পাখিটা সন্ধান দিতে পারলে উপযুক্ত পুরস্কার দেব। ধূর্জটিপ্রসাদ মল্লিক, ২২ নং হরিশ মুখার্জি রোড কলকাতা ৭০০ ০২০।

ফেলুদা বলল, 'যদ্দুর মনে পড়ছে, এই ধূর্জটি মল্লিক হলেন একজন বিরাট ধনী ব্যবসায়ী। কালীচরণ মল্লিক অ্যান্ড সান্‌স-এর কাপড়ের দোকান ছিল বড়বাজারে। ধূর্জটি সম্ভবত ওই অ্যান্ড সান্‌স-এর একজন। তা ইনি হঠাৎ একটা পাখির শোকে এতটা মরিয়া উঠেছেন কেন সেইটেই হচ্ছে কথা।'

আমি বললাম, 'তা হলে তো জয়ন্তবাবুদের পাখিটা ফেরত দিয়ে দিতে হবে।'

'সেই রকমই তো মনে হচ্ছে। শ্রীমান রজত খবরটা শুনে খুব খুশি হবে বলে মনে হয় না। দেখি...'

ফেলুদা উঠে গিয়ে ফোন তুলে জয়ন্তবাবুর নম্বর ডায়াল করল। টেলিফোনে যা কথা হল মোটামুটি এই—

তোতা রহস্য
(দ্বিতীয় খসড়া)

'বাবা বলছে তুমি ফেলুদা।'

কথাটা শুনে পাশ ফিরে দেখি একটা আট দশ বছরের ছেলে ফেলুদার পাশে দাঁড়িয়ে ঘাড় উঁচিয়ে তার মুখের দিকে দেখছে। তার পিছনে দূরে গরম বুশ শার্ট পরা একজন ভদ্রলোক হাসিমুখে আমাদের দিকে দেখছেন। বোধহয় তিনিই 'বাবা'। ভদ্রলোক এগিয়ে এসে ফেলুদাকে বললেন, 'আমি আপনি বোধহয় একই সেলুনে চুল ছাঁটাই। সেখানেই আপনাকে দেখেছি। আসলে আমার ছেলে আপনার খুব ভক্ত, তাই আপনাকে চিনিয়ে দেবার লোভ সামলাতে পারলাম না।'

আমাদের কথা হচ্ছিল পার্ক স্ট্রিটের হবি সেন্টার বলে যে খেলনার দোকান আছে তার ভিতর দাঁড়িয়ে। আজ বড়দিন, তাই আমরা পার্ক স্ট্রিটের ঝলমলে চেহারাটা দেখতে বেরিয়েছি। মিনিট দশেক ঘোরাঘুরির পর ফেলুদা বলল যে ওর কিছু চাইনিজ তারের ধাঁধা কেনা দরকার। নানারকম জ্যামিতিক নকশায় ব্যাঁকানো তার, সঙ্গে আরেকটা কায়দা করে প্যাঁচানো থাকে। মাথা খাটিয়ে সেই প্যাঁচ খুলে দুটোকে আলগা করতে হয়। এই হল Chinese Wire Puzzle। এর খোঁজেই হবি সেন্টারে আসা, আর সেখানেই ফেলুদার এই খুদে ভক্তের সঙ্গে দেখা।

ফেলুদা ছেলের বাপের কথা শুনে হেসে ছেলেটির দিকে তাকিয়ে বলল, 'আমি না হয় ফেলুদা, তোমার নামটি কী সেটা তো জানতে পারলাম না।'

ছেলেটি ফেলুদার কথার জবাব না দিয়ে বলল, 'আমার টিয়া কোথায় গেছে বের করে দিতে পারবে?'

ভদ্রলোক হেসে উঠলেও মনে হল সেটা খানিকটা তার অপ্রস্তুত ভাবটা ঢাকার জন্য।

ফেলুদা বলল, 'কী হল তোমার টিয়া?'

ছেলেটি কিন্তু বলার আগে ভদ্রলোকই উত্তর দিলেন। 'ওর জন্য এই সেদিন একটা টিয়া এনে দিয়েছিলাম। আজ সকালে সেটা খাঁচা থেকে উধাও। পালিয়ে টালিয়ে গেছে বোধহয়।'

'পারবে বার করে দিতে?'—ছেলেটি এখনও এক দৃষ্টে ফেলুদার দিকে চেয়ে আছে।

ফেলুদা বলল, 'আগে সমস্ত ঘটনা না জানলে কি ডিটেকটিভ কাজ শুরু করতে পারে?'

'তা হলে চলো আমাদের বাড়ি।'

'ও কী হীরক!' ভদ্রলোক মোলায়েম ধমকের সুরে বললেন, 'ফেলুবাবুর বুঝি অন্য কাজ নেই? উনি কত ব্যস্ত লোক জানো?' তারপর ফেলুদার দিকে ফিরে বললেন, 'অবিশ্যি আপনি আসতে পারলে আমরা খুব খুশিই হব। টিয়া রহস্য সমাধানের জন্য বলছি না—হে হে—এমনি এসে চা খেয়ে যাবেন আর কী।'

ফেলুদার হাত এখন খালি, তার উপরে বড়দিনের ছুটি, তার উপরে তার খুদে ভক্তর অনুরোধ—একসঙ্গে এতগুলো কারণের জন্যই বোধহয় ও পরদিন বিকেলে নীহার দাশগুপ্তের বাড়ি যেতে রাজি হয়ে গেল।

খাবার পরে ফেলুদাকে বললাম, 'তুমি যে নীহারবাবুর বাড়িতে যেতে রাজি হলে, ওর ছেলে কিন্তু টিয়ার ব্যাপারটা ঠিক তোমার ঘাড়ে চাপাবে।'

ফেলুদা খুব মন দিয়ে একটা নতুন কেনা চিনে তারের প্যাঁচ খোলার চেষ্টা করতে করতে বলল, 'হুঁ।'

আমি বললাম, 'হুঁ কী? শেষটায় যদি টিয়া উদ্ধার না হয়?'

'তা হলে একটি ভক্ত কমে যাবে!'—ফেলুদা বিড় বিড় করে মন্তব্য করল। আমার কিন্তু ব্যাপারটা ভাল লাগছিল না। যে সে লোকের যা কিছু হারালেই যদি ফেলুদাকে গিয়ে খুঁজে বের করে দিতে হয় তা হলে তো মুশকিল। একটা জবরদস্ত ক্রাইম-টাইম হয়—খুন, জালিয়াতি, একটা বড় রকমের চুরি বা ডাকাতি—তাতে ফেলুদার ডাক পড়লে ওর বুদ্ধিটা শানিয়ে নেবার সত্যি করে সুযোগ হয়। এই বড়দিনের ছুটিতে মনে মনে সেই রকমই একটা কিছুর আশা করছিলাম, কিন্তু তার জায়গায় কিনা...

আরও মিনিট পাঁচেক চেষ্টা করে তারের প্যাঁচ খুলে ফেলুদা একটা হাই তুলে বলল, 'আসল ব্যাপারটা কী জানিস? ওই নীহার দাশগুপ্ত লোকটা সম্বন্ধে আমার একটা কিউরিয়সিটি আছে।'

'কেন? লোকটা একজন কেউকেটা বুঝি?'

'দাশগুপ্ত বলছে, আর হেশাম রোড বলছে। যদি শরৎ দাশগুপ্তর বাড়ির ছেলে হয়, তা হলে...'

'তা হলে কী?'

'তা হলে আমাদের যাওয়াটা একেবারে মাঠে মারা যাবে না।'

ফেলুদার আন্দাজ ভুল হয়নি। নীহার দাশগুপ্ত হলেন শরৎ দাশগুপ্তের নাতি। দু বছর আগে সাতাশি বছর বয়সে শরৎ দাশগুপ্ত মারা যান। জীবনে তার একটিমাত্র শখ ছিল সেটা হল ঘড়ি সংগ্রহ করা। বাইশ নম্বর হেশাম রোডের বাড়ির দোতলার উত্তর পূর্ব কোণের বৈঠকখানায় ছিয়ানব্বুই রকম ছোট বড় ঘড়ি রয়েছে। এ ছাড়া বাড়ির অন্য ঘরে, বারান্দায় ও সিঁড়ির ল্যান্ডিঙেও আরও বেশ কয়েকরকম ঘড়ি দেখলাম। এর চেয়ে বড় ঘরের সংগ্রহ যদি কলকাতায় কোথাও থেকে থাকে তো সে আমার জানা নেই। ঘড়িগুলো যখন বাজতে আরম্ভ করে তখন কথা বন্ধ করে চুপ করে শুনতে হয়।

নীহারবাবু বোধহয় তার ছেলেকে বুঝিয়ে সুঝিয়ে রেখেছিলেন যে সে যেন ফেলুদা এলেই তাকে তার পাখির কথা বলে বিরক্ত না করে, কারণ আমরা যতক্ষণ বসে চা খেলাম, হীরক দরজার বাইরে ঘুর ঘুর করল কিন্তু ঘরে ঢুকল না।

নীহারবাবুর স্ত্রীও দেখলাম ফেলুদার ভক্ত। নিজে হাতে বিনুনি পাকানো মাংসের শিঙাড়া করেছিলেন আমাদের জন্য। তা ছাড়া কড়াইশুঁটির সঙ্গে চিড়ে ভাজা, বাড়ির তৈরি পাটিসাপটা আর চা।

চা খাওয়া শেষ হলে পর নীহারবাবু তার ঘড়ির কথা তুললেন। আমরা বারান্দায় বসেছিলাম—পাশেই বৈঠকখানা, আর সেখানেই ঘড়ি। ফেলুদা বলল, 'ঘড়ি দেখার আগে আপনার ছেলের সঙ্গে একবার কথা বলতে চাই। তার টিয়া অন্তর্ধান রহস্যটাকে একেবারে এড়িয়ে যাওয়া অন্যায় হবে।'

হীরককে ডাক দিতেই সে দৌড়ে এল আমাদের কাছে।

ফেলুদা বলল, 'তোমার খাঁচাটা একবার দেখতে পারি কি? নাকি, পাখি নেই বলে সেটা ফেলে দিয়েছ?'

খাঁচাটা যেখানে ছিল সেখানেই আছে। হীরকদের শোবার ঘরের বাইরের বারান্দায়। তারের খাঁচা, মাথাটা গোল—যেমন সাধারণত হয়। খাঁচার ভিতরে একটা এনামেল করা বাটিতে এখনও ছোলা রয়েছে। দরজায় একটা ছিটকিনি রয়েছে, কিন্তু সেটা এখন খোলা।

'কবে এসেছিল, পাখিটা?' ফেলুদা জিজ্ঞেস করল।

'এই তো—গত শনিবার', নীহারবাবু বললেন। 'হীরক ওর এক বন্ধুর বাড়িতে টিয়া দেখেছে—সেই থেকে ওর শখ। তাই শনিবার নিউ মার্কেট থেকে এটা এনে ওকে দিই। রবিবার রাত্রেই ওটা কেউ সরিয়েছে। কারণ সোমবার, অর্থাৎ কাল সকালে হীরকই ঘুম থেকে উঠে দেখে খাঁচা খালি। অথচ দরজাটা রাত্রে ওর মা নিজে হাতে বন্ধ করেছে।'

'সেই রাত্রে কোনও শব্দ পেয়েছিলে কি, হীরকবাবু?' ফেলুদা প্রশ্ন করল।

হীরক মাথা নাড়ল। হীরকের মা বললেন, 'আমি যেন একবার ডাকতে শুনেছিলাম টিয়াকে, কিন্তু সেটা মনে হল—পাখিটা নতুন জায়গায় এসেছে, অভ্যেস হয়নি, তাই ডাকছে।'

ফেলুদা ভীষণ কাছ থেকে খাঁচাটাকে দেখছে, তার চোখে ভ্রূকুটি।

হীরক এতক্ষণ চুপ করে ছিল। এবার বোধহয় আর ধৈর্য রাখতে না পেরে বলল, 'কে নিয়েছে পাখিটা?'

গম্ভীর গলায় প্রশ্নটা শুনে হাসিই পেয়ে গিয়েছিল। হীরকের মা'ও দেখলাম মুখে কাপড় চাপা দিয়ে মাথাটা ঘুরিয়ে নিলেন। নীহারবাবু একটু অপ্রস্তুত হয়ে গলা খাকরালেন। ফেলুদা কিন্তু বেশ গম্ভীর ভাবেই বলল, 'কে নিয়েছের চেয়েও আগে জানতে হবে কেন নিয়েছে। ব্যাপারটা খুব সহজ নয় হীরকবাবু—আমাকে একটু ভাবতে সময় দিতে হবে।'

'ঠিক আছে।' গম্ভীর গলায় হীরকের কথা এল। ফেলুদা যে তার জন্যে ভাবছে এটাতেই তার মন ভাল হয়ে গেছে; টিয়া ফিরে আসুক কি না আসুক সেটা বোধহয় খুব বড় কথা নয়।

এবার আমরা নীহারবাবুর বৈঠকখানায় গিয়ে হাজির হলাম। এটাই হল ঘড়ির ঘর। এমন ঘর সত্যিই আমি কখনও দেখিনি। ফেলুদা বলল, 'এত ঘড়িতে রোজ রোজ দম দেওয়া তো এক পেল্লায় ব্যাপার। আলাদা লোক রাখতে হয়েছে বোধহয়?'

'আমাদের বহুদিনের পুরোনো বেয়ারা ঘনশ্যামই কাজটা করে।'

'ভাল কথা—আর চাকর বাকর কী আছে আপনাদের বলুন তো। টিয়ার ব্যাপারে আমার মনটা খচ খচ করছে। বাড়ির চাকর ছাড়া আর কেউ ওটা নিতে পারে বলে মনে তো হয় না।'

'রান্নার লোক একটি আছে, সেও অনেকদিনের। একটি ছোকরা চাকর আছে—যতীন—সে লোকটা এসেছে বছর দুয়েক হল। এ ছাড়া মালী, জমাদার—এরা কেউই রাত্রে থাকে না।'

ফেলুদা ঘড়ির দিক থেকে চোখ না ফিরিয়েই প্রশ্ন করে চলেছে।

'যতীনই কি আমাদের চা এনে দিল?'

'হ্যাঁ।'

'ওকে জিজ্ঞেস করেছিলেন টিয়ার কথা?'

'হ্যাঁ। স্বভাবতই ও বলেছে কিছুই জানে না।'

'নিউ মার্কেটের যে দোকান থেকে পাখিটা কিনেছিলেন তার নাম জানেন?'

'লোকটার নাম লতিফ। লতিফের দোকান বলেই বলে।'

এর পরে আর ফেলুদা পাখি নিয়ে কোনও প্রশ্ন করেনি।

নীহারবাবু তার প্রতেকটি ঘড়ির ইতিহাস আমাদের বললেন। তিনশো বছরের পুরনো ঘড়িও রয়েছে। একটা বেশ বড় দাঁড় করানো ঘড়িতে দেখলাম খোলস বলে কিছু নেই, কলকব্জা সব বাইরে থেকেই দেখা যাচ্ছে। কলকাতার টাইমের সঙ্গে সঙ্গে লন্ডন, প্যারিস, নিউ ইয়র্কের টাইম জানা যাচ্ছে। বাইরে যা দেখাবার মতো আছে সব দেখিয়ে নীহারবাবু একটা দেরাজ খুলে বললেন, 'আমার ঠাকুরদাদার সংগ্রহের সবচেয়ে মূল্যবান জিনিসটা আপনাকে দেখাই।'

একটা ছোট্ট বাক্স থেকে একটা সোনার ট্যাঁক ঘড়ি বার করে নীহারবাবু ফেলুদার সামনে ধরে বললেন, 'আড়াইশো বছর আগে লন্ডনের লুই রিকর্ডনের তৈরি—পৃথিবীর প্রথম সেলফ-ওয়াইন্ডিং ঘড়িগুলোর মধ্যে একটা হল এটা।'

আমি অবাক হয়ে এই দম না দেওয়া ঘড়ি দেখতে লাগলাম। ফেলুদার হাতঘড়িটাতেও (যেটা দীননাথ পাকড়াশি ওকে দিয়েছিলেন বাক্স-রহস্য সমাধানের পর) দম দিতে হয় না; কিন্তু দম-না-দেওয়ার কায়দাটা যে আড়াইশো বছর আগেই আবিষ্কার হয়ে গেছে সেটা ভাবিনি।

নীহারবাবু আমাদের পাঁচটা পর্যন্ত থেকে যেতে বলেছিলেন, কারণ সেই সময় বাজা-ঘড়িগুলো সব একসঙ্গে বাজবে, আর সেটা নাকি একটা শোনার মতো ব্যাপার। পাঁচটা বাজতে আর পাঁচ মিনিট বাকি দেখে আমরা আবার সোফায় বসলাম। ফেলুদা বলল, 'মোমবাতির দাগ দেখছি টেবিলের উপর। আপনাদের এদিকেও বুঝি পাওয়ার-কাট থেকে অব্যাহতি নেই।'

'আর বলবেন না। কারই বা অব্যাহতি আছে বলুন। হপ্তায় তিনদিন সন্ধ্যাটা যে কী করে কাটাব সেটা ভেবে পাই না।'

'সেই জন্যেই বুঝি প্ল্যানচেট ধরেছেন?'

ভদ্রলোক প্রশ্নটা শুনে হো হো করে হেসে উঠলেন। 'বাবা—আপনার দৃষ্টিও খুবই তীক্ষ্ণ। কাল হবি সেন্টার থেকে উইজা বোর্ড কিনেছিলাম সেটা লক্ষ করেছেন বুঝি?'

ফেলুদা হাসল। আমি জানতাম উইজা বোর্ড হল একটা চাকাওয়ালা কাঠের তক্তা, তাতে পেনসিল গোঁজার জন্য একটা ফুটো। একটা তেপায়া টেবিলের উপর একটা সাদা কাগজ রেখে তার উপর বোর্ডটাকে রাখতে হয়। তারপর ঘরের বাতি নিভিয়ে সকলে টেবিলটাকে ঘিরে বসে

কোনও মৃত লোকের কথা ভাবলে নাকি কিছুক্ষণেই সেই লোকের আত্মা এসে হাজির।

আর তখন সেই আত্মাকে কিছু জিজ্ঞেস করলে সকলের হাতসুদ্ধ বোর্ডটা নাকি এঁকে বেঁকে চলতে থাকে, আর তার ফলে সাদা কাগজের উপর পেনসিল দিয়ে সেই প্রশ্নের উত্তর লেখা হয়ে যায়।

'আসলে কী জানেন', ভদ্রলোক বললেন, 'বোর্ড ছাড়া শুধু টেবিলের উপর হাত রেখে বসে থেকে দেখেছি—কোনও ফল হয়নি। তাই ভাবলাম এবার বোর্ড দিয়ে করে দেখব।'

'বোর্ড দিয়ে ফল পেয়েছেন?'

'এখনও বসিনি। আমরা বুধবার বুধবার বসি। আমার এক বন্ধু আছে—শখটা আসলে তারই। আর আমার এক প্রতিবেশী আছেন—সুধাংশুবাবু—এই তিনজন। আপনারও এ ব্যাপারে ইন্টারেস্ট আছে না কি?'

ফেলুদা হাসল। 'নাঃ। তবে যারা এ সবের চর্চা করে তাদের সম্পর্কে একটা কৌতূহল হয় বই কী।'

'আসলে কী জানেন, অন্ধকারে বসে থাকতে থাকতে একদিন ভূত প্রেত আত্মা পরলোক এই সব নিয়ে আলোচনা হচ্ছিল। তাই থেকেই আমার বন্ধুর মাথায় এল প্ল্যানচেট ট্রাই করার ব্যাপারটা। ছেলেমানুষী বটেই—তবে এতরকম লোকে ফল পেয়েছে বলে শুনেছি যে পরখ করে দেখতে ইচ্ছে হল।'

রাত্রে ফেলুদাকে একটু গম্ভীর দেখে জিজ্ঞেস করলাম, 'ঘড়ির কথা ভাবছ, না প্রেতাত্মার কথা ভাবছ, না টিয়ার কথা ভাবছ?'

ফেলুদা বলল, 'যতীন চাকরটা যখন চা দিচ্ছিল তখন ওর ডান হাতের বুড়ো আঙুল আর তর্জনীটা লক্ষ করেছিলি?'

'কই, না তো।'

'দুটো ক্ষত চিহ্ন রয়েছে। দেখে ভাল লাগল না। খাঁচার দরজার পাশে তারেও লাল দাগ দেখলাম। শুকনো রক্ত বলেই তো মনে হল।'

'কিন্তু যতীন খাঁচা থেকে পাখি বার করবে কেন? পাখিটা তো আর ধন দৌলত নয়। আর এমন একটা সাংঘাতিক কোনও পাখিও নয় যে বিক্রি করলে বেশি দাম পাওয়া যাবে।'

'জানি রে তোপসে, জানি...কোনও কারণে খুঁজে পাওয়া যাচ্ছে বলেই তো মেজাজটা খিঁচড়ে আছে। ব্যাপারটায় লজিকের এত অভাব বলেই তো আমাকে এত পীড়া দিচ্ছে। এখন যেটা দরকার সেটা হল পাখিটার সম্বন্ধে কিছু তথ্য সংগ্রহ করা। লতিফের দোকান—নিউ মার্কেট...'

ফেলুদা বলে নিউ মার্কেটের মতো এমন একটা ব্যাপার শুধু কলকাতায় বা ভারতবর্ষে কেন—সারা পৃথিবীতেই খুব বেশি আছে বলে মনে হয় না। একটি সেফটি পিন থেকে রয়েল বেঙ্গল টাইগার পর্যন্ত যা কিছু চাও তাই কিনতে পাওয়া যায় নিউ মার্কেটে। আমার তো প্রতিবার গেলেই গোলকধাঁধার মতো সব গুলিয়ে যায়, কিন্তু ফেলুদা একেবারে সটান যে দোকানে যাওয়া দরকার সেখানে গিয়ে হাজির হয়। ওর নাকি পুরো মার্কেটের প্ল্যানটা মাথার মধ্যে পরিষ্কার আছে। একবার পাখির বাজারে পৌঁছে লতিফের দোকান বার করতে লাগল ঠিক দু মিনিট। সমস্ত পাখির বাজারটায় যে দিকে চোখ যায় সেদিকেই খাঁচা, আর খাঁচার মধ্যে হাজারে হাজারে কতরকম পাখি রয়েছে তার ঠিক নেই। কয়েকটা পাশাপাশি খাঁচায় তো পেলিক্যান পর্যন্ত রয়েছে মনে হল। আর সব পাখিই কি একসঙ্গে ডাকছে? তা না হলে এরকম কান ফাটা শব্দ হবে কেন?

ফেলুদা লতিফকে সোজাসুজি প্রশ্ন করল তার দোকান থেকে গত শনিবার একজন বাঙালি ভদ্রলোক এসে একটা টিয়া কিনে নিয়ে গেছে কি না।

'টিয়া তো নেয়নি বাবু', লতিফ বলল।

'টিয়া নেয়নি?'

'না বাবু। তবে চন্দনা একখানা বিক্রি হয়েছে। খুব ভাল পাখি। একজন ফরসা মতো বাবু এসে কিনে নিয়ে গেলেন।'

'টিয়া আর চন্দনা তো খুবই কাছাকাছি, তাই না?' ফেলুদা প্রশ্ন করল।

'হ্যাঁ বাবু। তবে চন্দনার গলায় একটা দাগ থাকে। আর চন্দনার মতো অমন পরিষ্কার কথা টিয়া পাখি বলতে পারে না।'

'এই চন্দনাটা কথা বলত?'

'হ্যাঁ বাবু। 'মা' 'মা' করে ডাকত। 'ঠাকুর ভাত দাও,' 'মধুসূদন', 'হরি হরি'—অনেক কথা বলত বাবু। ভবানীপুরের এক বাড়ি থেকে এসছিল পাখিটা। আপনাদের চাই কথা বলা পাখি?' ময়না আছে, চন্দনা আছে—'

হীরকের পাখিটা টিয়া না—চন্দনা, এইটাই খালি জানা গেল লতিফের কাছে এসে। ফেলুদা বলল তাতে নাকি অনেকটা লাভ হয়েছে—রহস্যের একটা নতুন দিক নাকি খুলে গেছে।

একটা প্রশ্ন আমার মনে আসছিল—মার্কেট থেকে ফেরার পথে সেটা ফেলুদাকে জিজ্ঞেস না করে পারলাম না।

'আচ্ছা ফেলুদা, পাখিটাই যদি নেবার ছিল, তা হলে খাঁচাসুদ্ধু নিয়ে গেলেই তো হত। খাঁচার দরজা খুলে জখম হওয়ার রিস্কটা নিল কেন?'

‘তোর প্রশ্নটা ভালই হয়েছে রে তোপসে। এটা আমারও মাথায় এসেছিল। আসলে যে নিয়েছে সে বোধহয় এইটেই বোঝাতে চেয়েছিল যে পাখির দরজা বন্ধ করা হয়নি, তাই পাখি উড়ে পালিয়েছে। পাখিটাকে যে কোনও একটা বিশেষ প্রয়োজনে ফন্দি করে সরানো হয়েছে সেটা সে বোঝাতে দিতে চায়নি। আর খাঁচা থেকে যখন বার করে নেওয়া হয়েছে, তার মানে হয় সে পাখিকে মেরে ফেলা হয়েছে, না হয় তাকে ছেড়ে দেওয়া হয়েছে।’

পরদিন সকালে ফেলুদা নীহারবাবুকে ফোন করে পাখির কোনও সন্ধান পাওয়া গেছে কি না জিজ্ঞেস করল। পাখিটাকে যদি ছেড়ে দেওয়া হয়ে থাকে তা হলে সেটা আশেপাশেই কোনও গাছে হয়তো থাকতে পারে। কাছাকাছির মধ্যে যদি কোনও পার্ক থাকে তা হলে হীরক যেন সেখানে মাঝে মাঝে গিয়ে গাছপালাগুলো দেখে আসে, এ কথাও ফেলুদা বলল। ভদ্রলোক বললেন পাখির খবর পেলেই উনি জানাবেন।

বিষ্যুদবার সকালে সাতটার সময় নীহারবাবু ফোন করলেন। চন্দনার খবরের জন্য নয়। তার আড়াইশো বছরের পুরনো সেলফ-ওয়াইন্ডিং ট্যাঁক ঘড়িটা কাল রাত্রে তার দেরাজ থেকে চুরি হয়ে গেছে।

ফেলুদা টেলিফোনটা রেখে ধরা গলায় বলল, ‘চট করে তৈরি হয়ে নে। আমার মন বলছিল একটা গণ্ডগোল হবে—’

১৩/২/৭৩

বাক্স রহস্য
(প্রথম খসড়া)

খুব মন দিয়ে কাগজের কাটিংগুলো সাঁটছিলাম বলেই বোধহয় হঠাৎ গ্যাঁ-ক করে কলিং বেলটা বাজতে আঁতকে উঠলাম। কাটিং সাঁটার কাজটা অবিশ্যি আমার নিজের নয়—ওটা ফেলুদা আমাকে করবার ভার দিয়েছে। খবরের কাগজ থেকে যত রাজ্যের উদ্ভট খবর বার করে কেটে একটা বিরাট মোটা খাতায় সেঁটে রাখা। হায়ার সেকেন্ডারি পরীক্ষার পর লম্বা ছুটি, তাই এমনিতেই আমার সময়ের অভাব নেই, আর সবচেয়ে বড় কথা, ফেলুদার ফরমাশ খাটতে আমার কখনওই কোনও আপত্তি নেই।

ঢাউস খাতাটা বন্ধ করে কাটিংগুলো সেটা দিয়ে চাপা দিয়ে দরজা খুলতে বেরিয়ে গেলাম। ফেলুদা চুল ছাঁটতে গেছে—এত তাড়াতাড়ি ফেরার কথা নয়, আর বাবা আপিসে গেছেন। কে এল তা হলে?

দরজা খুলে যাকে দেখলাম তাকে এর আগে কখনও দেখিনি। বয়স চল্লিশ থেকে পঞ্চাশের মধ্যে, ফরসা রং, চোখ দুটোয় একটা চিনেম্যানের ভাব আছে, আর চুল রীতিমতো পাতলা হয়ে প্রায় টাক পড়ার ভাব হলেও, পাকা নয়। বললাম, ‘কাকে চাই?’

ভদ্রলোক দরজার বাইরে বাঁ দিকে বাড়ির নম্বরটার দিকে আরেকবার দেখে নিয়ে বললেন, ‘প্রদোষ মিত্তির এখানে থাকেন কি?’

প্রদোষ ফেলুদার ভাল নাম। বললাম, ‘হ্যাঁ—কিন্তু তিনি তো একটু বেরিয়েছেন। মিনিট পনেরোর মধ্যেই হয়তো ফিরবেন। আপনি একটু বসবেন কি?’

ভদ্রলোক সাদা ধুতি পাঞ্জাবি পরেছেন; সেই ধুতির খুঁট দিয়ে ঘাম মুছে একটু যেন কিন্তু কিন্তু

ভাবে শেষ ধাপ সিঁড়িটা উঠে ঘরের ভিতর পা দিয়ে বললেন, 'একটু—মানে, ইয়ে ছিল আর কী—'

'তা হলে বসুন না।'

বাইরের ঘরের দরজা দিয়ে ঢুকেই আমাদের বৈঠকখানা। আমি পাখাটা খুলে দিলাম। ভদ্রলোক একটা সোফায় বসে বললেন, 'এক গেলাস জল যদি—'

আমি জল এনে দিলাম। ভদ্রলোক ঢক ঢক করে খেয়ে গেলাস তার বাঁ পাশের কাচের টেবিলে রেখে দিয়ে হাঁফ ছাড়লেন। এবার আরও লক্ষ করলাম—ভদ্রলোকের বা হাতের দুটো আঙুলে দুটো আংটি, পায়ে সাদা রঙের নাগরা জুতো, আর পাঞ্জাবিতে সোনার বোতাম। প্রদোষ মিত্তিরের খোঁজ করা মানেই ডিটেকটিভের খোঁজ করা। আর ডিটেকটিভের খোঁজ করা মানেই কোনও রহস্য বা খুন খারাপির সঙ্গে ভদ্রলোকের সম্পর্ক আছে। তা না হয়ে ভদ্রলোক যদি ফেলুদার কোনও পুরনো বন্ধু হন তা হলে খুব খারাপ হবে। কিন্তু সেটার সম্ভাবনা কম—কারণ ফেলুদার বয়স সবেমাত্র আঠাশ হয়েছে।

আমি ঘরের উলটোদিকে তক্তপোশটার উপর বসেছিলাম। ভদ্রলোককে একা বসিয়ে রাখা অন্যায় হবে বলে মনে হচ্ছিল; যদি উনি ফেলুদার খদ্দেরই হন, তা হলে তার সঙ্গে অভদ্রতা করাটা ভুল হবে।

কট কট শব্দ পেয়ে ভদ্রলোকের দিকে ফিরে দেখি উনি অন্যমনস্ক হয়ে আঙুল মটকাচ্ছেন। প্রথমে একে একে ডান হাতের সব আঙুল, তারপর একে একে বাঁ হাতের সব আঙুল (যদিও কড়েটায় আওয়াজ হল না) মটকে ভদ্রলোক পাশের সোফার উপর থেকে আনন্দবাজারটা তুলে নিয়ে মিনিট খানেক পাতা উলটিয়ে সেটা আবার রেখে দিলেন। ফেলুদা হলে এতক্ষণে ভদ্রলোকের সম্বন্ধে অনেক তথ্য বার করে নিতে পারত—শুধু তার চেহারা বা হাবভাব দেখেই। আমি শুধু এইটুকুই বুঝলাম যে উনি বেশ নার্ভাস। জুলাই মাসে গরম খুব বেশি নেই—কারণ সারা রাত বৃষ্টি পড়েছে। অথচ ভদ্রলোকের কপাল বার বার ধুতি দিয়ে মুছেও দেখতে দেখতে বিন্দু বিন্দু ঘামে ভরে যাচ্ছে। নাকের ডগা, গোঁফের জায়গা আর কাঁধের কাছটাতেও খুব ঘাম হচ্ছে। অবিশ্যি কিছু লোক আছে যারা এমনিতেই একটু বেশি ঘামে। কম ঘামা লোকের মধ্যে ফেলুদা নিজেই একজন।

বৈঠকখানার ঝোলানো ঘড়িটায় ঢং ঢং নটা বাজা শেষ না হতেই ফেলুদা এসে হাজির। তার মানে পনেরো মিনিটও হয়নি। চুল যে কেটেছে সেটা প্রায় দেখলে বোঝাই যায় না—অবিশ্যি এটাই হচ্ছে ফেলুদার কায়দা। ও বলে পুরুষ মানুষের চেহারার আট আনা নির্ভর করে নাপিতের উপর। কাজেই চুল কাটতে বসে সবচেয়ে বেশি সজাগ থাকা উচিত; নাপিতের হাতে ছেড়েছ কি তিন মিনিটে কাঁচির দুটো বেমক্কা চালে তোমার পোর্ট্রেট চেঞ্জ করে দেবে।

যাই হোক, ফেলুদা ঘরে ঢুকতেই ভদ্রলোক সোফা ছেড়ে উঠে দাঁড়িয়ে নমস্কার করে বললন, 'আপনি কি প্রদোষ মিত্তির?'

ফেলুদা বলল, 'আজ্ঞে হ্যাঁ। বসুন...'

ভদ্রলোক বসতে বসতে বললেন, 'আমার নাম হরিনাথ চক্রবর্তী। আমি আসছি কর্নওয়ালিস স্ট্রিট থেকে।'

'টাক্সিতে এলেন না কি?'

'আজ্ঞে হ্যাঁ। মানে, আমার গাড়িটা একটু গোলমাল করছে—তা ছাড়া ভবানীপুরের দিকটা ভাল জানা নেই। রোড সেন্সটাও কম— তাই ভাবলুম ট্যাক্সিতে গেলে বাড়ি খুঁজে পাওয়াটা আরেকটু সিওর হবে।'

'ও।—তা, কী ব্যাপার বলুন।'

'আজ্ঞে হ্যাঁ।' ভদ্রলোক একটু থামলেন। বুঝলাম বেশ নার্ভাস বোধ করছেন। 'আমি—মানে, আপনার নাম শুনেছি। আমার এক দূরসম্পর্কের আত্মীয়ের কৈলাস চৌধুরীর সঙ্গে খুব জানাশোনা আছে। তিনিই, আর কী...

ফেলুদা বলল, 'একটু চা বা কফি—?'

'আজ্ঞে, তা এক কাপ...'

'কোনটা?'

'যেটা হয়।'

ফেলুদা আমাকে ইশারা করাতে আমি টক করে উঠে গিয়ে আমাদের নিতাই চাকরকে দু পেয়ালা কফি করতে বলেই আবার বসবার ঘরে ফিরে এলাম। আমার বুক ঢিপঢিপ শুরু হয়ে গিয়েছে। ফেলুদারও যে নামডাক আগের চেয়ে বেশি হয়েছে সেটাও বেশ বুঝতে পারছি। আগে আগে লোকে ফেলুদাকে ডেকে পাঠাত, এখন নিজেরা ধাওয়া করে বাড়ি খুঁজে তার সঙ্গে দেখা করতে আসছে।

ভদ্রলোক আরেকবার ঘাম মুছে নিয়ে বললেন, 'ব্যাপারটা—মানে, একটু—যাকে বলে কমিক্যাল। আপনি হয়তো শুনে হাসবেন। মানে, সচরাচর যেসব কারণে মানুষে গোয়েন্দার কাছে আসে তা ঠিক না—তবে—'

ফেলুদা চুপ করে বসে আছে। তার দৃষ্টি এতক্ষণ সটান ভদ্রলোকের দিকে ছিল, এবার দেখলাম ফেলুদা গলা খাকরানি দিয়ে চোখ নামিয়ে পকেট থেকে তার দেশলাই আর সিগারেটটা বার করল। ভদ্রলোকের দিকে প্যাকেটটা এগিয়ে দিয়ে বলল, 'আসুন।' বুঝলাম ভদ্রলোকের নার্ভাসনেসটা কাটানোর জন্যই ফেলুদা একটা হালকা স্বাভাবিক ভাব আনার চেষ্টা করছে।

ভদ্রলোক অল্প হেসে মাথা নেড়ে বললেন, 'আজ্ঞে না, আমি খাই না।'

ফেলুদা সিগারেট ধরিয়ে বলল, 'আপনি কি আমার এই ভাইটির সামনে আপনার কথা বলতে দ্বিধা করছেন?'

ভদ্রলোক অপ্রস্তুত ভাবে হেসে বললেন, 'না না মোটেই না। আসলে—ওই যা বললাম—ব্যাপারটা একটু পিকিউলিয়ার।'

তারপর পাঞ্জাবির পকেটে হাত ঢুকিয়ে হরিনাথবাবু একটা কাগজের মোড়ক বার করলেন। সেটা খুলতে তার থেকে বেরোল একটা কাগজের বাক্স, আর বাক্সর ঢাকনাটা খুলতে যেটা বেরোল সেটা আমি যেখান থেকে বসে আছি সেখান থেকে দেখে কী জিনিস বোঝা যায় না। খুব বেশি আগ্রহ বা ব্যস্ততার ভাব না দেখিয়ে তক্তপোশ ছেড়ে ফেলুদার দিকে উঠে এগিয়ে এলাম। দেখলাম—ফেলুদা এখন যেটা হাতে নিয়ে নেড়ে চেড়ে দেখছে—সেটা হল একটা ধাতুর তৈরি ছোট্ট (দু ইঞ্চির বেশি লম্বা নয়) মূর্তি। কোনও দেবতার মূর্তিই হবে—তবে চেনা দেবতা নয়। জিনিসটা সোনা বা পিতলের তৈরি, আর তাতে আবার ছোট ছোট উজ্জ্বল রংচঙে পাথর বসানো। বাদশাহি আংটির ব্যাপারের সময় ফেলুদা পাথর চিনিয়ে দিয়েছিল—তাই বুঝলাম যে এর মধ্যে চুনি পান্না নীলা ইত্যাদি সব কিছুই আছে। আরও কিছু আছে কি না সেটা নিজে হাতে নিয়ে ভাল করে পরীক্ষা না করলে জানা যাবে না।

'বাঃ—চমৎকার!'

ফেলুদা আমার নিজের মনের ভাবটাই প্রকাশ করল। সত্যি—জিনিসটা দেখতে অদ্ভুত সুন্দর।

'কোথায় পেলেন এটা?'

ফেলুদার এ প্রশ্নের উত্তরে ভদ্রলোক একটু হেসে ফেলুদার হাত থেকে জিনিসটা ফেরত

ভাবে শেষ ধাপ সিঁড়িটা উঠে ঘরের ভিতর পা দিয়ে বললেন, 'একটু—মানে, ইয়ে ছিল আর কী—'

'তা হলে বসুন না।'

বাইরের ঘরের দরজা দিয়ে ঢুকেই আমাদের বৈঠকখানা। আমি পাখাটা খুলে দিলাম। ভদ্রলোক একটা সোফায় বসে বললেন, 'এক গেলাস জল যদি—'

আমি জল এনে দিলাম। ভদ্রলোক ঢক ঢক করে খেয়ে গেলাস তার বাঁ পাশের কাচের টেবিলে রেখে দিয়ে হাঁফ ছাড়লেন। এবার আরও লক্ষ করলাম—ভদ্রলোকের বা হাতের দুটো আঙুলে দুটো আংটি, পায়ে সাদা রঙের নাগরা জুতো, আর পাঞ্জাবিতে সোনার বোতাম। প্রদোষ মিত্তিরের খোঁজ করা মানেই ডিটেকটিভের খোঁজ করা। আর ডিটেকটিভের খোঁজ করা মানেই কোনও রহস্য বা খুন খারাপির সঙ্গে ভদ্রলোকের সম্পর্ক আছে। তা না হয়ে ভদ্রলোক যদি ফেলুদার কোনও পুরনো বন্ধু হন তা হলে খুব খারাপ হবে। কিন্তু সেটার সম্ভাবনা কম—কারণ ফেলুদার বয়স সবেমাত্র আঠাশ হয়েছে।

আমি ঘরের উলটোদিকে তক্তপোশটার উপর বসেছিলাম। ভদ্রলোককে একা বসিয়ে রাখা অন্যায় হবে বলে মনে হচ্ছিল; যদি উনি ফেলুদার খদ্দেরই হন, তা হলে তার সঙ্গে অভদ্রতা করাটা ভুল হবে।

কট কট শব্দ পেয়ে ভদ্রলোকের দিকে ফিরে দেখি উনি অন্যমনস্ক হয়ে আঙুল মটকাচ্ছেন। প্রথমে একে একে ডান হাতের সব আঙুল, তারপর একে একে বাঁ হাতের সব আঙুল (যদিও কড়েটায় আওয়াজ হল না) মটকে ভদ্রলোক পাশের সোফার উপর থেকে আনন্দবাজারটা তুলে নিয়ে মিনিট খানেক পাতা উলটিয়ে সেটা আবার রেখে দিলেন। ফেলুদা হলে এতক্ষণে ভদ্রলোকের সম্বন্ধে অনেক তথ্য বার করে নিতে পারত—শুধু তার চেহারা বা হাবভাব দেখেই। আমি শুধু এইটুকুই বুঝলাম যে উনি বেশ নার্ভাস। জুলাই মাসে গরম খুব বেশি নেই—কারণ সারা রাত বৃষ্টি পড়েছে। অথচ ভদ্রলোকের কপাল বার বার ধুতি দিয়ে মুছেও দেখতে দেখতে বিন্দু বিন্দু ঘামে ভরে যাচ্ছে। নাকের ডগা, গোঁফের জায়গা আর কাঁধের কাছটাতেও খুব ঘাম হচ্ছে। অবিশ্যি কিছু লোক আছে যারা এমনিতেই একটু বেশি ঘামে। কম ঘামা লোকের মধ্যে ফেলুদা নিজেই একজন।

বৈঠকখানার ঝোলানো ঘড়িটায় ঢং ঢং নটা বাজা শেষ না হতেই ফেলুদা এসে হাজির। তার মানে পনেরো মিনিটও হয়নি। চুল যে কেটেছে সেটা প্রায় দেখলে বোঝাই যায় না—অবিশ্যি এটাই হচ্ছে ফেলুদার কায়দা। ও বলে পুরুষ মানুষের চেহারার আট আনা নির্ভর করে নাপিতের উপর। কাজেই চুল কাটতে বসে সবচেয়ে বেশি সজাগ থাকা উচিত; নাপিতের হাতে ছেড়েছ কি তিন মিনিটে কাঁচির দুটো বেমক্কা চালে তোমার পোর্ট্রেট চেঞ্জ করে দেবে।

যাই হোক, ফেলুদা ঘরে ঢুকতেই ভদ্রলোক সোফা ছেড়ে উঠে দাঁড়িয়ে নমস্কার করে বললন, 'আপনি কি প্রদোষ মিত্তির?'

ফেলুদা বলল, 'আজ্ঞে হ্যাঁ। বসুন...'

ভদ্রলোক বসতে বসতে বললেন, 'আমার নাম হরিনাথ চক্রবর্তী। আমি আসছি কর্নওয়ালিস স্ট্রিট থেকে।'

'ট্যাক্সিতে এলেন না কি?'

'আজ্ঞে হ্যাঁ। মানে, আমার গাড়িটা একটু গোলমাল করছে—তা ছাড়া ভবানীপুরের দিকটা ভাল জানা নেই। রোড সেন্সটাও কম— তাই ভাবলুম ট্যাক্সিতে গেলে বাড়ি খুঁজে পাওয়াটা আরেকটু সিওর হবে।'

'ও।—তা, কী ব্যাপার বলুন।'

'আজ্ঞে হ্যাঁ।' ভদ্রলোক একটু থামলেন। বুঝলাম বেশ নার্ভাস বোধ করছেন। 'আমি—মানে, আপনার নাম শুনেছি। আমার এক দূরসম্পর্কের আত্মীয়ের কৈলাস চৌধুরীর সঙ্গে খুব জানা শোনা আছে। তিনিই, আর কী...

ফেলুদা বলল, 'একটু চা বা কফি—?'

'আজ্ঞে, তা এক কাপ...'

'কোনটা?'

'যেটা হয়।'

ফেলুদা আমাকে ইশারা করাতে আমি টক করে উঠে গিয়ে আমাদের নিতাই চাকরকে দু পেয়ালা কফি করতে বলেই আবার বসবার ঘরে ফিরে এলাম। আমার বুক ঢিপঢিপ শুরু হয়ে গিয়েছে। ফেলুদারও যে নামডাক আগের চেয়ে বেশি হয়েছে সেটাও বেশ বুঝতে পারছি। আগে আগে লোকে ফেলুদাকে ডেকে পাঠাত, এখন নিজেরা ধাওয়া করে বাড়ি খুঁজে তার সঙ্গে দেখা করতে আসছে।

ভদ্রলোক আরেকবার ঘাম মুছে নিয়ে বললেন, 'ব্যাপারটা—মানে, একটু—যাকে বলে কমিক্যাল। আপনি হয়তো শুনে হাসবেন। মানে, সচরাচর যেসব কারণে মানুষে গোয়েন্দার কাছে আসে তা ঠিক না—তবে—'

ফেলুদা চুপ করে বসে আছে। তার দৃষ্টি এতক্ষণ সটান ভদ্রলোকের দিকে ছিল, এবার দেখলাম ফেলুদা গলা খাকরানি দিয়ে চোখ নামিয়ে পকেট থেকে তার দেশলাই আর সিগারেটটা বার করল। ভদ্রলোকের দিকে প্যাকেটটা এগিয়ে দিয়ে বলল, 'আসুন।' বুঝলাম ভদ্রলোকের নার্ভাসনেসটা কাটানোর জন্যই ফেলুদা একটা হালকা স্বাভাবিক ভাব আনার চেষ্টা করছে।

ভদ্রলোক অল্প হেসে মাথা নেড়ে বললেন, 'আজ্ঞে না, আমি খাই না।'

ফেলুদা সিগারেট ধরিয়ে বলল, 'আপনি কি আমার এই ভাইটির সামনে আপনার কথা বলতে দ্বিধা করছেন?'

ভদ্রলোক অপ্রস্তুত ভাবে হেসে বললেন, 'না না মোটেই না। আসলে—ওই যা বললাম—ব্যাপারটা একটু পিকিউলিয়ার।'

তারপর পাঞ্জাবির পকেটে হাত ঢুকিয়ে হরিনাথবাবু একটা কাগজের মোড়ক বার করলেন। সেটা খুলতে তার থেকে বেরোল একটা কাগজের বাক্স, আর বাক্সর ঢাকনাটা খুলতে যেটা বেরোল সেটা আমি যেখান থেকে বসে আছি সেখান থেকে দেখে কী জিনিস বোঝা যায় না। খুব বেশি আগ্রহ বা ব্যস্ততার ভাব না দেখিয়ে তক্তপোশ ছেড়ে ফেলুদার দিকে উঠে এগিয়ে এলাম। দেখলাম—ফেলুদা এখন যেটা হাতে নিয়ে নেড়ে চেড়ে দেখছে—সেটা হল একটা ধাতুর তৈরি ছোট্ট (দু ইঞ্চির বেশি লম্বা নয়) মূর্তি। কোনও দেবতার মূর্তিই হবে—তবে চেনা দেবতা নয়। জিনিসটা সোনা বা পিতলের তৈরি, আর তাতে আবার ছোট ছোট উজ্জ্বল রংচঙে পাথর বসানো। বাদশাহি আংটির ব্যাপারের সময় ফেলুদা পাথর চিনিয়ে দিয়েছিল—তাই বুঝলাম যে এর মধ্যে চুনি পান্না নীলা ইত্যাদি সব কিছুই আছে। আরও কিছু আছে কি না সেটা নিজে হাতে নিয়ে ভাল করে পরীক্ষা না করলে জানা যাবে না।

'বাঃ—চমৎকার!'

ফেলুদা আমার নিজের মনের ভাবটাই প্রকাশ করল। সত্যি—জিনিসটা দেখতে অদ্ভুত সুন্দর।

'কোথায় পেলেন এটা?'

ফেলুদার এ প্রশ্নের উত্তরে ভদ্রলোক একটু হেসে ফেলুদার হাত থেকে জিনিসটা ফেরত

নিয়ে বললেন, 'সেটাই তো রহস্য! কী করে যে এটা আমার কাছে এল, তা বুঝতেই পারছি না। একজন লোকের কোনও মূল্যবান জিনিস হারালে সে লোকের পক্ষে গোয়েন্দার কাছে যাওয়া স্বাভাবিক—কিন্তু একজনের হাতে যদি এমন একটা জিনিস তার অজান্তে এসে পড়ে...ব্যাপারটা একটু কমিক্যাল নয় কি?'

ফেলুদা দেখলাম বেশ গম্ভীর। বলল, 'কমিক্যাল কি না সেটা অবিশ্যি ঝট করে এই অবস্থায় বলা সম্ভব নয়। হতেও পারে, নাও হতে পারে। আপনি বরং আরেকটা ইনফরমেশন দিন। এটা কোথা থেকে বেরোল?'

এ প্রশ্ন শুনে ভদ্রলোকের মুখ দেখে মনে হল তিনি আবার হাসতে যাচ্ছেন। কিন্তু পরক্ষণেই যেন হাসিটাকে চেপে নিয়ে একটু জোর করে বেশি গম্ভীর হয়ে বললেন, 'আমার সুপুরির কৌটো থেকে।'

ব্যাপারটা একদিক দিয়ে দেখতে গেলে কমিক্যাল বটেই, কিন্তু আমারই হাসি পাচ্ছিল না। ফেলুদা বলল, 'কবে পেয়েছেন?'

হরিনাথবাবু বললেন, 'কালকে। একেবারে তলায় পড়ে ছিল।'

'সুপুরি আপনি নিয়মিত খান?'

'আজ্ঞে হ্যাঁ। ওটা আমার একটা বাতিক।'

'কাল পেয়েছেন মানে কালকেই যে ওটা রাখা হয়েছে কৌটোতে তার কোনও মানে নেই?'

'মোটেই না! হয়তো যখন ভর্তি ছিল সেই সময় রাখা হয়েছে। কৌটো খালি হয়ে এলে পর ওটা আমার চোখে পড়েছে। সত্যি বলতে কী, চোখেও পড়েনি। অভ্যাস মতো আঙুল ঢুকিয়ে

সুপুরি বার করতে গিয়ে প্রথমে হাতে ঠেকেছে। অস্বাভাবিক ঠাণ্ডা লাগতে কৌটো হাতে নিয়ে ভিতরে চেয়ে দেখি মূর্তিটা দিব্যি চিত হয়ে পড়ে আছে। অথচ আমার সুপুরি আর কেউ শেয়ার করে না। আমার শোবার ঘরে চাকর এবং আমার স্ত্রী ছাড়া আর কেউ আসেও না। চাকর বহুদিনের পুরনো—চুরি চামারিও বাড়িতে কস্মিনকালে হয়েছে বলে মনে পড়ে না। এখন আপনিই বলুন—এর থেকে কী বুঝব।'

ফেলুদা ভুরু কুঁচকে পায়ের উপর পা তুলে দিয়ে সোফায় আরও ভাল করে হেলান দিয়ে বলল, 'আপনার এক কৌটো সুপুরি শেষ হতে কতদিন লাগে?'

'তা ধরুন—হিসেব তো করিনি—দিন পনেরো লাগে বোধহয়।'

'আপনার স্ত্রীই কৌটো ভরে দেন?'

'আজ্ঞে হ্যাঁ।'

'শেষ কবে ভরেছিলেন মনে আছে?'

ভদ্রলোক চোখ বন্ধ করে একটু ভাবলেন। তারপর যখন চোখ খুললেন তখন তার চাহনিতে একটা নতুন ভাব লক্ষ করলাম।

'দিল্লি যাবার আগের দিন।'

'আপনি দিল্লি গিয়েছিলেন?'

'হ্যাঁ। আমার আপিসের কাজে। তিন দিনের জন্য।'

'প্লেনে না ট্রেনে?'

'গেছি প্লেনে, এসেছি ট্রেনে।'

'কবে?'

'কলকাতা থেকে গেছি ২২শে জুন। ওখান থেকে রওনা হয়েছি ২৫শে সকালে, ফিরেছি ২৬শে ভোরে।'

'সুপুরির কৌটোটা কী ভাবে নেন?'

'আমার একটা হাত ব্যাগ—মানে, ছোট অ্যাটাচি কেস আছে, তাতে।'

'ট্রেনে খাওয়া অভ্যেস আছে?'

'তা আছে। দিনে ৫-৬বার সুপুরি না খেয়ে পারি না। বিশেষ করে দুপুরের খাওয়া আর রাত্তিরের খাওয়ার পর তো খাই-ই।'

'অন্য লোককে অফার করেন?'

'এমনিতে করি না—তবে লোকে চাইলে দিই নিশ্চয়ই।'

'ট্রেনে কেউ চেয়েছিল খেতে?'

'তা—হ্যাঁ—দু একজন যেন চেয়ে খেয়েছিল বলে মনে হচ্ছে।'

'সুপুরি খাবার পর কৌটো কি বাক্সে পুরে রেখেছিলেন?'

ভদ্রলোক আবার ভুরু কুঁচকে একটু ভাবলেন, তারপর বললেন, 'যদ্দুর মনে পড়ে—সিটের পাশে একটা টেবিলের মতো জিনিস থাকে— তার উপরেই বোধহয় রেখেছিলাম। বাক্সে পরের দিন সকালে রাখি।'

এবার ফেলুদার ভাববার পালা। বেশ কিছুক্ষণ চুপচাপ থেকে বলল, 'আপনি কি এয়ার কন্ডিশনড ফার্স্ট ক্লাসে আসছিলেন?'

'আজ্ঞে হ্যাঁ।'

'চারটে বার্থ তো?'

'হ্যাঁ। চারটেতেই লোক ছিল।'

'সারা রাস্তা সেই একই চারজন এসেছেন?'

'বোধহয় একজন মাঝপথে কোথাও নেমে গিয়েছিলেন। এলাহাবাদে বোধহয়। কে কোথায় যাচ্ছে এ নিয়ে একবার কথা হয়েছিল। একজন অবাঙালি—বলেছিলেন যে তিনি বেনারসের।'

'দিল্লিতে কোথায় ছিলেন?'

'হোটেল। ভাল হোটেল। বেয়ারাগুলো বিশ্বস্ত বলেই জানি।'

'হুঁ।' ফেলুদা সোফা ছেড়ে উঠে দুবার পায়চারি করে বলল, 'মনে হয় ট্রেনে রাতের মধ্যেই আপনাদের কামরার বাকি তিনজনের কেউ আপনার সুপুরির কৌটোতে মূর্তিটা চালান দিয়েছে। কিন্তু কথা হচ্ছে—কেন?'

হরিনাথবাবু একটু হেসে মিহি গলায় বললেন, 'সেইটে জানার জন্যই তো আপনার এখানে আসা। মূর্তিটা পাবার পর থেকেই একটা ভয় মনে ঢুকেছে—'

ভদ্রলোক থামলেন—আমরা তার দিকে চাইলাম।

'যদি সাময়িক কোনও বিপদ থাকায় কেউ চোরাই মাল পাচার করে থাকে—তা হলে তো সে মাল আবার উদ্ধার করতে আসতে পারে। তখন যদি আমার উপর...'

ভদ্রলোকের গলা যেন হঠাৎ শুকিয়ে গেল। কথাটা শেষ করার দরকার ছিল না—কারণ বুঝতে পারছিলাম উনি কী বলতে চাইছিলেন।

ফেলুদা আবার সোফায় বসে পড়ে বলল, 'সবচেয়ে আগে দরকার দুটো জিনিস জানা—এক হচ্ছে আপনার সহযাত্রীদের নাম ধাম, আরেক হচ্ছে এই মূর্তিটা মূল্যবান কি না। দ্বিতীয়টি বোধহয় আপনি জানেন না। কিন্তু প্রথমটার ব্যাপারে কি আপনি কোনও সাহায্য করতে পারেন? অবিশ্যি রেল কোম্পানি তাদের বুকিং লিস্ট দেখে এ ব্যাপারে ইনফরমেশন দিতে পারে—কিন্তু তার আগে এই তিনজন সম্পর্কে আপনার কিছু মনে পড়ে কি না সেটাও জানা দরকার।'

হরিনাথবাবু টাক চুলকে বললেন, 'ঘটনাটা তো খুব বেশিদিন আগের নয়, তাই তিনজনেরই চেহারা মোটামুটি মনে আছে। একজন বাঙালি ছিলেন—তার সঙ্গে অনেক কথা বলেছি আমি। বললেন বালিগঞ্জে থাকেন—কীসের জানি ব্যবসা আছে। চল্লিশের কাছাকাছি বয়স—বেশ জোয়ান লোক। হাসলে দেখা যায় একটা দাঁত সোনা দিয়ে বাঁধানো। নাম জানিনি—তবে তার সুটকেসটা সামনে বেঞ্চির তলায় দেখা যাচ্ছিল—যদ্দুর মনে পড়ে তাতে K.D. লেখা ছিল। আমি আর ইনি মিলেই দুটো লোয়ার বার্থ নিয়েছিলাম। ওপরে যে দুজন ছিলেন, তাদের একজন সারা রাস্তা কথাই বলেননি। ইন ফ্যাক্ট—লোকটিকে দেখে একটু গোলমেলে মনে হচ্ছিল। চশমা পরেন—তবে তার কাচের রং ঘোলাটে। গোঁফ আর জুলফিটার কথা মনে পড়ছে। ওপর থেকে দু-তিন বারের বেশি নেমেছেন বলে মনে পড়ে না। আর অন্যটি ইংরেজিতে কথা বলছিলেন । কোন দেশি লোক বলা শক্ত। বেশ সুপুরুষ চেহারা—বয়সও ত্রিশের বেশি না দেখে পশ্চিমা বলে মনে হল।'

'মাঝপথে কে নেমেছিলেন?'

'সেই পশ্চিমা ভদ্রলোকটি।'

'আর কালো চশমা?'

'তিনি নামলেন হাওড়ায়। গাড়ি থামবার অনেক আগেই মাল টাল বাইরের বারান্দায় নিয়ে গিয়ে অপেক্ষা করছিলেন।'

এর পরে আর বেশি কথা হয়নি। হরিনাথবাবু যাবার সময় বেশ কিন্তু কিন্তু ভাব করে ক্ষমা চাইলেন—'হয়তো বৃথাই আপনার সময় নষ্ট করলাম। আপনি নিশ্চয়ই ব্যস্ত মানুষ—আপনার আরও অনেক অ্যাপয়েন্টমেন্ট থাকে...

আসলে ফেলুদা যে গোয়েন্দাগিরির কাজে সব সময় খুব ব্যস্ত তা মোটেই না। এমনিতে ও

বলে যে খুব ইন্টারেস্টিং কেস না হলে ওর নিতে ইচ্ছেই করে না—আর কেসও যে খুব একটা বেশি আসে তা নয়—তাই ও একটা আপিসে পার্ট টাইম চাকরিও করে। তবে ওর বন্ধুর আপিস বলে লক্ষ লক্ষ ছুটি চাওয়াও ওর পক্ষে খুব অসুবিধে নয়।

ফেলুদা বলল, 'আপনার ঘটনাটা যে ভারী অদ্ভুত তাতে কোনও সন্দেহ নেই—তবে ব্যাপারটা, যাকে এখনও বলে, খুব ধোঁয়াটে অবস্থায় রয়েছে। আমি এখনও এটাকে টেক-আপ করছি বলে বলব না—দু-একটা ইনফরমেশন নিয়ে তারপর আপনার সঙ্গে আবার যোগাযোগ করব।'

হরিনাথবাবু সোফা ছেড়ে উঠে পড়েছিলেন। তিনি এবার পকেট থেকে তার মানিব্যাগটা বার করে তার ভিতর হাতড়াতে লাগলেন। আমি ভাবলাম ফেলুদাকে বুঝি তিনি কিছু আগাম টাকা দেবেন, কিন্তু তার কথায় বুঝলাম তিনি অন্য জিনিস খুঁজছেন।—'কী আশ্চর্য—ভিজিটিং কার্ডগুলো গেল কোথায়?'

ফেলুদা একটু হেসে বলল—'প্রয়োজন হবে না। আপনি যখন ট্যাক্সির ভাড়া দিচ্ছিলেন, তখন আপনার পকেট থেকে একটা কার্ড বেরিয়ে রাস্তায় পড়ে যায়। এই যে—'

ফেলুদা নিজের শার্টের পকেট থেকে একটা কার্ড বার করে দেখাল।

'বাকিগুলো বোধহয় আপনার পাঞ্জাবির পকেটে আছে—কারণ আপনার মানিব্যাগের পাশটা ছিঁড়ে এসেছে। এই বেলা ওটাকে চেঞ্জ করুন।'

সত্যিই ভদ্রলোকের পার্সের অবস্থা শোচনীয়। হরিনাথবাবু জিভ কেটে বললেন, 'যা বলেছেন। যাই হোক—ঠিকানা তো জানেন—টেলিফোনও ওতেই পাবেন। কোনও কিছু জানানোর থাকলে আমাকে ফোন করবেন। সকাল দশটার মধ্যে অথবা সন্ধ্যা সাতটার পরে ফোন করলেই পাবেন।'

'কিন্তু আরেকটা কথা'—ভদ্রলোক দরজার দিকে এগোচ্ছিলেন, ফেলুদা তাকে বাধা দিল। 'আপনার ওই মূর্তিটা ছাড়া তো চলবে না। ওটার মূল্যটা জানা দরকার। স্পেশালিস্টের কাছে যেতে হবে।'

ভদ্রলোক তৎক্ষণাৎ মূর্তির প্যাকেটটা ফেলুদাকে দিয়ে বললেন—'সত্যিই—ভারী ভুল হয়ে গেছে আমার। সত্যি বলতে কী—এটাকে সরাতে পারলে আমার হয়তো কিছুটা নিশ্চিন্তই লাগবে।'

ফেলুদা বলল, 'সরানো মানে অবিশ্যি একদিনের জন্য। কালই আবার আপনি এটা ফেরত পাবেন।'

ভুবন সরকারের নাম ফেলুদার মুখে আগে কখনও শুনিনি, কাজেই তার বাড়িতে যাচ্ছি শুনে ফেলুদাকে জিজ্ঞেস করতে বাধ্য হলাম লোকটি কে।

'আর্টের একজন মস্ত সমঝদার আর সমালোচক। বিলেতেও নামডাক আছে। বৌদ্ধযুগের আর্ট সম্বন্ধে স্পেশালিস্ট। আমার মেজোমামার সহপাঠী। আর কিছু জানতে চাস?'

মাথা নেড়ে মিনমিনিয়ে বললাম, 'না—এই যথেষ্ট।'

আমাদের ট্যাক্সিটা লোয়ার সার্কুলার রোড দিয়ে গিয়ে লর্ড সিনহা রোডে মোড় নিল।

'ওটা বুঝি বুদ্ধের মূর্তি?'

'তোর মুণ্ডু। বৌদ্ধ শিল্প মানেই কি বুদ্ধের মূর্তি? বৌদ্ধ ধর্মের সঙ্গে কানেকটেড কোনও দেবতার মূর্তি হতে পারে না?'

এর পরে একেবারেই চুপ মেরে যেতে হল। মূর্তিটা জানি ফেলুদার প্যান্টের পকেটে রয়েছে। মনে মনে আরেকবার দেখতে ইচ্ছে করছিল—কিন্তু সাহস পেলাম না।

ভুবন সরকারকে দেখেই মনে হল তিনি একজন ভীষণ জ্ঞানী লোক—তা না হলে কপাল অত চওড়া হয় না, চশমার অত পাওয়ার হয় না, আর চুল ওরকম উসকোখুসকো হয় না। ভদ্রলোক তামাক খান, তার জন্যেই বোধহয় দাঁতগুলোতে ব্রাউন রং ধরে গেছে। ফেলুদাকে দেখেই বললেন, 'এসেছ। কই, কী মূর্তি দেখি—আজ আবার ইনস্টিটিউটে একটা লেকচার আছে।'

ফেলুদা বাক্স থেকে মূর্তিটা বার করে ভদ্রলোকের হাতে দিল।

ভুবনবাবু দাঁড়িয়ে ছিলেন; মূর্তিটা হাতে পেয়ে একেবারে চোখের সামনে ধরেই ব্যস্তভাবে একটা টেবিলের সামনে গিয়ে দিনের আলোর উপরেই ল্যাম্প জ্বেলে চেয়ারে বসে মূর্তিটা ল্যাম্পের আলোয় ধরে সেটার উপর একেবারে হুমড়ি খেয়ে পড়লেন। এমনি দেখায় হল না বলে দেরাজ থেকে একটা ম্যাগনিফাইং গ্লাস বের করে দেখলেন। দেখার সময় বিড়বিড় করে কী সব বললেন সেটা শুনতে পেলাম না—কিন্তু দেখা শেষ করেই যেটা বললেন সেটা বোধহয় দোতলার লোকেরাও শুনতে পেল—'ম্যাগনিফিসেন্ট! কোথায় পেলে এ জিনিস?'

ফেলুদা বলল, 'সেটা সিক্রেট। আগে জিনিসটা মূল্যবান কি না সেটা বলুন।'

ভদ্রলোক দাঁত খিঁচিয়ে চেয়ার ছেড়ে উঠে পড়লেন, 'তুমি বলছ কী হে? তিব্বতি আর্টের এ একটা আউটস্ট্যান্ডিং অ্যান্ড রেয়ার স্পেসিমেন। কীসের মূর্তি জানো তো এটা? যমন্তক। চৌত্রিশটা হাত, চারটে মাথা—কোনও সন্দেহ নেই। এত ছোট অথচ এত নিখুঁত তিব্বতি মূর্তি আগে কোনওদিন দেখেছি বলে মনে পড়ে না।'

ফেলুদা বলল, 'কোথাও যদি বিক্রি হয়—কীরকম দাম হবে এটার?'

'এ তো প্রাইসলেস!—শুধু পাথর বসানো সোনার জিনিস বলে নয়—এর ইউনিকনেস-এর জন্য। আমি বলছি এ জিনিস আর দেখিনি—তিব্বতি আর্ট আমি যত দেখেছি তত আর খুব বেশি বাঙালি দেখেছে বলে মনে হয় না। আমি নিজে লাদাখ গিয়েছি—পোটালা প্যালেসে

লামার সঙ্গে দেখা করেছি—আর লামাদের সঙ্গে একসঙ্গে মড়ার খুলিতে চা খেয়েছি। ওয়াং চো-র পথে খচ্চরের পিঠ থেকে পড়ে গিয়ে আমার থাই-বোন ভেঙে যায়—তিব্বতি টোটকা ওষুধে হাড় আবার ম্যাজিকের মতো জোড়া লেগে যায়। তারপর—'

ভদ্রলোক প্রায় তিন মিনিট ধরে তিব্বতে আরও কী কী দেখেছিলেন আর করেছিলেন তাই বলে চললেন। সব শেষে বললেন যে এতদিন তিব্বতে থেকে তিব্বতের জিনিসপত্র দেখেও তিনি বলতে পারেন যে যমন্তকের এই খুদে মূর্তিটার মতো এমন অসাধারণ সুন্দর জিনিস তিনি আর দেখেননি।

১৯৬৯-এক খসড়া খাতা থেকে উপরের এই অসমাপ্ত লেখাটি উদ্ধার করা গেছে। কয়েক পাতা আগে উনি লিখে শেষ করেছিলেন 'শেয়াল দেবতা রহস্য' (যার প্রথম নাম ছিল 'ফেলুদা ও আনুবিস রহস্য' বা শুধু 'আনুবিস রহস্য')। সুতরাং, এ লেখা শেষ করলে সেটা আইন অনুযায়ী ফেলুদার পঞ্চম অ্যাডভেঞ্চার হবার কথা—যদিও গল্প না উপন্যাস তা এই অবস্থায় বলা মুশকিল। ১৯৭০-এ লেখা হল 'গ্যাংটকে গণ্ডগোল', ১৯৭১-এ 'সোনার কেল্লা'—কিন্তু ১৯৭২, অর্থাৎ এই খসড়ার তিন বছর বাদে, ফেলুদার যে চতুর্থ উপন্যাসটি প্রকাশিত হল, তার সঙ্গে এই অসমাপ্ত লেখার এক আশ্চর্য মিল পাওয়া যাচ্ছে। ঠিকই ধরেছ—'বাক্স রহস্য'-র সেই সুপুরির কৌটো কেউ কোনওদিন ভুলতে পারে কি?

আদিত্য বর্ধনের আবিষ্কার

'কোনও মানে হয়?' বললেন লালমোহনবাবু। 'হংকং পর্যন্ত দেখে এলুম, অথচ তাজমহল দেখলুম না এখনও।'

কথাটা সত্যি। দিল্লি গেছি সিমলা যাবার পথে, রাজস্থান যাবার পথে। কিন্তু আগ্রা যাওয়া হয়নি। আসলে আজকাল আমাদের কোথাও যাওয়া মানে একটা রহস্য ধাওয়া করে যাওয়া। আগ্রায় ফেলুদার কোনও কেস পড়েনি, তাই যাওয়া হয়নি।

ফেলুদা বলল, 'আপনার রেলওয়ে বুকিং আপিসে তো কে চেনা আছে বলেছিলেন—দেখুন না দিন দশেকের মধ্যে একটা ফোর-বার্থ কম্পার্টমেন্ট পাওয়া যায় কি না।'

'ফার্স্ট ক্লাস তো?'

'আমার তো অন্যতেও আপত্তি নেই, কিন্তু আপনি ফার্স্ট ছাড়া ট্র্যাভেল করলে তো প্রেস্টিজ থাকবে না। বাংলার বেস্ট সেলিং রহস্য রোমাঞ্চ ঔপন্যাসিক—সে কি আর থ্রি টিয়ারে যেতে পারে?'

'হ্যাঃ হ্যাঃ হ্যাঃ—আপনি কথাও বলতে পারেন। না, সিরিয়াসলি বলছি—যাবেন আগ্রা?'

'হামিন অস্ত্ হামিন অস্ত্ হামিন অস্ত্—'

'সেটা আবার কী?'

'বিশ্বে যদি কোথাও স্বর্গ থেকে থাকে, তো সে এখানেই, এখানেই, এখানেই। তাজমহলের গায়ে ফারসি ভাষায় লেখায় আছে।'

লালমোহনবাবুর প্রতিবেশী রেলওয়ে বুকিং আপিসের কর্মচারী পরিতোষ হোড়ের দৌলতে সাতদিনের মধ্যেই আমরা রেলে রিজার্ভেশন পেয়ে গেলাম। রাত আটটার ট্রেন। আধঘণ্টা আগে গিয়ে বইয়ের দোকান থেকে পথে পড়ার দু-একটা পত্রিকা কিনে কম্পার্টমেন্টে ঢুকে দেখি ঘর ভর্তি লোক। বুঝলাম যে যাচ্ছে একজনই, বাকি সব সি অফ করতে এসেছে। আমাদের দেখে অবিশ্যি একটা লোয়ার বার্থ খালি করে দেওয়া হল, আমরা হাতের জিনিসপত্র রেখে তাতেই পাশাপাশি বসলাম।

এর মধ্যে কোনজন যে যাত্রী সেটা কথাবার্তা থেকেই বোঝা গেল। বছর পঞ্চাশ বয়সের ভদ্রলোক, চোখে চশমা, চওড়া কপালের পিছন দিকে কাঁচা পাকা মেশানো ঢেউ খেলানো ব্যাকব্রাশ করা চুল। চেহারায় যেটার ছাপ আছে—প্রোফেসর বা বৈজ্ঞানিক বা দার্শনিক হলে আশ্চর্য হব না। কথাবার্তায় বুঝলাম ভদ্রলোক দিল্লি যাচ্ছেন একটা বক্তৃতা দিতে—কী বক্তৃতা তা অবিশ্যি বোঝা গেল না।

ফেলুদা আড়চোখে ভদ্রলোককে দেখছে, একবার ফিসফিস করে বলল, 'ব্যস্ত মানুষ। আপন ভোলা।'

'কী করে বুঝলে?'

ফিস ফিস করে উত্তর হল, 'ডান হাতের তিনটে নোখ কেটেছে—বাকিগুলো ভুলে গেছে। তার মানে অন্যমনস্ক। যে দুটো কাটেনি সে দুটো এত বড়—তা থেকে বোঝা যায় সময় পায়নি, অর্থাৎ ব্যস্ত।'

আমার কৌতূহল বেড়ে গেছে।

'আর কী বুঝলে?'

'আরগুলো তোরও বুঝতে পারা উচিত। যেমন ভদ্রলোকের পদবি বোস, বল, বর্মন, বর্ধন, ব্যানার্জি, ভট্টাচার্যি, ভৌমিক, বসাক, বটব্যাল বা ব্রহ্মচারী।'

ভদ্রলোকের সিটের তলায় একটা ভি.আই.পি-র হ্যান্ডেলের দুপারে 'এ. বি.' অক্ষরগুলো রয়েছে সেটা এবার চোখে পড়ল।

ট্রেন ছাড়ার পাঁচ মিনিট আগে কম্পার্টমেন্ট খালি হয়ে গেল।

লালমোহনবাবু উঠে বললেন, 'আমি কিন্তু আপার বার্থ নিচ্ছি।'

ফেলুদা বলল, 'আপনি প্রৌঢ় বয়সে কেন আর কষ্ট করে উঠবেন—'

'প্রৌঢ়!—আই অ্যাম ওনলি ফর্টি থ্রি! আর উপরে আমার ঘুমটা আরও ভাল হয়।'

'তথাস্তু।'

'দিল্লি যাচ্ছেন?' সহযাত্রী লালমোহনবাবুর দিকে ফিরে প্রশ্ন করলেন। বোধহয় বয়স ওঁর বেশি দেখে ওঁকেই আমাদের দলপতি ঠাউরেছেন।

'আগ্রা'—হেসে বললেন লালমোহনবাবু, 'আপনিও কি—'

'আমি আগে যাব দিল্লি—একটা বক্তৃতা আছে। তারপর আগ্রাই যাবার কথা আছে। এখনও তাজমহলটা দেখা হয়নি।'

'আরে, আমাদেরও তো ঠিক সেই ব্যাপার!'

'তাই বুঝি?'

ভদ্রলোক একটা ছোট ব্যাগ খুলে, তার থেকে একটা নোটবুক বার করলেন।

'এক্সকিউজ মি,' ফেলুদা বলল, 'ওই ব্যাগের ভিতরের পত্রিকা থেকে আপনাকে বৈজ্ঞানিক মনে হয়?'

'হ্যাঁ। আই অ্যাম এ কেমিস্ট।'

ফেলুদার ভুরু কুঁচকে গেল। জিজ্ঞেস করল, 'সম্প্রতি কি খবরের কাগজে নাম উঠেছে?'

‘ঠিক ধরেছেন।’

‘আদিত্য শেখর বর্ধন?’

ভদ্রলোক হেসে মাথা নেড়ে হ্যাঁ বললেন।

‘আপনি তো নমস্য ব্যক্তি মশাই। আপনি পেট্রোলের একটা বিকল্প পদার্থ আবিষ্কার করেছেন না?’

‘পদার্থ ঠিক নয় । সোলার পাওয়ার ব্যবহার করে পেট্রোলের কাজ চালানো যায়, এমন একটা ব্যাপার।’

লালমোহনবাবু হাঁ করে দুজনের কথা শুনছেন।

ফেলুদা বলল, ‘আমার তো মনে হয় এটা একটা যুগান্তকারী ব্যাপার। কারণ পেট্রোলিয়ামও চিরটাকাল থাকবে না। পৃথিবীতে তেলের স্টক তো অফুরন্ত নয়। এমনকী মিডল ইস্টেও নয়।’

‘ঠিকই বলেছেন। এটা একটা আন্তর্জাতিক হেড-এক। তেল ফুরোলে কী হবে?’

‘তা আপনি এই আবিষ্কারের পেটেন্ট নেননি? একটা ফরমুলা তো আছে নিশ্চয়ই।

‘তা আছে বইকী। তবে এ তো আমাদের মাসখানেকের ব্যাপার। আমি রিসার্চ করছি আজ তিন বছর ধরে।’

‘কিন্তু আমার তো মনে হচ্ছে এটা একটা গোল্ড মাইন! ফরমুলাটা সাবধানে রেখেছেন তো? ওটা কিন্তু—’

ফেলুদার কথা শেষ হল না। একজন ভদ্রলোক আমাদের ঘরে এসে ঢুকেছেন। প্রায় ছ'ফুট লম্বা, আর মানানসই রকম চওড়া, পাকানো গোঁফ, ফ্রেঞ্চ কাট দাড়ি।

‘দুজন এমিনেন্ট লোক এক কম্পার্টমেন্টে ট্র্যাভেল করছেন শুনে দেখতে এলাম।’

একী! লোকটা ফেলুদাকে চেনে নাকি? নাকি লালমোহনবাবুকে?

‘মে আই সিট ডাউন?’

‘নিশ্চয়ই।’

মিস্টার বর্ধন তাঁর বাক্সটা সরিয়ে জায়গা করে দিলেন। নতুন ভদ্রলোকটি ইংরিজি মিশিয়ে হিন্দি টানে বাংলা বলেন।

‘আমি আপনাদের চিনি না, পাশের বোগিতে এক ভদ্রলোক বললেন আপনাদের কথা। দি কোয়েশ্চন ইজ—কে সাহিত্যিক আর কে ডিটেকটিভ?’

মিঃ বর্ধনও অবাক। ‘আপনি কি ডিটেকটিভ নাকি?’ ফেলুদার দিকে চেয়ে প্রশ্ন করলেন।

‘আজ্ঞে হ্যাঁ। ওটাই আমার পেশা। আমার নাম প্রদোষ মিত্র। ইনিও এঁর লাইনে কম বিখ্যাত নন। মিঃ গাঙ্গুলী—রহস্য রোমাঞ্চ উপন্যাস লেখেন।’

‘হেঁ হেঁ।’

‘হাউ ইন্টারেস্টিং,’ বললেন মিঃ বর্ধন। ‘বুঝেছি—তাই জন্যেই সাবধানতার কথা বলছিলেন। আপনার বোধহয় ওই সব ফরমুলা চুরির ব্যাপারে অভিজ্ঞতা আছে?’

‘তা অল্পবিস্তর আছে, মিঃ বর্ধন।’

আগন্তুক ভদ্রলোক বোধহয় মনে করলেন এবার তাঁর পরিচয়টাও দেওয়া উচিত। হয়তো তাঁর লাইনে তিনিও কিছু কম বিখ্যাত নন।

‘মাই নেম ইজ যোগীন্দর রাঠোর। আমার কারবার আছে দিল্লিতে—জুয়েলারি। আপনার বিষয় আমি পেপারে পড়ছিলাম। ভেরি ইন্টারেস্টিং। আই থিংক ইউ উইল বি এ রিচ ম্যান সুন!’

‘জানি না’, হেসে বললেন মিঃ বর্ধন। ‘এমনও হতে পারে যে এ জিনিস আগেই আবিষ্কার হয়ে গেছে। সেক্ষেত্রে আমার ফরমুলার আর কোনও মূল্যই থাকবে না। এই টেকনোলজির যুগে বৈজ্ঞানিকরা তো আর বসে নেই।’

‘এনিওয়ে,’—মিঃ রাঠোর উঠে পড়লেন, ‘যদি আপনার ফরমুলা বিক্রি করার কথা ভাবেন, দেন থিংক অফ মি ফার্স্ট! হে হে—আমার অফার রইল!’

মিঃ রাঠোর চলে যাওয়াতে কামরাতে হঠাৎ যেন জানাজানি বেড়ে গেল।

‘আপনি তো খদ্দের পেয়ে গেলেন মশাই,’ বললেন লালমোহনবাবু।

মিঃ বর্ধন হেসে বললেন, ‘খদ্দের এখানে কেন? বাইরে থেকেও এনকোয়ারি এসেছে। দুটো অ্যামেরিকান কেমিক্যাল ফার্ম। আমি সামনের মাসেই স্টেটসে যাচ্ছি। তারপর দেখা যাক কী হয়।...আপনারা কোথায় উঠছেন আগ্রায়?’

‘আগ্রা হোটেল’, বলল ফেলুদা।

‘প্রোফেশনালি হয়তো আপনার সঙ্গে দেখা করার কোনও প্রয়োজন হবে না—আশা করি না—তবে আমি আগ্রা যাব শনিবার। থাকব ক্লার্কে। যদি ফাঁক পান একবার চলে আসবেন। ওখানে আমার কোনও কাজ নেই—তাজমহল, ফতেপুর সিক্রি—এইসব দেখার জায়গাগুলো একটু দেখব আর কী। সঙ্গী পেলে ভালই লাগবে। আর আপনি চিন্তা করবেন না মিঃ মিত্র। আপনি গোয়েন্দা, তাই বোধহয় চতুর্দিকে ক্রিমিন্যাল দেখতে পান। আমার ফরমুলা নিরাপদেই থাকবে।’

১৯৮৩

১৯৮৩ সালের এক খাতা থেকে ফেলুদার এই অসমাপ্ত খসড়াটা পাওয়া গেছে। খাতা শুরু হয়েছে তারিণীখুড়োর এক কাহিনী দিয়ে (তারিণীখুড়ো ও এক বেতাল)। অন্যান্য লেখার মধ্যে আছে—‘সাধনবাবুর সন্দেহ’ (গল্প), ‘আশ্চর্যজন্তু’ (শঙ্কু), ‘মানপত্র’ (গল্প), ‘গগন চৌধুরীর স্টুডিও’ (গল্প), ‘জাহাঙ্গীরের স্বর্ণমুদ্রা’ (ফেলুদা), ‘অপুর সঙ্গে আড়াই বছর’ (প্রবন্ধ) ও ‘এবার কাণ্ড কেদারনাথে’ (ফেলুদা)।

গ্রন্থ-পরিচয়

হত্যাপুরী

প্রথম প্রকাশ: সন্দেশ, শারদীয়া ১৩৮৬।

গ্রন্থাকারে প্রকাশ: ১ বৈশাখ ১৩৮৮। আনন্দ পাবলিশার্স প্রাইভেট লিমিটেড।

প্রচ্ছদ ও অলংকরণ: সত্যজিৎ রায়

'ফেলুদার সপ্তকাণ্ড' গ্রন্থে সংকলিত। প্রথম সংস্করণ: নভেম্বর ১৯৯৮। আনন্দ পাবলিশার্স প্রাইভেট লিমিটেড।

গোলকধাম রহস্য

প্রথম প্রকাশ: সন্দেশ, বৈশাখ-শ্রাবণ ১৩৮৭।

গ্রন্থাকারে 'আরো বারো'-এর অন্তর্ভুক্ত। প্রথম সংস্করণ: সেপ্টেম্বর ১৯৮১। আনন্দ পাবলিশার্স প্রাইভেট লিমিটেড।

'কলকাতায় ফেলুদা' গ্রন্থে সংকলিত। প্রথম সংস্করণ: জানুয়ারি ১৯৯৮। আনন্দ পাবলিশার্স প্রাইভেট লিমিটেড।

যত কাণ্ড কাঠমাণ্ডুতে

প্রথম প্রকাশ: দেশ, শারদীয়া ১৩৮৭।

গ্রন্থাকারে প্রকাশ: আগস্ট ১৯৮২। আনন্দ পাবলিশার্স প্রাইভেট লিমিটেড।

প্রচ্ছদ ও অলংকরণ: সত্যজিৎ রায়

'পাহাড়ে ফেলুদা' গ্রন্থে সংকলিত। প্রথম সংস্করণ: জানুয়ারি ১৯৯৬। আনন্দ পাবলিশার্স প্রাইভেট লিমিটেড।

নেপোলিয়নের চিঠি

প্রথম প্রকাশ: সন্দেশ, শারদীয়া ১৩৮৮।

গ্রন্থাকারে 'ফেলুদা ওয়ান ফেলুদা টু' গ্রন্থের অন্তর্ভুক্ত। প্রথম সংস্করণ: জানুয়ারি ১৯৮৫। আনন্দ পাবলিশার্স প্রাইভেট লিমিটেড।

'ফেলুদা একাদশ' গ্রন্থে সংকলিত। প্রথম সংস্করণ: ডিসেম্বর ২০০০। আনন্দ পাবলিশার্স প্রাইভেট লিমিটেড।

টিনটোরেটোর যীশু

প্রথম প্রকাশ: দেশ, শারদীয়া ১৩৮৮।

গ্রন্থাকারে প্রকাশ: সেপ্টেম্বর ১৯৮৩। আনন্দ পাবলিশার্স প্রাইভেট লিমিটেড।

প্রচ্ছদ ও অলংকরণ: সত্যজিৎ রায়।

'ফেলুদার পান্‌চ' গ্রন্থে সংকলিত। প্রথম সংস্করণ: আগস্ট ২০০০। আনন্দ পাবলিশার্স প্রাইভেট লিমিটেড।

অম্বর সেন অন্তর্ধান রহস্য

প্রথম প্রকাশ: আনন্দমেলা, ৪, ১৮ মে; ১, ১৫ জুন ১৯৮৩।

গ্রন্থাকারে 'এবারো বারো'-এর অন্তর্ভুক্ত। প্রথম প্রকাশ: ২ মে ১৯৮৪। আনন্দ পাবলিশার্স প্রাইভেট লিমিটেড।

'কলকাতায় ফেলুদা' গ্রন্থে সংকলিত। প্রথম সংস্করণ: জানুয়ারি ১৯৯৮। আনন্দ পাবলিশার্স প্রাইভেট লিমিটেড।

জাহাঙ্গীরের স্বর্ণমুদ্রা

প্রথম প্রকাশ: সন্দেশ, শারদীয়া ১৩৯০।

গ্রন্থাকারে 'এবারো বারো'-এর অন্তর্ভুক্ত। প্রথম প্রকাশ: ২ মে ১৯৮৪। আনন্দ পাবলিশার্স প্রাইভেট লিমিটেড।

'ফেলুদা একাদশ' গ্রন্থে সংকলিত। প্রথম সংস্করণ: ডিসেম্বর ২০০০। আনন্দ পাবলিশার্স প্রাইভেট লিমিটেড।

এবার কাণ্ড কেদারনাথে

প্রথম প্রকাশ: দেশ, শারদীয়া ১৩৯১।

গ্রন্থাকারে 'ফেলুদা ওয়ান ফেলুদা টু' গ্রন্থে অন্তর্ভুক্ত। প্রথম সংস্করণ: জানুয়ারি ১৯৮৫। আনন্দ পাবলিশার্স প্রাইভেট লিমিটেড।

'পাহাড়ে ফেলুদা' গ্রন্থে সংকলিত। প্রথম সংস্করণ: জানুয়ারি ১৯৯৬। আনন্দ পাবলিশার্স প্রাইভেট লিমিটেড।

বোসপুকুরে খুনখারাপি

প্রথম প্রকাশ: সন্দেশ, শারদীয়া ১৩৯২।

গ্রন্থাকারে 'একের পিঠে দুই' গ্রন্থে অন্তর্ভুক্ত। প্রথম সংস্করণ: জানুয়ারি ১৯৮৮। আনন্দ পাবলিশার্স প্রাইভেট লিমিটেড।

'কলকাতায় ফেলুদা' গ্রন্থে সংকলিত। প্রথম সংস্করণ: জানুয়ারি ১৯৯৮। আনন্দ পাবলিশার্স প্রাইভেট লিমিটেড।

দার্জিলিং জমজমাট

প্রথম প্রকাশ: দেশ, শারদীয়া ১৩৯৩।

গ্রন্থাকারে প্রকাশ: সেপ্টেম্বর ১৯৮৭। আনন্দ পাবলিশার্স প্রাইভেট লিমিটেড।

প্রচ্ছদ ও অলংকরণ: সত্যজিৎ রায়।

'পাহাড়ে ফেলুদা' গ্রন্থে সংকলিত। প্রথম সংস্করণ: জানুয়ারি ১৯৯৬। আনন্দ পাবলিশার্স প্রাইভেট লিমিটেড।

ভূস্বর্গ ভয়ংকর

প্রথম প্রকাশ: দেশ, শারদীয়া ১৩৯৪।

গ্রন্থাকারে 'ডবল ফেলুদা'-এর অন্তর্ভুক্ত। প্রথম সংস্করণ: সেপ্টেম্বর ১৯৮৯। আনন্দ পাবলিশার্স প্রাইভেট লিমিটেড।

'পাহাড়ে ফেলুদা' গ্রন্থে সংকলিত। প্রথম সংস্করণ: জানুয়ারি ১৯৯৬। আনন্দ পাবলিশার্স প্রাইভেট লিমিটেড।

ইন্দ্রজাল রহস্য

রচনাকাল: ২২.৪.৮৭-২৬.৪.৮৭

প্রথম প্রকাশ: সন্দেশ, অগ্রহায়ণ-মাঘ ১৪০২।

গ্রন্থাকারে 'কলকাতায় ফেলুদা' গ্রন্থে সংকলিত। প্রথম সংস্করণ: জানুয়ারি ১৯৯৮। আনন্দ পাবলিশার্স প্রাইভেট লিমিটেড।

অলংকরণ: সুব্রত গঙ্গোপাধ্যায়

অপ্সরা থিয়েটারের মামলা

প্রথম প্রকাশ: সন্দেশ, শারদীয়া ১৩৯৪।

গ্রন্থাকারে 'ডবল ফেলুদা'-এর অন্তর্ভুক্ত। প্রথম সংস্করণ: সেপ্টেম্বর ১৯৮৯। আনন্দ পাবলিশার্স প্রাইভেট লিমিটেড।

'কলকাতায় ফেলুদা' গ্রন্থে সংকলিত। প্রথম সংস্করণ: জানুয়ারি ১৯৯৮। আনন্দ পাবলিশার্স প্রাইভেট লিমিটেড।

শকুন্তলার কণ্ঠহার

প্রথম প্রকাশ: দেশ, শারদীয়া ১৩৯৫।

গ্রন্থাকারে 'জবর বারো' গ্রন্থের অন্তর্ভুক্ত। প্রথম সংস্করণ: মে ১৯৯৬। আনন্দ পাবলিশার্স প্রাইভেট লিমিটেড।

এই কাহিনীর অলংকরণ: সমীর সরকার

'ফেলুদার সপ্তকাণ্ড' গ্রন্থে সংকলিত। প্রথম সংস্করণ: নভেম্বর ১৯৯৮। আনন্দ পাবলিশার্স প্রাইভেট লিমিটেড।

ডাঃ মুনসীর ডায়রি

রচনাকাল: ১৯.৬.৮৯-২৩.৬.৮৯

প্রথম প্রকাশ: সন্দেশ, শারদীয়া ১৩৯৭।

গ্রন্থাকারে 'বা! বারো'-র অন্তর্ভুক্ত। প্রথম সংস্করণ: জানুয়ারি ১৯৯৪। আনন্দ পাবলিশার্স প্রাইভেট লিমিটেড।

'কলকাতায় ফেলুদা' গ্রন্থে সংকলিত। প্রথম সংস্করণ: জানুয়ারি ১৯৯৮। আনন্দ পাবলিশার্স প্রাইভেট লিমিটেড।

লন্ডনে ফেলুদা

প্রথম প্রকাশ: দেশ, শারদীয়া ১৩৯৬।

গ্রন্থাকারে 'ফেলুদা প্লাস ফেলুদা' গ্রন্থের অন্তর্ভুক্ত। প্রথম সংস্করণ: ২ মে ১৯৯২। আনন্দ পাবলিশার্স প্রাইভেট লিমিটেড।

'ফেলুদা একাদশ' গ্রন্থে সংকলিত। প্রথম সংস্করণ: ডিসেম্বর ২০০০। আনন্দ পাবলিশার্স প্রাইভেট লিমিটেড।

নয়ন রহস্য

প্রথম প্রকাশ: দেশ, শারদীয়া ১৩৯৭।

গ্রন্থাকারে প্রকাশ: জানুয়ারি ১৯৯১। আনন্দ পাবলিশার্স প্রা. লি.

'ফেলুদার পাঞ্চ' গ্রন্থে সংকলিত। প্রথম সংস্করণ: আগস্ট ২০০৩। আনন্দ পাবলিশার্স প্রাইভেট লিমিটেড।

রবার্টসনের রুবি

প্রথম প্রকাশ: দেশ, শারদীয়া ১৩৯৯।

গ্রন্থাকারে প্রকাশ: ২ মে ১৯৯৪। আনন্দ পাবলিশার্স প্রাইভেট লিমিটেড।

প্রচ্ছদ ও অলংকরণ: সুব্রত গঙ্গোপাধ্যায়

'ফেলুদা একাদশ' গ্রন্থে সংকলিত। প্রথম সংস্করণ: ডিসেম্বর ২০০০। আনন্দ পাবলিশার্স প্রাইভেট লিমিটেড।

অসমাপ্ত ফেলুদা

তোতা রহস্য (প্রথম খসড়া ও দ্বিতীয় খসড়া)

প্রথম প্রকাশ: সন্দেশ, শারদীয়া ১৪০৩।

বাক্সরহস্য (প্রথম খসড়া)

প্রথম প্রকাশ: সন্দেশ, শারদীয়া ১৪০২।

আদিত্য বর্ধনের আবিষ্কার

প্রথম প্রকাশ: সন্দেশ, শারদীয়া ১৪০৪।

উপরোক্ত অসমাপ্ত কাহিনীগুলি সংকলিত হয় 'ফেলুদা একাদশ' গ্রন্থে। প্রথম সংস্করণ: ডিসেম্বর ২০০৪। আনন্দ পাবলিশার্স প্রাইভেট লিমিটেড।

অলংকরণ: অভিজিৎ চট্টোপাধ্যায়